АНДРЕЙ ПЛАТОНОВ
ГОСУДАРСТВЕННЫЙ ЖИТЕЛЬ

Составитель
М. А. Платонова.

Вступительная статья и комментарии
В. А. Чалмаева.

АНДРЕЙ ПЛАТОНОВ

ГОСУДАРСТВЕННЫЙ ЖИТЕЛЬ

ПРОЗА
РАННИЕ СОЧИНЕНИЯ
ПИСЬМА

МОСКВА
СОВЕТСКИЙ ПИСАТЕЛЬ
1988

Художник
ЕЛЕНА ТРОФИМОВА

Платонов А. П.

П 37   Государственный житель: Проза, письма.— М.: Советский писатель, 1988.—608 с.

ISBN 5—265—00404—1

Произведения Андрея Платоновича Платонова (1899—1951) — самобытного художника горьковской школы — прочно вошли в золотой фонд русской советской литературы. Но даже самые полные издания далеко не исчерпали богатейшего литературного наследия этого мудрого и виртуозного мастера слова.

В новый сборник наряду с полюбившимися читателям повестями и рассказами вошли его ранее не публиковавшиеся в книгах повести, публицистика 1918—1922 годов, письма и записные книжки.

4702010200—048
П ————————— 111—87   ББК 84 Р7
    083(02)—88

«НЕЧАЯННОЕ» И ВЕЧНОЕ СОВЕРШЕНСТВО
АНДРЕЯ ПЛАТОНОВА

> «Все возможно — и удается все,
> но главное — сеять души в людях»
>
> *А. Платонов. Из записных книжек*

> «Умейте узнавать углы событий
> В мгновенной пене слов...»
>
> *Вел. Хлебников* «Легли раз-
> биты, шкурой мамонта» (1920)

Замечательный русский живописец Кузьма Петров-Водкин — а его живопись весьма родственна прозе Андрея Платонова — однажды весьма своеобразно обрисовал смысл сложнейших испытаний, которым подверг его сознание и реалистическое мастерство XX век. Он задумался о пошатнувшемся внезапно, доселе устойчивом эвклидовом пространстве, о своей кисти, которой надо, вроде бы, уже искать альтернативы реализму... «Непоседничество, подобно древней переселенческой тяге, охватило вступивших в новый век».

В сущности, это очень драматичный пролог, своего рода развернутый эпиграф к судьбе Андрея Платонова. К смыслу его, алмазной крепости, Слова, прошедшего войны и революции, сформированного давлениями грандиозных сдвигов, не испуганного небывалой новизной и психологической сложностью «сокровенного человека» XX века.

«Двадцатый век наступил не просто,— писал в автобиографии «Пространство Эвклида» художник.— Ведь из четырех цифр сорвались с места три: одна из девяток перескочила к единице и два нуля многообещающе расчистили дорогу идущему электромагнитному веку с летательными машинами, стальными рыбами и прекрасными, как чертово наваждение, дредноутами.

Главным признаком новой эры наметилось движение, овладение пространством. Непоседничество, подобно древней переселенческой тяге, охватило вступивших в новый век... Форма теряла свои очертания и плотность, она настолько расширилась своими порами, что, нащупывая ее, проходил нащупывающий сквозь форму... Моя живопись болталась пестом о края ступы... Томился я, терял самообладание, с отчаянием

5

спрашивал себя: сдаться или нет, утерплю или не вытерплю зазыва в символизм, в декадентство, в ласкающую жуть неопределенностей..?

Надо было бежать, хотя бы временно наглотаться другой действительности»[1].

Если говорить образным языком Петрова-Водкина, то и после 1900 года цифры стремительного летосчисления XX века срывались с мест. И сквозь новые нули, как зияющие отверстия, и мимо их, мимо «единиц» и «девяток», как в 1914 или 1939 годы, в грозовое пространство века врывалось очень многое. И социальные бури, обновлявшие планету. И новые «чертовы наваждения»— вроде туманностей газовых атак под Верденом или страшных смертельных «грибов» в небе Хиросимы... Для кого-то, правда, и такое было всего лишь «хорошей физикой»... В общем-то не были чем-то обязательным, роковым и новые «зазывы... в декаденство»— но и в XX веке оказалось еще возможным эпическое исследование самой жгучей современности («**Тихий Дон**» М. Шолохова). Но чья живопись или Слово — особенно при искреннем желании сохранить власть над катастрофически усложнявшейся действительностью, выдержать все перегрузки, все жестокие впечатления! — не болтались порой в растерянности, испуге в ступе гигантских водоворотов? Или не шли на «проселки» добросовестной описательности, шли в обход подлинных сложностей, пожиная недолговечные плоды половинчатых ответов, полуправд, малодушия? Заглянуть в зрачки середины века было еще труднее...

«Прекрасный и яростный мир» платоновской прозы — среди всех побед и потрясений века — один из немногих художественных миров, которые в известной мере наиболее соответственны, внутренне адекватны уровню надежд и тревог, бурь и скоростей, взлетов и падений XX века. В свернутом виде он заключает в себе самые сложные гуманистические проблемы времени, и прежде всего проблему сохранения, сбережения самой жизни на земле. Платоновский «космос»— это та вымышленная, но не иллюзорная, а нужная каждому действительность, которой поистине надо наглотаться, чтобы сберечь, удержать и развить в себе благородство, мужество и деятельный гуманизм в современной борьбе за мир. И в сражении со всеми, кто хотел бы, как говорил Платонов, «низвести человека до уровня, до «механики животного», «размолоть человечество в империалистической войне, деморализовать и развратить его, ликвидировать все результаты исторической культуры». (Из рецензии «Рассказы о просторе», 1939 г.)

* * *

...А между тем писал Андрей Платонов как будто нарочито «тихо», не пробуя никого вокруг себя перекричать. Никаких дредноутов, грандиозных взрывов, криков... И вслушивался он, подлинный волшебник слова, перебиравший «четки мудрости златой» (Пушкин) не в звучание фраз, а в сложную мелодию, в тревожные вариации мысли, повели-

---

[1] Петров-Водкин К. С. «Хлыновск. Пространство Эвклида. Самаркандия». М., «Искусство», 1982, с. 369.

тельно-глубокой, неизменно оригинальной, часто афористически-законченной. Ежедневный, даже ежечасный труд созерцания и осмысления мира настолько поглощал Платонова, что слов гулких, цветистых, но бездуховных, не наполненных смыслом он стыдился. Даже у других писателей. Он, вероятно, лишь улыбнулся бы про себя, если бы к нему отнесли слова Вел. Хлебникова: «Нет, не бывает у бури кавычек»... Бывают, и даже очень строгие, не разрываемые никакими эмоциями, если... Если мысль о «выходе в счастье» (так называлась одна статья о Платонове), о возможностях человеческой души в час испытаний станет мукой писателя, его радостью, вечно неуловимой и влекущей загадкой... Что тогда олитературенность чувств, «сладкозвучие» стиля, затейливые комбинации слов и фраз? Об этом Андрей Платонов как будто не сразу и... вспоминал! «...Чтобы что-нибудь полюбить, я всегда должен сначала найти какой-то темный путь для сердца, к влекущему меня явлению, а мысль шла уже вслед»,— писал он в 1922 году.

Все необычно, психологически непохоже ни на что в мире Платонова... Даже вспоминая о детстве в повести «Ямская слобода», он забывает о себе, о своем «я». Его перо не отдыхает на бесхитростных описаниях родных воронежских степей. Он сразу же спрямляет путь к затемняемому обычно мелочами смыслу явления, состояния природы или человеческой души. Воронежская земля, край Кольцова, степей безбрежных колыханье, «ветер с полудня»... Платонов не меньше Кольцова и Никитина любит родину, край своей молодости, но об этой любви он скажет предельно сдержанно, заботливо, скорее как инженер-мелиоратор или агроном, забыв о своем «я». Из памяти его, конечно, не улетучатся и боязнь сиротства, и нищета детских лет в той же Ямской слободе, вынудившая его в 14 лет находить работу — вначале рассыльным в страховом обществе «Россия», затем помощником слесаря, рабочим литейки. Но, говоря о своем детстве, он вновь прежде всего скажет о сжатой, сдавленной грузом житейских невзгод, но не убитой душе ребенка. Платонов говорит о душе ребенка, напоминая каждому, что человек — твое первое и, вероятно, всегда главное имя. Голос Платонова, слегка приглушенный, утомленно-печальный, сразу, уже в ранних рассказах, покоряет бесконечной стыдливостью, сдержанностью, какой-то грустной кротостью:

«Он был когда-то нежным, печальным ребенком, любящим мать, и родные плетни, и поле, и небо над всеми ими... Ночью душа вырастала в мальчике, и **томились в нем глубокие сонные силы,** которые когда-нибудь взорвутся и вновь сотворят мир. В нем цвела душа, как во всяком ребенке, в него входили темные, неудержимые, **страстные силы мира** и превращались в человека. Это чудо, на которое любуется каждая **мать каждый день в своем ребенке.** Мать спасет мир, потому что делает его человеком».

Какая напряженная, проницательная забота — внести в мир, завороженный триумфами грубой силы, массы, количества, голой научной мысли, «хорошей физики», почти упускаемый из вида стыдливый и древний компонент истинного прогресса — человечность матери, ее великую тревогу и надежду! «Мать спасет мир»...

И не правда ли — как непривычно для 20-х годов, среди резких, рубленых фраз, «лающих» интонаций и резких жестов это слово Платонова? Вероятно, после А. П. Чехова не было в русской прозе художника, наделенного не меньшей стыдливостью перед ложно-пафосным, громким словом, перед цветистым, почти рекламным образом.

Скрытое многоголосие, мятежность чувств сведены у Платонова — это воистину мир художника XX века, носящего бурю в себе! — к немногим, внешне даже бесстрастным интонациям. Античный «дискобол» бросает диск, начиная «кружение» всем телом, экономя, концентрируя энергию! Никакой распыляющей силы жестикуляции словом, нарядности образов и у Платонова. И при всем лаконизме — поразительный дар величайшей интимности, своеобразная «рукописность» души, которую и сейчас не убивает в платоновской строке механический печатный станок: платоновская проза кажется похожей на письма от руки самым близким, и не всем сразу, а каждому отдельно и особо, индивидуально предназначенные. Можно сказать, Платонов даже любил этот сентиментальный «карамзинский жанр» XVIII века — интимность писем в прозе, несущих доверие, неотчужденность, удивление и наивности. «Царь Петр весьма могучий человек, хотя и **разбродный** и шумный понапрасну. Его разумение подобно его стране: **потаенно обильностью**, но **дико лесной и зверной очевидностью**. Однако к иноземным корабельщикам **он целокупно благосклонен и яростен на щедрость им**»,— такое письмо невесте заезжего инженера Бертрана Перри в «Епифанских шлюзах» кажется интимным, доверительным посланием к нам, в XX век.

Платонов — всегда собеседник, обращающийся к отдельному человеку, а не оратор, «охватывающий», как ему кажется, сразу тысячи голов. Он весь — не в отдалении, не над человеком, а «у человеческого сердца». Так хотел Платонов назвать свою лучшую книгу.

Порой кажется, что он не любил даже весеннего буйства красок, мощи стихий океанов, гор, хоровых возгласов, массовых движений людей. Всегда над его художественным миром тишина и серовато-лиловое небо осени, ранней весны, холодок зрелой и мучительно-пронзительной мысли. Одним словом, то неуловимое, что увидел Ф. И. Тютчев в среднерусской осени, отдавшей человеку все плоды, все взращенное пашнями, садами, отдыхающей в светлости своих вечеров:

> Ущерб, изнеможенье и во всем
> Та кроткая улыбка увяданья,
> Что в существе разумном мы зовем
> Божественной стыдливостью страданья.

Это, кстати говоря, и почти точный портрет Андрея Платонова, образ его души. С весьма немногих имеющихся в семье писателя фотографий смотрит и сейчас на читателя — а он необыкновенно велик у Платонова! — человек, не знавший экстаза театральности, пыльного света рефлекторов славы. Смотрит человек, убежденный в том, что чужого страдания и боли не бывает, и потому за «общими масштабами» всегда помнящий о «частном Макаре». Этот человек не озирается на тень свою — славу, он, кажется, помнит всегда об одном: «Когда ты говоришь, слова твои должны быть лучше... молчания...» На этом лице замечаешь одни глаза — «живую поверхность его сердца».

8

Ни регалий успеха, ни бесчувственной важности — вся телесная оболочка человека на этом портрете кажется и простоватой, «арифметической» и тревожно-хрупкой для того огня сложнейшей гуманистической мысли, который он, автор повестей «Джан», «Сокровенный человек», шедевров новеллистики «Река Потудань», «Фро» и «Возвращение», вызвал в себе.

* * *

«Жизнь сразу превратила меня из ребенка во взрослого человека, лишая юности»,— признался однажды Андрей Платонов. Не всегда это хорошо. Лишенный впечатлений юности художник — в известной мере художник без важного звена биографии, создавший себя как-то случайно, вдруг. Таким художником без биографии, кем-то вроде самородка, слабо связанного с многовековой культурой, любопытного своей неоформленностью, «корявостью» и непричесанностью, и считался долгое время «внекультурный» Платонов, как Кольцов — «без наук образованный природой». Эту иллюзию выключенности из идеологических контекстов, самородности как будто поддерживал и сам Платонов. Он, например, очень любил слово «нечаянно». Безусловно, о себе сказано им: «Я нечаянно стал, один живу, хожу и думаю» («Глиняный дом в уездном саду»). Нечаянно, случайно, «внепланово», «с кем-то спутали» и... потому заметили, по капризу судьбы, «в случай попал»... Так говорят о творческой биографии самородка. Но как накопил этот юноша из мастеровых — уже к октябрю 1917 года — огромный душевный опыт? Как создал он в себе чудесный внутренний слух к чужому горю, дерзко не признав мудрости, что «чужая душа потемки»? Где научился он ощущать человеческую душу, как нечто весьма пластичное, как «вещество существования», не всегда и вовсе не механически подвластное давлению внешних обстоятельств?

Судьба не признает «нечаянности», гримаса одобрения складывается на ее лике как оценка гигантского труда избранника.

Академик В. И. Вернадский, вероятнее всего тоже не зная о платоновском искусстве улавливать «последнее уловимое» в тревоге матери, в сердечном порыве благодарности девочки-сироты («На заре туманной юности»), в твердой убежденности мастера — «без меня народ неполный» («Жена машиниста»), однажды сказал о редком обогащении в XX веке содержания секунды, минуты, любого эмпирического мгновения. В век расщепления атома в каждом мгновении стал виден свой микрокосмос, своя неучтенная энергия, а потому... «В этом явлении микрокосмоса,— отмечал создатель учения о «ноосфере»,— для нашего сознания бездонного мы подходили к делению нашей личности; сколько бессознательных и сознательных процессов переживает каждый из нас в ничтожную долю времени, в мгновение!»[1]

Но чтобы научиться так продлевать, длить нашу личность, увеличивать объем духовной жизни и нить чувств, а не просто размазывать дешевый «лиризм» или пустоватый «поток сознания», нужно было

[1] Вернадский В. И. Проблема времени в современной науке (1931).— В кн. Размышления натуралиста. М., «Наука», 1975, кн. I, с. 48.

самому художнику иметь сложнейшую внутреннюю биографию, быть способным продлиться в неосвоенные, рожденные новой исторической жизнью психологические миры своей личности! Человечество в XX веке действительно вступило из биосферы в «ноосферу», своеобразное царство разума, в котором свободно мыслящее человечество как единое целое отныне стало мощной силой. Так писал В. И. Вернадский. Но это не значит, что каждый из нас, без труда, без усилий, лежа на боку, тоже перевалился в это же царство...

«Разгерметизировать» платоновскую художественную вселенную невозможно, если, оперируя платоновскими текстами, по традиции определять и его художественные образы как «инструменты познания мира, модели авторской мысли о мире» и т. п. Платоновские образы, даже «микрообразы» — это столько же инструмент, сколько и сам мир... А модели платоновской мысли, его «жизненно-философские формулы» — вовсе не застылое предписание, а в известной мере «текучее», изменчивое богатство непрерывно идущего познания. Это открытая книга жизни, незавершенная вечно, а не холодный, отчужденный от нее «инструмент».

Где и когда началось это «дление» личности, раздвижение границ души, рождение «прекрасного и яростного мира» платоновской прозы, публицистики и драматургии?

...В сентябре 1918 года, когда Андрею Платонову было девятнадцать лет,— а он уже поработал подручным мастера в литейке и рабочим на трубочном заводе в годы первой мировой войны — в Воронеже появился журнал с громким, демонстративно пролетарским названием — «Железный путь». Это был неожиданный, непохожий на старое вестник новой эпохи, культурной революции. «Воронеж — город хлебный, с мешками и купцами. Здесь крепко устояли люди и фамилии»,— так вспоминал родину Платонова живший здесь в молодости Б. Эйхенбаум («Мой временник»). И вдруг — железный путь, вместо покоя — само движение. Выпустил журнал Культпросветотдел Юго-восточных железных дорог. Уже из передовой статьи, как будто не пером написанной, а молотом выкованной, читатель узнавал, что журнал «исключительно призывно устремлен вперед» и — приобщался к его программе:

«...Мы... недаром выбрали свое название: «Железный путь» не потому, что мы обслуживаем железный путь советских железных дорог. Нет. Мы потому еще «Железный путь», что путь к социализму, путь к земному царству устлан терниями жестче железа. Мы — «Железный путь» к счастью и свободе всего мира, всего человечества».

Не слишком ли возвышенно, чрезмерно-громко для рядового, провинциального в общем-то, журнала звучит эта программа? Кажется, что некие энтузиасты возложили на плечи обязанности, которые они сами себе предписали. Воронеж — это, конечно, ворота в хлебное Поволжье, начало пути к хлопку Туркестана, в «стеклянную хмарь Бухары» (Есенин), на Дон и Кубань... Но тут речь идет об ином земном царстве, почти что о земле обетованной!..

Все преувеличенное, якобы чрезмерное для нас в Воронеже платоновской молодости, когда так удивительно молода была сама революция, звучало с убеждающей естественностью. У этого времени были свои жесты, лексика, плакаты. Что, например, читал девятнадцатилетний

Платонов в газетах родного города? Канун Октября в 1918 году, первая годовщина революции — и Воронежский губком обращается к рабочим с таким призывом: «Царство рабочего класса длится только год. Сделайте его вечным!» На обыденном ли языке сообщал «Воронежский красный листок» о взятии молодой Красной Армией Казани в сентябре 1918 года? Нет, в ход шли слова из далекого обихода... «Солдаты революции, вы взяли Казань, идите дальше, учитесь побеждать. Вы — гренадеры всемирной революции — поведете восставший пролетариат в последнюю «мертвую» схватку» («Воронежский красный листок», 14 сент. 1918). Даже в скромной газете «Красная деревня», где молодой Платонов чуть позже станет работать заведующим отделом писем, рядом с вполне конкретными лозунгами — «С врагами борись, с лишеньями мирись — победа будет за нами!», «За кулаками — посматривай!», «Мощным ударом сбейте взбирающегося на царский трон генерала!» (О Врангеле.— *В. Ч.*) — звучали вдруг мечты вселенского, даже космического масштаба о ремонте всей земли, о новой модели человеческого поведения: «...всегда быть недовольным найденным, уходить дальше и выше, искать невозможное и делать его возможным — в этом есть гордый восторг просветленного человека».

Это уже, конечно, голос молодого Андрея Платонова. И он усвоил характерный духовный подъем рабочей поэзии «Кузницы» и публицистики тех лет, неизменную привычку многих, кто учился думать в революцию, на ее митингах — эта привычка заставляла невольно думать и над чистым листом бумаги, вслух, громко... Вероятно, о платоновской раскованности, романтической «чрезмерности» как норме — всех помыслов, надежд, планов — можно сказать словами Велемира Хлебникова, писавшего в это же время:

> Скажи, ужели святотатство
> Сомкнуть что есть в земное братство?
> И, открывая умные объятья,
> Воскликнуть: звезды-братья, горы-братья!
> боги-братья!
>
> Сапожники! Гордо сияющий
> Весь Млечный Путь
> Обуви дерзкой дратва
> Люди и звезды — братва!
> Люди! дальше окоп
> К силе небесной проложим...

(«Моряк и поец»)

В «Железном пути» в 1918 году молодой Платонов опубликовал не столь уж много произведений: рассказ «Очередной» (№ 2), несколько стихотворений, вошедших в стихотворный его сборник «Голубая глубина» (1922)[1]. Скоро на Воронеж накатится волна гражданской войны,

---

[1] Один из воронежских художников Б. Бобылев (Бобыль) в связи с трехлетним юбилеем «Воронежской коммуны» вспомнит и 1919 год, и газету «Известия Воронежского укрепленного района», предшественницу «Коммуны», поразившие его стихи, похожие на ритмизированную прозу молодого Горького, одного рабочего: «Мамонтовский набег находит постоянный отклик на страницах «Известий». Рабочий Андрей Платонов, обращаясь к красному Воронежу в дни его осады, пишет: «И единым коллективным сердцем чутким содрогаясь, весь в

в 1919 году город будет взят ненадолго корпусом белого генерала Мамонтова,— молодой Платонов будет послан в Новохоперский уезд... А затем застенчивого, высокого и худощавого юношу, похожего на молодого Достоевского, заметит редактор «Воронежской коммуны» политработник и журналист Г. З. Литвин-Молотов и приютом, трибуной его поэзии, публицистики надолго станет именно эта газета.

И все же именно «Железный путь» с пролетарием-молотобойцем на обложке, со стихами в прозе А. Гастева «Рельсы» из сборника «Поэзия рабочего удара», призывавший пролетариат «тяжелые рельсы стальные поднять и продвинуть в бездонных, безвестных, немых атмосферах», родной брат множеству других журналов, альманахов, возникавших в недрах революционной эпохи («У станка», «Кузница», «Зори»),— был, можно сказать, наиболее «впору» предельно яркой, жгуче-романтической мысли Платонова. Здесь источник, свод архетипов многих умозаключений, дерзаний мысли не только Платонова 20-х годов. Ведь он в сущности так и остался своеобразнейшим интеллигентом, который «не вышел из народа» (Л. Шубин). Да и не испытывал никакого желания «выйти», нарушить доверительной связи с народом, с эпохой «Железного пути» и «Поэзии рабочего удара». Даже резко споря затем со множеством тезисов «Кузницы»! Риторика, обороты речи, свойственные декларациям 20-х годов, «Кузницы», того же «Железного пути», не журнала, а «культурного плуга», конечно, улетучатся. Но романтическая высота и цельность мечты о выходе в счастье человека, о всеобщей, народной победе над хаосом и бессмыслицей в жизни, мечта о невозможном останутся в Платонове навсегда. «Человек есть тот, кем он хочет быть, и не тот, кто живет у всех на глазах»,— напишет он в 1921 году в статье «Слышные шаги». Но ведь и Фрося из рассказа «Фро» (1936), и капитан Иванов в «Возвращении» (1946), и Никита в рассказе «Река Потудань» (1937) будут искать именно этот фокус своей личности: они есть то, кем они хотят быть...

...Андрей Платонов далеких лет, извлеченный хоть частично из легенды, из бесплотных отвлеченных мифов о нем как народном философе, страннике, и сам был своеобразным «культурным плугом». Только не бездушной сталью, механически переворачивающей пласты бытового «чернозема», вечных проблем, а человеком, непрерывно и чутко откликающимся на все воздействия, голоса, вбирающим токи высокого напряжения, исходящие из ударов, «трений» всех событий. Углы всех событий задевали его.

Кто запомнил будущего создателя «Джан», «Фро», «Реки Потудань» и «Высокого напряжения» молодым, тем, который сказал о себе в «Голубой глубине»

> Сам себе еще я неизвестный
> Мне еще пути никто не осветил?

тревоге напряженной, город в муке ожиданья, веру сковывает сталью многовидевших штыков...

Только сталью вместо сердца с мудрым мужеством сознанья и восторгом вдохновенья мы победу, славу гордых, в лагерь Красных приведем».

(От «Известий» к «Коммуне». «Воронежская коммуна», 25 окт. 1922).

Конечно, собратья — журналисты, друзья по воронежскому клубу «Железное перо», невольные соседи на газетных полосах. Их беглые зарисовки неуклюжи, но они ценнее позднейших несколько натужных мемуаров...

Газеты всех времен, всех городов похожи: это всегда ожившее текущее мгновение, над ними воистину довлеет злоба дня сего. И «Воронежская коммуна» 20-х годов, конечно, не исключение... С утра начинал звонить телефон — самый настойчивый, необузданный «сотрудник» редакции. К 12 часам в коридорах, кабинетах — полно посетителей. Тут и молоденький красноармеец с первым стихотворением, и упитанный священник с «опровержением», рабочий в замасленной куртке, рассказывающий о непорядках в мастерских, конечно, дама с «ужасно» революционной «статьей», доказывающей, что бога нет, а есть священное привидение, некий дух... Поток посетителей — это море всего, что может быть выкрикнуто, выплакано, высказано! — еще не схлынул, как приходит почта... Ее часто разбирает именно Платонов, находя среди «корявых» фраз следы «страшных усилий души грубого художника постигнуть тонкость «мира» («Епифанские шлюзы»). Письма — те же посетители, несущие «брызги жизни», разоблачения, жалобы, радости.

Образ Платонова «воронежского периода» среди суеты редакционных коридоров, шума типографий, где ежедневно «доходила на дрожжах» газетная «опара», возникает в известной мере неожиданно. Да и то не в качестве литератора! Журналист Мих. Бахметьев в зарисовке 1923 года «У взыгравшей реки», воссоздав невиданный разлив мелководной обычно реки Воронеж, передав говоры в толпе на набережной («Вот такой бы рекой навсегда обзавестись. Пароходища по ней пустить»), неожиданно дал слово и случившемуся здесь же Андрею Платонову: «А рядом со мной «председатель комиссии по гидрофикации» Андрей Платонов — по-своему горячится:

— Зачем нам большую реку? И эту-то не используем мы никак. Пескарей горемычных ловим, да с мамзелями по ней катаемся.

— А ежели — она ни к чему не годна больше?

— Как так не годна? У нас вверх по реке весь урожай фруктов и овощей пропадает за неимением перевозных средств. Дайте мне немного денег. Я построю большие плоскодонки, не боящиеся летнего мелководья. Поставлю на них дешевые нефтяные двигатели. Целый флот будет. И за гроши перевожу в город весь избыток урожая.

Под глазами у него — чуть-чуть посверкивает радость:

— Десятки сел благодарили бы.

Помолчав секунду, добавил:

— И за один год окупятся все расходы. Немного бы мне денег, ребята!»[1]

---

[1] Отрывки из затерянных очерков П. Бобылева и Мих. Бахметьева публикуются нами впервые.

Конечно, денег — самой твердой точки опоры всех Архимедов! — молодой мечтатель не получил... А он мечтал в те годы и о воздушных путях, и о сложных многокрылых мельницах, позволяющих использовать «голубой уголь — атмосферу» («Электрификация деревень»). Он странно и неожиданно видел даже пустыни: «Сахара, Гоби, песчаные реки Азии — это экскременты неразумных культур, легших в уготованные самим себе песчаные могилы». (Из вымышленной рукописи «Пески и люди».) Фронт зноя, царящий в пустынях, и исходящие от них суховеи он мечтал победить с помощью мелиорации, а холод Севера («Север — школа ненависти к природе»), дыхание Ледовитого океана — с помощью проектов «размораживания Сибири»... Можно сказать, что не было ни одной сферы — в социологии и философии, энергетике, математике, гидротехнике — где бы молодой Платонов по-своему «не горячился»[1]. Как на той весенней набережной у реки Воронеж...

Можно сказать, что Воронеж тех лет получил в лице Платонова — журналиста, социолога, оратора, поэта, поборника электрификации, воинствующего атеиста — звезду необычайной яркости. Дар стремительной импровизации, талант находчивости в полемике, умение первенствовать, не выдвигаясь в первый ряд, обаяние таланта и редкой искренности и самое главное — какой-то неизменный, неубывающий напор всей его души, не одного ума, на читателя, на слушателя — все делало Платонова фигурой увлекающей и увлеченной, заметной везде. К тому же в те годы Платонов был овеян и романтической тайной (о ней повествуют и его «Письма о любви и горе») — он успевал почти каждую неделю, и это при тогдашнем бездорожье, пешком ходить за сорок верст в деревню Волошино, где учительствовала Мария Александровна Кашинцева, его невеста, «Маня с Усмани», как шутили друзья. Опасные походы: зимой жители Волошина отгоняли забредших во дворы, на улицы волков горящими головнями! Да еще редкая свобода — благодаря немалой начитанности, идеальности души — в обращении ко многим фактам культуры: от романов Ф. М. Достоевского (об этом говорит и рецензия «Но одна душа у человека»), статей В. В. Розанова, поэм И. С. Тургенева до всей современной литературы...

...Сейчас часто пробуют «разгерметизировать» художественную

---

[1] Читатели воронежских газет тех лет могли прочитать, например, что 21 ноября 1920 года в клубе комсомола «Железное перо» (опять тот же — эпитет!) — литературная вечеринка. Андрей Платонов выступит с докладом «Судьба женщины». Вход для всех (кроме женщин) свободен» («Воронежская коммуна», 1920, № 320, 19 ноября). В номере от 21 ноября сообщалось, что в том же клубе «Железное перо» А. Платонов прочтет доклад «Пол и сущность», в который включена тема «Судьба женщины при социализме». Вход на этот раз «всем свободный».

В 1923 году газета сообщила, что «Клуб рабфака ВГУ устраивает диспут «Брак и любовь», в прениях выступают «профессор Введенский, профессор Козо-Полянский, проф. Никифоровский, Щукин, А. Платонов, представитель «живой» церкви и др.».

вселенную Платонова, выведать секреты его «нечаянного» мастерства, всматриваясь только в его стиль, в его неповторимый «некультурный» язык, в некие первичные структуры сознания, в следы языка мифа как универсального средства информации... И не замечают, что уже в 20-е годы Платонов созидал свой художественный мир в известном смысле... не «с цокольного этажа», не с фактов и подробностей (вернее, не только с них), а с обобщающей мысли о времени, о революции, о Прометее, рабочем классе. Все жадно ищут «малой родины», начинают с тропинок детства, с первой учительницы,— хоть и это законно, естественно,— но почему не замечается жажда великой концепции, утопии, жившая в юноше — Платонове, воля к обретению завершенного и цельного знания, дерзость спора, открытия?[1]

Платонов в 1919—1923 годы — время его наиболее активной публицистической деятельности — словно увидел себя в окружении, на гребне величайших событий, коренных перемен. В судьбах России, всего мира... Что преобразование Дона, Воронежа, «размораживание Сибири» или даже обновление Гоби, Сахары или Туркестана? Можно отныне переделать или «отремонтировать» все! «Земля сейчас темна, бесплодна и неустроена, и мысль человека-организатора, еще не осознавшего всей своей мощи, веет над нею. Но мысль человека не должна больше веять как дух, она должна влиться, вгрызться в землю и перестроить ее. Человечество — художник, а глина для его творчества — вселенная»,— писал он в одной из статей, писал в духе поэтов «Кузницы».

Философская основа для последующих деформаций, уплотнений и сгущений предметного мира, уникального смешения высокого и низкого, «прекрасного» и «яростного» начал закладывалась с размахом. Дух социальной утопии, благороднейшей и фантастической мечты — он не исчезнет никогда! — присутствовал в газетных статьях писателя.

Что свершилось в России, в мировой истории, и что предстоит сделать русскому пролетарию, чтобы победа стала окончательной? Об этом — вопросы помельче и попроще «культурным плугом» отметаются! — дерзко, но совсем не наспех задумывается молодой Платонов. Ответы его — на уровне величественной мечты, сладостной галлюцинации, такой увлекательной и чистой:

---

[1] О некоторых зарубежных «интерпретациях» прекрасного и яростного мира Платонова в известной мере неловко и говорить сейчас — после возвращения в массовый обиход высокоинтеллектуальной публицистики, критической прозы писателя. Для англичанки Мэриан Джордан, автора монографии о Платонове, платоновский герой — это по-прежнему человек, «стремящийся выжить в природе, избегающий духовных человеческих контактов». «Самое главное, по мнению Джордан, в платоновской концепции человека — это снижение статуса человека до статуса животного, рождающее анонимность его героев, их личные чудачества как средство прорыва из забвения; сведение человеческих чувств к простым физическим контактам, средству сохранения тепла и жизни»,— справедливо оценивает позицию М. Джордан Н. Г. Полтавцева. Поэтому, в духе экзистенциалистской философии, делается М. Джордан заключение: «Для Платонова личное существование в одно и то же время не более чем инстинктивно и не менее героично. Такое существование может быть достигнуто при помощи тяжелой безжалостной работы». (Полтавцева Н. Г. Философия прозы Андрея Платонова. Изд-во Ростов. ун-та, 1981, с. 4—5).

«...Родная нам эпоха, эпоха сознания, машины и восстания на вселенную. Постепенно курсанты выводятся из одной страны — очарованной просторной России, родины странников и богородицы — и вводятся в другую Россию — страну мысли и металла, страну коммунистической революции, в страну энергии и электричества.

Сначала русский народ пропоет свои любимые песни, полные любви и неизмеримых пространств — ведь русский народ самый незлобивый в мире. Потом русский народ, в лице своего пролетариата, выйдет вооруженный машиной и точной мыслью на завоевание вселенной. Тут строгая последовательность: русскому мужику тесны его пашни, и он выехал пахать звезды. Рабочему малосильны двигатели, и он надевает приводной ремень на орбиту земли, как на шкив». («Воронежская Коммуна», 21 сент. 1921 г. Вечер Кольцова в комуниверситете (или рассуждения не на тему).

Такова «реальность» и ближайшая «перспектива» эры преобразований для молодого Платонова. Это, конечно, поэма неба, упоение мечтой, но бедна юность тех, кто не пережил подобных вдохновений.

* * *

Конечно, в подобных высказываниях, в убежденности, что чем больше в деревне железа, тем больше в ней социализма, в гимнах в честь разума, «нормализованного работника», в излишне прагматическом отношении к природе, в утопических представлениях об обществе будущего как некоем бессмертном сверхорганизме многое из манифестов «Кузницы» повторяется — по инерции, как нечто подвернувшееся — Платоновым как якобы свое. В действительности же тут много отголосков из манифестов «Кузницы», Пролеткульта, из таких трудов А. Богданова, как «Всеобщая организационная наука» (Тектология). Скучноватый позитивизм, согласно которому почти тождественно материальное и духовное («человек есть то, что он ест»), а человеческая индивидуальность — это разные формы союза атомов разной плотности — вдруг стал на какое-то время основой для наступления на косность, пассивность, застой. Но целиком отождествлять творческие искания Платонова и, скажем, поэтов «Кузницы» все же нельзя: однородные внешне явления, как заметила Н. Корниенко, вовсе не обладают фамильным сходством. Утопии Платонова и певцов «железного Мессии» имеют разный смысл, разное гуманистическое обеспечение. В сущности «поэты-кузнецы» так и остались при своих гимнах машинизму, планетарности, с декларативным проникновением в душу металла, железной тишины, они не заметили, что их молоты и динамомашины и висят в воздухе, и сделаны зачастую из риторического картона.

А платоновский космос?

Любопытно, однако, что при всем кажущемся парении, полете мысли молодой Платонов ничего не «забывал» из колоритных мелочей быта. Он строил и верхний «этаж», и фундамент, «цоколь»... Исследователь публицистики Платонова 20-х годов В. Верин заметил, например, редкую памятливость писателя, использовавшего газетную ниву при работе над повестями и рассказами конца 20-х годов. Так, в повести «Сокровенный человек» Фома Пухов, как известно, подвергается экзамену.

«— Что такое религия? — не унимался экзаменатор.

— Предрассудок Карла Маркса и народный самогон».

Безусловно, память подсказала Платонову давний материал из одной воронежской газеты в канун пасхи, бойкую частушку, отразившую всю сложность лингвистической ситуации — наплыв неясных абстрактных понятий («религия — опиум народа») — и хитроумный народный выход из этой ситуации (неведомый опиум, «опий» превращается в знакомый дурман-самогон):

> Что людей морочишь, попик?
> Ум людской разгонит сон.
> Ведь религия не опий,
> А народный самогон...[1]

Виртуозность мысли, полная неожиданность ракурсов взгляда при оценке многого, страстность отрицания классики (был и такой перехлест волны), переходящая вдруг в искреннейшее восхищение образом или формулой И. С. Тургенева, строкой Лермонтова «по небу полуночи» (будущее название рассказа) — все сделало Платонова интересным для многих воронежских аудиторий. Он везде был виден, а если поднимался на трибуну или просто подавал реплику — его сразу слышали, испытывали неясный гипноз этой ищущей души.

Платонов создал внезапно подлинный гимн в честь материнства,— он звучит в газете среди вестей о продразверстке, о беспризорниках, ворующих на Хлебной площади: «Своею пламенною любовью, которую она (женщина-мать.— *В. Ч.*) и сама никогда не понимала и не ценила, своим никогда не утихающим сердцем она в вечном труде творчества тайно идущей жизни, в вечном рождении, в вечной страсти материнства — и в этом ее высшее сознание, сознание всеобщности своей жизни... Она — проснувшаяся совесть всего, что есть. И эта мука

---

[1] Явным комическим развитием лингвистической ситуации, страшных усилий крестьянского, вообще «сырого» сознания приспособить к быту новые слова, термины являются, например, такие «озорства» героев в самых ранних рассказах 20-х годов:

«— Как называется пресвятая дева Мария?

— **Огородница**.

— Богородица, чучел! Нету в тебе ума и духу».

(«Бучило»).

О самозванце Иване Жохе, принявшем облик Петра III и изгоняющем Екатерину II,— казаки на базаре в рассказе «Иван Жох» говорят:

«— Чем больше царей, тем жизнь жиже!

— Ну, тоже справедливость нужна! Нельзя родное место охальной бабе уступать...»

Крестьянская вдова, принимающая расхвававшегося Жоха в своей избе, насмешливо встречает обещания будущего царя:

«— ...Тебя царицей Урала и Сибири сделаю! А кроме того подарю глыбу золота.

— Да не томи меня, делай что-нибудь посурьезней! — серчала вдова». («Иван Жох»).

совести с судорожной страстью гонит и гонит все человечество вперед...» («Душа мира»). И когда началась в Воронеже очередная неделя охраны материнства и младенчества, «Воронежская коммуна» откликнулась статьей без подписи «О борьбе с проституцией», словно продолжающей статью Платонова: «Проституция есть вырождение материнства и чистого источника любви, так как проституция отнимает у молодости ее силу и то чувство вечности, которое неотразимою прелестью вдохновения влияет на любящих друг друга людей и передается их потомству» (1923, 18 марта). Не вмешался ли, не «горячился ли» и здесь, тоже по-своему, именно Андрей Платонов?

Этот процесс расширения границ души, «дления» личности, развитие ее способности улавливать «последнее уловимое» и в трагическом, и в лирико-романтическом, и в комическом плане, без конца увеличивать вариации комического и лирического, смешивать «высокое» и «низкое» был незаметен во времени. Всем были очевидны порознь обе стороны процесса, созидания философского «верха» и земного «низа». С одной стороны, высокий накал революционного сознания, страстной мечты. Платонов жаждет скорее пересоздать вселенную, а тем более родной край, страдающий от засухи, от бездорожья, темноты! Это качество платоновской прозы и присутствует и в статьях «Ленин» («Красная деревня», 1920, 11 апреля), «Луначарский» («Красная деревня», 1920, 22 июня), «Душа мира» («Красная деревня», 1920, 18 июля), «Слышные шаги. (Революция и математика», эта статья опубликована в «Воронежской коммуне», 1921, 18 янв., «Революция духа» («Огни», 1921, 11 июля), «Золотой век, сделанный из электричества» («Воронежская коммуна», 1921, 13 февр.), «Пролетарская поэзия» (журн. «Кузница», 1922, № 9) и др. Какое удивительное величие гуманистической мысли обнаруживается вдруг в забытых газетных подшивках, среди обычных газетных рубрик «Штрихи жизни», «Острогожская хроника», «Новохоперские дела», «Задонские открытки», насмешек над «нэпорыловской» стихией или объявлений частников об открытии корсетных мастерских или первоклассных гостиниц «Гранд-Отель»... Платоновские мечтания, как космические упования К. Э. Циолковского в провинциальной Калуге, вспыхивали среди сообщений о неполадках на транспорте, о том, что «выдача подсолнечного масла — только по коллективным спискам предприятий», что часть разгромленных банд Антонова, «побросав оружие, под видом «благочестивых» странников пробует пробраться к домам»... С началом нэпа грезы о покорении Вселенной замелькают среди сообщений, что здешний частник «шагает неторопливой развальцей — не чета разухабистому юркому и крикливому столичному нэпу», что «солидной частной торговли нет, так как бывший мешочник и спекулянт — не коммерсант, а лишь рвач, посредник»...

С другой стороны — даже в научно-фантастической прозе Платонова 20-х годов («Потомки солнца», «Лунная бомба», «Эфирный тракт») — писатель никогда не предстает отвлеченным мечтателем, лунатиком вне фактов, глухим к слову, к комической ситуации. Непрерывный контакт писателя с живой народной речью, зорко замечаемые усилия множества людей конкретизировать, «приспособить» абстрактные понятия к быту, к учреждению, вырваться из лексического тупика необжитых высоких понятий, необычайное понимание комизма многих словесных конструкций вносили в его прозу неожиданное богатство. Женщина-крестьянка на уездном съезде, не понимая, что у повторяемого с трибуны слова «свет» есть отвлеченный смысл, вдруг дерзко переводит это понятие — как Платонову забыть это! — на свой язык: **«К свету, к свету? А керосину нету!»** Мужик в рассказе «О потухшей лампе Ильича» сообщает о беседе с продавцом в городской лавке:

«— Зато машины,— говорит,— **на букву ять**.

— Нет,— отвечаем,— дорого. И при чем тут твоя царская буква?

— Букву не лай,— говорит сиделец,— **она довоенного качества».**

И наконец, одно из достижений, поистине чудесное, гоголевское развитие комической ситуации: сапожник Захар в «Городе Градове», латая сапоги чиновнику Ивану Шмакову, весьма фигурно, со множеством иронических и простецких интонаций излагает свое удивление перед раздражительными бесчинствами «хаотичной» природы и разумностью «приобщенной» к бюрократии вещи:

«— Иван Федотыч, вашей обуже восьмой год идет, и как вы ее терпите? Когда их на фабрике сшили, с тех пор дети выросли и грамоте выучились, а многие померли из них, а сапоги все живут... Кустарник лесом стал, революция прошла, и звезды какие потухли, а сапоги все живут... Это непостижимо!

Иван Федотыч ему отвечал:

— В этом и есть порядок, Захар Палыч! **Жизнь бесчинствует, а сапоги целы!»**

* * *

Сплав «высокого» и «низкого», мечты-утопии и грубых фактов был такой сложный, взрывчатый, что можно сказать: еще живя в Воронеже, затем в Тамбове, молодой поэт, публицист, прозаик носил в себе неповторимый художественный мир! По масштабу и глубине гуманистических тревог, резкой — лирической или сатирической — смещенности предметов и времени, философской насыщенности любой детали. Он не парил мечтой в грандиозных, но безлюдных по существу пространствах «кузнецов». Его томила другая мечта: «Как случайную нечаянную жизнь человека превратить в вечное господство над чудом вселенной» («Эфирный тракт»), как человеку пересоздать самого себя, как сделать отношения людей — впервые в истории — подлинно братскими, не отчужденными. И не приходится удивляться тому, что почти одновременно с появлением первой книги прозы Платонова «Епифанские шлюзы» (1927), высоко оцененной А. М. Горьким, писатель создал и сборники «Сокровенный человек» (1928), «Происхождение мастера» 1929), научно-фантастическую повесть «Эфирный тракт» (1926—1927), сатирическую повесть «Город Градов» (1926). В этот же поразительный по насыщенности духовной жизнью период создан роман «Чевенгур» (1928—1929)... А чуть позднее появились прекрасная пьеса «Высокое напряжение», бедняцкая хроника «Впрок», повесть «Джан»... Такие вспышки огня в светильнике разума не часто знает история литературы.

На первых порах и любимые герои в прозе Андрея Платонова

20-х годов тоже «сами себе неизвестны»... Они — чаще всего мастеровые, деревенские правдоискатели, машинисты, «сироты» по своему душевному состоянию — пребывают в своеобразном странствии, скитальчестве. Вот он, кочевой зуд XX века, непоседничество, предсказанные К. С. Петровым-Водкиным! Это специфически платоновские скитальцы или «душевные бедняки», убоявшиеся после событий революции «остаться без смысла жизни в сердце». И странствуют они в особом пространстве...

«Есть ветхие опушки у старых провинциальных городов. Туда люди приходят жить прямо из природы. Появляется человек — с зорким и до грусти изможденным лицом, который все может подчинить и оборудовать, но сам прожил жизнь необорудованно»,— так начинается повесть «Происхождение мастера».

Россия в прозе Андрея Платонова 20-х годов, начиная с повестей «Ямская слобода», «Сокровенный человек», «Происхождение мастера» (являющейся первой частью романа-утопии «Чевенгур») — это обычно Россия «уездная», полудеревенская. Здесь проходят не магистрали, а как бы «проселки» революции, сюда простираются сплошь «опушки» городов... Сюда же, как на некий освещенный перекресток истории, выталкиваются самые пытливые люди, не боящиеся странствий за истиной. На этих «проселках», в среде вязкой, косной, куда революция доходила «пешком», на пересечке природы и истории и завязываются главные конфликты платоновских повестей. И решается извечный гуманистический вопрос — «маленький человек, что же дальше?».

Слободской сирота Филат, вечный поденщик у мещан-ямщиков в повести «Ямская слобода»— первый платоновский «душевный бедняк»— сирота в личном и в социальном плане, который изживает постепенно обездоленность, побеждает страшное следствие былого разобщения и угнетения, «отсутствие личности», отсутствие всякой памяти о себе.

Герою повести «Сокровенный человек» машинисту Фоме Пухову тоже хочется «очутиться среди множества людей и заговорить о всем мире». Он, стихийный философ, чуточку озорник, впадающий то в душевные полусон, то в повышенную возбужденность, путешествует по проселкам революции, пытаясь понять что-то важное во времени и в себе «не в уюте, а от пересечки с людьми и событиями».

На первых порах этот платоновский машинист, способный резать колбасу на гробе жены из наивного «рационализма», «окаянства» («Естество свое берет!»), попросту отмахивается от всех сложных вопросов. Какой-то задорный, озорной культ элементарщины, даже бездушия (не высмеивается ли здесь свой же позитивизм, богдановщина?), арсенал нескольких словечек, поверхностной любознательности владеют Пуховым целиком. Элементарные вопросы — ответы исчерпывают (или скрывают!) его душевный мир. Курит он — «для ликвидации жажды». На работу, не успев погоревать о жене, о своей бесприютности, идет даже браво, выбросив лозунг.

«Все совершается по законам природы! — удостоверил он самому себе и немного успокоился».

В итоге впечатления — и величественные, как движение красноармейского десанта в Крым сквозь штормовую ночь, и мелочные — попросту заполняют память Пухова, подавляют героя. Осмысление событий и людей то запаздывает, то вдруг... опережает их, принимает фантастический, на редкость «фигурный» характер.

Планетарно-космическое, чересчур романтичное представление о революции — однажды Пухов был восхищен тем, что «красноармейцы... жили общей жизнью с природой и историей,— и история бежала в те годы, как паровоз, таща за собой на подъем всемирный груз нищеты, отчаяния и смиренной косности»,— сменяется вдруг в герое саркастическими замечаниями, иронией.

Откуда такие контрасты, духовные бури в мире Платонова? Почему так органично, тесно сосуществуют у Платонова романтика революции и сатира на тех, кто подменяет народную инициативу бумаготворчеством?

В пьесе «Высокое напряжение» есть очень саркастическое замечание относительно совсем не героического варианта судьбы былого «маленького человека», неожиданного «дальше» в его судьбе, который обходили те же поэты «Кузницы»... Дряблый, не находящий себе места в новой вселенной инженер Мешков, как мышка, высверлил себе норку в одном направлении, выгодно подчеркивающем его исключительность.

«...Ешь продукты,— предлагает он гостю, другу юности Сергею Абраментову,— тут много вкусных вещей: нам в закрытом распределителе дают... Ешь, а то скоро уж покушать колбасы не придется, сторожем буду.

Абраментов. Слушай, Иван Васильевич. А ты не путаешь пролетариат с закрытым распределителем?

Мешков *(теряясь)*. Нет, Сережа. Я знаю, что это разница».

Охотников спутать высоту революции с высотой собственного кресла в учреждении («Город Градов»), спрятать под видом таинственности исполнения ритуала власти тонко скрытую «технику безопасности» для себя Платонов различал с необычайной зоркостью и душевной болью. Сарказм, формы изложения благороднейшего негодования, приносившие Платонову много неприятностей, непонимания (у кого еще прекрасный герой, гибнущий в борьбе за высокое напряжение, за новый мир, на вопрос «Ты сочувствуешь социализму или нет?» тем не менее ответит с улыбкой, словно боясь патетики, парадности, риторики — «Я ему потворствую»), рождались из того же источника, что и романтическое прославление революции.

* * *

...Рассказ «Усомнившийся Макар» (1929) и бедняцкая хроника «Впрок» (1931), ранее не входившие ни в одно отдельное издание, подвергшиеся в конце 20-х — начале 30-х годов необъективной, откровенно предвзятой критике, остававшейся практически вне пристального внимания, вне точной оценки и до нашего времени, заняли совершенно особое место в творчестве и всей судьбе писателя. Это в известном смысле пик многих социально-философских исканий Платонова 20-х годов и начало движения к новым берегам, прежде всего к Пушкину. Но вспышка своеобразной критической брани, даже истерии[1], обрушившейся на писателя, сделала это движение скрытым, подспудным, придала всей жизни Платонова трагический отсвет. После выхода сборника «Происхождение мастера» (1929) опальный Платонов, всего лишь гость на Первом съезде писателей СССР, издал следующую книгу «Река Потудань» только в 1937 году. Современный читатель вправе получить ясный ответ: в чем «виноват» и в чем торопливо пристрастно обвинен, попросту злобно заподозрен тот же «усомнившийся» Макар Ганнушкин из нашумевшего в свое время рассказа?.. Как и герой-повествователь в бедняцкой хронике «Впрок»?

Автор книги «Неистовые ревнители» С. И. Шешуков в 1970 году попробовал задним числом объяснить «вину» Андрея Платонова и естественно «вину» его Макара, исходя из анализа социальной обстановки конца 20-х годов. Он писал: «Время было напряженное, в стране началась коллективизация, шла ликвидация кулачества **как класса. В этой обстановке** Сталин расценил произведение А. Платонова с политической точки зрения и признал его вредным»[2]. Сказано как будто четко, даже огрубленно, но неясно: в чем же Андрей Платонов отстал от времени, разошелся с ним? Получается, что в 1921 году, когда он первым откликнулся на ленинский план электрификации, выпустив даже брошюру «Электрификация», он не отстал? В 1923—1926 в разгар нэпа, когда он, губернский мелиоратор, строил оросительные системы, маленькие электростанции, мечтал о «веке, сделанном из электричества», о России — «родине электричества»,— он тоже не отстал, не разошелся с событиями коллективизации и индустриализации? А сейчас, в более зрелом возрасте, этот мечтатель отстал, «засиделся» в нэпе?

Как оценил рассказ Андрея Платонова и хронику «Впрок» И. В. Сталин? Оценка И. В. Сталина, о которой идет речь у С. И. Шешукова весьма краткая, немногословная, в точном ее виде никем, и конечно С. И. Шешуковым, не приводится. Это позволяет некоторым критикам, особенно за рубежом, создавать произвольные версии, варианты и лжетолкования. Безусловно лишь одно: были такие слова, возможно сказанные в узком кругу: «двусмысленное произведение», «двусмысленный рассказ». Чрезвычайно точно улавливавшие явный и неявный смысл сталинских оценок, претворявшие их в факт литературной политики Л. Авербах и А. Фадеев дословно, даже в частных письмах повторили — не отклонившись ни разу ни в какую сторону! — именно эту мысль о двойственности, сложности идей рассказа Платонова. Л. Авербах так и написал: «Рассказ Платонова — идеологическое отражение сопротив-

---

[1] См. статьи: А в е р б а х Л. О целостных масштабах и частных Макарах («На литературном посту», 1929, кн. 21—22); Б о й к о в М. Не сдавайте классовых позиций («Молодой большевик», 1929, № 20); Ф а д е е в А. Об одной кулацкой хронике («Красная Новь», 1931, № 5—6); С е л и в а н о в с к и й А. В чем сомневается Андрей Платонов («Литературная газета», 1931, 10 июня); Б е р е з о в П. Под маской («Пролетарский авангард», 1932, № 2); М а к а р ь е в И. Клевета («На литературном посту», 1931, № 18) и т. п.

[2] Ш е ш у к о в С. И. Неистовые ревнители. Из истории литературной борьбы 20-х годов. М., 1970, с. 245.

ляющейся мелкобуржуазной стихии. **В нем есть двусмысленность...
Но наше время не терпит двусмысленности»**[1] (подчеркнуто мной.—
В. Ч.). На мой взгляд, эти, особенно последние фразы в статье Л. Авербаха и являются наиболее точным, почти стенографическим воспроизведением устной оценки И. В. Сталина. А. Фадеев в письме Р. С. Землячке из дома отдыха в декабре 1929 года также повторил это же слово «двусмысленный»: «Меня ищут в РАППе, ищет Халатов (работник Гослитиздата.— *В. Ч.*), ищут мои редакции (в «Октябре» я прозевал недавно **идеологически двусмысленный** рассказ А. Платонова «Усомнившийся Макар», за что мне поделом попало от Сталина,— рассказ анархистский)»[2].

Итак, два смысла, какое-то вязкое, почти нерасторжимое единство согласия и «сомнения», совмещенность в рассказе событий настоящего и тревожных взглядов на них же как бы... из будущего. В этом, как мы увидим, суть и «Усомнившегося Макара» и «Впрок»: понять и принять эту сложную, опередившую всех позицию писателя тогда никто не захотел. Или не имел объективной возможности действовать при оценке рассказа с учетом множества факторов, учитывая платоновскую иерархию целей, его планы гармоничного сочетания целостных масштабов и судеб множества частных Макаров. Дороги в будущее тогда предельно спрямлялись — по объективным причинам — и Платонов понят не был.

С. Шешуков, прекрасно зная о всех обвинениях и причинах непонимания Платонова и его рассказа, попробовал смягчить затянувшуюся затем на целых восемь лет трагедию замалчивания и непризнания писателя, но дальше мелких оговорок он не пошел: «Мастер детали, Платонов порой использовал ее так неожиданно, что возникала двусмысленность при восприятии... Но кто знает: очисть он от подобных деталей вещь, и она потеряет свою неповторимость и свое очарование»[3].

В чем «не сомневается» герой платоновского рассказа — традиционный мечтатель, притворяющийся чудаком, наделенный саркастически-проницательным умом, своеобразным озорством мысли? Ни один из суетливых поспешателей от критики не пожелал заметить, что Макар, заведомо «неученый» человек среди «ученых» (форма писем «от неученых — ученым» взята Платоновым у Н. Ф. Федорова, автора «Философии общего дела»), страстно мечтает о Руси машинной, индустриальной, располагающей, как он говорит, надежным «упором». «...Вспоминал, где он видел железо, и не вспомнил, потому что вся деревня была сделана из поверхностных материалов: глины, соломы, дерева и пеньки...» В Платонове, конечно, не умер былой поборник России, «обители поющих машин», гремящего металла, певец блестящего космического будущего Родины. Он мог искренне повторить известные в эти же годы строки А. Жарова:

[1] А в е р б а х Л. О целостных масштабах и частных Макарах.— «На литературном посту», 1929, кн. 21—22, с. 164.
[2] Ф а д е е в А. А. «Повесть нашей юности». Из писем и воспоминаний. М., 1961, с. 189—190.
[3] Ш е ш у к о в С. И. Указ. соч., с. 251.

Слушайте — грусть
о металле
Льётся по всей стране:
— Стали! Побольше бы стали!
Меди! Железа — вдвойне!

За двусмысленность, за анархизм были приняты — в каком-то безглазом, нарочитом поспешательстве — раздумья, «сомнения» Макара, в которых Платонов как раз опережал свое время, решал вопросы борьбы с казенщиной, формализмом, бюрократическим единомыслием и безгласностью, чрезвычайно острые для нашего времени.

Когда-то В. И. Ленин, говоря с А. В. Луначарским о всякого рода «примазавшихся» к новому искусству, о шарлатанах и психопатах, выдающих себя за представителей пролетариата в искусстве, высказал очень глубокую мысль: «Класс победивших, да еще такой, у которого собственные интеллигентские силы пока количественно невелики, непременно делается жертвой таких элементов, если не ограждает себя от них. Это в некоторой степени,— прибавил Ленин, засмеявшись,— и неизбежный результат и даже признак победы»[1].

Андрей Платонов остро почувствовал: рост бюрократии, числа прозаседавшихся, жажды «заорганизовать» все и вся, парадности — точно такой же результат и признак победы в индустриализации, коллективизации, своего рода «побочный», нежелательный продукт великих свершений. Рост сферы начальствования, заседателей, кабинетных громовержцев всех видов и т. п. для самого Платонова, автора «Города Градова», был реальной опасностью омертвения, застоя, торможения: чиновничьи прожекты грозили подменить реальное историческое творчество масс. Макар Ганнушкин почувствовал болезни наших дней: в людях при такой административной опеке постепенно развивается безынициативность, пассивность, бессмысленный страх перед казенной бумагой, резолюцией, перед «водотолчеей учреждений», своеобразное отчуждение даже друг от друга. Опытнейший бюрократ Умрищев в «Ювенильном море» будет укрощать незрелых с его точки зрения людей: «Ты здесь, братец, со своими вопросами не суйся... Ступай и не суйся... Чем старина сама себя пережила: она не сувалась!» Усомнившийся — именно в этой философии бюрократизма! — Макар, обходя канцелярии и стройки, беседуя в ночлежном доме в Москве с условным, символическим пролетариатом, первым из платоновских героев высказывает тревогу за гуманистические ценности революции, омертвляемые «писчей стервой», демагогами из контор, мастерами славословий, приписок.

«Нам сила не дорога, мы и по мелочам дома поставили, нам душа дорога. Раз ты человек, то дело не в домах, а в сердце. Мы здесь все на расчетах работаем, на охране труда живем, на профсоюзах стоим, на клубах увлекаемся, а друг на друга не обращаем внимания, друг друга закону поручили. Даешь душу, раз ты изобретатель!»

Даже учитывая своеобразие платоновского языка — нарочито антипарадного, «антипатетичного», передразнивающего штампы парадных

---

[1] Ленин В. И. О литературе и искусстве. М., ГИХЛ, 1957, с. 593.

реляций и «поэтику» одических славословий! — невозможно найти здесь в «Усомнившемся Макаре» какого-либо сомнения в планах индустриализации, в исторической необходимости за десять лет — иначе нас сомнут! — пройти путь, который другие страны проходили в столетия»[1].

Платонов предупреждает лишь об опасности формализма, засилия казенщины, бедах бюрократического окостенения и застоя, бездушия, волюнтаризма и заседательства. В 1928 году в очерках «Че-Че-О» Платонов уже писал об этом: «Самое главное искать дороги друг к другу. Дружество — и есть коммунизм. Он есть как бы напряженное сочувствие между людьми».

Бесспорно, в условиях 1929 года, когда безмашинная, не электрифицированная Русь, не имевшая ни Уралмаша, ни Магнитки, ни Автограда в Нижнем, была у всех перед глазами, легко было обрушить на защитника души, «частного Макара», готовый и увесистый упрек: до души ли нам сейчас, если еще так мизерно, ничтожно мало «по сравнению с...» приходится «на душу»... металла, мяса, киловатт-часов электроэнергии и т. п.! До частного ли Макара, если так ответственны и грандиозны в условиях возросшей уже с 1933 года опасности фашистского нашествия именно целостные масштабы? Этот упрек, без оговорок, без снисхождения и был мгновенно обрушен на Платонова, размножен, усилен в дурном рвении: вокруг Платонова возникла ситуация обвинительства без права самозащиты.

Современный читатель, знакомый с повестью «Пожар» Вал. Распутина или романом «Печальный детектив» В. Астафьева, не только легко заметит, что тревога этих писателей о нравственном здоровье народа, об исчезающем кое-где дружестве и напряженном сочувствии между людьми перекликается с идеями платоновского рассказа. Платоновский Макар — и это не преувеличение! — во многих случаях выступает как наш современник в борьбе со стихией коррупции, чинопочитания, парадных славословий, с тем, что в хронике «Впрок» в связи с пьесой «На командных высотах» названо «умиление пролетариата от собственной власти, т. е. чувство, совершенно чуждое пролетариату». Он говорит, отвечая на многие кривотолки, и о первоисточнике своих саркастических замечаний, о патриотическом смысле своих горестных замет, говорит на своем, нарочито чуждом одическому треску, пышности, языке: «Ничего себе властишка! — оценил Макар. — Только надо, чтобы она не избаловалась, потому что она наша!»

_____

[1] Дурную услугу — при всех заверениях в любви к Платонову! — оказывают и ему и процессу правильного понимания места писателя в советской литературе те, даже весьма квалифицированные ученые, которые навязывают роль отчужденного от всей эпохи социалистических преобразований одиночки — антигосударственника, с фатальной обреченностью противостоящего, как Евгений в поэме А. С. Пушкина «Медный всадник», новой государственности. Так, увы, поступает Е. Толстая-Сегал, утверждая: «Осенью 1929 года Платонов, упорствуя, публикует рассказ «Усомнившийся Макар», где идея враждебной народу государственности получает полное раскрытие: мужик Макар идет в город искать правду; город поражает его бессмысленной роскошью, пролетариат же он находит только во сне в ночлежке; он видит во сне страшного мертвого идола — «научного человека», который стоит на страшной высоте и видит все в целостном масштабе, а его, Макара, не видит, и Макар идола разбивает» (Т о л с т а я - С е г а л Е. «Стихийные силы: Платонов и Пильняк (1928—1929)».— «Slavica Hieroso lуmitana», 1981, Vol. III, Jerusalem, с. 114).

...Бедняцкая хроника «Впрок», созданная сразу после завершения романа «Чевенгур» (1929),— уникальное во всей советской прозе произведение о коллективизации. Платонов единственный писатель, который уже в момент массовой коллективизации, крутой ломки судеб миллионов людей, в дни, когда многие нередко упивались цифрами поголовной, сплошной коллективизации, были очарованы магией больших чисел, громчайших рапортов, призвал не к спешке, а к трезвой, разумной оценке всего, что свершилось, к взыскательному и критическому предвидению последующих, часто «побочных» продуктов этого процесса. Не совлечет ли многих успешность поголовного обобществления, легкость и безответственность планирования сверху даже в мелочах (когда сеять, когда косить, что сеять и т. п.) на путь голого администрирования, бумажного руководства, бездумного исполнительства, игры сводками и показухой? В сущности Платонов предсказал судьбу целого антибюрократического направления в деревенской публицистике, предугадал и Борзовых В. Овечкина, и «болтушков», Прохоров-Семнадцатых Г. Троепольского, умеющих «руководить и ни за что не отвечать»...

Но как это было всегда, создавая «Впрок», Платонов вновь не подумал о собственной неуязвимости. Сочетание в повести безусловного и фантастического, предсказуемого и невероятного столь удивительно, что автор — а его восприняли как заурядного иллюстратора, хроникера событий коллективизации — оказался совершенно беззащитным перед множеством обвинителей. Если «Впрок» хроника (частично это так — в ней много «конкретики», обобществления земли, скота, создания МТС, упоминается статья И. В. Сталина «Головокружение от успехов» и т. п.), то как понять обилие всяческих фантасмагорий, условностей? Вроде рефлектора в колхозе «Доброе начало», названного «колхозным солнцем», призванного не позволить «скучиваться в настроениях колебанию, невежеству, сомнению»? Или театрализованное превращение «бога», одетого в рядно, босого и торжественного старика с сиянием «вокруг косматых головных волос», в обычного кузнеца?

Не менее фантастично и сновидение «главаря района сплошной коллективизации» Упоева, перелетевшего во сне, как гоголевский кузнец Вакула, в Москву, в кабинет Ленина: «Упоев, увидев Ленина, заскрипел зубами от радости и, не сдержавшись, закапал слезами вниз. Он готов был размолоть себя под жерновом, лишь бы этот небольшой человек, думающий две мысли враз, сидел за своим столом и чертил для вечности, для всех безрадостных и погибающих свои скрижали для вечности».

Платонов явно, создавая «Впрок», не думал о чистоте жанра, о сюжете — повесть причудливо рассыпается на серию эпизодов. Указующий перст писателя не спрятан, «он» управляет всем. Вот колхоз Кучума, на пороге которого «томятся» непринятые единоличники, вот коммуна Упоева, вот «Доброе начало», где властвует красноармеец Кондров, вот деяния воинствующего безбожника Щекотулова, который действует командой, приказом («немедленно прекратите религию, повысьте уровень ума и двиньте бывшую церковь в орудие культурной революции!»). Вот великий человек Пашка, «выросший из мелкого дурака», который выступает против... идеи бесконечности вселенной как буржуазной идеологии: «буржуям выгодно, чтоб мир был такой широкий, дабы гадам не тесно жилось, и было куда бежать от пролетариата»... И наконец, перст писателя указывает на гримасы собственнических страстей: вот «смышленый» кулак Верещагин, преодолевая мужицкую жалость к лошади, ради получения страховки «обнял свою лошадь за шею и по истечении часа задушил ее».

Какой смысл имеет все это, плохо скрепленное, нагромождение эпизодов, сцен, странных ситуаций, наспех, внешне явно «кустарно» сочиненных философствований, видений? Иногда Платонов как бы намеренно «топит» острейшие умозаключения, жизненно-философские формулы в каком-то нейтральном, остужающем планктоне чисто технических рассуждений о мелиорации, севооборотах, о сгоревшей проводке или составе почв... Он добавляет «азота» в слишком кислородную атмосферу.

Но острота проблематики от таких «торможений» не смягчается. Как относился ко многим непредсказуемым, фантастическим, чудаческим деяниям сырой, патриархальной массы и столь же «сырых» руководителей, вышедших из ее же рядов, сам Платонов?

Бедняцкая хроника «Впрок», как и роман «Чевенгур», повесть «Ювенильное море» — это своего рода утопия, игра с возможным и вероятным, эксперимент в условном социальном пространстве. Ничто из свершающегося «в марте 1930 года» не перенесено ни в будущее, ни в прошлое, что делает обычно традиционная утопия, но всему реальному, только явившемуся на свет, Платонов придает такую «скорость» роста, развития, что... В его «колхозах», «коммунах» сразу явилось на свет все — и хорошее, и негативное,— что будет раскрываться, и то не сразу, перед взором писателей в течение десятилетий: и волюнтаризм микровождей, ломавших через колено даже трудовые традиции и навыки, воспитанные в крестьянстве, и упоение раздутой отчетностью, парадностью («сделай мне сводочку»), и опасность уравниловки, и кичливость людей в показушных хозяйствах («колхозные девицы были самыми модными барышнями... точно социалистические парижанки среди феодального строя»).

Хроника «Впрок»— это не иллюстрация, а скорее всего повесть-гротеск, повесть-предупреждение, повесть-тревога. Платонов не против самой высокой скорости в процессе преобразований, но только в том случае, если эта скорость захватит и весь крестьянский люд и тех, кто пишет «особо напорные директивы вроде «даешь сплошь в десятидневку» и т. п. Он, безусловно, согласен с тем же Кондровым, который называет таких директивщиков хвастунами, жаждущими самоутвердиться и прославиться («я, мол, первый социализм бумажкой достал, сволочь такая!»). И при всей неочевидности, ненаглядности авторской мысли Платонова читатель ощутит именно его мысль, его гуманистическую тревогу в таком серьезном раздумье Кондрова:

«Действовал Кондров без всякого страха и оглядки, несмотря на постоянно грозящий ему палец из района:

— Гляди, Кондров, не задерживай рвущуюся в будущее бедноту,— заводи темп на всю историческую скорость, невер несчастный!

Но Кондров знал, что темп нужно развить в бедняцком классе, а не только в своем настроении; районные же люди приняли свое единоличное настроение за всеобщее воодушевление и рванулись так далеко вперед, что давно скрылись от малоимущего крестьянства за полевым горизонтом».

Эти явные и скрытые «намеки» Платонова на множество сложных последствий, которые может иметь блистательный волюнтаризм, дурное поспешательство, формализм и казенщина для судеб деревни, сельскохозяйственного производства, нравственности народа, не были правильно поняты в свое время. В понимании многих Платонов лишь высмеивал всяческие художества, комические трюки и «шутейные» выверты, которые демонстрировала в своих артелях, товариществах косноязычно говорящая «сырая» масса, ее чудаки-руководители вроде Пашки, фанатичного мечтателя Упоева, странного рационалиста Кучума и т. п. Ирония Платонова казалась им почти не управляемой, слишком вездесущей, этакой «проникающей радиацией»... Часть, якобы, становится у него порой больше целого, ирония усиливает призрачность предметов и явлений; кажется, что сама точка зрения Платонова «плавающая», не прикрепленная ни к чему. Не «задевает» ли этот озорник своими фигурными шутками, фантастическими догадками самой идеи, смысла революционного преображения страны? С кем он — с новыми людьми или «душевными бедняками»?

Критики 30-х годов не захотели обратить внимание на одну чрезвычайно важную ситуацию в хронике «Впрок», в почти одновременно созданной пьесе «Высокое напряжение». И «душевный бедняк» Мешков, человек из прошлого, сочиняющий объявление о собственной смерти, посматривающий как завороженный кролик на фантастически-смелые деяния новых людей («их паровоз вперед летит, а нам всем остановка»), и «душевный бедняк» из «Впрок», ремонтирующий «колхозное солнце», видят величайшую правоту, превосходство, чистоту и неистощенную скептицизмом силу новых людей. Прочитав бумажную рукопись, прибитую гвоздями, о назначении колхозного солнца, герой «Впрок» думает о своей участи:

«Все это было совершенно правильно и хорошо, и я обрадовался этому действительному строительству новой жизни. Правда, было в таком явлении что-то трогательное и смешное, но это была трогательная неуверенность детства, опережающего тебя, а не падающая ирония гибели. Если бы таких обстоятельств не встречалось, мы бы никогда не устроили человечества и не почувствовали человечности, ибо нам смешон новый человек, как Робинзон для обезьяны; нам кажутся наивными его занятия, и мы втайне хотим, чтобы он не покинул нас одних и возвратился к нам. Но он не вернется, и всякий душевный бедняк, единственное имущество которого сомнение, погибнет в выморочной стране прошлого».

* * *

...К середине 30-х годов, заново переосмыслив свой опыт публицистики 20-х годов, достижения романтика и сатирика, Платонов сделал еще одно великое открытие. Оно обогатило и гармонизировало его художественный мир. Он заново открыл для себя Пушкина, через которого, как сказал А. Н. Островский, «умнеет все, что только способно поумнеть». Именно Пушкин стал для Платонова 30—40-х годов, создателя классических советских новелл «Фро», «Река Потудань», «Июльская гроза» и «Возвращение» (1946), неизмеримо дороже и выше любых утопистов, ослепленных мощью машин инженеров. Андрей Платонов 30-х годов, открывший для себя Пушкина и частицу Пушкина в себе,— это действительно новый художник. Пушкину посвящена и статья «Пушкин — наш товарищ» (1937), и самая крупная, ставшая известной читателю после смерти Платонова пьеса «Ученик Лицея». Над ней писатель работал вплоть до последнего мгновения жизни (Платонов умер, пройдя все пути фронтового корреспондента в годы войны, опасно заболев на фронте, в 1951 году).

Пушкин научил его видеть великое зодчество, идущее в глубинах быта, в пестром смешении «высокого» и «низкого», научил найти свою «Ассоль из Моршанска», будущую героиню рассказа «Фро». Не преуменьшая значения М. Е. Салтыкова-Щедрина, роли сатиры, Платонов писал, что важно все же, бичуя недостатки, вырывая сорные травы, помнить, что есть высшая тайна в народе: «...И голодно, и болезненно, и безнадежно, и уныло, но люди живут, обреченные не сдаются, больше того: массы людей, стушеванные фантасмагорическим, обманчивым покровом истории, то таинственное, безмолвное большинство человечества, которое терпеливо и серьезно исполняет свое существование,— все эти люди, оказывается, обнаруживают **способность бесконечного жизненного развития**» (подчеркнуто мной.— *В. Ч.*).

Величие простых сердец... Величие людей, без которых «народ неполный»... Их способность преображать мир, побеждать невыносимое, жить и тогда, когда, кажется, невозможно жить... Это истинно платоновская тема, открытая при свете Пушкина.

Это открытие сказалось уже в совершенном величии новеллы «Такыр» (1934) о пленнице, сумевшей принять все удары судьбы и как бы «сработать» их (любимое слово Платонова), истереть, освоить и победить «каменное горе». Оно сказалось и в классической новелле «Фро» — подлинной поэме о бессознательной красоте чувства любви, ожиданиях материнства. Не случайно в центре всей группы героев рассказа (муж — инженер, завороженный некими таинственными машинами, отец Фро, старый машинист, и она Фрося, «Фро») оказывается героиня, мудрая, скорее, естественностью чувств, верностью инстинктам любви, обязанности продолжения рода человеческого. Прославить человечество, поразить его сенсацией открытия — важно, но кто подумает о том, как его, это победоносное человечество, продлить!

Но даже на фоне этих новелл выделяется подлинный шедевр советской и мировой прозы — повесть «Джан». Такую веру в человека, такую силу исторического оптимизма в художнике XX века трудно с чем-либо сопоставить.

Человек среди песков... Среди особого пространства, где этот человек стоит ровно столько, сколько «стоит» его мужество, его душа... Где нельзя быть — по крайней мере долго — иждивенцем, перелагающим все трудности на других. В пустыне надо видеть мир очень зорко —

не физическим зрением, а с помощью памяти, воображения. Пустыня безмолвна, не «говорлива», но сколько неизреченных слов услышит здесь чуткое сердце, какие глубокие «вздохи» донесутся отсюда до него! Восток лишь «дремал» тысячелетия, вздыхая среди солнечного изобилия, но сколько великих идей рождалось среди этих «вздохов», в кажущейся его лени...

Одновременно с повестью «Джан» Платонов создал повесть «Ювенильное море» (Море юности), в которой все грани его таланта — сатирика, романтика революции, научного фантаста — раскрылись с изумительной полнотой. Бюрократ, мастер замысловатого, фигурного словоговорения Умрищев так «действует» даже на природу, что... «Ночь, **теряя смысл**, заканчивалась; за окном землебитного жилища уже начал **прозябать** день, и небо покрылось **бледностью** рассвета». Он истребляет даже... яростное начало в прекрасном и яростном мире! И при этом сладострастно приговаривает: «Вот здесь,— Умрищев прислонил ладонь к своему лбу,— вот здесь соединяются все противоречия и превращаются силой моей мысли в ничто». Но слишком велика энергия обновления жизни, сила мечты, живущая в новых людях, собратьях Назара Чагатаева, инженере Николае Вермо и Надежде Босталоевой, чтобы он мог оскопить жизнь, остановить их помыслы, омертвить их «в чаду кабинета». Платонов, рисуя этих героев, оживляющих пустынный край, добывающих материнскую воду, словно вспомнил тех юных красноармейцев в «Сокровенном человеке», что побеждали врага с одной гранатой, винтовкой, на утлых суденышках: в них словно вошло мужество природы, воля вселенной! Умрищеву не разрушить этого счастья — верить и творить. «...Тут был мир, созданный людьми в сочувствии друг другу, здесь в малом виде исполнилась надежда на высшую жизнь»...

Л. Н. Толстой однажды сказал о возможностях человека: «Я убежден, что в человека вложена бесконечная, не только моральная, но даже и физическая сила, но вместе с тем на эту силу положен ужасный тормоз — любовь к себе или, скорее, память о себе, которая производит бессилие. Но как только человек вырвется из этого тормоза он получает всемогущество».

В сущности весь подвиг главного героя «Джан» коммуниста Чагатаева, выводящего народ «джан» — символический образ всех одиноких, сиротливых, обездоленных — из плена бесплодной впадины в пустыне, был победой над этими «тормозами» покорности, разобщения, обессиливавшими людей.

* * *

...Известно, что Платонов с иронической улыбкой отводил от себя почетную роль учителя, наставника:

— Какой я учитель! У меня учиться нельзя. Как стал на меня чуть-чуть похожим, так... и сгинул!

Юрий Нагибин, близко знавший писателя, тоже предостерегает от слепого копирования платоновского стиля: «Подражание Чехову, или Бунину, или другому классику не так опасно, как подражание Андрею Платонову. Крепкая кислота его фразы выжжет дотла робкие возможности новичка...»

Но он нуждался в жизни и превозмогал терпеньем свою боль от голода и усталости»... Грустное упрямство, печальная воля к жизни живет в цветке — и в авторе! — застенчиво явление их в мир с «извинением» за свою непохожесть на других. Девочка Даша именно об этом и спрашивает цветок:

«— А отчего ты на других непохожий?

Цветок опять не знал, что сказать. Но он впервые так близко слышал голос человека, впервые кто-то смотрел на него, и он не хотел обидеть Дашу молчанием.

— Оттого, что мне трудно,— ответил цветок».

Удивительна не печаль, не слезы, а превращение их в чистое золото поэзии сердца.

Безмерная любовь к жизни, честнейшее подвижническое отношение к слову, орудию мысли писателя,— все это составляло неизменный тон жизни, душевное обаяние создателя «Впрок» и «Фро». Оно обрело ныне необыкновенную силу нравственного примера. Платонова, говоря словами А. Грина, «как бы сопровождал незримый оркестр, развивая бесконечные вариации некоей основной мелодии, звуки которой, недоступные слуху физическому, оставляли впечатление совершеннейшей музыкальной прелести» («Сила непостижимого»).

Лишь частицу этих божественных мелодий, звучащих в душе, Платонов успел претворить в образы, в художественную ткань удивительной духовной насыщенности. Но в искусстве важно не количество созданного, а мера истраченного на каждую строку человеческого существования, душевного огня.

ВИКТОР ЧАЛМАЕВ

ПРОЗА

СОКРОВЕННЫЙ ЧЕЛОВЕК

1

Фома Пухов не одарен чувствительностью: он на гробе жены вареную колбасу резал, проголодавшись вследствие отсутствия хозяйки.

— Естество свое берет! — заключил Пухов по этому вопросу.

После погребения жены Пухов лег спать, потому что сильно исхлопотался и намаялся. Проснувшись, он захотел квасу, но квас весь вышел за время болезни жены — и нет теперь заботчика о продовольствии. Тогда Пухов закурил — для ликвидации жажды. Не успел он докурить, а уж к нему кто-то громко постучал беспрекословной рукой.

— Кто? — крикнул Пухов, разваливая тело для последнего потягивания.— Погоревать не дадут, сволочи!

Однако дверь отворил: может, с делом человек пришел.

Вошел сторож из конторы начальника дистанции.

— Фома Егорыч,— путевка! Распишитесь в графе! Опять метет — поезда станут!

Расписавшись, Фома Егорыч поглядел в окно: действительно, начиналась метель, и ветер уже посвистывал над печной вьюшкой. Сторож ушел, а Фома Егорыч загоревал, подслушивая свирепеющую вьюгу,— и от скуки, и от бесприютности без жены.

— Все совершается по законам природы! — удостоверил он самому себе и немного успокоился.

Но вьюга жутко развертывалась над самой головой Пухова, в печной трубе, и оттого хотелось бы иметь рядом с собой что-нибудь такое, не говоря про жену, но хотя бы живность какую.

По путевке на вокзале надлежало быть в шестнадцать часов, а сейчас часов двенадцать — еще можно поспать, что и было сделано Фомой Егорычем, не обращая внимания на пение вьюги над вьюшкой.

Разомлев и распарившись, Пухов насилу проснулся. Нечаянно он крикнул, по старому сознанию:

— Глаша! — Жену позвал; но деревянный домик претерпевал

Этой повестью я обязан своему бывшему товарищу Ф. Е. Пухову и тов. Тольскому, комиссару новороссийского десанта в тыл Врангеля.— *Примеч. автора.*

удары снежного воздуха и весь пищал. Две комнаты стояли совсем порожними, и никто не внял словам Фомы Егорыча. А бывало, сейчас же отзовется участливая жена:

— Тебе чего, Фомушка?

— А ничего,— ответит, бывало, Фома Егорыч,— это я так позвал: цела ли ты!

А теперь никакого ответа и участия: вот они, законы природы!

— Дать бы моей старухе капитальный ремонт — жива бы была, но средств нету и харчи плохие! — сказал себе Пухов, шнуруя австрийские башмаки.

— Хоть бы автомат выдумали какой-нибудь: до чего мне трудящимся быть надоело! — рассуждал Фома Егорович, упаковывая в мешок пищу: хлеб и пшено.

На дворе его встретил удар снега в лицо и шум бури.

— Гада бестолковая! — вслух и навстречу движущемуся пространству сказал Пухов, именуя всю природу.

Проходя безлюдной привокзальной слободой, Пухов раздраженно бурчал — не от злобы, а от грусти и еще отчего-то, но отчего — он вслух не сказал.

На вокзале уже стоял под парами тяжелый, мощный паровоз с прицепленным к нему вагоном — снегоочистителем. На снегоочистителе было написано: «Система инженера Э. Бурковского».

«Кто этот Бурковский, где он сейчас и жив ли? Кто ж его знает!» — с грустью подумал Пухов, и отчего-то сразу ему захотелось увидеть этого Бурковского.

К Пухову подошел начальник дистанции:

— Читай, Пухов, расписывайся, и — поехали! — и подал приказ:

«Приказывается правый путь от Козлова до Лисок держать непрерывно чистым от снега, для чего пустить в безостановочную работу все исправные снегоочистители. После удовлетворения воинских поездов все паровозы поставить для тяги снегоочистителей. В экстренных случаях снимать для той же тяги дежурные станционные паровозы. При сильных метелях — впереди каждого воинского состава должен неотлучно работать снегоочиститель, дабы ни на минуту не было прекращено движение и не ослаблена боеспособность Красной Армии.

Пред. Глав. рев. комитета Ю.-В. ж. д. Рудин.
Комиссар путей сообщения Ю.-В. ж. д. Дубанин».

Пухов расписался — в те годы попробуй не распишись!

— Опять неделю не спать! — сказал машинист паровоза, тоже расписавшись.

— Опять! — сказал Пухов, чувствуя странное удовольствие от предстоящего трудного беспокойства: все жизнь как-то незаметней и шибче идет.

Начальник дистанции, инженер и гордый человек, терпеливо слушал метель и смотрел поверх паровоза какими-то отвлеченными глазами. Его раза два ставили к стенке, он быстро поседел и всему подчинился — без жалобы и без упрека. Но зато навсегда замолчал и говорил только распоряжения.

Вышел дежурный по станции, вручил начальнику дистанции путевку и пожелал доброго пути.

— До Графской остановки нет! — сказал начальник дистанции машинисту.— Сорок верст! Хватит ли воды у вас, если топку придется все время форсировать?

— Хватит,— ответил машинист.— Воды много — всю не выпарим!

Тогда начальник дистанции и Пухов вошли в снегоочиститель. Там уже лежали восемь рабочих и докрасна калили чугунку казенными дровами, распахнув для свежего воздуха окно.

— Опять навоняли, дьяволы! — почувствовал и догадался Пухов.— А ведь только что пришли и харчей жирных, должно, не едали! Эх, идолы!

Начальник дистанции сел на круглый стул у выпуклого окна, откуда он управлял всей работой паровоза и снегоочистителя, а Пухов стал у балансира.

Рабочие тоже встали у своих мест, у больших рукояток, посредством которых по балансиру быстро перекидывался груз — и балансир то поднимал, то опускал снегосбросный щит.

Метель выла упорно и ровно, запасшись огромным напряжением где-то в степях юго-востока.

В вагоне было не чисто, но тепло и как-то укромно. Крыша вокзала гремела железами, отстегнутыми ветром, а иногда этот скрежет железа перемежался с далеким артиллерийским залпом.

Фронт работал в шестидесяти верстах. Белые все время прижимались к железнодорожной линии, ища уюта в вагонах и станционных зданиях, утомившись в снежной степи на худых конях. Но белых отжимали бронированные поезда красных, посыпая снега свинцом из изношенных пулеметов. По ночам — молча, без огней, тихим ходом — проходили броневые поезда, просматривая темные пространства и пробуя паровозом целость пути. Ночью ничего не известно; помашет издали поезду низкое степное дерево — и его порежут и снесут пулеметным огнем: зря не шевелись!

— Готово? — спросил начальник дистанции и посмотрел на Пухова.

— Готово! — ответил Пухов и взял в обе руки рычаги.

Начальник дистанции потянул веревку к паровозу — тот запел, как нежный пароход, и грубо дернул снегоочиститель.

Выскочив со станционных путей, начальник дистанции одной рукой резко и коротко дернул за веревку паровозного свистка, а другой махнул Пухову. Это означало: работа!

Паровоз крикнул, машинист открыл весь пар, а Пухов передвинул оба рычага, опуская щит с ножами и развертывая крылья.

Сейчас же снегоочиститель сдал скорость и начал увязать в снегу, прилипая к рельсам, как к магнитам.

Начальник дистанции еще раз дернул веревку на паровоз, что означало — усилить тягу! Но паровоз весь дрожал от перенапряжения и сифонил так, что из трубы жар вылетал. Колеса его впустую ворочались в снегу, как в крутой почве, подшипники грелись от частых оборотов и плохого масла, а кочегар весь взмок от работы с топкой, несмотря на то что выбегал за дровами на тендер, где его прохватывал двадцатиградусный ветер.

Снегоочиститель и паровоз попали в глубокий снежный перевал. Один начальник дистанции молчал — ему было все равно. Остальные люди на паровозе и на снегоочистителе грубо выражались на каком-то самодельном языке, сразу обнажая задушевные мысли.

— Пару мало! Пошуруй топку и просифонь, чтоб баланец[1] загремел,— тогда возьмем!

— Закуривай! — крикнул рабочим Пухов, догадавшись о том, что́ делается на паровозе.

Начальник дистанции тоже вынул кисет и насыпал в кусочек газеты зеленой самогонной махорки.

К метели давно притерпелись и забыли про нее, как про нормальный воздух. Покурив, Пухов вылез из вагона и здесь только обнаружил гром бури, злобу холода и пальбу сухого снега.

— Вот сволота! — сказал Пухов, еле управляясь с тем, с чем ему нужно было управиться.

Вдруг бешено заревел баланс паровоза, спуская лишний пар. Пухов вскочил в вагон — и паровоз сейчас же и разом выхватил снегоочиститель из снежного бугра, пробуксовав колесами так, что огонь посыпался из рельс. Пухов даже увидел, как хлестнула вода из паровозной трубы от слишком большого открытия пара, и оценил машиниста за отвагу:

— Хорош парень у нас на паровозе!

— А? — спросил старший рабочий Шугаев.

— Чего — а? — ответил Пухов.— Чего акаешь-то? Горе кругом, а ты разговариваешь!

Шугаев поэтому замолчал.

Паровоз прогудел два раза, а начальник дистанции крикнул:

— Закрой работу!

Пухов рванул рычаг и поднял щит.

Подъезжали к переезду, где лежали контррельсы. Такие места проезжали без работы: щит снегоочистителя резал снег ниже головки рельса и не мог работать, когда у рельса что-нибудь находилось — тогда снегоочиститель опрокинулся бы.

Проехав переезд, снегоочиститель понесся открытой степью. Укрытый снегом, лежал искусный железный путь. Пухов всегда удивлялся пространству. Оно его успокаивало в страдании и увеличивало радость, если ее имелось немного.

---

[1] Б а л а н с — автоматический предохранитель от излишнего давления пара в котле. (*Прим. автора.*)

Так и теперь — поглядел в запушенное окно Пухов: ничего не видно, а приятно.

Снегоочиститель, имея жесткие рессоры, гремел, как телега по кочкам, и, ухватывая снег, тучей пушил его на правый откос пути, трепеща выкинутым крылом; это крыло назначено было швырять снег на сторону — то оно и делало.

В Графской сделали значительную стоянку. Паровоз брал воду, помощник машиниста чистил дымовую коробку, топку и прочее огневое хозяйство.

Обмерзший машинист ничего не делал, а только ругался на эту жизнь. Из штаба какого-то матросского отряда, стоявшего в Графской, ему принесли спирту, и Пухов тоже прошел в долю, а начальник дистанции отказался.

— Пей, инженер,— предложил ему главный матрос.

— Благодарю покорно. Я ничего не пью,— уклонился инженер.

— Ну, как хочешь! — сказал матрос.— А то выпей — согреешься! Хочешь, рыбы принесу — покушаешь?

Инженер опять отказался, по неизвестной причине.

— Эх ты, тина! — сказал тогда оскорбленный матрос.— Ведь тебе с душой дают — нам же не жалко,— а ты не берешь! Поешь, пожалуйста!

Машинист и Пухов пили и жевали все напролом, улыбаясь насчет начальника.

— Отстань ты от него! — обрубил другой матрос.— Он есть хочет, но идея его не велит!

Начальник дистанции смолчал. Есть он действительно не хотел. Месяц назад он вернулся из командировки — из-под Царицына, где сдавал восстановленный мост. Вчера он получил депешу, что мост просел под воинским поездом: клепка моста шла наспех, неквалифицированные рабочие ставили заклепки на живую нитку, и теперь фермы моста расшились — от одного чувства веса мало-мальски грузного поезда.

Два дня назад началось следствие по делу моста, и дома у начальника дистанции лежала повестка от следователя железнодорожного Ревтрибунала. Назначенный в экстренную поездку, инженер не мог пойти в Ревтрибунал, но помнил об этом. Поэтому ему не пилось и не елось. Но страха он тоже не имел, терзаясь сплошным равнодушием; равнодушие, он чувствовал, может быть страшнее боязливости — оно выпаривает из человека душу, как воду медленный огонь, и когда очнешься — останется от сердца одно сухое место; тогда человека хоть ежедневно к стенке ставь — он покурить не попросит: последнее удовольствие казнимого.

— Теперь куда поедете? — спросил у Пухова главный матрос.

— Должно, на Грязи!

— Верно: под Усманью два эшелона и броневик в сугробах застряли! — вспомнил матрос.— Казаки, говорят, Давыдовку взяли, а снаряды за Козловом в заносах стоят!

— Расчистим, сталь режем, а снег — вещество чепуховое! — уверенно определил Пухов, спешно допивая последние капли спирта, чтобы ничто не пропадало в такое время.

Тронулись на Грязи. Пассажиром напросился старичок — будто бы ехал от сына в Лисок,— а кто ж его знает!

Поехали. Загремел балансир, кидая щит то вниз, то вверх,— забурчали рабочие, которым не досталось матросской жирной рыбы.

— Яблок бы моченых я теперь поел! — сказал на полном ходу снегоочистителя Пухов.— Ух, и поел бы — ведро бы съел!

— А я бы сельдь покушал! — ответил ему старичок-пассажир.— Люди говорят, что в Астрахани сельди той миллионы пудов гниют, только маршрутов туда нету!

— Тебя посадили, ты и молчи сиди! — строго предупредил Пухов.— Сельдь бы он покушал! Будто без него съесть ее некому!

— А я,— встрял в разговор помощник Пухова, слесарь Зворычный,— на свадьбе в Усмани был, так полного петуха съел — жирён был, дьявол!

— А сколько петухов-то было на столе? — спросил Пухов, чувствуя на вкус того петуха.

— Один и был — откуда теперь петухи?

— Что ж, тебя не выгнали со свадьбы? — допытывался Пухов, желая, чтоб его выгнали.

— Нет, я сам рано ушел. Вылез из стола, будто на двор захотел,— мужики часто ходят,— и ушел.

— А тебе, старик, не пора слезать — деревня твоя не видна еще? — спросил Пухов пассажира.— Гляди, а то разбалакаешься — проскочишь!

Старик подскочил к окну, подышал на стекло и потер его.

— Места будто знакомые пошли — будто Хамовские выселки торчат на юру.

— Раз Хамовские выселки — тебе к месту,— сказал сведущий Пухов.— Слезай, пока на подъем прем!

Старик почухался с мешком и покорно возразил:

— Машина ходко бежит, аж воздух журчит,— жутко убиваться, господин машинист! Может, окоротить позволите на одну минуту — я враз.

— Обдумал! — осерчал Пухов.— Окоротить ему казенную машину в военное время! Теперь до самых Грязей остановки не будет!

Старик смолчал, а потом спросил особо покорным голосом:

— Сказывали, тормоза теперь могучие пошли — на всякую скороту окорот дают!

— Слазь, слазь, старик! — серчал Пухов.— Скороту ему окоротить! Не на каменную гору прыгаешь, а в снег! Так мягко придется, что сам полежишь — и потянешься еще!

Старик вышел на наружную площадку, осмотрел веревку на мешке — не для прочности, конечно, а для угона времени, чтобы духу набраться,— а потом пропал: должно, шлепнулся.

С Грязей снегоочистителю вручили приказ: вести за собой броневик и поезд наркома, пробивая траншею в заносах, вплоть до Лисок.

Снегоочистителю дали двойную тягу: другой паровоз уступил поезд наркома — громадную спокойную машину Путиловского завода.

Тяжелый боевой поезд наркома всегда шел на двух лучших паровозах.

Но и два паровоза теперь обессилели от снега, потому что снег хуже песка. Поэтому не паровозы были в славе в ту мятежную и снежную зиму, а снегоочистители.

И то, что белых громила артиллерия бронепоездов под Давыдовкой и Лисками, случилось потому, что бригады паровозов и снегоочистителей крушили сугробы, не спя неделями и питаясь сухой кашей.

Пухов, например, Фома Егорыч, сразу почел такое занятие обыкновенным делом и только боялся, что исчезнет махорка с вольного рынка; поэтому дома имел ее пуд, проверив вес на безмене.

Не доезжая станции Колодезной, снегоочиститель стал: два могучих паровоза, которые волокли его, как плуг, влетели в сугроб и зарылись по трубу.

Машинист-петроградец с поезда наркома, ведший головной паровоз, был выбит из сиденья и вышвырнут на тендер от удара паровоза в снег и мгновенной остановки. А паровоз его, не сдаваясь, продолжал буксовать на месте, дрожа от свирепой безысходной силы, яростно прессуя грудью горы снега впереди.

Машинист прыгнул в снег, катаясь в нем окровавленной головой и бормоча неслыханные ругательства.

К нему подошел Пухов с четырьмя собственными зубами в кулаке — он стукнулся челюстью о рычаг и вытащил изо рта ослабшие лишние зубы. В другой руке он нес мешочек со своими харчами — хлеб и пшено. Не глядя на лежащего машиниста, он засмотрелся на его замечательный паровоз, все еще бившийся в снегу.

— Хороша машина, сволочь!

Потом крикнул помощнику:

— Закрой пар, стервец, кривошипы порвешь!

С паровоза никто не ответил.

Положив харчи на снег и зашвырнув зубы, Пухов сам полез на паровоз, чтобы закрыть регулятор и сифон.

В будке лежал мертвый помощник. Его бросило головой на штырь, и в расшившийся череп просунулась медь — так он повис и умер, поливая кровью мазут на полу. Помощник стоял на коленях, разбросав синие беспомощные руки и с пришпиленной к штырю головой.

«И как он, дурак, нарвался на штырь? И как раз ведь в темя, в самый материнский родничок хватило!» — обнаружил событие Пухов.

Остановив бег на месте бесившегося паровоза, Пухов оглядел все его устройство и снова подумал о помощнике:

«Жалко дурака: пар хорошо держал!»

Манометр действительно и сейчас показывал тринадцать атмосфер, почти предельное давление,— и это после десяти часов хода в глубоком плотном снегу!

Метель стихала, переходя в мокрый снегопад. Вдалеке дымили на расчищенных путях броневик и поезд наркома.

Пухов с паровоза ушел. Рабочие снегоочистителя и начальник дистанции лезли по живот в снегу к паровозу.

Со второго паровоза тоже сошла бригада, перевязав разбитые головы грязными обтирочными концами.

Пухов подошел к петроградскому машинисту. Тот сидел на снегу и прикладывал его к окровавленной голове.

— Ну что,— обратился он к Пухову,— как стоит машина? Закрыл поддувала?

— Все на месте, механик! — ответил по-служебному Пухов.— Помощник только твой убился, но я тебе Зворычного дам, парень умственный, только жрать здоров!

— Ладно,— сказал машинист.— Положи-ка мне хлебца на рану и портянкой округи! Кровь, сатану, никак не заткну!

Из-за снегоочистителя выглянула милая усталая морда лошади, и через две минуты к паровозу подъехал казачий отряд в человек пятнадцать.

Никто на них не обратил нужного внимания.

Пухов со Зворычным закусывали; Зворычный советовал Пухову непременно вставить зубы, только стальные и никелированные — в воронежских мастерских могут сделать: всю жизнь тогда не изотрешь о самую твердую пищу!

— Опять выбить могут! — возразил Пухов.

— А мы тебе их штук сто наделаем,— успокоил Зворычный.— Лишние в кисет в запас положишь.

— Это ты верно говоришь,— согласился Пухов, соображая, что сталь прочней кости и зубов можно наготовить массу на фрезерном станке.

Казачий офицер, видя спокойствие мастеровых, растерялся и охрип голосом.

— Граждане рабочие! — нарочито сказал офицер, ворочая полубезумными глазами.— Именем Великой Народной России приказываю вам доставить паровозы и снегочистку на станцию Подгорное. За отказ — расстрел на месте!

Паровозы тихо сипели. Снег падать перестал. Дул ветер оттепели и далекой весны.

У машиниста кровь на голове свернулась и больше не текла. Он почесал сухую корку сукровицы и трудным, ослабевшим шагом пошел на паровоз.

— Пойти воды покачать и дров подложить — машину морозить неохота!

Казаки вынули револьверы и окружили мастеровых. Тогда Пухов рассерчал:

— Вот сволочи, в механике не понимают, а командуют!

— Што-о? — захрипел офицер.— Марш на паровоз, иначе пулю в затылок получишь!

— Что ты, чертова кукла, пулей пугаешь! — закричал, забываясь, Пухов.— Я сам тебя гайкой смажу! Не видишь, что в перевал сели и люди побились! Фулюган, черт!

Офицер услышал короткий глухой гудок броневого поезда и обернулся, подождав стрелять в Пухова.

Начальник дистанции лежал на шинели, постеленной на снег, и о чем-то мрачно размышлял, рассматривая хилое, потеплевшее небо.

Вдруг на паровозе по-плохому закричал человек. То, наверно, машинист снимал со штыря своего разбитого помощника.

Казаки сошли с коней и бродили вокруг паровоза, как бы ища потерянное.

— По коням! — крикнул казакам офицер, заметя вывернувшийся из закругления бронепоезд.— Пускай паровозы, стрелять начну! — и выстрелил в голову начальника дистанции — тот и не вздрогнул, а только засучил усталыми ногами и отвернулся вниз лицом ото всех.

Пухов вскочил на паровоз и заревел во всю сирену прерывистой тревогой. Догадливый машинист открыл паровой кран инжектора, и весь паровоз укутался паром.

Казачий отряд начал напропалую расстреливать рабочих, но те забились под паровозы, проваливались, убегая, в сугробы,— и все уцелели.

С бронепоезда, подошедшего к снегоочистителю почти вплотную, ударили из трехдюймовки и прострочили из пулемета.

Отскакав саженей на двадцать, казачий отряд начал тонуть в снегах и был начисто расстрелян с бронепоезда.

Только одна лошадь ушла и понеслась по степи, жалобно крича и напрягая худое быстрое тело.

Пухов долго глядел на нее и осунулся от сочувствия.

С бронепоезда отцепили паровоз и подвели его сзади к снегоочистителю толкачом.

Через час, подняв пар, три паровоза продавили снежный перевал на путях и вырвались на чистое место.

2

В Лисках отдыхали три дня.

Пухов обменял на олеонафт десять фунтов махорки и был доволен. На вокзале он исчитал все плакаты и тащил газеты из агитпункта для своего осведомления.

Плакаты были разные. Один плакат перемалевали из большой иконы — где архистратиг Георгий поражает змея, воюя на адовом дне. К Георгию приделали голову Троцкого, а змею-гаду нарисовали голову буржуя; кресты на ризе Георгия Победоносца зарисовали звездами, но краска была плохая, и из-под звезд виднелись опять-таки кресты.

Это Пухова удручало. Он ревниво следил за революцией, стыдясь за каждую ее глупость, хотя к ней был мало причастен.

На стенах вокзала висела мануфактура с агитационными словами:

> В рабочие руки мы книги возьмем,
> Учись, пролетарий, ты будешь умен!

— Тоже нескладно! — закричал Пухов.— Надо так написать, чтоб все дураки заочно поумнели!

К а ж д ы й   п р о ж и т ы й   н а м и   д е н ь — г в о з д ь в г о-л о в у   б у р ж у а з и и.   Б у д е м   ж е   в е ч н о   ж и т ь — п у с-к а й   т е р п и т   е е   г о л о в а!

— Вот это сурьезно! — расценивал Пухов.— Это твердые слова!

Подходит раз к Лискам поезд — хорошие пассажирские вагоны, красноармейцы у дверей, и ни одного мешочника не видно.

Пухов стоял в тот час на платформе у дверей и кое-что обдумывал.

Поезд останавливается. Из вагонов никто не выходит.

— Кто это прибыл с этим эшелоном? — спрашивает Пухов одного смазчика.

— А кто его знает? Сказывают, главный командир — один в целом поезде!

Из переднего вагона вышли музыканты, подошли к середине поезда, построились и заиграли встречу.

Немного погодя выходит из среднего мягкого вагона толстый военный человек и машет музыкантам рукой: будет, дескать, доволен!

Музыканты разошлись. Военный начальник не спеша сходит по ступенькам и идет в вокзал. За ним идут прочие военные люди — кто с бомбой, кто с револьвером, кто за саблю держится, кто так ругается,— полная охрана.

Пухов прошел вслед и очутился около агитпункта. Там уже стояла красноармейская масса, разные железнодорожники и жадные до образования мужики.

Приехавший военный начальник взошел на трибуну — и тут ему все захлопали, не зная его фамилии. Но начальник оказался строгим человеком и сразу отрубил:

— Товарищи и граждане! На первый раз я прощаю, но заявляю, чтобы впредь подобных демонстраций не повторялось! Здесь не цирк, и я не клоун — хлопать в ладоши тут не по существу!

Народ сразу примолк и умильно уставился на оратора — особенно мешочники: может, дескать, лицо запомнит и посадит на поезд.

Но начальник, разъяснив, что буржуазия целиком и полностью — сволочь, уехал, не запомнив ни одного умильного лица.

Ни один мешочник в порожний длинный поезд так и не попал: охрана сказала, что вольным нельзя ехать на военном поезде особого назначения.

— А он же порожняком,— все едино — лупить будет! — спорили худые мужики.

— Командарму пустой поезд полагается по приказу! — объяснили красноармейцы из охраны.

— Раз по приказу — мы не спорим! — покорялись мешочники.— Только мы не в поезде сядем, а на сцепках!

— Нигде нельзя! — отвечали охранники.— Только на спице колеса можно!

Наконец поезд уехал, постреливая в воздух — для испуга жадных до транспорта мешочников.

— Дела! — сказал Пухов одному деповскому слесарю.— Маленькое тело на сорока осях везут!

— Нагрузка маленькая — на канате вошь тащут! — на глаз измерил деповский слесарь.

— Дрезину бы ему дать — и ладно! — сообразил Пухов.— Тратят зря американский паровоз!

Идя в барак за порцией пищи, Пухов разглядывал по дороге всякие надписи и объявления — он был любитель до чтения и ценил всякий человеческий помысел. На бараке висело объявление, которое Пухов прочитал беспрерывно трижды:

ТОВАРИЩИ РАБОЧИЕ

Штабом IX Рабоче-Крестьянской Красной Армии формируются добровольные отряды технических сил для обслуживания фронтовых нужд Красных армий, действующих на Северном Кавказе, Кубани и Черноморском побережье.

Разрушенные железнодорожные мосты, береговые оборонительные сооружения, служба связи, орудийные ремонтные мастерские, подвижные механические базы — все это, взятое в целом, требует умелых пролетарских рук, которых не хватает в действующих Красных армиях юга.

С другой стороны, без технических средств не может быть обеспечена победа над врагами рабочих и крестьян, сильных своей техникой, полученной задаром от антантовского империализма.

Товарищи рабочие! Призываем вас записываться в отряды технических сил у уполномоченных Реввоенсовета — IX на всех ж.-д. узловых станциях. Условия службы узнайте от товарищей уполномоченных. Да здравствует Красная Армия!

Да здравствует рабоче-крестьянский класс!

Пухов сорвал листок, приклеенный мукой, и понес его к Зворычному.

— Тронемся, Петр! — сказал Пухов Зворычному.— Какого

шута тут коптить! По крайности, южную страну увидим и в море покупаемся!

Зворычный молчал, думал о своем семействе.

А у Пухова баба умерла, и его тянуло на край света.

— Думай, Петруха! На самом-то деле: какая армия без слесарей! А на снегоочистке делать нечего — весна уж в ширинку дует!

Зворычный опять молчал, жалея жену Анисью и мальчишку, тоже Петра, которого мать звала выпороточком.

— Едем, Петруш! — увещевал Пухов.— Горные горизонты увидим; да и честней как-то станет! А то видал — тифозных эшелонами прут, а мы сидим — пайки получаем!.. Революция-то пройдет, а нам ничего не останется! Ты, скажут, што делал? А ты што скажешь?..

— Я скажу, что рельсы от снегов чистил! — ответил Зворычный.— Без транспорта тоже воевать нельзя!

— Это што! — сказал Пухов.— Ты, скажут, хлеб за то получал, то работа нормальная! А чем ты бесплатно пожертвовал, спросят, чему ты душевно сочувствовал? Вот где загвоздка! В Воронеже вон бывшие генералы снег сгребают — и за то фунт в день получают! Так же и мы с тобой!

— А я думаю,— не поддавался Зворычный,— мы тут с тобой нужней!

— То никому не известно, где мы с тобой полезней! — нажимал Пухов.— Если только думать, тоже далеко не уедешь, надо и чувство иметь!

— Да будет тебе ерунду лить! — задосадовал Зворычный.— Кто это считать будет — кто что делал, чем занимался? И так покою нет от жизни такой! Тебе теперь все равно — один на свете,— вот тебя и тянет, дурака! Небось думаешь бабу там покрасивше отыскать,— чувство-то понимаешь! Мужик ты не старый — без бабы раздуешься скоро! Ну и вали туда рысью!..

— Дурак ты, Петр! — оставил надежду Пухов.— В механике ты понимаешь, а сам по себе предрассудочный человек!

С горя Пухов и обедать не стал, а пошел к уполномоченному записываться, чтобы сразу управиться с делами. Но когда пришел — съел два обеда: повар к нему благоволил за полудку кастрюли и за умные разговоры.

— После гражданской войны я красным дворянином буду! — говорил Пухов всем друзьям в Лисках.

— Это почему же такое? — спрашивали его мастеровые люди.— Значит, как в старину будет, и землю тебе дадут?

— Зачем мне земля? — отвечал счастливый Пухов.— Гайки, что ль, сеять я буду? То будет честь и звание, а не угнетение.

— А мы, значит, красными вахлаками останемся? — узнавали мастеровые.

— А вы на фронт ползите, а не чухайтесь по собственным домам! — выражался Пухов и уходил дожидаться отправки на юг.

...Через неделю Пухов и еще пятеро слесарей, принятых уполномоченным, поехали на Новороссийск — в порт.

Ехали долго и трудно, но еще труднее бывают дела, и Пухов впоследствии забыл это путешествие. На дорогу им дали по пять фунтов воблы и по ковриге хлеба, поэтому слесаря были сыты, только пили воду на всех станциях.

В Екатеринодаре Пухов сидел неделю — шел где-то бой, и на Новороссийск никого не пропускали. Но в этом зеленом отпетом городке давно притерпелись к войне и старались жить весело.

«Сволочи! — думал обо всех Пухов.— Времен не чувствуют!»

В Новороссийске Пухов пошел на комиссию, которая якобы проверяла знания специалистов.

Его спросили, из чего делается пар.

— Какой пар? — схитрил Пухов.— Простой или перегретый?

— Вообще... пар! — сказал экзаменующий начальник.

— Из воды и огня! — отрубил Пухов.

— Так! — подтвердил экзаменатор.— Что такое комета?

— Бродящая звезда! — объяснил Пухов.

— Верно! А скажите, когда и зачем было восемнадцатое брюмера? — перешел на политграмоту экзаменатор.

— По календарю Брюса тысяча девятьсот двадцать восьмого года восемнадцатого октября — за неделю до Великой Октябрьской революции, освободившей пролетариат всего мира и все разукрашенные народы! — не растерялся Пухов, читавший что попало, когда жена была жива.

— Приблизительно верно! — сказал председатель проверочной комиссии.— Ну, а что вы знаете про судоходство?

— Судоходство бывает тяжельше воды и легче воды! — твердо ответил Пухов.

— Какие вы знаете двигатели?

— Компаунд, Отто-Дейц, мельницы, пошвенные колеса и всякое вечное движение!

— Что такое лошадиная сила?

— Лошадь, которая действует вместо машины.

— А почему она действует вместо машины?

— Потому, что у нас страна с отсталой техникой — корягой пашут, ногтем жнут!

— Что такое религия? — не унимался экзаменатор.

— Предрассудок Карла Маркса и народный самогон.

— Для чего была нужна религия буржуазии?

— Для того, чтобы народ не скорбел.

— Любите ли вы, товарищ Пухов, пролетариат в целом и согласны за него жизнь положить?

— Люблю, товарищ комиссар,— ответил Пухов, чтобы выдержать экзамен,— и кровь лить согласен, только чтобы не зря и не дуриком!

— Это ясно! — сказал экзаменатор и назначил его в порт монтером для ремонта какого-то судна.

Судно то оказалось катером, под названием «Марс». В нем керосиновый мотор не хотел вертеться — его и дали Пухову в починку.

Новороссийск оказался ветреным городом. И ветер-то как-то тут дул без толку: зарядит, дует и дует, даже посторонние вещи от него нагревались, а ветер был холодный.

В Крыму тогда сидел Врангель, а с ремонтом «Марса» большевики спешили — говорили, что Врангель морской набег думает сделать, так чтоб было чем защититься.

— Так у него ж английские крейсера,— объяснял Пухов,— а наш «Марс» — морская лодка, ее кирпичом можно потопить!

— Красная Армия все может! — отвечали Пухову матросы.— Мы в Царицын на щепках приплыли, кулаками город шуровали!

— Так то ж драка, а не война! — сомневался Пухов.— А ядро не классовая вещь — живо ко дну пустит!

Керосиновый мотор на «Марсе» никак не хотел вертеться.

— Был бы ты паровой машиной,— рассуждал Пухов, сидя одиноко в трюме судна,— я б тебя сразу замордовал! А то подлецом каким-то выдумана: ишь провода какие-то, медяшки... путаная вещь!

Море не удивляло Пухова — качается и мешает работать.

— Наши степи еще попросторней будут, и ветер еще почище там, только не такой бестолковый; подует днем, а ночью тишина. А тут — дует, дует и дует,— что ты с ним делать будешь?

Бормоча и покуривая, Пухов сидел над двигателем, который не шел. Три раза он его разбирал и вновь собирал, потом закручивал для пуска — мотор сипел, а крутиться упорствовал.

Ночью Пухов тоже думал о двигателе и убедительно переругивался с ним, лежа в пустой каютке.

Пришел раз к Пухову на «Марс» морской комиссар и говорит:

— Если ты завтра не пустишь машину, я тебя в море без корабля пущу, копуша, черт!

— Ладно, я пущу эту сволочь, только в море остановлю, когда ты на корабле будешь! Копайся сам тогда, фулюган! — ответил как следует Пухов.

Хотел тогда комиссар пристрелить Пухова, но сообразил, что без механика — плохая война.

Всю ночь бился Пухов. Передумал заново всю затею этой машины, переделал ее по своему пониманию на какую-то новую машину, удалил зазорные части и поставил простые — и к утру мотор бешено запыхал. Пухов тогда включил винт — мотор винт потянул, но тяжело задышал.

— Ишь,— сказал Пухов,— как черт на Афон взбирается!

Днем пришел опять морской комиссар.

— Ну что, пустил машину? — спрашивает.

— А ты думал, не пущу? — ответил Пухов.— Это только вы из-под Екатеринодара удрали, а я ни от чего не отступлю, раз надо!

— Ну, ладно, ладно,— сказал довольный комиссар.— Знай, что керосину у нас мало — береги!

— Мне его не пить — сколько есть, столько будет! — положительно заявил Пухов.

— Ведь мотор с водой идет? — спросил комиссар.

— Ну да, керосин топит, вода охлаждает!

— А ты норови керосину поменьше, а воды побольше,— сделал открытие комиссар.

Тут Пухов захохотал всем своим редким молчаливым голосом.

— Что ты, дурак, радуешься? — спросил в досаде комиссар.

Пухов не мог остановиться и радостно закатывался.

— Тебе бы не советскую власть, а всю природу учреждать надо,— ты б ее ловко обдумал! Эх ты, мехоноша!

Услышав это, комиссар удалился, потеряв некую внутреннюю честь.

А в Новороссийске шли аресты и разгром зажиточных людей. «Чего они людей шуруют? — думал Пухов.— Какая такая гроза от этих шутов? Они и так дальше завалинки выйти боятся».

Кроме арестов, по городу были расклеены бумаги: «Вследствие тяжелой медицинской усталости ораторов, никаких митингов на этой неделе не будет».

«Теперь нам скучно будет»,— скорбел, читая, Пухов.

Меж тем в порту появился маленький истребитель «Звезда». Там пробоину заклепывали и якорную лебедку чинили. Пухов туда ходил смотреть, но его не пустили.

— Чего это такое? — обиделся Пухов.— Я же вижу, там холуи работают. Я помочь хотел, а то случится в море неполадка!

— Не велено никого пускать! — ответил часовой-красноармеец.

— Ну, шут с вами, мучайтесь! — сказал Пухов и ушел, озабоченный.

К вечеру того же дня пришло в порт турецкое транспортное судно «Шаня». В клубе говорили, что это подарок Кемаля-паши, турецкого вождя, но Пухов сомневался.

— Я же видел,— говорил он красноармейцам,— что судно исправное! Станет вам турецкий султан в военное время такие подарки делать — у него самого нехватка!

— Так он друг наш, Кемаль-паша! — разъясняли красноармейцы.— Ты, Пухов, в политике — плетень!

— А ты снял онучи — думаешь, гвоздем стал? — обижался Пухов и уходил в угол глядеть плакаты, которым он, однако, особо не доверял.

Ночью Пухова разбудил вестовой из штаба армии. Пухов немного испугался.

— Должно быть, морской комиссар гадит!

На дворе штаба стоял большой отряд красноармейцев в полном походном снаряжении. Тут же стояли трое мастеровых, но тоже в военных шинелях и с чайниками.

— Товарищ Пухов,— обратился командир отряда,— вы почему не в военной форме?

— Я и так хорош, чего мне чайник цеплять! — ответил Пухов и стал к сторонке.

Стояла ночь — и огромная тьма,— и в горах шуршали ветер и вода.

Красноармейцы стояли молча, одетые в новые шинели, и ни о чем не говорили. Не то они боялись чего-то, не то соблюдали тайну друг от друга.

В горах и далеких окрестностях изредка кто-то стрелял, уничтожая неизвестную жизнь.

Один красноармеец загремел винтовкой,— его враз угомонили, и он почуял свой срам, до самого сердца.

Пухов тоже что-то заволновался, но не выражал этого чувства, чтобы не шуметь.

Фонарь над конюшней освещал дворовую нечистоту и дрожал неясным светом на бледных лицах красноармейцев. Ветер, нечаянно зашедший с гор, говорил о смелости, с которой он воюет над беззащитными пространствами. Свое дело он и людям советовал — и те слышали.

В городе бесчинствовали собаки, а люди, наверно, тихо размножались. А тут, на глухом дворе, другие люди были охвачены тревогой и особым сладострастием мужества — оттого, что их хотят уменьшить в количестве.

Вышел на середину военный комиссар полка и негромко начал говорить, будто имел перед собой одного человека:

— Дорогие товарищи! Сейчас у нас не митинг, и я скажу немного... Высшее командование Республики приказало Реввоенсовету нашей армии ударить в тыл Врангелю, который сейчас догорает в Крыму. Наша задача как раз в том, чтобы переплыть на тех судах, которые у нас есть, Керченский пролив и высадиться на Крымском берегу. Там мы должны соединиться с действующими в тылу Врангеля красно-зелеными партизанскими отрядами и отрезать Врангеля от судов, куда он бросится, когда северная Красная Армия прорвется через Перекоп. Мы должны разрушить мосты и дороги у Врангеля, растерзать его тыл и загородить ему море, чтобы выжечь сразу всю эту заразу!

Красноармейцы! Добраться до Крыма нам будет тяжело, и это рискованная вещь. Там плавают дозорные крейсера, которые нас потопят, если заметят. Это я должен вам открыто сказать. А если и доплывем, то нам предстоит опасная, смертельная борьба среди озверелого противника. Не много нас уцелеет, а может, никого, когда Крым станет советским,— вот что я хочу вам сказать, дорогие товарищи красноармейцы!

И далее того: я хочу спросить у вас, товарищи, согласны ли вы на это дело идти добровольно?

Чувствуете ли вы мужественную отвагу в себе, дабы пожертвовать достоинством жизни на благо революции и Советской Республики? Если кто боится или колеблется, у кого семья осталась и ему ее жалко — пускай выйдет и скажет, чтобы ясно было, и мы освободим такого товарища!

Центральное наше правительство возлагает великую надежду на нашу операцию, чтобы поскорей покончить с войной и приступить к мирному строительству на фронте труда!

Я жду вашего ответа, товарищи красноармейцы! Я должен сейчас же передать его Реввоенсовету армии!

Военный комиссар кончил речь и стоял насупившись,— ему было хорошо и неловко. Красноармейцы тоже молчали. А у Пухова все дрожало внутри.

«Вот это дело,— думал он,— вот она, большевистская война,— нечего тут яйца высиживать!»

Никто уже не слышал ветра и не видел ночных гор. Мир затмился во всех глазах, как дальнее событие, каждый был занят общей жизнью. Фонарь на дворе тоже потух, израсходовав свой керосин, и никто этого не заметил.

Вдруг из рядов выступает один красноармеец и определенно говорит:

— Товарищ комиссар! Передайте Реввоенсовету армии и всему командованию, что мы ждем приказа о выступлении! Мы того не ждали, чтобы нам оказали такую высокую честь и поручили прикончить Врангеля! Я в том убежден, что говорю от чистого сердца всех красноармейцев, если скажу, что, стало быть, мы благодарим и также клянемся отдать свою кровную силу и жизнь, раз то надо советской власти,— вот и все! Чего там волынку тянуть и чего ждать, раз люди в Советской России с голоду умирают, а тут сволочь в Крыму сидит и мешается!

Красноармейцы заволновались и радостно загудели, хотя, по здравому смыслу, радоваться было нечему. Вышел еще один красноармеец и заявил:

— Правильно штаб сделал, что десант назначил. С Перекопа пусть Врангеля трахнут в морду, а мы разом в зад,— вот тогда он с корнем ляжет, и английские корабли ему спасенья не дадут!

Тут опять выходит комиссар:

— Товарищи красноармейцы! Мы в штабе так и знали! Мы ждали от вас той высокой сознательности и беззаветности революции, которую вы сейчас здесь проявили! От имени Реввоенсовета и командования армии выражаю вам благодарность и прошу считать те слова, которые я сказал, военной тайной. Вы знаете, что Новороссийск полон белогвардейскими шпионами, и мы будем обречены на гибель, если кто что узнает! Приказ о выступлении будет дан особо. Спасибо, товарищи!

Комиссар спешно ушел, а красноармейцы еще стояли. Пухов подошел к ним и начал слушать. В первый раз в жизни ему стало так стыдно за что-то, что кожа покраснела под щетиной.

Оказалось, что на свете жил хороший народ и лучшие люди не жалели себя.

Холодная ночь наливалась бурей, и одинокие люди чувствовали тоску и ожесточение. Но никто в ту ночь не показывался на улицах, и одинокие тоже сидели дома, слушая, как хлопают от ветра ворота. Если же кто шел к другу, спеша там растратить беспокойное время, то обратно домой не возвращался, а ночевал в гостях. Каждый знал, что его ждет на улице арест, ночной допрос, просмотр документов и долгое сидение в тухлом подвале, пока не установится, что сей человек всю жизнь побирался, или пока не будет одержана большевиками окончательная победа.

А меж тем крестьяне из северных мест, одевшись в шинели, вышли необыкновенными людьми,— без сожаления о жизни, без пощады к себе и к любимым родственникам, с прочной ненавистью к знакомому врагу. Эти вооруженные люди готовы дважды быть растерзанными, лишь бы и враг с ними погиб, и жизнь ему не досталась.

Ночью Пухов играл с красноармейцами в шашки и рассказывал им о командире, которого никогда не видел.

Пухов, не видя удовольствия в жизни, привык украшать ее геройскими рассказами, и всем становилось от того веселей.

В отряде, назначенном в десант, было пятьсот человек,— и случилось, что все они из разных мест.

Поэтому на другой день пошло пятьсот писем в пятьсот русских деревень.

Целых полдня красноармейцы малевали и карякали бумагу, прощаясь с матерями, женами, отцами и более дальними родственниками.

Пухов тоже помогал, кто особо слаб был в буквах, и выдумывал такие письма, что красноармейцы одобряли:

— Складно ты пишешь, Фома Егорыч,— мои плакать будут!

— А то как же? — говорил Пухов,— хохотать тут нечего: дело не шуточное! Чудак ты человек!

После обеда Пухов пошел к комиссару:

— Товарищ комиссар, меня в десант возьмете?

— Возьмем, товарищ Пухов, затем тебя и звали вчера на собрание! — ответил комиссар.

— Только я прошу, товарищ комиссар, назначить меня механиком на «Шаню»,— там, я слыхал, паровая машина, а на «Марсе» керосиновый мотор, он мне не сподручен: дюже мал!

— На «Шане» там есть свой механик — турок! — сказал комиссар.— Ну, ладно: мы тебя в помощники назначим, а на «Марс» возьмем шофёра! А ты что, не сладишь с керосиновым мотором, что ли?

— Мотор — ерундовая вещь, паровая машина крепче берет. Неохота мне, товарищ комиссар, в геройском походе с таким дерьмом возиться! Это примус, а не машина,— сами видите!

— Ну, ладно,— согласился комиссар,— поедешь на «Шане», раз так. В десанте люди едут добровольно и делают, что им способней! А уж в походе, брат, не мудри!..

Пухов взял пропуск и пошел на «Шаню» — машину поглядеть. Ему лишь бы машина была, там он считал себя дома.

С турецким машинистом он сошелся скоро, сказав, что главное дело — смазка, тогда никакой работой машину не погубишь.

— Это справедливо,— хорошо по-русски сказал турок,— масло — доброта, оно машину бережет! Кто масла много дает, тот любит машину, тот есть механик!

— Ну, понятно,— обрадовался Пухов,— машина любит конюха, а не наездника: она живое существо!

На том они и подружили.

Ночью, против окрепшего ветра, отряд шел в порт на посадку. Пухов не знал, к кому ему притулиться, и шел сбоку, гремя полученным казенным чайником. Но красноармейцы сразу его одернули:

— Сказано — иди тайком, чего ты громыхаешь?

— А чего мне таиться-то: не на грабеж идем! — сказал Пухов.

— Приказано не шуметь,— тихо ответил красноармеец Баронов,— затем и людей в городе в губчок попрятали, чтобы шпионов не было!

Шли долго и бесшумно, еле хрустя влажным песком. Огромные порожние склады стояли в темноте, и в них бурчал ветер. Голодные крысы метались всюду, питаясь неизвестно чем.

Ночь была непроглядна, как могильная глубина, но люди шли возбужденно, с тревожным восторгом в сердце, похожие на древних потаенных охотников.

Глубокие времена дышали над этими горами — свидетели мужества природы, посредством которого она только и существовала. Эти вооруженные путники также были полны мужества и последней смелости, какие имела природа, вздымая горы и роя водоемы.

Только потому красноармейцам, вооруженным иногда одними кулаками, и удавалось ловить в степях броневые автомобили врага и разоружать, окорачивая, воинские эшелоны белогвардейцев.

Молодые, они строили себе новую страну для долгой будущей жизни, в неистовстве истребляя все, что не ладилось с их мечтой о счастье бедных людей, которому они были научены политруком.

Они еще не знали ценности жизни, и поэтому им была неизвестна трусость — жалость потерять свое тело. Из детства они вышли в войну, не пережив ни любви, ни наслаждения мыслью, ни созерцания того неимоверного мира, где они находились. Они были неизвестны самим себе. Поэтому красноармейцы не имели в душе цепей, которые приковывали бы их внимание к своей личности. Поэтому они жили полной общей жизнью с природой и историей,— и история бежала в те годы, как паровоз, таща за собой на подъем всемирный груз нищеты, отчаяния и смиренной косности.

В мрачной темноте засияли перемежающимся светом огни судовых сигналов. Отряд вступил на помост пристани. Сейчас же началась посадка.

На «Шаню» посадили весь отряд, на катер «Марс» — двадцать человек разведки, а на истребитель — военморов.

Пухов влез в машинное отделение «Шани» и почувствовал себя очень хорошо. Близ машины он всегда был добродушен. Он закурил и прохаркнулся громким голосом, устав молчать и выдувая из легких спертые, застоявшиеся газы.

Часа два еще гремели красноармейские башмаки по палубе и по трапам.

Чувствуя достаточное удовольствие от этих беспокойных событий, Пухов не усидел внизу и выскочил на палубу.

Черные тела людей, трепещущие в неярком свете фонарей, тихо ползли по трапам, крепко прижав к себе винтовки и все походные принадлежности, чтобы ничто не стукнуло.

Ночь от фонарей стала еще огромней и темней,— не верилось, что существует живой мир. В глубинах тьмы тонул небольшой ветер, шевеля какие-то вещи на пристани.

Кратко и предостерегающе гудели пароходы, что-то говоря друг другу, а на берегу лежала наблюдающая тьма и влекущая пустыня. Никакого звука не доходило до города, только с гор сквозило рокотание далекой быстрой реки.

Неиспытанное чувство полного удовольствия, крепости и необходимости своей жизни охватило Пухова. Он стоял, упершись спиной в лебедку, и радовался этой таинственной ночной картине — как люди молча и тайком собирались на гибель.

В давнем детстве он удивлялся пасхальной заутрене, ощущая в детском сердце неизвестное и опасное чудо. Теперь Пухов снова пережил эту простую радость, как будто он стал нужен и дорог всем,— и за это всех хотел незаметно поцеловать. Похоже было на то, что всю жизнь Пухов злился и оскорблял людей, а потом увидел, какие они хорошие, и от этого стало стыдно, но чести своей уже не воротишь.

Море покойно шуршало за бортом, храня неизвестные предметы в своих недрах. Но Пухов не глядел на море,— он в первый раз увидел настоящих людей. Вся прочая природа также от него отдалилась и стала скучной.

К часу ночи посадка окончилась. С берега раздалось последнее приветствие от Реввоенсовета армии. Комиссар что-то рассеянно туда ответил, он был занят другим.

Раздалась морская резкая команда,— и сушь начала отдаляться.

Десантные суда отчалили в Крым.

Через десять минут последняя видимость берега растаяла. Пароходы шли в воде и в холодном мраке. Огни были потушены, людей разместили в трюме,— все сидели в темноте и духоте, но никто не засыпал.

Приказано было не курить, чтобы случайно не зажечь судна. Разговаривать тоже запретили, так как командир и комиссар старались придать «Шане» безлюдный вид мирного торгового парохода.

Судно шло тайком, глухо отсекая пар. Где-то недалеко, затерянные в ночной гуще, ползли «Марс» и истребитель. Время от времени они давали о себе знать матросским длинным свистом. «Шаня» им отвечала коротким густым гудком.

Суда продирались в сплошной каше тьмы, напрягая свои небольшие машины.

Ночь проходила тихо. Красноармейцам она казалась долгой, как будущая жизнь. Возбуждение понемногу проходило, а длительная темнота постепенно напрягала душу тайной тревогой и ожиданием внезапных смертельных событий.

Море насторожилось и совсем примолкло. Винт греб невидимо что, какую-то тягучую влагу, и влага негромко мялась за бортом. Не спеша истекало томительное время. Горы бледно и застенчиво светились близким утром, но море уже было не то. Спокойное зеркало его, созданное для загляденья неба, в тихом исступлении смешало отраженные видения. Мелкие злобные волны изуродовали тишину моря и терлись от своего множества в тесноте, раскачивая водяные недра.

А вдали — в открытом море — уже шевелились грузные медленные горы, рыли пучины и сами в них рушились. И оттуда неслась по мелким гребням известковая пена, шипя, как ядовитое вещество.

Ветер твердел и громил огромное пространство, погасая где-то за сотни верст. Капли воды, выдернутые из моря, неслись в трясущемся воздухе и били в лицо, как камешки.

На горах, наверно, уже гоготала буря, и море свирепело ей навстречу.

«Шаня» начала метаться по расшевелившемуся морю, как сухой листик, и все ее некрепкое тело уныло поскрипывало.

Каменный, тяжелый норд-ост так раскачивал море, что «Шаня» то ползла в пропасти, окруженная валами воды, то взлетала на гору — и оттуда видны были на миг чьи-то далекие страны, где, казалось, стояла синяя тишина.

В воздухе чувствовалось тягостное раздражение, какое бывает перед грозой.

День давно наступил, но от норд-оста захолодало, и красноармейцы студились.

Родом из сухих степей, они почти все лежали в желудочном кошмаре; некоторые вылезли на палубу и, свесившись, блевали густой желчью. Отблевавшись, они на минуту успокаивались, но их снова раскачивало, соки в теле перемешивались и бурлили как попало, и красноармейцев опять тянуло на рвоту. Даже комиссар забеспокоился и неугомонно ходил по палубе, схватываясь при качке за трубу или за стойку. Блевать его не тянуло,— он был из моряков.

«Шаня» приближалась к самому опасному месту — Керченскому проливу, а буря никак не укрощалась, силясь выхватить море из его глубокой обители.

«Марс» и истребитель давно пропали в пучинах урагана и на сигналы «Шани» перестали отвечать.

Командир «Шани» судном уже не управлял,— кораблем правила трепещущая стихия.

Пухов от качки не страдал. Он объяснял машинисту, что это изжога ему помогает, которой он давно болеет.

С машиной тоже справиться было трудно: все время менялась нагрузка — винт то зарывался в воду, то выскакивал на воздух. От этого машина то визжала от скорости, трясясь всеми болтами, то затихала от перегрузки.

— Мажь, мажь ее, Фома, уснащивай ее погуще, а то враз запорешь на таких оборотах! — говорил машинист.

И Пухов обильно питал машину маслом, что он уважал делать, и приговаривал:

— А-а, стервозия, я ж тебя упокою! Я ж тебя угромощу!

Часа через полтора «Шаня» проскочила Керченский пролив.

Комиссар спустился на минуту в машинное отделение прикурить, так как у него взмокли спички.

— Ну, как она? — спросил его Пухов.

— Она-то ничего, да он-то плох! — пошутил комиссар, улыбаясь усталым, изработавшимся лицом.

— А что так? — не понял Пухов.

— А ничего — все хорошо,— сказал комиссар.— Спасибо норд-осту, а то бы нас давно белые угомонили!

— Это как же так?

— А так,— объяснил комиссар.— Керченский пролив охраняется у белых военными крейсерами. А от бури они все укрылись в Керченскую гавань и поэтому нас не заметили! Понял?

— Ну, а прожекторами отчего нас не нащупывали? — допытывался Пухов.

— Ого! Вся атмосфера тряслась, какие тут прожектора!

В полдень «Шаня» шла уже в крымских водах, но море по-прежнему изнемогало в буре и устало билось в борт парохода.

Скоро на горизонте показался неизвестный дымок. Капитан судна, командир отряда и комиссар долго наблюдали за тем дымком. Потом «Шаня» взяла курс в открытое море — и дымок пропал.

Норд-ост не прекращался. Это несчастье радовало капитана и комиссара. Сторожевые белогвардейские суда считали бдительность в такой шторм излишней и сидели в береговых щелях.

Комиссар тем и объяснял, что «Шаня» цела, и надеялся на высадку десанта на берег, как только стихнет буря и наступит ночь.

Пухов не вылезал из машинного, обливаясь по́том у бесившейся машины и страща ее всякими словами.

В четвертом часу дня на горизонте сразу объявились четыре

дымка. Они стали ходко приближаться, как бы обхватывая «Шаню». Одно судно совсем разглядело «Шаню» и стало давать сигналы об остановке.

Красноармейцы хоть и не догадывались — как и что, а тоже высыпали на палубу и заметались от любопытства.

Капитан «Шани» по дыму догадался, что одно из судов наверняка военный крейсер.

Выходило, что десанту пришло время добровольно пускать себя ко дну.

Капитан и комиссар не сходили с рубки, стараясь найти какой-нибудь исход для спасения. Всем красноармейцам приказано было уйти в трюм, чтобы судно противника не обнаружило военного значения «Шани».

Норд-ост ревел с неизбывной силой и сметал «Шаню» с ее курса. Четыре неизвестных корабля тоже с трудом удерживали курс и не могли принять направления на «Шаню».

Скоро три дымка исчезли из зрения,— их куда-то отшиб зверский норд-ост. Зато четвертое судно неотступно подбиралось к «Шане». Иногда уже явственно обнажался его корпус. Капитан разглядел, что это быстроходный и хорошо вооруженный торговый пароход и что он нагоняет «Шаню». Только шторм никак не допускает то судно подойти к «Шане» вплотную. Затем пароход стал допрашивать «Шаню», куда она идет. «Шаня», войдя в крымские воды, шла под врангелевским флагом. На вопрос белогвардейского парохода «Шаня» ответила, что идет из Керчи в Феодосию и везет рыбу.

На палубе оставалось только четверо турок в костюмах своей родины, а все военные люди вместе с комиссаром и командиром десанта сидели в трюме. Поэтому, когда белые купцы подошли к «Шане», то только поглядели в бинокли и пошли прочь. Буксировать «Шаню» они не захотели,— наверное, из-за опасного шторма.

Остальной день прошел спокойно. Иногда показывались какие-то пароходы, но сейчас же исчезали: они боялись «Шани» еще больше, чем она их.

Красноармейцы, замученные тошнотой и сырым холодом, старались нарочно быть веселыми и стыдились отчего-то морской болезни. Им надоело тоскливое плавание, и они даже обрадовались, что подходит белогвардейский пароход, вооруженный четырьмя пушками.

Красноармейцам море было незнакомо, и они не верили, что та стихия, от которой только тошнит, таит в себе смерть кораблей.

— Пускай подходит! — сказал красноармеец-тамбовец.— Мы его смажем!

— Как же ты его смажешь? — спросил комиссар.— У него пушки на борту!

— А вот увидишь,— заявил тамбовец,— из винтовок так и смажем!

Привыкшие брать броневые автомобили на ходу, с одними винтовками в руках, красноармейцы и на море думали побеждать посредством винтовки.

Иногда мимо «Шани» проносились целые водяные столбы, объятые вихрем норд-оста. Вслед за собой они обнажали глубокие бездны, почти показывая дно моря.

Внезапно после такого морского столба показался пропавший ночью катер «Марс». Его совсем затрепало. Глыбы воды громили и рушили его оснастку и норовили совсем перекувырнуть. Но «Марс» упорно отфыркивался и метался по волнам, еле живой от своего упрямства. Он хотел пристать к «Шане», но волна откидывала его прочь в пучину.

Вся команда «Марса» и двадцать человек разведки, которую он вез, стояла на палубе, держась за снасти.

Люди что-то бешено кричали на «Шаню», но гром бури рвал их голоса и ничего не было слышно. Лица людей затмились бессмысленностью, глаза выцвели от злобного отчаяния, и смертельная бледность на них лежала, как белая намазанная краска.

Казнь наступающей смерти терзала их еще больше от близости «Шани». Люди на «Марсе» рвали на себе последнюю казенную одежду и рычали по-звериному, показывая даже кулаки. Они вопили сильнее бури, а один толстый красноармеец сидел верхом на рее и ел хлеб, чтобы зря не пропал паек.

Глаза гибнущих людей торчали от выпученной ненависти, и ноги их неистово колотили в палубу, обращая на себя внимание.

Пухов стоял наверху и глядел на «Марс».

— Чего они там бесятся? — спросил он у комиссара.— Тонут, что ли, или испугались чего?

— Должно быть, течь у них,— ответил комиссар,— надо как-нибудь помочь!

Красноармейцев в трюме было не удержать. Они стояли на палубе и тоже что-то кричали на «Марс», позоря испуг несчастных.

Вся «Шаня» терзалась за отряд и команду «Марса»; командир в бешенстве кричал на капитана, комиссар тоже ему помогал, а капитан никак не мог подойти к «Марсу».

Когда «Шаню» подшвырнуло к «Марсу», то оттуда закричали, что вода уже в машинном отделении.

Еще послышалась с «Марса» гармоника — кто-то там наигрывал перед смертью, пугая все законы человеческого естества.

Пухов это как раз явственно услышал и чему-то обрадовался в такой неурочный час.

В затихшую секунду, когда «Марс» подскочил к «Шане», чистый голос, поверх криков, вторил чьей-то тамошней гармонике:

Мое яблочко
Несоленое,
В море Черное
Уроненное...

— Вот сволочь! — с удовольствием сказал Пухов про веселого человека на «Марсе» и плюнул от бессильного сочувствия.

— Спускай лодку! — крикнул капитан, потому что «Марс» торчал одной палубой, а корпус его уже утонул.

Лодка, еле опущенная на воду, сейчас же трижды перевернулась, и два матроса на ней исчезли невидимо куда.

Вдруг крутой взмах шквала схватил «Марс» и швырнул его так, что он очутился над «Шаней».

— Сигай вниз! — заорал усердней всех Пухов.

Люди на «Марсе» вздрогнули, помертвели до черноты лица и бросились как попало вниз — на палубу «Шани». Падая на «Шаню», они валились, как дохлые тела, и ломали руки ловившим их, а Пухова совсем сшибли с ног. Это ему не понравилось.

— Легче! — шумел он.— На Врангеля шли, черти, а чистой воды боятся!

Через несколько секунд весь «Марс» сгрузился на «Шаню», только двое пролетели мимо, промахнувшись в морскую прорву.

На «Марсе» что-то гулко заныло, и он разлетелся от внутреннего взрыва в щепки и железки.

Пухов ходил среди спасенных людей и каждого спрашивал:

— Это не ты пел там?

— Нет, куды там петь! — отвечал красноармеец или матрос с «Марса».

— Да ты и не похож на того! — говорил недовольно Пухов и шел дальше.

Так ни одного и не нашлось,— никто, оказывается, не пел и на гармонике не играл. А ведь слышался звук — и даже слова песни Пухов запомнил.

Вечерело уже, а шторм лютовал и не собирался отдыхать.

— И откуда он, дьявол, выходит,— посмотрел бы я то место! — говорил себе Пухов, качаясь вместе с машиной в трюме.

Вечером начальство на «Шане» долго совещалось. «Шаня» имела большую перегрузку и к крымскому берегу близко подойти не могла. К тому же норд-ост все время отжимал судно в открытое море, и десант высадить все равно нельзя. А долго задерживаться в море очень опасно — первый сторожевой крейсер белых пустит «Шаню» на дно.

Совещались долго. Матросы не сдавались и советовали пережидать шторм, а там видно будет.

— Ну, вернемся в Новороссийск,— говорил командир разведки матрос Шариков,— а там что? Во-первых, жары нагонят, что самовольно вернулись, а во-вторых, что же,— все по-дурному пойдет: ведь Врангель цел останется!

— Ты, Шариков, забыл,— сказал ему военный комиссар,— что от «Марса» твоего одни щепки плавают, истребитель пропал,— тоже, должно, купается,— а «Шаня» кирпичом ворочается от нагрузки!.. Что ж, по-твоему, обязательно ему и «Шаню» на дно пустить?..

— Ну, как хочешь! — сказал Шариков.— Только и ворочаться дюже срамно!

Однако к ночи порешили, что надо уходить обратно на Новороссийск.

К полуночи норд-ост начал слабеть, но море носилось попрежнему. «Шаня» кое-как влекла себя домой.

В Керченском проливе ее нащупали береговые прожектора, но стрельбы из крепостных орудий белые не открыли. Может быть, потому, что на «Шане» еще болтался обрывок врангелевского флага.

Под утро «Шаня» выгружалась в Новороссийске.

— Срамота чертова! — обижались красноармейцы, собирая вещи.

— Чего ж срамота-то? — урезонивал их Пухов.— Природа, брат, погуще человека! Крейсера и то в береговых загогулинах стояли!

— Ничего,— говорил недовольный матрос Шариков,— вот Перекоп прошибут, тогда без нас, без сопливых, обойдутся!

Так оно и случилось: Шариков как в озеро глядел.

В тот же вечер Реввоенсовет приказал повторить десант.

Отряд в ночь снова погрузился, и «Шаня» подняла пары.

Шариков радостно метался по судну и каждому что-нибудь говорил. А военный комиссар чувствовал свою дурость, хотя в Реввоенсовете ему ничего плохого не сказали.

— Ты — рабочий? — спрашивал Шариков у Пухова.

— Был рабочий, а буду водолаз! — отвечал Пухов.

— Тогда почему ж ты не в авангарде революции? — совестил его Шариков.— Почему ж ты ворчун и беспартиец, а не герой эпохи?..

— Да не верилось как-то, товарищ Шариков,— объяснил Пухов,— да и партком у нас в дореволюционном доме губернатора помещался!

— Чего там дореволюционный дом! — еще пуще убеждал Шариков.— Я вот родился до революции,— и то терплю!

Перед самым отходом комиссар десанта отлучился: пошел депешу дать о благополучном отплытии.

Через полчаса он вернулся, но на судно не пошел, а остался на пристани, смеялся и кричал:

— Слазь!

— Что ты, голова, очумел, что ли? Чего — слазь? — допрашивал его с борта Шариков.

— Слазь, говорю! — шумел комиссар.— Перекоп взят, Врангель бежит! Вот приказ — десант отменяется!

Шариков и прочие поникли.

— Вот тебе раз! — сказал один красноармеец.— Тут бы Врангеля и крыть в зад,— ведь он на корабли бежит, а тут — отменяется!..

— Я ж говорил, что в Крыму без сопливых обойдутся!..— начал Шариков, а кончил по-своему.

— Будя тебе ерепениться! — увещал Шарикова Пухов.— Пускай Врангель плывет,— другого кого-нибудь избузуешь!

— Эх!.. — крикнул Шариков и треснул кулаком по стойке, добавив кой-какой словесный материал.

— Дуй вплавь через пролив! — посоветовал ему Пухов.— Ты вещь маленькая, тебя прожектор не ухватит! Высадишь себя — десант получится!

— И то,— сказал было Шариков, но потом одумался: — Вода только холодна, да и волна большая — сразу захлебнешься!

— А ты обожди погодку! — рассказывал Пухов.— А воздух в подштанники надуешь, станешь захлебываться, пробей дырочку и вздохнешь!

— Нет, то чушь, то не морское дело! — отказывался Шариков.

Через два дня стало известным, что пропавший истребитель добрался до крымских берегов и высадил сто человек матросов.

— Я ж так и знал! — горевал Шариков.— На истребителе Кныш командовал, а я связался с сухопутной курицей!

3

— Пухов! Война кончается! — сказал однажды комиссар.

— Давно пора,— одними идеями одеваемся, а порток нету!

— Врангель ликвидируется! Красная Армия Симферополь взяла! — говорил комиссар.

— Чего не брать? — не удивлялся Пухов.— Там воздух хороший, солнцепек крутой, а советскую власть в спину вошь жжет, она и прет на белых!

— При чем тут вошь? — сердечно обижался комиссар.— Там сознательное геройство! Ты, Пухов, полный контр!

— А ты теории-практики не знаешь, товарищ комиссар! — сердито отвечал Пухов.— Привык лупить из винтовки, а по науке-технике контргайка необходима, иначе болт слетит на полном ходу! Понимаешь эту чушь?

— А ты знаешь приказ о трудовых армиях? — спросил комиссар.

— Это чтобы жлобы слесарями сразу стали и заводы пустили? Знаю! А давно ты их ноги вкрутую ставить научил?

— В Реввоенсовете не дураки сидят! — серьезно выразился комиссар.— Там взвесили «за» и «против»!

— Это я понимаю,— согласился Пухов.— Там — задумчивые люди, только жлоб механики враз не поймет!

— Ну, а кто ж тогда все чудеса науки и ценности международного империализма произвел? — заспорил комиссар.

— А ты думал, паровоз жлоб сгондобил?

— А то кто ж?

— Машина — строгая вещь. Для нее ум и ученье нужны, а чернорабочий — одна сырая сила!

— Но ведь воевать-то мы научились? — сбивал Пухова комиссар.

— Шуровать мы горазды! — не сдавался Пухов.— А мастерство — нежное свойство!

По улице шла в баню рота красноармейцев и пела для бодрости:

Как родная меня мать
Провожа-ала,
На дорогу сухих корок
Собира-ала!..

— Вот дьяволы! — заявил Пухов.— В приличном городе нищету проповедуют! Пели бы, что с пирогами провожала!

Время шло без тормозов. Пушки работали с постоянно уменьшающимся напряжением. Красноармейские резервы изучали от безделья природу и общество, готовясь прочно и долго жить.

Пухов посвежел лицом и лодырничал, называя отдых свойством рабочего человека.

— Пухов, ты бы хоть в кружок записался, ведь тебе скучно! — говорил ему кто-нибудь.

— Ученье мозги пачкает, а я хочу свежим жить! — иносказательно отговаривался Пухов, не то в самом деле, не то шутя.

— Оковалок ты, Пухов, а еще рабочий! — совестил его тот.

— Да что ты мне тень на плетень наводишь: я сам — квалифицированный человек! — заводил ссору Пухов, и она продолжалась вплоть до оскорбления революции и всех героев и угодников ее. Конечно, оскорблял Пухов, а собеседник, разыгранный вдрызг, в удручении оставлял Пухова.

В глупом городе, с неровным, порочным климатом, каким тогда был Новороссийск, Пухов прожил четыре месяца, считая с ночного десанта.

Числился он старшим монтером береговой базы Азово-Черноморского пароходства. Пароходство это учредила новороссийская власть, чтобы Северный Кавказ поскорей на мирную страну походил. Но пароходы не могли тронуться, по случаю разлаженных машин,— и Северный Кавказ совершенно напрасно считал себя мирной морской державой.

Одна аульская стенная газета даже назвала Северный Кавказ «восточной советской Англией», вследствие наличия одного морского берега и четырех пароходов, которые пока не плавали.

Пухов ежедневно осматривал пароходные машины и писал рапорты об их болезни: «Ввиду сломатия штока и дезорганизованности арматуры, ведущую машину парохода «Нежность» пустить невозможно, и думать даже нечего. Пароход же по названию «Всемирный Совет» болен взрывом котла и общим отсутствием топки, которая куда делась — нельзя теперь дознаться. Пароходы «Шаня» и «Красный Всадник» пустить в ход можно сразу, если сменить им размозженные цилиндры и сирены приделать, а цилиндры расточить теперь немыслимое дело, так как чугуна готового земля не рождает, а к руде никто от революции руками не касается. Что же до расточки цилиндров, то трудовые армии точить ничего не могут, потому что они скрытые хлебопашцы».

Иногда Пухова вызывал на личный доклад политком береговой базы. Пухов ему все рассказывал, как и что делается на базе.

— Чего ж твои монтеры делают? — спрашивал политком.

— Как что? Следят непрерывно за судовыми механизмами!

— Но ведь они не работают! — говорил политком.

— Что ж, что не работают! — сообщал Пухов.— А вредности атмосферы вы не учитываете: всякое железо — не говоря про медь — враз скиснет и опаршивеет, если за ним не последить!

— А ты бы там подумал и попробовал, может, сумеешь поправить пароходы! — советовал политком.

— Думать теперь нельзя, товарищ политком! — возражал Пухов.

— Это почему нельзя?

— Для силы мысли пищи не хватает: паек мал! — разъяснял Пухов.

— Ты, Пухов, настоящий очковтиратель! — кончал беседу комиссар и опускал глаза в текущие дела.

— Это вы очковтиратели, товарищ комиссар!

— Почему? — уже занятый делом, рассеянно спрашивал комиссар.

— Потому что вы делаете не вещь, а отношение! — говорил Пухов, смутно припоминая плакаты, где говорилось, что капитал не вещь, а отношение; отношение же Пухов понимал как ничто.

В один день, во время солнечного сияния, Пухов гулял в окрестностях города и думал — сколько порочной дурости в людях, сколько невнимательности к такому единственному занятию, как жизнь и вся природная обстановка.

Пухов шел, плотно ступая подошвами. Но через кожу он все-таки чувствовал землю всей голой ногой, тесно совокупляясь с ней при каждом шаге. Это даровое удовольствие, знакомое всем странникам, Пухов тоже ощущал не в первый раз. Поэтому движение по земле всегда доставляло ему телесную прелесть — он шагал почти со сладострастием и воображал, что от каждого нажатия ноги в почве образуется тесная дырка, и поэтому оглядывался: целы ли они?

Ветер тормошил Пухова, как живые руки большого неизвестного тела, открывающего страннику свою девственность и не дающего ее, и Пухов шумел своей кровью от такого счастья.

Эта супружеская любовь цельной непорченой земли возбуждала в Пухове хозяйские чувства. Он с домовитой нежностью оглядывал все принадлежности природы и находил все уместным и живущим по существу.

Садясь в бурьян, Пухов отдавался отчету о самом себе и растекался в отвлеченных мыслях, не имеющих никакого отношения к его квалификации и социальному происхождению.

Вспоминая усопшую жену, Пухов горевал о ней. Об этом он никогда никому не сообщал, поэтому все действительно думали, что Пухов корявый человек и вареную колбасу на гробе резал. Так оно и было, но Пухов делал это не из похабства, а от голода. Зато потом чувствительность начинала мучить его, хотя горестное событие уже кончилось. Конечно, Пухов принимал во внимание силу мировых законов вещества и даже в смерти жены увидел справедливость и примерную искренность. Его вполне радовала такая слаженность и гордая откровенность природы — и доставляла сознанию большое удивление. Но сердце его иногда тревожилось и трепетало от гибели родственного человека и хотело жаловаться всей круговой поруке людей на общую беззащитность. В эти минуты Пухов чувствовал свое отличие от природы и горевал, уткнувшись лицом в нагретую своим дыханьем землю, смачивая ее редкими неохотными каплями слез.

Все это было истинным, потому что нигде человеку конца не найдешь и масштабной карты души его составить нельзя. В каждом человеке есть обольщение собственной жизнью, и поэтому каждый день для него — сотворение мира. Этим люди и держатся.

В такие сосредоточенные часы даже далекий Зворычный был мил и дорог Пухову, и он думал — как бы хорошо встретиться с ним и побеседовать по душам.

Пухову казалось странным, что никто на него внимания не обращал: звали только по служебному делу.

Красноармейцы понемногу отпускались из армии по домам и навсегда пропадали в дальних, глухих деревнях, унося свежесть и тайну революции. Город без них оставался дореволюционной сиротой, надевал полежалый сюртук скуки и надлежаще копался по своему хозяйству.

— Ну, ладно — ухожу и я! — решил Пухов и со злобой степного человека поглядел на дикие горы, очертенело загромоздившие пешеходную землю.

О своем уходе Пухов начальству не сказал, чтобы никого не удручать и себя не обременять.

Тронулся Пухов одиноким, как и прибыл сюда. Тоска по родному месту взяла его за живое, и он не понимал, как можно среди людей учредить Интернационал, раз родина — сердечное дело и не вся земля.

Со станции Тихорецкой поезда на Ростов не шли, а ходили в обратную сторону — на Баку.

Из Баку Пухов собирался дойти до родины — вкось по берегу Каспийского моря и по Волге, не особенно разбираясь в географии. Он думал, что на этом маршруте пшеницы больше растет, а сытно питаться любил.

В дороге, на пустой нефтяной цистерне, Пухов устал и опал туловищем. Ел он один пайковый хлеб, что получил еще в Новороссийске,— и то не в полную достать.

На дороге встречались худые деревья, горькая горелая трава и всякий другой живой и мертвый инвентарь природы, ветхий от климатического износа и топота походов войны.

Историческое время и злые силы свирепого мирового вещества совместно трепали и морили людей, а они, поев и отоспавшись, снова жили, розовели и верили в свое особое дело. Погибшие, посредством скорбной памяти, тоже подгоняли живых, чтобы оправдать свою гибель и зря не преть прахом.

Пухов глядел на встречные лощины, слушал звон поездного состава и воображал убитых — красных и белых, которые сейчас перерабатываются почвой в удобрительную тучность.

Он находил необходимым научное воскрешение мертвых, чтобы ничто напрасно не пропало и осуществилась кровная справедливость.

Когда умерла его жена — преждевременно, от голода, запущенных болезней и в безвестности,— Пухова сразу прожгла эта мрачная неправда и противозаконность события. Он тогда же почуял — куда и на какой конец света идут все революции и всякое людское беспокойство. Но знакомые коммунисты, прослушав мудрость Пухова, злостно улыбались и говорили:

— У тебя дюже масштаб велик, Пухов; наше дело мельче, но серьезней.

— Я вас не виню,— отвечал Пухов,— в шагу человека один аршин, больше не шагнешь; но если шагать долго подряд, можно далеко зайти,— я так понимаю; а, конечно, когда шагаешь, то думаешь об одном шаге, а не о версте, иначе бы шаг не получился.

— Ну, вот видишь, ты сам понимаешь, что надо соблюдать конкретность цели,— разъяснили коммунисты, и Пухов думал, что они ничего ребята, хотя напрасно бога травят,— не потому, что Пухов был богомольцем, а потому, что в религию люди сердце помещать привыкли, а в революции такого места не нашли.

— А ты люби свой класс,— советовали коммунисты.

— К этому привыкнуть еще надо,— рассуждал Пухов,— а народу в пустоте трудно будет: он вам дров наворочает от своего неуместного сердца.

В Баку Пухова приняли хорошо, потому что Пухов встретился с матросом Шариковым.

— Ты зачем приехал? — спросил Шариков, ворочая большие бумаги на дорогом столе и разыскивая в них толк.

— Укреплять революцию! — сразу заявил Пухов.

— А я, брат, Каспийское пароходство налаживаю,— только ни хрена не выходит! — спроста объяснил Шариков.

— А ты чего писцом стал: бери молоток и латай корабли лично! — разрешил Пухов мучение Шарикова.

— Чудак ты, я ж всеобщий руководитель Каспийского моря! Кто ж тогда будет заправлять тут всей красной флотилией?

— А чего ей заправлять, раз люди сами работать будут? — разъяснял Пухов, ничего не думая.

Шариков, однако, скучал по корабельной жизни и тяжко вздыхал за писчим делом. Резолюции он клал лишь в двух смыслах: «пускай» и «не надо».

Ночевать и харчиться Пухов пошел к Шарикову. Шариков жил у одной вдовы по улице Шварца. В свободные вечера, когда не было собраний или еще чего необходимого, Шариков делал вдове табуретки, а читать ничего не мог. Говорил, что от чтения он с ума начинает сходить и сны по ночам видит.

— У тебя грузный корпус — кровей много! — открыл ему Пухов.— А для умственной работы ряжка толста. Тебе обязательно надо кровь слить!

— Куда ж ее слить? — искал спасения Шариков.

— Лей в ведро! — советовал Пухов.— Давай я тебя ножом полосну — паровоз тоже лишний пар спущает!

— Брось ты скрипеть! — отставлял Шариков.— Я теперь сам похудею — от одного покоя. Ты знаешь, я от боев и классовой солидарности всегда становлюсь гуще и комплектней телом, а как все пройдет — я сам усохну!

Пожил у Шарикова Пухов с неделю, поел весь запас пищи у вдовы и оправился собой.

— Что ты, едрена мать, как хворостина мотаешься, дай я тебя к делу пришью! — сказал однажды Шариков Пухову. Но Пухов не дался, хотя Шариков предлагал ему стать командиром нефтеналивной флотилии.

Баку Пухову не нравился. В другое время его бы не вытащить оттуда, а сейчас все машины стояли молча, и буровые вышки прели на солнце.

Песок несся ветром так, что жужжал и влеплялся во все скважины открытого лица, отчего Пухова разбирала тяжкая злоба. Жара тоже донимала, несмотря на неурочное время — октябрь.

Решил Пухов скрыться отсюда и сказал о том Шарикову, когда он пришел со своего служебного поста.

— Катись! — разрешил Шариков.— Я тебе путевку дам в любое место республики, хотя ты кустарь советской власти!

На третьи сутки Пухов тронулся. Шариков дал ему командировку в Царицын — для привлечения квалифицированного пролетариата в Баку и заказа заводам подводных лодок, на случай войны с английскими интервентами, засевшими в Персии.

— Устроишь? — спросил Шариков, вручая командировку.

— Ну вот еще,— обиделся Пухов.— Что там, подводных лодок, что ль, не видели? Там, брат, целая металлургия!

— Тогда — сыпь! — успокоился Шариков.

— Ладно! — сказал Пухов, скрываясь.— Зря ты мне особых

полномочий не дал и поезд на сорока осях! Я б напугал весь Царицын и сразу все устроил!

— Катись в общем порядке — и так примут коллективно! —
ответил на прощанье Шариков и написал на хлопчато-бумажном
отношении: «пускай». А в отношении рапортовалось о поглощении
морской пучиной сторожевого катера.

4

Начался у Пухова звон в душе от смуты дорожных впечатлений. Как сквозь дым, пробивался Пухов в потоке несчастных людей на Царицын. С ним всегда так бывало — почти бессознательно он гнался жизнью по всяким ущельям земли, иногда в забвении
самого себя.

Люди шумели, рельсы стонали под ударами насильно враща-
емых колес, пустота круглого мира колебалась в смрадном кошмаре, облегая поезд верещащим воздухом, а Пухов внизывался в
ветер вместе со всеми, влекомый и беспомощный, как косное
тело.

Впечатления так густо затемняли сознание Пухова, что там
не оставалось силы для собственного разумного размышления.

Пухов ехал с открытым ртом — до того удивительны были
разные люди.

Какие-то бабы Тверской губернии теперь ехали из турецкой
Анатолии, носимые по свету не любопытством, а нуждой. Их не
интересовали ни горы, ни народы, ни созвездия,— и они ничего
ниоткуда не помнили, а о государствах рассказывали, как про во-
лостное село в базарные дни. Знали только цены на все продукты
Анатолийского побережья, а мануфактурой не интересовались.

— Почем там веревка? — спросил одну такую бабу Пухов,
замышляя что-то про себя.

— Там, милый, веревки и не увидишь — весь базар исходили!
Там почки бараньи дешевы, что правда, то правда, врать тебе не
хочу! — рассказывала тверская баба.

— А ты не видела там созвездия Креста? Матросы говорили,
что видели? — допытывался Пухов, как будто ему нужно было
непременно знать.

— Нет, милый, креста не видела, его и нету,— там дюже звезды падучие! Подымешь голову, а звезды так и летят, так и летят.
Таково страховито, а прелестно! — расписывала баба, чего не
видела.

— Что ж ты сменяла там? — спросил Пухов.

— Пуд кукурузы везу, за кусок холстины дали! — жалостно
ответила баба и высморкалась, швырнув носовую очистку прямо
на пол.

— Как же ты иноземную границу проходила? — допытывался Пухов.— Ведь для документов у тебя карманов нету!

— Да мы, милый, ученые, ай мы не знаем как! — кратко
объяснила тверячка.

Один калека, у которого Пухов английским табаком угощался, ехал из Аргентины в Иваново-Вознесенск, везя пять пудов твердой чистосортной пшеницы.

Из дома он выехал полтора года назад здоровым человеком. Думал сменять ножики на муку и через две недели дома быть. А оказывается, вышло и обернулось так, что ближе Аргентины он хлеба не нашел,— может, жадность его взяла, думал, что в Аргентине ножиков нет. В Месопотамии его искалечило крушением в тоннеле — ногу отмяло. Ногу ему отрезали в багдадской больнице, и он вез ее тоже с собой, обернув в тряпки и закопав в пшеницу, чтобы она не воняла.

— Ну, как, не пахнет? — спрашивал этот мешочник из Аргентины у Пухова, почувствовав в нем хорошего человека.

— Маленько! — говорил Пухов.— Да тут не дознаешься: от таких харчей каждое тело дымит.

Хромой тоже нигде не заметил земной красоты. Наоборот, он беседовал с Пуховым о какой-то речке Курсавке, где ловил рыбу, и о траве доннике, посыпаемой для вкуса в махорку. Курсавку он помнил, донник знал, а про Великий или Тихий океан забыл и ни в одну пальму не вгляделся задумчивыми глазами.

Так весь мир и пронесся мимо него, не задев никакого чувства.

— Что ж ты так? — спросил у хромого Пухов про это, любивший картинки с видами таинственной природы.

— В голове от забот кляп сидел! — отвечал хромой.— Плывешь по морю, глядишь на разные чучелы и богатые державы,— а скучно!

Голод до того заострил разум у простого народа, что он полз по всему миру, ища пропитания и перехитрив законы всех государств. Как по своему уезду, путешествовали тогда безыменные люди по земному шару и нигде не обнаружили ничего поразительного.

Кто странствовал только по России, тому не оказывали почтения и особо не расспрашивали. Это было так же легко, как пьяному ходить в своей хате. Силы были тогда могучие в любом человеке, никакой рожон не считался обидой. Никто не жаловался на власть или на свое мучение — каждый ко всему притерпелся и вполне обжился.

На больших станциях поезд стоял по суткам, а на маленьких — по трое. Мужики-мешочники уходили в степь, косили чужую траву, чтобы мастерство не потерять, возвращались на станцию, а поезд стоял и стоял, как приклеенный. Паровоз долго не мог скипятить воду, а скипятивши, дрова пожигал и снова ждал топлива. Но тогда вода в котле остывала.

Пухов загорюнился. В такие остановки он ходил по траве, ложился на живот в канаву и сосал какую-нибудь желчную траву, из которой не теплый сок, а яд источался. От этого яда или еще от чего-то Пухов весь запаршивел, оброс шерстью и забыл, откуда и куда ехал и кто он такой.

Время кругом него стояло, как светопреставление, где шевелилась людская живность и грузно ползли объемистые виды природы. А надо всем лежал чад смутного отчаяния и терпеливой грусти.

Хорошо, что люди ничего тогда не чуяли, а жили всему напротив.

В Царицыне Пухов не слез — там дождь шел и вьюжило какой-то гололедицей. Кроме того, над Волгой шелестели дикие ветры, и все пространство над домами угнеталось злобой и скукой.

Вышел на привокзальный рынок Пухов — воблы сменять на запасные кальсоны, и плохо ему стало. Где-то пели петухи — в четыре часа пополудни,— один мастеровой спорил с торговкой о точности безмена, а другой тянул волынку на ливенской гармонии, сидя на брошенной шпале. В глубине города кто-то стрелял, и неизвестные люди ехали на телегах.

— Где тут заводы подводные лодки делают? — спросил Пухов гармониста-мастерового.

— А ты кто такой? — поглядел на него мастеровой и спустил воздух из музыки.

— Охотник из Беловежской пущи! — нечаянно заявил Пухов, вспомнив какое-то старинное чтение.

— Знаю! — сказал мастеровой и заиграл унылую, но нахальную песню.— Вали прямо, потом вкось, выйдешь на буераки, свернешь на кузницу — там и спроси французский завод!

— Ладно! Дальше я без тебя знаю! — поблагодарил Пухов и побрел без всякого усердия.

Шел он часа три, на город не смотрел и чувствовал свою усталую, сырую кровь.

Какие-то люди ездили и ходили,— вероятно, по важному революционному делу. Пухов не сосредоточивался на них, а шел молча, изредка соображая, что Шариков — это сволочь: заставил трудиться по ненужному делу.

Около конторы французского завода Пухов остановил какого-то механика, евшего на ходу белую булку.

— Вот — видишь! — подал ему Пухов мандат Шарикова.

Тот взял документ и вник в него. Читал он его долго, вдумчиво и ни слова не говоря. Пухов начал зябнуть, трепеща на воздухе оскуделым телом. А механик все читал и читал — не то он был неграмотный, не то очень интересующийся человек.

На заводе, за высоким старым забором, стояло заунывное молчание — там жило давно остывшее железо, съедаемое ленивой ржавчиной.

День скрывался в серой ветреной ночи. Город мерцал редкими огнями, мешавшимися со звездами на высоком берегу. Густой ветер шумел, как вода, и Пухов почувствовал себя безродным... заблудившимся человеком.

Механик или тот, кто он был, прочитал весь мандат и даже осмотрел его с тыльной стороны, но там была голая чистота.

— Ну, как? — спросил Пухов и поглядел на небо.— Когда цеха управятся с заказом?

Механик помазал языком мандат и приложил его к забору, а сам пошел вдоль местоположения завода к себе на квартиру.

Пухов посмотрел на бумажку на заборе и, чтобы не сорвал ее ветер, надел на шляпку высунувшегося гвоздя.

Обратно на вокзал Пухов дошел скоро. Ночной ветер и какая-то дождливая мелюзга доконали его самочувствие, и он обрадовался дыму паровоза, как домашнему очагу, а вокзальный зал показался ему милой родиной.

В полночь тронулся поездной состав неизвестного маршрута и назначения.

Осенний холодный дождь порол землю, и страшно было за пути сообщения.

— Куда он едет? — спросил Пухов людей, когда уже влез в вагон.

— А мы знаем — куда? — сомнительно произнес кроткий голос невидного человека.— Едет, и мы с ним.

5

Всю ночь шел поезд,— гремя, мучаясь и напуская кошмары в костяные головы забывшихся людей.

На глухих стоянках ветер шевелил железо на крыше вагона, и Пухов думал о тоскливой жизни этого ветра и жалел его. Он соображал еще о мельницах-ветрянках, о пустых деревенских сараях, где сейчас сквозит буря, и об общей беспризорности огромной порожней земли.

Поезд трогался куда-то дальше. От его хода Пухов успокаивался и засыпал, ощущая теплоту в ровно работающем сердце.

Паровоз подолгу гудел на полном ходу, пугая темноту и прося о безопасности. Выпущенный звук долго метался по равнинам, водоразделам и ущельям и ломался оврагами на другой страшный голос.

— Пухов! — тихо и гулко послышалось Пухову во сне.

Он сразу проснулся и сказал:

— А?

Весь вагон сопел в глубоком сне, а под полом бушевали колеса на большой скорости.

— Ты чего? — вновь спросил Пухов тихим голосом, но знал, что нет никого.

Давно забытое горе невнятно забормотало в его сердце и в сознании — и, прижукнувшись, Пухов застонал, стараясь поскорее утихнуть и забыться, потому что не было надежды ни на чье участие. Так он томился долгие часы и не интересовался несущимся мимо вагона пространством. Разжигая в себе отчаяние, он устал и пришел к своему утешению во сне.

Спал Пухов долго — до полного разгара дня. Солнце подсушило осенние кочки и сияло горящим золотом, ровной радостью и звенело высоким напряженным тоном.

По полю изредка и вразброд стояли худые смирные деревья. Они рассеянно помахивали ветками, бесстыдно оголенные перед смертью,— чтобы зря не пропадала их одежда.

В эти последние дни перед снегом вся живая зелень поверхности земли была поставлена под расстрел холода, заморозков и длинной ночной тьмы. Но — предварительно — скупая природа раздевала растения и разносила ветрами замерзшие, полуживые семена.

Листья утрамбовывались дождями в почву и прели там для удобрения, туда же укладывались для сохранности семена. Так жизнь скупо и прочно заготовляет впрок. От таких событий у очевидца Пухова слюни на губах показывались, что означало удовольствие.

Ездоки поездного состава неизвестного назначения проснулись на заре — от холода и потому, что прекратились сновидения. Пухов против всех опоздал и вскочил тогда, когда начала стрелять отлежанная нога.

Так как еды у него не было, то он закурил и уставился в пустую позднюю природу. Там ликовал прохладный свет низкого солнца и беззащитно трепетали придорожные кусты от плотного восточного утренника. Но дали на резком горизонте были чисты, прозрачны и привлекательны. Хотелось соскочить с поезда, прощупать ногами землю и полежать на ее верном теле.

Пухов удовлетворился своим созерцанием и крепко выразился обо всем:

— Гуманно!

— Сосна пошла! — сказал какой-то сведущий старичок, не евший три дня.— Должно, грунт тут песчаный!

— А какая это губерния? — спросил у него Пухов.

— А кто ж ее знает — какая! Так, какая-нибудь,— ответил равнодушно старичок.

— А тогда куда ж ты едешь? — рассерчал на него Пухов.

— В одно место с тобой! — сказал старичок.— Вместе вчерась сели — вместе и доедем.

— А ты не обознался — ты погляди на меня! — обратил на себя внимание Пухов.

— Зачем обознаться? Ты тут один рябой — у других кожа гладкая! — разъяснил старичок и стал расчесывать какую-то зуду на пояснице.

— А ты лаковый, что ль? — обиделся Пухов.

— Я не лаковый, мое лицо нормальное! — определил себя старичок и для поощрения погладил бурую щетину на своих щеках.

Пухов пристально оглядел старика в целом и плюнул рикошетом наружу, не обращая на него дальнейшего внимания.

Вдруг загремел мост,— и в вагон потянуло свежей проточной водой.

— Что это за река, ты не знаешь, как называется? — спросил Пухов одного черного мужика, похожего на колдуна.

— Нам неизвестно,— ответил мужик.— Как-нибудь называется!

Пухов вздохнул от голодного горя и после заметил, что это — родина. Речка называется Сухой Шошей, а деревня в сухой балке — Ясной Мечою; там жили староверы, под названием яйценосцы. От родины сразу понесло дымным запахом хлеба и нежной вонью остывающих трав.

Пухов погустел голосом и объявил от сердечной доброты:

— Это город Похаринск! Вон агрономический институт и кирпичный завод! За ночь мы верст четыреста угомонили!

— А тут — не знаешь, товарищ,— меняют аль нет? — спросил чуть дышавший старичок, хотя у него не было чего менять.

— Здесь, отец, не променяешь — у рабочих скулья жевать разучились! А рабочих тут пропасть! — сообщил Пухов и стал подтягивать ремешок на животе, как бы увязывая себя за отсутствием багажа.

Старый серый вокзал стоял таким же, как и в детстве Пухова, когда он тянул его на кругосветное путешествие. Пахло углем, жженой нефтью и тем запахом таинственного и тревожного пространства, какой всегда бывает на вокзалах.

Народ, обратившийся в нищих, лежал на асфальтовом перроне и с надеждой глядел на прибывший порожняк.

В депо сопели дремавшие паровозы, а на путях беспокойно трепалась маневровая кукушка, собирая вагоны в стада для угона в неизвестные края.

Пухов шел медленно по залам вокзала и с давним детским любопытством и каким-то грустным удовольствием читал старые объявления-рекламы, еще довоенного выпуска:

ПАРОВЫЕ МОЛОТИЛКИ «МАК-КОРМИК».
ЛОКОМОБИЛИ ВОЛЬФА С ПАРОПЕРЕГРЕВАТЕЛЕМ.
КОЛБАСНАЯ ДИЦ.
ВОЛЖСКОЕ ПАРОХОДСТВО «САМОЛЕТ».
ЛОДОЧНЫЕ МОТОРЫ «ИОХИМ и К⁰».
ВЕЛОСИПЕДЫ ПЕЖО.
БЕЗОПАСНЫЕ ДОРОЖНЫЕ БРИТВЫ ГЕЙЛЬМАН
и С — я,—

и много еще хороших объявлений.

Когда был Пухов мальчишкой, он нарочно приходил на вокзал читать объявления — и с завистью и тоской провожал поезда дальнего следования, но сам никуда не ездил. Тогда как-то чисто жилось ему, но позднее ничего не повторилось.

Сойдя со ступенек вокзала на городскую улицу, Пухов набрал светлого воздуха в свое пустое голодное тело и исчез за угольным домом.

Прибывший поезд оставил в Похаринске много людей. И каждый тронулся в чужое место — погибать и спасаться.

6

— Зворычный! Петя! — глухо позвал слесарь Иконников.

— Ты что? — спросил Зворычный и остановился.

— Можно — я доски возьму?

— Какие доски?

— Вон те — шесть шелевок! — тихо сказал Иконников.

Дело было в колесном цехе Похаринских железнодорожных мастерских. Погребенный под пылью и железной стружкой, цех молчал. Редкие бригады возились у токарных станков и гидравлических прессов, налаживая их точить колесные бандажи и надевать оси. Старая грязь и копоть висела на балках махрами, пахло сыростью и мазутом, разреженный свет осени мертво сиял на механизмах.

Около мастерских росли купыри и лопухи, теперь одеревеневшие от старости. На всем пространстве двора лежали изувеченные неимоверной работой паровозы. Дикие горы железа, однако, не походили на природу, а говорили о погибшем техническом искусстве. Тонкая арматура, точные части ведущего механизма указывали на напряжение и энергию, трепетавшие когда-то в этих верных машинах. Эшелоны царской войны, железнодорожную гражданскую войну, степную скачку срочных продовольственных маршрутов — всё видели и вынесли паровозы, а теперь залегли в смертном обмороке в деревенские травы, неуместные рядом с машиной.

— А на что тебе доски? — спросил Зворычный Иконникова.

— Гроб сделать — сын помер!..— ответил Иконников.

— Большой сын?

— Семнадцать лет!

— Что с ним?

— От тифа!

Иконников отвернулся и худой старой рукой закрыл лицо. Этого никогда Зворычный не видел, и ему стало стыдно, жалко и неловко. Вот — человек всю жизнь мучился, работал и молчал, а теперь жалостно и беззащитно закрыл свое лицо.

— Кормил-кормил, растил-растил, питал-питал! — шептал про себя Иконников, почти не плача.

Зворычный вышел из цеха и пошел в контору.

Контора была далеко — около электрической силовой станции. Зворычный прошел всю дорогу без всякого сознания, только шевеля ногами.

— Скоро пресс наладишь? — спросил его комиссар мастерских.

— Завтра к вечеру попробуем! — равнодушно доложил Зворычный.

— Как, слесаря не волнуются? — поинтересовался комиссар.

— Ничего. Двое с обеда ушли — кровь из носа пошла от слабости. Надо какие-нибудь завтраки, что ль, наладить, а то дома у каждого детишки — им все отдает, а сам голодный падает на работе!..

— Ни черта нету, Зворычный!.. Вчера я был в ревкоме — красноармейцам паек урезали... Я сам знаю, что надо хоть что-нибудь сделать!

Комиссар мрачно и утомленно засмотрелся в мутное, загаженное окно и ничего там не увидел.

— Сегодня ячейка, Афонин! Ты знаешь? — сказал Зворычный комиссару.

— Знаю! — ответил комиссар.— Ты в электрическом цехе не был?

— Нет! А что там?

— Вчера большой генератор ребята пробовали пускать — обмотку сожгли. А два месяца, черти, латали?

— Ничего,— где-нибудь замыкание. Это оборудуют скоро! — решил Зворычный.— У нас вот ни угля, ни нефти нет, ты вот что скажи!

— Да, это хреновина бо́льшая! — неопределенно высказался комиссар и не сдержался — улыбнулся: наверно, на что-то надеялся, или так просто — от своего сильного нрава.

Вошел Иконников.

— Я те шелевки заберу!

— Бери, бери! — сказал ему Зворычный.

— Зачем ты доски-то раздаешь, голова? — недовольно спросил Афонин.

— Брось ты, он на гроб взял, сын умер!

— А, ну, я не знал! — смутился Афонин.— Тогда надо бы помочь человеку еще чем-нибудь!

— А чем? — спросил Зворычный.— Ну, чем помочь? Брехать только! Хлеба ему дать — так нам самим пайки в урез дают,— даже меньше против числа едоков! Ты же сам знаешь.

После разговора Зворычный пошел прямо домой. Уже темнело, и носились по пустырям грачи, подъедая там кое-что. По старой привычке, Зворычному хотелось есть. Он знал, что дома есть горячая картошка, а про революционное беспокойство — можно подумать потом.

Вытирая об дерюжку сапоги в сенцах, Зворычный услышал, что кто-то посторонний бурчит в комнате с его женой.

Зворычный подумал, что теперь горшка картошки не хватит, и вошел в комнату. Там сидел Пухов и похохатывал от своих рассказов жене Зворычного.

— Здорово, хозяин! — сказал Пухов первым.

— Здравствуй, Фома Егорыч! Ты откуда явился?

— С Каспийского моря, пришел к тебе курятины поесть! Ты любил петухов,— я тоже теперь во вкус вошел!

— У нас тут пост, Фома Егорыч,— кормимся спрохвала и не сдобно!..

— Губерния голодная! — заключил Пухов.— Почва есть, а хлеба нету, значит,— дураки живут!

— Жена, ставь ему пареную картошку! — сказал Зворычный.— А то он не утихнет!

Пухов разулся, развесил на печку сушить портянки, выгреб солому и крошки из волос и совсем водворился. Поев картошки и закусив шкурками, он воскрес духом.

— Зворычный! — заговорил Пухов.— Почему ты вооруженная сила? — и показал на винтовку у лежанки.

— Да я тут в отряде особого назначения состою,— пояснил Зворычный и вздохнул, потому что думал о другом.

— Какого значения? — спросил Пухов.— Хлеб у мужиков ходишь, что ль, отнимать?

— Особого назначения! На случай внезапных контрреволюционных выступлений противника! — внушительно пояснил Зворычный это темное дело.

— Ты кто ж такой теперь? — до всего дознавался Пухов.

— Да так,— революции помаленьку сочувствую!

— Как же ты сочувствуешь ей — хлеб, что ль, лишний получаешь или мануфактуру берешь? — догадывался Пухов.

Тут Зворычный сразу раздражился и осерчал. Пухов подумал, что теперь ему ужинать не дадут. Жена Зворычного скребла чего-то кочережкой в печке и тоже была женщина злая, скупая и до всего досужая.

Зворычный начал выпукло объяснять Пухову свое положение.

— Знаем мы эти мелкобуржуазные сплетни! Неужели ты не видишь, что революция — факт твердой воли — налицо!..

Пухов якобы слушал и почтительно глядел в рот Зворычному, но про себя думал, что он дурак.

А Зворычный перегрелся от возбуждения и подходил к цели мировой революции.

— Я сам теперь член партии и секретарь ячейки мастерских! Понял ты меня? — закончил Зворычный и пошел воду пить.

— Стало быть, ты теперь властишку имеешь? — высказался Пухов.

— Ну, при чем тут власть! — еще не напившись, обернулся Зворычный.— Как ты ничего не понимаешь? Коммунизм — не власть, а святая обязанность.

На этом Пухов смирился, чтобы не злить хозяев и не потерять пристанища.

Вечером Зворычный ушел на ячейку, а Пухов лег полежать на сундуке. Керосиновая лампа горела и тихо пищала. Пухов слушал писк и не мог догадаться — отчего это такое. Он хотел есть, а попросить боялся — покуривал натощак.

Пухов помнил, что у Зворычного должен быть мальчишка — раньше был.

— Мальчугана-то отправили, что ль, куда, иль у родни ночует? — между прочим поинтересовался Пухов у хозяйки.

Та закачала головой и закрыла глаза фартуком — в знак своего горя.

Пухов примолк и задумался, хотя знал, что горе бабы неразумно.

«Оттого Петька и в партию залез,— сообразил Пухов.— Мальчонка умер — горе небольшое, а для родителя тоска. Деться ему некуда, баба у него — отрава, он и полез!»

Когда все забылось, хозяйка послала его дров поколоть. Пухов пошел и долго возился с суковатыми поленьями. Когда управился, он почувствовал слабость во всем корпусе и подумал — как он стал маломощен от недоедания.

На дворе дул такой же усердный ветер, что и в старое время. Никаких революционных событий для него, стервеца, не существовало. Но Пухов был уверен, что и ветер со временем укротят посредством науки и техники.

В одиннадцать часов возвратился Зворычный. Все попили тыквенного чаю без сахара, съели по две картофелины и собирались укладываться спать.

Пухов остался на ночь на сундуке, а Зворычный с женой полезли на печь. Пухов этому удивился — в былое время он не любил спать с женой: духота, теснота, клопы жрут,— а этот с осени на печь влез.

Однако дело его было постороннее, и он спросил Зворычного, когда все утихло:

— Петя! Ты не спишь?

— Нет, а что?

— Мне бы занятие надо! Что ж я у тебя нахлебником буду жить!

— Ладно, это устроим — завтра поговорим! — сказал сверху Зворычный и зевнул так, что кожа на лице полопалась.

«Зазнаваться начал, серый черт: в партию записался!» — подумал Пухов на сон грядущий и, слабея ото сна, открыл рот.

На другой день Пухова приняли слесарем на гидравлический пресс — он снова очутился за машиной, на родном месте.

Двое слесарей были старые знакомые, обоим им порознь Пухов рассказал свою историю — как раз то, что с ним не случилось, а что было — осталось неизвестным, и сам Пухов забывать начал.

— Ты бы теперь вождем стал, чего ж ты работаешь? — говорили слесаря Пухову.

— Вождей и так много, а паровозов нету! В дармоедах я состоять не буду! — сознательно ответил Пухов.

— Все равно, паровоз соберешь, а его из пушки расшибут! — сомневался в полезности труда один слесарь.

— Ну и пускай — все ж таки упор снаряду будет! — утверждал Пухов.

— Лучше в землю пусть стреляют: земля мягче и дешевле! — стоял на своем слесарь.— Зачем же зря технический продукт портить?

— А чтоб всему круговорот был! — разъяснял Пухов несведущему.— Паек берешь — паровоз даешь, паровоз в расход — бери другой паек и все сначала делай! А так бы харчам некуда деваться было!

...Прожил Пухов у Зворычного еще с неделю, а потом переехал на самостоятельную квартиру.

Очутившись дома, он обрадовался, но скоро заскучал и стал ежедневно ходить в гости к Зворычному.

— Чего ты? — спрашивал его Зворычный.

— Скучно там, не квартира, а полоса отчуждения! — ответил ему Пухов и что-нибудь рассказывал про Черное море, чтобы не задаром чай пить.

— Был у нас Шариков — чепуха человек, но матрос. Угля у меня не хватило, я и вернись из-под Крыма. А в Крыму тогда белые сидели, а чтоб они не убежали, их англичане сторожили на громадных боевых кораблях... Прибыл я в Новороссийск благополучно и даю сигналы, чтобы еду на лодке доставили — есть захотел. Хорошо, а только ерундово как-то. В городе стреляют день и ночь — не от опасности, а от хамства. Я все сижу, а есть охота, даже воображения в голове нету. Вдруг подплывает Шариков: ты зачем, говорит, безвременно прибыл? Я ему — проголодался, говорю, и уголь весь прогорел. Он — мужик сытый! — как схватил меня, так во всем облачении и сбросил в море. «Плыви, кричит, десантом на Врангеля — после расскажешь». Я сначала испугался, а потом обтерпелся в воде и поплыл с отдышкой. К ночи я добился до Крыма. Вылез на сушь противника и лег в кусты. А потом укрылся песком и заснул. Под утро меня пробрало, и я окоченел. А днем отогрелся на солнышке и поплыл обратно — на Новороссийск. Тут я форменно спешил, потому что есть захотел хуже вчерашнего...

— Доплыл? — спросил Зворычный.

— Уцелел! — заканчивал Пухов.— По морю плыть легко, лишь бы бури не оказалось — тогда жутко...

— А Шариков тебе что? — узнавал Зворычный.

— Шариков говорит — молодец, я тебя к Красному герою представляю! Видал — спрашивает — противника? А я ему: нет там никакого противника — в Симферополе Ревком, зря я там на песке сидел.— Не может — говорит — быть! — Ну вот — опять же — не может быть: плыви тогда сам на сверку! А извещения тогда шли тихо — телеграфной проволоки не хватало, матерьял ржавый. И верно, через день весь Крым советская власть взяла. Я так и знал, оказывается. Вот тогда Шариков и назначил меня начальником горных недр...

— А Красного героя ты получил? — удивился Зворычный.

— Получил, конечно. Ты слушай дальше. За самоотречение, вездесущность и предвидение — так и было отштамповано на медали. Но скоро на пшено пришлось ее сменить в Тихорецкой.

После чая Пухову никак не хотелось уходить. Но Зворычный начинал дремать, вздыхать — Пухов совестился и прощался, с порога договаривал последний рассказ.

...Ночью, бредя на покой, Пухов оглядывал город свежими глазами и думал: какая масса имущества! Будто город он видел в первый раз в жизни. Каждый новый день ему казался утром небывалым, и он разглядывал его, как умное и редкое изобретение. К вечеру же он уставал на работе, сердце его дурнело и жизнь для него протухла.

Приходя от Зворычного, Пухов печку топить ленился и кутался сразу во все свои одежды. Дом был населен неплотно: жила где-то еще одна семья, а между нею и комнатой Пухова стояли пустые помещения. Если Пухову не спалось, он ставил лампу на табуретку у койки и принимался читать какую-нибудь агитпропаганду. Ею удружил его Зворычный.

Когда Пухов ничего не понимал, он думал, что писал дурак или бывший дьячок, и от отсутствия интереса сейчас же засыпал.

Снов он видеть не мог, потому что как только начинало ему что-нибудь сниться, он сейчас же догадывался об обмане и громко говорил: да ведь это же сон, дьяволы! — и просыпался. А потом долго не мог заснуть, проклиная пережитки идеализма, который Пухов знал благодаря чтению.

Раз шли они с Зворычным после гудка с работы. Город потухал на медленной тьме, и дальние церковные колокола тихо причитали над погибающим миром.

Пухов чувствовал свою телесную нечистоту, думал о тоске, живущей на его квартире, и шел, препинаясь, тяжелыми ногами.

Зворычный махнул рукой на дома и смачно сказал:

— Общность! Теперь идешь по городу как по своему двору.

— Знаю,— не согласился Пухов,— твое — мое — богатство! Было у хозяина, а теперь ничье!

— Чудак ты! — посмеялся Зворычный.— Общее — значит, твое, но не хищнически, а благоразумно. Стоит дом — живи в нем и храни в целом, а не жги дверей по буржуазному самодурству. Революция, брат, забота!

— Какая там забота, когда все общее, а по-моему — чужое! Буржуй ближе крови дом свой чувствовал, а мы что?

— Буржуй потому и чувствовал, потому и жадно берег, что награбил: знал, что самому не сделать! А мы делаем и дома, и машины — кровью, можно сказать, лепим,— вот у нас-то и будет кровно бережливое отношение: мы знаем, чего это стоит! Но мы не скупимся над имуществом — другое сможем сделать. А буржуй весь трясся над своим хламом!

— Шарик у тебя работает, вижу! — непохоже на себя заявил Пухов.— Не то ты жрать разучился! Помнишь, как ты лопал на снегоочистителе?

— При чем тут жрать? — обиделся Зворычный.— Понятно, мозг любит плотную пищу, без нее тоже на задумаешься!

Здесь они расстались и скрылись друг от друга. Подходя к своему дому, Пухов вспомнил, что жилище называется очагом.

— Очаг, черт: ни бабы, ни костра!

7

На сладкой и влажной заре, когда Пухову тепла на койке не хватало, треснуло стекло в оконной раме. Гулко закатился над городом орудийный залп.

В голове Пухова это беспокойство пошло сонным воспоминанием о южной новороссийской войне. Но он сейчас же разоблачил свою фантазию: ты же сон, дьявол! — и открыл глаза. Залп повторился так, что дом заерзал на почве.

«Будеть тебе бухтеть-то!» — не соглашался с действительностью Пухов и стал зажигать лампу для проверки законов природы. Лампа зажглась, но сейчас же потухла от третьего залпа — снаряд, наверно, разорвался на огороде.

Пухов одевался.

«Какой скот забрел с пушками по такой грязи?» — и не догадывался.

На улице Пухову показалось дымно и жарко. Явственно и близко рубцевал воздух пулемет. Пухов любил его: похож на машину и требует охлаждения.

В здание губпродкома ударила картечь,— и оттуда понесло гарью.

— У них нет снарядов, раз по городу картечью бьют,— сообразил Пухов: он знал, что сюда нужна граната.

Было безлюдно, тревожно и ничего не известно.

Вдруг на монастырской колокольне тихо зазвонили. Пухов вздрогнул и остановился, чутко слушая этот звон с перерывами.

Монастырь стоял на бугре и господствовал над городом и степями за речной долиной. В уличный просвет Пухов заметил раннее утро над тихим далеким лугом, заволоченным туманным газом.

От монастыря до мастерских лежала верста. Пухов покрыл ее срочным шагом, не обращая внимания на свирепеющий бой, к которому можно скоро привыкнуть.

В мастерских он не нашел никого. На вокзальных путях стоял броневой поезд и бил в направлении утренней зари, где был мост.

В проходной стоял комиссар Афонин и еще два человека. Афонин курил, а другие пробовали затворы винтовок и устанавливали их в ряд.

— Пухов, винтовку хочешь? — спросил Афонин.

— А то нет!

— Бери любую!

Пухов взял и освидетельствовал исправность механизма.

— А масла нет? Туго затвор ходит!

— Нет, нету — какое тебе масло тут? — отказал Афонин.

— Эх вы, воители! Давай патроны!

Получив патроны, Пухов спросил ручную гранату: невозможно, говорит, без нее: это бой сухопутный — когда я на Черном море бился, и то там гранаты давали.

Ему дали гранату.

— Зачем она тебе, их и так у нас мало! — заявил Афонин.

— Без нее нельзя. Матросы всегда этого ежика пущают, когда деться некуда!

— Ну, вали, вали!

— Куда идти-то?

— К мосту, за рощу — там наша цепь.

Нагруженный Пухов побрел по путям. Проходя мимо бронепоезда, он заметил там матросов.

Пухов залез на подножку и постучал в блиндированную дверцу. Дверца туго пошла по патентованному устройству, и в скважину просунулся матрос.

— Тебе чего, сыч?

— Шарикова тут нету?

— Нету.

— Распахни-ка мне ход, я приказ тебе дам.

— Ну, сыпь скорей.

В металлическом вагоне парилась тесная духота и веял промежуточный сквозняк. Замки трехдюймовых орудий воняли салом, но кругом было технически хорошо. Сидевший в башне за пулеметом матрос постреливал короткой частотой куда-то в поле, за кирпичные сараи, и пробовал рукою хоботок пулемета: не перегревается ли?

К Пухову подошел большой главный матрос.

— Ты что, братишка? Говори чаще.

— Вдарь-ка, друг, по монастырской колокольне. Там у них наблюдатель.

— Ладно, Федька! По колокольне: прицел сто десять, трубка девяносто — на снос!

Матрос взял бинокль и стал проверять действие снаряда.

Пухов ушел успокоенный. Идя по песчаному балласту железной дороги, он разговаривал в воздух. В синей лощине, закрытой укромным кустарником, шел бой. За железнодорожным мостом спешно работала артиллерия, сокрушая шрапнелью лощину. За мостом, наверное, стоял бронепоезд противника.

Тяжелая артиллерия — шестидюймовки — издалека била по городу. Город от нее давно и покорно горел.

Растопыренные умершие травы росли по откосу насыпи, но они тоже вздрагивали, когда недалекий бронепоезд из-за моста метал снаряд.

На вокзале работал бронепоезд красных, за мостом — белых, в пяти верстах друг от друга. Снаряды журчали в воздухе над головою Пухова, и он на них поглядывал. Одни летели за мост, другие обратно. Но вплотную не встречались.

В кустарнике лощины лежали рабочие — живые и мертвые. Живых было меньше, но они стреляли на ту сторону реки сдельно: за себя и за мертвых.

Пухов тоже прилег и пригляделся. Видны были товарные вагоны, маленький дом полустанка и какой-то железный барак на путях. Мастеровых от белых отделяла речка и долина, всего полторы версты.

«В чего же мы стреляем? — соображал Пухов.— Пули из страха переводим!»

Сосед его, помощник машиниста Кваков, перестал стрелять и посмотрел на Пухова.

— Что ж ты? — спросил его Пухов и выстрелил в шевельнувшийся предмет у станционного домика.

— Живот заболел — часа два бузую с сырой земли.

— А в кого мы стреляем?

— В белых — не знаешь, что ль?

— В каких белых? А где же Красная Армия?

— Она на том конце города кавалерию сдерживает. Это генерал Любославский наскочил — у него конницы — тьма.

— А чего ж мы раньше ничего не знали?

— Как не знали? Это, брат, конница — сегодня она у нас, а завтра в Орле будет.

— Чудно! — сказал Пухов с досадой.— Лежим, стреляем, аж пузо болит, а ни в кого не попадаем. Ихний броневик давно прицел нашел — и крошит нас помаленьку.

— Что же будешь делать-то: надо отбиваться! — ответил Кваков.

— Чушь какая: смерть не защита! — окончательно выяснил Пухов и перестал стрелять.

Шрапнель визжала низко и, останавливаясь на лету, со злобой рвала себя на куски. Эти куски вонзались в головы и в тела рабочих, и они, повернувшись с живота навзничь, замирали навсегда. Смерть действовала с таким спокойствием, что вера в научное воскресение мертвых, казалось, не имела ошибки. Тогда выходило, что люди умерли не навсегда, а лишь на долгое, глухое время.

Пухову это надоело. Он не верил, что если умрешь, то жизнь возвратится с процентами. А если и чувствовал что-нибудь такое, то знал, что нынче надо победить как раз рабочим, потому что они делают паровозы и другие научные предметы, а буржуи их только изнашивают.

Стрельба рабочих глохла и редела; над рекою стоял чад сгоревших снарядов. Кваков сел, не обращая внимания на войну, и собирал махорочную пыль по карманам. Пухов выжидал, пока он ее соберет, чтобы тоже попросить на цигарку.

— Ни санитаров, ни докторов у нас нет, ни лекарства — липовое хозяйство! — сказал Кваков, глядя на одного раненого, шевелившегося в бреду.

Раненый хотел подползти к Квакову и открывал глаза, но, не осилив с тяжестью век, снова закрывал их.

Кваков погладил его голову по редким старым волосам:

— Тебе чего, друг?

Раненый тихо гудел странным отвыкшим голосом, собираясь что-то сказать.

82

— Ну, чего? — говорил Кваков и сам мучился.

Раненый дополз до него и поднял грузную, мокрую голову, с которой капал крупный пот. Кваков приник к нему.

— Забей мне гвоздь в ухо поскорей...— сказал раненый и свалился от напряжения.

Кваков потер ему ухо и лег близко рядом, как бы защищая его от мучения и от новых ран.

Осколки шрапнели влеплялись в землю в сажени от Пухова и бросали ему в лицо гравий и рваную почву.

Сзади неожиданно подошел Афонин и тоже прилег.

— Ты тут, Пухов? На ихнем бронепоезде снарядов нету, скоро пойдем в атаку на станцию.

— Будя дурака валять,— кто это узнавал, что снарядов у них нет? Чего наш-то бронепоезд плохо бьет; ведь знает прицел, давно бы их сшибить можно...

Афонин не успел ответить и куда-то побежал, пригибаясь на открытых местах.

Через минуту весь отряд железнодорожников менял позицию — пробежал через овраг на молочную ферму и там залег за сараями.

Пухов снова увидел Афонина. Он стоял за каменным амбаром и договаривался о чем-то с двумя слесарями, державшими по буханке хлеба.

Пухов подошел к Афонину, чтобы сказать о необходимости пищи, но по дороге он обдумал другое. Из-за амбара были видны линия, мост и броневик белых. Линия шла с крутым уклоном из Похаринска на полустанок, где стоял белый бронепоезд.

Пухов подождал, пока кончил Афонин разговаривать со слесарями, и тогда разъяснил ему, что пора подумать, пора что-нибудь умственно схитрить, раз прямой силой белых не прогнать.

— Видишь, какой уклон из города на полустанок?

— Ну, вижу! — сказал Афонин.

— Ага,— вижу! Давно бы тебе надо его увидеть! — осерчал Пухов.— А где Зворычный?

— Тут. На что он тебе?

В городе загудел ураганный артиллерийский огонь, и послышался сплошной долгий крик большой массы людей.

— Что это? — обернулся туда Афонин.— Белые, что ль, ворвались? Должно, наших гонят.

Пухов прислушался. Голоса смолкли, а снаряды по-прежнему бурлили воздух над городом и, падая, крушили тяжелое, колкое вещество зданий.

Через пять минут Пухов и Зворычный ушли в город — на вокзал.

— А есть там груженый балласт? — спрашивал Зворычный.

— Есть — у литейного цеха десять платформ стоит! — говорил Пухов.

— Но ведь паровозов нет, — куда ж мы идем? — опять сомневался Зворычный.

— Да мы на руках их выкатим, голова! Потом заправим на главный путь, раскатим — и бросим. А за пять верст они сами разбегутся так, что от белого броневика одни шматки останутся!

— А рабочие где, — вдвоем на руках не выкатим!

— А мы матросов с нашего бронепоезда попросим. Мы по одному вагону будем выкатывать, а потом сцепим и бросим под уклон всем составом.

— Едва ли с броневика матросов дадут, — никак не соглашался Зворычный. — Броневик на два фронта бьет: и по кавалерии, и за мост...

— Дадут, там ходкие ребята! — уверял Пухов.

Афонин жалел, что согласился с Пуховым. Он думал, что Пухов просто сбежал из отряда и выдумал про балласт — никаких платформ с песком Афонин в мастерских не видал.

К обеду бой утих. Броневик белых изредка постреливал по речной долине, ища красных. Наш бронепоезд совсем молчал.

«Там матросня, — думал Афонин, — наморочит им голову этот Пухов».

Однако он не отрывался глазами от линии и сказал мастеровым о замысле Пухова.

— Ну как, десять груженых платформ сшибут белый броневик или нет? — спрашивал Афонин.

— Если скорости наберут, то сшибут — ясно! — говорил машинист Варежкин, водивший когда-то царский поезд.

Он же первый в половине второго расслышал бег колес на линии и .крикнул Афонину:

— Гляди туда!

Афонин выбежал за амбар и присел на корточки, озирая весь путь. Из выемки с ветром и лихою игрою колес вылетел состав без паровоза и в момент вскочил на затрепетавший под такою скоростью мост.

Афонин забыл дышать и от какого-то восторга нечаянно взмок глазами. Состав скрылся на мгновенье в гуще вагонов полустанка, и сейчас же там поднялось облако песчаной пыли. Потом раздался резкий, краткий разлом стали, закончившийся раздраженным треском.

— Есть! — сказал сразу успокоившийся Афонин и побежал впереди всего отряда на полустанок.

По песку и раскопанным грядкам картошек бежать было очень тяжело. Надо иметь большое очарование в сердце, чтобы так трудиться.

По мосту отряд пошел своим шагом — каждый считал белый бронепоезд разбитым и бессильным.

Отряд обошел пакгауз и тихо выбрался на чистую середину путей. На четвертом пути стоял чистый целый бронепоезд, а на главном — крошево фуража, песка и дребедень размятых, порванных вагонов.

Отряд бросился на бронепоезд, зачумленный последним страхом, превратившимся в безысходное геройство. Но железнодорожников начал резать пулемет, заработавший с молчка. И каждый лег на рельсы, на путевой балласт или на ржавый болт, некогда оторвавшийся с поезда на ходу. Ни у кого не успела замереть кровь, разогнанная напряженным сердцем, и тело долго тлело теплотой после смерти. Жизнь была не умерщвлена, а оторвана, как сброс с горы.

У Афонина три пули защемились сердцем, но он лежал живым и сознающим. Он видел синий воздух и тонкий поток пуль в нем. За каждой пулей он мог следить отдельно — с такой остротой и бдительностью он подразумевал совершающееся.

«Ведь я умираю — мои все умерли давно!» — подумал Афонин и пожелал отрезать себе голову от разрушенного пулями сердца — для дальнейшего сознания.

Мир тихо, как синий корабль, отходил от глаз Афонина: отнялось небо, исчез бронепоезд, потух светлый воздух, остался только рельс у головы. Сознание все больше средоточилось в точке, но точка сияла спрессованной ясностью. Чем больше сжималось сознание, тем ослепительней оно проницало в последние мгновенные явления. Наконец, сознание начало видеть только свои тающие края, подбираясь все более к узкому месту, и обратилось в свою противоположность.

В побелевших открытых глазах Афонина ходили тени текущего грязного воздуха — глаза, как куски прозрачной горной породы, отражали осиротевший одним человеком мир.

Рядом с Афониным успокоился Кваков, взмокнув кровью, как заржавленный.

На это место с бронепоезда сошел белый офицер, Леонид Маевский. Он был молод и умен, до войны писал стихи и изучал историю религий.

Он остановился у тела Афонина. Тот лежал огромным, грязным и сильным человеком.

Маевскому надоела война, он не верил в человеческое общество — и его тянуло к библиотекам.

«Неужели они правы? — спросил он себя и мертвых.— Нет, никто не прав: человечеству осталось одно одиночество. Века мы мучаем друг друга,— значит, надо разойтись и кончить историю».

До конца своего последнего дня Маевский не понял, что гораздо легче кончить себя, чем историю.

Поздно вечером бронепоезд матросов вскочил на полустанок и начал громить белых в упор. Беспамятная, неистовая сила матросов почти вся полегла трупами — поперек мертвого отряда железнодорожников, но из белых совсем никто не ушел. Маевский застрелился в поезде, и отчаяние его было так велико, что он умер раньше своего выстрела. Его последняя неверующая скорбь равнялась равнодушию пришедшего потом матроса, обменявшего свою обмундировку на его.

Ночью два поезда стояли рядом, наполненные спящими и мертвыми людьми. Усталость живых была больше чувства опасности — и ни один часовой не стоял на затихшем полустанке.

Утром два броневых поезда пошли в город и помогли сбить и расстрелять белую кавалерию, двое суток рвавшуюся на город и еле сдерживаемую слабыми отрядами молодых красноармейцев.

8

Пухов прошелся по городу. Пожары потухли, кое-какое недвижимое имущество погибло, но люди остались полностью.

Оглядев по-хозяйски город, вечером он сказал Зворычному:

— Война нам убыточна — пора ее кончить!

Зворычный чувствовал себя помощником убийцы и молча держал свой характер против Пухова. А Пухов знал себя за умного человека и говорил, что бронепоезд никогда не ставят на четвертый путь, а всегда на главный — это белые правил движения не знали.

— Все ж таки мы им дров наломали и жуть нагнали!

— Иди ты к черту! — ценил Пухова Зворычный.— У тебя всегда голова свербит без учета фактов — тебя бы к стенке надо!

— Опять же — к стенке! Тебе говорят, что война это ум, а не драка. Я Врангеля шпокал, англичан не боялся, а вы от конных наездников целый город перепугали.

— Каких наездников? — спрашивал злой и непокойный Зворычный.— Кавалерия — это тебе наездники?

— Никакой кавалерии и не было! А просто — верховые бандиты! Выдумали какого-то генерала Любославского,— а это атаман из Тамбовской губернии. А броневой поезд они захватили в Балашове — вот и вся музыка. Их и было-то человек пятьсот...

— А откуда же белые офицеры у них?

— Вот тебе раз — отчубучил! Так они ж теперь везде шляются — новую войну ищут! Что я их, не знаю, что ль? Это — люди идейные, вроде коммунистов.

— Значит, по-твоему, на нас налетела банда?

— Ну да, банда! А ты думал — целая армия? Армию на юге прочно угомонили.

— А артиллерия у них откуда? — не верил Пухову Зворычный.

— Чудак человек! Давай мне мандат с печатью — я тебе по деревням в неделю сто пушек наберу.

...Дома Пухов не ел и не пил — нечего было — и томился одним размышлением. Природу хватал мороз, и она сдавалась на зиму.

Когда начали работать мастерские, Пухова не хотели брать на работу: ты — сукин сын, говорят, иди куда-нибудь в другое место! Пухов доказывал, что его несчастный десант против белых — дело ума, а не подлости, и пользовался пока что горячим завтраком в мастерских.

Потом ячейка решила, что Пухов — не предатель, а просто придурковатый мужик, и поставила его на прежнее место. Но с Пухова взяли подписку — пройти вечерние курсы политграмоты. Пухов подписался, хотя не верил в организацию мысли. Он так и сказал на ячейке: человек — сволочь, ты его хочешь от бывшего бога отучить, а он тебе Собор Революции построит!

— Ты своего добьешься, Пухов! Тебя где-нибудь шпокнут! — серьезно сказал ему секретарь ячейки.

— Ничего не шпокнут! — ответил Пухов.— Я всю тактику жизни чувствую.

Зимовал он один — и много горя хлебнул: не столько от работы, сколько от домоводства. К Зворычному Пухов ходить совсем перестал: глупый человек, схватился за революцию, как за бога, аж слюни текут от усердия веры! А вся революция — простота: перекрошил белых — делай разнообразные вещи.

А Зворычный мудрит: паровозное колесо согласовывал с Карлом Марксом, а сам сох от вечернего учения и комиссарства — и забыл, как делается это колесо. Но Пухов втайне подумывал, что нельзя жить зря и бестолково, как было раньше. Теперь наступила умственная жизнь, чтобы ничто ее не замусоривало. Теперь без вреда себе уцелеть трудно, зато человек стал нужен; а если сорвешься с общего такта — выпишут в издержки революции, как путевой балласт.

Но, ворочаясь головой на подушке, Пухов чувствовал свое бушующее сердце и не знал, где этому сердцу место в уме.

Сквозь зиму Пухов жил медленно, как лез в скважину. Работа в цехе отягощала его — не тяжестью, а унынием.

Материалов не хватало, электрическая станция работала с перебоями — и были длинные мертвые простои.

Нашел Пухов одного друга себе — Афанасия Перевощикова, бригадира из сборочного цеха, но тот женился, занялся брачным делом, и Пухов остался опять один. Тогда он и понял, что женатый человек, то есть состоящий в браке, для друга и для общества — человек бракованный.

— Афанас, ты теперь не цельный человек, а бракованный! — говорил Пухов с сожалением.

— Э, Фома, и ты со щербиной: торец стоит и то не один, а рядышком с другим!

Но Пухов уже привык к своей комнате, ему казалось, что стены и вещи тоскуют по нем, когда он на работе.

Когда зима начала подогреваться, Пухов вспомнил про Шарикова: душевный парень — не то сделал он подводные лодки, не то нет?

Два вечера Пухов писал ему письмо. Написал про все: про песчаный десант, разбивший белый броненосец с одного удара, про Коммунистический Собор, назло всему народу построенный летом на Базарной площади, про свою скуку вдали от морской жизни и про все другое. Написал он также, что подводные лодки в Царицыне делать не взялись — мастера забыли, с чего их начинать, и не было кровельного железа. Теперь же Пухов решил выехать в Баку, как только получит от Шарикова мандат по почте. В Баку много стоячих машин по нефтяному делу, которые должны двинуться, так как в России есть дизеля, а на море моторы, зря пропадающие без работы. Сверх того, морское занятие серьезней сухопутного, а морские десанты искуснее песчаных.

У Пухова три раза стреляла рука, пока он карякал буквы: с самого новороссийского десанта ничего писаного не видал — отвык от чистописания.

«До чего ж письмо — тонкое дело!» — думал Пухов на передышке и писал, что в мозг попадало.

На конверте он обозначил:

«Адресату морскому матросу Шарикову.
В Баку — на Каспийскую флотилию».

Целую ночь он отдыхал от творчества, а утром пошел на почту сдавать письмо.

— Брось в ящик! — сказал ему чиновник. — У тебя простое письмо!

— Из ящиков писем не вынимают, я никогда не видел! Отправь из рук! — попросил Пухов.

— Как так не вынимают? — обиделся чиновник. — Ты по улице ходишь не вовремя, вот и не видишь!

Тогда Пухов просунул письмо в ящик и осмотрел его устройство.

— Не вынают, дьяволы, — ржавь кругом!

На политграмоту Пухов не ходил, хотя и подписал ячейкину бумажку.

— Что же ты не ходишь, товарищ? Приглашать тебя надо? — строго спросил его однажды Мокров, новый секретарь ячейки. (Зворычного сменили за помощь Пухову в песчаных платформах.)

— Чего мне ходить, — я и из книг все узнаю! — разъяснял Пухов и думал о далеком Баку.

Через месяц пришел ответ от Шарикова.

«Ехай скорее, — писал Шариков, — на нефтяных приисках делов много, а мозговитых людей мало. Сволочь живет всюду, а не хватает прилежности убрать ее внутрь Советской России. Все ждут англичан, — что они нам шкворень выдернут. Пускай дергают, мы тогда на передке поедем. А мандата тебе выслать не могу — их секретарь составляет, у него и печать, а я его арестовал. Но ты ехай — харчи будут».

Прочитав текст письма, Пухов изучил штемпеля: действительно Баку, и лег спать осчастливленный другом.

Уволили Пухова охотно и быстро, тем более что он для рабочих смутный человек. Не враг, но какой-то ветер, дующий мимо паруса революции.

<h2 style="text-align:center">9</h2>

Не все так хорошо доезжают до Баку, но Пухов доехал: он попал на порожнюю цистерну, гонимую из Москвы прямым и скорым сообщением в Баку.

Виды природы Пухова не удивили: каждый год случается одно и то же, а чувство уже деревенеет от усталой старости и не видит остроты разнообразия. Как почтовый чиновник, он не принимал от природы писем в личные руки, а складывал их в темный ящик обросшего забвением сердца, который редко отворяют. А раньше вся природа была для него срочным известием.

За Ростовом летали ласточки — любимые птицы молодого Пухова, а теперь он думал: видел я вас, чертей, если бы иное что летало, а то старые птицы!

Так он и доехал до самого конца.

— Явился? — поднял глаза от служебных бумаг Шариков.

— Вот он! — обозначил себя Пухов и начал разговаривать по существу.

В тот год советский нефтяной промысел собирал к себе старых мастеровых, заблудившихся в темноте далеких родин и на проселках революции.

Каждый день приезжали буровые мастера, тартальщики, машинисты и прочий похожий друг на друга народ.

Несмотря на долгий голод, народ был свежий и окрепший, будто насыщенный прочной пищей.

Шариков теперь ведал нефтью — комиссар по вербовке рабочей силы. Вербовал он эту силу разумно и доверчиво. Приходил в канцелярию простой, сильный человек и обращался:

— Десять лет в Сураханах тарталил, теперь опять на свою работу хочу!

— А где ты был в революционное время? — допрашивал Шариков.

— Как где? Здесь делать нечего было!..

— А где ты ряжку налопал? Дезертиром в пещере жил, а баба тебе творог носила.

— Что ты, товарищ! Я — красный партизан, здоровье на воздухе нажил!

Шариков в него всматривался. Тот стоял и смущался.

— Ну, нá тебе талон на вторую буровую, там спросишь Под-
шивалова, он все знает.

Пухов обсиживался в канцелярии и наблюдал. Его удивляло,
отчего так много забот с этой нефтью, раз ее люди сами не делают, а берут готовой из грунта.

— Где насос, где черпак — вот и все дело! — рассказывал он
Шарикову.— А ты тут целую подоплеку придумал!

— А как же иначе, чудак? Промысел — это, брат, надлежа-
щее мероприятие,— ответил Шариков не своей речью.

«И этот, должно, на курсах обтесался,— подумал Пухов.—
Не своим умом живет: скоро все на свете организовывать начнет.
Беда».

Шариков поставил Пухова машинистом на нефтяной двига-
тель — перекачивать нефть из скважины в нефтехранилище. Для
Пухова это было самое милое дело: день и ночь вращается
машина — умная, как живая, неустанная и верная, как сердце.
Среди работы Пухов выходил иногда из помещения и созерцал лихое южное солнце, сварившее когда-то нефть в недрах
земли.

— Вари так и дальше! — сообщал вверх Пухов и слушал
танцующую музыку своей напряженной машины.

Квартиры Пухов не имел, а спал на инструментальном ящике
в машинном сарае. Шум машины ему совсем не мешал, когда
ночью работал сменный машинист. Все равно на душе было тепло — от удобств душевного покоя не приобретешь; хорошие же
мысли приходят не в уюте, а от пересечки с людьми и событи́я-
ми — и так дальше. Поэтому Пухов не нуждался в услугах для
своей личности.

— Я — человек облегченного типа! — объяснял он тем, которые хотели его женить и водворить в брачную усадьбу.

А такие были: тогда социальная идеология была не развита и
рабочий человек угощал себя выдумкой.

Иногда приезжал на автомобиле Шариков и глядел на буровые
вышки, как на корабли. Кто из рабочих чего просил, он сейчас же
давал.

— Товарищ Шариков, выпиши клок мануфактуры — баба
приехала, оборвалась в деревне!

— Нá, черт! Если спекульнешь — на волю пущу! Пролетариат — честный предмет! — И выписывал бумажку, стараясь так
знаменито и фигурно расписаться, чтобы потом читатель его
фамилии сказал: товарищ Шариков — это интеллигентный
человек!

Шли недели, пищи давали достаточно, и Пухов отъедался.
Жалел он об одном, что немного постарел, нет чего-то нечаянного
в душе, что бывало раньше.

Кругом шла, в сущности, хорошая, легкая жизнь, поэтому Пухов ее не замечал и не беспокоился. Кто такой Шариков? — Свой

же друг. Чья нефть в земле и скважины? — Наши, мы их сделали. Что такое природа? — Добро для бедных людей. И так дальше. Больше не было тревоги и удручения от имущества и начальства.

Как-то приехал Шариков и говорил сразу Пухову, как будто всю дорогу думал об этом:

— Пухов, хочешь коммунистом сделаться?

— А что такое коммунист?

— Сволочь ты! Коммунист — это умный, научный человек, а буржуй — исторический дурак!

— Тогда не хочу.

— Почему не хочешь?

— Я — природный дурак! — объявил Пухов, потому что он знал особые ненарочные способы очаровывать и привлекать к себе людей и всегда производил ответ без всякого размышления.

— Вот гад! — засмеялся Шариков и поехал начальствовать дальше.

Со дня прибытия в Баку Пухову стало навсегда хорошо. Вставал он рано, осматривал зарю, вышки, слушал гудок парохода и думал кое о чем. Иногда он вспоминал свою умершую от преждевременного износа жену и немного грустил, но напрасно.

Однажды он шел из Баку на промысел. Он заночевал у Шарикова. К тому брат из плена вернулся, и было угощение. Ночь только что кончилась. Несмотря на бесконечное пространство, в мире было уютно в этот ранний чистый час, и Пухов шагал, наливаясь какой-то прелестью. Гулко и долго гудел дальний нефтеперегонный завод, распуская ночную смену.

Весь свет переживал утро, и каждый человек знал про это происшествие: кто явно торжествуя, кто бурча от смутного сновидения.

Нечаянное сочувствие к людям, одиноко работавшим против вещества всего мира, прояснялось в заросшей жизнью душе Пухова. Революция — как раз лучшая судьба для людей, верней ничего не придумаешь. Это было трудно, резко и сразу легко, как нарождение.

Во второй раз — после молодости — Пухов снова увидел роскошь жизни и неистовство смелой природы, неимоверной в тишине и в действии.

Пухов шел с удовольствием, чувствуя, как и давно, родственность всех тел к своему телу. Он постепенно догадывался о самом важном и мучительном. Он даже остановился, опустив глаза,— нечаянное в душе возвратилось к нему. Отчаянная природа перешла в людей и в смелость революции. Вот где таилось для него сомнение.

Душевная чужбина оставила Пухова на том месте, где он стоял, и он узнал теплоту родины, будто вернулся к детской матери от ненужной жены. Он тронулся по своей линии к буровой скважине, легко превозмогая опустевшее счастливое тело.

Пухов сам не знал — не то он таял, не то рождался.

Свет и теплота утра напряглись над миром и постепенно превращались в силу человека.

В машинном сарае Пухова встретил машинист, ожидавший смены. Он слегка подремывал и каждую минуту терял себя в дебрях сна и возвращался оттуда.

Газ двигателя Пухов вобрал в себя, как благоухание, чувствуя свою жизнь во всю глубину — до сокровенного пульса.

— Хорошее утро! — сказал он машинисту.

Тот потянулся, вышел наружу и равнодушно освидетельствовал:

— Революционное вполне.

УСОМНИВШИЙСЯ МАКАР

Среди прочих трудящихся масс жили два члена государства: нормальный мужик Макар Ганушкин и более выдающийся — товарищ Лев Чумовой, который был наиболее умнейшим на селе и, благодаря уму, руководил движением народа вперед, по прямой линии к общему благу. Зато все население деревни говорило про Льва Чумового, когда он шел где-либо мимо:

— Вон наш вождь ша́гом куда-то пошел,— завтра жди какого-нибудь принятия мер... Умная голова, только руки пустые. Голым умом живет...

Макар же, как любой мужик, больше любил промыслы, чем пахоту, и заботился не о хлебе, а о зрелищах, потому что у него была, по заключению товарища Чумового, порожняя голова.

Не взяв разрешения у товарища Чумового, Макар организовал однажды зрелище — народную карусель, гонимую кругом себя мощностью ветра. Народ собрался вокруг Макаровой карусели сплошной тучей и ожидал бури, которая могла бы стронуть карусель с места. Но буря что-то опаздывала, народ стоял без делов, а тем временем жеребенок Чумового сбежал в луга и там заблудился в мокрых местах. Если б народ был на покое, то он сразу поймал бы жеребенка Чумового и не позволил бы Чумовому терпеть убыток, но Макар отвлек народ от покоя и тем помог Чумовому потерпеть ущерб.

Чумовой сам не погнался за жеребенком, а подошел к Макару, молча тосковавшему по буре, и сказал:

— Ты народ здесь отвлекаешь, а у меня за жеребенком погнаться некому...

Макар очнулся от задумчивости, потому что догадался. Думать он не мог, имея порожнюю голову над умными руками, но зато он мог сразу догадываться.

— Не горюй,— сказал Макар товарищу Чумовому,— я тебе сделаю самоход.

— Как? — спросил Чумовой, потому что не знал, как своими пустыми руками сделать самоход.

— Из обручей и веревок,— ответил Макар, не думая, а ощущая тяговую силу и вращение в тех будущих веревках и обручах.

— Тогда делай скорее,— сказал Чумовой,— а то я тебя привлеку к законной ответственности за незаконные зрелища.

Но Макар думал не о штрафе,— думать он не мог,— а вспоминал, где он видел железо, и не вспомнил, потому что вся деревня была сделана из поверхностных материалов: глины, соломы, дерева и пеньки.

Бури не случилось, карусель не шла, и Макар вернулся ко двору.

Дома Макар выпил от тоски воды и почувствовал вяжущий вкус той воды.

«Должно быть, оттого и железа нету,— догадался Макар,— что мы его с водой выпиваем».

Ночью Макар полез в сухой, заглохший колодезь и прожил в нем сутки, ища железа под сырым песком. На вторые сутки Макара вытащили мужики под командой Чумового, который боялся, что погибнет гражданин помимо фронта социалистического строительства. Макар был неподъемен — у него в руках оказались коричневые глыбы железной руды. Мужики его вытащили и прокляли за тяжесть, а товарищ Чумовой пообещал дополнительно оштрафовать Макара за общественное беспокойство.

Однако Макар ему не внял и через неделю сделал из руды железо в печке, после того как его баба испекла там хлебы. Как он отжигал руду в печке,— никому не известно, потому что Макар действовал своими умными руками и безмолвной головой. Еще через день Макар сделал железное колесо, а затем еще одно колесо, но ни одно колесо само не поехало: их нужно было катить руками.

Пришел к Макару Чумовой и спрашивает:

— Сделал самоход вместо жеребенка?

— Нет,— говорит Макар,— я догадывался, что они бы должны сами покатиться, а они — нет.

— Чего же ты обманул меня, стихийная твоя голова! — служебно воскликнул Чумовой.— Делай тогда жеребенка!

— Мяса нет, а то бы я сделал,— отказался Макар.

— А как же ты железо из глины сделал? — вспомнил Чумовой.

— Не знаю,— ответил Макар,— у меня памяти нет.

Чумовой тут обиделся.

— Ты что же, открытие народнохозяйственного значения скрываешь, индивид-дьявол! Ты не человек, ты — единоличник! Я тебя сейчас кругом оштрафую, чтобы ты знал, как думать!

Макар покорился:

— А я ж не думаю, товарищ Чумовой. Я человек пустой.

— Тогда руки укороти, не делай, чего не сознаешь,— упрекнул Макара товарищ Чумовой.

— Ежели бы мне, товарищ Чумовой, твою голову, тогда бы я тоже думал,— сознался Макар.

— Вот именно! — подтвердил Чумовой.— Но такая голова одна на все село, и ты должен мне подчиниться.

И здесь Чумовой кругом оштрафовал Макара, так что Макару пришлось отправиться на промысел в Москву, чтобы оплатить тот штраф, оставив карусель и хозяйство под рачительным попечением товарища Чумового.

* * *

Макар ездил в поездах десять лет тому назад, в девятнадцатом году. Тогда его везли задаром, потому что Макар был сразу похож на батрака, и у него даже документов не спрашивали. «Езжай далее,— говорила ему, бывало, пролетарская стража,— ты нам мил, раз ты гол».

Нынче Макар, так же как и девять лет тому назад, сел в поезд не спросясь, удивившись малолюдью и открытым дверям. Но все-таки Макар сел не в середине вагона, а на оцепках, чтобы смотреть, как действуют колеса на ходу. Колеса начали действовать, и поезд поехал в середину государства — в Москву.

Поезд ехал быстрее любой полукровки. Степи бежали навстречу поезду и никак не кончались.

«Замучают они машину,— жалел колеса Макар.— Действительно, чего только в мире нет, раз он просторен и пуст».

Руки Макара находились в покое, их свободная умная сила пошла в его порожнюю емкую голову, и он стал думать. Макар сидел на сцепках и думал, что мог. Однако долго Макар не просидел. Подошел стражник без оружия и спросил у него билет. Билета у Макара с собой не было, так как, по его предположению, была советская, твердая власть, которая теперь и вовсе задаром возит всех нуждающихся. Стражник-контролер сказал Макару, чтобы он слезал от греха на первом полустанке, где есть буфет, дабы Макар не умер с голоду на глухом перегоне. Макар увидел, что о нем власть заботится, раз не просто гонит, а предлагает буфет, и поблагодарил начальника поездов.

На полустанке Макар все-таки не слез, хотя поезд остановился сгружать конверты и открытки из почтового вагона. Макар вспомнил одно техническое соображение и остался в поезде, чтобы помогать ему ехать дальше.

«Чем вещь тяжелее,— сравнительно представлял себе Макар камень и пух,— тем оно далее летит, когда его бросишь; так и я на поезде еду лишним кирпичом, чтобы поезд мог домчаться до Москвы».

Не желая обижать поездного стражника, Макар залез в глубину механизма, под вагон, и там лег на отдых, слушая волнующуюся скорость колес. От покоя и зрелища путевого песка Макар глухо заснул и увидел во сне, будто он отрывается от земли и летит по холодному ветру. От этого роскошного чувства он пожалел оставшихся на земле людей.

— Сережка, что же ты шейки горячими бросаешь!

Макар проснулся от этих слов и взял себя за шею: цело ли его тело и вся внутренняя жизнь?

— Ничего! — крикнул издали Сережка.— До Москвы недалече: не сгорит!

Поезд стоял на станции. Мастеровые пробовали вагонные оси и тихо ругались.

Макар вылез из-под выгона и увидел вдалеке центр всего государства — главный город Москву.

«Теперь я и пешком дойду! — сообразил Макар.— Авось поезд домчится и без добавочной тяжести!»

И Макар тронулся в направлении башен, церквей и грозных сооружений — в город чудес науки и техники, чтобы добывать себе жизнь под золотыми головами храмов и вождей.

* * *

Сгрузив себя с поезда, Макар пошел на видимую Москву, интересуясь этим центральным городом. Чтобы не сбиться, Макар шагал около рельсов и удивлялся частым станционным платформам. Близ платформы росли сосновые и еловые леса, а в лесах стояли деревянные домики. Деревья росли жидкие, под ними валялись конфетные бумажки, винные бутылки, колбасные шкурки и прочее испорченное добро. Трава под гнетом человека здесь не росла, а деревья тоже больше мучались и мало росли. Макар понимал такую природу неотчетливо:

«Не то тут особые негодяи живут, что даже растения от них дохнут! Ведь это весьма печально: человек живет и рожает близ себя пустыню! Где ж тут наука и техника?»

Погладив грудь от сожаления, Макар пошел дальше. На станционной платформе выгружали из вагона пустые молочные бидоны, а с молоком ставили в вагон. Макар остановился от своей мысли:

— Опять техники нет! — вслух определил Макар такое положение.— С молоком посуду везут — это правильно: в городе тоже живут дети и молоко ожидают. Но пустые бидоны зачем возить на машине? Ведь только технику зря тратят, а посуда объемистая!

Макар подошел к молочному начальнику, который заведовал бидонами, и посоветовал ему построить отсюда и вплоть до Москвы молочную трубу, чтобы не гонять вагонов с пустой молочной посудой.

Молочный начальник Макара выслушал — он уважал людей из масс,— однако посоветовал Макару обратиться в Москву: там сидят умнейшие люди, и они заведуют всеми починками.

Макар осерчал:

— Так ведь ты же возишь молоко, а не они! Они его только пьют, им лишних расходов техники не видно!

Начальник объяснил:

— Мое дело наряжать грузы: я — исполнитель, а не выдумщик труб.

Тогда Макар от него отстал и пошел усомнившись вплоть до Москвы.

В Москве было позднее утро. Десятки тысяч людей неслись по улицам, словно крестьяне на уборку урожая.

«Чего же они делать будут? — стоял и думал Макар в гуще сплошных людей.— Наверно, здесь могучие фабрики стоят, что одевают и обувают весь далекий деревенский народ!»

Макар посмотрел на свои сапоги и сказал бегущим людям «спасибо!» — без них он жил бы разутым и раздетым. Почти у всех людей имелись под мышками кожаные мешки, где, вероятно, лежали сапожные гвозди и дратва.

«Только чего ж они бегут, силы тратят? — озадачился Макар.— Пускай бы лучше дома работали, а харчи можно по дворам гужом развозить!»

Но люди бежали, лезли в трамваи до полного сжатия рессор и не жалели своего тела ради пользы труда. Этим Макар вполне удовлетворился. «Хорошие люди,— думал он,— трудно им до своих мастерских дорваться, а охота!»

Трамваи Макару понравились, потому что они сами едут, и машинист сидит в переднем вагоне очень легко, будто он ничего не везет. Макар тоже влез в вагон без всякого усилия, так как его туда втолкнули задние спешные люди. Вагон пошел плавно, под полом рычала невидимая сила машины, и Макар слушал ее и сочувствовал ей.

«Бедная работница! — думал Макар о машине.— Везет и тужится. Зато полезных людей к одному месту несет,— живые ноги бережет!»

Женщина — трамвайная хозяйка — давала людям квитанции, но Макар, чтобы не затруднять хозяйку, отказался от квитанции:

— Я — так! — сказал Макар и прошел мимо.

Хозяйке кричали, чтоб она чего-то дала по требованию, и хозяйка соглашалась. Макар, чтобы проверить, чего здесь дают, тоже сказал:

— Хозяйка, дай и мне чего-нибудь по требованию!

Хозяйка дернула веревку, и трамвай скоро окоротился на месте.

— Вылазь,— тебе по требованию,— сказали граждане Макару и вытолкнули его своим напором.

Макар вышел на воздух.

Воздух был столичный: пахло возбужденным газом машин и чугунной пылью трамвайных тормозов.

— А где же тут самый центр государства? — спросил Макар нечаянного человека.

Человек показал рукой и бросил папиросу в уличное помойное ведро. Макар подошел к ведру и тоже плюнул туда, чтобы иметь право всем в городе пользоваться.

Дома стояли настолько грузные и высокие, что Макар пожалел советскую власть: трудно ей держать в целости такую жилищную снасть.

На перекрестке милиционер поднял торцом вверх красную палку, а из левой руки сделал кулак для подводчика, везшего ржаную муку.

«Ржаную муку здесь не уважают,— заключил в уме Макар,— здесь белыми жамками кормятся».

— Где здесь есть центр? — спросил Макар у милиционера.

Милиционер показал Макару под гору и сообщил:

— У Большого театра, в логу.

Макар сошел под гору и очутился среди двух цветочных лужаек. С одного бока площади стояла стена, а с другого — дом со столбами. Столбы те держали наверху четверку чугунных лошадей, и можно бы столбы сделать потоньше, потому что четверка была не столь тяжела.

Макар стал искать на площади какую-либо жердь с красным флагом, которая бы означала середину центрального города и центр всего государства, но такой жерди нигде не было, а стоял камень с надписью. Макар оперся на камень, чтобы постоять в самом центре и проникнуться уважением к самому себе и к своему государству. Макар счастливо вздохнул и почувствовал голод. Тогда он пошел к реке и увидел постройку неимоверного дома.

— Что здесь строят? — спросил он у прохожего.

— Вечный дом из железа, бетона, стали и светлого стекла! — ответил прохожий.

Макар решил туда наведаться, чтобы поработать на постройке и покушать.

В воротах стояла стража. Стражник спросил:

— Тебе чего, жлоб?

— Мне бы поработать чего-нибудь, а то я отощал,— заявил Макар.

— Чего ж ты будешь здесь работать, когда ты пришел без всякого талона? — грустно проговорил стражник.

Здесь подошел каменщик и заслушался Макара.

— Иди в наш барак к общему котлу,— там ребята тебя покормят,— помог Макару каменщик.— А поступить ты к нам сразу не можешь, ты живешь на воле, а стало быть — никто. Тебе надо сначала в союз рабочих записаться, сквозь классовый надзор пройти.

И Макар пошел в барак кушать из котла, чтобы поддержать в себе жизнь для дальнейшей лучшей судьбы.

* * *

На постройке того дома в Москве, который назвал встречный человек вечным, Макар ужился. Сначала он наелся черной и питательной каши в рабочем бараке, а потом пошел осматривать строительный труд. Действительно, земля была всюду поражена ямами, народ суетился, машины неизвестного названия забивали сваи в грунт. Бетонная каша самотеком шла по лоткам, и прочие трудовые события тоже происходили на глазах. Видно, что дом строился, хотя неизвестно для кого. Макар и не интересовался, что кому достанется,— он интересовался техникой как будущим благом для всех людей. Начальник Макара по родному селу — товарищ Лев Чумовой, тот бы, конечно, наоборот, заинтересовался распределением жилой площади в будущем доме, а не чугунной свайной бабкой, но у Макара были только грамотные руки, а голова — нет; поэтому он только и думал, как бы чего сделать.

Макар обошел всю постройку и увидел, что работа идет быстро и благополучно. Однако что-то заунывно томилось в Макаре — пока неизвестно что. Он вышел на середину работ и окинул общую картину труда своим взглядом: явно чего-то недоставало на постройке, что-то было утрачено, но что — неизвестно. Только в груди у Макара росла какая-то совестливая рабочая тоска. От печали и от того, что сытно покушал, Макар нашел тихое место и там отошел ко сну. Во сне Макар видел озеро, птиц, забытую сельскую рощу, а что нужно, чего не хватает на постройке,— того Макар не увидел. Тогда Макар проснулся и вдруг открыл недостаток постройки: рабочие запаковывали бетон в железные каркасы, чтобы получилась стена. Но это же не техника, а черная работа! Чтобы получилась техника, надо бетон подавать наверх трубами, а рабочий будет только держать трубу и не уставать, этим самым не позволяя переходить красной силе ума в чернорабочие руки.

Макар сейчас же пошел искать главную московскую научно-техническую контору. Такая контора помещалась в прочном несгораемом помещении, в одном городском овраге. Макар нашел там одного малого у дверей и сказал ему, что он изобрел строительную кишку. Малый его выслушал и даже расспросил о том, чего Макар сам не знал, а потом отправил Макара на лестницу к главному писцу. Писец этот был ученым инженером, однако он решил почему-то писать на бумаге, не касаясь руками строительного дела. Макар и ему рассказал про кишку.

— Дома надо не строить, а отливать,— сказал Макар ученому писцу.

Писец прослушал и заключил:

— А чем вы докажете, товарищ изобретатель, что ваша кишка дешевле обычной бетонировки?

— А тем, что я это ясно чувствую,— доказал Макар.

Писец подумал что-то втайне и послал Макара в конец коридора:

— Там дают неимущим изобретателям по рублю на харчи и обратный билет по железной дороге.

Макар получил рубль, но отказался от билета, так как он решил жить вперед и безвозвратно.

В другой комнате Макару дали бумагу в профсоюз, дабы он получил там усиленную поддержку как человек из массы и изобретатель кишки. Макар подумал, что в профсоюзе ему сегодня же должны дать денег на устройство кишки, и радостно пошел туда.

Профсоюз помещался еще в более громадном доме, чем техническая контора. Часа два бродил Макар по ущельям того профсоюзного дома в поисках начальника массовых людей, что был написан на бумаге, но начальника не оказалось на служебном месте — он где-то заботился о прочих трудящихся. В сумерки начальник пришел, съел яичницу и прочитал бумажку Макара через посредство своей помощницы — довольно миловидной и передовой девицы с большой косой. Девица та сходила в кассу и принесла Макару новый рубль, а Макар расписался в получении его как безработный батрак. Бумагу Макару отдали обратно. На ней в числе прочих букв теперь значилось: «Товарищ Лопин, помоги члену нашего союза устроить его изобретение кишки по промышленной линии».

Макар остался доволен и на другой день пошел искать промышленную линию, чтобы увидеть на ней товарища Лопина. Ни милиционер, ни прохожие не знали такой линии, и Макар решил ее найти самостоятельно. На улицах висели плакаты и красный сатин с надписью того учреждения, которое и нужно было Макару. На плакатах ясно указывалось, что весь пролетариат должен твердо стоять на линии развития промышленности. Это сразу вразумило Макара: нужно сначала отыскать пролетариат, а под ним будет линия и где-нибудь рядом товарищ Лопин.

— Товарищ милиционер,— обратился Макар,— укажи мне дорогу на пролетариат.

Милиционер достал книжку, отыскал там адрес пролетариата и сказал тот адрес благородному Макару.

* * *

Макар шел по Москве к пролетариату и удивлялся силе города, бегущей в автобусах, трамваях и на живых ногах толпы.

«Много харчей надо, чтобы питать такое телодвижение!» — рассуждал Макар в своей голове, умевшей думать, когда руки были не заняты.

Озабоченный и загоревавший Макар, наконец, достиг того дома, местоположение которого ему указал постовой. Дом тот оказался ночлежным приютом, где бедный класс в ночное время преклонял свою голову. Раньше, в дореволюционную бытность, бедный класс преклонял свою голову на простую землю, и над той головою шли дожди, светил месяц, брели звезды, дули ветры, а голова та лежала, стыла и спала, потому что она была усталая. Нынче же голова бедного класса отдыхала на подушке под потолком и железным покровом крыши, а ночной ветер природы уже не беспокоил волос на голове бедняка, некогда лежавшего прямо на поверхности земного шара.

Макар увидел несколько новых чистоплотных домов и остался доволен советской властью.

«Ничего себе властишка! — оценил Макар.— Только надо, чтобы она не избаловалась, потому что она наша!»

В ночлежном доме была контора, как во всех московских жилых домах. Без конторы, оказывается, сейчас же началось бы всюду светопреставление, а писцы давали всей жизни хотя и медленный, но правильный ход. Макар и писцов уважал.

«Пусть живут! — решил про них Макар.— Они же думают чего-нибудь, раз жалованье получают, а раз они от должности думают, то, наверное, станут умными людьми, а их нам и надобно!»

— Тебе чего? — спросил Макара комендант ночлега.

— Мне бы нужен был пролетариат,— сообщил Макар.

— Какой слой? — узнавал комендант.

Макар не стал задумываться — он знал вперед, что ему нужно.

— Нижний,— сказал Макар.— Он погуще, там людей побольше, там самая масса!

— Ага! — понял комендант.— Тогда тебе надо вечера ждать: кого больше придет, с теми и ночевать пойдешь — либо с нищими, либо с сезонниками...

— Мне бы с теми, кто самый социализм строит,— попросил Макар.

— Ага! — снова понял комендант.— Так тебе нужен, кто новые дома строит?

Макар здесь усомнился.

— Так дома же и раньше строили, когда Ленина не было. Какой же тебе социализм в пустом доме?

Комендант тоже задумался, тем более что он сам точно не знал, в каком виде должен представиться социализм — будет ли в социализме удивительная радость, и какая?

— Дома-то строили раньше,— согласился комендант.— Только в них тогда жили негодяи, а теперь я тебе талон даю на ночевку в новый дом.

— Верно,— обрадовался Макар.— Значит, ты правильный помощник советской власти.

Макар взял талон и сел на груду кирпича, оставшегося беспризорным от постройки.

«Тоже... — рассуждал Макар,— лежит кирпич подо мной, а пролетариат тот кирпич делал и мучился: мала советская власть — своего имущества не видит!»

Досидел Макар на кирпиче до вечера и проследил, поочередно, как солнце угасло, как огни зажглись, как воробьи исчезли с навоза на покой.

Стали, наконец, являться пролетарии: кто с хлебом, кто без него, кто больной, кто уставший, но все миловидные от долгого труда и добрые той добротой, которая происходит от измождения.

Макар подождал, пока пролетариат разлегся на государственных койках и перевел дыхание от дневного строительства. Тогда Макар смело вошел в ночлежную залу и объявил, став посреди пола:

— Товарищи работники труда! Вы живете в родном городе Москве, в центральной силе государства, а в нем непорядки и утраты ценностей.

Пролетариат пошевелился на койках.

— Митрий! — глухо произнес чей-то широкий голос.— Двинь его слегка, чтоб он стал нормальным.

Макар не обиделся, потому что перед ним лежал пролетариат, а не враждебная сила.

— У вас не все выдумали,— говорил Макар.— Молочные банки из-под молока на ценных машинах везут, а они порожние,— их выпили. Тут бы трубы достаточно было и поршневого насоса... То же и в строительстве домов и сараев — их надо из кишки отливать, а вы их по мелочам строите... Я ту кишку придумал и вам ее даром даю, чтобы социализм и прочее благоустройство наступило скорей...

— Какую кишку? — произнес тот же глухой голос невидимого пролетария.

— Свою кишку,— подтвердил Макар.

Пролетариат сначала помолчал, а потом чей-то ясный голос прокричал из дальнего угла некие слова, и Макар их услышал, как ветер:

— Нам сила не дорога — мы и по мелочи дома поставим,— нам душа дорога. Раз ты человек, то дело не в домах, а в сердце. Мы здесь все на расчетах работаем, на охране труда живем, на профсоюзах стоим, на клубах увлекаемся, а друг на друга не обращаем внимания — друг друга закону поручили... Даешь душу, раз ты изобретатель!

Макар сразу пал духом. Он изобретал всякие вещи, но души не касался, а это оказалось для здешнего народа главным изобретением. Макар лег на государственную койку и затих от сомнения, что всю жизнь занимался непролетарским делом.

Спал Макар недолго, потому что он во сне начал страдать. И страдание его перешло в сновидение: он увидел во сне гору, или возвышенность, и на той горе стоял научный человек. А Макар лежал под той горой, как сонный дурак, и глядел на научного человека, ожидая от него либо слова, либо дела. Но человек тот стоял и молчал, не видя горюющего Макара и думая лишь о целостном масштабе, но не о частном Макаре. Лицо ученейшего человека было освещено заревом дальней массовой жизни, что расстилалась под ним вдалеке, а глаза были страшны и мертвы от нахождения на высоте и слишком далекого взора. Научный молчал, а Макар лежал во сне и тосковал.

— Что мне делать в жизни, чтоб я себе и другим был нужен? — спросил Макар и затих от ужаса.

Научный человек молчал по-прежнему без ответа, и миллионы живых жизней отражались в его мертвых очах.

Тогда Макар в удивлении пополз на высоту по мертвой каменистой почве. Три раза в него входил страх перед неподвижно-научным и три раза страх изгонялся любопытством. Если бы Макар был умным человеком, то он не полез бы на ту высоту, но он был отсталым человеком, имея лишь любопытные руки под неощутимой головой. И силой своей любопытной глупости Макар долез до образованнейшего и тронул слегка его толстое, громадное тело. От прикосновения неизвестное тело шевельнулось, как живое, и сразу рухнуло на Макара, потому что оно было мертвое.

Макар проснулся от удара и увидел над собой ночлежного надзирателя, который коснулся его чайником по голове, чтобы Макар проснулся.

Макар сел на койку и увидел рябого пролетария, умывшегося из блюдца без потери капли воды. Макар удивился способу начисто умываться горстью воды и спросил рябого:

— Все ушли на работу, чего же ты один стоишь и умываешься?

Рябой промокнул мокрое лицо о подушку, высох и ответил:

— Работающих пролетариев много, а думающих мало,— я наметил себе думать за всех. Понял ты меня или молчишь от дурости и угнетенья?

— От горя и сомнения,— ответил Макар.

— Ага, тогда пойдем, стало быть, со мной и будем думать за всех,— соображая высказался рябой.

И Макар поднялся, чтобы идти с рябым человеком, по названию Петр, чтобы найти свое назначение.

Навстречу Макару и Петру шло большое многообразие женщин, одетых в тугую одежду, указывающую, что женщины желали бы быть голыми; также много было мужчин, но они укрывались более свободно для тела. Великие тысячи других женщин и мужчин, жалея свои туловища, ехали в автомобилях и фаэтонах, а также в еле влекущихся трамваях, которые скрежетали от живого веса людей, но терпели. Едущие и пешие стремились вперед, имея научное выражение лиц, чем в корне походили на того великого и мощного человека, которого Макар неприкосновенно созерцал во сне. От наблюдения сплошных научно-грамотных личностей Макару сделалось жутко во внутреннем чувстве. Для помощи он поглядел на Петра: не есть ли и тот лишь научный человек со взглядом вдаль?

— Ты небось знаешь все науки и видишь слишком далеко? — робко спросил Макар.

Петр сосредоточил свое сознание.

— Я-то? Я надеюсь существовать вроде Ильича-Ленина: я гляжу и вдаль, и вблизь, и вширку, и вглубь, и вверх.

— Да то-то! — успокоился Макар.— А то я намедни видел

громадного научного человека: так он в одну даль глядит, а около него — сажени две будет — лежит один отдельный человек и мучается без помощи.

— Еще бы! — умно произнес Петр.— Он на уклоне стоит, ему и кажется, что все вдалеке, а вблизи нет ни дьявола! А другой только под ноги себе глядит — как бы на комок не споткнуться и не удариться насмерть — и считать себя правым; а массам жить на тихом ходу скучно. Мы, брат, комков почвы не боимся!

— У нас народ теперь обутый! — подтвердил Макар.

Но Петр держал свое размышление вперед, не отлучаясь ни на что.

— Ты видел когда-нибудь коммунистическую партию?

— Нет, товарищ Петр, мне ее не показывали! Я в деревне товарища Чумового видел!

— Чумовых товарищей и здесь находится полное количество. А я говорю тебе про чистую партию, у которой четкий взор в точную точку. Когда я нахожусь на сходе среди партии, всегда себя дураком чувствую.

— Отчего ж так, товарищ Петр? Ты ведь по наружности почти научный.

— Потому что у меня ум тело поедает. Мне яства хочется, а партия говорит: вперед заводы построим — без железа хлеб растет слабо. Понял ты меня, какой здесь ход в самый раз?!

— Понял,— ответил Макар.

Кто строит машины и заводы, тех он понимал сразу, словно ученый. Макар с самого рождения наблюдал глиносоломенные деревни и нисколько не верил в их участь без огневых машин.

— Вот,— сообщил Петр.— А ты говоришь: человек тебе намедни не понравился! Он и партии и мне не нравится: его ведь дурак-капитализм произвел, а мы таковых подобных постепенно под уклон спускаем!

— Я тоже что-то чувствую, только не знаю что! — высказался Макар.

— А раз ты не знаешь — что, то следуй в жизни под моим руководством; иначе ты с тонкой линии неминуемо треснешься вниз.

Макар отвлекся взором на московский народ и подумал:

«Люди здесь сытые, лица у всех чистоплотные, живут они обильно,— они бы размножаться должны, а детей незаметно».

Про это Макар сообщил Петру.

— Здесь не природа, а культура,— объяснил Петр.— Здесь люди живут семействами без размножения, тут кушают без производства труда...

— А как же? — удивился Макар.

— А так,— сообщил знающий Петр.— Иной одну мысль

напишет на квитанции,— за это его с семейством целых полтора года кормят... А другой и не пишет ничего — просто живет для назидания другим.

Ходили Макар и Петр до вечера; осмотрели Москву-реку, улицы, лавки, где продавался трикотаж, и захотели есть.

— Пойдем в милицию обедать,— сказал Петр.

Макар пошел: он сообразил, что в милиции кормят.

— Я буду говорить, а ты молчи и отчасти мучайся,— заранее предупредил Макара Петр.

В милиционном отделении сидели грабители, бездомные, люди-звери и неизвестные несчастные. А против всех сидел дежурный надзиратель и принимал народ в живой затылок. Иных он отправлял в арестный дом, иных — в больницу, иных устранял прочь обратно.

Когда дошла очередь до Петра и Макара, то Петр сказал:

— Товарищ начальник, я вам психа на улице поймал и за руку привел.

— Какой же он псих? — спрашивал дежурный по отделению.— Чего ж он нарушил в общественном месте?

— А ничего,— открыто сказал Петр.— Он ходит и волнуется, а потом возьмет и убьет: суди его тогда. А лучшая борьба с преступностью — это предупреждение ее. Вот я и предупредил преступление.

— Резон! — согласился начальник.— Я сейчас его направлю в институт психопатов — на общее исследование...

Милиционер написал бумажку и загоревал:

— Не с кем вас препроводить — все люди в разгоне...

— Давай я его сведу,— предложил Петр.— Я человек нормальный, это он — псих.

— Вали! — обрадовался милиционер и дал Петру бумажку.

В институт душевноболящих Петр и Макар пришли через час. Петр сказал, что он приставлен милицией к опасному дураку и не может его оставить ни на минуту, а дурак ничего не ел и сейчас начнет бушевать.

— Идите на кухню, вам там дадут покушать,— указала добрая сестра-посиделка.

— Он ест много,— отказался Петр.— Ему надо щей чугун и каши два чугуна. Пусть принесут сюда, а то он еще харкнет в общий котел.

Сестра служебно распорядилась. Макару принесли тройную порцию вкусной еды, и Петр насытился заодно с Макаром.

В скором времени Макара принял доктор и начал спрашивать у Макара такие обстоятельные мысли, что Макар по невежеству своей жизни отвечал на эти докторские вопросы как сумасшедший. Здесь доктор ощупал Макара и нашел, что в его сердце бурлит лишняя кровь.

— Надо его оставить на испытание,— заключил про Макара доктор.

И Макар с Петром остались ночевать в душевной больнице. Вечером они пошли в читальную комнату, и Петр начал читать Макару книжки Ленина вслух.

— Наши учреждения — дерьмо,— читал Ленина Петр, а Макар слушал и удивлялся точности ума Ленина.— Наши законы — дерьмо. Мы умеем предписывать и не умеем исполнять. В наших учреждениях сидят враждебные нам люди, а иные наши товарищи стали сановниками и работают, как дураки...

Другие больные душой тоже заслушались Ленина,— они не знали раньше, что Ленин знал все.

— Правильно! — поддакивали больные душой и рабочие и крестьяне.

— Побольше надо в наши учреждения рабочих и крестьян,— читал дальше рябой Петр.— Социализм надо строить руками массового человека, а не чиновничьими бумажками наших учреждений. И я не теряю надежды, что нас за это когда-нибудь поделом повесят...

— Видал? — спросил Макара Петр.— Ленина — и то могли замучить учреждения, а мы ходим и лежим. Вот она тебе, вся революция, написана живьем... Книгу я эту отсюда украду, потому что здесь учреждение, а завтра мы с тобой пойдем в любую контору и скажем, что мы рабочие и крестьяне. Сядем с тобой в учреждение и будем думать для государства.

После чтения Макар и Петр легли спать, чтобы отдохнуть от дневных забот в безумном доме. Тем более что завтра обоим предстояло идти бороться за ленинское и общебедняцкое дело.

* * *

Петр знал, куда надо идти,— в РКИ, там любят жалобщиков и всяких удрученных. Приоткрыв первую дверь в верхнем коридоре РКИ, они увидели там отсутствие людей. Над второй же дверью висел краткий плакат «Кто кого?», и Петр с Макаром вошли туда. В комнате не было никого, кроме тов. Льва Чумового, который сидел и чем-то заведовал, оставив свою деревню на произвол бедняков.

Макар не испугался Чумового и сказал Петру:

— Раз говорится «кто кого?», то давай мы его...

— Нет,— отверг опытный Петр,— у нас государство, а не лапша. Идем выше.

Выше их приняли, потому что там была тоска по людям и по низовому действительному уму.

— Мы — классовые члены,— сказал Петр высшему начальнику.— У нас ум накопился, дай нам власти над гнетущей писчей стервой...

— Берите. Она ваша,— сказал высший и дал им власть в руки.

С тех пор Макар и Петр сели за столы против Льва Чумового и стали говорить с бедным приходящим народом, решая все дела в уме — на базе сочувствия неимущим. Скоро и народ перестал ходить в учреждение Макара и Петра, потому что они думали настолько просто, что и сами бедные могли думать и решать так же, и трудящиеся стали думать сами за себя на квартирах.

Лев Чумовой остался один в учреждении, поскольку его никто письменно не отзывал оттуда. И присутствовал он там до тех пор, пока не была назначена комиссия по делам ликвидации государства. В ней тов. Чумовой проработал сорок четыре года и умер среди забвения и канцелярских дел, в которых был помещен его организационный гос-ум.

КОТЛОВАН

В день тридцатилетия личной жизни Вощеву дали расчет с небольшого механического завода, где он добывал средства для своего существования. В увольнительном документе ему написали, что он устраняется с производства вследствие роста слабосильности в нем и задумчивости среди общего темпа труда.

Вощев взял на квартире вещи в мешок и вышел наружу, чтобы на воздухе лучше понять свое будущее. Но воздух был пуст, неподвижные деревья бережно держали жару в листьях, и скучно лежала пыль на безлюдной дороге — в природе было такое положение. Вощев не знал, куда его влечет, и облокотился в конце города на низкую ограду одной усадьбы, в которой приучали бессемейных детей к труду и пользе. Дальше город прекращался — там была лишь пивная для отходников и низкооплачиваемых категорий, стоявшая, как учреждение, без всякого двора, а за пивной возвышался глиняный бугор, и старое дерево росло на нем одно среди светлой погоды. Вощев добрел до пивной и вошел туда на искренние человеческие голоса. Здесь были невыдержанные люди, предававшиеся забвению своего несчастья, и Вощеву стало глуше и легче среди них. Он присутствовал в пивной до вечера, пока не зашумел ветер меняющейся погоды; тогда Вощев подошел к открытому окну, чтобы заметить начало ночи, и увидел дерево на глинистом бугре — оно качалось от непогоды, и с тайным стыдом заворачивались его листья. Где-то, наверно в саду совторгслужащих, томился духовой оркестр; однообразная, несбывающаяся музыка уносилась ветром в природу через приовражную пустошь, потому что ему редко полагалась радость, но ничего не мог совершить равнозначного музыке и проводил свое вечернее время неподвижно. После ветра опять настала тишина, и ее покрыл еще более тихий мрак. Вощев сел у окна, чтобы наблюдать нежную тьму ночи, слушать разные грустные звуки и мучиться сердцем, окруженным жесткими каменистыми костями.

— Эй, пищевой! — раздалось в уже смолкшем заведении.— Дай нам пару кружечек — в полость налить!

Вощев давно обнаружил, что люди в пивную всегда приходили

парами, как женихи и невесты, а иногда целыми дружными свадьбами.

Пищевой служащий на этот раз пива не подал, и двое пришедших кровельщиков вытерли фартуками жаждущие рты.

— Тебе, бюрократ, рабочий человек одним пальцем должен приказывать, а ты гордишься!

Но пищевой берег свои силы от служебного износа для личной жизни и не вступал в разногласия.

— Учреждение, граждане, закрыто. Займитесь чем-нибудь на своей квартире.

Кровельщики взяли с блюдечка в рот по соленой сушке и вышли прочь. Вощев остался один в пивной.

— Гражданин! Вы требовали только одну кружку, а сидите здесь бессрочно! Вы платили за напиток, а не за помещение!

Вощев захватил свой мешок и отправился в ночь. Вопрошающее небо светило над Вощевым мучительной силой звезд, но в городе уже были потушены огни, и кто имел возможность, тот спал, наевшись ужином. Вощев спустился по крошкам земли в овраг и лег там животом вниз, чтобы уснуть и расстаться с собою. Но для сна нужен был покой ума, доверчивость его к жизни, прощение прожитого горя, а Вощев лежал в сухом напряжении сознательности и не знал — полезен ли он в мире или все без него благополучно обойдется? Из неизвестного места подул ветер, чтобы люди не задохнулись, и слабым голосом сомнения дала знать о своей службе пригородная собака.

— Скучно собаке, она живет благодаря одному рождению, как и я.

Тело Вощева побледнело от усталости, он почувствовал холод на веках и закрыл ими теплые глаза.

Пивник уже освежал свое заведение, уже волновались кругом ветры и травы от солнца, когда Вощев с сожалением открыл налившиеся влажной силой глаза. Ему снова предстояло жить и питаться, поэтому он пошел в завком — защищать свой ненужный труд.

— Администрация говорит, что ты стоял и думал среди производства,— сказали в завкоме.— О чем ты думал, товарищ Вощев?

— О плане жизни.

— Завод работает по готовому плану треста. А план личной жизни ты мог бы прорабатывать в клубе или в красном уголке.

— Я думал о плане общей жизни. Своей жизни я не боюсь, она мне не загадка.

— Ну и что ж ты бы мог сделать?

— Я мог выдумать что-нибудь вроде счастья, а от душевного смысла улучшилась бы производительность.

— Счастье произойдет от материализма, товарищ Вощев, а не от смысла. Мы тебя отстоять не можем, ты человек несознательный, а мы не желаем очутиться в хвосте масс.

Вощев хотел попросить какой-нибудь самой слабой работы,

чтобы хватило на пропитание: думать же он будет во внеурочное время; но для просьбы нужно иметь уважение к людям, а Вощев не видел от них чувства к себе.

— Вы боитесь быть в хвосте: он — конечность, и сели на шею!

— Тебе, Вощев, государство дало лишний час на твою задумчивость — работал восемь, теперь семь, ты бы и жил — молчал! Если все мы сразу задумаемся, то кто действовать будет?

— Без думы люди действуют бессмысленно! — произнес Вощев в размышлении.

Он ушел из завкома без помощи. Его пеший путь лежал среди лета, по сторонам строили дома и техническое благоустройство — в тех домах будут безмолвно существовать доныне бесприютные массы. Тело Вощева было равнодушно к удобству, он мог жить не изнемогая в открытом месте и томился своим несчастьем во время сытости, в дни покоя на прошлой квартире. Ему еще раз пришлось миновать пригородную пивную, еще раз он посмотрел на место своего ночлега — там осталось что-то общее с его жизнью, и Вощев очутился в пространстве, где был перед ним лишь горизонт и ощущение ветра в склонившееся лицо.

Через версту стоял дом шоссейного надзирателя. Привыкнув к пустоте, надзиратель громко ссорился с женой, а женщина сидела у открытого окна с ребенком на коленях и отвечала мужу возгласами брани; сам же ребенок молча щипал оборку своей рубашки, понимая, но ничего не говоря.

Это терпение ребенка ободрило Вощева, он увидел, что мать и отец не чувствуют смысла жизни и раздражены, а ребенок живет без упрека, вырастая себе на мученье. Здесь Вощев решил напрячь свою душу, не жалеть тела на работу ума, с тем чтобы вскоре вернуться к дому дорожного надзирателя и рассказать осмысленному ребенку тайну жизни, все время забываемую его родителями. «Их тело сейчас блуждает автоматически,— наблюдал родителей Вощев,— сущности они не чувствуют».

— Отчего вы не чувствуете сущности? — спросил Вощев, обратясь в окно.— У вас ребенок живет, а вы ругаетесь, он же весь свет родился окончить.

Муж и жена со страхом совести, скрытой за злобностью лиц, глядели на свидетеля.

— Если вам нечем спокойно существовать, вы бы почитали своего ребенка — вам лучше будет.

— А тебе чего тут надо? — со злостной тонкостью в голосе спросил надзиратель дороги. — Ты идешь и иди, для таких и дорогу замостили...

Вощев стоял среди пути не решаясь. Семья ждала, пока он уйдет, и держала свое зло в запасе.

— Я бы ушел, но мне некуда. Далеко здесь до другого какого-нибудь города?

— Близко,— ответил надзиратель,— если не будешь стоять, то дорога доведет.

— А вы чтите своего ребенка,— сказал Вощев,— когда вы умрете, то он будет.

Сказав эти слова, Вощев отошел от дома надзирателя на версту и там сел на край канавы; но вскоре он почувствовал сомнение в своей жизни и слабость тела без истины, он не мог дальше трудиться и ступать по дороге, не зная точного устройства всего мира и того, куда надо стремиться. Вощев, истомившись размышлением, лег в пыльные, проезжие травы; было жарко, дул дневной ветер и где-то кричали петухи на деревне — все предавалось безответному существованию, один Вощев отделился и молчал. Умерший, палый лист лежал рядом с головою Вощева, его принес ветер с дальнего дерева, и теперь этому листу предстояло смирение в земле. Вощев подобрал отсохший лист и спрятал его в тайное отделение мешка, где он сберегал всякие предметы несчастья и безвестности. «Ты не имел смысла жизни,— со скупостью сочувствия полагал Вощев,— лежи здесь, я узнаю, за что ты жил и погиб. Раз ты никому не нужен и валяешься среди всего мира, то я тебя буду хранить и помнить».

— Все живет и терпит на свете, ничего не сознавая,— сказал Вощев близ дороги и встал, чтоб идти, окруженный всеобщим терпеливым существованием.— Как будто кто-то один или несколько немногих извлекли из нас убежденное чувство и взяли его себе.

Он шел по дороге до изнеможения; изнемогал же Вощев скоро, как только его душа вспоминала, что истину она перестала знать.

Но уже был виден город вдалеке, дымились его кооперативные пекарни, и вечернее солнце освещало пыль над домами от движения населения. Тот город начинался кузницей, и в ней во время прохода Вощева чинили автомобиль от бездорожной езды. Жирный калека стоял подле коновязи и обращался к кузнецу:

— Миш, насыпь табачку: опять замок ночью сорву!

Кузнец не отвечал из-под автомобиля. Тогда увечный толкнул его костылем в зад.

— Миш, лучше брось работать — насыпь: убытков наделаю!

Вощев приостановился около калеки, потому что по улице двинулся из глубины города строй детей-пионеров с уставшей музыкой впереди.

— Я ж вчера тебе целый рубль дал,— сказал кузнец.— Дай мне покой хоть на неделю! А то я терплю-терплю и костыли твои пожгу!

— Жги! — согласился инвалид.— Меня ребята на тележке доставят — крышу с кузни сорву!

Кузнец отвлекся видом детей и, добрея, насыпал увечному табаку в кисет:

— Грабь, саранча!

Вощев обратил внимание, что у калеки не было ног — одной совсем, а вместо другой находилась деревянная приставка; держался изувеченный опорой костылей и подсобным напряжением деревянного отростка правой отсеченной ноги. Зубов у инвалида не было никаких, он их сработал начисто на пищу, зато наел громадное лицо и тучный остаток туловища; его коричневые, скупо отверзтые глаза наблюдали посторонний для них мир с жадностью обездоленности, с тоской скопившейся страсти, а во рту его терлись десны, произнося неслышные мысли безногого.

Оркестр пионеров, отдалившись, заиграл музыку молодого похода. Мимо кузницы, с сознанием важности своего будущего, ступали точным маршем босые девочки; их слабые, мужающие тела были одеты в матроски, на задумчивых, внимательных головах вольно возлежали красные береты, и их ноги были покрыты пухом юности. Каждая девочка, двигаясь в меру общего строя, улыбалась от чувства своего значения, от сознания серьезности жизни, необходимой для непрерывности строя и силы похода. Любая из этих пионерок родилась в то время, когда в полях лежали мертвые лошади социальной войны, и не все пионеры имели кожу в час своего происхождения, потому что их матери питались лишь запасами собственного тела; поэтому на лице каждой пионерки осталась трудность немощи ранней жизни, скудость тела и красоты выражения. Но счастье детской дружбы, осуществление будущего мира в игре юности и достоинстве своей строгой свободы обозначили на детских лицах важную радость, заменившую им красоту и домашнюю упитанность.

Вощев стоял с робостью перед глазами шествия этих неизвестных ему, взволнованных детей; он стыдился, что пионеры, наверное, знают и чувствуют больше его, потому что дети — это время, созревающее в свежем теле, а он, Вощев, устраняется спешащей, действующей молодостью в тишину безвестности, как тщетная попытка жизни добиться своей цели. И Вощев почувствовал стыд и энергию — он захотел немедленно открыть всеобщий, долгий смысл жизни, чтобы жить впереди детей, быстрее их смуглых ног, наполненных твердой нежностью.

Одна пионерка выбежала из рядов в прилегающую к кузнице ржаную ниву и там сорвала растение. Во время своего действия маленькая женщина нагнулась, обнажив родинку на опухающем теле, и с легкостью неощутимой силы исчезла мимо, оставляя сожаление в двух зрителях — Вощеве и калеке. Вощев поглядел на инвалида; у того надулось лицо безвыходной кровью, он простонал звук и пошевелил рукою в глубине кармана. Вощев наблюдал настроение могучего увечного, но был рад, что уроду империализма никогда не достанутся социалистические дети. Однако калека смотрел до конца пионерское шествие, и

Вощев побоялся за целость и непорочность маленьких людей.

— Ты бы глядел глазами куда-нибудь прочь,— сказал он инвалиду.— Ты бы лучше закурил!

— Марш в сторону, указчик! — произнес безногий.

Вощев не двигался.

— Кому говорю? — напомнил калека.— Получить от меня захотел?!

— Нет,— ответил Вощев.— Я испугался, что ты на ту девочку свое слово скажешь или подействуешь как-нибудь.

Инвалид в привычном мучении наклонил свою большую голову к земле.

— Чего ж я скажу ребенку, стервец. Я гляжу на детей для памяти, потому что помру скоро.

— Это, наверно, на капиталистическом сражении тебя повредили,— тихо проговорил Вощев.— Хотя калеки тоже стариками бывают, я их видел.

Увечный человек обратил свои глаза на Вощева, в которых сейчас было зверство превосходящего ума; увечный вначале даже помолчал от обозления на прохожего, а потом сказал с медленностью ожесточения:

— Старики такие бывают, а вот калечных таких, как ты,— нету.

— Я на войне настоящей не был,— сказал Вощев.— Тогда б и я вернулся оттуда не полностью весь.

— Вижу, что ты не был: откуда же ты дурак! Когда мужик войны не видел, то он вроде нерожавшей бабы — идиотом живет. Тебя ж сквозь скорлупу всего заметно!

— Эх!..— жалобно произнес кузнец.— Гляжу на детей, а самому так и хочется крикнуть: «Да здравствует Первое мая!»

Музыка пионеров отдохнула и заиграла вдали марш движения. Вощев продолжал томиться и пошел в этот город жить.

До самого вечера молча ходил Вощев по городу, словно в ожидании, когда мир станет общеизвестен. Однако ему по-прежнему было неясно на свете, и он ощущал в темноте своего тела тихое место, где ничего не было, но ничто ничему не препятствовало начаться. Как заочно живущий, Вощев гулял мимо людей, чувствуя нарастающую силу горюющего ума и все более уединяясь в тесноте своей печали.

Только теперь он увидел середину города и строящиеся устройства его. Вечернее электричество уже было зажжено на построечных лесах, но полевой свет тишины и вянущий запах сна приблизились сюда из общего пространства и стояли нетронутыми в воздухе. Отдельно от природы в светлом месте электричества с желанием трудились люди, возводя кирпичные огорожи, шагая с ношей груза в тесовом бреду лесов. Вощев долго наблюдал строительство неизвестной ему башни; он видел, что рабочие шевелились равномерно, без резкой силы, но что-то уже прибыло в постройке для ее завершения.

— Не убывают ли люди в чувстве своей жизни, когда прибывают постройки? — не решался верить Вощев.— Дом человек построит, а сам расстроится. Кто жить тогда будет? — сомневался Вощев на ходу.

Он отошел из середины города на конец его. Пока он двигался туда, наступила безлюдная ночь; лишь вода и ветер населяли вдали этот мрак и природу, и одни птицы сумели воспеть грусть этого великого вещества, потому что они летали сверху и им было легче.

Вощев забрел в пустырь и обнаружил теплую яму для ночлега; снизившись в эту земную впадину, он положил под голову мешок, куда собирал для памяти и отмщения всякую безвестность, опечалился и с тем уснул. Но какой-то человек вошел на пустырь с косой в руках и начал сечь травяные рощи, росшие здесь испокон века.

К полуночи косарь дошел до Вощева и определил ему встать и уйти с площади.

— Чего тебе! — неохотно говорил Вощев.— Какая тут площадь, это лишнее место.

— А теперь будет площадь, теперь здесь положено быть каменному делу. Ты утром приходи поглядеть на это место, а то оно скоро скроется навеки под устройством.

— А где же мне быть?

— Ты смело можешь в бараке доспать. Ступай туда и спи до утра, а утром ты выяснишься.

Вощев пошел по рассказу косаря и вскоре заметил дощатый сарай на бывшем огороде. Внутри сарая спали на спине семнадцать или двадцать человек, и припотушенная лампа освещала бессознательные человеческие лица. Все спящие были худы, как умершие, тесное место меж кожей и костями у каждого было занято жилами, и по толщине жил было видно, как много крови они должны пропускать во время напряжения труда. Ситец рубах с точностью передавал медленную освежающую работу сердца — оно билось вблизи, во тьме опустошенного тела каждого уснувшего. Вощев всмотрелся в лицо ближнего спящего — не выражает ли оно безответного счастья удовлетворенного человека. Но спящий лежал замертво, глубоко и печально скрылись его глаза, и охладевшие ноги беспомощно вытянулись в старых рабочих штанах. Кроме дыханья, в бараке не было звука, никто не видел снов и не разговаривал с воспоминаниями,— каждый существовал без всякого излишка жизни, и во время сна оставалось живым только сердце, берегущее человека. Вощев почувствовал холод усталости и лег для тепла среди двух тел спящих мастеровых. Он уснул, незнакомый этим людям, закрывшим свои глаза, и довольный, что около них ночует,— и так спал, не чувствуя истины, до светлого утра.

Утром Вощеву ударил какой-то инстинкт в голову, он проснулся и слушал чужие слова, не открывая глаз.

— Он слаб!

— Он несознательный.

— Ничего: капитализм из нашей породы делал дураков, и этот — тоже остаток мрака.

— Лишь бы он по сословию подходил: тогда — годится.

— Видя по его телу, класс его бедный.

Вощев в сомнении открыл глаза на свет наступившего дня. Вчерашние спящие живыми стояли над ним и наблюдали его немощное положение.

— Ты зачем здесь ходишь и существуешь? — спросил один, у которого от измождения слабо росла борода.

— Я здесь не существую,— произнес Вощев, стыдясь, что много людей чувствуют сейчас его одного.— Я только думаю здесь.

— А ради чего же ты думаешь, себя мучаешь?

— У меня без истины тело слабнет, я трудом кормиться не могу, я задумывался на производстве, и меня сократили...

Все мастеровые молчали против Вощева: их лица были равнодушны и скучны, редкая, заранее утомленная мысль освещала их терпеливые глаза.

— Что же твоя истина! — сказал тот, кто говорил прежде.— Ты же не работаешь, ты не переживаешь вещества существования, откуда же ты вспомнишь мысль!

— А зачем тебе истина? — спросил другой человек, разомкнув спекшиеся от безмолвия уста.— Только в уме у тебя будет хорошо, а снаружи гадко.

— Вы уж, наверно, все знаете? — с робостью слабой надежды спросил их Вощев.

— А как же иначе? Мы же всем организациям существование даем! — ответил низкий человек из своего высохшего рта, около которого от измождения слабо росла борода.

В это время отворился дверной вход, и Вощев увидел ночного косаря с артельным чайником: кипяток уже поспел на плите, которая топилась на дворе барака; время пробуждения миновало, наступила пора питаться для дневного труда...

Сельские часы висели на деревянной стене и терпеливо шли силой тяжести мертвого груза; розовый цветок был изображен на облике механизма, чтобы утешать всякого, кто видит время. Мастеровые сели в ряд по длине стола, косарь, ведавший женским делом в бараке, нарезал хлеб и дал каждому человеку ломоть, а в прибавок еще по куску вчерашней холодной говядины. Мастеровые начали серьезно есть, принимая в себя пищу как должное, но не наслаждаясь ею. Хотя они и владели смыслом жизни, что равносильно вечному счастью, однако их лица были угрюмы и худы, а вместо покоя жизни они имели измождение. Вощев со скупостью надежды, со страхом утраты наблюдал этих грустно существующих людей, способных без торжества хранить внутри себя истину; он уже был доволен и тем, что истина заключалась на свете в ближнем к нему теле человека, который сейчас только говорил с ним, значит, достаточно лишь быть около того человека, чтобы стать терпеливым к жизни и трудоспособным.

— Иди с нами кушать! — позвали Вощева евшие люди.

Вощев встал и, еще не имея полной веры в общую необходимость мира, пошел есть, стесняясь и тоскуя.

— Что же ты такой скудный? — спросили у него.

— Так,— ответил Вощев.— Я теперь тоже хочу работать над веществом существования.

За время сомнения в правильности жизни он редко ел спокойно, всегда чувствуя свою томящую душу.

Но теперь он поел хладнокровно, и наиболее активный среди мастеровых, товарищ Сафронов, сообщил ему после питания, что, пожалуй, и Вощев теперь годится в труд, потому что люди нынче стали дороги, наравне с материалом; вот уже который день ходит профуполномоченный по окрестностям города и пустым местам, чтобы встретить бесхозяйственных бедняков и образовать из них постоянных тружеников, но редко кого приводит — весь народ занят жизнью и трудом.

Вощев уже наелся и встал среди сидящих.

— Чего ты поднялся? — спросил его Сафронов.

— Сидя у меня мысль еще хуже развивается. Я лучше постою.

— Ну, стой. Ты, наверно, интеллигенция — той лишь бы посидеть да подумать.

— Пока я был бессознательным, я жил ручным трудом, а уж потом — не увидел значения жизни и ослаб.

К бараку подошла музыка и заиграла особые жизненные звуки, в которых не было никакой мысли, но зато имелось ликующее предчувствие, приводившее тело Вощева в дребезжащее состояние радости. Тревожные звуки внезапной музыки давали чувство совести, они предлагали беречь время жизни, пройти даль надежды до конца и достигнуть ее, чтобы найти там источник этого волнующего пения и не заплакать перед смертью от тоски тщетности.

Музыка перестала, и жизнь осела во всех прежней тяжестью.

Профуполномоченный, уже знакомый Вощеву, вошел в рабочее помещение и попросил всю артель пройти один раз поперек старого города, чтобы увидеть значение того труда, который начнется на выкошенном пустыре после шествия.

Артель мастеровых вышла наружу и со смущением остановилась против музыкантов. Сафронов ложно покашливал, стыдясь общественной чести, обращенной к нему в виде музыки. Землекоп Чиклин глядел с удивлением и ожиданием — он не чувствовал своих заслуг, но хотел еще раз прослушать торжественный марш и молча порадоваться. Другие робко опустили терпеливые руки.

Профуполномоченный от забот и деятельности забывал ощущать самого себя, и так ему было легче; в суете сплачивания масс и организации подсобных радостей для рабочих он не помнил про удовлетворение удовольствиями личной жизни, худел и спал глубоко по ночам. Если бы профуполномоченный убавил волнение своей работы, вспомнил про недостаток домашнего имущества в своем семействе или погладил бы ночью свое уменьшившееся, постаревшее тело, он бы почувствовал стыд существования за счет двух процентов тоскующего труда. Но он не мог останавливаться и иметь созерцающее сознание.

Со скоростью, происходящей от беспокойной преданности трудящимся, профуполномоченный выступил вперед, чтобы показать расселившийся усадьбами город квалифицированным мастеровым, потому что они должны сегодня начать постройкой то единое здание, куда войдет на поселение весь местный класс пролетариата,— и тот общий дом возвысится над всем усадебным, дворовым городом, а малые единоличные дома опустеют, их непроницаемо покроет растительный мир, и там постепенно остановят дыхание исчахшие люди забытого времени.

К бараку подошли несколько каменных кладчиков с двух новостроящихся заводов, профуполномоченный напрягся от восторга последней минуты перед маршем строителей по городу; музыканты приложили духовые принадлежности к губам, но артель мастеровых стояла врозь, не готовая идти. Сафронов заметил ложное усердие на лицах музыкантов и обиделся за унижаемую музыку.

— Это что еще за игрушку придумали? Куда это мы пойдем — чего мы не видали!

Профуполномоченный потерял готовность лица и почувствовал свою душу — он всегда ее чувствовал, когда его обижали.

— Товарищ Сафронов! Это окрпрофбюро хотело показать вашей первой образцовой артели жалость старой жизни, разные бедные жилища и скучные условия, а также кладбище, где хронились пролетарии, которые скончались до революции без счастья,— тогда бы вы увидели, какой это погибший город стоит среди равнины нашей страны, тогда бы вы сразу узнали, зачем нам нужен общий дом пролетариату, который вы начнете строить вслед за тем...

— Ты нам не переугождай! — возражающе произнес Сафронов.— Что мы — или не видели мелочных домов, где живут разные авторитеты? Отведи музыку в детскую организацию, а мы справимся с домом по одному своему сознанию.

— Значит, я переугожденец? — все более догадываясь, пугался профуполномоченный.— У нас есть в профбюро один какой-то аллилуйщик, а я, значит, переугожденец?

И, заболев сердцем, профуполномоченный молча пошел в учреждение союза, и оркестр за ним.

На выкошенном пустыре пахло умершей травой и сыростью обнаженных мест, отчего яснее чувствовалась общая грусть жизни и тоска тщетности. Вощеву дали лопату, он сжал ее руками, точно хотел добыть истину из земного праха; обездоленный, Вощев согласен был и не иметь смысла существования, но желал хотя бы наблюдать его в веществе тела другого, ближнего человека,— и чтобы находиться вблизи того человека, мог пожертвовать на труд все свое слабое тело, истомленное мыслью и бессмысленностью.

Среди пустыря стоял инженер — не старый, но седой от счета природы человек. Весь мир он представлял мертвым телом — он судил его по тем частям, какие уже были им обращены в сооружения: мир всюду поддавался его внимательному и воображающему уму, ограниченному лишь сознанием косности природы; материал всегда сдавался точности и терпению, значит, он был мертв и пустынен. Но человек был жив и достоин среди всего унылого вещества, поэтому инженер сейчас вежливо улыбался мастеровым. Вощев видел, что щеки у инженера были розовые, но не от упитанности, а от излишнего сердцебиения, и Вощеву понравилось, что у этого человека волнуется и бьется сердце.

Инженер сказал Чиклину, что он уже разбил земляные работы и разметил котлован, и показал на вбитые колышки: теперь можно начинать. Чиклин слушал инженера и добавочно проверял его разбивку своим умом и опытом — он во время земляных работ был старшим в артели, грунтовый труд был его лучшей профессией; когда же настанет пора бутовой кладки, то Чиклин подчинится Сафронову.

— Мало рук,— сказал Чиклин инженеру,— это измор, а не работа — время всю пользу съест.

— Биржа обещала прислать пятьдесят человек, а я просил сто,— ответил инженер.— Но отвечать будем за все работы в материке только вы и я: вы — ведущая бригада.

— Мы вести не будем. А будем равнять всех с собой. Лишь бы люди явились.

И сказав это, Чиклин вонзил лопату в верхнюю мякоть земли, сосредоточив вниз равнодушно задумчивое лицо. Вощев тоже начал рыть почву вглубь, пуская всю силу в лопату; он теперь допускал возможность того, что детство вырастет, радость сделается мыслью и будущий человек найдет себе покой в этом прочном доме, чтобы глядеть из высоких окон в простертый, ждущий его мир. Уже тысячи былинок, корешков и мелких почвенных приютов усердной твари он уничтожил навсегда и работал в теснинах тоскливой глины. Но Чиклин его опередил, он давно оставил лопату и взял лом, чтобы крошить нижние сжатые породы. Упраздняя старинное природное устройство, Чиклин не мог его понять.

От сознания малочисленности своей артели Чиклин спешно ломал вековой грунт, обращая всю жизнь своего тела в удары по мертвым местам. Сердце его привычно билось, терпеливая спина истощалась потом, никакого предохраняющего сала у Чиклина под кожей не было — его старые жилы и внутренности близко подходили наружу, он ощущал окружающее без расчета и сознания, но с точностью. Когда-то он был моложе и его любили девушки — из жадности к его мощному, бредущему куда попало телу, которое не хранило себя и было преданно всем. В Чиклине тогда многие нуждались как в укрытии и покое среди его верного тепла, но он хотел укрывать слишком многих, чтобы и самому было чего чувствовать, тогда женщины и товарищи из ревности покидали его, а Чиклин, тоскуя по ночам, выходил на базарную площадь и опрокидывал торговые будки или вовсе уносил их куда-нибудь прочь, за что томился затем в тюрьме и пел оттуда песни в летние вишневые вечера.

К полудню усердие Вощева давало все меньше и меньше земли, он начал уже раздражаться от рытья и отстал от артели; лишь один худой мастеровой работал тише его. Этот задний был угрюм, ничтожен всем телом, пот слабости капал в глину с его мутного однообразного лица, обросшего по окружности редкими волосами; при подъеме земли на урез котлована он кашлял и вынуждал из себя мокроту, а потом, успокоившись, закрывал глаза, словно желая сна.

— Козлов! — крикнул ему Сафронов.— Тебе опять неможется?

— Опять,— ответил Козлов своим бледным голосом ребенка.

— Наслаждаешься много,— произнес Сафронов.— Будем тебя класть спать теперь на столе под лампой, чтоб ты лежал и стыдился.

Козлов поглядел на Сафронова красными сырыми глазами и промолчал от равнодушного утомления.

— За что он тебя? — спросил Вощев.

Козлов вынул соринку из своего костяного носа и посмотрел в сторону, точно тоскуя о свободе, но на самом деле ни о чем не тосковал.

— Они говорят,— ответил он,— что у меня женщины нету,— с трудом обиды сказал Козлов,— что я ночью под одеялом сам себя люблю, а днем от пустоты тела жить не гожусь. Они ведь, как говорится, все знают!

Вощев снова стал рыть одинаковую глину и видел, что глины и общей земли еще много остается — еще долго надо иметь жизнь, чтобы превозмочь забвеньем и трудом этот залегший мир, спрятавший в своей темноте истину всего существования. Может быть, легче выдумать смысл жизни в голове — ведь можно нечаянно догадаться о нем или коснуться его печально текущим чувством.

— Сафронов,— сказал Вощев, ослабев терпеньем,— лучше я буду думать без работы, все равно весь свет не разроешь до дна.

— Не выдумаешь,— не отвлекаясь сообщил Сафронов,— у тебя не будет памяти вещества, и ты станешь вроде Козлова думать сам себя, как животное.

— Чего ты стонешь, сирота! — отозвался Чиклин спереди.— Смотри на людей и живи, пока родился.

Вощев поглядел на людей и решил кое-как жить, раз они

терпят и живут: он вместе с ними произошел и умрет в свое время неразлучно с людьми.

— Козлов, ложись вниз лицом, отдышься! — сказал Чиклин.— Кашляет, вздыхает, молчит, горюет! — так могилы роют, а не дома.

Но Козлов не уважал чужой жалости к себе — он сам незаметно погладил за пазухой свою глухую ветхую грудь и продолжал рыть связный грунт. Он еще верил в наступление жизни после постройки больших домов и боялся, что в ту жизнь его не примут, если он представится туда жалобным нетрудовым элементом. Лишь одно чувство трогало Козлова по утрам — его сердце затруднялось биться, но все же он надеялся жить в будущем хотя бы маленьким остатком сердца; однако по слабости груди ему приходилось во время работы гладить себя изредка поверх костей и уговаривать шепотом терпеть.

Уже прошел полдень, а биржа не прислала землекопов. Ночной косарь травы выспался, сварил картошек, полил их яйцами, смочил маслом, подбавил вчерашней каши, посыпал сверху для роскоши укропом и принес в котле эту сборную пищу для развития павших сил артели.

Ели в тишине, не глядя друг на друга и без жадности, не признавая за пищей цены, точно сила человека происходит из одного сознания.

Инженер обошел своим ежедневным обходом разные непременные учреждения и явился на котлован. Он постоял в стороне, пока люди съели все из котла, и тогда сказал:

— В понедельник будут еще сорок человек. А сегодня — суббота: вам уже пора кончать.

— Как так кончать? — спросил Чиклин.— Мы еще куб или полтора выбросим, раньше кончать ни к чему.

— А надо кончать,— возразил производитель работ.— Вы уже работаете больше шести часов, и есть закон.

— Тот закон для одних усталых элементов,— воспрепятствовал Чиклин,— а у меня еще малость силы осталось до сна. Кто как думает? — спросил он у всех.

— До вечера долго,— сообщил Сафронов,— чего жизни зря пропадать, лучше сделаем вещь. Мы ведь не животные, мы можем жить ради энтузиазма.

— Может, природа нам что-нибудь покажет внизу,— сказал Вощев.

— И то! — произнес неизвестно кто из мастеровых.

Инженер наклонил голову, он боялся пустого домашнего времени, он не знал, как ему жить одному.

— Тогда и я пойду почерчу немного и свайные гнезда посчитаю опять.

— А то что ж: ступай почерти и посчитай! — согласился Чиклин.— Все равно земля вскопана, кругом скучно — отделаемся, тогда назначим жизнь и отдохнем.

Производитель работ медленно отошел. Он вспомнил свое

детство, когда под праздники прислуга мыла полы, мать убирала горницы, а по улице текла неприютная вода, и он, мальчик, не знал, куда ему деться, и ему было тоскливо и задумчиво. Сейчас тоже погода пропала, над равниной пошли медленные сумрачные облака, и во всей России теперь моют полы под праздник социализма,— наслаждаться как-то еще рано и ни к чему; лучше сесть, задуматься и чертить части будущего дома.

Козлов от сытости почувствовал радость, и ум его увеличился.

— Всему свету, как говорится, хозяева, а жрать любят,— сообщил Козлов.— Хозяин бы себе враз дом построил, а вы помрете на порожней земле.

— Козлов, ты скот! — определил Сафронов.— На что тебе пролетариат в доме, когда ты одним своим телом радуешься?

— Пускай радуюсь! — ответил Козлов.— А кто меня любил хоть раз? Терпи, говорят, пока старик капитализм помрет, теперь он кончился, а я опять живу один под одеялом, и мне ведь грустно!

Вощев заволновался от дружбы к Козлову.

— Грусть — это ничего, товарищ Козлов,— сказал он,— это значит, наш класс весь мир чувствует, а счастье все равно далекое дело... От счастья только стыд начнется!

В следующее время Вощев и другие с ним опять встали на работу. Еще высоко было солнце, и жалобно пели птицы в освещенном воздухе, не торжествуя, а ища пищи в пространстве; ласточки низко мчались над склоненными роющими людьми, они смолкали крыльями от усталости, и под их пухом и перьями был пот нужды — они летали с самой зари, не переставая мучить себя для сытости птенцов и подруг. Вощев поднял однажды мгновенно умершую в воздухе птицу и павшую вниз: она была вся в поту; а когда ее Вощев ощипал, чтобы увидеть тело, то в его руках осталось скудное печальное существо, погибшее от утомления своего труда. И нынче Вощев не жалел себя на уничтожении сросшегося грунта: здесь будет дом, в нем будут храниться люди от невзгоды и бросать крошки из окон живущим снаружи птицам.

Чиклин, не видя ни птиц, ни неба, не чувствуя мысли, грузно разрушал землю ломом, и его плоть истощалась в глинистой выемке, но он не тосковал от усталости, зная, что в ночном сне его тело наполнится вновь.

Истомленный Козлов сел на землю и рубил топором обнажившийся известняк; он работал, не помня времени и места, спуская остатки своей теплой силы в камень, который он рассекал,— камень нагревался, а Козлов постепенно холодел. Он мог бы так весь незаметно скончаться, и разрушенный камень был бы его бедным наследством будущим растущим людям. Штаны Козлова от движения заголились, сквозь кожу обтягивались, кривые острые кости голеней, как ножи с зазубринами. Вощев почувствовал от тех беззащитных костей тоскливую нервность, ожидая, что кости прорвут непрочную кожу и выйдут наружу; он попробовал свои ноги в тех же костных местах и сказал всем:

— Пора пошабашить! А то вы уморитесь, умрете, и кто тогда будет людьми?

Вощев не услышал себе слово в ответ. Уже наставал вечер; вдалеке подымалась синяя ночь, обещая сон и прохладное дыхание, и — точно грусть — стояла мертвая высота над землей. Козлов по-прежнему уничтожал камень в земле, ни на что не отлучаясь взглядом, и, наверно, скучно билось его ослабевшее сердце.

Производитель работ общепролетарского дома вышел из своей чертежной конторы во время ночной тьмы. Яма котлована была пуста, артель мастеровых заснула в бараке тесным рядом туловищ, и лишь огонь ночной припотушенной лампы проникал оттуда сквозь щели теса, держа свет на всякий несчастный случай или для того, кто внезапно захочет пить. Инженер Прушевский подошел к бараку и поглядел внутрь через отверстие бывшего сучка; около стены спал Чиклин, его опухшая от силы рука лежала на животе, и все тело шумело в питающей работе сна; босой Козлов спал с открытым ртом, горло его клокотало, будто воздух дыхания проходил сквозь тяжелую темную кровь, а из полуоткрытых бледных глаз выходили редкие слезы — от сновидения или неизвестной тоски.

Прушевский отнял голову от досок и подумал. Вдалеке светилась электричеством ночная постройка завода, но Прушевский знал, что там нет ничего кроме мертвого строительного материала и усталых, недумающих людей. Вот он выдумал единственный общепролетарский дом вместо старого города, где и посейчас живут люди дворовым огороженным способом; через год весь местный пролетариат выйдет из мелкоимущественного города и займет для жизни монументальный новый дом. Через десять или двадцать лет другой инженер построит в середине мира башню, куда войдут на вечное, счастливое поселение трудящиеся всей земли. Прушевский мог бы уже теперь предвидеть, какое произведение статической механики в смысле искусства и целесообразности следует поместить в центре мира, но не мог предчувствовать устройства души поселенцев общего дома среди этой равнины и тем более вообразить жителей будущей башни посреди всемирной земли. Какое тогда будет тело у юности и от какой волнующей силы начнет биться сердце и думать ум?

Прушевский хотел это знать уже теперь, чтобы не напрасно строились стены его зодчества; дом должен быть населен людьми, а люди наполнены той излишней теплотою жизни, которая названа однажды душой. Он боялся воздвигать пустые здания — те, в каких люди живут лишь из-за непогоды.

Прушевский остыл от ночи и спустился в начатую яму котлована, где было затишье. Некоторое время он посидел в глубине; под ним находился камень, сбоку возвышалось сечение грунта, и видно было, как на урезе глины, не происходя из нее, лежала почва. Изо всякой ли базы образуется надстройка? Каждое ли производство жизненного материала дает добавочным продуктом душу в человека? А если производство улучшить до точной экономии — то будут ли происходить из него косвенные, нежданные продукты?

Инженер Прушевский уже с двадцати пяти лет почувствовал стеснение своего сознания и конец дальнейшему понятию жизни, будто темная стена предстала в упор перед его ощущающим умом. И с тех пор он мучился, шевелясь у своей стены, и успокаивался, что, в сущности, самое срединное, истинное устройство вещества, из которого скомбинирован мир и люди, им постигнуто,— вся насущная наука расположена еще до стены его сознания, а за стеною находится лишь скучное место, куда можно и не стремиться. Но все же интересно было — не вылез ли кто-нибудь за стену вперед. Прушевский еще раз подошел к стене барака, согнувшись, поглядел по ту сторону на ближнего спящего, чтобы заметить на нем что-нибудь неизвестное в жизни; но там мало было видно, потому что в ночной лампе иссякал керосин, и слышалось одно медленное, западающее дыхание. Прушевский оставил барак и отправился бриться в парикмахерскую ночных смен; он любил, чтобы во время тоски его касались чьи-нибудь руки.

После полуночи Прушевский пришел на свою квартиру — флигель во фруктовом саду, открыл окно в темноту и сел посидеть. Слабый местный ветер начинал иногда шевелить листья, но вскоре опять наступала тишина. Позади сада кто-то шел и пел свою песню; то был, наверно, счетовод с вечерних занятий или просто человек, которому скучно спать.

Вдалеке, на весу и без спасения, светила неясная звезда, и ближе она никогда не станет. Прушевский глядел на нее сквозь мутный воздух, время шло, и он сомневался:

— Либо мне погибнуть?

Прушевский не видел, кому бы он настолько требовался, чтоб непременно поддерживать себя до еще далекой смерти. Вместо надежды ему осталось лишь терпение, и где-то за чередою ночей, за опавшими, расцветшими и вновь погибшими садами, за встреченными и минувшими людьми существует его срок, когда придется лечь на койку, повернуться лицом к стене и скончаться, не сумев заплакать. На свете будет жить только его сестра, но она родит ребенка, и жалость к нему станет сильнее грусти по мертвому, разрушенному брату.

— Лучше я умру,— подумал Прушевский.— Мною пользуются, но мне никто не рад. Завтра я напишу последнее письмо сестре, надо купить марку с утра.

И решив скончаться, он лег в кровать и заснул со счастьем равнодушия к жизни. Не успев еще почувствовать всего счастья, он от него проснулся в три часа пополуночи, и, осветив квартиру, сидел среди света и тишины, окруженный близкими яблонями, до самого рассвета, и тогда открыл окно, чтобы слышать птиц и шаги пешеходов.

После общего пробуждения в ночлежный барак землекопов пришел посторонний человек. Изо всех мастеровых его знал один только Козлов благодаря своим прошлым конфликтам. Это был товарищ Пашкин, председатель окрпрофсовета. Он имел уже пожилое лицо и согбенный корпус тела — не столько от числа годов, сколько от социальной нагрузки; от этих данных он говорил отечески и почти все знал или предвидел.

«Ну, что ж,— говорил он обычно во время трудности,— все равно счастье наступит исторически». И с покорностью наклонял унылую голову, которой уже нечего было думать.

Близ начатого котлована Пашкин постоял лицом к земле, как ко всякому производству.

— Темп тих,— произнес он мастеровым.— Зачем вы жалеете подымать производительность? Социализм обойдется и без вас, а вы без него проживете зря и помрете.

— Мы, товарищ Пашкин, как говорится, стараемся,— сказал Козлов.

— Где ж стараетесь?! Одну кучу только выкопали!

Стесненные упреком Пашкина, мастеровые промолчали в ответ. Они стояли и видели: верно говорит человек — скорей надо рыть землю и ставить дом, а то умрешь и не поспеешь. Пусть сейчас жизнь уходит, как теченье дыханья, но зато посредством устройства дома ее можно организовать впрок — для будущего неподвижного счастья и для детства.

Пашкин глянул вдаль — в равнины и овраги; где-нибудь там ветры начинаются, происходят холодные тучи, разводится разная комариная мелочь и болезни, размышляют кулаки и спит сельская отсталость, а пролетариат живет один, в этой скучной пустоте, и обязан за всех все выдумать и сделать вручную вещество долгой жизни. И жалко стало Пашкину все свои профсоюзы, и он познал в себе доброту к трудящимся.

— Я вам, товарищи, определю по профсоюзной линии какие-нибудь льготы,— сказал Пашкин.

— А откуда же ты льготы возьмешь? — спросил Сафронов.— Мы их вперед должны сделать и тебе передать, а ты нам.

Пашкин посмотрел на Сафронова своими уныло-предвидящими глазами и пошел внутрь города на службу. За ним вслед отправился Козлов и сказал ему, отдалившись:

— Товарищ Пашкин, вон у нас Вощев зачислился, а у него путевки с биржи труда нет. Вы его, как говорится, должны отчислить назад.

— Не вижу здесь никакого конфликта — в пролетариате

сейчас убыток,— дал заключение Пашкин и оставил Козлова без утешения. А Козлов тотчас же начал падать пролетарской верой и захотел уйти внутрь города, чтобы писать там опорочивающие заявления и налаживать различные конфликты с целью организационных достижений.

До самого полудня время шло благополучно: никто не приходил на котлован из организующего или технического персонала, но земля все же углублялась под лопатами, считаясь лишь с силой и терпением землекопов. Вощев иногда наклонялся и подымал камешек, а также другой слипшийся прах и клал его на хранение в свои штаны. Его радовало и беспокоило почти вечное пребывание камешка в среде глины, в скоплении тьмы: значит, ему есть расчет там находиться, тем более следует человеку жить.

После полудня Козлов уже не мог надышаться — он старался вздыхать серьезно и глубоко, но воздух не проникал, как прежде, вплоть до живота, а действовал лишь поверхностно. Козлов сел в обнаженный грунт и дотронулся руками к костяному своему лицу.

— Расстроился? — спросил его Сафронов.— Тебе для прочности надо бы в физкультуру записаться, а ты уважаешь конфликт: ты мыслишь отстало.

Чиклин без спуску и промежутка громил ломом плиту самородного камня, не останавливаясь для мысли или настроения, он не знал, для чего ему жить иначе — еще вором станешь или тронешь революцию.

— Козлов опять ослаб! — сказал Чиклину Сафронов.— Не переживет он социализма — какой-то функции в нем не хватает!

Здесь Чиклин сразу начал думать, потому что его жизни некуда было деваться, раз исход ее в землю прекратился; он прислонился влажной спиной к отвесу выемки, глянул вдаль и вообразил воспоминание — больше он ничего думать не мог. В ближнем к котловану овраге сейчас росли понемногу травы и замертво лежал ничтожный песок; неотлучное солнце безрасчетно расточало свое тело на каждую мелочь здешней, низкой жизни, и оно же, посредством теплых ливней, вырыло в старину овраг, но туда еще не помещено никакой пролетарской пользы. Проверяя свой ум, Чиклин пошел в овраг и обмерил его привычным шагом, равномерно дыша для счета. Овраг был полностью нужен для котлована, следовало только спланировать откосы и врезать глубину в водоупор.

— Козлов пускай поболеет,— сказал Чиклин, прибыв обратно.—Мы тут рыть далее не будем стараться, а погрузим дом в овраг и оттуда наладим его вверх: Козлов успеет дожить.

Услышав Чиклина, многие прекратили копать грунт и сели вздохнуть. Но Козлов уже отошел от своей усталости и хотел идти к Прушевскому сказать, что землю больше не роют и надо предпринимать существенную дисциплину. Собираясь совершить такую организованную пользу, Козлов заранее радовался и выздоравливал. Однако Сафронов оставил его на месте, лишь только он тронулся.

— Ты что, Козлов, курс на интеллигенцию взял? Вон она сама спускается в нашу массу.

Прушевский шел на котлован впереди неизвестных людей. Письмо сестре он отправил и хотел теперь упорно действовать, беспокоиться о текущих предметах и строить любое здание в чужой прок, лишь бы не тревожить своего сознания, в котором он установил особое нежное равнодушие, согласованное со смертью и с чувством сиротства к остающимся людям. С особой трогательностью он относился к тем людям, которых ранее почему-либо не любил,— теперь он чувствовал в них почти главную загадку своей жизни и пристально вглядывался в чуждые и знакомые глупые лица, волнуясь и не понимая.

Неизвестные люди оказались новыми рабочими, что прислал Пашкин для обеспечения государственного темпа. Но рабочими прибывшие не были: Чиклин сразу, без пристальности, обнаружил в них переученных наоборот городских служащих, разных степных отшельников и людей, привыкших идти тихим шагом позади трудящейся лошади; в их теле не замечалось никакого пролетарского таланта труда, они более способны были лежать навзничь или покоиться как-либо иначе.

Прушевский определил Чиклину расставить свежих рабочих по котловану и дать им выучку, потому что надо уметь жить и работать с теми людьми, которые есть на свете.

— Нам это ничто,— высказался Сафронов.— Мы ихнюю отсталость сразу в активность вышибем.

— Вот-вот,— произнес Прушевский, доверяя, и пошел позади Чиклина на овраг.

Чиклин сказал, что овраг это более чем пополам готовый котлован и посредством оврага можно сберечь слабых людей для будущего. Прушевский согласился с тем, потому что он все равно умрет раньше, чем кончится здание.

— А во мне пошевельнулось научное сомнение,— сморщив свое вежливо-сознательное лицо, сказал Сафронов. И все к нему прислушались. А Сафронов глядел на окружающих с улыбкой загадочного разума.— Откуда это у товарища Чиклина мировое представление получилось? — произносил постепенно Сафронов.— Иль он особое лобзание в малолетстве имел, что лучше ученого предпочитает овраг! Отчего ты, товарищ Чиклин, думаешь, а я с товарищем Прушевским хожу, как мелочь между классов, и не вижу себе улучшенья!..

Чиклин был слишком угрюм для хитрости и ответил приблизительно:

— Некуда жить, вот и думаешь в голову.

Прушевский посмотрел на Чиклина как на бесцельного мученика, а затем попросил произвести разведочное бурение в овраге и ушел в свою канцелярию. Там он начал тщательно работать над выдуманными частями общепролетарского дома, чтобы ощущать предметы и позабыть людей в своих воспоминаниях. Часа через два Вощев принес ему образцы грунта из разведочных скважин. «Наверно, он знает смысл природной жизни»,— тихо подумал Вощев о Прушевском и, томимый своей последовательной тоской, спросил:

— А вы не знаете, отчего устроился весь мир?

Прушевский задержался вниманием на Вощеве: неужели он и тоже будут интеллигенцией, неужели нас капитализм родил двоешками,— боже мой, какое у него уже теперь скучное лицо!

— Не знаю,— ответил Прушевский.

— А вы бы научились этому, раз вас старались учить.

— Нас учили каждого какой-нибудь мертвой части: я знаю глину, тяжесть веса и механику покоя, но плохо знаю машины и не знаю, почему бьется сердце в животном. Всего целого или что внутри — нам не объяснили.

— Зря,— определил Вощев.— Как же вы живы были так долго? Глина хороша для кирпича, а для вас она мала!

Прушевский взял в руку образец овражного грунта и сосредоточился на нем — он хотел остаться только с этим темным комком земли. Вощев отступил за дверь и скрылся за нею, шепча про себя свою грусть.

Инженер рассмотрел грунт и долго, по инерции самодействующего разума, свободного от надежды и желания удовлетворения, рассчитывал тот грунт на сжатие и деформацию. Прежде, во время чувственной жизни и видимости счастья, Прушевский посчитал бы надежность грунта менее точно,— теперь же ему хотелось беспрерывно заботиться о предметах и устройствах, чтобы иметь их в своем уме и пустом сердце вместо дружбы и привязанности к людям. Занятие техникой покоя будущего здания обеспечивало Прушевскому равнодушие ясной мысли, близкое к наслаждению,— и детали сооружения возбуждали интерес, лучший и более прочный, чем товарищеское волнение с единомышленниками. Вечное вещество, не нуждавшееся ни в движении, ни в жизни, ни в исчезновении, заменяло Прушевскому что-то забытое и необходимое, как существо утраченной подруги.

Окончив счисление своих величин, Прушевский обеспечил несокрушимость будущего общепролетарского жилища и почувствовал утешение от надежности материала, предназначенного охранять людей, живших доселе снаружи. И ему стало легко и неслышно внутри, точно он жил не предсмертную, равнодушную жизнь, а ту самую, про которую ему шептала некогда мать своими устами, но он ее утратил даже в воспоминании.

Не нарушая своего покоя и удивления, Прушевский оставил канцелярию земляных работ. В природе отходил в вечер опустошенный летний день; все постепенно кончалось вблизи и вдали: прятались птицы, ложились люди, смирно курился дым из отдаленных полевых жилищ, где безвестный усталый человек сидел у котелка, ожидая ужина, решив терпеть свою жизнь до конца. На котловане было пусто, землекопы перешли трудиться на овраг, и там сейчас происходило их движение. Прушевскому захотелось вдруг побыть в далеком центральном городе, где люди долго не спят, думают и спорят, где по вечерам открыты гастрономические магазины и оттуда пахнет вином и кондитерскими изделиями, где можно встретить незнакомую женщину и пробеседовать с ней всю ночь, испытывая таинственное счастье дружбы, когда хочется жить вечно в этой тревоге; утром же, простившись под потушенным газовым фонарем, разойтись в пустоте рассвета без обещания встречи.

Прушевский сел на лавочку у канцелярии. Так же он сидел когда-то у дома отца — летние вечера не изменились с тех пор, — и он любил тогда следить за прохожими мимо; иные ему нравились, и он жалел, что не все люди знакомы между собой. Одно же чувство было живо и печально в нем до сих пор: когда-то, в такой же вечер, мимо дома его детства прошла девушка, и он не мог вспомнить ни ее лица, ни года того события, но с тех пор всматривался во все женские лица и ни в одном из них не узнавал той, которая, исчезнув, все же была его единственной подругой и так близко прошла не остановившись.

Во время революции по всей России день и ночь брехали собаки, но теперь они умолкли: настал труд, и трудящиеся спали в тишине. Милиция охраняла снаружи безмолвие рабочих жилищ, чтобы сон был глубок и питателен для утреннего труда. Не спали только ночные смены строителей да тот безногий инвалид, которого встретил Вощев при своем пришествии в этот город. Сегодня он ехал на низкой тележке к товарищу Пашкину дабы получить от него свою долю жизни, за которой он приезжал раз в неделю.

Пашкин жил в основательном доме из кирпича, чтоб невозможно было сгореть, и открытые окна его жилища выходили в культурный сад, где даже ночью светились цветы. Урод проехал мимо окна кухни, которая шумела, как котельная, производя ужин, и остановился против кабинета Пашкина. Хозяин сидел неподвижно за столом, глубоко вдумавшись во что-то невидимое для инвалида. На его столе находились различные жидкости и баночки для укрепления здоровья и развития активности — Пашкин много приобрел себе классового сознания, он состоял в авангарде; накопил уже достаточно достижений и потому научно хранил свое тело — не только для личной радости существования, но и для ближних рабочих масс. Инвалид обождал время, пока Пашкин, поднявшись от занятия мыслью, проделал всеми членами беглую гимнастику и, доведя себя до свежести, снова сел. Урод хотел произнести свое слово в окно, но Пашкин взял пузырек и после трех медленных вздохов выпил оттуда каплю.

— Долго я тебя буду дожидаться? — спросил инвалид, не

сознававший ни цены жизни, ни здоровья.— Опять хочешь от меня кой-чего заработать?

Пашкин нечаянно заволновался, но напряжением ума успокоился — он никогда не желал тратить нервность своего тела.

— Ты что, товарищ Жачев: чем не обеспечен, чего возбуждаешься?

Жачев ответил ему прямо по факту:

— Ты что ж, буржуй, иль забыл, за что я тебя терплю? Тяжесть хочешь получить в слепую кишку? Имей в виду — любой кодекс для меня слаб!

Здесь инвалид вырвал из земли ряд роз, бывших под рукой, и, не пользуясь, бросил их прочь.

— Товарищ Жачев,— ответил Пашкин,— я тебя вовсе не понимаю: ведь тебе идет пенсия по первой категории, как же так? Я уж и так чем мог всегда тебе шел навстречу.

— Врешь ты, классовый излишек, это я тебе навстречу попадался, а не ты шел!

В кабинет Пашкина вошла его супруга — с красными губами, жующими мясо.

— Левочка, ты опять волнуешься? — сказала она.— Я ему сейчас сверток вынесу: это прямо стало невыносимым, с этими людьми какие угодно нервы испортишь!

Она ушла обратно, волнуясь всем невозможным телом.

— Ишь, как жену, стервец, расхарчевал! — произносил из сада Жачев.— На холостом ходу всеми клапанами работает, значит, ты можешь заведовать такой с...!

Пашкин был слишком опытен в руководстве отсталыми, чтобы раздражаться.

— Ты бы и сам, товарищ Жачев, вполне мог содержать для себя подругу: в пенсии учитываются все минимальные потребности.

— Ого, гадина тактичная какая! — определил Жачев из мрака.— Моей пенсии и на пшено не хватает — на просо только. А я хочу жиру и что-нибудь молочного. Скажи своей мерзавке, чтоб она мне в бутылку сливок погуще налила!

Жена Пашкина вошла в комнату мужа со свертком.

— Оля, он еще сливок требует,— обратился Пашкин.

— Ну вот еще! Может, ему крепдешину еще купить на штаны? Ты ведь выдумаешь!

— Она хочет, чтоб я ей юбку на улице разрезал,— сказал с клумбы Жачев.— Иль окно спальной прошиб до самого пудренного столика, где она свою рожу уснащивает,— она от меня хочет заработать!..

Жена Пашкина помнила, как Жачев послал в ОблКК заявление на ее мужа и целый месяц шло расследование,— даже к имени придирались: почему и Лев и Ильич? Уж что-нибудь одно! Поэтому она немедленно вынесла инвалиду бутылку кооперативных сливок, и Жачев, получив через окно сверток и бутылку, отбыл из усадебного сада.

— И качество продуктов я дома проверю,— сообщил он, остановив свой экипаж у калитки.— Если опять порченый кусок говядины или просто объедок попадется — надейтесь на кирпич в живот: по человечеству я лучше вас — мне нужна достойная пища.

Оставшись с супругой, Пашкин до самой полуночи не мог превозмочь в себе тревоги от урода. Жена Пашкина умела думать от скуки, и она выдумала во время семейного молчания вот что:

— Знаешь что, Левочка?.. Ты бы организовал как-нибудь этого Жачева, а потом взял и продвинул его на должность — пусть бы хоть увечными он руководил! Ведь каждому человеку нужно иметь хоть маленькое господствующее значение, тогда он спокоен и приличен... Какой ты все-таки, Левочка, доверчивый и нелепый!

Пашкин, услышав жену, почувствовал любовь и спокойствие, к нему снова возвращалась основная жизнь.

— Ольгуша, лягушечка, ведь ты гигантски чуешь массы! Дай я к тебе за это приорганизуюсь!

Он приложил свою голову к телу жены и затих в наслаждении счастьем и теплотой. Ночь продолжалась в саду, вдалеке скрипела тележка Жачева — по этому скрипящему признаку все мелкие жители города хорошо знали, что сливочного масла нет, ибо Жачев всегда смазывал свою повозку именно сливочным маслом, получаемым в свертках от достаточных лиц; он нарочно стравлял продукт, чтобы лишняя сила не прибавлялась в буржуазное тело, а сам не желал питаться этим зажиточным веществом. В последние два дня Жачев почему-то почувствовал желание увидеть Никиту Чиклина и направил движение своей тележки на земляной котлован.

— Никит! — позвал он у ночлежного барака. После звука еще более стала заметна ночь, тишина и общая грусть слабой жизни во тьме. Из барака не раздалось ответа Жачеву, лишь слышалось жалкое дыхание.

— Без сна рабочий человек давно бы кончился,— подумал Жачев и без шума поехал дальше. Но из оврага вышли двое людей с фонарями, так что Жачев стал им виден.

— Ты кто такой низкий? — спросил голос Сафронова.

— Это я,— сказал Жачев,— потому что меня капитал пополам сократил. А нет ли между вами двумя одного Никиты?

— Это не животное, а прямо человек! — отозвался тот же Сафронов.— Скажи ему, Чиклин, мнение про себя.

Чиклин осветил фонарем лицо и все краткое тело Жачева, а затем в смущении отвел фонарь в темную сторону.

— Ты что, Жачев? — тихо произнес Чиклин.— Кашу приехал есть? Пойдем, у нас она осталась, а то к завтрему прокиснет, все равно мы ее вышвыриваем.

Чиклин боялся, чтобы Жачев не обижался на помощь и ел кашу с тем сознанием, что она уже ничья и ее все равно вышвырнут. Жачев и прежде, когда Чиклин работал на прочистке реки от карчи, посещал его, дабы кормиться от рабочего класса; но среди лета он переменил курс и стал питаться от максимального класса, чем рассчитывал принести пользу всему неимущему движению в дальнейшее счастье.

— Я по тебе соскучился,— сообщил Жачев,— меня нахождение сволочи мучает, и я хочу спросить у тебя, когда вы состроите свою чушь, чтоб город сжечь!

— Вот сделай злак из такого лопуха! — сказал Сафронов про урода.— Мы все свое тело выдавливаем для общего здания, а он дает лозунг, что наше состояние — чушь, и нигде нету момента чувства ума!

Сафронов знал, что социализм — это дело научное, и произносил слова так же логично и научно, давая им для прочности два смысла — основной и запасной, как всякому материалу. Все трое уже достигли барака и вошли в него. Вощев достал из угла чугун каши, закутанный для сохранения тепла в ватный пиджак, и дал пришедшим есть. Чиклин и Сафронов сильно остыли и были в глине и сырости; они ходили в котлован раскапывать водяной подземный исток, чтобы перехватить его вмертвую глиняным замком.

Жачев не развернул своего свертка, а съел общую кашу, пользуясь ею и для сытости и для подтверждения своего равенства с двумя евшими людьми. После пищи Чиклин и Сафронов вышли наружу — вздохнуть перед сном и поглядеть вокруг. И так они стояли там свое время. Звездная темная ночь не соответствовала овражной, трудной земле и сбивающемуся дыханию спящих землекопов. Если глядеть лишь по низу, в сухую мелочь почвы и в травы, живущие в гуще и бедности, то в жизни не было надежды; общая всемирная невзрачность, а также людская некультурная унылость озадачивали Сафронова и расшатывали в нем идеологическую установку. Он даже начинал сомневаться в счастье будущего, которое представлял в виде синего лета, освещенного неподвижным солнцем,— слишком смутно и тщетно было днем и ночью вокруг.

— Чиклин, что же ты так молча живешь? Ты бы сказал или сделал мне что-нибудь для радости!

— Что ж мне, обнимать тебя, что ли,— ответил Чиклин.— Вот выроем котлован, и ладно... Ты вот тех, кого нам биржа прислала, уговори, а то они свое тело на работе жалеют, будто они в нем имеют что!

— Могу,— ответил Сафронов,— смело могу! Я этих пастухов и писцов враз в рабочий класс обращу, они у меня так копать начнут, что у них весь смертный элемент выйдет на лицо... А отчего, Никит, поле так скучно лежит? Неужели внутри всего света тоска, а только в нас одних пятилетний план?

Чиклин имел маленькую каменистую голову, густо обросшую волосами, потому что всю жизнь либо бил балдой, либо рыл лопатой, а думать не успевал и не объяснил Сафронову его сомнения.

Они вздохнули среди наставшей тишины и пошли спать. Жачев уже согнулся на своей тележке, уснув как мог, а Вощев лежал навзничь и глядел глазами с терпением любопытства.

— Говорили, что все на свете знаете,— сказал Вощев,— а сами только землю роете и спите! Лучше я от вас уйду — буду ходить по колхозам побираться: все равно мне без истины стыдно жить.

Сафронов сделал на своем лице определенное выражение превосходства, прошелся мимо ног спящих легкой, руководящей походкой.

— Э-э, скажите, пожалуйста, товарищ, в каком виде вам желательно получить этот продукт — в круглом или жидком?

— Не трожь его,— определил Чиклин,— мы все живем на пустом свете, разве у тебя спокойно на душе?

Сафронов, любивший красоту жизни и вежливость ума, стоял с почтением к участи Вощева, хотя в то же время глубоко волновался: не есть ли истина лишь классовый враг? Ведь он теперь даже в форме сна и воображенья может предстать!

— Ты, товарищ Чиклин, пока воздержись от своей декларации,— с полной значительностью обратился Сафронов.— Вопрос встал принципиально, и надо его класть обратно по всей теории чувств и массового психоза...

— Довольно тебе, Сафронов, как говорится, зарплату мне снижать,— сказал пробужденный Козлов.— Перестань брать слово, когда мне спится, а то на тебя заявление подам! Не беспокойся — сон ведь тоже как зарплата считается, там тебе укажут...

Сафронов произнес во рту какой-то нравоучительный звук и сказал своим вящим голосом:

— Извольте, гражданин Козлов, спать нормально — что это за класс нервной интеллигенции здесь присутствует, если звук сразу в бюрократизм растет?.. А если ты, Козлов, умственную начинку имеешь и в авангарде лежишь, то привстань на локоть и сообщи: почему это товарищу Вощеву буржуазия не оставила ведомости всемирного мертвого инвентаря и он живет в убытке и в такой смехотворности?..

Но Козлов уже спал и чувствовал лишь глубину своего тела. Вощев же лег вниз лицом и стал жаловаться шепотом самому себе на таинственную жизнь, в которой он безжалостно родился.

Все последние бодрствующие легли и успокоились; ночь замерла рассветом — и только одно маленькое животное кричало где-то на светлеющем теплом горизонте, тоскуя или радуясь.

Чиклин сидел среди спящих и молча переживал свою жизнь; он любил иногда сидеть в тишине и наблюдать все, что было видно. Думать он мог с трудом и сильно тужил об этом — поневоле ему приходилось лишь чувствовать и безмолвно волноваться. И чем больше он сидел, тем гуще в нем от неподвижности скапливалась печаль, так что Чиклин встал и уперся руками в стену барака, лишь бы давить и двигаться во что-нибудь. Спать ему никак не хотелось — наоборот, он бы пошел сейчас в поле и поплясал с разными девушками и людьми под веточками, как делал в старое время, когда работал на кафельно-изразцовом заводе. Там дочь хозяина его однажды моментально поцеловала: он шел в глиномялку по лестнице в июне месяце, а она ему шла навстречу и, приподнявшись на скрытых под платьем ногах, охватила его за плечи и поцеловала своими опухшими, молчаливыми губами в шерсть на щеке. Чиклин теперь уже не помнит ни лица ее, ни характера, но тогда она ему не понравилась, точно была постыдным существом,— и так он прошел в то время мимо нее не остановившись, а она, может быть, и плакала потом, благородное существо.

Надев свой ватный, желто-тифозного цвета пиджак, который у Чиклина был единственным со времен покорения буржуазии, обосновавшись на ночь, как на зиму, он собрался пойти походить по дороге и, совершив что-нибудь, уснуть затем в утренней росе.

Неизвестный вначале человек вошел в ночлежное помещение и стал в темноте входа.

— Вы еще не спите, товарищ Чиклин! — сказал Прушевский.— Я тоже хожу и никак не усну: все мне кажется, что я кого-то утратил и никак не могу встретить...

Чиклин, уважавший ум инженера, не умел ему сочувственно ответить и со стеснением молчал.

Прушевский сел на скамью и поник головой; решив исчезнуть со света, он больше не стыдился людей и сам пришел к ним.

— Вы меня извините, товарищ Чиклин, но я все время беспокоюсь один на квартире. Можно, я просижу здесь до утра?

— А отчего ж нельзя? — сказал Чиклин.— Среди нас ты будешь отдыхать спокойно, ложись на мое место, а я где-нибудь пристроюсь.

— Нет, я лучше так посижу. Мне дома стало грустно и страшно, я не знаю, что мне делать. Вы, пожалуйста, не думайте только что-нибудь про меня неправильно.

Чиклин и не думал ничего.

— Не уходи отсюда никуда,— произнес он.— Мы тебя никому не дадим тронуть, ты теперь не бойся.

Прушевский сидел все в том же своем настроении; лампа освещала его серьезное, чуждое счастливого самочувствия лицо, но он уже жалел, что поступил несознательно, прибыв сюда: все равно ему уже не так долго осталось терпеть до смерти и до ликвидации всего.

Сафронов приоткрыл от разговорного шума один глаз и думал, какую бы ему наиболее благополучную линию принять в отношении сидящего представителя интеллигенции. Сообразив, он сказал:

— Вы, товарищ Прушевский, насколько я имею сведения, свою кровь портили, чтобы выдумать по всем условиям общепролетарскую жилплощадь. А теперь, я наблюдаю, вы явились ночью в пролетарскую массу, как будто сзади вас ярость какая находится! Но раз курс на спецов есть, то ложитесь против меня, чтоб вы постоянно видели мое лицо и смело спали...

Жачев тоже проснулся на тележке.

— Может, он кушать хочет? — спросил он для Прушевского.— А то у меня есть буржуйская пища.

— Какая такая буржуйская и сколько в ней питательности, товарищ? — поражаясь, произнес Сафронов.— Где это вам представился буржуазный персонал?

— Стихни, темная мелочь! — ответил Жачев.— Твое дело целым остаться в этой жизни, а мое — погибнуть, чтоб очистить место!

— Ты не бойся,— говорил Чиклин Прушевскому,— ложись и закрывай глаза. Я буду недалеко, как испугаешься, так кричи меня.

Прушевский пошел, пригнувшись, чтоб не шуметь, на место Чиклина и там лег в одежде.

Чиклин снял с себя ватный пиджак и бросил ему на ноги одеваться.

— Я четыре месяца взносов в профсоюз не платил,— тихо сказал Прушевский, сразу озябнув внизу и укрываясь.— Все думал, что успею.

— Теперь вы механически выбывший человек: факт! — сообщил со своего места Сафронов.

— Спите молча! — сказал Чиклин всем и вышел наружу, чтобы пожить одному среди скучной ночи.

Утром Козлов долго стоял над спящим телом Прушевского; он мучился, что это руководящее умное лицо спит, как ничтожный гражданин, среди лежащих масс, и теперь потеряет свой авторитет. Козлову пришлось глубоко соображать над таким недоуменным обстоятельством, он не хотел и был не в силах допустить вред для всего государства от несоответствующей линии прораба, он даже заволновался и поспешно умылся, чтобы быть наготове. В такие минуты жизни, минуты грозящей опасности, Козлов чувствовал внутри себя горячую социальную радость и эту радость хотел применить на подвиг и умереть с энтузиазмом, дабы весь класс его узнал и заплакал над ним. Здесь Козлов даже продрог от восторга, забыв о летнем времени. Он с сознанием подошел к Прушевскому и разбудил его ото сна.

— Уходите на свою квартиру, товарищ прораб,— хладнокровно сказал он.— Наши рабочие еще не подтянулись до всего понятия, и вам будет некрасиво нести должность.

— Не ваше дело,— ответил Прушевский.

— Нет, извините,— возразил Козлов,— каждый, как говорится, гражданин обязан нести данную ему директиву, а вы свою бросаете вниз и равняетесь на отсталость. Это никуда не годится, я пойду в инстанцию, вы нашу линию портите, вы против темпа и руководства — вот что такое!

Жачев ел деснами и молчал, предпочитая ударить сегодня же, но попозднее Козлова в живот, как рвущуюся вперед сволочь. А Вощев слышал эти слова и возгласы, лежал без звука, по-прежнему не постигая жизнь. «Лучше б я комаром родился: у него судьба быстротечна»,— полагал он.

Прушевский, не говоря ничего Козлову, встал с ложа, посмотрел на знакомого ему Вощева и сосредоточился далее взглядом на спящих людях; он хотел произнести томящее его слово или просьбу, но чувство грусти, как усталость, прошло по лицу Прушевского, и он стал уходить. Шедший со стороны рассвета Чиклин сказал Прушевскому:

— Если вечером опять покажется страшно, то пусть приходит снова ночевать, и если чего-нибудь хочет, пусть лучше говорит.

Но Прушевский не ответил, и они молча продолжали вдвоем свою дорогу. Уныло и жарко начинался долгий день; солнце, как слепота, находилось равнодушно над низовою бедностью земли; но другого места для жизни не было дано.

— Однажды, давно — почти еще в детстве,— сказал Прушевский,— я заметил, товарищ Чиклин, проходящую мимо меня женщину, такую же молодую, как я тогда. Дело было, наверное, в июне или июле, и с тех пор я почувствовал тоску и стал все помнить и понимать, а ее не видел и хочу еще раз посмотреть на нее. А больше уж ничего не хочу.

— В какой местности ты ее заметил? — спросил Чиклин.

— В этом же городе.

— Так она, должно быть, дочь кафельщика! — догадался Чиклин.

— Почему? — произнес Прушевский.— Я не понимаю!

— А я ее тоже встречал в июне месяце и тогда же отказался смотреть на нее. А потом, спустя срок, у меня нагрелось к ней что-то в груди, одинаково с тобой. У нас с тобой был один и тот же человек.

Прушевский скромно улыбнулся:

— Но почему же?

— Потому что я к тебе ее приведу, и ты ее увидишь; лишь бы она жила сейчас на свете!

Чиклин с точностью воображал себе горе Прушевского, потому что и он сам, хотя и более забывчиво, грустил когда-то тем же горем — по худому, чужеродному, легкому человеку, молча поцеловавшему его в левый бок лица. Значит, один и тот же редкий, прелестный предмет действовал вблизи и вдали на них обоих.

— Небось уж она пожилой теперь стала,— сказал вскоре Чиклин.— Наверно, измучилась вся, и кожа на ней стала бурая или кухарочная.

— Наверно,— подтвердил Прушевский.— Времени прошло много, и если жива еще она, то вся обуглилась.

Они остановились на краю овражного котлована; надо бы

гораздо раньше начать рыть такую пропасть под общий дом, тогда бы и то существо, которое понадобилось Прушевскому, пребывало здесь в целости.

— А скорей всего она теперь сознательница,— произнес Чиклин,— и действует для нашего блага: у кого в молодых летах было несчетное чувство, у того потом ум является.

Прушевский осмотрел пустой район ближайшей природы, и ему жалко стало, что его потерянная подруга и многие нужные люди обязаны жить и теряться на этой смертной земле, на которой еще не устроено уюта, и он сказал Чиклину одно огорчающее соображение:

— Но ведь я не знаю ее лица! Как же нам быть, товарищ Чиклин, когда она придет?

Чиклин ответил ему:

— Ты ее почувствуешь и узнаешь — мало ли забытых на свете! Ты вспомнишь ее по одной своей печали!

Прушевский понял, что это правда и, побоявшись не угодить чем-нибудь Чиклину, вынул часы, чтобы показать свою заботу о близком дневном труде.

Сафронов, делая интеллигентную походку и задумчивое лицо, приблизился к Чиклину.

— Я слышал, товарищи, вы свои тенденции здесь бросали, так я вас попрошу стать попассивнее, а то время производству настает! А тебе, товарищ Чиклин, надо бы установку на Козлова взять — он на саботаж линию берет.

Козлов в то время ел завтрак в тоскующем настроении: он считал свои революционные заслуги недостаточными, а ежедневно приносимую общественную пользу — малой. Сегодня он проснулся после полуночи и до утра внимательно томился о том, что главное организационное строительство идет помимо его участия, а он действует лишь в овраге, но не в гигантском руководящем масштабе. К утру Козлов постановил для себя перейти на инвалидную пенсию, чтобы целиком отдаться наибольшей общественной пользе,— так в нем с мучением высказывалась пролетарская совесть.

Сафронов, услышав от Козлова эту мысль, счел его паразитом и произнес:

— Ты, Козлов, свой принцип заимел и покидаешь рабочую массу, а сам вылезаешь вдаль: значит, ты чужая вша, которая свою линию всегда наружу держит.

— Ты, как говорится, лучше молчи! — сказал Козлов.— А то живо на заметку попадешь!.. Помнишь, как ты подговорил одного бедняка во время самого курса на коллективизацию петуха зарезать и съесть? Помнишь? Мы знаем, кто коллективизацию хотел ослабить! Мы знаем, какой ты четкий!

Сафронов, в котором идея находилась в окружении житейских страстей, оставил весь резон Козлова без ответа и отошел от него прочь своей свободомыслящей походкой. Он не уважал, чтобы на него подавались заявления.

Чиклин подошел к Козлову и спросил у него про все.

— Я сегодня в соцстрах пойду становиться на пенсию,— сообщил Козлов.— Хочу за всем следить против социального вреда и мелкобуржуазного бунта.

— Рабочий класс — не царь,—сказал Чиклин,— он бунтов не боится.

— Пускай не боится,— согласился Козлов.— Но все-таки лучше будет, как говорится, его постеречь.

Жачев уже был вблизи на тележке, и, откатившись назад, он разогнулся вперед и ударил со всей скорости Козлова молчаливой головой в живот. Козлов упал назад от ужаса, потеряв на минуту желание наибольшей общественной пользы. Чиклин, согнувшись, поднял Жачева вместе с экипажем на воздух и зашвырнул прочь в пространство. Жачев, уравновесив движение, успел сообщить с линии полета свои слова: «За что, Никит? Я хотел, чтоб он первый разряд пенсии получил!» — и раздробил повозку между телом и землей благодаря падению.

— Ступай, Козлов! — сказал Чиклин лежачему человеку.— Мы все, должно быть, по очереди туда уйдем. Тебе уж пора отдышаться.

Козлов, опомнившись, заявил, что он видит в ночных снах начальника Цустраха товарища Романова и разное общество чисто одетых людей, так что волнуется всю эту неделю.

Вскоре Козлов оделся в пиджак, и Чиклин совместно с другими очистил его одежду от земли и приставшего сора. Сафронов управился принести Жачева и, свалив его изнемогшее тело в угол барака, сказал:

— Пускай это пролетарское вещество здесь полежит — из него какой-нибудь принцип вырастет.

Козлов дал всем свою руку и пошел становиться на пенсию.

— Прощай,— сказал ему Сафронов,— ты теперь как передовой ангел от рабочего состава, ввиду вознесения его в служебные учреждения...

Козлов и сам умел думать мысли, поэтому безмолвно отошел в высшую общеполезную жизнь, взяв в руку свой имущественный сундучок.

В ту минуту за оврагом, по полю, мчался один человек, которого еще нельзя было разглядеть и остановить; его тело отощало внутри одежды, и штаны колебались на нем, как порожние. Человек добежал до людей и сел отдельно на земляную кучу, как всем чужой. Один глаз он закрыл, а другим глядел на всех, ожидая худого, но не собираясь жаловаться; глаз его был хуторского, желтого цвета, оценивающий всю видимость со скорбью экономии.

Вскоре человек вздохнул и лег дремать на животе. Ему никто не возражал здесь находиться, потому что мало ли кто еще живет без участия в строительстве,— и уже настало время труда в овраге.

...Разные сны представляются трудящемуся по ночам — одни выражают исполненную надежду, другие предчувствуют собственный гроб в глинистой могиле; но дневное время проживается одинаковым, сгорбленным способом — терпеньем тела, роющего землю, чтобы посадить в свежую пропасть вечный, каменный корень неразрушимого зодчества.

Новые землекопы постепенно обжились и привыкли работать. Каждый из них придумал себе идею будущего спасения отсюда — один желал нарастить стаж и уйти учиться, второй ожидал момента для переквалификации, третий же предпочитал пройти в партию и скрыться в руководящем аппарате,— и каждый с усердием рыл землю, постоянно помня эту свою идею спасения.

Пашкин посещал котлован через день и по-прежнему находил темп тихим. Обыкновенно он приезжал верхом на коне, так как экипаж продал в эпоху режима экономии, и теперь наблюдал со спины животного великое рытье. Однако Жачев присутствовал тут же и сумел во время пеших отлучек Пашкина в глубь котлована опоить лошадь так, что Пашкин стал беречься ездить всадником и прибывал на автомобиле.

Вощев, как и раньше, не чувствовал истины жизни, но смирился от истощения тяжелым грунтом и только собирал в выходные дни всякую несчастную мелочь природы как документы беспланового создания мира, как факты меланхолии любого живущего дыхания.

И по вечерам, которые теперь были темнее и дольше, стало скучно жить в бараке. Мужик с желтыми глазами, что прибежал откуда-то из полевой страны, жил также среди артели; он находился там безмолвно, но искупал свое существование женской работой по общему хозяйству вплоть до прилежного ремонта истертой одежды. Сафронов уже рассуждал про себя: не пора ли проводить этого мужика в союз как обслуживающую силу, но не знал, сколько скотины у него в деревне на дворе и отсутствуют ли батраки, поэтому задерживал свое намерение.

По вечерам Вощев лежал с открытыми глазами и тосковал о будущем, когда все станет общеизвестным и помещенным в скупое чувство счастья. Жачев убеждал Вощева, что его желание безумное, потому что вражья имущая сила вновь происходит и загораживает свет жизни, надо лишь сберечь детей как нежность революции и оставить им наказ.

— А что, товарищи,— сказал однажды Сафронов,— не поставить ли нам радио для заслушанья достижений и директив! У нас есть здесь отсталые массы, которым полезна была бы культурная революция и всякий музыкальный звук, чтоб они не скопляли в себе темное настроение!

— Лучше девочку-сиротку привести за ручку, чем твое радио,— возразил Жачев.

— А какие, товарищ Жачев, заслуги или поученье в твоей девочке? Чем она мучается для возведения всего строительства?

— Она сейчас сахару не ест для твоего строительства, вот

чем она служит, единогласная душа из тебя вон! — ответил Жачев.

— Ага,— вынес мнение Сафронов,— тогда, товарищ Жачев, доставь нам на своем транспорте эту жалобную девочку, мы от ее мелодичного вида начнем более согласованно жить.

И Сафронов остановился перед всеми в положении вождя ликбеза и просвещения, а затем прошелся убежденной походкой и сделал активно мыслящее лицо.

— Нам, товарищи, необходимо здесь иметь в форме детства лидера будущего пролетарского света: в этом товарищ Жачев оправдал то положение, что у него голова цела, а ног нету.

Жачев хотел сказать Сафронову ответ, но предпочел притянуть к себе за штанину ближнего хуторского мужика и дать ему развитой рукой два удара в бок, как наличному виноватому буржую. Желтые глаза мужика только зажмурились от муки, но сам он не сделал себе никакой защиты и молча стоял на земле.

— Ишь ты, железный инвентарь какой,— стоит и не боится,— рассердился Жачев и снова ударил мужика с навеса длинной рукой.— Значит, ему, ехидному, где-то еще больней было, а у нас прелесть: чуй, чья власть, коровий супруг!

Мужик сел вниз для отдышки. Он уже привык получать от Жачева удары за свою собственность в деревне и неслышно превозмогал боль.

— Вот еще надлежало бы и товарищу Вощеву приобрести от Жачева карающий удар,— сказал Сафронов.— А то он один среди пролетариата не знает, для чего ему жить.

— А для чего, товарищ Сафронов?— прислушался Вощев из дали сарая.— Я хочу истину для производительности труда.

Сафронов изобразил рукой жест нравоучения, и на лице его получилась морщинистая мысль жалости к отсталому человеку.

— Пролетариат живет для энтузиазма труда, товарищ Вощев! Пора бы тебе получить эту тенденцию. У каждого члена союза от этого лозунга должно тело гореть!

Чиклина не было, он ходил по местности вокруг кафельного завода. Все находилось в прежнем виде, только приобрело ветхость отживающего мира; уличные деревья рассыхались от старости и стояли давно без листьев, но кто-то существовал еще, притаившись за двойными рамами в маленьких домах, живя прочней дерева. В молодости Чиклина здесь пахло пекарней, ездили угольщики и громко пропагандировалось молоко с деревенских телег. Солнце детства нагревало тогда пыль дорог, и своя жизнь была вечностью среди синей, смутной земли, которой Чиклин лишь начинал касаться босыми ногами. Теперь же воздух ветхости и прощальной памяти стоял над потухшей пекарней и постаревшими яблоневыми садами.

Непрерывно действующее чувство жизни Чиклина доводило его до печали тем более, что он увидел один забор, у которого сидел и радовался в детстве, а сейчас тот забор заиндевел мхом, наклонился, и давние гвозди торчали из него, освобождаемые из тесноты древесины силой времени; это было грустно и таинственно, что Чиклин мужал, забывчиво тратил чувство, ходил по далеким местам и разнообразно трудился; а старик забор стоял неподвижно и, помня о нем, все же дождался часа, когда Чиклин прошел мимо него и погладил забвенные всеми тесины отвыкшей от счастья рукой.

Кафельный завод был в травянистом переулке, по которому насквозь никто не проходил, потому что он упирался в глухую стену кладбища. Здание завода теперь стало ниже, ибо постепенно врастало в землю, и безлюдно было на его дворе. Но один неизвестный старичок еще находился здесь — он сидел под навесом для сырья и чинил лапти, видно, собираясь отправляться в них обратно в старину.

— Что ж тут такое есть? — спросил у него Чиклин.

— Тут, дорогой человек, констервация — советская власть сильна, а здешняя машина тщедушна, она и не угождает. Да мне теперь почти что все равно: уж самую малость осталось дышать.

Чиклин сказал ему:

— Изо всего света тебе одни лапти пришлись! Подожди меня здесь на одном месте, я тебе что-нибудь доставлю из одежды или питанья.

— А ты сам-то кто же будешь? — спросил старик, складывая для внимательного выраженья свое чтущее лицо.— Жулик, что ль, иль просто хозяин-буржуй?

— Да я из пролетариата,— нехотя сообщил Чиклин.

— Ага, стало быть, ты нынешний царь: тогда я тебя обожду.

С силой стыда и грусти Чиклин вошел в старое здание завода; вскоре он нашел и ту деревянную лесенку, на которой некогда его поцеловала хозяйская дочь,— лесенка так обветшала, что обвалилась от веса Чиклина куда-то в нижнюю темноту и он мог на последнее прощанье только пощупать ее истомленный прах. Постояв в темноте, Чиклин увидел в ней неподвижный, чуть живущий свет и куда-то ведущую дверь. За тою дверью находилось забытое или не внесенное в план помещение без окон, и там горела на полу керосиновая лампа.

Чиклину было неизвестно, какое существо притаилось для своей сохранности в этом безвестном убежище, и он стал на месте посреди.

Около лампы лежала женщина на земле, солома уже истерлась под ее телом, а сама женщина была почти непокрытая одеждой; глаза ее глубоко смежились, точно она томилась или спала, и девочка, которая сидела у ее головы, тоже дремала, но все время водила по губам матери коркой лимона, не забывая об этом. Очнувшись, девочка заметила, что мать успокоилась, потому что нижняя челюсть ее отвалилась от слабости и разверзла беззубый темный рот; девочка испугалась своей матери и, чтобы не бояться, подвязала ей рот веревочкой через темя, так что уста женщины вновь сомкнулись. Тогда девочка прилегла к лицу матери, желая чувствовать ее и спать. Но мать легко пробудилась и сказала:

— Зачем же ты спишь? Мажь мне лимоном по губам, ты видишь, как мне трудно.

Девочка опять начала водить лимонной коркой по губам матери. Женщина на время замерла, ощущая свое питание из лимонного остатка.

— А ты не заснешь и не уйдешь от меня? — спросила она у дочери.

— Нет, я уж спать теперь расхотела. Я только глаза закрою, а думать все время буду о тебе: ты же моя мама ведь!

Мать приоткрыла свои глаза, они были подозрительные, готовые ко всякой беде жизни, уже побелевшие от равнодушия, и она произнесла для своей защиты:

— Мне теперь стало тебя не жалко и никого не нужно, я стала как каменная, потуши лампу и поверни меня на бок, я хочу умереть.

Девочка сознательно молчала, по-прежнему смачивая материнский рот лимонной шкуркой.

— Туши свет,— сказала старая женщина,— а то я все вижу тебя и живу. Только не уходи никуда, когда я умру, тогда пойдешь.

Девочка дунула в лампу и потушила свет. Чиклин сел на землю, боясь шуметь.

— Мама, ты жива еще или уже тебя нет? — спросила девочка в темноте.

— Немножко,— ответила мать.— Когда будешь уходить от меня, не говори, что я мертвая здесь осталась. Никому не рассказывай, что ты родилась от меня, а то тебя заморят. Уйди далеко-далеко отсюда и там сама позабудься, тогда ты будешь жива...

— Мама, а отчего ты умираешь — оттого, что буржуйка или от смерти?

— Мне стало скучно, я уморилась,— сказала мать.

— Потому что ты родилась давно-давно, а я нет,— говорила девочка.— Как ты только умрешь, то я никому не скажу, и никто не узнает, была ты или нет. Только я одна буду жить и помнить тебя в своей голове... знаешь что,— помолчала она,— я сейчас засну на одну только каплю, даже на полкапли, а ты лежи и думай, чтоб не умереть.

— Сними с меня твою веревочку,— сказала мать,— она меня задушит.

Но девочка уже неслышно спала, и стало вовсе тихо; до Чиклина не доходило даже их дыхания. Ни одна тварь, видно, не жила в этом помещении — ни крыса, ни червь, ничто,— не раздавалось никакого шума. Только раз был непонятный гул — упал ли то старый кирпич в соседнем забвенном убежище или грунт перестал терпеть вечность и разваливался в мелочь уничтожения.

— Подойдите ко мне кто-нибудь!

Чиклин вслушался в воздух и пополз осторожно во мрак, стараясь не раздавить девочку на ходу. Двигаться Чиклину пришлось долго, потому что ему мешал какой-то материал, попадавшийся по пути. Ощупав голову девочки, Чиклин дошел затем рукой до лица матери и наклонился к ее устам, чтобы узнать — та ли это бывшая девушка, которая целовала его однажды в этой же усадьбе, или нет. Поцеловав, он узнал по сухому вкусу губ и ничтожному остатку нежности в их спекшихся трещинах, что она та самая.

— Зачем мне нужно? — понятливо сказала женщина.— Я буду всегда теперь одна.— И, повернувшись, умерла вниз лицом.

— Надо лампу зажечь,— громко произнес Чиклин и, потрудившись в темноте, осветил помещение.

Девочка спала, положив голову на живот матери; она сжалась от прохладного подземного воздуха и согревалась в тесноте своих членов. Чиклин, желая отдыха ребенку, стал ждать его пробуждения; а чтобы девочка не тратила свое тепло на остывающую мать, он взял ее к себе на руки и так сохранял до утра, как последний жалкий остаток погибшей женщины.

В начале осени Вощев почувствовал долготу времени и сидел в жилище, окруженный темнотой усталых вечеров.

Другие люди тоже либо лежали, либо сидели — общая лампа освещала их лица, и все они молчали. Товарищ Пашкин бдительно снабдил жилище землекопов радиорупором, чтобы во время отдыха каждый мог приобретать смысл классовой жизни из трубы.

— Товарищи, мы должны мобилизовать крапиву на фронт социалистического строительства! Крапива есть не что иное, как предмет нужды заграницы...

— Товарищи, мы должны,— ежеминутно произносила требование труба,— обрезать хвосты и гривы у лошадей! Каждые восемьдесят тысяч лошадей дадут нам тридцать тракторов!..

Сафронов слушал и торжествовал, жалея лишь, что он не может говорить обратно в трубу, дабы там слышно было об его чувстве активности, готовности на стрижку лошадей и о счастье. Жачеву же, и наравне с ним Вощеву, становилось беспричинно стыдно от долгих речей по радио; им ничего не казалось против говорящего и наставляющего, а только все более ощущался личный позор. Иногда Жачев не мог стерпеть своего угнетенного отчаяния души, и он кричал среди шума сознания, льющегося из рупора:

— Остановите этот звук! Дайте мне ответить на него!..

Сафронов сейчас же выступал вперед своей изящной походкой.

— Вам, товарищ Жачев, я полагаю, уже достаточно бросать свои выраженья и пора всецело подчиниться производству руководства.

— Оставь, Сафронов, в покое человека,— говорил Вощев,— нам и так скучно жить.

Но социалист Сафронов боялся забыть про обязанность

радости и отвечал всем и навсегда верховным голосом могущества:

— У кого в штанах лежит билет партии, тому надо беспрерывно заботиться, чтоб в теле был энтузиазм труда. Вызываю вас, товарищ Вощев, соревноваться на высшее счастье настроенья!

Труба радио все время работала, как вьюга, а затем еще раз провозгласила, что каждый трудящийся должен помочь скоплению снега на коллективных полях, и здесь радио смолкло; наверно, лопнула сила науки, дотоле равнодушно мчавшая по природе всем необходимые слова.

Сафронов, заметив пассивное молчание, стал действовать вместо радио:

— Поставим вопрос: откуда взялся русский народ! И ответим: из буржуазной мелочи! Он бы и еще откуда-нибудь родился, да больше места не было. А потому мы должны бросить каждого в рассол социализма, чтоб с него слезла шкура капитализма и сердце обратило внимание на жар жизни вокруг костра классовой борьбы и произошел бы энтузиазм!..

Не имея исхода для силы своего ума, Сафронов пускал ее в слова и долго их говорил. Опершись головами на руки, иные его слушали, чтобы наполнять этими звуками пустую тоску в голове, иные же однообразно горевали, не слыша слов и живя в своей личной тишине. Прушевский сидел на самом пороге барака и смотрел в поздний вечер мира. Он видел темные деревья и слышал иногда дальнюю музыку, волнующую воздух. Прушевский ничему не возражал своим чувством. Ему казалась жизнь хорошей, когда счастье недостижимо и о нем лишь шелестят деревья и поет духовая музыка в профсоюзном саду.

Вскоре вся артель, смирившись общим утомлением, уснула, как жила: в дневных рубашках и верхних штанах, чтобы не трудиться над расстегиванием пуговиц, а хранить силы для производства.

Один Сафронов остался без сна. Он глядел на лежащих людей и с горестью высказывался:

— Эх ты, масса, масса. Трудно организовать из тебя скелет коммунизма! И что тебе надо? Стерве такой? Ты весь авангард, гадина, замучила!

И четко сознавая бедную отсталость масс, Сафронов прильнул к какому-то уставшему и забылся в глуши сна.

А утром он, не вставая с ложа, приветствовал девочку, пришедшую с Чиклиным, как элемент будущего и затем снова задремал.

Девочка осторожно села на скамью, разглядела среди стенных лозунгов карту СССР и спросила у Чиклина про черты меридианов:

— Дядя, что это такое — загородки от буржуев?

— Загородки, дочка, чтоб они к нам не перелезали,— объяснил Чиклин, желая дать ей революционный ум.

— А моя мама через загородку не перелезала, а все равно умерла!

— Ну так что ж,— сказал Чиклин.— Буржуйки все теперь умирают.

— Пускай умирают,— произнесла девочка.— Ведь все равно я ее помню и во сне буду видеть. Только живота ее нету, мне спать не на чем головой.

— Ничего, ты будешь спать на моем животе,— обещал Чиклин.

— А что лучше — ледокол «Красин» или Кремль?

— Я этого, маленькая, не знаю: я же — ничто! — сказал Чиклин и подумал о своей голове, которая одна во всем теле не могла чувствовать; а если бы могла, то он весь свет объяснил бы ребенку, чтоб он умел безопасно жить.

Девочка обошла новое место своей жизни и пересчитала все предметы и всех людей, желая сразу же распределить, кого она любит и кого не любит, с кем водится и с кем нет; после этого дела она уже привыкла к деревянному сараю и захотела есть.

— Кушать дайте! Эй, Юлия, угроблю!

Чиклин поднес ей кашу и накрыл детское брюшко чистым полотенцем.

— Что ж кашу холодную даешь, эх ты, Юлия!

— Какая я тебе Юлия?

— А когда мою маму Юлией звали, когда она еще глазами смотрела и дышала все время, то женилась на Мартыныче, потому что он был пролетарский, а Мартыныч как приходит, так и говорит маме: эй, Юлия, угроблю! А мама молчит и все равно с ним водится.

Прушевский слушал и наблюдал девочку; он давно уже не спал, встревоженный явившимся ребенком и вместе с тем опечаленный, что этому существу, наполненному, точно морозом, свежей жизнью, надлежит мучиться сложнее и дольше его.

— Я нашел твою девушку,— сказал Чиклин Прушевскому.— Пойдем смотреть ее, она еще цела.

Прушевский встал и пошел, потому что ему было все равно — лежать или двигаться вперед.

На дворе кафельного завода старик доделал свои лапти, но боялся идти по свету в такой обуже.

— Вы не знаете, товарищи, что, заарестуют меня в лаптях иль не тронут? — спросил старик.— Нынче ведь каждый последний и тот в кожаных голенищах ходит; бабы сроду в юбках наголо ходили, а теперь тоже у каждой под юбкой цветочные штаны надеты, ишь ты, как ведь стало интересно!

— Кому ты нужен! — сказал Чиклин.— Шагай себе молча.

— Это я и слова не скажу! Я вот чего боюсь: ага, скажут, ты в лаптях идешь, значит — бедняк! А ежели бедняк, то почему один живешь и с другими бедными не скопляешься!.. Я вот чего боюсь! А то бы я давно ушел.

— Подумай, старик,— посоветовал Чиклин.

— Да думать-то уж нечем.

— Ты жил долго: можешь одной памятью работать.

— А я все уж позабыл, хоть сызнова живи.

Спустившись в убежище женщины, Чиклин наклонился и поцеловал ее вновь.

— Она уже мертвая! — удивился Прушевский.

— Ну и что ж! — сказал Чиклин.— Каждый человек мертвым бывает, если его замучивают. Она ведь тебе нужна не для житья, а для одного воспоминанья.

Став на колени, Прушевский коснулся мертвых, огорченных губ женщины и, почувствовав их, не узнал ни радости, ни нежности.

— Это не та, которую я видел в молодости,— произнес он. И, поднявшись над погибшей, сказал еще: — А может быть, и та, после близких ощущений я всегда не узнавал своих любимых, а вдалеке томился о них.

Чиклин молчал. Он и в чужом и в мертвом человеке чувствовал кое-что остаточно-теплое и родственное, когда ему приходилось целовать его или еще глубже как-либо приникать к нему.

Прушевский не мог отойти от покойной. Легкая и горячая, она некогда прошла мимо него — он захотел тогда себе смерти, увидя ее уходящей с опущенными глазами, ее колеблющееся грустное тело. И затем слушал ветер в унылом мире и тосковал о ней. Побоявшись однажды настигнуть эту женщину, это счастье в его юности, он, может быть, оставил ее беззащитной на всю жизнь, и она, уморившись мучиться, спряталась сюда, чтобы погибнуть от голода и печали. Она лежала сейчас навзничь — так ее повернул Чиклин для своего поцелуя,— веревочка через темя и подбородок держала ее уста сомкнутыми, длинные, обнаженные ноги были покрыты густым пухом, почти шерстью, выросшей от болезней и бесприютности,— какая-то древняя, ожившая сила превращала мертвую еще при ее жизни в обрастающее шкурой животное.

— Ну, достаточно,— сказал Чиклин.— Пусть хранят ее здесь разные мертвые предметы. Мертвых ведь тоже много, как и живых, им не скучно меж собой.

И Чиклин погладил стенные кирпичи, поднял неизвестную устарелую вещь, положил ее рядом со скончавшейся, и оба человека вышли. Женщина осталась лежать в том вечном возрасте, в котором умерла.

Пройдя двор, Чиклин возвратился назад и завалил дверь, ведущую к мертвой, битым кирпичом, старыми каменными глыбами и прочим тяжелым веществом. Прушевский не помогал ему и спросил потом:

— Зачем ты стараешься?

— Как зачем? — удивился Чиклин.— Мертвые тоже люди.

— Но ей ничего не нужно.

— Ей нет, но она мне нужна. Пусть сэкономится что-нибудь

от человека — мне так и чувствуется, когда я вижу горе мертвых или их кости, зачем мне жить!

Старик, делавший лапти, ушел со двора — одни опорки как память о скрывшемся навсегда валялись на его месте.

Солнце уже высоко взошло, и давно настал момент труда. Поэтому Чиклин и Прушевский спешно пошли на котлован по земляным, немощеным улицам, осыпанным листьями, под которыми были укрыты и согревались семена будущего лета.

Вечером того же дня землекопы не пустили в действие громкоговорящий рупор, а, наевшись, сели глядеть на девочку, срывая тем профсоюзную культработу по радио. Жачев еще с утра решил, что как только эта девочка и ей подобные дети мало-мало возмужают, то он кончит всех больших жителей своей местности; он один знал, что в СССР немало населено сплошных врагов социализма, эгоистов и ехидн будущего света, и втайне утешался тем, что убьет когда-нибудь вскоре всю их массу, оставив в живых лишь пролетарское младенчество и чистое сиротство.

— Ты кто ж такая будешь, девочка? — спросил Сафронов.— Чем у тебя папаша-мамаша занимались?

— Я никто,— сказала девочка.

— Отчего же ты никто? Какой-нибудь принцип женского рода угодил тебе, что ты родилась при советской власти?

— А я сама не хотела рожаться, я боялась — мать буржуйкой будет.

— Так как же ты организовалась?

Девочка в стеснении и в боязни опустила голову и начала щипать свою рубашку; она ведь знала, что присутствует в пролетариате, и сторожила сама себя, как давно и долго говорила ей мать.

— А я знаю, кто главный.

— Кто же? — прислушался Сафронов.

— Главный — Ленин, а второй — Буденный. Когда их не было, а жили одни буржуи, то я и не рожалась, потому что не хотела. А как стал Ленин, так и я стала!

— Ну, девка,— смог проговорить Сафронов.— Сознательная женщина — твоя мать! И глубока наша советская власть, раз даже дети, не помня матери, уже чуют товарища Ленина!

Безвестный мужик с желтыми глазами скулил в углу барака про одно и то же свое горе, только не говорил, отчего оно, а старался побольше всем угождать. Его тоскливому уму представлялась деревня во ржи, и над нею носился ветер и тихо крутил деревянную мельницу, размалывающую насущный, мирный хлеб. Он жил так в недавнее время, чувствуя сытость в желудке и семейное счастье в душе; и сколько годов он ни смотрел из деревни вдаль и в будущее, он видел на конце равнины лишь слияние неба с землею, а над собою имел достаточный свет солнца и звезд.

Чтобы не думать дальше, мужик ложился вниз и как можно скорее плакал льющимися неотложными слезами.

— Будет тебе сокрушаться-то, мещанин! — останавливал его Сафронов. — Ведь здесь ребенок теперь живет, иль ты не знаешь, что скорбь у нас должна быть аннулирована!

— Я, товарищ Сафронов, уж обсох,— заявил издали мужик.— Это я по отсталости растрогался.

Девочка вышла с места и оперлась головой о деревянную стену. Ей стало скучно по матери, ей страшна была новая одинокая ночь, и еще она думала, как грустно и долго лежать матери в ожидании, когда будет старенькой и умрет ее девочка.

— Где живот-то? — спросила она, обернувшись на глядящих на нее.— На чем же я спать буду?

Чиклин сейчас же лег и приготовился.

— А кушать! — сказала девочка.— Сидят все, как Юлии какие, а мне есть нечего!

Жачев подкатился к ней на тележке и предложил фруктовой пастилы, реквизированной еще с утра у заведующего продмагом.

— Ешь, бедная! Из тебя еще неизвестно что будет, а из нас — уже известно.

Девочка съела и легла лицом на живот Чиклина. Она побледнела от усталости и, позабывшись, обхватила Чиклина рукой, как привычную мать.

Сафронов, Вощев и все другие землекопы долго наблюдали сон этого малого существа, которое будет господствовать над их могилами и жить на успокоенной земле, набитой их костьми.

— Товарищи! — начал определять Сафронов всеобщее чувство.— Перед нами лежит без сознанья фактический житель социализма. Из радио и прочего культурного материала мы слышим лишь линию, а щупать нечего. А тут покоится вещество создания и целевая установка партии — маленький человек, предназначенный состоять всемирным элементом! Ради того нам необходимо как можно внезапней закончить котлован, чтобы скорей произошел дом и детский персонал огражден был от ветра и простуды каменной стеной!

Вощев попробовал девочку за руку и рассмотрел ее всю, как в детстве он глядел на ангела на церковной стене; это слабое тело, покинутое без родства среди людей, почувствует когда-нибудь согревающий поток смысла жизни, и ум ее увидит время, подобное первому исконному дню.

И здесь решено было начать завтра рыть землю на час раньше, дабы приблизить срок бутовой кладки и остального зодчества.

— Как урод я только приветствую ваше мнение, а помочь не могу,— сказал Жачев.— Вам ведь так и так все равно погибать — у вас же в сердце не лежит ничто, лучше любите что-нибудь маленькое живое и отравляйте себя трудом. Существуйте пока что!

Ввиду прохладного времени, Жачев заставил мужика снять армяк и одел им ребенка на ночь; мужик же всю свою жизнь копил капитализм — ему, значит, было время греться.

Дни своего отдыха Прушевский проводил в наблюдениях либо писал письма сестре. Момент, когда он наклеивал марку и опускал письмо в ящик, всегда давал ему спокойное счастье, точно он чувствовал чью-то нужду по себе, влекущую его оставаться в жизни и тщательно действовать для общей пользы.

Сестра ему ничего не писала, она была многодетная и изможденная и жила как в беспамятстве. Лишь раз в год, на пасху, она присылала брату открытку, где сообщала: «Христос воскресе, дорогой брат! Мы живем по-старому, я стряпаю, дети растут, мужу прибавили на один разряд, теперь он приносит 48 рублей. Приезжай к нам гостить. Твоя сестра Аня».

Прушевский подолгу носил эту открытку в кармане и, перечитывая ее, иногда плакал.

В свои прогулки он уходил далеко, в одиночестве. Однажды он остановился на холме, в стороне от города и дороги. День был мутный, неопределенный, будто время не продолжалось дальше — в такие дни дремлют растения и животные, а люди поминают родителей. Прушевский тихо глядел на всю туманную старость природы и видел на конце ее белые спокойные здания, светящиеся больше, чем было света в воздухе. Он не знал имени тому законченному строительству и назначению его, хотя можно было понять, что те дальние здания устроены не только для пользы, но и для радости. Прушевский с удивлением привыкшего к печали человека наблюдал точную нежность и охлажденную, сомкнутую силу отдаленных монументов. Он еще не видел такой веры и свободы в сложенных камнях и не знал самосветящегося закона для серого цвета своей родины. Как остров, стоял среди остального новостроящегося мира этот белый сюжет сооружений и успокоенно светился. Но не все было бело в тех зданиях — в иных местах они имели синий, желтый и зеленый цвета, что придавало им нарочную красоту детского изображения. «Когда же это выстроено?» — с огорчением сказал Прушевский. Ему уютней было чувствовать скорбь на земной потухшей звезде; чужое и дальнее счастье возбуждало в нем стыд и тревогу — он бы хотел, не сознавая, чтобы вечно строящийся и недостроенный мир был похож на его разрушенную жизнь.

Он еще раз пристально посмотрел на тот новый город, не желая ни забыть его, ни ошибиться, но здания стояли по-прежнему ясными, точно вокруг них была не муть родного воздуха, а прохладная прозрачность.

Возвращаясь назад, Прушевский заметил много женщин на городских улицах. Женщины ходили медленно, несмотря на свою молодость, они, наверно, гуляли и ожидали звездного вечера.

На рассвете в контору пришел Чиклин с неизвестным человеком, одетым в одни штаны.

— Вот к тебе, Прушевский,— сказал Чиклин.— Он просит отдать гробы ихней деревне.

— Какие гробы?

Громадный, опухший от ветра и горя голый человек сказал не сразу свое слово, он сначала опустил голову и напряженно сообразил. Должно быть, он постоянно забывал помнить про самого себя и про свои заботы: то ли он утомился или же умирал по мелким частям на ходу жизни.

— Гробы! — сообщил он горячим, шерстяным голосом.— Гробы тесовые мы в пещеру сложили впрок, а вы копаете всю балку. Отдай гробы!

Чиклин сказал, что вчера вечером близ северного пикета на самом деле было отрыто сто пустых гробов; два из них он забрал для девочки — в одном гробу сделал ей постель на будущее время, когда она станет спать без его живота, а другой подарил ей для игрушек и всякого детского хозяйства: пусть она тоже имеет свой красный уголок.

— Отдайте мужику остальные гробы,— ответил Прушевский.

— Все отдавай,— сказал человек.— Нам не хватает мертвого инвентаря, народ свое имущество ждет. Мы те гробы по самооб-ложению заготовили, не отымай нажитого!

— Нет,— произнес Чиклин.— Два гроба ты оставь нашему ребенку, они для вас все равно маломерные.

Неизвестный человек постоял, что-то подумал и не согла-сился:

— Нельзя! Куда ж мы своих ребят класть будем! Мы по росту готовили гробы: на них метины есть — кому куда влезать. У нас каждый и живет оттого, что гроб свой имеет: он нам теперь цель-ное хозяйство! Мы те гробы облеживали, как в пещеру зарыть.

Давно живущий на котловане мужик с желтыми глазами вошел, поспешая в контору.

— Елисей,— сказал он полуголому.— Я их тесемками в один обоз связал, пойдем волоком тащить, пока сушь стоит!

— Не устерег двух гробов,— высказался Елисей.— Во что теперь сам ляжешь?

— А я, Елисей Саввич, под кленом дубравным у себя на дворе, под могучее дерево лягу. Я уж там и ямку под корнем себе уготовил, умру — пойдет моя кровь соком по стволу, высоко взойдет! Иль, скажешь, моя кровь жидка стала, дереву не вкусна?

Полуголый стоял без всякого впечатления и ничего не ответил. Не замечая подорожных камней и остужающего ветра зари, он пошел с мужиком брать гробы. За ними отправился Чиклин, наблюдая спину Елисея, покрытую целой почвой нечистот и уже обрастающую защитной шерстью. Елисей изредка останавли-вался на месте и оглядывал пространство сонными, опустев-шими глазами, будто вспоминая забытое или ища укромной доли для угрюмого покоя. Но родина ему была безвестной, и он опускал вниз затихшие глаза.

Гробы стояли длинной чередой на сухой высоте над краем котлована. Мужик, прибежавший прежде в барак, был рад, что гробы нашлись и что Елисей явился; он уже управился про-бурить в гробовых изголовьях и подножьях отверстия и связать гробы в общую супрягу. Взявши конец веревки с переднего гроба на плечо, Елисей уперся и поволок, как бурлак, эти тесовые предметы по сухому морю житейскому. Чиклин и вся артель стояли без препятствий Елисею и смотрели на след, который межевали пустые гробы по земле.

— Дядя, это буржуи были? — заинтересовалась девочка, державшаяся за Чиклина.

— Нет, дочка,— ответил Чиклин.— Они живут в соломенных избушках, сеют хлеб и едят с нами пополам.

Девочка поглядела наверх, на все старые лица людей.

— А зачем им тогда гробы? Умирать должны одни буржуи, а бедные нет!

Землекопы промолчали, еще не сознавая данных, чтобы говорить.

— И один был голый! — произнесла девочка.— Одежду всегда отбирают, когда людей не жалко, чтоб она осталась. Моя мама тоже голая лежит.

— Ты права, дочка, на все сто процентов,— решил Сафронов.— Два кулака от нас сейчас удалились.

— Убей их пойди! — сказала девочка.

— Не разрешается, дочка: две личности это не класс...

— Это один да еще один,— сочла девочка.

— А в целости их было мало,— пожалел Сафронов.— Мы же, согласно пленума, обязаны их ликвидировать не меньше как класс, чтобы весь пролетариат и батрачье сословие осиротели от врагов!

— А с кем останетесь?

— С задачами, с твердой линией дальнейших мероприятий, понимаешь что?

— Да,— ответила девочка.— Это значит плохих людей всех убивать, а то хороших очень мало.

— Ты вполне классовое поколение,— обрадовался Сафронов,— ты с четкостью сознаешь все отношения, хотя сама еще малолеток. Это монархизму люди без разбору требовались для войны, а нам только один класс дорог, да мы и класс свой будем скоро чистить от несознательного элемента.

— От сволочи,— с легкостью догадалась девочка.— Тогда будут только самые-самые главные люди! Моя мама себя тоже сволочью называла, что жила, а теперь умерла и хорошая стала, правда ведь?

— Правда,— сказал Чиклин.

Девочка, вспомнив, что мать ее находится одна в темноте, молча отошла, ни с кем не считаясь, и села играть в песок. Но она не играла, а только трогала кое-что равнодушной рукой и думала.

Землекопы приблизились к ней и, пригнувшись, спросили:

— Ты что?

— Так,— сказала девочка, не обращая внимания.— Мне у вас

стало скучно, вы меня не любите, как ночью заснете, так я вас изобью.

Мастеровые с гордостью поглядели друг на друга, и каждому из них захотелось взять ребенка на руки и помять его в своих объятиях, чтобы почувствовать то теплое место, откуда исходит этот разум и прелесть малой жизни.

Один Вощев стоял слабым и безрадостным, механически наблюдая даль; он по-прежнему не знал, есть ли что особенное в общем существовании, ему никто не мог прочесть на память всемирного устава, события же на поверхности земли его не прельщали. Отдалившись несколько, Вощев тихим шагом скрылся в поле и там прилег полежать, не видимый никем, довольный, что он больше не участник безумных обстоятельств.

Позже он нашел след гробов, увлеченных двумя мужиками за горизонт в свой край согбенных плетней, заросших лопухами. Быть может, там была тишина дворовых теплых мест или стояло на ветру дорог бедняцкое колхозное сиротство с кучей мертвого инвентаря посреди. Вощев пошел туда походкой механически выбывшего человека, не сознавая, что лишь слабость культработы на котловане заставляет его не жалеть о строительстве будущего дома. Несмотря на достаточно яркое солнце, было как-то нерадостно на душе, тем более что в поле простирался мутный чад дыханья и запаха трав. Он осмотрелся вокруг — всюду над пространством стоял пар живого дыханья, создавая сонную, душную незримость; устало длилось терпенье на свете, точно все живущее находилось где-то посредине времени и своего движения: начало его всеми забыто и конец неизвестен, осталось лишь направление. И Вощев ушел в одну открытую дорогу.

Козлов прибыл на котлован пассажиром в автомобиле, которым управлял сам Пашкин. Козлов был одет в светло-серую тройку, имел пополневшее от какой-то постоянной радости лицо и стал сильно любить пролетарскую массу. Всякий свой ответ трудящемуся человеку он начинал некими самодовлеющими словами: «Ну хорошо, ну прекрасно» — и продолжал. Про себя же любил произносить: «Где вы теперь, ничтожная фашистка!» И многие другие краткие лозунги-песни.

Сегодня утром Козлов ликвидировал как чувство свою любовь к одной средней даме. Она тщетно писала ему письма о своем обожании, он же, превозмогая общественную нагрузку, молчал, заранее отказываясь от конфискации ее ласк, потому что искал женщину более благородного, активного типа. Прочитав же в газете о загруженности почты и нечеткости ее работы, он решил укрепить этот сектор социалистического строительства путем прекращения дамских писем к себе. И он написал даме последнюю итоговую открытку, складывая с себя ответственность любви:

«Где раньше стол был яств,
Теперь там гроб стоит!
Козлов».

Этот стих он только что прочитал и спешил его не забыть. Каждый день, просыпаясь, он вообще читал в постели книги, и, запомнив формулировки, лозунги, стихи, заветы, всякие слова мудрости, тезисы различных актов, резолюций, строфы песен и прочее, он шел в обход органов и организаций, где его знали и уважали как активную общественную силу,— и там Козлов пугал и так уже напуганных служащих своей научностью, кругозором и подкованностью. Дополнительно к пенсии по первой категории он обеспечил себе и натурное продовольствие.

Зайдя однажды в кооператив, он подозвал к себе, не трогаясь с места, заведующего и сказал ему:

— Ну хорошо, ну прекрасно, но у вас кооператив, как говорится, рочдэлльского вида, а не советского! Значит, вы не столб со столбовой дороги в социализм?!

— Я вас не сознаю, гражданин,— скромно ответил заведующий.

— Так, значит, опять: просил он, пассивный, не счастья у неба, а хлеба насущного, черного хлеба! Ну хорошо, ну прекрасно! — сказал Козлов и вышел в полном оскорблении, а через одну декаду стал председателем лавкома этого кооператива. Он так и не узнал, что эту должность получил по ходатайству самого заведующего, который учитывал не только ярость масс, но и качество яростных.

Спустившись с автомобиля, Козлов с видом ума прошел на поприще строительства и стал на краю его, чтобы иметь общий взгляд на весь темп труда. Что касается ближних землекопов, то он сказал им:

— Не будьте оппортунистами на практике!

Во время обеденного перерыва товарищ Пашкин сообщил мастеровым, что бедняцкий слой деревни печально заскучал по колхозу и нужно туда бросить что-нибудь особенное из рабочего класса, дабы начать классовую борьбу против деревенских пней капитализма.

— Давно пора кончать зажиточных паразитов! — высказался Сафронов.— Мы уже не чувствуем жара от костра классовой борьбы, а огонь должен быть: где ж тогда греться активному персоналу!

И после того артель назначила Сафронова и Козлова идти в ближнюю деревню, чтобы бедняк не остался при социализме круглой сиротой или частным мошенником в своем убежище.

Жачев подъехал к Пашкину с девочкой на тележке и сказал ему:

— Заметь этот социализм в босом теле. Наклонись, стервец, к ее костям, откуда ты сало съел!

— Факт! — произнесла девочка.

Здесь и Сафронов определил свое мнение.

— Зафиксируй, товарищ Пашкин, Настю — это ж наш будущий радостный предмет!

Пашкин вынул записную книжку и поставил в ней точку; уже много точек было изображено в книжке Пашкина, и каждая точка знаменовала какое-либо внимание к массам.

В тот вечер Настя постелила Сафронову отдельную постель и села с ним посидеть. Сафронов сам попросил девочку поскучать о нем, потому что она одна здесь сердечная женщина. И Настя тихо находилась при нем весь вечер, стараясь думать, как уйдет Сафронов туда, где бедные люди тоскуют в избушках, и как он станет вшивым среди чужих.

Позже Настя легла в постель Сафронова, согрела ее и ушла спать на живот Чиклина. Она давным-давно привыкла согревать постель своей матери, перед тем как туда ложился спать неродной отец.

Маточное место для дома будущей жизни было готово; теперь предназначалось класть в котловане бут. Но Пашкин постоянно думал светлые думы, и он доложил главному в городе, что масштаб дома узок, ибо социалистические женщины будут исполнены свежести и полнокровия, и вся поверхность земли покроется семенящим детством; неужели же детям придется жить снаружи, среди неорганизованной погоды?

— Нет,— ответил главный, сталкивая нечаянным движением сытный бутерброд со стола,— разройте маточный котлован вчетверо больше.

Пашкин согнулся и возвратил бутерброд снизу на стол.

— Не стоило нагибаться,— сказал главный.— На будущий год мы запроектировали сельхозпродукции по округу на полмиллиарда.

Тогда Пашкин положил бутерброд обратно в корзину для бумаг, боясь, что его сочтут за человека, живущего темпами эпохи режима экономии.

Прушевский ожидал Пашкина вблизи здания для немедленной передачи распоряжения на работы. Пашкин же, пока шел по вестибюлю, обдумал увеличить котлован не вчетверо, а в шесть раз, дабы угодить наверняка и забежать вперед главной линии, чтобы впоследствии радостно встретить ее на чистом месте,— и тогда линия увидит его, и он запечатлеется в ней вечной точкой.

— В шесть раз больше,— указал он Прушевскому.— Я говорил, что темп тих!

Прушевский обрадовался и улыбнулся. Пашкин, заметив счастье инженера, тоже стал доволен, потому что почувствовал настроение инженерно-технической секции своего союза.

Прушевский пошел к Чиклину, чтобы наметить расширение котлована. Еще не доходя, он увидел собрание землекопов и крестьянскую подводу среди молчавших людей. Чиклин вынес из барака пустой гроб и положил его на телегу; затем он принес еще и второй гроб, а Настя стремилась за ним вслед, обрывая с гроба свои картинки. Чтоб девочка не сердилась, Чиклин взял ее под мышку и, прижав к себе, нес другой рукой гроб.

— Они все равно умерли, зачем им гробы! — негодовала Настя.— Мне некуда будет вещи складать!

— Так уж надо,— отвечал Чиклин.— Все мертвые это люди особенные.

— Важные какие! — удивлялась Настя.— Отчего ж тогда все живут! Лучше б умерли и стали важными!

— Живут для того, чтоб буржуев не было,— сказал Чиклин и положил последний гроб на телегу. На телеге сидели двое — Вощев и ушедший когда-то с Елисеем подкулацкий мужик.

— Кому отправляете гробы? — спросил Прушевский.

— Это Сафронов и Козлов умерли в избушке, а им теперь мои гробы отдали: ну что ты будешь делать?! — с подробностью сообщила Настя. И она прислонилась к телеге, озабоченная упущением.

Вощев, прибывший на подводе из неизвестных мест, тронул лошадь, чтобы ехать обратно в то пространство, где он был. Оставив блюсти девочку Жачеву, Чиклин пошел шагом за удалившейся телегой.

До самой глубины лунной ночи он шел вдаль. Изредка, в боковой овражной стороне, горели укромные огни неизвестных жилищ, и там же заунывно брехали собаки — может быть, они скучали, а может быть, замечали въезжавших командированных людей и пугались их. Впереди Чиклина все время ехала подвода с гробами, и он не отрывался от нее.

Вощев, опершись о гробы спиной, глядел с телеги вверх — на звездное собрание и в мертвую массовую муть Млечного Пути. Он ожидал, когда же там будет вынесена резолюция о прекращении вечности времени, об искуплении томительности жизни. Не надеясь, он задремал и проснулся от остановки.

Чиклин дошел до подводы через несколько минут и стал смотреть вокруг. Вблизи была старая деревня; всеобщая ветхость бедности покрывала ее — и старческие, терпеливые плетни, и придорожные, склонившиеся в тишине деревья имели одинаковый вид грусти. Во всех избах деревни был свет, но снаружи их никто не находился. Чиклин подступился к первой избе и зажег спичку, чтобы прочитать белую бумажку на двери. В той бумажке было указано, что это обобществленный двор № 7 колхоза имени Генеральной Линии и что здесь живет активист общественных работ по выполнению государственных постановлений и любых кампаний, проводимых на селе.

— Пусти! — постучал Чиклин в дверь.

Активист вышел и впустил его. Затем он составил приемочный счет на гробы и велел Вощеву идти в сельсовет и стоять всю ночь в почетном карауле у двух тел павших товарищей.

— Я пойду сам,— определил Чиклин.

— Ступай,— ответил активист.— Только скажи мне свои данные, я тебя в мобилизованный кадр зачислю.

Активист наклонился к своим бумагам, прощупывая тщательными глазами все точные тезисы и задания; он с жадностью собственности, без памяти о домашнем счастье строил необходимое будущее, готовя для себя в нем вечность, и потому он сейчас запустел, опух от забот и оброс редкими волосами. Лампа горела перед его подозрительным взглядом, умственно и фактически наблюдающим кулацкую сволочь.

Всю ночь сидел активист при непогашенной лампе, слушая, не скачет ли по темной дороге верховой из района, чтобы спустить директиву на село. Каждую новую директиву он читал с любопытством будущего наслаждения, точно подглядывал в страстные тайны взрослых, центральных людей. Редко проходила ночь, чтобы не появлялась директива, и до утра изучал ее активист, накапливая к рассвету энтузиазм несокрушимого действия. И только изредка он словно замирал на мгновение от тоски жизни — тогда он жалобно глядел на любого человека, находящегося перед его взором; это он чувствовал воспоминание, что он головотяп и упущенец,— так его называли иногда в бумагах из района. «Не пойти ли мне в массу, не забыться ли в общей, руководимой жизни?» — решал активист про себя в те минуты, но быстро опоминался, потому что не хотел быть членом общего сиротства и боялся долгого томления по социализму, пока каждый пастух не очутится среди радости, ибо уже сейчас можно быть подручным авангарда и немедленно иметь всю пользу будущего времени. Особенно долго активист рассматривал подписи на бумагах: эти буквы выводила горячая рука округа, а рука есть часть целого тела, живущего в довольстве славы на глазах преданных, убежденных масс. Даже слезы показывались на глазах активиста, когда он любовался четкостью подписей и изображениями земных шаров на штемпелях; ведь весь земной шар, вся его мякоть скоро достанется в четкие, железные руки,— неужели он останется без влияния на всемирное тело земли? И со скупостью обеспеченного счастья активист гладил свою истощенную нагрузками грудь.

— Чего стоишь без движения? — сказал он Чиклину.— Ступай сторожить политические трупы от зажиточного бесчестья: видишь, как падает наш героический брат!

Через тьму колхозной ночи Чиклин дошел до пустынной залы сельсовета. Там покоились его два товарища. Самая большая лампа, назначенная для освещения заседаний, горела над мертвецами. Они лежали рядом на столе президиума, покрытые знаменем до подбородков, чтобы не были заметны их гибельные увечья и живые не побоялись бы так же умереть.

Чиклин встал у подножия скончавшихся и спокойно засмотрелся в их молчаливые лица. Уж ничего не скажет теперь Сафронов из своего ума, и Козлов не поболит душой за все организационное строительство и не будет получать полагающуюся ему пенсию.

Текущее время тихо шло в полночном мраке колхоза; ничто

не нарушало обобществленного имущества и тишины коллективного сознания. Чиклин закурил, приблизился к лицам мертвых и потрогал их рукой.

— Что, Козлов, скучно тебе?

Козлов продолжал лежать умолкшим образом, будучи убитым; Сафронов тоже был спокоен, как довольный человек, и рыжие усы его, нависшие над ослабевшим полуоткрытым ртом, росли даже из губ, потому что его не целовали при жизни. Вокруг глаз Козлова и Сафронова виднелась засохшая соль бывших слез, так что Чиклину пришлось стереть ее и подумать — отчего ж это плакали в конце жизни Сафронов и Козлов?

— Ты что ж, Сафронов, совсем улегся иль думаешь встать все-таки?

Сафронов не мог ответить, потому что сердце его лежало в разрушенной груди и не имело чувства.

Чиклин прислушался к начавшемуся дождю на дворе, к его долгому скорбящему звуку, поющему в листве, в плетнях и в мирной кровле деревни; безучастно, как в пустоте, проливалась свежая влага, и только тоска хотя бы одного человека, слушающего дождь, могла бы вознаградить это истощение природы. Изредка вскрикивали куры в огороженных захолустьях, но их Чиклин уже не слушал и лег спать под общее знамя между Козловым и Сафроновым, потому что мертвые — это тоже люди. Сельсоветская лампа безрасчетно горела над ними до утра, когда в помещение явился Елисей и тоже не потушил огня; ему было все равно, что свет, что тьма. Он без пользы постоял некоторое время и вышел так же, как пришел.

Прислонившись грудью к воткнутой для флага жердине, Елисей уставился в мутную сырость порожнего места. На том месте собрались грачи для отлета в теплую даль, хотя время их расставания со здешней землей еще не наступило. Еще ранее отлета грачей Елисей видел исчезновение ласточек, и тогда он хотел было стать легким, малосознательным телом птицы, но теперь он уже не думал, чтобы обратиться в грача, потому что думать не мог. Он жил и глядел глазами лишь оттого, что имел документы середняка, и его сердце билось по закону.

Из сельсовета раздались какие-то звуки, и Елисей подошел к окну и прислонился к стеклу; он постоянно прислушивался ко всяким звукам, исходящим из масс или природы, потому что ему никто не говорил слов и не давал понятия, так что приходилось чувствовать даже отдаленное звучание.

Елисей увидел Чиклина, сидящего между двумя лежащими навзничь. Чиклин курил и равнодушно утешал умерших своими словами.

— Ты кончился, Сафронов! Ну и что ж? Все равно я ведь остался, буду теперь, как ты; стану умнеть, начну выступать с точкой зрения, увижу всю твою тенденцию, ты вполне можешь не существовать...

Елисей не мог понимать и слушал одни звуки сквозь чистое стекло.

— А ты, Козлов, тоже не заботься жить. Я сам себя забуду, но тебя начну иметь постоянно. Всю твою погибшую жизнь, все твои задачи спрячу в себя и не брошу их никуда, так что ты считай себя живым. Буду день и ночь активным, всю организационность на заметку возьму, на пенсию стану, лежи спокойно, товарищ Козлов!

Елисей надышал на стекло туман и видел Чиклина слабо, но все равно смотрел, раз глядеть ему было некуда. Чиклин помолчал и, чувствуя, что Сафронов и Козлов теперь рады, сказал им:

— Пускай весь класс умрет — да я и один за него останусь и сделаю всю его задачу на свете! Все равно жить для самого себя я не знаю как!.. Чья это там морда уставилась на нас? Войди сюда, чужой человек!

Елисей сейчас же вошел в сельсовет и стал, не соображая, что штаны спустились с его живота, хотя вчера вполне еще держались. Елисей не имел аппетита к питанию и поэтому худел в каждые истекшие сутки.

— Это ты убил их? — спросил Чиклин.

Елисей поднял кверху штаны и уж больше не упускал их, ничего не отвечая, наставя на Чиклина свои бледные, пустые глаза.

— А кто же? Пойди приведи мне кого-нибудь, кто убивает нашу массу.

Мужик тронулся и пошел через порожнее сырое место, где находилось последнее сборище грачей; грачи ему дали дорогу, и Елисей увидел того мужика, который был с желтыми глазами; он приставил гроб к плетню и писал на нем свою фамилию печатными буквами, доставая изобразительным пальцем какую-то гущу из бутылки.

— Ты что, Елисей? Аль узнал какое распоряжение?

— Так себе,— сказал Елисей.

— Тогда — ничего,— покойно произнес пишущий мужик.— А мертвых не обмывали еще в совете? Пугаюсь, как бы казенный инвалид не приехал на тележке, он меня рукой тронет, что я жив, а двое умерли.

Мужик пошел помыть мертвых, чтобы обнаружить тем свое участие и сочувствие: Елисей тоже побрел ему вслед, не зная, где ему лучше всего находиться.

Чиклин не возражал, пока мужик снимал с погибших одежду и носил их поочередно в голом состоянии окунать в пруд, а потом, вытерев насухо овчинной шерстью, снова одел и положил оба тела на стол.

— Ну, прекрасно,— сказал тогда Чиклин.— А кто ж их убил?

— Нам, товарищ Чиклин, неизвестно, мы сами живем нечаянно.

— Нечаянно! — произнес Чиклин и сделал мужику удар

в лицо, чтоб он стал жить сознательно. Мужик было упал, но побоялся далеко уклоняться, дабы Чиклин не подумал про него чего-нибудь зажиточного, и еще ближе предстал перед ним, желая посильнее изувечиться, и затем исходатайствовать себе посредством мученья право жизни бедняка. Чиклин, видя перед собою такое существо, двинул ему механически в живот, и мужик опрокинулся, закрыв свои желтые глаза.

Елисей, стоявший тихо в стороне, сказал вскоре Чиклину, что мужик стих.

— А тебе жалко его? — спросил Чиклин.

— Нет,— ответил Елисей.

— Положь его в середку между моими товарищами.

Елисей поволок мужика к столу и, подняв его изо всех сил, свалил поперек прежних мертвых, а уж потом приноровил как следует, уложив его тесно близ боков Сафронова и Козлова. Когда Елисей отошел обратно, то мужик открыл свои желтые глаза, но уже не мог их закрыть и так остался глядеть.

— Баба-то есть у него? — спросил Чиклин Елисея.

— Один находился,— ответил Елисей.

— Зачем же он был?

— Не быть он боялся.

Вощев пришел в дверь и сказал Чиклину, чтоб он шел — его требует актив.

— На тебе рубль,— дал поскорее деньги Елисею Чиклин.— Ступай на котлован и погляди, жива ли там девочка Настя, и купи ей конфет. У меня сердце по ней заболело.

Активист сидел с тремя своими помощниками, похудевшими от беспрерывного геройства и вполне бедными людьми, но лица их изображали одно и то же твердое чувство — усердную беззаветность. Активист дал знать Чиклину и Вощеву, что директивой товарища Пашкина они должны приурочить все свои скрытые силы на угождение колхозному разворачиванию.

— А истина полагается пролетариату? — спросил Вощев.

— Пролетариату полагается движение,— произнес активист,— а что навстречу попадается, то все его: будь там истина, будь кулацкая награбленная кофта — все пойдут в организованный котел, ты ничего не узнаешь.

Близ мертвых в сельсовете активист опечалился вначале, но затем, вспомнив новостроящееся будущее, бодро улыбнулся и приказал окружающим мобилизовать колхоз на похоронное шествие, чтобы все почувствовали торжественность смерти во время развивающегося светлого момента обобществления имущества.

Левая рука Козлова свесилась вниз, и весь погибший корпус его накренился со стола, готовый бессознательно упасть. Чиклин поправил Козлова и заметил, что. мертвым стало совершенно тесно лежать: их уж было четверо вместо троих. Четвертого Чиклин не помнил и обратился к активисту за освещением несчастья, хотя четвертый был не пролетарий, а какой-то скучный мужик, покоившийся на боку с замолкшим дыханьем. Активист представил Чиклину, что этот дворовый элемент есть смертельный вредитель Сафронова и Козлова, но теперь он заметил свою скорбь от организованного движения на него и сам пришел сюда, лег на стол между покойными и лично умер.

— Все равно бы я его обнаружил через полчаса,— сказал активист.— У нас стихии сейчас нет ни капли, деться никому некуда! А кто-то еще один лишний лежит!

— Того я закончил,— объяснил Чиклин.— Думал, что стервец явился и просит удара. Я ему дал, а он ослаб.

— И правильно: в районе мне и не поверят, чтоб был один убиец, а двое — это уж вполне кулацкий класс и организация!

После похорон в стороне от колхоза зашло солнце, и стало сразу пустынно и чуждо на свете; из-за утреннего края района выходила густая подземная туча, к полуночи она должна дойти до здешних угодий и пролить на них всю тяжесть холодной воды. Глядя туда, колхозники начинали зябнуть, а куры уже давно квохтали в своих закутах, предчувствуя долготу времени осенней ночи. Вскоре на земле наступила сплошная тьма, усиленная чернотой почвы, растоптанной бродящими массами; но верх был еще светел — среди сырости неслышного ветра и высоты там стояло желтое сияние достигавшего туда солнца и отражалось на последней листве склонившихся в тишине садов. Люди не желали быть внутри изб — там на них нападали думы и настроения,— они ходили по всем открытым местам деревни и старались постоянно видеть друг друга; кроме того, они чутко слушали — не раздастся ли издали по влажному воздуху какого-либо звука, чтобы услышать утешение в таком трудном пространстве. Активист еще давно пустил устную директиву о соблюдении санитарности в народной жизни, для чего люди должны все время находиться на улице, а не задыхаться в семейных избах. От этого заседавшему активу было легче наблюдать массы из окна и вести их все время дальше.

Активист тоже успел заметить эту вечернюю желтую зарю, похожую на свет погребения, и решил завтра же с утра назначить звездный поход колхозных пешеходов в окрестные, жмущиеся к единоличию деревни, а затем объявить народные игры.

Председатель сельсовета, середняцкий старичок, подошел было к активисту за каким-нибудь распоряжением, потому что боялся бездействовать, но активист отрешил его от себя рукой, сказав только, чтобы сельсовет укреплял задние завоевания актива и сторожил господствующих бедняков от кулацких хищников. Старичок председатель с благодарностью успокоился и пошел делать себе сторожевую колотушку.

Вощев боялся ночей, он в них лежал без сна и сомневался; его основное чувство жизни стремилось к чему-либо надлежащему на свете, и тайная надежда мысли обещала ему далекое спасение от безвестности всеобщего существования. Он шел на ночлег рядом с Чиклиным и беспокоился, что тот сейчас ляжет и заснет, а он будет один смотреть глазами во мрак над колхозом.

— Ты сегодня, Чиклин, не спи, а то я чего-то боюсь.

— Не бойся. Ты скажи, кто тебе страшен — я его убью.

— Мне страшна сердечная озадаченность, товарищ Чиклин. Я и сам не знаю что. Мне все кажется, что вдалеке есть что-то особенное или роскошный несбыточный предмет, и я печально живу.

— А мы его добудем. Ты, Вощев, как говорится, не горюй.

— Когда, товарищ Чиклин?

— А ты считай, что уж добыли: видишь, нам все теперь стало ничто...

На краю колхоза стоял Организационный Двор, в котором активист и другие ведущие бедняки производили обучение масс; здесь же проживали недоказанные кулаки и разные проштрафившиеся члены коллектива, одни из них находились на дворе за то, что впали в мелкое настроение сомнения, другие — что плакали во время бодрости и целовали колья на своем дворе, отходящие в обобществление, третьи — за что-нибудь прочее, и, наконец, один был старичок, явившийся на Организационный Двор самотеком,— это был сторож с кафельного завода: он шел куда-то сквозь, а его здесь приостановили, потому что у него имелось выражение чуждости на лице.

Вощев и Чиклин сели на камень среди Двора, предполагая вскоре уснуть под здешним навесом. Старик с кафельного завода вспомнил Чиклина и дошел до него, дотоле он сидел в ближайшей траве и сухим способом стирал грязь со своего тела под рубашкой.

— Ты зачем здесь? — спросил его Чиклин.

— Да я шел, а мне приказали остаться: может, говорят, ты зря живешь, дай посмотрим. Я было шел молча мимо, а меня назад окорачивают: стой, кричат, кулашник! С тех пор я здесь и проживаю на картошных харчах.

— Тебе же все равно где жить,— сказал Чиклин,— лишь бы не умереть.

— Это ты верно говоришь! Я к чему хочешь привыкну, только сначала томлюсь. Здесь уж меня и буквам научили и число заставляют знать: будешь, говорят, уместным классовым старичком. Да то что ж, я и буду!..

Старик бы всю ночь проговорил, но Елисей возвратился с котлована и принес Чиклину письмо от Прушевского. Под фонарем, освещавшим вывеску Организационного Двора, Чиклин прочитал, что Настя жива и Жачев начал возить ее ежедневно в детский сад, где она полюбила советское государство и собирает для него утильсырье; сам же Прушевский сильно скучает о том, что Козлов и Сафронов погибли, а Жачев по ним плакал громадными слезами.

«Мне довольно трудно,— писал товарищ Прушевский,— и я боюсь, что полюблю какую-нибудь одну женщину и женюсь, так как не имею общественного значения. Котлован закончен, и весной будем его бутить. Настя умеет, оказывается, писать печатными буквами, посылаю тебе ее бумажку».

Настя писала Чиклину:

«Ликвидируй кулака как класс. Да здравствует Ленин, Козлов и Сафронов.

Привет бедному колхозу, а кулакам нет».

Чиклин долго шептал эти написанные слова и глубоко растрогался, не умея морщить свое лицо для печали и плача; потом он направился спать.

В большом доме Организационного Двора была одна громадная горница, и там все спали на полу благодаря холоду. Сорок или пятьдесят человек народа открыли рты и дышали вверх, а под низким потолком висела лампа в тумане вздохов, и она тихо качалась от какого-то сотрясения земли. Среди пола лежал и Елисей; его спящие глаза были почти полностью открыты и глядели не моргая на горящую лампу. Нашедший Вощева, Чиклин лег рядом с ним и успокоился до более светлого утра.

Утром колхозные босые пешеходы выстроились в ряд на Оргдворе. Каждый из них имел флаг с лозунгом в руках и сумку с пищей за спиной. Они ожидали активиста как первоначального человека в колхозе, чтобы узнать от него, зачем им идти в чужие места.

Активист пришел на Двор совместно с передовым персоналом и, расставив пешеходов в виде пятикратной звезды, стал посреди всех и произнес свое слово, указывающее пешеходам идти в среду окружающего бедничества и показать ему свойство колхоза путем призвания к социалистическому порядку, ибо все равно дальнейшее будет плохо. Елисей держал в руке самый длинный флаг и, покорно выслушав активиста, тронулся привычным шагом вперед, не зная, где ему надо остановиться.

В то утро была сырость и дул холод с дальних пустопорожних мест. Такое обстоятельство тоже не было упущено активом.

— Дезорганизация! — с унылостью сказал активист про этот остужающий вечер природы.

Бедные и средние странники пошли в свой путь и скрылись вдалеке, в постороннем пространстве. Чиклин глядел вслед ушедшей босой коллективизации, не зная, что нужно дальше предполагать, а Вощев молчал без мысли. Из большого облака, остановившегося над глухими дальними пашнями, стеной пошел дождь и укрыл ушедших в среде влаги.

— И куда они пошли? — сказал один подкулачник, уединенный от населения на Оргдворе за свой вред. Активист запретил ему выходить далее плетня, и подкулачник выражался через него.— У нас одной обувки на десять годов хватит, а они куда лезут?

— Дай ему! — сказал Чиклин Вощеву.

Вощев подошел к подкулачнику и сделал удар в его лицо. Подкулачник больше не отзывался.

Вощев приблизился к Чиклину с обыкновенным недоумением об окружающей жизни.

— Смотри, Чиклин, как колхоз идет на свете — скучно и босой.

— Они потому и идут, что босые,— сказал Чиклин.— А радоваться им нечего: колхоз ведь житейское дело.

— Христос тоже, наверно, ходил скучно, и в природе был ничтожный дождь.

— В тебе ум бедняк,— ответил Чиклин.— Христос ходил один неизвестно из-за чего, а тут двигаются целые кучи ради существования.

Активист находился здесь же на Оргдворе; прошедшая ночь прошла для него задаром — директива не спустилась на колхоз, и он опустил теченье мысли в собственной голове; но мысль несла ему страх упущений. Он боялся, что зажиточность скопится на единоличных дворах и он упустит ее из виду. Одновременно он опасался и переусердия — поэтому обобществил лишь конское поголовье, мучаясь за одиноких коров, овец и птицу, потому что в руках стихийного единоличника и козел есть рычаг капитализма.

Сдерживая силу своей инициативы, неподвижно стоял активист среди всеобщей тишины колхоза, и его подручные товарищи глядели на его смолкшие уста, не зная, куда им двинуться. Чиклин и Вощев вышли с Оргдвора и отправились искать мертвый инвентарь, чтобы увидеть его годность.

Пройдя некоторое расстояние, они остановились на пути, потому что с правой стороны улицы без труда человека открылись одни ворота, и через них стали выходить спокойные лошади. Ровным шагом, не опуская голов к растущей пище на земле, лошади сплоченной массой миновали улицу и спустились в овраг, в котором содержалась вода. Напившись в норму, лошади вошли в воду и постояли в ней некоторое время для своей чистоты, а затем выбрались на береговую сушь и тронулись обратно, не теряя строя и сплочения между собой. Но у первых же дворов лошади разбрелись — одна остановилась у соломенной крыши и начала дергать солому из нее, другая, нагнувшись, подбирала в пасть остаточные пучки тощего сена, более же угрюмые лошади вошли на усадьбы и там взяли на знакомых, родных местах по снопу и вынесли его на улицу.

Каждое животное взяло посильную долю пищи и бережно несло ее в направлении тех ворот, откуда вышли до того все лошади.

Прежде пришедшие лошади остановились у общих ворот и подождали всю остальную конскую массу, а уж когда все совместно собрались, то передняя лошадь толкнула головой ворота нараспашку и весь конский строй ушел с кормом на двор. На дворе лошади открыли рты, пища упала из них в одну среднюю кучу, и тогда обобществленный скот стал вокруг и начал медленно есть, организованно смирившись без заботы человека.

Вощев в испуге глядел на животных через скважину ворот; его удивляло душевное спокойствие жующего скота, будто все лошади с точностью убедились в колхозном смысле жизни, а он один живет и мучается хуже лошади.

Далее лошадного двора находилась чья-то неимущая изба, которая стояла без усадьбы и огорожи на голом земном месте. Чиклин и Вощев вошли в избу и заметили в ней мужика, лежавшего на лавке вниз лицом. Его баба прибирала пол и, увидев гостей, утерла нос концом платка, отчего у ней сейчас же потекли привычные слезы.

— Ты чего? — спросил ее Чиклин.

— И-и, касатики! — произнесла женщина и еще гуще заплакала.

— Обсыхай скорей и говори! — образумил ее Чиклин.

— Мужик-то который день уткнулся и лежит... Баба, говорит, посуй мне пищу в нутро, а то я весь пустой лежу, душа ушла изо всей плоти, улететь боюсь, клади, кричит, какой-нибудь груз на рубашку. Как вечер, так я ему самовар к животу привязываю. Когда ж что-нибудь настанет-то?

Чиклин подошел к крестьянину и повернул его навзничь — он был действительно легок и худ, и бледные, окаменевшие глаза его не выражали даже робости. Чиклин близко склонился к нему.

— Ты что — дышишь?

— Как вспомню, так вздохну,— слабо ответил человек.

— А если забудешь дышать?

— Тогда помру.

— Может, ты смысла жизни не чувствуешь, так потерпи чуть-чуть,— сказал Вощев лежачему.

Жена хозяина исподволь, но с точностью разглядывала пришедших, и от едкости глаз у нее нечувствительно высохли слезы.

— Он все чуял, товарищи, все дочиста душевно видел! А как лошадь взяли в организацию, так он лег и перестал. Я-то хоть поплачу, а он нет.

— Пусть лучше плачет, ему милее будет,— посоветовал Вощев.

— Я и то ему говорила. Разве же можно молча лежать — власть будет пугаться. Я-то нарочно, вот правда истинная — вы люди, видать, хорошие,— я-то как выйду на улицу, так и зальюсь вся слезами. А товарищ активист видит меня — ведь он всюду глядит, он все щепки сосчитал,— как увидит меня, так и приказывает: плачь баба, плачь сильней — это солнце новой жизни взошло, и свет режет ваши темные глаза. А голос-то у него ровный, и я вижу, что мне ничего не будет, и плачу со всем желанием...

— Стало быть, твой мужик только недавно существует без душевной прилежности? — обратился Вощев.

— Да как вот перестал меня женой знать, так и почитай, что с тех пор.

— У него душа — лошадь,— сказал Чиклин.— Пускай он теперь порожняком поживет, а его ветер продует.

Баба открыла рот, но осталась без звука, потому что Вощев и Чиклин ушли в дверь.

Другая изба стояла на большой усадьбе, огороженной плетнями, внутри же избы мужик лежал в пустом гробу и при любом шуме закрывал глаза, как скончавшийся. Над головой полуусопшего уже несколько недель горела лампада, и сам лежащий в гробу подливал в нее масло из бутылки время от времени. Вощев прислонил свою руку ко лбу покойного и почувствовал, что человек теплый. Мужик слышал то и вовсе затих дыханьем, желая побольше остыть снаружи. Он сжал зубы и не пропускал воздуха в свою глубину.

— А теперь он похолодал,— сказал Вощев.

Мужик изо всех темных своих сил останавливал внутреннее биение жизни, а жизнь от долголетнего разгона не могла в нем прекратиться. «Ишь ты какая, чтущая меня сила,— между делом думал лежачий,— все равно я тебя затомлю, лучше сама кончись».

— Как будто опять потеплел,— обнаруживал Вощев по течению времени.

— Значит, не боится еще, подкулацкая сила,— произнес Чиклин.

Сердце мужика самостоятельно поднялось в душу, в горловую тесноту, и там сжалось, отпуская из себя жар опасной жизни в верхнюю кожу. Мужик тронулся ногами, чтобы помочь своему сердцу вздрогнуть, но сердце замучилось без воздуха и не могло трудиться. Мужик разинул рот и закричал от горя смерти, жалея свои целые кости от сотления в прах, свою кровавую силу тела от гниения, глаза от скрывающегося белого света и двор от вечного сиротства.

— Мертвые не шумят,— сказал Вощев мужику.

— Не буду,— согласно ответил лежачий и замер, счастливый, что угодил власти.

— Остывает,— пощупал Вощев шею мужика.

— Туши лампаду,— сказал Чиклин.— Над ним огонь горит, а он глаза зажмурил — вот где никакой скупости на революцию.

Вышедши на свежий воздух, Чиклин и Вощев встретили активиста — он шел в избу-читальню по делам культурной революции. После того он обязан был еще обойти всех средних единоличников, оставшихся без колхоза, чтобы убедить их в неразумности огороженного дворового капитализма.

В избе-читальне стояли заранее организованные колхозные женщины и девушки.

— Здравствуй, товарищ актив! — сказали они все сразу.

— Привет кадру! — ответил задумчиво активист и постоял

в молчаливом соображении.— А теперь мы повторим букву «а», слушайте мои сообщения и пишите...

Женщины прилегли к полу, потому что вся изба-читальня была порожняя, и стали писать кусками штукатурки на досках. Чиклин и Вощев тоже сели вниз, желая укрепить свое знание в азбуке.

— Какие слова начинаются на «а»? — спросил активист.

Одна счастливая девушка привстала на колени и ответила со всей быстротой и бодростью своего разума:

— Авангард, актив, аллилуйщик, аванс, архилевый, антифашист! Твердый знак везде нужен, а архилевому не надо!

— Правильно, Макаровна,— оценил активист.— Пишите систематично эти слова.

Женщины и девушки прилежно прилегли к полу и начали настойчиво рисовать буквы, пользуясь корябающей штукатуркой. Активист тем временем засмотрелся в окно, размышляя о каком-то дальнейшем пути или, может быть, томясь от своей одинокой сознательности.

— Зачем они твердый знак пишут? — сказал Вощев.

Активист оглянулся.

— Потому что из слов обозначаются линии и лозунги и твердый знак нам полезней мягкого. Это мягкий нужно отменить, а твердый нам неизбежен: он делает жесткость и четкость формулировок. Всем понятно?

— Всем,— сказал все.

— Пишите далее понятия на «б». Говори, Макаровна!

Макаровна приподнялась и с доверчивостью перед наукой заговорила:

— Большевик, буржуй, бугор, бессменный председатель, колхоз есть благо бедняка, браво-браво-ленинцы! Твердые знаки ставить на бугре и большевике и еще на конце колхоза, а там везде мягкие места!

— Бюрократизм забыла,— определил активист.— Ну, пишите. А ты, Макаровна, сбегай мне в церковь — трубку прикури...

— Давай я схожу,— сказал Чиклин.— Не отрывай народ от ума.

Активист втолок в трубку лопушиные крошки, и Чиклин пошел зажигать ее от огня. Церковь стояла на краю деревни, а за ней уж начиналась пустынность осени и вечное примиренчество природы. Чиклин поглядел на эту нищую тишину, на дальние лозины, стынущие в глинистом поле, но ничем пока не мог возразить.

Близ церкви росла старая забвенная трава и не было тропинок или прочих человеческих проходных следов — значит, люди давно не молились в храме. Чиклин прошел к церкви по гуще лебеды и лопухов, а затем вступил на паперть. Никого не было в прохладном притворе, только воробей, сжавшись, жил в углу; но и он не испугался Чиклина, а лишь молча поглядел на человека, собираясь, видно, вскоре умереть в темноте осени.

В храме горели многие свечи; свет молчаливого, печального воска освещал всю внутренность помещения до самого подспудья купола, и чистоплотные лица святых с выражением равнодушия глядели в мертвый воздух, как жители того, спокойного света,— но храм был пуст.

Чиклин раскурил трубку от ближней свечи и увидел, что впереди на амвоне еще кто-то курит. Так и было — на ступени амвона сидел человек и курил. Чиклин подошел к нему.

— От товарища активиста пришли? — спросил курящий.

— А тебе что?

— Все равно я по трубке вижу.

— А ты кто?

— Я был поп, а теперь отмежевался от своей души и острижен под фокстрот. Ты погляди!

Поп снял шапку и показал Чиклину голову, обработанную как на девушке.

— Ничего ведь?.. Да все равно мне не верят, говорят, я тайно верю и явный стервец для бедноты. Приходится стаж зарабатывать, чтоб в кружок безбожия приняли.

— Чем же ты его зарабатываешь, поганый такой? — спросил Чиклин.

Поп сложил горечь себе в сердце и охотно ответил:

— А я свечки народу продаю — ты видишь, вся зала горит! Средства же скопляются в кружку и идут активисту для трактора.

— Не бреши: где же тут богомольный народ?

— Народу тут быть не может,— сообщил поп.— Народ только свечку покупает и ставит ее Богу, как сироту, вместо своей молитвы, а сам сейчас же скрывается вон.

Чиклин яростно вздохнул и спросил еще:

— А отчего ж народ не крестится здесь, сволочь ты такая?

Поп встал перед ним на ноги для уважения, собираясь с точностью сообщить.

— Креститься, товарищ, не допускается: того я записываю скорописью в поминальный листок...

— Говори скорей и дальше! — указал Чиклин.

— А я не прекращаю своего слова, товарищ бригадный, только я темпом слаб, уж вы стерпите меня... А те листки с обозначением человека, осенившего себя рукодействующим крестом, либо склонившего свое тело пред небесной силой, либо совершившего другой акт почитания подкулацких святителей,— те листки я каждую полуночь лично сопровождаю к товарищу активисту.

— Подойди ко мне вплоть,— сказал Чиклин.

Поп готово опустился с порожек амвона.

— Зажмурься, паскудный.

Поп закрыл глаза и выразил на лице умильную любезность. Чиклин, не колебнувшись корпусом, сделал попу сознательный удар в скуло. Поп открыл глаза и снова зажмурил их, но упасть не мог, чтобы не давать Чиклину понятия о своем неподчинении.

— Хочешь жить? — спросил Чиклин.

— Мне, товарищ, жить бесполезно,— разумно ответил поп.— Я не чувствую больше прелести творения — я остался без Бога, а Бог без человека...

Сказав последние слова, поп склонился на землю и стал молиться своему ангелу-хранителю, касаясь пола фокстротной головой.

В деревне раздался долгий свисток, и после него заржали лошади.

Поп остановил молящуюся руку и сообразил значение сигнала.

— Собрание учредителей,— сказал он со смирением.

Чиклин вышел из церкви в траву. По траве шла было баба к церкви, выправляя позади себя помятую лебеду, но увидев Чиклина, она обомлела на месте и от испуга протянула ему пятак за свечку.

Организационный Двор покрылся сплошным народом; присутствовали организованные члены и неорганизованные единоличники, кто еще был маломочен по сознанию или имел подкулацкую долю жизни и не вступал в колхоз.

Активист находился на высоком крыльце и с молчаливой грустью наблюдал движенье жизненной массы на сырой, вечерней земле; он безмолвно любил бедноту, которая, поев простого хлеба, желательно рвалась вперед в невидимое будущее, ибо все равно земля для них была пуста и тревожна; он втайне дарил городские конфеты ребятишкам неимущих и с наступлением коммунизма в сельском хозяйстве решил взять установку на женитьбу, тем более что тогда лучше выявятся женщины. И сейчас чей-то малый ребенок стоял около активиста и глядел на его лицо.

— Ты чего взарился? — спросил активист.— На тебе конфетку.

Мальчик взял конфету, но одной пищи ему было мало.

— Дядь, отчего ты самый умный, а картуза у тебя нету?

Активист без ответа погладил голову мальчика; ребенок с удивлением разгрыз сплошную каменистую конфету — она блестела, как рассеченный лед, и внутри ее ничего не было, кроме твердости. Мальчик отдал половину конфеты обратно активисту.

— Сам доедай, у ней в середке вареньев нету: это сплошная коллективизация, нам радости мало!

Активист улыбнулся с проницательным сознанием, он предчувствовал, что этот ребенок в зрелости своей жизни вспомнит о нем среди горящего света социализма, добытого сосредоточенной силой актива из плетневых дворов деревень.

Вощев и еще три убежденных мужика носили бревна к воротам Оргдвора и складывали их в штабель — им заранее активист дал указание на этот труд.

Чиклин тоже пошел за трудящимися и, взяв бревно около оврага, понес его к Оргдвору: пусть идет больше пользы в общий котел, чтоб не было так печально вокруг.

— Ну как же будем, граждане? — произнес активист в вещество народа, находившегося пред ним.— Вы что ж, опять капитализм сеять собираетесь иль опомнились?..

Организованные сели на землю и курили с удовлетворительным чувством, поглаживая свои бородки, которые за последние полгода что-то стали реже расти; неорганизованные же стояли на ногах, превозмогая свою тщетную душу, но один сподручный актива научил их, что души в них нет, а есть лишь одно имущественное настроение, и они теперь вовсе не знали, как им станется, раз не будет имущества. Иные, склонившись, стучали себе в грудь и слушали свою мысль оттуда, но сердце билось легко и грустно, как порожнее, и ничего не отвечало. Стоявшие люди ни на мгновенье не упускали из вида активиста, ближние же ко крыльцу глядели на руководящего человека со всем желаньем в неморгающих глазах, чтобы он видел их готовое настроение.

Чиклин и Вощев к тому времени уже управились с доставкой бревен и стали их затесывать в лапу со всех концов, стараясь устроить большой предмет. Солнце не было в природе ни вчера, ни нынче, и унылый вечер рано наступил над сырыми полями; тишина распространялась сейчас по всему видимому свету, только топор Чиклина звучал среди нее и отзывался ветхим скрипом на близкой мельнице и в плетнях.

— Ну что же! — терпеливо сказал активист сверху.— Иль вы так и будете стоять между капитализмом и коммунизмом: ведь уж пора тронуться — у нас в районе четырнадцатый пленум идет!

— Дозволь, товарищ актив, еще малость средноте постоять,— попросили задние мужики,— может, мы обвыкнемся: нам главное дело привычка, а то мы все стерпим.

— Ну стойте, пока беднота сидит,— разрешил активист.— Все равно товарищ Чиклин еще не успел сколотить бревна в один блок.

— А к чему же те бревна-то ладят, товарищ активист? — спросил задний середняк.

— А это для ликвидации классов организуется плот, чтоб завтрашний день кулацкий сектор ехал по речке в море и далее...

Вынув поминальные листки и классово-расслоечную ведомость, активист стал метить знаки по бумагам; а карандаш у него был разноцветный, и он применял то синий, то красный цвет, а то просто вздыхал и думал, не кладя знаков до своего решения. Стоячие мужики открыли рты и глядели на карандаш с томлением слабой души, которая появилась у них из последних остатков имущества, потому что стала мучиться. Чиклин и Вощев тесали в два топора сразу, и бревна у них складывались одно к другому вплоть, основывая сверху просторное место.

Ближний середняк прислонился головой к крыльцу и стоял в таком покое некоторое время.

— Товарищ актив, а товарищ!..

— Говори ясно, — предложил середняку активист между своим делом.

— Дозволь нам горе горевать в остатнюю ночь, а уж тогда мы век с тобой будем радоваться!

Активист кратко подумал.

— Ночь — это долго. Кругом нас темпы по округу идут, горюйте, пока плот не готов.

— Ну хоть до плота, и то радость, — сказал средний мужик и заплакал, не теряя времени последнего горя. Бабы, стоявшие за плетнем Оргдвора, враз взвыли во все задушевные свои голоса, так что Чиклин и Вощев перестали рубить дерево топорами. Организованная членская беднота поднялась с земли, довольная, что ей горевать не приходится, и ушла смотреть на свое общее, насущное имущество деревни.

— Отвернись и ты от нас на краткое время, — попросили активиста два середняка. — Дай нам тебя не видеть.

Активист отстранился с крыльца и ушел в дом, где с жадностью начал писать рапорт о точном исполнении мероприятия по сплошной коллективизации и о ликвидации посредством сплава на плоту кулака как класса; при этом активист не мог поставить после слова «кулака» запятую, так как и в директиве ее не было. Дальше он попросил себе из района новую боевую компанию, чтоб местный актив работал бесперебойно и четко чертил дорогую генеральную линию вперед. Активист желал бы еще, чтобы район объявил его в своем постановлении самым идеологичным во всей районной надстройке, но это желание утихло в нем без последствий, потому что он вспомнил, как после хлебозаготовок ему пришлось заявить о себе, что он умнейший человек на данном этапе села, и, услышав его, один мужик объявил себя бабой.

Дверь дома отворилась, и в нее раздался шум мученья из деревни; вошедший человек стер мокроту с одежды, а потом сказал:

— Товарищ актив, там снег пошел и холод дует.

— Пускай идет, нам-то что?

— Нам — ничего, нам хоть что ни случись — мы управимся! — вполне согласился явившийся пожилой бедняк. Он был постоянно удивлен, что еще жив на свете, потому что ничего не имел кроме овощей с дворового огорода и бедняцкой льготы и не мог никак добиться высшей, довольной жизни.

— Ты мне, товарищ главный, скажи на утеху: писаться мне в колхоз на покой иль обождать?

— Пишись, конечно, а то в океан пошлю!

— Бедняку нигде не страшно; я б давно записался, только зою сеять боюсь.

— Какую зою? Если сою, то она ведь официальный злак!

— Ее, стерву.

— Ну, не сей — я учту твою психологию.

— Учти, пожалуйста.

Записав бедняка в колхоз, активист вынужден был дать ему квитанцию в приеме в членство и в том, что в колхозе не будет зои, и выдумать здесь же надлежащую форму для этой квитанции, так как бедняк нипочем не уходил без нее.

Снаружи в то время все гуще падал холодный снег: земля от снега стала смирней, но звуки середняцкого настроения мешали наступить сплошной тишине. Старый пахарь Иван Семенович Крестинин целовал молодые деревья в своем саду и с корнем сокрушал их прочь из почвы, а его баба причитала над голыми ветками.

— Не плачь, старуха,— говорил Крестинин.— Ты в колхозе мужиковской давалкой станешь. А деревья эти — моя плоть, и пускай она теперь мучается, ей же скучно обобществляться в плен!

Баба, услышав мужние слова, так и покатилась по земле, а другая женщина — не то старая девка, не то вдовуха — сначала бежала по улице и голосила таким агитирующим, монашьим голосом, что Чиклину захотелось в нее стрелять, а потом она увидела, как крестининская баба катится понизу, и тоже бросилась навзничь и забила ногами в суконных чулках.

Ночь покрыла весь деревенский масштаб, снег сделал воздух непроницаемым и тесным, в котором задыхалась грудь, но все же бабы вскрикивали повсеместно и, привыкая к горю, держали постоянный вой. Собаки и другие мелкие нервные животные тоже поддерживали эти томительные звуки, и в колхозе было шумно и тревожно, как в предбаннике; средние же и высшие мужики молча работали по дворам и закутам, охраняемые бабьим плачем у раскрытых настежь ворот. Остаточные, необобществленные лошади грустно спали в станках, привязанные к ним так надежно, чтобы они никогда не упали, потому что иные лошади уже стояли мертвыми; в ожидании колхоза безубыточные мужики содержали лошадей без пищи, чтоб обобществиться лишь одним своим телом, а животных не вести за собою в скорбь.

— Жива ли ты, кормилица?

Лошадь дремала в стойле, опустив навеки чуткую голову; один глаз у нее был слабо прикрыт, а на другой не хватило силы, и он остался глядеть в тьму. Сарай остыл без лошадиного дыханья, снег западал в него, ложился на голову кобылы и не таял. Хозяин потушил спичку, обнял лошадь за шею и стоял в своем сиротстве, нюхая по памяти пот кобылы, как на пахоте.

— Значит, ты умерла? Ну ничего, я тоже скоро помру, нам будет тихо.

Собака, не видя человека, вошла в сарай и понюхала заднюю ногу лошади. Потом она зарычала, впилась пастью в мясо и вырвала себе говядину. Оба глаза лошади забелели в темноте, она поглядела ими обоими и переступила ногами шаг вперед, не забыв еще от чувства боли жить.

— Может, ты в колхоз пойдешь? Ступай тогда, а я подожду,— сказал хозяин двора.

Он взял клок сена из угла и поднес лошади ко рту. Глазные места у кобылы стали темными, она уже смежила последнее зрение, но еще чуяла запах травы, потому что ноздри ее шевельнулись и рот распался надвое, хотя жевать не мог. Жизнь ее уменьшалась все дальше, сумев дважды возвратиться на боль и еду. Затем ноздри ее уже не повелись от сена, и две новые собаки равнодушно отъедали ногу позади, но жизнь лошади еще была цела — она лишь беднела в дальней нищете, делилась все более мелко и не могла утомиться.

Снег падал на холодную землю, собираясь остаться в зиму; мирный покров застелил на сон грядущий всю видимую землю, только вокруг хлевов снег растаял и земля была черна, потому что теплая кровь коров и овец вышла из-под огорож наружу и летние места оголились. Ликвидировав весь последний дышащий живой инвентарь, мужики стали есть говядину и всем домашним также наказывали ее кушать; говядину в то краткое время ели, как причастие,— есть никто не хотел, но надо было спрятать плоть родной убоины в свое тело и сберечь ее там от обобществления. Иные расчетливые мужики давно опухли от мясной еды и ходили тяжко, как двигающиеся сараи; других же рвало беспрерывно, но они не могли расстаться со скотиной и уничтожали ее до костей, не ожидая пользы желудка. Кто вперед успел поесть свою живность или кто отпустил ее в колхозное заключение, тот лежал в пустом гробу и жил в нем, как на тесном дворе, чувствуя огороженный покой.

Чиклин оставил заготовку плота в такую ночь. Вощев тоже настолько ослабел телом без идеологии, что не мог поднять топора и лег в снег: все равно истины нет на свете или, быть может, она и была в каком-нибудь растении или в героической твари, но шел дорожный нищий и съел то растение или растоптал гнетущуюся низом тварь, а сам умер затем в осеннем овраге, и тело его выдул ветер в ничто.

Активист видел с Оргдвора, что плот не готов; однако он должен был завтрашним утром отправить в район пакет с итоговым отчетом, поэтому дал немедленный свисток к общему учредительному собранию. Народ выступил со дворов на этот звук и всем неорганизованным еще составом явился на площадь Оргдвора. Бабы уже не плакали и высохли лицом, мужики тоже держались самозабвенно, готовые организоваться навеки. Приблизившись друг к другу, люди стали без слова всей середняцкой гущей и загляделись на крыльцо, на котором находился активист с фонарем в руке,— от этого собственного света он не видел разной мелочи на лицах людей, но зато его самого наблюдали все с ясностью.

— Готовы, что ль? — спросил активист.

— Подожди,— сказал Чиклин активисту.— Пусть они попрощаются до будущей жизни.

Мужики было приготовились к чему-то, но один из них произнес в тишине:

— Дай нам еще одно мгновенье времени!

И сказав последние слова, мужик обнял соседа, поцеловал его трижды и попрощался с ним.

— Прощай, Егор Семеныч!

— Не в чем, Никанор Петрович: ты меня тоже прости.

Каждый начал целоваться со всею очередью людей, обнимая чужое доселе тело, и все уста грустно и дружелюбно целовали каждого.

— Прощай, тетка Дарья, не обижайся, что я твою ригу сжег.

— Бог простит, Алеша, теперь рига все одно не моя.

Многие, прикоснувшись взаимными губами, стояли в таком чувстве некоторое время, чтобы навсегда запомнить новую родню, потому что до этой поры они жили без памяти друг о друге и без жалости.

— Ну, давай, Степан, побратаемся.

— Прощай, Егор, жили мы люто, а кончаемся по совести.

После целованья люди поклонились в землю — каждый всем, и встали на ноги, свободные и пустые сердцем.

— Теперь мы, товарищ актив, готовы, пиши нас всех в одну графу, а кулаков мы сами тебе покажем.

Но активист еще прежде обозначил всех жителей — кого в колхоз, а кого на плот.

— Иль сознательность в вас заговорила? — сказал он.— Значит, отозвалась массовая работа актива! Вот она, четкая линия в будущий свет!

Чиклин здесь вышел на высокое крыльцо и потушил фонарь активиста — ночь и без керосина была светла от свежего снега.

— Хорошо вам теперь, товарищи? — спросил Чиклин.

— Хорошо,— сказали со всего Оргдвора.— Мы ничего теперь не чуем, в нас один прах остался.

Вощев лежал в стороне и никак не мог заснуть без покоя истины внутри своей жизни, тогда он встал со снега и вошел в среду людей.

— Здравствуйте! — сказал он колхозу, обрадовавшись.— Вы стали теперь, как я, я тоже ничто.

— Здравствуй! — обрадовался весь колхоз одному человеку.

Чиклин тоже не мог стерпеть быть отдельно на крыльце, когда люди стояли вместе снизу; он опустился на землю, разжег костер из плетневого материала, и все начали согреваться от огня.

Ночь стояла смутно над людьми, и больше никто не произносил слова, только слышалось, как по-старинному брехала собака на чужой деревне, точно она существовала в постоянной вечности.

...Очнулся Чиклин первым, потому что вспомнил что-то насущное, но, открыв глаза, все забыл. Перед ним стоял Елисей и держал Настю на руках. Он уже держал девочку часа два, пугаясь разбудить Чиклина, а девочка спокойно спала, греясь на его теплой, сердечной груди.

— Не замучил ребенка-то? — спросил Чиклин.

— Я не смею,— сказал Елисей.

Настя открыла глаза на Чиклина и заплакала по нем; она думала, что в мире все есть взаправду и навсегда, и если ушел Чиклин, то она уже больше нигде не найдет его на свете. В бараке Настя часто видела Чиклина во сне и даже не хотела спать, чтобы не мучиться наутро, когда оно настанет без него.

Чиклин взял девочку на руки.

— Тебе ничего было?

— Ничего,— сказала Настя.— А ты здесь колхоз сделал? Покажи мне колхоз!

Поднявшись с земли, Чиклин приложил голову Насти к своей шее и пошел раскулачивать.

— Жачев-то не обижал тебя?

— Как же он обидит меня, когда я в социализме останусь, а он скоро помрет!

— Да пожалуй, что и не обидит! — сказал Чиклин и обратил внимание на многолюдство. Посторонний, пришлый народ расположился кучами и малыми массами по Оргдвору, тогда как колхоз еще спал общим скоплением близ ночного, померкшего костра. По колхозной улице также находились нездешние люди; они молча стояли в ожидании той радости, за которой их привели сюда Елисей и другие колхозные пешеходы. Некоторые странники обступили Елисея и спрашивали его:

— Где же колхозное благо — иль мы даром шли? Долго ли нам бродить без остановки?

— Раз вас привели, то актив знает,— ответил Елисей.

— А твой актив спит, должно быть?

— Актив спать не может,— сказал Елисей.

Активист вышел на крыльцо со своими сподручными, и рядом с ним был Прушевский, а Жачев полз позади всех. Прушевского послал в колхоз товарищ Пашкин, потому что Елисей проходил вчера мимо котлована и ел кашу у Жачева, но от отсутствия своего ума не мог сказать ни одного слова. Узнав про то, Пашкин решил во весь темп бросить Прушевского на колхоз как кадр культурной революции, ибо без ума организованные люди жить не должны, а Жачев отправился по своему желанию как урод, и поэтому они явились втроем с Настей на руках, не считая еще тех подорожных мужиков, которым Елисей велел идти вслед за собой, чтобы ликовать в колхозе.

— Ступайте скорее плот кончайте,— сказал Чиклин Прушевскому,— а я скоро обратно к вам поспею.

Елисей пошел вместе с Чиклиным, чтобы указать ему самого угнетенного батрака, который почти спокон века работал даром на имущих дворах, а теперь трудится молотобойцем в колхозной кузне и получает пищу и приварок как кузнец второй руки; однако этот молотобоец не числился членом колхоза, а считался наемным лицом, и профсоюзная линия, получая сообщения об этом официальном батраке, одном во всем районе, глубоко тревожилась. Пашкин же и вовсе грустил о неизвестном пролетарии района и захотел как можно скорее избавить его от угнетения.

Около кузницы стоял автомобиль и жег бензин на одном месте. С него только что сошел прибывший вместе с супругой Пашкин, чтобы с активной жадностью обнаружить здесь остаточного батрака и, снабдив его лучшей долей жизни, распустить затем райком союза за халатность обслуживания членской массы. Но еще Чиклин и Елисей не дошли до кузни, как товарищ Пашкин уже вышел из помещения и отбыл на машине обратно, опустив только голову в кузов, будто не зная, как ему теперь быть. Супруга товарища Пашкина из машины не выходила вовсе: она лишь берегла своего любимого человека от встречных женщин, обожающих власть ее мужа и принимавших твердость его руководства за силу любви, которую он может им дать.

Чиклин с Настей на руках вошел в кузню; Елисей же остался постоять снаружи. Кузнец качал мехом воздух в горн, а медведь бил молотом по раскаленной железной полосе на наковальне.

— Скорее, Миш, а то мы с тобой ударная бригада! — сказал кузнец.

Но медведь и без того настолько усердно старался, что пахло паленой шерстью, сгорающей от искр металла, а медведь этого не чувствовал.

— Ну, теперь будя! — определил кузнец.

Медведь перестал колотить и, отошедши, выпил от жажды полведра воды. Утеряв затем свое утомленно-пролетарское лицо, медведь плюнул в лапу и снова приступил к труду молотобойца. Сейчас ему кузнец положил ковать подкову для одного единоличника из окрестностей колхоза.

— Миш, это надо кончить поживей: вечером хозяин приедет — жидкость будет! — И кузнец показал на свою шею, как на трубу для водки. Медведь, поняв будущее наслаждение, с большей охотой начал делать подкову.— А ты, человек, зачем пришел? — спросил кузнец у Чиклина.

— Отпусти молотобойца кулаков показать: говорят, у него стаж велик.

Кузнец поразмышлял немного о чем-то и сказал:

— А ты согласовал с активом вопрос? Ведь в кузне есть промфинплан, а ты его срываешь!

— Согласовал вполне,— ответил Чиклин.— А если план твой сорвется, так я сам приду к тебе его подымать... Ты слыхал про араратскую гору — так я ее наверняка бы насыпал, если б клал землю своей лопатой в одно место!

— Нехай тогда идет,— выразился кузнец про медведя.— Ступай на Оргдвор и вдарь в колокол, чтоб Мишка обеденное время услыхал, а то он не тронется — он у нас дисциплину обожает.

Пока Елисей равнодушно ходил на Оргдвор, медведь сделал четыре подковы и просил еще трудиться. Но кузнец послал его за дровами, чтобы нажечь из них потом углей, и медведь принес целый подходящий плетень. Настя, глядя на почерневшего, обгорелого медведя, радовалась, что он за нас, а не за буржуев.

— Он ведь тоже мучается, он, значит, наш, правда ведь? — говорила Настя.

— А то как же! — отвечал Чиклин.

Раздался гул колокола, и медведь мгновенно оставил без внимания свой труд — до того он ломал плетень на мелкие части, а теперь сразу выпрямился и надежно вздохнул: шабаш, дескать. Опустив лапы в ведро с водой, чтоб отмыть на них чистоту, он затем вышел вон для получения еды. Кузнец ему указал на Чиклина, и медведь спокойно пошел за человеком, привычно держась впрямую, на одних задних лапах. Настя тронула медведя за плечо, а он тоже коснулся слегка ее лапой и зевнул всем ртом, откуда запахло прошлой пищей.

— Смотри, Чиклин, он весь седой!

— Жил с людьми — вот и поседел от горя.

Медведь обождал, пока девочка вновь посмотрит на него и, дождавшись, зажмурил для нее один глаз; Настя засмеялась, а молотобоец ударил себя по животу так, что у него что-то там забурчало, отчего Настя засмеялась еще лучше, медведь же не обратил на малолетнюю внимания.

Около одних дворов идти было так же прохладно, как и по полю, а около других чувствовалась теплота. Коровы и лошади лежали в усадьбах с разверзтыми тлеющими туловищами — и долголетний, скопленный под солнцем жар жизни еще выходил из них в воздух, в общее зимнее пространство. Уже много дворов миновали Чиклин и молотобоец, а кулачество что-то нигде не ликвидировали.

Снег, изредка опускавшийся дотоле с верхних мест, теперь пошел чаще и жестче,— какой-то набредший ветер начал производить вьюгу, что бывает, когда устанавливается зима. Но Чиклин и медведь шли сквозь снежную секущую частоту прямым уличным порядком, потому что Чиклину невозможно было считаться с настроением природы; только Настю Чиклин спрятал от холода за пазуху, оставив снаружи лишь ее голову, чтоб она не скучала в темном тепле. Девочка все время следила за медведем, ей было хорошо, что животные тоже есть рабочий класс, а молотобоец глядел на нее как на забытую сестру, с которой он жировал у материнского живота в летнем лесу своего детства. Желая обрадовать Настю, медведь посмотрел вокруг — чего бы это схватить или выломать ей для подарка? Но никакого мало-мальски счастливого предмета не было вблизи кроме глиносоломенных жилищ и плетней. Тогда молотобоец вгляделся в снежный ветер и быстро выхватил из него что-то маленькое, а затем поднес сжатую лапу к Настиному лицу. Настя выбрала из его лапы муху, зная, что мух теперь тоже нету — они умерли еще в конце лета. Медведь начал гоняться за мухами по всей улице,— мухи летели целыми тучами, перемежаясь с несущимся снегом.

— Отчего бывают мухи, когда зима? — спросила Настя.

— От кулаков, дочка! — сказал Чиклин.

Настя задушила в руке жирную кулацкую муху, подаренную ей медведем, и сказала еще:

— А ты убей их как класс! А то мухи зимой будут, а летом нет: птицам нечего есть станет.

Медведь вдруг зарычал около прочной, чистой избы и не хотел идти дальше, забыв про мух и девочку. Бабье лицо уставилось в стекло окна, и по стеклу поползла жидкость слез, будто баба их держала все время наготове. Медведь открыл пасть на видимую бабу и взревел еще яростней, так что баба отскочила внутрь жилища.

— Кулачество! — сказал Чиклин и, вошедши на двор, открыл изнутри ворота. Медведь тоже шагнул через черту владения на усадьбу.

Чиклин и молотобоец освидетельствовали вначале хозяйственные укромные места. В сарае, засыпанные мякиной, лежали четыре или больше мертвые овцы. Когда медведь тронул одну овцу ногой, из нее поднялись мухи: они жили себе жирующим способом в горячих говяжьих щелях овечьего тела и, усердно питаясь, сыто летали среди снега, нисколько не остужаясь от него.

Из сарая наружу выходил дух теплоты, и в трупных скважинах убоины, наверно, было жарко, как летом в тлеющей торфяной земле, и мухи жили там вполне нормально. Чиклину стало тяжко в большом сарае, ему казалось, что здесь топятся банные печи, а Настя зажмурила от вони глаза и думала, почему в колхозе зимой тепло и нету четырех времен года, про какие ей рассказывал Прушевский на котловане, когда на пустых осенних полях прекратилось пение птиц.

Молотобоец пошел из сарая в избу и, заревев в сенях враждебным голосом, выбросил через крыльцо вековой громадный сундук, откуда посыпались швейные катушки.

Чиклин застал в избе одну бабу и еще мальчишку; мальчишка дулся на горшке, а мать его, присев, разгнездилась среди горницы, будто все вещество из нее опустилось вниз; она уже не кричала, а только открыла рот и старалась дышать.

— Мужик, а мужик! — начала звать она, не двигаясь от немощи горя.

— Чего? — отозвался голос с печки; потом там заскрипел рассохшийся гроб и вылез хозяин.

— Пришли,— сказывала постепенно баба,— иди встречай... Головушка моя горькая!

— Прочь! — приказал Чиклин всему семейству.

Молотобоец попробовал мальчишку за ухо и тот вскочил с горшка, а медведь, не зная, что это такое, сам сел для пробы на низкую посуду.

Мальчик стоял в одной рубашке и, соображая, глядел на сидящего медведя.

— Дядь, отдай какашку! — попросил он, но молотобоец тихо зарычал на него, тужась от неудобного положения.

— Прочь! — произнес Чиклин кулацкому населению.

Медведь, не трогаясь с горшка, издал из пасти звук, и зажиточный ответил:

— Не шумите, хозяева, мы сами уйдем.

Молотобоец вспомнил, как в старинные года он корчевал пни на угодьях этого мужика и ел траву от безмолвного голода, потому что мужик давал ему пищу только вечером — что оставалось от свиней, а свиньи ложились в корыто и съедали медвежью порцию во сне. Вспомнив такое, медведь поднялся с посуды, обнял поудобней тело мужика и, сжав его с силой, что из человека вышло нажитое сало и пот, закричал ему в голову на разные голоса — от злобы и наслышки молотобоец мог почти разговаривать.

Зажиточный, обождав, пока медведь отдастся от него, вышел как есть на улицу и уже прошел мимо окна снаружи,— только тогда баба помчалась за ним, а мальчик остался в избе без родных. Постояв в скучном недоумении, он схватил горшок с пола и побежал с ним за отцом-матерью.

— Он очень хитрый,— сказала Настя про этого мальчика, унесшего свой горшок.

Дальше кулак встречался гуще. Уже через три двора медведь зарычал снова, обозначая присутствие здесь своего классового врага. Чиклин отдал Настю молотобойцу и вошел в избу один.

— Ты чего, милый, явился? — спросил ласковый, спокойный мужик.

— Уходи прочь! — ответил Чиклин.

— А что, ай я чем не угодил?

— Нам колхоз нужен, не разлагай его!

Мужик не спеша подумал, словно находился в душевной беседе.

— Колхоз вам не годится...

— Прочь, гада!

— Ну что ж, вы сделаете изо всей республики колхоз, а вся республика-то будет единоличным хозяйством!

У Чиклина захватило дыхание, он бросился к двери и открыл ее, чтоб видна была свобода,— он также когда-то ударился в замкнувшуюся дверь тюрьмы, не понимая плена, и закричал от скрежещущей силы сердца. Он отвернулся от рассудительного мужика, чтобы тот не участвовал в его преходящей скорби, которая касается лишь одного рабочего класса.

— Не твое дело, стервец! Мы можем царя назначить, когда нам полезно будет, и можем сшибить его одним вздохом... А ты — исчезни!

Здесь Чиклин перехватил мужика поперек и вынес его наружу, где бросил в снег, мужик от жадности не был женатым, расходуя всю свою плоть в скоплении имущества, в счастье надежности существования, и теперь не знал, что ему чувствовать.

— Ликвидировали?! — сказал он из снега.— Глядите, нынче меня нету, а завтра вас не будет. Так и выйдет, что в социализм придет один ваш главный человек!

Через четыре двора молотобоец опять ненавистно заревел. Из дома выскочил бедный житель с блином в руках. Но медведь знал, что этот хозяин бил его древесным корнем, когда он переставал от усталости водить жернов за бревно. Этот мужичишка заставил на мельнице работать вместо ветра медведя, чтобы не платить налога, а сам скулил всегда по-батрацки и ел с бабой под одеялом. Когда его жена тяжелела, то мельник своими руками совершал ей выкидыш, любя лишь одного большого сына, которого он давно определил в городские коммунисты.

— Покушай, Миша! — подарил мужик блин молотобойцу.

Медведь обернул блином лапу и ударил через эту печеную прокладку кулака по уху, так что мужик вякнул ртом и повалился.

— Опорожняй батрацкое имущество! — сказал Чиклин лежачему.— Прочь с колхоза и не сметь более жить на свете!

Зажиточный полежал вначале, а потом опомнился.

— А ты покажь мне бумажку, что ты действительное лицо!

— Какое я тебе лицо? — сказал Чиклин.— Я никто; у нас партия — вот лицо!

— Покажи тогда хоть партию, хочу рассмотреть.

Чиклин скудно улыбнулся.

— В лицо ты ее не узнаешь, я сам ее еле чувствую. Являйся нынче на плот, капитализм, сволочь!

— Пусть он едет по морям: нынче здесь, а завтра там, правда ведь? — произнесла Настя.— Со сволочью нам скучно будет!

Дальше Чиклин и молотобоец освободили еще шесть изб, нажитых батрацкой плотью, и возвратились на Оргдвор, где стояли в ожидании чего-то очищенные от кулачества массы.

Сверив прибывший кулацкий класс со своей расслоечной ведомостью, активист нашел полную точность и обрадовался действию Чиклина и кузнечного молотобойца. Чиклин также одобрил активиста.

— Ты сознательный молодец,— сказал он,— ты чуешь классы, как животное.

Медведь не мог выразиться и, постояв отдельно, пошел на кузню сквозь падающий снег, в котором жужжали мухи; одна только Настя смотрела ему вслед и жалела этого старого, обгорелого, как человека.

Прушевский уже справился с доделкой из бревен плота, а сейчас глядел на всех с готовностью.

— Гадость ты,— говорил ему Жачев.— Чего глядишь, как оторвавшийся? Живи храбрее — жми друг дружку, а деньги в кружку! Ты думаешь, это люди существуют? Ого! Это одна наружная кожа, до людей нам далеко идти, вот чего мне жалко!

По слову активиста кулаки согнулись и стали двигать плот в

упор на речную долину. Жачев же пополз за кулачеством, чтобы обеспечить ему надежное отплытие в море по течению и сильнее успокоиться в том, что социализм будет, что Настя получит его в свое девичье приданое, а он, Жачев, скорее погибнет как уставший предрассудок.

Ликвидировав кулаков вдаль, Жачев не успокоился, ему стало даже труднее, хотя неизвестно отчего. Он долго наблюдал, как систематически уплывал плот по снежной текущей реке, как вечерний ветер шевелил темную, мертвую воду, льющуюся среди охладелых угодий в свою отдаленную пропасть, и ему делалось скучно, печально в груди. Ведь слой грустных уродов не нужен социализму, и его вскоре также ликвидируют в далекую тишину.

Кулачество глядело с плота в одну сторону — на Жачева; люди хотели навсегда заметить свою родину и последнего, счастливого человека на ней.

Вот уже кулацкий речной эшелон начал заходить на повороте за береговой кустарник, и Жачев начал терять видимость классового врага.

— Эй, паразиты, прощай! — закричал Жачев по реке.

— Про-щай-ай! — отозвались уплывающие в море кулаки.

С Оргдвора заиграла призывающая вперед музыка; Жачев поспешно полез по глинистой круче на торжество колхоза, хотя и знал, что там ликуют одни бывшие участники империализма, не считая Насти и прочего детства.

Активист выставил на крыльцо Оргдома рупор радио, и оттуда звучал марш великого похода, а весь колхоз вместе с окрестными пешими гостями радостно топтался на месте. Колхозные мужики были светлы лицом, как вымытые, им стало теперь ничего не жалко, безвестно и прохладно в душевной пустоте. Елисей, когда сменилась музыка, вышел на среднее место, вдарил подошвой и затанцевал по земле, ничуть при этом не сгибаясь и не моргая белыми глазами; он ходил как стержень — один среди стоячих,— четко работая костями и туловищем. Постепенно мужики рассопелись и начали охаживать вокруг друг друга, а бабы весело подняли руки и пошли двигать ногами под юбками. Гости скинули сумки, кликнули к себе местных девушек и понеслись понизу, бодро шевелясь, а для своего угощенья целовали подружек-колхозниц. Радиомузыка все более тревожила жизнь; пассивные мужики кричали возгласы довольства, более передовые всесторонне развивали дальнейший темп праздника, и даже обобществленные лошади, услышав гул человеческого счастья, пришли поодиночке на Оргдвор и стали ржать.

Снежный ветер утих; неясная луна выявилась на дальнем небе, опорожненном от вихрей и туч, на небе, которое было так пустынно, что допускало вечную свободу, и так жутко, что для свободы нужна была дружба.

Под этим небом, на чистом снегу, уже засиженном кое-где

мухами, весь народ товарищески торжествовал. Давно живущие на свете люди и те стронулись и топтались, не помня себя.

— Эх ты, эсесерша наша мать! — кричал в радости один забвенный мужик, показывая ухватку и хлопая себя по пузу, щекам и по рту.— Охаживай, ребята, наше царство-государство: она незамужняя!

— Она девка иль вдова? — спросил на ходу танца окрестный гость.

— Девка! — объяснил двигающийся мужик.— Аль не видишь, как мудрит?!

— Пускай ей помудрится! — согласился тот же пришлый гость.— Пускай посдобничает! А потом мы из нее сделаем смирную бабу: добро будет!

Настя сошла с рук Чиклина и тоже топталась около мчавшихся мужиков, потому что ей хотелось. Жачев ползал между всеми, подсекая под ноги тех, которые ему мешали, а гостевому мужику, желавшему девочку-эсесершу выдать замуж мужику, Жачев дал в бок, чтоб он не надеялся.

— Не сметь думать что попало! Иль хочешь речной самотек заработать? Живо сядешь на плот!

Гость уж испугался, что он явился сюда.

— Боле, товарищ калека, ничто не подумаю. Я теперь шептать буду.

Чиклин долго глядел в ликующую гущу народа и чувствовал покой добра в своей груди; с высоты крыльца он видел лунную чистоту далекого масштаба, печальность замершего света и покорный сон всего мира, на устройство которого пошло столько труда и мученья, что всеми забыто, чтобы не знать страха жить дальше.

— Настя, ты не стынь долго, иди ко мне,— позвал Чиклин.

— Я ничуть не озябла, тут ведь дышат,— сказала Настя, бегая от ласково ревущего Жачева.

— Ты три руки, а то окоченеешь: воздух большой, а ты маленькая!

— Я уже их терла: сиди молчи!

Радио вдруг среди мотива перестало играть. Народ же остановиться не мог, пока активист не сказал:

— Стой до очередного звука!

Прушевский сумел в краткое время поправить радио, но оттуда послышалась не музыка, а лишь человек.

— Слушайте наши сообщения: заготовляйте ивовое корье!..

И здесь радио опять прекратилось. Активист, услышав сообщение, задумался для памяти, чтобы не забыть об ивово-корьевой кампании и не прослыть на весь район упущенцем, как с ним совершилось в прошлый раз, когда он забыл про организацию для кустарника, а теперь весь колхоз сидит без прутьев. Прушевский снова начал чинить радио, и прошло время, пока инженер охладевшими руками тщательно слаживал механизм; но ему не давалась работа, потому что он не был уверен — предоставит ли радио бедноте утешение и прозвучит ли для него самого откуда-нибудь милый голос.

Полночь, наверно, была уже близка; луна высоко находилась над плетнями и над смирной старческой деревней, и мертвые лопухи блестели, покрытые мелким смерзшимся снегом. Одна заблудившаяся муха попробовала было сесть на ледяной лопух, но сразу оторвалась и полетела, зажужжав в высоте лунного света, как жаворонок под солнцем.

Колхоз, не прекращая топчущейся, тяжкой пляски, тоже постепенно запел слабым голосом. Слов в этой песне понять было нельзя, но все же в них слышалось жалобное счастье и напев бредущего человека.

— Жачев! — сказал Чиклин.— Ступай прекрати движенье, умерли они, что ли, от радости: пляшут и пляшут.

Жачев уполз с Настей в Оргдом и, устроив ее там спать, выбрался обратно.

— Эй, организованные, достаточно вам танцевать: обрадовались, сволочь!

Но увлеченный колхоз не принял жачевского слова и веско топтался, покрывая себя песней.

— Заработать от меня захотели? Сейчас получите!

Жачев сполз с крыльца, внедрился среди суетящихся ног и начал спроста брать людей за нижние концы и опрокидывать для отдыха на землю. Люди валились, как порожние штаны; Жачев даже сожалел, что они, наверно, не чувствуют его рук и враз замолкают.

— Где же Вощев? — беспокоился Чиклин.— Чего он ищет вдалеке, мелкий пролетарий?

Не дождавшись Вощева, Чиклин пошел его искать после полуночи. Он миновал всю пустынную улицу деревни до самого конца, и нигде не было заметно человека, лишь медведь храпел в кузне на всю лунную окрестность да изредка покашливал кузнец.

Тихо было кругом и прекрасно. Чиклин остановился в недоуменном помышлении. По-прежнему покорно храпел медведь, собирая силы для завтрашней работы и для нового чувства жизни. Он больше не увидит мучившего его кулачества и обрадуется своему существованию. Теперь, наверно, молотобоец будет бить по подковам и шинному железу с еще большим сердечным усердием, раз есть на свете неведомая сила, которая оставила в деревне только тех средних людей, какие ему нравятся, какие молча делают полезное вещество и чувствуют частичное счастье: весь же точный смысл жизни и всемирное счастье должны томиться в груди роющего землю пролетарского класса, чтобы сердца молотобойца и Чиклина лишь надеялись и дышали, чтоб их трудящаяся рука была верна и терпелива.

Чиклин в заботе закрыл чьи-то распахнутые ворота, потом осмотрел уличный порядок — цело ли все, и, заметив пропадающий на дороге армяк, поднял его и снес в сени ближней избы: пусть хранится для трудового блага.

Склонившись корпусом от доверчивой надежды, Чиклин пошел по дворовым задам — смотреть Вощева дальше. Он перелезал через плетневые устройства, проходил мимо глиняных стен жилищ, укреплял накренившиеся колья и постоянно видел, как от тощих загородок сразу начиналась бесконечная порожняя зима. Настя смело может застынуть в таком чужом мире, потому что земля состоит не для зябнущего детства: только такие, как молотобоец, могли вытерпеть здесь свою жизнь, и то поседели от нее. «Я еще не рожался, а ты уж лежала, бедная, неподвижная моя! — сказал вблизи голос Вощева, человека.— Значит, ты давно терпишь: иди греться!»

Чиклин повернул голову вкось и заметил, что Вощев нагнулся за деревом и кладет что-то в мешок, который был уже полон.

— Ты чего, Вощев?

— Так,— сказал тот и, завязав мешку горло, положил себе на спину этот груз.

Они пошли вдвоем ночевать на Оргдвор. Луна склонилась уже далеко ниже, деревня стояла в черных тенях, все глухо смолкло, лишь одна сгустившаяся от холода река шевелилась в обжитых сельских берегах.

Колхоз непоколебимо спал на Оргдворе. В Оргдоме горел огонь безопасности — одна лампа на всю потухшую деревню; у лампы сидел активист за умственным трудом, он чертил графы ведомости, куда хотел занести все данные бедняцко-середняцкого благоустройства, чтоб уже была вечная, формальная картина и опыт как основа.

— Запиши и мое добро! — попросил Вощев, распаковывая мешок.

Он собрал по деревне все нищие, отвергнутые предметы, всю мелочь безвестности и всякое беспамятство — для социалистического отмщения. Эта истершаяся терпеливая ветхость некогда касалась батрацкой, кровной плоти, в этих вещах запечатлена навеки тягость согбенной жизни, истраченной без сознательного смысла и погибшей без славы где-нибудь под соломенной рожью земли. Вощев, не полностью соображая, со скупостью скопил в мешок вещественные остатки потерянных людей, живших, подобно ему, без истины и которые скончались ранее победного конца. Сейчас он предъявлял тех ликвидированных тружеников к лицу власти и будущего, чтобы посредством организации вечного смысла людей добиться отмщения — за тех, кто тихо лежит в земной глубине.

Активист стал записывать прибывшие с Вощевым вещи, организовав особую боковую графу под названием «перечень ликвидированного насмерть кулака как класса, пролетариатом, согласно имущественно-выморочного остатка». Вместо людей активист записывал признаки существования: лапоть прошедшего века, оловянную серьгу от пастушьего уха, штанину из рядна и разное другое снаряжение трудящегося, но неимущего тела.

К тому времени Жачев, спавший с Настей на полу, сумел нечаянно разбудить девочку.

— Отверни рот: ты зубы, дурак, не чистишь,— сказала Настя загородившему ее от дверного холода инвалиду.— И так у тебя буржуи ноги отрезали, ты хочешь, чтоб и зубы попадали?

Жачев с испугом закрыл рот и начал гонять воздух носом. Девочка потянулась, оправила теплый платок на голове, в котором она спала, но заснуть не могла, потому что разгулялась.

— Это утильсырье принесли? — спросила она про мешок Вощева.

— Нет,— сказал Чиклин,— это тебе игрушки собрали. Вставай выбирать.

Настя встала в свой рост, потопталась для развития и, опустившись на месте, обхватила раздвинутыми ногами зарегистрированную кучу предметов. Чиклин составил ей лампу со стола на пол, чтоб девочка лучше видела то, что ей понравится; активист же и в темноте писал без ошибки.

Через некоторое время активист спустил на пол ведомость, дабы ребенок пометил, что он получил сполна все нажитое имущество безродно умерших батраков и будет пользоваться им впрок. Настя медленно нарисовала на бумаге серп и молот и отдала ведомость назад.

Чиклин снял с себя стеганую ватную кофту, разулся и ходил по полу в чулках довольный и мирный, что некому теперь отнять у Насти ее долю жизни на свете, что течение рек идет лишь в пучины морские и уплывшие на плоту не вернутся мучить молотобойца — Михаила; те же безымянные люди, от которых остались только лапти и оловянные серьги, не должны вечно тосковать в земле, но и подняться они не могут.

— Прушевский,— обратился Чиклин.

— Я,— ответил инженер, он сидел в углу, опершись туда спиной, и равнодушно дремал. Сестра ему давно ничего не писала; если она умерла, то он решил уехать стряпать пищу на ее детей, чтобы истомить себя до потери души и скончаться когда-нибудь старым, привыкшим нечувствительно жизнь человеком, это одинаково, что умереть теперь, но еще грустнее; он может, если поедет, жить за сестру, дольше и печальней помнить ту прошедшую в его молодости девушку, сейчас уже едва ли существующую. Прушевский хотел, чтобы еще немного побыла на свете, хотя бы в одном его тайном чувстве, взволнованная юная женщина, забытая всеми, если погибла, стряпающая детям щи, если жива.

— Прушевский! Сумеют или нет успехи высшей науки воскресить назад сопревших людей?

— Нет,— сказал Прушевский.

— Врешь,— упрекнул Жачев, не открывая глаз.— Марксизм все сумеет. Отчего ж тогда Ленин в Москве целым лежит? Он науку ждет — воскреснуть хочет. А я б и Ленину нашел работу,— сообщил Жачев.— Я б ему указал, кто еще добавочно получить должен кое-что! Я почему-то любую стерву с самого начала вижу!

— Ты дурак потому что,— объяснила Настя, копаясь в батрацких остатках,— ты только видишь, а надо трудиться. Правда ведь, дядя Вощев?

Вощев уже успел покрыться пустым мешком и лежал, прислушиваясь к биению своего бестолкового сердца, которое тянуло все его тело в какую-то нежелательную даль жизни.

— Неизвестно,— ответил Вощев Насте.— Трудись и трудись, а когда дотрудишься до конца, когда узнаешь все, то уморишься и помрешь. Не расти, девочка, затоскуешь!

Настя осталась недовольна.

— Умирать должны одни кулаки, а ты — дурак. Жачев, сторожи меня опять, я спать захотела.

— Иди, девочка,— отозвался Жачев.— Иди ко мне от подкулачника: он заработать захотел — завтра получит!

Все смолкли, в терпении продолжая ночь, лишь активист немолчно писал, и достижения все более расстилались перед его сознательным умом, так что он уже полагал про себя: «Ущерб приносишь Союзу, пассивный дьявол, мог бы весь район отправить на коллективизацию, а ты в одном колхозе горюешь; пора уж целыми эшелонами население в социализм отправлять, а ты все узкими масштабами стараешься. Эх горе!»

Из лунной чистой тишины в дверь постучала чья-то негромкая рука, и в звуках той руки был еще слышен страх-пережиток.

— Входи, заседанья нету,— сказал активист.

— Да то-то,— ответил оттуда человек, не входя.— А я думал, вы думаете.

— Входи, не раздражай меня,— промолвил Жачев.

Вошел Елисей; он уже выспался на земле, потому что глаза его потемнели от внутренней крови, и окреп от привычки быть организованным.

— Там медведь стучит в кузне и песню рычит, весь колхоз глаза открыл, нам без тебя жутко стало!

— Надо пойти справиться,— решил активист.

— Я сам схожу,— определил Чиклин.— Сиди записывай получше: твое дело — учет.

— Это — пока я дурак! — предупредил активиста Жачев.— Но скоро мы всех разактивим: дай только массам измучиться, дай детям подрасти!

Чиклин пошел в кузню. Велика и прохладна была ночь над ним, бескорыстно светили звезды над снежной чистотою земли и широко раздавались удары молотобойца, точно медведь застыдился спать под этими ожидающими звездами и отвечал им чем мог. «Медведь — правильный пролетарский старик»,— мысленно уважал Чиклин. Далее молотобоец удовлетворенно и протяжно начал рычать, сообщая вслух какую-то счастливую песню.

Кузница была открыта в лунную ночь на всю земную светлую поверхность, в горне горел дующий огонь, который поддерживал сам кузнец, лежа на земле и потягивая веревку мехом. А молотобоец, вполне довольный, ковал горячее шинное железо и пел песню.

— Ну никак заснуть не дает,— пожаловался кузнец.— Встал, разревелся, я ему горно зажег, а он и пошел бузовать... Всегда был покоен, а нынче как с ума сошел!

— Отчего ж такое? — спросил Чиклин.

— Кто его знает. Вчера вернулся с раскулачки, так все топтался и по-хорошему бурчал. Угодили, стало быть, ему. А тут еще проходил один подактивный — взял и материю пришил на плетень. Вот Михаил глядит все туда и соображает чего-то. Кулаков, дескать, нету, а красный лозунг от этого висит. Вижу, входит что-то в его ум и там останавливается...

— Ну, ты спи, а я подумаю,— сказал Чиклин. Взяв веревку, он стал качать воздух в горн, чтоб медведь готовил шины на колеса для колхозной езды.

Поближе к утренней заре гостевые вчерашние мужики стали расходиться в окрестность. Колхозу же некуда было уйти, и он, поднявшись с Оргдвора, начал двигаться к кузне, откуда слышалась работа молотобойца. Прушевский и Вощев также явились со всеми совместно и глядели, как Чиклин помогает медведю. Около кузни висел на плетне возглас, нарисованный по флагу: «За партию, за верность ей, за ударный труд, пробивающий пролетариату двери в будущее».

Уставая, молотобоец выходил наружу и ел снег для своего охлаждения, а потом опять всаживал молот в мякоть железа, все более увеличивая частоту ударов; петь молотобоец уже вовсе перестал — всю свою яростную безмолвную радость он расходовал в усердие труда, а колхозные мужики постепенно сочувствовали ему и коллективно крякали во время звука кувалды, чтоб шины были прочней и надежней. Елисей, когда присмотрелся, то дал молотобойцу совет:

— Ты, Миш, бей с отжошкой, тогда шина хрустка не будет и не лопнет. А ты лучше по железу, как по стерве, а оно ведь тоже добро! Так — не дело!

Но медведь открыл на Елисея рот, и Елисей отошел прочь, тоскуя о железе. Однако и другие мужики тоже не могли более терпеть порчи.

— Слабже бей, черт! — загудели они.— Не гадь всеобщего: теперь имущество что сирота, пожалеть некому... Да тише ты, домовой!

— Что ты так содишь по железу?! Что оно — единоличное, что ль?

— Выйди остынь, дьявол! Уморись, идол шерстяной!

— Вычеркнуть его надо из колхоза, и боле ничего. Аль нам убытки терпеть на самом-то деле!

Но Чиклин дул воздух в горне, а молотобоец старался поспеть за огнем и крушил железо как врага жизни, будто если нет кулачества, так медведь один есть на свете.

— Ведь это же горе! — вздыхали члены колхоза.

— Вот грех-то: все теперь лопнет! Все железо в скважинах будет!

— Наказание господне... А тронуть его нельзя — скажут, бедняк, пролетариат, индустриализация!..

— Это ничего. Вот если кадр, скажут, тогда нам за него плохо будет.

— Кадр — пустяк. Вот если инструктор приедет либо сам товарищ Пашкин, тогда нам будет жара!

— А может, ничего не станет? Может — бить?

— Что ты, осатанел, что ли? Он — союзный: намедни товарищ Пашкин специально приезжал — ему ведь тоже скучно без батраков.

А Елисей говорил меньше, но горевал почти что больше всех. Он и двор-то когда имел, так ночей не спал — все следил, как бы что не погибло, как бы лошадь не опилась не объелась, да корова чтоб настроение имела, а теперь, когда весь колхоз, весь здешний мир отдан его заботе, потому что на других надеяться он опасался, теперь у него уже загодя болел живот от страха такого имущества.

— Все усохнем! — произнес молча проживший всю революцию середняк. — Раньше за свое семейство боялся, а теперь каждого береги — это нас вовсе замучает за такое иждивение.

Вощеву грустно стало, что зверь так трудится, будто чует смысл жизни вблизи, а он стоит на покое и не пробивается в дверь будущего: может быть, там действительно что-нибудь есть. Чиклин к этому времени уже кончил дуть воздух и занялся с медведем готовить бороньи зубья. Не сознавая ни наблюдающего народа, ни всего крутозора, двое мастеровых неустанно работали по чувству совести, как и быть должно. Молотобоец ковал зубья, а Чиклин их закаливал, но в точности не знал времени, сколько нужно держать в воде зубья без перекалки.

— А если зуб на камень наскочит?! — стеная, произнес Елисей. — Если он на твердь какую-либо заедет — ведь пополам зубок будет!

— Вынай, дьявол, железку из жидкого! — воскликнул колхоз. — Не мучай матерьял!

Чиклин вынул было из воды перетомленный металл, но Елисей уже вошел в кузню, отобрал у Чиклина клещи и начал закаливать зубья своими обеими руками. Другие организованные мужики также бросились внутрь предприятия и с облегченной душой стали трудиться над железными предметами с тою тщательной жадностью, когда прок более необходим, чем ущерб. «Эту кузню надо запомнить побелить, — спокойно думал Елисей за трудом. — А то стоит вся черная — разве это хозяйское заведение?»

— Дайте, я буду веревку все время дергать, — попросил Вощев у Елисея. — У вас воздух в горно тихо идет.

— Ну, дергай, — согласился Елисей. — Только не шибко —

веревка теперь дорога, а к новым мехам тоже с колхозной сумкой не подойдешь!

— Я буду потихоньку,— сказал Вощев и стал тянуть и отпускать веревку, забываясь в терпенье труда.

Приходило утро зимнего дня, и обычный свет сплошь распространялся по всему району. Лампа же все еще горела в Оргдворе, пока Елисей не заметил этого лишнего огня. Заметив же, он сходил туда и потушил лампу, чтоб керосин был цел.

Уже проснулись девушки и подростки, спавшие дотоле в избах; они, в общем, равнодушно относились к тревоге отцов, им было неинтересно их мученье, и они жили как чужие в деревне, словно томились любовью к чему-то дальнему. И домашнюю нужду они переносили без внимания, живя за счет своего чувства еще безответного счастья, но которое все равно должно случиться. Почти все девушки и все растущее поколение с утра уходили в избу-читальню и там оставались не евши весь день, учась письму и чтению, счету чисел, привыкая к дружбе и что-то воображая в ожидании. Прушевский один остался в стороне, когда колхоз ухватился за кузню, и все время неподвижно был у плетня. Он не знал, зачем его прислали в эту деревню, как ему жить забытым среди массы, и решил точно назначить день окончания своего пребывания на земле; вынув книжку, он записал в нее поздний вечерний час глухого зимнего дня: пусть все улягутся спать, окоченелая земля смолкнет от шума всякого строительства, и он, где бы ни находился, ляжет вверх лицом и перестанет дышать. Ведь никакое сооружение, никакое довольство, ни милый друг, ни завоевание звезд — не превозмогут его душевного оскудения, он все равно будет сознавать тщетность дружбы, основанной не на превосходстве и не на телесной любви, и скуку самых далеких звезд, где в недрах те же медные руды и нужен будет тот же ВСНХ. Прушевскому казалось, что все чувства его, все влечения и давняя тоска встретились в рассудке и сознали самих себя до самого источника происхождения, до смертельного уничтожения наивности всякой надежды. Но происхождение чувств оставалось волнующим местом жизни, умерев, можно навсегда утратить этот единственно счастливый, истинный район существования, не войдя в него. Что же делать, боже мой, если нет тех самозабвенных впечатлений, откуда волнуется жизнь и, вставая, протягивает руки вперед к своей надежде?

Прушевский закрыл лицо руками. Пусть разум есть синтез всех чувств, где смиряются и утихают все потоки тревожных движений, но откуда тревога и движенье? Он этого не знал, он только знал, что старость рассудка есть влеченье к смерти, это единственное его чувство; и тогда он, может быть, замкнет кольцо — он возвратится к происхождению чувств, к вечернему летнему дню своего неповторившегося свидания.

— Товарищ! Это ты пришел к нам на культурную революцию?

Прушевский опустил руки от глаз. Стороною шли девушки и юношество в избу-читальню. Одна девушка стояла перед ним —

в валенках и в бедном платке на доверчивой голове; глаза ее смотрели на инженера с удивленной любовью, потому что ей была непонятна сила знания, скрытая в этом человеке; она бы согласилась преданно и вечно любить его, седого и незнакомого, согласилась бы рожать от него, ежедневно мучить свое тело, лишь бы он научил ее знать весь мир и участвовать в нем. Ничто ей была молодость, ничто свое счастье — она чувствовала вблизи несущееся, горячее движение, у нее поднималось сердце от ветра всеобщей стремящейся жизни, но она не могла выговорить слов своей радости и теперь стояла и просила научить ее этим словам, этому уменью чувствовать в голове весь свет, чтобы помогать ему светиться. Девушка еще не знала, пойдет ли с нею ученый человек, и неопределенно смотрела, готовая опять учиться с активистом.

— Я сейчас пойду с вами,— сказал Прушевский.

Девушка хотела обрадоваться и вскрикнуть, но не стала, чтобы Прушевский не обиделся.

— Идемте,— произнес Прушевский.

Девушка пошла вперед, указывая дорогу инженеру, хотя заблудиться было невозможно; однако она желала быть благодарной, но не имела ничего для подарка следующему за ней человеку.

Члены колхоза сожгли весь уголь в кузне, истратили все наличное железо на полезные изделия, починили всякий мертвый инвентарь и с тоскою, что кончился труд и как бы теперь колхоз не пошел в убыток, оставили заведение. Молотобоец утомился еще раньше — он вылез недавно поесть снегу от жажды, и, пока снег таял у него во рту, медведь задремал и свалился всем туловищем вниз, на покой.

Вышедши наружу, колхоз сел у плетня и стал сидеть, озирая всю деревню, снег же таял под неподвижными мужиками. Прекратив трудиться, Вощев опять вдруг задумался на одном месте.

— Очнись! — сказал ему Чиклин.— Ляжь с медведем и забудься.

— Истина, товарищ Чиклин, забыться не может...

Чиклин обхватил Вощева поперек и сложил его к спящему молотобойцу.

— Лежи молча,— сказал он над ним,— медведь дышит, а ты не можешь! Пролетариат терпит, а ты боишься! Ишь ты, сволочь какая!

Вощев приник к молотобойцу, согрелся и заснул.

На улицу вскочил всадник из района на трепещущем коне.

— Где актив? — крикнул он сидящему колхозу, не теряя скорости.

— Скачи прямо! — сообщил путь колхоз.— Только не сворачивай ни направо, ни налево!

— Не буду! — закричал всадник, уже отдалившись, и только сумка с директивами билась на его бедре.

Через несколько минут тот же конный человек пронесся обратно, размахивая в воздухе сдаточной книгой, чтоб ветер сушил чернила активистской расписки. Сытая лошадь, разметав снег и вырвав почву на ходу, срочно скрылась вдалеке.

— Какую лошадь портит, бюрократ! — думал колхоз.— Прямо скучно глядеть.

Чиклин взял в кузнице железный прут и понес его ребенку в виде игрушки. Он любил ей молча приносить разные предметы, чтобы девочка безмолвно понимала его радость к ней.

Жачев уже давно проснулся. Настя же, приоткрыв утомленный рот, невольно и грустно продолжала спать.

Чиклин внимательно всмотрелся в ребенка — не поврежден ли он в чем со вчерашнего дня, цело ли полностью его тело; но ребенок был весь исправен, только лицо его горело от внутренних младенческих сил. Слеза активиста капнула на директиву — Чиклин сейчас же обратил на это внимание. Как и вчера вечером, руководящий человек неподвижно сидел за столом. Он с удовлетворением отправил через районного всадника законченную ведомость ликвидации классового врага и в ней же сообщил все успехи деятельности; но вот спустилась свежая директива, подписанная почему-то областью через обе головы — района и округа,— и в лежащей директиве отмечались маложелательные явления перегибщины, забеговщества, переусердщины и всякого сползания по правому и левому откосу с отточенной остроты четкой линии; кроме того, назначалось обнаружить выпуклую бдительность актива в сторону среднего мужика; раз он попер в колхозы, то не является ли этот генеральный факт таинственным умыслом, исполняемым по наущению подкулацких масс; дескать, войдем в колхозы всей бушующей пучиной и размоем берега руководства, на нас, мол, тогда власти не хватит, она уморится.

«По последним материалам, имеющимся в руке областного комитета,— значилось в конце директивы,— видно, например, что актив колхоза имени Генеральной Линии уже забежал в левацкое болото правого оппортунизма. Организатор местного коллектива спрашивает вышенаходящуюся организацию: есть ли что после колхоза и коммуны более высшее и более светлое, дабы немедленно двинуть туда местные бедняцко-середняцкие массы, неудержимо рвущиеся в даль истории, на вершину всемирных невидимых времен. Этот товарищ просит ему прислать примерный устав такой организации, а заодно бланки, ручку с пером и два литра чернил. Он не понимает, насколько он тут спекулирует на искреннем, в основном здоровом, середняцком чувстве тяги в колхозы. Нельзя не согласиться, что такой товарищ есть вредитель партии, объективный враг пролетариата и должен быть немедленно изъят из руководства навсегда».

Здесь у активиста дрогнуло ослабевшее сердце, и он заплакал на областную бумагу.

— Что ты, стервец? — спросил его Жачев.

Но активист не ответил ему. Разве он видел радость в по-

следнее время, разве он ел или спал вдосталь или любил хоть одну
бедняцкую девицу? Он чувствовал себя как в бреду, его сердце еле
билось от нагрузки, он лишь снаружи от себя старался организовать счастье и хотя бы в перспективе заслужить районный пост.

— Отвечай, паразит, а то сейчас получишь! — снова проговорил
рил Жачев.— Наверно, испортил, гад, нашу республику!

Сдернув со стола директиву, Жачев начал лично изучать ее на
полу.

— К маме хочу! — сказала Настя, пробуждаясь.

Чиклин нагнулся к заскучавшему ребенку.

— Мама, девочка, умерла, теперь я остался!

— А зачем ты меня носишь? Где четыре времени года?
Попробуй, какой у меня страшный жар под кожей! Сними с меня
рубашку, а то сгорит, выздоровлю — ходить не в чем будет!

Чиклин попробовал Настю, она была горячая, влажная, кости
ее жалобно выступали изнутри; насколько окружающий мир
должен быть нежен и тих, чтоб она была жива!

— Накрой меня, я спать хочу. Буду ничего не помнить, а то
болеть ведь грустно, правда?

Чиклин снял с себя всю верхнюю одежду, кроме того отобрал
ватные пиджаки у Жачева и активиста и всем этим теплым веществом закутал Настю. Она закрыла глаза, и ей стало легко в
тепле и во сне, будто она полетела среди прохладного воздуха.
За текущее время Настя немного подросла и все более походила
на мать.

— Я так и знал, что он сволочь,— определил Жачев про активиста.— Ну что ты тут будешь делать с этим членом?!

— А что там сообщено? — спросил Чиклин.

— Пишут то, что с ними нельзя не согласиться!

— А ты попробуй не согласись! — в слезах произнес активный человек.

— Эх, горе мне с революцией,— серьезно опечалился Жачев.— Где же ты, самая пущая стерва? Иди, дорогая, получить от
увечного воина!

Почувствовав мысль и одиночество, не желая безответно
тратить средства на государство и будущее поколение, активист
снял с Насти свой пиджак: раз его устраняют, пусть массы сами
греются. И с пиджаком в руке он стал посреди Оргдома — без
дальнейшего стремления к жизни, весь в крупных слезах и в том
сомнении души, что капитализм, пожалуй, может еще явиться.

— Ты зачем ребенка раскрыл? — спросил Чиклин.— Остудить хочешь?

— Плешь с ним, с твоим ребенком! — сказал активист.

Жачев поглядел на Чиклина и посоветовал ему:

— Возьми железку, какую из кузни принес!

— Что ты! — ответил Чиклин.— Я сроду не касался человека
мертвым оружием: как же я тогда справедливость почув-
ствую?

Далее Чиклин покойно дал активисту ручной удар в грудь,

чтоб дети могли еще уповать, а не зябнуть. Внутри активиста раздался слабый треск костей, и весь человек свалился на пол; Чиклин же с удовлетворением посмотрел на него, будто только что принес необходимую пользу. Пиджак у активиста вырвался из рук и лежал отдельно, никого не покрывая.

— Накрой его! — сказал Чиклин Жачеву.— Пускай ему тепло станет.

Жачев сейчас же одел активиста его собственным пиджаком и одновременно пощупал человека — насколько он цел.

— Живой он? — спросил Чиклин.

— Так себе, средний,— радуясь, ответил Жачев.— Да это все равно, товарищ Чиклин: твоя рука работает как кувалда, ты тут ни при чем.

— А он горячего ребенка не раздевай! — с обидой сказал Чиклин.— Мог чаю скипятить и согреться.

В деревне поднялась снежная метель, хотя бури было не слышно. Открыв на проверку окно, Жачев увидел, что это колхоз метет снег для гигиены; мужикам не нравилось теперь, что снег засижен мухами, они хотели более чистой зимы.

Отделавшись на Оргдворе, члены колхоза далее трудиться не стали и поникли под навесом в недоумении своей дальнейшей жизни. Несмотря на то, что люди уже давно ничего не ели, их и сейчас не тянуло на пищу, потому что желудки были завалены мясным обилием еще с прошлых дней. Пользуясь мирно грустью колхоза, а также невидимостью актива, старичок кафельного завода и прочие неясные элементы, бывшие до того в заключении на Оргдворе, вышли из задних клетей и разных укрытых препятствий жизни и отправились вдаль по своим насущным делам.

Чиклин и Жачев прислонились к Насте с обоих боков, чтобы лучше ее беречь. От своего безвыходного тепла девочка стала вся смуглой и покорной, только ум ее печально думал.

— Я опять к маме хочу! — произнесла она, не открывая глаз.

— Нету твоей матери,— не радуясь, сказал Жачев.— От жизни все умирают — остаются одни кости.

— Хочу ее кости! — попросила Настя.— Ктой-то это плачет в колхозе?

Чиклин готовно прислушался; но все было тихо кругом — никто не плакал, не от чего было заплакать. День уже дошел до своей середины, высоко светило бледное солнце над округом, какие-то далекие массы двигались по горизонту на неизвестное межселенное собрание — ничто не могло шуметь. Чиклин вышел на крыльцо. Тихое несознательное стенание пронеслось в безмолвном колхозе и затем повторилось. Звук начинался где-то в стороне, обращаясь в глухое место, и не был рассчитан на жалобу.

— Это кто? — крикнул Чиклин с высоты крыльца во всю деревню, чтоб его услышал тот недовольный.

— Это молотобоец скулит,— ответил колхоз, лежавший под навесом.— А ночью он песни рычал.

Действительно, кроме медведя, заплакать сейчас было некому. Наверно, он уткнулся ртом в землю и выл печально в глушь почвы, не соображая своего горя.

— Там медведь о чем-то тоскует,— сказал Чиклин Насте, вернувшись в горницу.

— Позови его ко мне, я тоже тоскую,— попросила Настя.— Неси меня к маме, мне здесь очень жарко!

— Сейчас, Настя. Жачев, ползи за медведем. Все равно ему работать здесь нечего — материала нету!

Но Жачев, только что исчезнув, уже вернулся назад: медведь сам шел на Оргдвор совместно с Вощевым; при этом Вощев держал его, как слабого, за лапу, а молотобоец двигался рядом с ним грустным шагом.

Войдя в Оргдом, молотобоец обнюхал лежачего активиста и сел равнодушно в углу.

— Взял его в свидетели, что истины нет,— произнес Вощев.— Он ведь только работать может, а как отдохнет, задумается, так скучать начинает. Пусть существует теперь как предмет — на вечную память, я всех угощу!

— Угощай грядущую сволочь,— согласился Жачев.— Береги для нее жалкий продукт!

Наклонившись, Вощев стал собирать вынутые Настей ветхие вещи, необходимые для будущего отмщения, в свой мешок. Чиклин поднял Настю на руки, и она открыла опавшие свои, высохшие, как листья, смолкшие глаза. Через окно девочка засмотрелась на близко приникших друг к другу колхозных мужиков, залегших под навесом в терпеливом забвении.

— Вощев, а медведя ты тоже в утильсырье понесешь? — озаботилась Настя.

— А то куда же? Я прах и то берегу, а тут ведь бедное существо!

— А их? — Настя протянула свою тонкую, как овечья ножка, занемогшую руку к лежачему на дворе колхозу.

Вощев хозяйственно поглядел на дворовое место и, отвернувшись оттуда, еще более поник своей скучающей по истине головою.

Активист по-прежнему неподвижно молчал на полу, пока задумавшийся Вощев не согнулся над ним и не пошевелил его из чувства любопытства перед всяким ущербом жизни. Но активист, притаясь или умерев, ничем не ответил Вощеву. Тогда Вощев присел близ человека и долго смотрел в его слепое открытое лицо, унесенное в глубь своего грустного сознания.

Медведь помолчал немного, а потом вновь заскулил, и на его голос весь колхоз пришел с Оргдвора в дом.

— Как же, товарищи активы, нам дальше-то жить? — спросил колхоз.— Вы горюйте об нас, а то нам терпежа нет! Инвентарь у нас исправный, семена чистые, дело теперь зимнее — нам чувствовать нечего. Вы уж постарайтесь!

— Некому горевать,— сказал Чиклин.— Лежит ваш главный горюн.

Колхоз спокойно пригляделся к опрокинутому активисту, не имея к нему жалости, но и не радуясь, потому что говорил активист всегда точно и правильно, вполне по завету, только сам был до того поганый, что когда все общество задумало его однажды женить, дабы убавить его деятельность, то даже самые незначительные на лицо бабы и девки заплакали от печали.

— Он умер,— сообщил всем Вощев, подымаясь снизу.— Все знал, а тоже кончился.

— А может, дышит еще? — усомнился Жачев.— Ты его попробуй, пожалуйста, а то он от меня ничего еще не заработал: я ему тогда добавлю сейчас!

Вощев снова прилег к телу активиста, некогда действовавшему с таким хищным значением, что вся всемирная истина, весь смысл жизни помещались только в нем и более нигде, а уж Вощеву ничего не досталось, кроме мученья ума, кроме бессознательности в несущемся потоке существования и покорности слепого элемента.

— Ах ты гад! — прошептал Вощев над этим безмолвным туловищем.— Так вот отчего я смысла не знал! Ты, должно быть, не меня, а весь класс испил, сухая душа, а мы бродим, как тихая гуща, и не знаем ничего!

И Вощев ударил активиста в лоб — для прочности его гибели и для собственного сознательного счастья.

Почувствовав полный ум, хотя и не умея еще произнести или выдвинуть в действие его первоначальную силу, Вощев встал на ноги и сказал колхозу:

— Теперь я буду за вас горевать!

— Просим!! — единогласно выразился колхоз.

Вощев отворил дверь Оргдома в пространство и узнал желанье жить в эту разгороженную даль, где сердце может биться не только от одного холодного воздуха, но и от истинной радости одоления всего смутного вещества земли.

— Выносите мертвое тело прочь! — указал Вощев.

— А куда? — спросил колхоз.— Его ведь без музыки хоронить никак нельзя! Заведи хоть радио!..

— А вы раскулачьте его по реке в море! — догадался Жачев.

— Можно и так! — согласился колхоз.— Вода еще течет!

И несколько человек подняли тело активиста на высоту и понесли его на берег реки. Чиклин все время держал Настю при себе, собираясь уйти с ней на котлован, но задерживался происходящими условиями.

— Из меня отовсюду сок пошел,— сказала Настя.— Неси меня скорее к маме, пожилой дурак! Мне скучно!

— Сейчас, девочка, тронемся. Я тебя бегом понесу. Елисей,

ступай кликни Прушевского — уходим, мол, а Вощев за всех останется, а то ребенок заболел.

Елисей сходил и вернулся один: Прушевский идти не захотел, сказал, что он всю здешнюю юность должен сначала доучить, иначе она может в будущем погибнуть, а ему ее жалко.

— Ну пускай остается,— согласился Чиклин.— Лишь бы сам цел был.

Жачев как урод не умел быстро ходить, он только полз; поэтому Чиклин сообразил сделать так, что Настю велел нести Елисею, а сам понес Жачева. И так они, спеша, отправились на котлован по зимнему пути.

— Берегите Медведева Мишку! — обернувшись, приказала Настя.— Я к нему скоро в гости приду.

— Будь покойна, барышня! — пообещал колхоз.

К вечернему времени пешеходы увидели вдалеке электрическое освещение города. Жачев уже давно устал сидеть на руках Чиклина и сказал, что надо бы в колхозе лошадь взять.

— Пешие скорей дойдем,— ответил Елисей.— Наши лошади уж и ездить отвыкли: стоят с коих пор! У них и ноги опухли, ведь им только и ходу, что корма воровать.

Когда путники дошли до своего места, то увидели, что весь котлован занесен снегом, а в бараке было пусто и темно. Чиклин, сложив Жачева на землю, стал заботиться над разведением костра для согревания Насти, но она ему сказала:

— Неси мне мамины кости, я хочу их!

Чиклин сел против девочки и все время жег костер для света и тепла, а Жачева услал искать у кого-нибудь молоко. Елисей долго сидел на пороге барака, наблюдая ближний светлый город, где что-то постоянно шумело и равномерно волновалось во всеобщем беспокойстве, а потом свалился на бок и заснул, ничего не евши.

Мимо барака проходили многие люди, но никто не пришел проведать заболевшую Настю, потому что каждый нагнул голову и непрерывно думал о сплошной коллективизации.

Иногда вдруг наставала тишина, но затем опять пели вдалеке сирены поездов, протяжно спускали пар свайные копры, и кричали голоса ударных бригад, упершихся во что-то тяжкое, кругом беспрерывно нагнеталась общественная польза.

— Чиклин, отчего я всегда ум чувствую и никак его не забуду? — удивилась Настя.

— Не знаю, девочка. Наверно, потому, что ты ничего хорошего не видела.

— А почему в городе ночью трудятся и не спят?

— Это о тебе заботятся.

— А я лежу вся больная... Чиклин, положи мне мамины кости, я их обниму и начну спать. Мне так скучно стало сейчас!

— Спи, может, ум забудешь.

Ослабевшая Настя вдруг приподнялась и поцеловала склонившегося Чиклина в усы — как и ее мать, она умела первая, не предупреждая, целовать людей.

Чиклин замер от повторившегося счастья своей жизни и молча дышал над телом ребенка, пока вновь не почувствовал озабоченности к этому маленькому, горячему туловищу.

Для охранения Насти от ветра и для общего согревания Чихлин поднял с порога Елисея и положил его сбоку ребенка.

— Лежи тут,— сказал Чиклин ужаснувшемуся во сне Елисею.— Обними девочку рукой и дыши на нее чаще.

Елисей так и поступил, а Чиклин прилег в стороне на локоть и чутко слушал дремлющей головой тревожный шум на городских сооружениях.

Около полуночи явился Жачев; он принес бутылку сливок и два пирожных. Больше ему ничего достать не удалось, так как все новодействующие не присутствовали на квартирах, а шиковали где-то на стороне. Весь исхлопотавшись, Жачев решился в конце концов оштрафовать товарища Пашкина как самый надежный свой резерв; но и Пашкина дома не было — он, оказывается, присутствовал с супругой в театре. Поэтому Жачеву пришлось появиться на представлении, среди тьмы и внимания к каким-то мучающимся на сцене элементам и громко потребовать Пашкина в буфет, останавливая действие искусства. Пашкин мгновенно вышел, безмолвно купил для Жачева в буфете продуктов и поспешно удалился в залу представления, чтобы снова там волноваться.

— Завтра надо опять к Пашкину сходить,— сказал Жачев, успокаиваясь в дальнем углу барака,— пускай печку ставит, а то в этом деревянном эшелоне до социализма не доедешь!..

Рано утром Чиклин проснулся; он озяб и прислушался к Насте. Было чуть светло и тихо, лишь Жачев бурчал во сне свое беспокойство.

— Ты дышишь там, средний черт! — сказал Чиклин к Елисею.

— Дышу, товарищ Чиклин, а как же нет? Всю ночь ребенка теплом обдавал!

— Ну?

— А девчонка, товарищ Чиклин, не дышит: захолодала с чего-то!

Чиклин медленно поднялся с земли и остановился на месте. Постояв, он пошел туда, где лежал Жачев, посмотрел — не уничтожил ли калека сливки и пирожные, потом нашел веник и очистил весь барак от скопившегося за безлюдное время разного налетевшего сора.

Положив веник на его место, Чиклину захотелось рыть землю; он взломал замок с забытого чулана, где хранился запасной инвентарь, и, вытащив оттуда лопату, не спеша отправился на котлован. Он начал рыть грунт, но почва уже смерзлась, и Чиклину пришлось сечь землю на глыбы и выворачивать ее прочь целыми мертвыми кусками. Глубже пошло мягче и теплее; Чиклин вонзался туда секущими ударами железной лопаты и скоро скрылся в тишину недр почти во весь свой рост, но и там не мог утомиться и стал громить грунт вбок, разверзая земную тесноту вширь. Попав в самородную каменную плиту, лопата согнулась от мощности удара,— тогда Чиклин зашвырнул ее вместе с рукояткой на дневную поверхность и прислонился головой к обнаженной глине.

В этих действиях он хотел забыть сейчас свой ум, а ум его неподвижно думал, что Настя умерла.

— Пойду за другой лопатой! — сказал Чиклин и вылез из ямы.

В бараке он, чтобы не верить уму, подошел к Насте и попробовал ее голову; потом он прислонил свою руку ко лбу Елисея, проверяя его жизнь по теплу.

— Отчего ж она холодная, а ты горячий? — спросил Чиклин и не слышал ответа, потому что его ум теперь сам забылся.

Далее Чиклин сидел все время на земляном полу, и проснувшийся Жачев тоже находился с ним, храня неподвижно в руках бутылку сливок и два пирожных. А Елисей, всю ночь без сна дышавший на девочку, теперь утомился и уснул рядом с ней и спал, пока не услышал ржущих голосов родных обобществленных лошадей.

В барак пришел Вощев, а за ним Медведев и весь колхоз; лошади же остались ожидать снаружи.

— Ты что? — увидел Вощева Жачев.— Ты зачем оставил колхоз, иль хочешь, чтоб умерла вся наша земля? Иль заработать от всего пролетариата захотел? Так подходи ко мне — получишь как от класса!

Но Вощев уже вышел к лошадям и не дослушал Жачева. Он привез в подарок Насте мешок специально отобранного утиля в виде редких, непродающихся игрушек, каждая из которых есть вечная память о забытом человеке. Настя хотя и глядела на Вощева, но ничему не обрадовалась, и Вощев прикоснулся к ней, видя ее открытый смолкший рот и ее равнодушное, усталое тело. Вощев стоял в недоумении над этим утихшим ребенком, он уже не знал, где же теперь будет коммунизм на свете, если его нет сначала в детском чувстве и в убежденном впечатлении? Зачем ему теперь нужен смысл жизни и истина всемирного происхождения, если нет маленького, верного человека, в котором истина стала бы радостью и движеньем?

Вощев согласился бы снова ничего не знать и жить без надежды в смутном вожделении тщетного ума, лишь бы девочка была целой, готовой на жизнь, хотя бы и замучилась с теченьем времени. Вощев поднял Настю на руки, поцеловал ее в распавшиеся губы и с жадностью счастья прижал ее к себе, найдя больше того, чем искал.

— Зачем колхоз привел? Я тебя спрашиваю вторично! — обратился Жачев, не выпуская из рук ни сливок, ни пирожных.

— Мужики в пролетариат хотят зачисляться,— ответил Вощев.

— Пускай зачисляются,— произнес Чиклин с земли.— Теперь надо еще шире и глубже рыть котлован. Пускай в наш дом влезет всякий человек из барака и глиняной избы. Зовите сюда всю власть и Прушевского, а я рыть пойду.

Чиклин взял лом и новую лопату и медленно ушел на дальний край котлована. Там он снова начал разверзать неподвижную землю, потому что плакать не мог, и рыл, не в силах устать, до ночи и всю ночь, пока не услышал, как трескаются кости в его трудящемся туловище. Тогда он остановился и глянул кругом. Колхоз шел вслед за ним и не переставая рыл землю; все бедные и средние мужики работали с таким усердием жизни, будто хотели спастись навеки в пропасти котлована.

Лошади также не стояли — на них колхозники, сидя верхом, возили в руках бутовый камень, а медведь таскал этот камень пешком и разевал от натуги пасть.

Только один Жачев ни в чем не участвовал и смотрел на весь роющий труд взором прискорбия.

— Ты что сидишь, как служащий какой? — спросил его Чиклин, возвратившись в барак.— Взял бы хоть лопаты поточил!

— Не могу, Никит, я теперь ни во что не верю! — ответил Жачев в это утро второго дня.

— Почему, стервец?

— Ты же видишь, что я урод империализма, а коммунизм — это детское дело, за то я и Настю любил... Пойду сейчас на прощанье товарища Пашкина убью.

И Жачев уполз в город, более уже никогда не возвратившись на котлован.

В полдень Чиклин начал копать для Насти специальную могилу. Он рыл ее пятнадцать часов подряд, чтоб она была глубока и в нее не сумел бы проникнуть ни червь, ни корень растения, ни тепло, ни холод и чтоб ребенка никогда не побеспокоил шум жизни с поверхности земли. Гробовое ложе Чиклин выдолбил в вечном камне и приготовил еще особую, в виде крышки, гранитную плиту, дабы на девочку не лег громадный вес могильного праха.

Отдохнув, Чиклин взял Настю на руки и бережно понес ее класть в камень и закапывать. Время было ночное, весь колхоз спал в бараке, и только молотобоец, почуяв движение, проснулся, и Чиклин дал ему прикоснуться к Насте на прощанье.

Декабрь 1929 — апрель 1930 гг.

ВПРОК

(Бедняцкая хроника)

В марте месяце 1930 года некий душевный бедняк, измученный заботой за всеобщую действительность, сел в поезд дальнего следования на московском Казанском вокзале и выбыл прочь из верховного руководящего города.

Кто был этот только что выехавший человек, который в дальнейшем будет свидетелем героических, трогательных и печальных событий? Он не имел чудовищного, в смысле размеров и силы, сердца и резкого, глубокого разума, способного прорывать колеблющуюся пленку явлений, чтобы овладеть их сущностью.

Путник сам сознавал, что сделан он из телячьего материала мелкого настороженного мужика, вышел из капитализма и не имел благодаря этому правильному сознанию ни эгоизма, ни самоуважения. Он походил на полевого паука, из которого вынута индивидуальная, хищная душа, когда это ветхое животное несется сквозь пространство лишь ветром, а не волей жизни. И, однако, были моменты времени в существовании этого человека, когда в нем вдруг дрожало сердце, и он со слезами на глазах, с искренностью и слабохарактерностью выступал на защиту партии и революции в глухих деревнях республики, где еще жил и косвенно ел бедноту кулак.

У такого странника по колхозной земле было одно драгоценное свойство, ради которого мы выбрали его глаза для наблюдения, именно: он способен был ошибиться, но не мог солгать и ко всему громадному обстоятельству социалистической революции относился настолько бережно и целомудренно, что всю жизнь не умел найти слов для изъяснения коммунизма в собственном уме. Но польза его для социализма была от этого не велика, а ничтожна, потому что сущность такого человека состояла, приблизительно говоря, из сахара, разведенного в моче, тогда как настоящий пролетарский человек должен иметь в своем составе серную кислоту, дабы он мог сжечь всю капиталистическую стерву, занимающую землю.

Если мы в дальнейшем называем путника как самого себя

(«я»), то это — для краткости речи, а не из признания, что безвольное созерцание важнее напряжения и борьбы. Наоборот, в наше время будущий созерцатель — это, самое меньшее, полугад, поскольку он не прямой участник дела, создающего коммунизм. И далее — даже настоящим созерцателем, видящим истинные вещи, в наше время быть нельзя, находясь вне труда и строя пролетариата, ибо ценное наблюдение может произойти только из чувства кровной работы по устройству социализма.

Итак, этот человек поехал в отдаленные черноземные равнины, где у открытых водоемов стоят, обдуваемые ветром, глиносоломенные избы мелкоимущественных бедняков.

Езда в вагоне изменилась. Ранее в окно можно было наблюдать лишь пустынность страны, лишь разрозненность редких деревень, расположенных так робко и временно, будто они были сиротами в чужой земле и постоянно готовы исчезнуть. Некогда это были лишь постои бредущего народа, не верующего в свою местную судьбу, ожидающего, когда ему повелят стронуться дальше, где еще хуже.

Теперь же по бокам железной дороги строились различные пункты, предприятия, конторы, башни, а ярославские и амовские автомобили усердно возили материалы по губительной немощеной земле. Люди стояли на кирпичных кладках и заботливо старались трудиться, уже навсегда осваивая эти порожние убыточные пространства.

На многие сотни километров строящаяся республика не меняла своего беспокойного лица, сияющего свежим тесом на вечернем солнце. Везде можно было видеть железные и кирпичные приспособления для деревенского общественного хозяйства или целые корпуса благодетельных заводов.

— Сколько травы навсегда скроется,— сказал один добровольно живущий старичок, ехавший попутно со мной,— сколько угодий пропадет под кирпичной тяжестью!

— Порядочно,— ответил ему другой человек, имеющий среднее тамбовское лицо, может быть, житель бывшего Щацкого уезда. Он тоже пристально наблюдал всякое строительство в оконное стекло и шептал что-то с усмешкой гада, швыряя между тем какие-то кусочки из своего пищевого мешка в рот. Этот житель старой глухой земли не признавал, наверно, научного социализма, он бы охотно положил пятак в кружку сборщика на построение храма и вместо радио всю жизнь слушал бы благовест. Он верил, судя по покойному счастью на его лице, что древние вещества мира уничтожат революцию,— поэтому он глядел не только на новостроящуюся республику, но также на овраги, на могучие обнажения глины, на встречных нищих, на растущие деревья, на ветер на небе — на весь мертвый порожняк природы, потому что этого дела слишком много и оно, дескать, не может быть истреблено революцией, как она ни старайся. Ветхое лежачее вещество все равно, мол, задавит советский едкий поток своим навалом и прахом. Имея такое духовное предвидение, тамбовский человек скушал еще немного кое-чего и от внутренней покойной расположенности чувств вздохнул, как будущий праведник.

— Бывало, едет воз с молоком,— произнес попутный старичок,— телега вся скрипит, сам хозяин пешком идет, а на возу его баба разгнездилась. А теперь только холодный инвентарь перебрасывают!

— Тракторы горячие, а жизнь прохладная,— сказал тамбовский по лицу человек.

— Вот то-то и горе,— враз согласился старичок.

— Не горюйте,— посоветовал сверху неизвестный человек, лежавший там на голых досках.— Оставьте горе нам.

— Да как хочешь, я ничего! — испугался старичок.

— Да и я тоже ничего не говорил,— предупредил тамбовский житель.

— Бери молоко,— сказал верхний человек и опустил в красноармейской фляжке этот напиток.— Пей и не скули!

— Да мы сыты, кушай сам, ради бога,— отказался старичок.

— Пей, говорят, пока я не слез! Я же слышал, ты по молоку скучал.

Старичок в страхе попил молочка и передал фляжку тамбовцу — тот тоже напился.

Вскоре с верхней полки слез сам хозяин молока; он был в старом красноармейском обмундировании, доставшемся ему по демобилизации, и обладал молодым нежным лицом, хотя уже утомленным от ума и деятельности. Он сел на край лавки и закурил.

— Люди говорят, на табак скоро нехватка будет,— высказался старичок.— Семашка не велел больше желчное семя разводить, чтобы пролетариат жил чистым воздухом.

— На — закуривай! — дал бывший красноармеец папиросу старику.

— Я, товарищ, не занимаюсь.

— Кури, тебе говорят!

Старичок закурил из уваженья, не желая иметь опасности от встречного человека. Красноармеец заговорил со мной.

— С ними едешь?

— Нет, я один.

— А сам-то кто будешь?

— Электротехник.

— Ну здравствуй,— обрадовался красноармеец и дал мне свою руку.

Я для него был полезный кадр, и сам тоже обрадовался, что я нужный человек.

— А ты утром не соскочишь со мной? Ты бы в нашем колхозе дорог был: у нас там солнце не горит.

— Соскочу,— ответил я.

— Постой, а куда ж ты тогда едешь?

— Да мне ехать некуда,— где понадоблюсь, там и выйду из вагона.

— Это хорошо, это нам полезно. А то все, понимаешь, заняты! Да еще смеются, гады, когда скажешь, что над нашим колхозом солнце не горит! А отчего ты не смеешься?

— А может, мы зажжем ваше солнце? Там увидим — плакать или смеяться.

— Ну, раз ты так говоришь, то зажжем! — радостно воскликнул мой новый товарищ.— Хочешь, я за кипятком сбегаю? Сейчас Рязань будет.

— Мы вместе пойдем.

— Ты бы ярлык носил на картузе, что электротехник. А то я думал — ты подкулачник: у тебя вид скверный.

Утром мы сошли с ним на маленькой станции. Внутри станции был бедный пассажирский зал, от одного вида которого, от скуки и общей невзрачности у всякого человека заболевал живот. По стенам висели роскошные плакаты, изображающие пароходы, самолеты и курьерские поезда, плакаты призывали к далеким благополучным путешествиям и показывали задумчивых, сытых женщин, любующихся синей волжской водой, а также обильной природой на берегах.

В этом пассажирском зале присутствовал единственный человек, жевавший хлеб из сумки.

— Сидишь? — спросил его дежурный по станции, возвращаясь от ушедшего поезда.— Когда ж ты тронешься? Уже третья неделя пошла, как ты приехал.

— Ай я тебе мешаю, что ль? — ответил этот оседлый пассажир.— Чего тебе надо? Пол я тебе мету, окна протираю; намедни ты заснул, а я депешу принял и вышел, без шапки постоял, пока поезд промчался. Я живу у тебя нормально.

Дежурный больше не обижал пожилого человека.

— Ну живи дальше. Я только боюсь, ты пробудешь здесь еще месяца четыре, а потом потребуешь штата.

— Стат мне не нужен,— отказался пассажир.— С документами скорее пропадешь, а без бумажки я всегда проживу на самую слабую статью, потому что обо мне ничего не известно.

Мой спутник, демобилизованный красноармеец товарищ Кондров, остановился от такого разговора.

— Имей в виду,— сказал он дежурному,— ты работаешь, как стервец; теперь у меня будет забота о тебе.

С этим мы вышли на полевую колесную дорогу. Голая природа весны окружила нас, сопротивляясь ветром в лицо, но нам было это не трудно.

Через несколько часов пешеходной работы мы остановились у входных ворот деревни, устроенных в виде триумфальной дуги, на которых было написано: «С.-х. коллектив «Доброе начало». Сам колхоз расположился по склону большой балки, внизу же ее протекал ручей, работавший круглый год. Избы колхоза были обыкновенно деревенскими, все имущественное оборудование было давним и знакомым, только люди показались мне неизвестными. Они ходили во множественном числе по всем местам деревни, щупали разные предметы, подвинчивали гайки на плугах, дельно ссорились и серьезно размышляли. Общим чувством всего населения колхоза была тревога и забота, и колхозники старались уменьшить свою тревогу перед севом рачительной подготовкой. Каждый считал для пользы дела другого дураком и поэтому проверял гайки на всех плугах только своею собственной рукой. Я слышал краткие собеседования.

— Ты смотрел спицы на сеялках?

— Смотрел.

— Ну и что ж?

— Кои шатались, те починил.

— Починил? Знаю я, как ты починишь! Надел с утра рубаху-баян и ходит! Дай-ка я сам схожу — сызнова починю.

Тот, на котором была рубаха-баян (о сорока пуговицах, напоминающих кнопки гармонии), ничего не возразил, а лишь вздохнул, что никак не мог угодить на колхозных членов.

— Васьк, ты бы сбегал лошадей посмотреть!

— А чего их глядеть? Я глядел: стоят, овес жрут который день, аж салом подернулись.

— А ты все-таки сбегай их проведать!

— Да чего бегать-то, лысый человек? чего зря колхозные ноги бить?

— Ну, так: поглядишь на их настроенье, прибежишь — скажешь.

— Вот дьявол жадный,— обиделся моложавый Васька.— Ведь я все кулачество по найму прошел, а так сроду не мотался.

— Чудак: у кулака было грабленое, а у нас кровное.

В конце концов Васька пошел все-таки глядеть на настроенье общественных лошадей.

— Граждане,— сказал подошедший человек с ведром олеонафта; из этого ведра он мазал все железные движущиеся и неподвижные части по колхозу, страшась, что они погибнут от ржави и трения.— Граждане, вчерашний день Серега опять цигарки с огнем швырял куда попало. Сообщаю это, а то будет пожар!

— Брешешь, смазчик,— возразил присутствовавший здесь же громадный Серега,— я их заплевывал.

— Заплевывал, да мимо,— спорил смазчик,— а огонь сухим улетал.

— Ну ладно, будет зудеть,— смирился Серега.— Ты сам ходишь оленафтом наземь капаешь, а он ведь на общие средства куплен.

— Граждане, он нагло и по-кулацки врет. Пускай хоть одну каплю где-нибудь сыщет. Что он меня мучает!

— Будя вам,— сказал Кондров,— не пересобачивайте общие заботы. Ты, Серега, кури скромней, а ты — капать капай,— колхозу капля не ужасна, а вот мажь — где нужно, а не где сухо. Зачем ты шины-то на телегах мажешь?

— Ржави боюсь, товарищ Кондров,— ответил смазчик.—

Я прочитал, что ржавь — это тихий огонь, а товарищ Куйбышев по радио говорил — у нас голод на железо: я и скуплюсь на него.

— Соображай до конца,— объяснил смазчику Кондров,— олеонафт тоже железными машинами добывается. А раз ты зря его тратишь, то в Баку машины напрасно идут.

— Ну?! — испугался смазчик и сел в удивлении на свое ведро: он думал, что олеонафт — это просто себе густая жидкость.

— Петька,— сказал малому лысый мужичок, тот, что услал Ваську к лошадям.— Пойди, ради бога, все избы обежи — пускай бабы вьюшки закроют, а то тепло улетучится.

— Да теперь не холодно,— сообщил Серега.

— Все равно: пусть бабы привыкают беречь сгоревшее добро, им эта наука на зиму годится.

Петька безмолвно побежал приказывать бабам про вьюшки.

— Слухай, дядя Семен! Ты чего ж вчера сено от моей кобылы отложил, а к своему мерину подсунул? Ишь ты, средний дьявол какой,— знать, колхоз тебе не по диаметру!

Дядя Семен стоял, помутившись лицом.

— Привык к мерину,— сказал он,— всопоследствии войду — он сопит на меня и глазами моргает, а кругом норма — скотину нечем поласкать, вот и положил твое сено.

— А ты теперь к человеку привыкай, тогда тебя все меренья уважать будут!..

— Буду привыкать,— грустно пообещал дядя Семен.

— Не то пойти крышку на колодезь сделать? — произнес Серега, стоявший без занятия.

— Пойди, дорогой, пойди. С малолетства с мелкими животными воду пьем. Может, при хорошей воде харчей есть меньше станем.

Отошедши с Кондровым в глубь колхоза, я обнаружил, что вправо от деревни, на незасеянной высоте склона стоит новая деревянная каланча, метров в десять — двенадцать. Наверху каланчи блестело жестяное устройство, бывшее, судя по форме, рефлектором; причем оно было поставлено так, что должно направлять лучи неизвестного источника света целиком в сторону колхоза.

— Вон наше солнце, которое не горит,— сказал мне Кондров, указав на каланчу.— Ты есть хочешь?

— Хочу. А у вас есть запасы?

— Хватит. Прошлый год осень была большевицкая — все родилось.

Поев разного добра в попутной избе, в которой висела электрическая лампочка, мы пошли с Кондровым не на каланчу, а к ручью. На ручье, около кустарной запруды, помещался дубовый амбар с сильным мельничным пошвенным колесом; запруда служила, очевидно, для сбора запаса воды.

— Наливное колесо у вас работало бы полезней! — сказал я.

— Ну что ж, ты только скажи, как нужно сделать, а мы будем его делать,— ответил мне Кондров.

Мне стало печально и тревожно близ такого человека: ведь он за маленькое знание отдаст что угодно; а с другой стороны, его всякая вредительская стерва может легко обмануть и повести на гибель, доказав предварительно, что она знает в своей голове алгебру и механику.

Кондров отомкнул амбар. Никакой мельницы в амбаре не было, там стояла небольшая динамо-машина, и больше ничего. На валу водяного колеса имелся деревянный шкив, с которого посредством ремня снималась сила на динамо-машину. Обследование установило, что водяное колесо способно было дать через динамо-машину мощность, достаточную, чтобы в колхозе горело двадцать тысяч экономических электрических свечей, или сорок тысяч тех же свечей в полуваттных лампах. При переделке водяного колеса с пошвенного на наливное мощность всей установки можно было повысить по крайней мере на одну треть; динамо-машина же была рассчитана на сорок лошадиных сил и могла терпеть много нагрузки.

— А наше солнце, понимаешь, не горит! — горестно проговорил надо мною Кондров.— Оно потухло.

Провода из амбара тянулись по ракитам, по плетням, по стенам изб и, ответвляясь на попутный колхоз, отправлялись к солнцу. Мы тоже пошли на солнце. Провода всюду были достаточно исправны, на самом солнце я тоже не мог заметить чего-либо порочного. Особенно меня удовлетворил жестяной рефлектор: его отражающие поверхности имели такую хорошо сосчитанную кривизну, что всю светосилу отправляли ровно на колхоз и на его огородные угодья, ничего не упуская вверх или в бесполезные стороны. Источник света представлял из себя деревянный диск, на котором было укреплено сто стосвечовых полуваттных ламп, то есть общая светлая мощность солнца равнялась десяти тысячам свечей. Кондров говорил, что этого все же мало — немедленно нужно добиться света по крайней мере в сорок тысяч свечей; особенно удобен был бы, конечно, прожектор, но его невозможно приобрести.

— Сейчас я схожу пущу колесо и динамо, и ты увидишь, что наше солнце не горит! — огорченно сказал мне Кондров.

Он сходил и пустил — и солнце действительно не загорелось. Я стоял на каланче в недоумении. Ток в главных проводах был, колхозники собрались под каланчой и обсуждали доносившийся до меня вопрос.

— Власть у нас вся научная, а солнце не светит!

— Вредительство, пожалуй что!

— Сколько строили, думали — у нас пасмурности не будет, букеты распустятся, а оно стоит холодное!

— Это же горе! Как встанешь, глянешь, что оно не светит, так и загорюешь весь от головы вниз!

— Вон старики наши перестали верить в бога, а как солнце не загорелось, то они опять начали креститься.

Дедушка Павлик обещал ликвидировать бога как веру, если огонь вспыхнет на каланче. Он тогда в электричество как в бога обещал поверить.

— А горело это солнце хоть раз? — спросил я у народа.

— Горело почти что с полчаса! — сказал народ и заотвечал дальше, споря сам с собой.

— Больше горело: не бреши!

— Меньше — я обрадоваться не успел!

— Как же меньше, когда у меня слезы от яркости потекли?!

— Они у тебя и от лампадки текут.

— Ярко горело? — спросил я.

— Роскошно! — закричали некоторые.

— У нас раздался было научный свет, да жалко, что кончился,— сказал знакомый мне смазчик.

— А нужно вам электрическое солнце? — поинтересовался я.

— Нам оно впрок; ты прочитай формальность около тебя.

Я оглянулся и увидел бумажную рукопись, прибитую гвоздями к специальной доске. Вот этот смысл на той бумаге:

«Устав для действия электросолнца в колхозе «Доброе начало»:

1. Солнце организуется для покрытия темного пасмурного дефицита небесного светила того же названья.

2. Колхозное солнце соблюдает свет над колхозом с шести часов утра до шести часов вечера каждый день и круглый год. При наличии стойкого света природы, колхозное солнце выключается, при отсутствии его включается вновь.

3. Целью колхозного солнца является спускание света для жизни, труда и культработы колхозников, полезных животных и огородов, захватываемых лучами света.

4. В ближайшее время простое стекло на солнце надо заменить научным, ультрафиолетовым, которое развивает в освещенных людях здоровье и загар. Озаботиться товарищу Кондрову.

5. Колхозное электросолнце в то же время культурная сила, поскольку некоторые старые члены нашего колхоза и разные верующие остатки колхозов и деревень дали письменное обязательство — перестать держаться за религию при наличии местного солнца. Электросолнце также имеет то прекрасное значение, что держит на земле постоянно яркий день и не позволяет скучиваться в настроеньях колебанию, невежеству, сомнению, тоске, унылости и прочим предрассудкам и тянет всякого бедняка и средняка к познанию происхождения всякой силы света на земле.

6. Наше электросолнце должно доказать городам, что советская деревня желает их дружелюбно догнать и перегнать в технике, науке и культуре и выявить, что и в городах необходимо устроить районное общественное солнце, дабы техника всюду горела и гремела по нашей стране.

7. Да здравствует ежедневное солнце на советской земле!»

Все это было совершенно правильно и хорошо, и я обрадовался этому действительному строительству новой жизни. Правда, было в таком явлении что-то трогательное и смешное, но это была трогательная неуверенность детства, опережающего тебя, а не падающая ирония гибели. Если бы таких обстоятельств не встречалось, мы бы никогда не устроили человечества и не почувствовали человечности, ибо нам смешон новый человек, как Робинзон для обезьяны; нам кажутся наивными его занятия, и мы втайне хотим, чтобы он не покинул умирать нас одних и возвратился к нам. Но он не вернется, и всякий душевный бедняк, единственное имущество которого — сомнение, погибнет в выморочной стране прошлого.

Кондров вернулся.

— Ты, наверно, в Москву ездил за ультрафиолетовыми лампами? — спросил я его.

— За ними,— ответил он,— сказали, что еще не продаются, все только собираются делать их, чешутся чего-то!

— Ты где был, когда начало гореть солнце и потухло?

— Здесь же, на солнце.

— Жарко было около диска?

— Ужасно!

Я зашел за диск и начал проверять всю проводку, но проверять ее было нечего: вся изоляция на проводах сотлела, все провода покоились на коротком замыкании, а входные предохранители, конечно, перегорели. Всю эту оснастку делал, оказывается, кузнец из другой деревни, соответственно одной лишь своей сообразительности.

По общему решению с Кондровым, мы сделали полный анализ негорению солнца, а затем сообщили свое мнение присутствовавшим близ нас членам колхоза. Наше мнение было таково: солнце потухло от страшной световой жары, которая испортила провода, стало быть, нужно реже посадить лампы на диске.

— Не нужно! — отверг задний середняк.— Вы не понимаете. Вы поставьте на жесть какие-либо сосуды с водой, вода будет остужать жару, а нам для желудка придется кипяченая вода.

Слово середняка, стоявшего позади, было разумно и приемлемо для дела; если на рефлекторе устроить водяную рубашку, то жесть будет холодить провода, кроме того, каждый час можно получать по ведру кипятку.

— Ну как? — спросил меня Кондров среди общего задумавшегося молчания.

— Так будет верно,— ответил я.

— Крутильно-молотильную бригаду прошу подойти ко мне! — громко произнес Кондров.

Эта бригада была наиболее упорной в любом тяжком, срочном или малоизвестном труде. Вчера она только что закончила сплошную очистку семян и, проспав двадцать часов, теперь постепенно подошла к Кондрову.

Под солнечной каланчой мы устроили производственное совещание, на котором выяснили все части и материалы для рационализации солнца, а также способ переделки пошвенного водобойного колеса на наливное сверху.

После того мне дали освобождение, и я заинтересовался здешней классовой борьбой. За этим я пошел в избу-читальню, зная, что культурная революция у нас часто идет по раскулаченным местам. Так и оказалось: изба-читальня занимала дом старинного, векового кулака Семена Верещагина, до своей ликвидации единолично и зажиточно хозяйствовавшего на хуторе Перепальном сорок лет (в ожидании того, как назваться колхозом «Доброе начало», деревня называлась хутором Перепальным). Верещагин и ему подобный его сосед Ревушкин жили не столько за счет своих трудов, сколько за счет своей особой мудрости.

С самого начала советской власти Верещагин выписывал четыре газеты и читал в них все законы и мероприятия с целью пролезть между ними в какое-либо узкое и полезное место. И так долго и прочно существовал Семен Верещагин, притаясь и мудрствуя. Однако его привела в смущение в последнее время дешевизна скота, а Верещагин исстари занимался негромкими барышами на скупке и перепродаже чужой скотины. Долго искал Верещагин каких-либо законов на этот счет, но газеты говорили лишь что-то косвенное. Тогда Верещагин решил использовать и самую косвенность. Он вспомнил в уме, что его лошадь стоит нынче на базаре рублей тридцать, а застрахована за сто семнадцать. А тут еще колхоз вот-вот грянет, и тогда лошадь станет вовсе как бы не скот и не предмет. Целыми длинными днями сидел Верещагин на лавке и грустно думал, хитря одним желтым глазом.

«Главное, чтобы государство меня не услышало,— соображал он.— Что-то я нигде не читал, чтобы лошадей мучить нельзя было: значит — можно. Как бы только Осоавиахим не встрял: да нет, его дело аэропланы!»

И Верещагин сознательно перестал давать пищу лошади. Он ее привязал намертво к стойлу веревками и давал только воду, чтобы животное не кричало и не привлекало бдительного слуха соседей.

Так прошла неделя. Лошадь исчахла и глядела почти что по-человечьи. А когда приходил к ней Верещагин, то она даже открывала рот, как бы желая произнести томящее ее слово.

И еще прошла неделя или десятидневка. Верещагин — для ускорения кончины лошади — перестал ей давать и воду. Животное поникло головой и беспрерывно хрипело от своей тоски.

— Кончайся,— приказывал коню Верещагин.— А то советская власть ухватлива. Того и гляди о тебе вспомнит.

А лошадь жила и жила, точно в ней была какая-то идейная устойчивость.

На двадцатый день, когда у коня уже закрылись глаза, но еще билось сердце, Верещагин обнял свою лошадь за шею и по истечении часа задушил ее. Лошадь через два часа остыла.

Верещагин тихо улыбнулся над побежденным государством и пошел в избу — отдохнуть от волнения нервов.

Дней через десять он отправился получить за павшую лошадь страховку, как только сельсовет дал ему справку, что конь погиб от желудочного томления.

За вырученные сто рублей Верещагин купил на базаре три лошади и, как сознательный гражданин, застраховал это поголовье в окружной конторе Госстраха.

Пропустив месяц и не услышав, что государство зашумело на него, Верещагин перестал кормить и новых трех лошадей. Через месяц он теперь будет иметь двести рублей чистого дохода, а там еще, и так далее — до бесконечности избытка.

Прикрутив лошадей веревками к стойлам, Верещагин стал ждать их смерти и своего дохода.

Однако дворовая собака Верещагина тоже не сидела с убытками — она начала отрывать от омертвелых лошадей задние куски, так что лошади пытались шагать от боли, и таскала мясные куски по чужим дворам, чтобы прятать. Собаку крестьяне заметили, и вскоре сельсовет во всем составе, во главе с Кондровым, пришел к Верещагину, чтобы обнаружить у него склад говядины. Склада сельсовет никакого не нашел, а ночью прибежала во двор Верещагиных целая стая чужих собак и, присев, эти дворовые животные стали выть.

На другой день левый бедняцкий сосед Верещагина перелез через плетень и увидел трех изодранных собаками умирающих лошадей.

Верещагин тоже не спал, а думал. Он уже с утра пошел взять справку о трех своих павших лошадях, которых он купил, дескать, лишь для того, чтобы отдать в организующуюся лошадиную колонну, но вышла одна божья воля. Кондров поглядел на Верещагина и сказал:

— Не пройдет, Верещагин, твое мероприятие, мы от собак обо всем твоем способе жизни узнали. Иди в чулан пока, а мы будем заседать про твою судьбу: сегодня газета «Беднота» пришла, там написано про тебя и про всех таковых личностей.

— Почта у нас работает никуда, товарищ председатель,— сказал Верещагин.— Я ведь думал, что теперь машины пойдут, а лошадь — вредное существо, оттого я и не лечил такую отсталую скотину.

— Ага, ты умней всего государства думал,— произнес тогда Кондров.— Ну ничего, ты теперь на ять попадешь под новый закон о сбережении скота.

— Пусть попадаю,— с хитростью смирился Верещагин.— Зато я за полную индустриализацию стоял, а лошадь есть животное-оппортун!

— Вот именно! — воскликнул в то время Кондров.— Оппортун всегда кричит за, когда от него чашку со щами отодвинут! Иди в чулан и жди нашего суждения, пока у меня нервы держатся, враг всего человечества!

Через месяц или два Верещагина и аналогичного Ревушкина бывшие ихние батраки — Серега, смазчик и другие — прогнали пешим ходом в район и там оставили навеки.

Ни один середняк в Перепальном при раскулачивании обижен не был,— наоборот, середняк Евсеев, которому поручили с точностью записать каждую мелочь в кулацких дворах, чтобы занести ее в колхозный доход, сам обидел советскую власть. А именно, когда Евсеев увидел горку каких-то бабье-дамских драгоценных предметов в доме Ревушкина, то у Евсеева раздвоилось от жадной радости в глазах, и он взял себе лишнюю половину, по его мнению, лишь вторившую предметы,— таким образом, от женского инвентаря ничего не осталось, а государство было обездолено на сумму в сто или двести рублей.

Такое единичное явление в районе обозначили впоследствии разгибом, а Евсеев прославился как разгибщик — вопреки перегибщику. Здесь я пользуюсь обстоятельствами, чтобы объявить истинное положение: перегибы при коллективизации не были сплошным явлением, были места, свободные от головокружительных ошибок, и там линия партии не прерывалась и не заезжала в кривой уклон. Но, к сожалению, таких мест было не слишком много. В чем же причина такого бесперебойного проведения генеральной линии?

По-моему, в самостоятельно размышляющей голове Кондрова. Многих директив района он просто не выполнял.

— Это писал хвастун,— говорил он, читая особо напорные директивы, вроде «даешь сплошь в десятидневку» и т. п.— Он желает прославиться, как автор какой, я, мол, первый социализм бумажкой достал, сволочь такая!

Другие директивы, наоборот, Кондров исполнял со строгой тщательностью.

— А вот это мерно и революционно! — сообщал он про дельную бумагу.— Всякое слово хрустит в уме, читаешь — и как будто свежую воду пьешь: только товарищ Сталин может так сообщать! Наверно, районные черти просто себе списали эту директиву с центральной, а ту, которую я бросил, сами выдумали, чтобы умнее разума быть!

Действовал Кондров без всякого страха и оглядка, несмотря на постоянно грозящий ему палец из района:

— Гляди, Кондров, не задерживай рвущуюся в будущее бедноту — заводи темп на всю историческую скорость, невер несчастный!

Но Кондров знал, что темп нужно развить в бедняцком классе, а не только в своем настроении; районные же люди приняли свое единоличное настроение за всеобщее воодушевление и рванулись так далеко вперед, что давно скрылись от малоимущего крестьянства за полевым горизонтом.

Все же Кондров совершил недостойный его факт: в день получения статьи Сталина о головокружении к Кондрову по текущему делу заехал предрика. Кондров сидел в тот час на срубе колодца и торжествовал от настоящей радости, не зная, что ему сделать сначала — броситься в снег или сразу приняться за строительство солнца,— но надо было обязательно и немедленно утомиться от своего сбывшегося счастья.

— Ты что гудишь? — спросил его неосведомленный предрика.— Сделай мне сводочку...

И тут Кондров обернул «Правдой» кулак и сделал им удар в ухо предрика.

До самого захода небесного солнца я находился в колхозе и, облюбовав все достойное в нем, вышел из него прочь. Колхозное солнце еще не было готово, но я надеялся увидеть его с какого-нибудь придорожного дерева из ночной тьмы.

Отойдя верст за десять, я встретил подходящее дерево и влез на него в ожидании. Половина района была подвержена моему наблюдению в ту начинающуюся весеннюю ночь. В далеких колхозах горели огни. Слышен был работающий где-то триер, и отовсюду раздавался знакомый, как колокольный звон, стерегущий голос собак, работающих на коммунизм с тем же усердием, что и на кулацкий капитализм. Я нашел место, где было расположено «Доброе начало», но там горело всего огня два, и оттуда не доносилось собачьего лая.

Я пропустил долгое время, поместившись на боковой отрасли дерева, и все глядел в окружающую, постепенно молкнущую даль. Множество прохладных звезд светило с неба в земную тьму, в которой неустанно работали люди, чтобы впоследствии задуматься и над судьбой посторонних планет, поэтому колхоз более приемлем для небесной звезды, чем единоличная деревня. Утомившись, я нечаянно задремал и так пробыл неопределенное время, пока не упал от испуга, но не убился. Неизвестный человек отстранился от дерева, давая мне свободное место падать,— от голоса этого человека я и проснулся наверху.

Разговорившись с человеком, я пошел за ним вслед по дороге, ведущей дальше от «Доброго начала». Иногда я оглядывался назад, ожидая света колхозного солнца, но все напрасно. Человек мне сказал, что он борец с неглавной опасностью и идет сквозь округ по командировке.

— Прощай, Кондров! — в последний раз обернулся я на «Доброе начало».

Навстречу нам часто попадались какие-то одинокие и групповые люди,— видно, в колхозное время и пустое поле имеет свою плотность населения.

— А какая опасность неглавная? — спросил я того, с кем шел.— Ты бы лучше с главной боролся!

— Неглавная кормит главную,— ответил мне дорожный друг.— Кроме того, я слабосердечен, и мне дали левачество, как подсобный для правых район! Главная опасность — вот та хороша: там пожилые почетные бюрократы, там разные акционерные либералы — тех крушить надо вдосталь,— и для самообразования будет полезно: кто ее знает, может быть, правые уже последние ошибочники, последние вышибленные души кулаков!

Ах, как жалко, что у меня сердце слабое, а то бы мне главную дали: ах, и пожил бы я в такое сокрушающее время! До чего ж приятно и полезно сшибить правых и левых, чтобы у здешнего кулачества не осталось ни души, ни ума!

Я осмотрел говорящего человека. Лета его были еще не старые, зато лицо и тело, видимо, уже истратились в окружных дискуссиях, настолько его туловище глядело измученным существом.

Он дышал неравномерно и редко, все время забывался во внутренних мыслях и едва ли достаточно ел пищи.

Переваливая за горизонт, мы заметили по бледному свету на земле, что сзади нас взошла луна. Мы оглянулись.

Я увидел среди дальнего мрака слабое круглое светило, все же боровшее сплошную тьму.

— Это солнце зажгли в колхозе! — сказал я.

— Да, возможно,— безразлично согласился борец с неглавной опасностью.— Для луны — для последователя солнца — это слишком неважный огонь. И последователем надо быть уметь.

Ночевали мы с ним в неопределенной избушке, которую увидели в стороне от тракта.

— Пункт бы здесь устроить какой-нибудь,— сказал мне на утренней заре прохожий товарищ.— Зачем стоит эта хатка пустой, когда основной золотой миллиард, нашу идеологию, не каждый имеет в душе!

— Это правда,— сказал я,— на свете много душевных бедняков.

В течение первой половины дня мы шли дальше. По сырым полям кое-где уже ходили всем составом колхозы и щупали руками землю, определяя ее весеннюю спелость.

Затем мы дошли до деревни Понизовка, расположенной действительно по низу земли. Это объясняется недостатком воды или трудностью ее добычи на верхних почвах.

Вообще колхозное и совхозное водоснабжение должно стать большим предметом нашей пятилетки, ибо, как я заметил, степень обработки и освоенности земель обратно пропорциональна водоснабжению.

Это значит, что высокие водораздельные земли, обычно самые ценные по качеству, самые структурные по составу, хуже обрабатываются, и за такими полями бывает меньше ухода.

Оно и понятно, потому что водоразделы лежат далеко от хозяйственной базы, всегда прижатой к естественному открытому водоему или к неглубокой грунтовой воде.

Я видел в зерновых районах не меньше ста громадных сел, и все они согнаны на водопой в низы — в долины речек, в балки и прочие провалы рельефа.

Высокие же, самые тучные земли — далеки и пустынны.

Это означает громадные, вероятно, в несколько сот миллионов

рублей ежегодно, потери для нашего хозяйства, благодаря недобору урожая с водораздельных почв.

В чем же заключается решение задачи? В том, чтобы селить колхозы и основывать совхозные усадьбы прямо на водоразделах, в центре плодородия почв. А водоснабжение для них следует устраивать посредством глубоких трубчатых колодцев. Добавочное значение тут будет еще в резком оздоровлении деревни. Та заразная жижка открытых водоемов, которой утоляют свою жажду многие деревенские районы СССР, потеряет тогда свой смысл как источник водоснабжения. Артезианская же глубокая вода трубчатых колодцев безвредней, вкуснее и чище, чем хлорированная водопроводная.

Сейчас, когда идешь по дальним частям СССР, то видишь как бы пустую незаселенную страну. Это потому, что все поселения спрятались в низовые ущелья; иначе говоря — гидрологические условия определили собой способ заселения нашей земли. Соображая же несколько глубже, можно сказать, что феодально-капиталистические производственные отношения держали деревню у ручьев и болот, оставляя в полном или частичном запустении самые лучшие по плодородию суходолы. Отсюда ясно, что для многих наших южных, юго-восточных и центрально-черноземных районов социализм должен явиться, в числе прочих своих элементов, также и в качестве воды на водоразделах.

Вот отчего деревня, встреченная нами, называлась Понизовкой — именем, которое подходяще и для тысячи других деревень.

Борец с неглавной опасностью пошел непосредственно в сельсовет. И здесь я был свидетелем действий его опытного ума, умевшего всякую бюрократическую сложность обращать в понятную простоту истины.

— Что же вы ничего нам не сообщили? — спросил моего дорожного товарища секретарь сельсовета.— Мы бы вам тарантас послали навстречу!

— Не указывай! — ответил борец.— Береги лошадей для сева, а не для меня.

На стене совета висели многие схемы и плакаты, и в числе их один крупный план, сразу привлекший зоркий ум борца с опасностью. План изображал закрепленные сроки и название боевых кампаний: сортировочной, землеуказательной, разъяснительной, супряжно-организационной, пробно-посевной, проверочной к готовности, посевной, контрольной, прополочной, уборочной, учетно-урожайной, хлебозаготовительной, транспортно-тарочной и едоцкой.

Глубоко озадачившись, борец сел против пожилого, несколько угрюмого председателя. Ему было интересно, почему сельсовет заботится и о том, чтобы люди ели хлеб,— разве они сами непосильны для этого или настолько отсталы, что откажутся от современной пищи!

— А кто его знает? — ответил председатель.— Может, обозлятся на что-нибудь либо кулаков послушают и станут не есть! А мы не можем допустить ослабления населения!

Секретарь дал со своего места дополнительное доказательство необходимости жесткого проведения едоцкой кампании.

— Если так считать,— сказал секретарь,— тогда и прополочная кампания не нужна: ведь ходили же раньше бабы сами полоть просо, а почему же мы их сейчас мобилизуем?

— Потому что, молодой человек, вы только приказываете верить, что общественное хозяйство лучше единоличного, а почему лучше — не показываете,— ответил мой дорожный товарищ.

— Нам доказывать некогда, социализм не ждет! — возразил секретарь.

— Ну, конечно,— заключил борец.— Вы строить и достраивать ничего не хотите, вам охота поскорее как-нибудь отстроиться и лечь на отдых среди счастья... Вот она — левая бегущая юность! — уже ко мне обратился командированный.

Настроение председателя было иным. Он угрюмо предвидел, что дальше жизнь пойдет еще хуже. По его выходило, что людей придется административно кормить из ложек, будить по утрам и уговаривать прожить очередную обыденку. Секретарь же с ним постоянно ссорился и считал его правым трусом, сам в то же время яростно и директивно натягивая группу бедняков-активистов, не давая им ни понять, ни почувствовать, вперед, бегом через колхоз, на коммуну.

Спустя немного времени окружной товарищ сильно смеялся такому четкому обстоятельству, когда левый и правый сидят в одной комнате и все время как бы производят один другого из единой кулацкой бездны.

— Едоцкая кампания была ниточкой, на которую я сразу поймал и левацкого карася и правую щуку,— объяснил мне окружной спутник.— Придется мне в этом селе посидеть и кой-кого обидеть из этих дрессировщиков масс.

— Да ты слишком примиренчески с ними говоришь,— сказал я.— При чем тут юность, нежность, когда левый правит на катастрофу? Крой безупречно и правых, и левых!

— Это верно,— вдумчиво согласился борец.— Случись что тяжелое, левый ведь побежит к правому — боюсь, скажет, дяденька! А этот дяденька зарычит своим басом и угробит все на свете, кулацкий кум!

Окружной человек еще немного подумал среди тишины кончающегося степного дня.

— Правильно, правильно: у левых дискант, у правых бас, а у настоящей революции баритон, звук гения и точного мотора.

И здесь борец с неглавной опасностью отошел от меня, я же направился из Понизовки дальше по своему маршруту, несмотря на вечернее время.

Идти мне пришлось недолго; два неизвестных инженера ехали с шофером на автомобиле и взялись меня подвезти до ближайшего места. С полчаса мы ехали спокойно, потом в моторе что-то жестко и часто забилось, словно в камеры цилиндров попалось металлическое трепещущее существо. Конус, тормоз — и шофер вышел смотреть повреждение. Отняв гайки, мы общими усилиями попробовали поднять блок цилиндров, но силы у нас оказалось меньше тяжести, а энтузиазма не было. Прохожий человек стоял и судил нас:

— Вы маломочны и беретесь не так. Лучше ступайте на Самодельные хутора — отсюда версты две будет, и того нет. Возьмите оттуда Гришку — он вам один машину зарядит. А так вы замучитесь: вы люди не те.

Мы помолчали из уважения к себе перед прохожим, но затем сообразили, что без этого Григория с хутора и без лошадей нам не обойтись, и темнело уже.

Я пошел на хутор. В лощине существовали четыре закопченных двора, из каждой трубы шел какой-то нефтяной дым, и всюду в этом поселении гремели молотки. Хутор был похож не на деревню, а на группу придорожных кузниц; самые же дома, когда я подошел ближе, были вовсе не жилищами, а мастерскими, и там горел огонь труда над металлом. Опустелые поля окружали эту индустрию, видно, что хуторяне не пахали и не сеяли, а занимались железным делом какого-то постоянного машинного мастерства. Вдруг резкая воздушная волна ударила мне в глаза горячим песком, снесенным с почвы, и вслед за этим раздался пушечный удар. От неожиданного страха я присел на лопух и слегка обождал. Голый человек, черный и обгорелый — не на солнце, а близ огня — вышел из хаты-мастерской и поднял позади меня огромный деревянный кляп.

Этот человек оказался необходимым нам Григорием. Он только что испробовал прочность железной трубы, посредством выстрела из нее деревянной пробкой: железная труба лежала в горне, имея воду внутри, и работала как паровой котел — на давление, пока не вышибла кляпа из отверстия.

Григорий пошел со мной и поступил с автомобилем очень просто: он выбрал начинку из двух цилиндров, в виде рассыпавшихся вкладышей, и запустил мотор на двух цилиндрах.

— Ехать можно,— сказал нам Григорий.— Только в двух холостых цилиндрах теперь живот болит — там газ и масло гоняются непостижимо как.

Мы поехали на его хутор. Хутор этот живет уже лет двести, и всегда в нем было не более четырех дворов. В свое отошедшее в древность время хутор был ремонтной мастерской чумачьих телег, арб и чиновничьих экипажей, а теперь на хуторе поселились бывшие партизаны и демобилизованные красноармейцы, происхождением из шахтеров, московских холодных сапожников и деревенских часовых мастеров, делавших в свое время, за недостатком заказов, девичьи бусы.

— Вы ездили на автомобиле? — спросил Григория один основной пассажир-инженер.

— Кто мне давал его?! — с вопросительной обидой произнес Григорий, правивший машиной.

— А как же вы едете так прилично?

— А я же еду и думаю,— объяснил Григорий.— Машина же сама говорит, что ей симпатично, а я ее слушаю и норовлю.

На этом хуторе мы ночевали, потому что Григорий обещал поделать вкладыши из металла, который никогда не лопнет и не раскрошится.

Мы легли на ночлег в солому близ сарая, в котором хранился уголь и брак продукции. Едва только мы углубились в прохладу сна на свежем воздухе, как нас разбудил гром аплодисментов и длительные овации. Вокруг ничего не существовало, кроме тихой и порожней степи, а в одном строении хутора гремел восторг масс и трезво дребезжало стекло открытого окна. Я встал в раздражении испорченного сна, но со счастьем любопытства.

— Неопределенных возгласов не хватает! — услышал я рассуждение Григория в тишине кончившейся овации.— Люди всегда работают сразу — и в ладоши и в голос крика! Иначе не бывает. Когда рад, то все члены организма начинают передачу.

Я не понимал и пошел внутрь мастерской. На полу жилья стоял станок, похожий на тот, что точит ножи и всякие лезвия, но с особым значительным ящиком и разными мелкими деталями. Привод станка в действие явно был ножной. Весь этот аплодирующий автомат был изготовлен полевыми мастеровыми для Петропавловского драмкружка, которому нужны были, по ходу одной пьесы, приветствующие массы за сценой.

Здесь пришел другой мастеровой — Павел, по прозванию Прынцып; он принес кусок блестящего металла в руке.

— Что это? — спросил я у Григория.

— Это мы детекторы из него крошим.

— И много вам заказывают?

— Тыщи. Наши деревни музыку обожают, а слободы еще боле. Я думаю, что дальше в степь радио и не проходит: у нас в округе антенн гуще, чем деревьев, вся волна тут оседает.

Затем мастеровые сели ужинать; их было семь человек, и все они слегка походили друг на друга. Стол находился под кущей закоптевшего единственного дерева — в конце двора; над столом, подвешенная к дереву, горела чугунная люстра из десяти пятисвечных электрических лампочек, а самое электрическое питание лампам подавал аккумулятор с чердака. На столе имелись для аппетита полевые жестяные цветы в банке и две стальные гравюры, изображающие любовь.

После сытного ужина, рассчитанного на утоление мощных туловищ степных мастеровых, состоялось чтение газеты вслух. Читал Григорий, а остальные серьезно слушали и отвечали искренними чувствами.

— «Нашей погранохраной задержан польский шпион Злучковский!» — читал Григорий.

— К ногтю! — решали слушатели про того шпиона.

— «В Баку открыт новый завод смазочных масел».

— Машине необходимы жиры. Это первейшая нужда,— одобряли такое дело мастеровые, сочувствуя машинам.

— «Камчатская пушная экспедиция Госторга шлет приветствие пролетариату Советского Союза».

И все слушатели молча наклоняли головы в ответном приветствии.

— «Близ Ашхабада наблюдались слабые толчки почвы. В деревне Исмидие разрушен один дом».

— Зря: люди работают, а посторонняя сила лезет.

Это были очень серьезные люди. Было заметно, что они не слушают происшествия, а чувствуют их, не созерцают, а изучают, и в легкой работе ума отдыхают тяжелым телом.

После ужина Григорий принялся за изделие вкладышей для автомобильного мотора. По его системе вкладыши должны получиться прочнее, чем были, потому что он собирался их делать не из целого куска бронзы, а из частей.

— Ты видел дома из одного цельного камня? — спросил Григорий у меня.

— Нет,— по справедливости сообщил я.

— Оттого они и стоят по сто лет, оттого и держат бури, жару, дожди и сотрясения! Я тебе вкладыши сварю из крупинок и частей, как кирпичный дом. Будешь ездить сильно. Митрий, порть мне бронзу на мелочь.

Дмитрий начал рубить кусок бронзы.

— Брось,—догадался Григорий.— Бронза стоит государству средств и организации. Руби мне ее из старых вкладышей.

И так было поступлено.

Еще не успел сварить и отформовать Григорий вкладыши, как из степной ночи предстал перед мастерской таинственный, озадаченный всадник. То был друг Григория — комсомолец из далекой слободы.

— Гриша, к нам бог вступает, поп и бабы ему иже херуим хором поют, на голове у него свет горит!.. Едем со мной на лошадином заду!

— Заводи машину,— сказал Григорий мне.— Буди шофера!

Шофера я разбудил, а инженеры от усталости ехать не захотели.

Через минуту мы помчались с хутора на паре цилиндров — бороться с пришествием бога в слободу, а позади нас поспевал комсомолец на коне.

Мы приехали быстрее бога: он еще не дошел до слободы, а медленно двигался по горизонту, окруженный старым народом, и над головой его действительно светился нимб беловатого огня. Мы дали газ в мотор и, с перебоями в цилиндрах, достигли бога и верующих в него.

Шел старик по земле, одетый в рядно, босой и торжественный. Борода, ясные очи и благодушие пожилого лица служили как бы определенными признаками бога-отца. Вокруг космматых головных волос светилось ровное озарение. Увидев автомобиль, бог-отец выпустил из рук чернохвостого голубя, означавшего духа святого; голубь не хотел было улетать от кормильца, но Григорий дал воющий сигнал — и птица понеслась боком вдаль.

За это мы получили из толпы камень, разбивший стекло в правой фаре.

Григорий тогда встал на шоферское сидение:

— Господа старики и старухи! (В южных слободах любят это почтительно-отжившее обращение.) Господь устал от тягости грехов народа и пешего хода по земному пространству. Мы приехали сюда на машине, чтобы заставить дьявола послужить господу... Садись, бог!

— Охотно, голубчик! — согласился близко созерцавший нас бог-отец.

Он был усажен в пассажирское заднее сидение, и рядом с ним сел Григорий, а шофер повел машину с такой скоростью, чтобы старики и старухи поспевали сзади бежать.

Ночь продолжалась над нами; глубокая звездная природа существовала вокруг нас, не замечая местного людского происшествия. В слободе заметили приближение того, кто явился во второй раз в мир человечества, и сторож зазвонил в главный колокол с малыми подголосками, произнося на них пасхальную службу.

Шоферское боковое зеркало все время отражало свет заднего бога, и вдруг оно погасло; я не мог обернуться, потому что по указанию шофера качал воздух в бензиновый бак, но зеркало опять заблестело божьим сиянием, и я успокоился.

У входа в храм лежал ниц поп и так же повалены были все те, кто и раньше ходил под богом. В стороне стояла группа комсомольцев, трактористов и молодых слобожан, они бесстрашно улыбались накануне светопреставления. Один крестьянин, уже положительного возраста, подошел ко мне в сомнении:

— Либо, товарищ, правда — бог где-то был, а теперь явился, когда не нужен.

Я не разубеждал его словами, поскольку бог-отец почти фактически был. Здесь божий свет снова потух. Поп поднял очи.

— Где же свет господень, что я видел во мгновении времени?

— Сейчас,— ответил бог. Но свет вокруг его головы не происходил.

— Давай я зажгу! — предложил Григорий.— Ты будешь копаться — должность потеряешь.

Он заголил богу рядно, как юбку, пошарил на его груди, и свет засиял.

— У тебя зажимы на батарее ослабли,— тихо сообщил Григорий богу.

— Знаю! — согласно сказал господь.— Туда бы нужно болтики и гаечки, а разве их обнаружишь где в степи.

После посещения храма мы повезли бога в избу-читальню. Так пожелал Григорий, а бог согласился. У Григория был замысел: в этой зажиточной слободе почти никто не верил в радио, а считали его граммофоном,— Григорий вез бога в техническое доказательство. В избе-читальне собралось народу порядочно, тем более что прибывал бог.

В громкоговорителе же ослаб аккумулятор, и про то знал Григорий, а у бога висела вокруг груди свежая батарея элементов. Григорий поставил бога вблизи громкоговорителя и прицепил его проводами к аппарату. Радио, получив усиленное питание, зазвучало четким басом, но зато свет вокруг головы бога потух.

— Верите ли вы теперь в радио? — спросил Григорий собрание, во время перерыва для подготовки оркестра в Москве.

— Верим,— ответило собрание.— Верим господу и в шумную машину.

— А во что не верите? — испытывал Григорий.

— В граммофон теперь не верим,— сообщило собрание.

— Вот тебе раз! — раздражился Григорий.— А если мы вам граммофон сделаем, тогда поверите?

— Послухаем. Слухать будем, а верить обождем.

— А если я вас бога сейчас лишу?

Собрание и тому не особенно удивилось:

— Ну что ж,— ответил за всех неимущий мужик Евсей, читатель центральных газет.— Вместо одного бога за нами десять безбожников ухажерствовать будут. Чем, Гриш, меньше веришь, тем оно к тебе внимания и доходу больше.

В полночь настала пора расходиться. Но вышло горе: никто не брал бога ужинать и ночевать в свою хату. Слобожане требовали, чтобы сельсовет назначил подворную очередь на содержание бога, а неорганизованно иметь бога не желали.

— Да возьми хоть ты его, Степан,— сказал Евсей соседу.— У тебя новая хата порожняя, как-нибудь уляжешься.

— Чего ты? — обиделся Степан.— Я третьего дня бревна на мост по самообложению возил.

Бог уже захотел есть и озяб от свежей ночи, проникавшей в окна избы-читальни.

Наконец над ним сжалился комсомолец, который приезжал за нами на хутор, и позвал старика в свою хату, где существовала одна его бедная мать.

Григорий озлобился на такую религию и увез бога на хутор как старика. Там бог поел, выспался и наутро остался трудиться второстепенным кузнецом. Он оказался кочегаром-летуном астраханской электростанции, тронувшимся в путь в виде бога-отца для проповеди святой коллективной жизни и для подыскания себе почетного счастья в колхозе.

— Я тебя еще раз поймаю — ушибу! — пообещал Григорий.— Живи здесь и работай на производстве. Проповедуй молотком, а не ртом.

Довольный бог остался: все же в нем жила душа кочегара и пролетария, жила и думала; кулак или другой буржуй не сумел бы стать богом — он, невежда, не знает электротехники.

С теми техническими способностями, какие были у Григория

Михайловича Скрынко, сидеть ему на хуторе и стрелять из труб деревянными пробками — не к чему и вредно для государства. Наутро я сказал Григорию об этом. Он послушал и показал мне на окружные бумаги, в силу которых он назначался директором машинно-тракторной станции из шестидесяти тяжелых тракторов; начальной базой для этой станции предназначался тот самый механический хутор, где жил сейчас Григорий. Машины и оборудование для МТС должны были прибыть в течение одной-двух недель.

Это было прекрасно. Лучшего вождя и друга машин, чем Григорий Михайлович, найти в этой местности нельзя. Кроме того, только в случае внезапной смерти Григория Михайловича посевной план МТС мог бы быть не выполнен, а при его жизни этот план наверняка будет превышен процентов на сто, ибо у него трактора не остановятся никогда и он заставит машину работать даже на одном цилиндре, лишь бы сберечь весеннюю минуту.

— А я недоволен,— сказал мне в последующей беседе Григорий Скрынко.— Вот проверну здесь генеральную линию, покажу всей средноте, что такое колхоз в натуре, что такое весна на тракторном руле, а потом учиться уеду,— больше не могу терпеть!

— Чего вы не можете терпеть?

— Отсталости. Зачем нам нужны трактора в каких-то двенадцать, двадцать или шестьдесят сил. Это капиталистические слабосильные марки! Нам годятся машины в двести сил, чтоб она катилась на шести широких колесах, чтоб на ней не аэроплан трещал, а дышал бы спокойный нефтяной дизель либо газогенератор. Вот что такое советский трактор, а не фордовская горелка!

— Это, пожалуй, верно. Но как того добиться?

— Стану сам профессором тяги, вот и добьюсь.

Наверное, так и случится, что года через три-четыре или пять у нас начнут пропадать фордзоновские царапалки и появятся мощные двухсотсильные пахари конструкции профессора Г. М. Скрынко.

— Что будет дальше на моем пути? — спросил я у Григория.

— Колхоз «Без кулака»,— сказал Григорий.— Там председателем мой двоюродный брат, Сенька Кучум, скажи ему, что ты был у меня. А еще далее у тебя будет 2-е Отрадное, там тоже знают меня, и ты кланяйся кому-нибудь!

Я направился в этот указанный колхоз, но ввиду ночной тьмы не успел достигнуть места назначения и явился туда наутро нового дня.

При входе в колхоз висела вывеска с названием этого общественного сельского хозяйства, а под вывеской план работ на текущий год, изображенный по железу, и классовый состав колхоза:

«48 бедняков, 11 батраков, 73 середняка, 2 учителя, 1 прочая женщина с детьми-сиротами».

Колхоз «Без кулака» существует с августа 1929 года, причем в 1928 году при единоличном ведении хозяйства нынешними участниками колхоза засеяно озимыми всего 182 гектара, колхоз же посеял озимых 232 гектара, по яровым колхоз наметил увеличить площадь посева в полтора раза против того, что сеяли нынешние члены, будучи единоличниками. За счет какой же конкретной силы произошло увеличение производительности сложенных бедняцко-середняцких хозяйств?

Не зная этого, я пошел к Семену Кучуму, чтобы спросить. Семен, по прозванию Кучум, удивил меня мрачностью лица и резким голосом, раздающимся из глубины его постоянно скорбящего сердца.

— Я не могу тебе ответить,— сказал он мне,— потому что для нас нет такого вопроса, для нас это понятно без всякого ума.

— У вас, наверно, тракторы есть или вам МТС работала?

— Нет еще ни трактора, ни МТС.

— А что же есть?

— Чего в тебе нет: в нас нет вопроса.

— А отчего же мужики больше сеять начали?

— А для чего ж они колхоз организовали — для бурьяна, что ли?

— Ты обходишь мой вопрос,— я же с добром спрашиваю.

— Не обхожу,— сообщил Кучум.— По-твоему, все наше дело должно выйти так: собрались люди в кучу с одним планом и желанием, стали работать, и вдруг ничего у них не вышло. Это же страшно и так быть не может! Так думает безумный или ненавистный.

— И я так думаю иногда.

— Понятно: в тебе нет колхозного чувства и классовой нужды, не все поспевают за революцией. Кто имеет чувство иль хотя бы нашу классовость, у того и ум, а без чувства — остаются одни вопросы и злоба.

Я поник. Это была приблизительная правда. Я остался в колхозе на несколько дней, не особо все же доверяя Семену Кучуму. Больше Кучум уже ни разу не говорил со мной, потому что вообще не произносил слов без нужды, хотя был вежливым и спокойным от какого-то равномерного делового уныния человеком. Дальше я существовал лишь свидетелем некоторых событий.

В этой деревне около четверти населения было в колхозе. Остальные же крестьяне все время мучились душой: входить им или обождать. Работал Кучум непостижимо, я больше никогда не видал такого колхозного организатора.

Однажды подходят к нему четыре бедняка — у всех одно заявление: бери их и зачисляй в колхоз. Бедняки эти были общеизвестными, но в смысле качества — люди не вполне усердные, так как давно уже отчаялись найти дорогу к облегчению своей жизни. Это их неусердие, вероятно, и озлобило Кучума, поскольку дорога для жизни бедноты была уже открытой.

— Чего еще! — с грубым недружелюбием сказал им Кучум.— Вы что, очертенели, что ль? Вы думаете, в колхозе легко вам будет?

— Да может, Семен Ефимыч, и легче,— ответили бедняки.

— Это вам люди набрехали,— угрюмо объяснил Кучум.— В колхозе же труд, забота, обязанности, дисциплина,— куда вы лезете?

— А как же нам быть-то, Семен Ефимыч?

— Да будьте на своих дворах, охота вам горе добывать!

Бедняки в раздумчивости уходили от Кучума; некоторые же считали шепотом, что Кучум — тайный подкулачник.

Середняки обычно приходили в колхоз писаться поодиночке. Они подавали бумагу с молчанием и с морщиной на лбу, въевшейся в их головы еще с зимы.

— Пиши и нас, Семен Ефимыч, я человек не каменный.

— А какой же ты? — спрашивал Кучум.

— Я трогательный. Я же вижу ваши обстоятельства, а у себя не вижу ничего,— живу неподвижно, как вечный какой!

— Истомиться у нас пожелал,— уныло-недоуменно ставит вопрос Кучум.— Другую морщину нажить на лоб хочешь?

— Да хоть бы и так, Семен Ефимыч!

— Хоть бы и так? Нет, ты уже иди назад — нам мучеников не нужно. Помучайся лучше на своей усадьбе — отмучаешься, тогда придешь.

Я решил, что Кучум нарочно не принимал единоличников, чтобы поднять колхоз изолированным способом на высоту благосостояния. Но большинство единоличников-крестьян чувствовали другое: они глубоко чтили Кучума.

— Сначала мы тоже думали, что он пьяный или дурной, а потом узнали, что он настоящий,— объяснил мне многократно не принятый в колхоз бедняк Астапов.

Оказывается, и в прошлом году Кучум тоже создавал колхоз крайне неохотно, с отсрочкой и с оттяжкой, страшно поднимая этой истомой чувство бедноты, положившей уже уйти в колхоз. Такими непонятными действиями Кучум устроил не просто поток бедноты в колхоз, а целый напор, давку у его дверей, ибо сумел организовать какую-то высокую загадочность колхоза и дал в массу чувство недостойности быть его членами. Но в то же время Кучум не хитрил, не казался политиком. Он никогда не обещал ничего хорошего вперед, не давал никаких обязательств и поручительств на светлую жизнь, и первый, среди всех известных мне колхозных активистов, имел мужество угрюмо сказать колхозникам, что их вначале ожидает горе неладов, неумелости, непорядка и нужды; причем нужда эта будет еще горче, чем бывает она на одном дворе, и побороть ее тоже будет трудней, чем одинокому хозяину, но зато, когда колхоз окрепнет, нужда сделается невозможной и безвозвратной. Эту мысль Кучум, однако, не выговаривал, а лишь думал ее молча,— говорил же он другое.

— Но, может, потом нам будет хорошо? — робко спрашивали его первые колхозники.

— Не знаю,— искренно отвечал Кучум,— это зависит от вас, а не от меня. Помогать я вам буду, кулака в колхоз не пущу, но кормиться и добиваться лучшего вы должны сами. Вы не думайте, что только советской власти необходим ваш колхоз — советская власть и без хлеба жила — колхоз нужен вам, а не ей.

— Да ну?! — пугались первые колхозники.— А мы слышали, что колхоз советской власти по душе!

— Ну что ж, что по душе! У советской власти душа же бедняцкая — стало быть, что вам хорошо, то и ей впрок.

Так еле-еле, под напором нескольких неимущих был устроен колхоз «Без кулака».

И действительно, Семен Кучум никого не обманул — тяжело пришлось колхозникам в первое смутное время организационности. А Семен ходил среди всех в такие дни тужести и говорил:

— Ну, кого выписывать прочь? — Но никто не пожелал выписаться.

Только много позже, уже зимой, один человек, хвастающий тем, что он официальный батрак, выписался из колхоза.

— Не могу,— сказал он,— харчи дают без гущи, работай от сна до сна, все помнить велят, лучше я батрацкой льготой буду жить.

— Вали,— ответил ему Кучум.— Кулак ведь не одних большевиков из нашего брата делал, а и вечных рабов еще, вроде тебя. Вали к чертовой матери!

После осеннего сева Кучум, однако, принял в колхоз дворов, кажется, десять, и то с серьезным разговором. Я написал «принял», но это не значит, что Кучум решал все дела колхоза в одиночку, наоборот, он отказывался ото всех дел, кроме прямой работы, вроде пахоты. Но сами колхозники так относились к Кучуму, что ничего не совершали без его слова. Если же он молчал, тогда коллективисты чувствовали его настроение и по его настроению делали свои постановления. После сортировки зерна и подготовки к севу Кучум принял еще дворов пять. Такими способами приема Кучум так настроил всю единоличную часть деревни, что большая часть единоличников уже напирала в ворота колхоза. Но Кучум не совершал приема без показательных фактов колхоза, без достижений таких образцов работ, которые служат ясным и простым доказательством выгодности общественного трудового хозяйства. Поэтому он и принял десять дворов только после осеннего сева, произведенного, говорят, так, что единоличники стояли по сторонам колхозного поля и плакали, точно видели что-то трогательное.

После подготовки к севу также состоялся прием новых членов, и после весны, надо думать, Кучум отойдет сердцем и даст вход беднякам и середнякам. Правило Кучума, очевидно, было такое: чем больше колхоз доказывает сам себя (доказывает фактически — на ощупь населению), тем больше он пополняется новыми членами. Кучум не разрешал обманываться людям.

Такая политика, в сущности, лишала возможности бедноту и лучшую часть середняков проявить свою активность. Такая политика, похожая отчасти на безвольный самотек, могла разоружить революционные силы деревни, и впоследствии район серьезно и резко указал Кучуму, что хотя сам он, Кучум, человек милый и геройский, но политика его почти кулацкая, и Кучум, обидевшись все-таки, согласился с районом, потому что ума и дисциплины в нем больше, чем однодворного эгоизма.

Но в это время мне странно было видеть и слышать, как единоличники, не принятые еще в колхоз, любили этот колхоз и заботились о нем. Один средний крестьянин, по уличному прозванию Пупс, хотел, например, организовать группу колхозных кандидатов, дабы обеспечить себе первоочередное проникновение в колхоз, но Кучум запретил такое неопределенное дело и разрешил Пупсу создать лишь товарищество общественной обработки земли. Пупс такое товарищество (ТОЗ) учредил, но остался все же в большой обиде на Кучума и выпивши ходил по деревне с песней:

Эх, в колхозе вольно жить,
Вольно жить, не тужить.
Выпьешь бутылку-другую кваску
И побежишь погулять по леску.

Дойдя до правления колхоза, Пупс долго требовал, чтобы к нему вышел Кучум,— он хотел еще раз поглядеть на великого человека.

В разных частях быта и хозяйственной сноровки единоличников сказывалось влияние колхоза. Каждый личный хозяин норовил суетиться на своем дворе по звонкам колхоза, раздававшимся на всю деревню. Ему было теперь неудобно лежать дома на лавке, зная, что в колхозе трудятся. Особенно же доставалось женской части единоличников. Насмотревшись порядков в колхозе, мужики ходили теперь по своим домашним угодьям с презрением:

— Марфуш! А Марфуш! — терпя свое сердце, обращался супруг к жене, а жена его доила корову.— Ты бы хвостяную конечность к коровьей ножке привязала: чего ж тебя хвостом животное по морде бьет! Ты бы хоть раз на колхозные дворы сходила, поглядела бы, как там членки доют!

Другой хозяин всю ночь спал с открытым окном избы, потому что в колхозе люди спали с воздушным сообщением. Третий человек выписывал сразу две газеты на одного себя, поскольку в колхозе приходилось по газете на каждую взрослую душу.

И еще я заметил, что колхозные девицы были самыми модными барышнями среди юношей единоличных дворов. Они им казались вкусней и сознательней и гораздо изящней, точно социалистические парижанки среди феодального строя.

Единоличные девки, глядя на молодых колхозниц, единодушно бросили белиться, перестав тереться щеками о белые стены, ибо ни одна колхозница не украшала свое лицо красками.

Таково было великое томление единоличников по колхозу, устроенному Кучумом без большого восторга. Мало того, я наблюдал людей, прибывших из окрестных деревень и, видимо, надеявшихся, что можно будет скустоваться своей деревней с колхозом Кучума.

— Действуйте себе на горе, если вам жизнь не дорога,— сообщал Кучум таким гостям,— а жаловаться потом ко мне не приходите.

— Ишь ты какой! — обижались пришельцы.— У тебя, стало быть, и колхоз, и весь свет жизни, а мы сиди под собственным плетнем и жуй житное с солью.

— Я же вам говорю, чтоб вы организовались, раз вы беды не боитесь!

— А у вас-то в колхозе аль беда какая?

Беды в колхозе, пожалуй, не было, но и покоя жизни тоже никто не знал. Но все же единоличники верили, что в колхозе с каждым днем прибавляется по одной капле лучшей жизни, а у них эта влага стоит в срезек, на одном уровне.

Кучум подсчитал, что о союзе с окрестными колхозами он будет говорить во время самой нужды в этом союзе, например во время появления МТС, при землеустройстве, при организации борьбы с несознательными полезными вредителями и в других больших хозяйственных случаях.

Мне было очень интересно, как сумел этот мрачный вождь бедняцкого движения к хлебу и свету организовать труд в колхозе и распределение продуктов.

В этом деле он оказался скупым рыцарем. Весь состав колхоза он разбил на две половины: люди до двадцати лет (юноши и девушки) и люди старше двадцати лет.

При этом молодое поколение (до двадцати лет) разбивалось еще на ряд групп: младенчество, детство, отрочество, рабочая молодежь в пятнадцать — двадцать лет. Для всей этой молодежной части колхоза снабжение было установлено, как в коммуне, без всякой разницы и поправки на общественную трудовую полезность (принималась во внимание только возрастная разница: например, младенец и уже работающий юноша в семнадцать лет и т. п.). Даже членов старше двадцати лет натуральное и денежное снабжение происходило сдельным способом. В хозяйственном плане колхоза было записано и утверждено следующее: «Весь доход колхоза «Без кулака», за отчислением от него амортизации, налога, расходов по скоту, страховки и пр., делится на число душ-едоков; души-едоки до двадцати лет получают свою долю дохода полностью, а более старшие лишь половину своей доли, и из расчета этой половины душевого дохода составляется сдельный расценок каждого члена старше двадцати лет. Другая половина душевого дохода старшего члена за минувший хозгод делится так: четверть ее идет на усиление пищи и одежды молодого поколения, то есть не свыше двадцати лет, две четверти на хозяйственное развитие коллектива и последняя четверть в запасный, неприкосновенный фонд, а также на помощь индустриализации государства».

Ясно, что Кучум имел на свежее поколение великую надежду и впряг всех взрослых людей, уже испорченных бывшим империализмом, работать на это живое будущее.

Кучум знал, что нынешнее юношество уже будет жить в коммуне и не станет нуждаться в сдельщине. Впрочем, молодежь не нуждалась в сдельщине и сейчас: я узнал, что колхозники в возрасте пятнадцати — двадцати лет работали с предельным напряжением сил и не имели надобности в каком-либо подгоняющем принуждении,— им было необходимо лишь обучение. Эта картина трудового усердия молодежи стала обычной в нашей стране, потому что советская юность не знает причин для избежания труда, разве что лишь когда переутомится или влюбится.

Рабочие планы составлялись в этом колхозе на каждые десять дней. Согласно такому общему декадному плану, всякому члену колхоза выдавался на руки личный план-талон, в котором обозначались объем работ, число часов для ее исполнения и расценок. Такие индивидуальные планы-талоны указывали обязанности каждого члена в течение одного, двух, а иногда и трех дней.

Весь плановый и операционный штат колхоза состоял из Кучума и его помощника, бывшего батрака Силайлова; но и эти двое также получали личные планы-талоны на обычную работу, общей же плановой и руководящей деятельностью они занимались по вечерам или рано утром.

Из новых учреждений в колхозе был детский сад с яслями и Дом коллективиста, работавший под заботой двух учителей-колхозников,— причем эти учителя были освобождены от всякой сельскохозяйственной работы и снабжались так, как если бы им было меньше двадцати лет. Последнее обстоятельство указывало на глубокий расчетливый такт Кучума; в остальном же он был скупец и безжалостный хозяин. Это его свойство сказалось и в плане колхоза и во внешнем виде колхозников — одевались они плохо и имели худой изработанный вид.

Зато молодая часть колхоза была совсем другая — не только пригожа и сыта на лицо, но и одета вполне прилично: недаром колхозные девушки были парижанками для всех единоличных девок. В эту сторону Кучум уже ничего не жалел и лично ездил в город закупать мануфактурный материал для молодежи, беря для консультации парня и девицу.

В мою бытность в этом колхозе Кучум совершил одно замечательно правильное начинание: он от имени колхоза вызвал на соревнование весь местный состав единоличников, желавших быть колхозниками. Предметом соревнования были все обычные статьи весеннего сева: семзерно, площадь засева на лошадь-человека, срок и т. д. Призом же соревнования было следующее: если единоличники выиграют у колхоза или хотя бы близко сравняются с ним, то всех соревнующихся единоличников Кучум принимает в колхоз; если проиграют — пусть с приемом подождут до осени.

Единоличники вызов Кучума приняли.

— Мы ему, черту, покажем, кто мы такие! — ожесточаясь для неимоверного труда, говорили некоторые единоличники.

— Попробуем. Может, и сладим.

— С ним попробуешь! Он, гляди, вот-вот и спать перестанет.

— Это бы ничего. Плохо то, что и другие все запляшут скоро под его шаг.

— На лицо-то он вялый, а как почнет рвать и метать, как только почва его носит!

— Ну, ведь и мы из костяного материала сделаны!

— Замучил он нас. Если бы он бабой был, то мы бы думали, что он присушку знает, а раз он мужик, то непонятно. При нем, говорят, и дети в яслях не плачут.

— А что ж они делают?

— Кто ее знает! Наверно, сознавать начинают.

— Вот крест-то нам господь послал! От него, как от бабы, и отвязаться нельзя.

— Даже странно! — почти научно выразился какой-то единоличный малый.

Мне неизвестно, чем закончилось это редкое соревнование. Если даже колхоз и не выиграл, что при Кучуме недопустимо, то выиграло государство, ибо в той деревне засеяны, наверно, не только все порожние земли, но даже и овражные косогоры, ибо ярость мужиков была велика, да и у кучумовцев она не маленькая, хотя и другого качества.

Теперь задумаемся над тем, правильна ли работа Кучума во всех частях, нет ли в его работе скрытой установки на самотек, на этого врага бедноты и средних мужиков? Колхозы, конечно, есть судьба всемирного трудящегося крестьянства, но если авангард того же крестьянства и пролетариата не разбудит сознания в массах, не создаст тяги в колхозы, то судьба эта опоздает, а замедленное движение всегда чревато риском и падением.

Да, в работе Кучума есть и была бессознательная установка на самотек, на политику прижатых тормозов, но я считаю, что напирающая беднота украдет вскоре у Кучума эту установку, и тогда, потерпев самотек, он приобретет полный дар вождя.

В день своего отхода из колхоза я увидел, наконец, как уныло-равнодушный Кучум был краткое время бешеным. К нему явился снятый с должности председатель колхозного куста, расположенного отсюда километров за двадцать. Он с Кучумом был хорошо знаком и почти что приходился ему другом, что замечалось по искренности отношения и легкой радости на обоих лицах. Прибывший кустовой председатель начал жаловаться на неправильности: его прогнали за перегибы, за то, что он раскулачил будто бы сорок человек середняков и закрыл церковь без либерального подхода к массам; но ведь те середняки завтра могли стать кулаками, и он лишь пресек их растущую тенденцию. А что касается церкви, то народ, сам не сознавая, давно потерял надежду в наличие бога, и он только фиксировал этот факт путем запрещения религии,— за что же, спрашивается, его ликвидировали как председателя?

Здесь бывший председатель сообщил следующее свое мнение: собаке рубят хвост для того, чтобы она поумнела, потому что на другом конце хвоста находится голова. Тут он явно намекал на то, что, дескать, райисполком — голова, а он — хвост, точно рик и вправду приказывал ему в течение недели учредить коммунизм. Даже мне было глубоко грустно слушать такую отъявленную негодяйскую речь.

Чем больше слушал Кучум эти слова своего друга, тем все значительней серело его лицо. Затем он стал бордовый, равнодушные его глаза осветились мгновенной энергией, и, слегка приподнявшись, Кучум молча совершил резкий, хрустящий удар в грудь противосидящего друга. Друг без дыхания повалился навзничь. Но Кучум не чувствовал еще удовлетворения. Он вышел из-за стола, поднял упавшего за куртку и дал ему свежий, сокрушительный удар в скулу — так что бывший председатель прошиб затылком оконную раму и вывалился из помещения на улицу, осыпанный мелочью стекла. После этого акта Кучум вновь приобрел унылое выражение своего лица, я же почувствовал значение партии для сердца этих угрюмых непобедимых людей, способных годами томить в себе безмолвную любовь и расходовать ее только в изможданий, счастливый труд социализма.

— До свидания! — сказал я Кучуму.

— Прощай,— товарищески мягко произнес он, зная, что, куда бы я ни делся, я все же всюду останусь в строительстве социализма и какой-нибудь прок от меня будет.

Наевшись в колхозе мяса, я пошел из общего хозяйства по прямому направлению и часов через шесть дошел до большого селения, под названием Гущевка. Я стал в крайней избе на ночлег и долго лежал на лавке без сна, а в полночь в это же место пришел ночевать товарищ Упоев, главарь района сплошной коллективизации, не имевший постоянного местопребывания.

К утру я уже коренным образом познакомился с товарищем Упоевым и узнал мужественную, необоримую жизнь этого простого человека.

Раньше любая кулацкая сила постоянно говорила бедняку Упоеву: «Ты отсталый, ты человек напрасный на этом свете, ты псих, большевиком ты состоять не годишься — большевики люди проворные».

Но Упоев не верил ни кулаку, ни событию — он был неудержим в своей активности и ежедневно тратил тело для революции.

Семья Упоева постепенно вымерла от голода и халатного отношения к ней самого Упоева, потому что все свои силы и желания он направлял на заботу о бедных массах. И когда ему сказали: «Упоев, обратись на свой двор, пожалей свою жену — она тоже была когда-то изящной середнячкой», то Упоев глянул на говорящих своим активно-мыслящим лицом и сказал им евангельским слогом, потому что марксистского он еще не знал, указывая на весь бедный окружающий его мир: «Вот мои жены, отцы, дети и матери,— нет у меня никого, кроме неимущих масс! Отойдите от меня, кулацие эгоисты, не останавливайте хода революционности! Вперед — в социализм!»

И все зажиточные, наблюдая энергичное бешенство Упоева, молчали вокруг этого полуголого, еле живого от своей едкой идеи человека.

По ночам же Упоев лежал где-нибудь в траве, рядом с прохожим бедняком, и плакал, орошая слезами терпеливую землю: он плакал, потому что нет еще нигде полного, героического социализма, когда каждый несчастный и угнетенный очутится на высоте всего мира. Однажды в полночь Упоев заметил в своем сновидении Ленина и утром, не оборачиваясь, пошел, как был, на Москву.

В Москве он явился в Кремль и постучал рукой в какую-то дверь. Ему открыл красноармеец и спросил: «Чего надо?»

— О Ленине тоскую,— отвечал Упоев,— хочу свою политику рассказать.

Постепенно Упоева допустили к Владимиру Ильичу.

Маленький человек сидел за столом, выставив вперед большую голову, похожую на смертоносное ядро для буржуазии.

— Чего, товарищ? — спросил Ленин.— Говорите мне, как умеете, я буду вас слушать и делать другое дело — я так могу.

Упоев, увидев Ленина, заскрипел зубами от радости и, не сдержавшись, закапал слезами вниз. Он готов был размолоть себя под жерновом, лишь бы этот небольшой человек, думающий две мысли враз, сидел за своим столом и чертил для вечности, для всех безрадостных и погибающих свои скрижали на бумаге.

— Владимир Ильич, товарищ Ленин,— обратился Упоев, стараясь быть мужественным и железным, а не оловянным.— Дозволь мне совершить коммунизм в своей местности! Ведь зажиточный гад опять хочет бушевать, а по дорогам снова объявились люди, которые не только что имущества, а и пачпорта не имеют! Дозволь мне опереться на пешеходные нищие массы!..

Ленин поднял свое лицо на Упоева, и здесь между двумя людьми произошло собеседование, оставшееся навсегда в классовой тайне, ибо Упоев договаривал только до этого места, а дальше плакал и стонал от тоски по скончавшемуся.

— Поезжай в деревню,— произнес Владимир Ильич на прощанье,— мы тебя снарядим — дадим одежду и пищу на дорогу, а ты объединяй бедноту и пиши мне письма: как у тебя выходит.

— Ладно, Владимир Ильич,— через неделю все бедные и средние будут чтить тебя и коммунизм!

— Живи, товарищ,— сказал Ленин еще один раз.— Будем тратить свою жизнь для счастья работающих и погибающих: ведь целые десятки и сотни миллионов умерли напрасно!

Упоев взял руку Владимира Ильича, рука была горячая, и тягость трудовой жизни желтела на задумавшемся лице Ленина.

— Ты гляди, Владимир Ильич,— сказал Упоев,— не скончайся нечаянно. Тебе-то станет все равно, а как же нам-то.

Ленин засмеялся — и это радостное давление жизни уничтожило с лица Ленина все смертные пятна мысли и утомления.

— Ты, Владимир Ильич, главное не забудь оставить нам кого-нибудь вроде себя — на всякий случай.

По возвращении в деревню Упоев стал действовать хладнокровнее. Когда же в нем начинало бушевать излишнее революционное чувство, то Упоев бил себя по животу и кричал:

— Исчезни, стихия!

Однако не всегда Упоев мог помнить про то, что он отсталый и что ему надо думать: в одну душную ночь он сжег кулацкий хутор, чтобы кулаки чувствовали — чья власть.

Упоева тогда арестовали за классовое самоуправство, и он безмолвно сел в тюрьму.

В тюрьме он сидел целую зиму, и среди зимы увидел сон, что Ленин мертв, и проснулся в слезах.

Действительно, тюремный надзиратель стоял в дверях и говорил, что Ленин мертв, и плакал слезами на свечку в руке.

Когда под утро народ утих, Упоев сказал самому себе:

— Ленин умер, чего же ради такая сволочь, как я, будет жить! — и повесился на поясном ремне, прицепив его к коечному кольцу. Но неспавший бродяга освободил его от смерти и, выслушав объяснения Упоева, веско возразил:

— Ты действительно — сволочь! Ведь Ленин всю жизнь жил для нас таковых, а если и ты кончишься, то, спрашивается, для кого же он старался?

— Тебе хорошо говорить,— сказал Упоев.— А я лично видел Ленина и не могу теперь почувствовать, зачем я остался на свете!

Бродяга оглядел Упоева нравоучительным взглядом:

— Дурак: как же ты не постигаешь, что ведь Ленин-то умнее всех, и если он умер, то нас без призору не покинул!

— Пожалуй что и верно,— согласился Упоев и стал обсыхать лицом.

И теперь, когда прошли годы с тех пор, когда Упоев стоит во главе района сплошной коллективизации и сметает кулака со всей революционной суши,— он вполне чувствует и понимает, что Ленин действительно позаботился и его сиротой не оставил.

И каждый год, зимой, Упоев думает о том бродяге, который вытащил его в тюрьме из петли, который понимал Ленина, никогда не видя его, лучше Упоева.

В общем же Упоев был почти что счастлив, если не считать выговора от Окрзу, который он получил за посев крапивы на десяти гектарах. И то он был не виноват, так как прочел в газете лозунг: «Даешь крапиву на фронт социалистического строительства!» — и начал размножать этот предмет для отправки его за границу целыми эшелонами.

Упоев радостно думал, что вопрос стоит о крапивочной порке капиталистов руками заграничных, маловооруженных товарищей.

Бродя в последующие дни по усадьбам и угодьям колхоза, я убедился, что мнение о зажиме колхозной массы со стороны колхозных руководителей неверно.

От Упоева колхозники чувствовали не зажим, а отжим, который заключался в том, что Упоев немедленно отжимал прочь всякого нерачительного или ленивого работника и лично совершал всю работу на его глазах.

Мне пришлось наблюдать, как он согнал рулевого с трактора, потому что тот жег керосин с черным дымом, и сам сел править, а рулевой шел сзади пешком и смотрел, как надо работать. Так же внезапно и показательно Упоев внизывался в среду сортировщиков зерна и порочил их невнимательный труд посредством показа своего уменья. Он даже нарочно садился обедать среди отсталых девок и показывал им, как надо медленно и продуктивно жевать пищу, дабы от нее получалась польза и не было бы желудочного завала. Девки действительно, из страха или сознания — не могу сказать точно, от чего,— перестали глотать говядину целыми кусками. Раньше же у них постоянно бурчало в желудке от несварения. Подобным же способом показа образца Упоев приучил всех колхозников хорошо умываться по утрам, для чего вначале ему пришлось мыться на трибуне посреди деревни, а колхозники стояли кругом и изучали его правильные приемы.

С этой же трибуны Упоев всенародно чистил зубы и показывал три глубоких вздоха, которые надо делать на утренней заре каждому сознательному человеку.

Не имея квартиры, ночуя в той избе, какая ему только предстанет в ночной темноте, Упоев считал своей горницей все колхозное село и, томимый великим душевным чувством, выходил иногда на деревянную трибуну и говорил доклады на закате солнца. Эти его речи содержали больше волнения, чем слов, и призывали к прекрасной обоюдной жизни на тучной земле. Он поднимал к себе на трибуну какую-нибудь пригожую девушку, гладил волосы, целовал в губы, плакал и бушевал грудным чувством.

— Товарищи! Вечно идет время на свете — из нас уж душа вон выходит, а в детях зато волосы растут. Вы поглядите своими глазами кругом, насколько с летами расцветает советская власть и хорошеет молодое поколение! Это ж ужасно прелестно, от этого сердце день и ночь стучит в мою кость и я скорблю, что уходит план моей жизни, что он выполняется на все сто процентов и скоро я скроюсь в землю под ноги будущего всего человечества... Кто сказал, что я тужу о своей жизни?

— Ты сам сказал,— говорила Упоеву рядом стоящая девушка.

— Ага, я сказал! Так позор мне, позор такой нелепой сволочи! Бояться гибнуть — это буржуазный дух, это индивидуальная роскошь... Скажите мне громко, зачем я нужен, о чем мне горевать, когда уже присутствует большевицкая юность и новый шикарный человек стал на учет революции?! Вы гляньте, как солнце заходит над нашими полями — это ж всемирная слава

230

колхозному движению! Пусть теперь глядит на нас любая звезда ночи — нам не стыдно существовать, мы задаром организуем все бедное человечество, мы трудимся навстречу далеким планетам, а не живем, как гады! Скажи и ты что-нибудь или спой сразу песню! — обращался к девушке Упоев.

Девушка стеснялась.

— Скажи хоть приблизительно! — упрашивал ее Упоев в волнении.

— Что же я тебе скажу, когда мне и так хорошо! — сообщала девица.

— Дяда Упоев, дай я тебе куплет спою! — предложил один юноша из рядов колхоза.

— Ну спой, сукин сын! — согласился Упоев.

Парень тронул на гармонике мотив и спел задушевным тоном:

Эх, любят девки, как одна,
Любят Ваньку-пер...на!

— Раскулачу за хулиганство, стервец! — выслушав хороший голос, воскликнул Упоев и бросился было с трибуны к гармонисту. Но его остановили активисты:

— Брось, Упоев, у него голос хороший, а у нас культработа слаба!

Позже Упоев спрашивал у меня о происхождении человека: его в избе-читальне тоже однажды спросили об этом, а он точно не знал и сказал только, что, наверно, в самом начале человечества был актив, который и организовал людей из животных. Но слушатели спросили и про актив — откуда же он взялся?

Я ответил, что, по-моему, вначале тоже был вождевой актив, но в точности не мог объяснить всей картины происхождения человека из обезьяны.

— Отчего обезьяна-то стала человеком, или ей плохо было? — допытывался Упоев.— Отчего она вдруг поумнела?

Здесь я вспомнил про Кучума и про того, кого он расшиб на месте.

— Самый главный стержень у животного и человека, товарищ Упоев,— это позвоночный столб с жидкостью внутри. Один конец позвоночника — это голова, а другой — хвост.

— Понимаю,— размышлял Упоев.— Позвоночник в человеке вроде бревна, в нем упор жизни.

— Может быть, какие-нибудь звери отгрызли обезьянам хвосты, и сила, какая в хвост шла, вдарилась в другой конец — в голову, и обезьяны поумнели!

— А, может быть! — радостно удивился Упоев.— Стало быть, нам тоже звери-кулаки и подкулачники должны что-нибудь отъесть, чтоб мы поумнели.

— Они уже отгрызли,— сказал я.

— Как так отгрызли? Что ж мне больно не было?

— А перегибщик линии — это тебе не подкулачник?

— Он, стерва.

— А он больно сделал коллективизации или не больно?

— Факт — больно, гада такая!

На том мы и расстались, чтобы спать. Но после полуночи Упоев постучал мне в голову, и я проснулся.

— Слушай, ты ведь мне ложь набрехал! — произнес Упоев.— Я лег спать и одумался: это ведь не кулаки нам хвост отгрызли, а мы им классовую голову оторвали! Ты кто? Покажи документы!

Документов я с собой не носил. Однако Упоев простил мне это обстоятельство и экстренно проводил ночью за черту колхоза.

— Я Полное собрание сочинений Владимира Ильича ежедневно читаю, я к товарищу Сталину скоро на беседу пойду,— чего ты мне голову морочишь?

— Я слышал, что один перегибщик так говорил,— слабо ответил я.

— Перегибщик иль головокружец есть подкулачник: кого же ты слушаешь? Эх, гадина! Пойдем назад ночевать.

Я отказался. Упоев посмотрел на меня странно беззащитными глазами, какие бывают у мучающихся и сомневающихся людей.

— По-твоему, наверное, тоже Ленин умер, а один дух его живет? — вдруг спросил он.

Я не мог уследить за тайной его мысли и за поворотами настроения.

— И дух и дело,— сказал я.— А что?

— А то, что ошибка. Дух и дело для жизни масс — это верно, а для дружелюбного чувства нам нужно иметь конкретную личность среди земли.

Я шел молча, ничего не понимая... Упоев вздохнул и дополнительно сообщил:

— Нам нужен живой — и такой же, как Ленин... Засею землю — пойду Сталина глядеть: чувствую в нем свой источник. Вернусь, на всю жизнь покоен буду.

Мы попрощались.

— Вертайся, черт с тобой! — попросил меня Упоев.

Из предрассудка я не согласился и ушел во тьму. Шаги Упоева смолкли на обратном пути. Я пошел неуверенно, не зная, куда мне идти и где осталась позади железная дорога. Глушь глубокой страны окружала меня, я уже забыл, в какой области и районе я нахожусь, я почти потерялся в несметном пространстве.

Но Упоев бы и здесь никогда не утратил стойкости души, потому что у него есть на свете центральная дорога и любимые им люди идут впереди него, чтобы он не заблудился.

Все более уважая Упоева, я шел постепенно вперед своим средним шагом и вскоре встретил степной рассвет утра. Дороги подо мной не было; я спустился в сухую балку и пошел по ее дну к устью, зная, что чем ближе вода к поверхности, тем скорее найдешь деревню.

Так и было. Я заметил дым ранней печки и через краткое время вошел на глинистую, природную улицу неизвестного селения.

С востока, как из отверстия, дуло холодом и сонливой сыростью зари. Мне захотелось отдохнуть; я свернул в междуусадебный проезд, нашел тихое место в одном плетневом закоулке и улегся для сна.

Проснулся я уже при высоком солнцестоянии — наверно, в полдень. Невдалеке от меня, среди улицы, топтался народ, и посреди него сидел человек без шапки, верхом на коне. Я подошел к общему месту и спросил у ближнего человека: кто этот измученный на сильной лошади?

— Это воинствующий безбожник — только сейчас прибыл. Он давно нашу местность обслуживает,— объяснил мне сельский гражданин.

Действительно, товарища Щекотулова, активно отрицавшего бога и небо, знали здесь довольно подробно. Он уже года два как ездил по деревням верхом на коне и сокрушал бога в умах и сердцах отсталых верующих масс.

Действовал товарищ Щекотулов убежденно и просто. Приезжает он в любую деревню, останавливается среди людного кооперативного места и восклицает:

— Граждане, кто не верит в бога, тот пускай остается дома, а кто верит — выходи и становись передо мной организованной массой!

Верующие с испугу выходили и становились перед глазами товарища Щекотулова.

— Бога нет! — громко произносил Щекотулов, выждав народ.

— А кто ж главный? — вопрошал какой-нибудь темный пожилой мужик.

— Главный у нас — класс! — объяснял Щекотулов и говорил дальше: — Чтоб ни одного хотя бы слабоверующего человека больше у вас не было! Верующий в бога есть расстройщик социалистического строительства, он портит, безумный член, настроение масс, идущих вперед темпом! Немедленно прекратите религию, повысьте уровень ума и двиньте бывшую церковь в орудие культурной революции! Устройте в церкви радио, и пусть оно загремит взрывами классовой победы и счастьем достижений!..

Передние женщины, видевшие возбуждение товарища Щекотулова, начинали утирать глаза от сочувствия кричащему проповеднику.

— Вот,— обращался товарищ Щекотулов.— Сознательные женщины плачут передо мной, стало быть, они сознают, что бога нет.

— Нету, милый,— говорили женщины.— Где же ему быть, когда ты явился.

— Вот именно,— соглашался товарищ Щекотулов.— Если бы он даже и явился, то я б его уничтожил ради бедноты и середнячества.

— Вот он и скрылся, милый,— горевали бабы.— А как ты уедешь, то он и явится.

— Откуда явится? — удивлялся Щекотулов.— Тогда я его покараулю.

— Чего ж тебе караулить: бога нету,— с хитростью сообщали бабы.

— Ага! — сказал Щекотулов.— Я так и знал, что убедил вас. Теперь я поеду дальше.

И товарищ Щекотулов, довольный своей победой над отсталостью, ехал проповедовать отсутствие бога дальше. А женщины и все верующие оставались в деревне и начинали верить в бога против товарища Щекотулова.

В другой деревне товарищ Щекотулов поступал так же: собирал народ и говорил:

— Бога нет!

— Ну-к что ж! — отвечали ему верующие.— Нет и нет, стало быть, тебе нечего воевать против него, раз Иисуса Христа нет.

Щекотулов становился своим умом в тупик.

— В природе-то нет,— объяснял Щекотулов,— но в нашем теле он есть.

— Тогда залезь в наше тело!

— Вы, граждане, обладаете идиотизмом деревенской жизни. Вас еще Маркс Карл предвидел.

— Так как же нам делать?

— Думайте что-нибудь научное!

— А про что думать-то?

— Думайте, как, например, земля сама по себе сотворилась.

— У нас ум слаб: нас Карл Маркс предвидел, что мы — идиотизм!

— А раз вы думать не можете,— заключил Щекотулов,— то лучше в меня верьте, лишь бы не в бога.

— Нет, товарищ оратор, ты хуже бога! Бог хотя невидим, и за то ему спасибо, а ты тут — от тебя покоя не будет.

Последний резон был произнесен при мне. Он заставил Щекотулова обомлеть на одно мгновение — видимо, мысль его несколько устала. Но он живо опомнился и мужественно закричал на всех:

— Это контрреволюция! Я разрушу ваш подкулацкий Карфаген!

— Стоп, товарищ, сильно шуметь! — сказал с места невидимый мне человек.

И я услышал голос, говорящий о Щекотулове как о помощнике религии и кулацком сподручном. Человек говорил, что религия — тончайшее дело, ее ликвидировать можно только посредством силы коллективного хозяйства и с помощью высшей и героической социальной культуры. Такие же, как Щекотулов, лишь пугают народ и еще больше обращают его лицо к православию,— Щекотуловым не место в рядах районных культработников.

Вторым выступил я, потому что почувствовал ярость против Щекотулова и революционную совесть перед массами; я тщательно старался объяснить религию как средство доведения народа капиталистами до потери сознания, а также рассказал, насколько мог, правильные способы ликвидации этого безумия; при этом я опорочил Щекотулова, борющегося с безумием темными средствами, потому что Щекотулов есть тот левый прыгун, с которым партия сейчас воюет.

Щекотулов, дав мне закончить, быстро повернул лошадь и решительно поскакал вон из деревни, имея такой вид, будто он поехал вести на нас войска.

— Ишь, гадюка: в колхозы он небось ездить перестал! — сказал кто-то ему вслед.— Там враз бы ему в разум иголку через ухо вдели! Маркс-Энгельс какой!

Деревня, где я теперь присутствовал, называлась 2-м Отрадным, 1-е же находилось еще где-нибудь. 2-е Отрадное до сих пор еще не было колхозом и даже ТОЗа в нем не существовало, точно здесь жили какие-то особо искренние единоличники или непоколебимые подкулачники. С вниманием, как за границей, я шел по этой многодворной деревне, желая понять по наглядным фактам и источникам уцелевший здесь капитализм.

На завалинке одной полуистлевшей избы сидел пожилой крестьянин и, видимо, горевал.

— О чем ты скучаешь? — спросил я его.

— Да все об колхозе! — сказал крестьянин.

— А чего же о нем скучать-то?

— Да как же не горевать, когда у всех есть, а у нас нету! Все уж давно организованы, а мы живем как анчутки! Нам так убыточно!

— А тебе очень в колхоз охота?

— Страсть! — искренне ответил крестьянин.

Либо он обманывал меня, либо я был дурак новой жизни. Я постоял в неизвестности и отошел посмотреть на местный капитализм. Он заключался в дворах, непримиримо желавших стать поместьями, и в слабых по виду людях, только устно тосковавших по колхозу, а на самом деле, может быть, мечтавших о ночной чуме для всех своих соседей, дабы наутро каждому стать единственным хозяином всего выморочного имущества. Но, с другой стороны, на завалинках сидели горюны о колхозном строительстве, а самого колхоза не было. Стало быть, здесь существовала какая-то серьезная загадка. Поэтому я ходил и исследовал, будучи весь начеку.

Вечером я попал в избу-читальню, узнав за весь день лишь одно — что все хотят в колхоз, а колхоз не учреждается. В избе-читальне стояло пять столов, за которыми заседали пять комиссий по организации колхоза. На стенах висели названия комиссий: «уставная», «классово-отборочная», «инвентарная», «ликвидационно-кулацкая» и наконец — «разъяснительно-добровольческая».

Послушав непрерывную работу этих комиссий, я понял, что такого большого количества глупых людей, собранных в одном месте, быть не может. Стало быть, в комиссиях сидели подкулацкие деятели, желавшие умертвить колхозное живое начало в бесконечных, якобы подготовительных, бюрократических хлопотах. Я поговорил с председателем «разъяснительно-добровольческой» комиссии — мне хотелось узнать, в чем заключается его работа.

— Боимся, чтобы принуждения не было: развиваем добровольчество! — сообщил председатель.

— Развили уже, или не удается? — спросил я.

— Как вам сказать? Конечно, знамя массовой разъяснительной работы мы держим высоко, но кто его знает, а вдруг единоличники еще не убедились! Перегнуть ведь теперь никак нельзя, приходится держать курс на святое чувство убедительности.

Мне показалось, что председатель несколько скрытный человек.

— Давно работают ваши комиссии?

— Да уж четвертый месяц. Зимой-то мы не управились сорганизоваться, а теперь ведем массовую кампанию.

Окружающие комиссии что-то тихо писали, а мужики заунывно ожидали колхоза на завалинках. Один из таких ожидальцев пришел потом к председателю комиссии для дачи сведений. Его спросили:

— Чувствуешь желание коллективизации?

— Еще бы! — ответил крестьянин.

— А от чего же ты чувствуешь?

— От безлошадности. Ты ведь,— обратился он к председателю,— мне исполу пашешь, а вон лошадная бригада исполу и пашет, и сеет, и зерно на двор везет. Только та лошадиная колонна на колхозы работает, а на нас не управляется.

— Так это ж твое рваческое настроение, а не колхозное чувство! — даже удивился председатель.— Ты, значит, еще не убежден в колхозе!

— Да как тут понять! — выразился безлошадный.— Колхоза мы почти что и не чувствуем — чувствуем, что нашему брату жить там барыш!

— Барыш — рвачество, а не сознание,— ответил председатель.— Придется нам еще шире повести разъяснительную кампанию!..

— Веди ее бессрочно,— сказал безлошадный,— тебе ведь колхоз — убыток...

Председатель терпеливо промолчал.

Легко было догадаться, что здешние зажиточные и подкулачники стали чиновниками и глубоко эксплуатировали принцип добровольности, откладывая организацию колхоза в далекое время какой-то высшей и всеобщей убежденности. Неизвестно, насколько здесь имелось потворство со стороны района, только вся кулацкая норма населения деревни (около пяти процентов) сидела в комиссиях, а бедняки и средние, видя в окружающих колхозах развитие усердного труда и жизненного довольства, считали свое единоличие убытком, упущением и даже грехом, кто еще остаточно верил в бога. Но зажиточные, ставшие бюрократическим активом села, так официально-косноязычно приучили народ думать и говорить, что иная фраза бедняка, выражающая искреннее чувство, звучала почти иронически. Слушая, можно было подумать, что деревня населена издевающимися подкулачниками, а на самом деле это были бедняки, завтрашние строители новой великой истории, говорящие свои мысли на чужом двусмысленном, кулацко-бюрократическом языке. Бедняцкие бабы выходили под вечер из ворот и, пригорюнившись, начинали голосить по колхозу. Для них отсутствие колхоза означало переплату лошадным за пахоту, побирушничество за хлебом до новины по зажиточным дворам, дальнейшая жизнь без ситца и всяких обновок и скудное сиротство в голой избе, тогда как колхозные бабы уже теперь гуляют по волости в новых платках и хвалятся, что говядину порциями едят. Одной завистью, одним обычным житейским чувством бедняцкие бабы вполне точно понимали, где лежит их высшая жизнь.

Но внутри самой ихней деревни сидел кулацкий змей, а единоличные бедняки ходили в гунях, никогда не пробуя колхозного мяса.

Удивительно еще то, что колхозные комиссии ни разу не собирали во 2-м Отрадном бедняцко-середняцкого пленума, откладывая такое дело вплоть до неимоверной проработки всей гущи оргвопросов, которые ежедневно выдумывали сами же члены-подкулачники.

Посоветовавшись с некоторыми энергичными бедняками, я написал письмо товарищу Г. М. Скрынко на Самодельный хутор, поскольку он был наиболее разумным активистом прилегающего района.

«Товарищ Григорий! Во 2-м Отрадном колхозное строительство подпольно захвачено зажиточно-подкулацкими людьми, женская беднота заявляет свое страдание непосредственно песнями на улицах. А твой район и возглавляемая тобой МТС почти что рядом. Советую тебе заехать прежде в районную власть и, узнав, нет ли там корней каких-либо, расцветших целыми ветвями во 2-м Отрадном, прибыть сюда для ликвидации бюрократического очага».

Один бедняк взялся свезти письмо товарищу Г. М. Скрынко, я же, убежденный, что Скрынко явится во 2-е Отрадное и ликвидирует бюрократическое кулачество, пошел дальше из этого места.

Погода разведрилась, в природе стало довольно хорошо, и я шел со спокойной за колхозы душою. Озимые поколения хлебов широко росли вокруг, и ветер делал бредущие волны по их задумчивой зеленой гуще — это лучшее зрелище на всей земле. Мне захотелось уйти сегодня подальше, минуя малые колхозы, дабы найти вдали что-нибудь более выдающееся.

Вечером солнце застало меня вблизи какого-то парка: от проезжей дороги внутрь парка вела очищенная аллея, а у начала аллеи находилась арка с надписью: «С.-х. артель имени Награжденных героев, учрежденная в 1923 г.». Здесь, наверное, общественное производство достигло высокого совершенства. Люди, может быть, уже работали с такой же согласованной легкостью, как дышали сердцем. С этой ясной надеждой я свернул со своего пути и вступил на землю коммуны. Пройдя парк, я увидел громадную и вместе с тем уютную усадьбу артели героев. Десятки новых и отремонтированных хозяйственных помещений в плановом разумном порядке были расположены по усадьбе; три больших жилых дома находились несколько в стороне от служб, вероятно, для лучших санитарно-гигиенических условий. Если раньше эта усадьба была приютом помещику, то теперь не осталось от прошлого никакого следа. Не желая быть ни гостем, ни нахлебником, я пошел в контору артели и, сказав, что я колодезный и черепичный мастер, был вскоре принят на должность временного техника по ремонту водоснабжения и по организации правильного водопользования. В тот же час мне была отведена отдельная комната, предоставлена постель, и меня, как служебное лицо, зачислили на паек. С давно исчезнувшим сознанием своей общественной полезности я лег в кровать и предался отдыху авансом за будущий труд по водоснабжению.

Поздно вечером я посетил клуб артели, интересуясь ее членским составом. В клубе шла пьеса «На командных высотах», содержащая изложение умиления пролетариата от собственной власти, то есть чувство, совершенно чуждое пролетариату. Но эта правая благонамеренность у нас идет, как массовое искусство, потому что первосортные люди заняты непосредственным строительством социализма, а второстепенные усердствуют в искусстве.

Члены артели героев, устроенной по образцу якобы коммуны, имели спокойный чистоплотный вид и глядели на героев действия пьесы как на самих себя, отчего еще более успокаивались и удовлетворялись. Четыре девочки-дочки стояли по углам сцены и держали десятилинейные лампы; одеты девочки были в белые платья, на головах их лежали густые прически, и весь их вид напоминал старинных гимназисток.

Кроме нормальной сытости лиц, ничего в тот вечер я заметить в артельщиках не успел.

Проработав же несколько дней на ремонте трубчатого колодца, я узнал достаточно многое и неутешительное для себя. Своими глазами я, пожалуй, не сумел бы все разглядеть, но со мной на колодце работали два члена артели, и они мне объяснили некоторые обстоятельства про тех, кто тщетно хотел бы уподобиться действительным героям жизни.

Эти два члена, оказывается, были в артели недавно и ненавидели почти всех других артельщиков; причиной такого безумного явления было следующее: рик и сельские партячейки вели политику на пополнение артели «Награжденные герои» бедняками-активистами; правление же артели не хотело принимать никаких новых членов, ибо для правления хороши были только старые, сжившиеся между собой люди. Но кто же были эти старые члены артели, ее основатели? Может быть, тайные кулаки?

— Что ты?! — удивились два человека, поставленные со мной на ремонт колодца.— Это сплошное геройство гражданской войны! Их партия на все зубы пробовала, ничего не выходит: вполне наши люди!

— А отчего ж они никого в свою артель пускать не хотят?

Бедняки несколько подумали.

— Видишь ты, в семнадцатом году и они бедняками были — стало быть, не было у них ничего, кроме своего класса, а теперь накопили бугор имущества, а класс оставили в покое...

Однако невозможно было, чтобы все герои битв с белогвардейцами стали хозяйственными рачителями и врагами окрестной бедноты: куда же могла исчезнуть их основная беззаветная натура? И я узнал, что действительно иные основатели артели уже давно умерли от болезней и плохо залеченных ран, другие же бросили артель и ушли безвозвратно в города, третьи же остались в артели навеки. Эти третьи были героями не от классовых органических свойств, а от каких-то мгновенных условий фронта, то есть не помня себя, а теперь они эксплуатировали свои нечаянные подвиги со всей ухваткой буржуазной мелочи.

Председатель артели товарищ Мчалов пришел на нашу работу в конце четвертого дня. Я увидел полнотелого пожилого человека с горюющей заботой на лице, но со старым красноармейским шлемом на голове.

— Озимые-то, говорят, все в черноземной области померзли,— сказал он мне.— Чего только кушать будем в будущем операционном году?.. И сейчас тоже — нужен бы дождь под овсы, а его нет и нет!..

— Ты бы лучше кулацкий картуз надел на голову,— сказал я ему.— А красноармейский убор лучше бы снял! Кто тебе врет и кого ты слушаешь!..

— Да, кажется мне так, а люди сообщают,— произнес председатель.— Ведь сердце-то болит!.. Слушай, ты как колодезь исправишь, так уходи, а то за тебя в соцстрах придется платить, прозодежду покупать, ты ведь не член, от тебя заботы не оберешься, а воды мы и без тебя напьемся!..

Обедать мне полагалось в общей столовой, обед был плохой, и я голодал, не понимая, почему члены артели так упитаны в теле. Потом все те же оппозиционно настроенные бедняки-новочлены показали мне, что артельщики обедают еще вторично по своим комнатам. Обед же в столовой совершался как можно беднее, дабы постоянно торчащим на усадьбе артели окрестным беднякам не казалось, что в артели сладко едят.

Чем больше я жил в этой артели, тем больше убеждался, что ее идеология — ханжество, несмотря на значительное общее достояние, несмотря на крупные производственные успехи. Артельщики-герои, особенно перед посторонними мужиками, постоянно ныли о плохом урожае прошлого года и о том, что жизнь в артели убыточна и придется, видно, скоро на дворы разделяться и уходить в старину.

Все это было, конечно, лицемерие. Годовой доход на каждого члена артели по крайней мере вдвое превышал таковой же доход на местную душу середняка-единоличника, а доля основного капитала, падающая на каждого артельщика, приближалась к тысяче рублей.

Но откуда же это ханжество, эта хитрая скрытая борьба с партией и бедняками за сохранение только для себя своего удела?

Сама артель находилась островком среди довольно пространного если не моря, то озера единоличников. Бедняцкий актив ближайших деревень, а также советско-партийные организации давно имели желание сделать эту артель центром, источником опыта общественно-классового хозяйства для большого колхоза-комбината. Но артель, состоявшая из бывших героев, геройски сопротивлялась,— разрушать же высокое в производственном смысле хозяйство ни активисты-бедняки, ни партийцы не хотели. Наоборот, все их попытки поставить артель во главе колхозного движения основывались на добровольном соглашении с правлением артели. Но соглашение это не удавалось. Больше того, за последние четыре года артель приняла в новые члены только десять человек бедняков, и то под большим давлением всех организаций. Причем двое из этих десяти обжились в артели, прониклись ее скопческим духом делячества, трое вышли назад, променяв сундуки артели на воздух большевистского ветра, пятеро же составляли в артели настоящую большевистскую оппозицию сектантскому правлению; с двоими из них я и был знаком. Понятно, эти пятеро не имели решающего значения в артели, их даже при первом случае могли вычистить из членства. Но они-то, по-моему, и есть действительный зародыш будущего, большевистского правления артели, которое и должно сменить бывших героев, а нынешних ханжей и сладкоежек.

Во всем районе, где находилась артель имени Награжденных героев, в колхозах было лишь процентов двадцать бедняков и середняков; больших колхозных массивов не существовало еще вовсе, и все маленькие точечные колхозы, как и артель, варились в своем деляческом соку. Отсутствие массовости колхозного движения, святое ханжеское соблюдение принципа добровольности (по существу же развитие пассивности в лучших людях бедноты), какая-то безветренность всей обстановки и создала, вместо колхозной нарастающей реки, лужицы-колхозики и целое болото такой артели.

Доделав порученную мне колодезную работу, я получил десять рублей и должен был уходить. Но оставлять такую роскошно-производственную артель новорастущим феодалам было весьма жалко. Ведь артель в прошлом, средне благоприятном, году дала урожая пшеницы почти по две тонны с гектара, одних фруктов было отпущено кооперации на двадцать пять тысяч рублей. Было ясно, что это хозяйственное место может объединить, поставить на ноги и двинуть вперед несколько сот бедняцких хозяйств. Так зачем же тут содержать несколько десятков неподвижно жиреющих «героев»?

Интересно еще сообщить, что в артели было всего два трактора. Все работы совершались вековыми старинными способами; хорошие же результаты объяснялись крайним трудолюбием, дружной организацией и скупостью к своей продукции артельщиков; в этих качествах им нельзя отказать, и эти качества должны остаться и тогда, когда эта ханжеско-деляческая артель станет большевистской. Что же будет в артели, если снабдить ее тракторами, удобрениями, проложить к ее угодьям, вместо сухого рачительства, ударный труд, сменить имущественного скопца на большевика и агронома и, главное, сделать артель действительно трудовым товариществом крестьян-бедняков?

Двое оппозиционно настроенных членов артели и я долго обсуждали болезненные предметы артели, не видя, как найти способ их уничтожения.

Один член в конце беседы спросил меня:

— А что у нас сильнее и лучше всего?

Я ему сказал, что это диктатура пролетариата.

— Пойду в Окрисполком, пойду в окружной комитет партии, попрошу сменить наше правление артели посредством диктатуры пролетариата,— сказал товарищ.— Везде коммуны и старые артели ведут колхозы, а у нас она мертвая пробка.

— Наверное, наша артельная коммуна — это не коммунизм,— произнес другой артельщик.

— Наша артель вроде кулацкого товарищества на трудовых паях и на государственном имуществе,— сообщил я некоторое определение.

— А ведь учредители — герои гражданской войны! — с жалостью сказал один из присутствующих членов.

— Но время побеждает героев и делает из них одну смехотворность!

Это сказал я, но коммунары тут же меня опровергли.

— Ты ложь говоришь: есть такие герои, которые никогда не опаздывают против времени, они его ведут позади себя!

Ввиду очевидности я, конечно, согласился. После этого мы собрали одному артельщику общие средства, и он пошел призывать сюда в помощь пролетарскую диктатуру.

Человек ушел и через два дня вернулся. Во 2-м Отрадном, оказывается, уже сидела какая-то комиссия из областного города, которая установила существенную связь между правлением артели пожилых героев и пятью колхозными комиссиями 2-го Отрадного.

Таким образом, было установлено еще до прибытия товарища Скрынко, что артель «Награжденные герои» была лишь агентурой подкулацкой стихии, действовавшей во 2-м Отрадном, и — обратно, артель была крепостью зажиточных групп единоличников. Связь эта, в сущности, была известна давно: она выражалась в брачных узах между членами артели и подкулачницами и наоборот. То, что было связано по классу, то затем было укреплено плотью.

Ввиду этого тайной деревенской буржуазии приходил конец, и я с удовлетворением отправился отсюда в очередную даль, какая была мне видна из усадьбы артели.

Под религиозный праздник пасхи я вошел в небольшой колхоз «Сильный поток» и был здесь свидетелем конца жизни Филата-батрака, историю которого я постараюсь сейчас неприкосновенно изложить.

Филата приняли в колхоз самым последним, когда уже все середняки успели записаться.

— Ты всегда управишься войти в членство,— говорили Филату руководящие лица.— Ты же человек в классовом размере абсолютный!

И Филат ждал, не зная, чему ему радоваться, поскольку он еще не член колхоза. Со скучным выражением лица он ходил по колхозу и устранял прочь всякие неполадки. Была ли открыта дверь в избу, покачнулся ли плетень, иль просто петух ходил отдельно от кур — Филат притворял дверь, устанавливал плетень и подгонял к курам петуха.

Во время ветра Филат выходил на тот край колхозной деревни, куда направлялся ветер, и глядел, чтобы ветер не выдул из деревни чего-либо полезного. А если что полезное ветер уносил, то Филат подхватывал ту полезную вещь и возвращал ее обратно в обобществленный фонд.

И так жил Филат в усиленных заботах о колхозном добре и порядке, не будучи членом артельного хозяйства.

К Филату давно все привыкли, и он был необходим в колхозе. Когда у кого рожала баба — звали Филата вести хозяйство и смотреть за малыми детьми; кроме того, Филат мог чистить трубы, умел отучивать кур от желания быть наседками и рубил хвосты собакам для злобы.

Такого человека правление колхоза решило принять на первый день пасхи, дабы вместо воскресения Христа устроить воскресение бедняка в колхозе.

Накануне пасхи Филата одели в роскошную чистоплотную одежду, взяв ее из колхозного кооператива, а старую одежду Филата повесили в особый амбар, который назывался «музеем бедняка и батрака, жившего в эпоху кулачества как класса».

Избу-читальню загодя украсили флагом и лозунгом, а утром на пасхальный день Филата вывели на крыльцо, около которого стояла собравшись вся колхозная масса. Филат, увидев солнце на небе и организованный народ внизу, обрадовался всеми силами своего тела и захотел жить в будущем еще более преданно и трудоспособно, чем он жил дотоле.

— Вот,— сказал активный председатель всему колхозу,—

вот вам новый член нашего колхоза — товарищ Филат. Не колокол звучит над унылыми хатами, не поп поет загробные песни, не кулак, наконец, сало жует, а, наоборот, Филат стоит, улыбается, трудящееся солнце сияет над нашим колхозом и всем мировым интернационалом, а и мы сами чувствуем непонятную радость в своем туловище! Но отчего же, непонятно, наша радость? Оттого что Филат был самый гонимый, самый молчаливый и самый мало кушавший человек на свете! Он никогда не говорил слова, а всегда двигался в труде — и вот теперь он воскрес, последний бедняк, посредством организации колхоза!.. Скажи же, Филат, нам что-нибудь; теперь ты, грустный труженик, должен сиять на свете вместо кулацкого Христа...

Филат улыбнулся ближнему народу и всей окрестной цветущей природе.

— Я, товарищи, говорю тихо, потому что меня никогда не спрашивали. Я думал только, чтоб было счастье когда-нибудь в батрацком котле, не боюсь хлебать то счастье — пусть уж лучше другим достается...

Здесь Филат побелел лицом и прислонился к телу председателя колхоза.

— Что ты, Филат?! — закричал весь колхоз.— Живи смелей, робкая душа, ты теперь членом будешь! Проповедуй нам труд и усердие, последний человек!

— Могу,— тихо сказал Филат,— только сердце мое привыкло к горю и обману, а вы мне даете счастье — грудь не выдержит.

— Ничего, обтерпишься! — крикнули колхозники.— Глянь на солнце, дайте ему воздуху...

Но Филат настолько ослаб от счастья, что опустился на траву и стал умирать от излишнего биения сердца.

Филата вынесли на траву и положили лицом к небесному свету солнца. Все замолкли и стояли неподвижно.

И вдруг раздался голос какого-то притаившегося подкулачника:

— Значит, есть Иисус Христос, раз он покарал Филата-батрака!

Филат услышал то слово сквозь тьму своего потухающего ума и встал на ноги, потому что если он сумел вытерпеть тридцать семь лет жизни, то мог стерпеть и превозмочь смерть, хотя бы на последнюю минуту.

— Врешь, тайный гад! Вот он я, живой — ты видишь, солнце горит над рожью и надо мной! Меня кулаки тридцать семь лет томили, и вот меня уже нет.

Вслед за тем Филат шагнул два шага, открыл глаза и умер с побелевшим взором.

— Прощай, Филат! — сказал за всех председатель.— Велик твой труд, безвестный знаменитый человек.

И каждый колхозник снял шапку и широко открыл глаза, чтоб они сохли, а не плакали.

...Невдалеке от колхоза «Сильный поток» я встретил железно-дорожную насыпь и, пройдя вдоль нее, достиг станции и поехал поездом.

В течение одних суток я уехал настолько далеко, что сошел с поезда уже в Острогожском округе, на родине ценнейшей во всем СССР михновской овцы. Однако Острогожский округ не имеет возможности всерьез и планово заняться разведением последней, ввиду того что сухих здоровых для овец пастбищ в округе нет, а сырые подлунные и заболоченные пастбища страшно заражены всевозможными инфекциями и в особенности почечной двуусткой овец.

Селения Острогожского района — Ольшаны, Гумны, Писаревка, Осиповка, Гнилое, Средне-Воскресенское, Рыбенское, Луки, Александровка — и других районов совершенно отказались от разведения и выращивания овец, так как последние, поголовно пораженные фациолезом, гибнут тысячами на заболоченных пастбищах.

Далеко не полный учет говорит о гибели в течение двух последних лет до сорока тысяч пораженных почечно-глистной болезнью овец — на общую сумму за округлением пятьсот тысяч рублей.

Все препараты, применяемые при медикаментном методе лечения, не достигают желаемых результатов, и население и ветперсонал убедились в совершенной бесцельности всякого лечения при наличии заболоченных пастбищ, так как овцы каждую минуту, с каждым стеблем болотной травы получают все новую и новую порцию глистов.

С ветеринарно-санитарной точки зрения, опасно и экономически невыгодно отдать заболоченные места микробам-бактериям и глистам для их пышной жизни и лишить скот здоровых кормов, которыми так беден Острогожский округ.

Исходя из вышесказанного, Окрветотдел в своих докладах и планах считает мелиорацию — осушение болот и заболоченных пастбищ — единственным средством избавить овцеводство от постоянной угрозы гибели и находит существенно необходимым немедленную организацию работ по осушке заболоченных пастбищ, в первую очередь по течению реки Тихой Сосны с ее притоками, как прорезывающую весь округ, пойма которой (массив поймы тридцать тысяч гектаров) после осушения станет экономической базой округа, а также будет разрешена проблема разведения михновской овцы во всем округе.

Но когда-то во всем Острогожском округе были девственные пастбища, хотя это было не только до появления здесь овцы, но и до человека — еще прежде оседания первых поселений людей по берегам Тихой Сосны,— ибо именно к тому начальному времени относится зарождение оврагов в меловых отложениях, в связи с хозяйственной деятельностью человека. Овраги же, выходя своими устьями в пойму реки, выносили в нее почвенный материал и тем создавали затухание речного потока, начиная долгую эпоху заболачивания.

Если посмотреть на всю площадь Острогожского округа, то можно увидеть великое народнохозяйственное бедствие от быстрого роста болот.

Но со смертью рек не только дохнут овцы и падает животноводство — начинает умирать и человек. Злокачественная хроническая малярия сильно распространена среди жителей долины Тихой Сосны.

И было бы, конечно, малодушием, установив такое грозное бедствие, не попытаться вступить с природой в сражение для отвоевания у нее громадных бросовых площадей, чтобы дать скоту питательный, безболезненный корм, а трудящимся людям продукцию и здоровье.

Эта борьба с природой за десятки тысяч гектаров заболоченных площадей началась в 1925 году. Проект регулировочно-осушительных работ по реке Тихая Сосна охватывает пойменный массив протяжением в 40 километров и на площади в 83 квадратных километра. Примерно треть всего объема работ уже выполнена; сами работы с 1927 года механизированы, то есть чистит и углубляет реку не человек, стоящий с лопатой в воде, а плавучий экскаватор — причем эта затерянная в болотах машина может служить некоторой общей гордостью советской землечерпательной техники, ибо машина оригинальной конструкции и впервые сделана в Советском Союзе (ни до войны, ни после в России подобные машины не делались, их покупали обычно в Америке). Но советские инженеры применяют для борьбы с болотами не только машины, а и взрывную технику, разрушая слежавшиеся наносы и карчу, душащие реку, динамитом.

Насколько население заинтересовано в успехе работ, видно из того, что участие населения в затратах, преимущественно натуральным трудом, составляет 52 процента исполнительной сметы. Но эти данные относятся к эпохе мелиоративных товариществ, то есть ко времени простейших целевых объединений крестьянства; теперь же, когда в долине Тихой Сосны есть мощные колхозы, надо ожидать гораздо более высокого темпа осушительных работ и еще более энергичного участия в них населения.

Придолинное крестьянство еще в 1924 году, когда я был на Тихой Сосне, уже знало, что вести пойменное хозяйство, тем более создать из болота луга, одним напряжением единоличного хозяйства нельзя — и в 1925 году, к моменту начала работ, все заинтересованное обедневшее крестьянство объединилось в мелиоративные товарищества, то есть в зачаточную форму производственного кооператива.

Таковы богатые факты на этой бедной долине, где и посейчас идет тяжелая борьба за создание девственной, погибшей родины михновской овцы.

Выбравшись из этой дружно трудящейся долины на суходолы,

я вошел в колхозную деревню «Утро человечества», прельщенный как хорошим названием, так и добавочным лозунгом на вывеске колхоза, взятым из метрической системы:

«Всем угнетенным народам — на долгие времена». Ясно, что это относилось к колхозной организации жизни и труда.

У заставы колхоза стоял некий, старый уже, человек, с милым, но грозным лицом и смотрел на меня.

— Ты кто? — спросил он.

Я ему приблизительно ответил, так как вопрос, в сущности, не очень прост.

— А ты не кадр?

— Кадр.

— Где служишь?

— В уме.

— Ну, входи, пожалуйста,— это хорошее учреждение. Пойдем, я тебя яичницей покормлю. А я знаешь кто?

— Кто?

— Да председатель всей бузы новой жизни, товарищ Пашка. Здравствуй!

— Здравствуй!

Раньше я боялся, гожусь ли я в новую жизнь, а теперь видел, что чем жизнь новее, тем люди ко мне проще и родней.

Веселая жена Пашки живо и прилежно сделала нам яичницу, а мы стали ее есть. Во время пищи я загляделся на супругу Пашки — она была красива до прелести, хотя в общем уже пожилая; но не в этом заключалась ее привилегия, а в том, что она веселая и уверенная в своей жизни и, кроме того, мудрая и передовая, как я узнал впоследствии.

Мне уже приходилось встречать ряд колхозниц, подобных этой женщине, и я обращал свое внимание на их повеселевший нрав. Отчего это получалось, трудно сформулировать, поскольку на колхозницах лежит сейчас больше забот и тревог, чем на единоличницах; однако же единоличницы в большинстве своем лишь традиционно-унылые, беспросветные бабы.

— Так, стало быть, ты кадр! — поев, высказался Пашка (отчества его я еще не знал) и тронул меня в грудь.

— Кадр,— подтвердил я.

— Ну, а вдруг ты ложный! — догадливо испугался Пашка.— Ответь мне на общий вопрос: сколько нужно кирпичей, чтоб построить научную избушку-читальню?

Второй проверочный вопрос Пашки был из другой области:

— Говорят, что мир бесконечен и звездам нет счета! Неверно, товарищ! Это буржуазная идеология: буржуям выгодно, чтоб мир был такой широкий, дабы гадам не тесно жилось и было куда бежать от пролетариата. А по-моему, мир имеет конец и звездам есть окончательный счет.

Я подтвердил, что Пашка говорит вполне справедливо: вселенная не может быть неопределенно бесконечной.

— А отчего электричество железо любит, а стекло не уважает?

— Есть ли в веществе какие законы или там одни только тенденции? Вот говорят, что можно сделать две палки, равные друг другу! Чушь! Я четыре недели стругал две линейки, и все же на полволоска они никак не сходились! Где же законы равенства? Одни только тенденции и более нет ничего!

По возможности, я отвечал на все его вопросы.

— Ну, достаточно! — определил часа через два Пашка.— Оставайся у нас колхозным техником — решай великую задачу, чтоб нам догнать, перегнать и не умориться. Можешь? А мы хотим сделать тут такой колхоз, чтоб он был, как автомобиль «форд», годен по организационной форме и мужику-африканцу и бедняку-индейцу. Ясно тебе?

— Ясно-то ясно, только это не нужно: африканский мужик и сам не дурак.

— Он-то нет, а ты-то дурак! Ведь СССР — самая передняя до революции держава! Отчего же нам не делать для всего отсталого света социальные заготовки?! А уж по нашим заготовкам пускай потом всемирная беднота пригоняет себе жизнь в меру и впрок!..

Пожив и потрудившись в «Утре человечества», я узнал про товарища Пашку все подробности его истекшей жизни. Эти подробности обозначали Пашку как великого человека, выросшего из мелкого дурака — пусть даже некоторые его действия покажутся неловкими и смешными: ведь мы имеем перед собой только начало будущего человека.

Всем своим воспитанием и просвещением он был обязан исключительно своей жене, которая его довела до ума и активности. Вот как дело было.

В старину, до революции, Павла Егоровича никто не знал полностью, хотя он жил уже в полном возрасте,— все его называли Пашкой, потому что он был глуп, как грунт или малолетний. В то прошедшее время он скупал в земельных обществах овраги и старые колодцы — ему захотелось иметь хоть какое-нибудь имущество, чтобы сознавать свой смысл жизни в государстве. На приобретение истинных домов и форменной скотины у Пашки не хватало средств, поэтому ему приходилось считать своими усадьбами овраги. Такие места ему доставались дешево: однажды за полведра водки он скупил в волости все болота и песчаные угодья.

— Бери-владей,— выпив и утерев рты, сказали волостные мужики.— Какая-нибудь мелочь вырастет. Хозяином себя будешь считать.

После того Пашка проводил свою жизнь в оврагах и на поверхности заросших мокрых пучин. Там ему было уютно, кругом его простиралась собственность, и он мог видеть насекомых, всецело принадлежавших ему.

В другой раз Пашка приобрел фруктовое дерево. Шел он мимо

помещичьего сада и видит: ползет по дереву черный червь. Пашка испугался, что тот червь съест сначала одно дерево, а потом и весь благоухающий сад. А когда начнут пропадать сады, то государство ослабнет, а затем нагрянет какая-нибудь босая команда и отнимет у Пашки овраги и мочажинные владения.

Тогда Пашка пришел к помещику:

— Стефан Еремеевич! У тебя там на дереве черный червь явился: он тебе все фруктовые стволы сгложет — ты гляди!

— Ты говоришь, черный червь! — с задумчивым умом произносил Стефан Еремеевич.— Что это: флора или фауна? Черный червь! Так что же мне делать с ним? А вот что: Пашка, ты возьми то дерево, вырви его с корнем и тащи вон из поместья, а дома то дерево сожжешь. Но не смей червей ронять, смотри себе в след и подбирай червей в шапку!

Пашка изъял из сада вредное дерево и перенес его к себе в овраг, где и вонзил в глину, желая, чтобы вырос собственный сад.

Но дерево умерло, и наступила революция. Неимущие стали мучить Пашку, как врага народа. Из оврага его сразу выгнали, чтобы он там не был.

И отправился тогда Пашка вдоль страны, дабы найти себе неизвестное место. По дороге он содрал с себя одежду, изранил тело и специально не ел: он уже заметил, будучи отсталым хищником, что для значения в советском государстве надо стать худшим на вид человеком.

И действительно, его уважали сельсоветы.

— Вот,— говорили сельсоветы на Пашку,— идет нам сподвижник, угнетенный человек. Где ты, товарищ, существовал?

— В овраге,— отвечал Пашка.

Предсельсовета смотрел на Пашку со слезами на глазах.

— Поешь молочка с хлебцем, мы тебя в актив привлечем: нам весьма нужны подобные люди.

Пашка напивался, наедался и оставался.

В одной деревне его оставили заведовать кооперативом. Пашка увидел товары и пожалел их продавать: население все может поесть и уничтожить, а что толку? Имущество всегда нужно поберечь: людей хватает, а материализма мало.

Из кооператива Пашку удалили. А он почел себя от этого происшествия недостаточно бедным, чтобы быть достойным Советского государства, и обратился в нищего. Больше всего он боялся остаться без звания гражданина, без смысла жизни в сердце.

Однако Пашку привлекли к суду, как бродягу и непроизводительного труженика, тратящего бесплатно пролетарскую еду. На суде Пашка сказал, что он ищет самого низшего места в жизни, дабы революция его признала своей необходимостью. Теперь он хочет умереть, чтобы избавить государство от своего присутствия и тем облегчить его положение, тем более что беднее мертвеца нет на свете пролетария.

Рабочий судья выслушал Пашку и сказал ему:

— Капитализм рожал бедных наравне с глупыми. С беднотою мы справимся, но куда нам девать дураков? И тут мы, товарищи, подходим к культурной революции. А отсюда я полагаю, что этого товарища, по названию Пашка, надо бросить в котел культурной революции, сжечь на нем кожу невежества, добраться до самых костей рабства, влезть под череп психологии и налить ему во все дырья наше идеологическое вещество...

Здесь Пашка вскрикнул от ужаса казни и лег на пол, чтобы загодя скончаться. Но за него вступилась дамочка, помощница судьи:

— Так нельзя пугать бессознательного. Следует его сначала пожалеть, а уж потом учить. Вставай на ноги, товарищ Пашка, мы тебя отдадим в мужья одной сознательной бабочке, она тебя с жалостью будет учить быть товарищем и светлым гражданином, потому что ты рожден капиталистическим мраком.

С тех пор Пашку отдали бабе в мужья, и он, из страха перед ней, стал жить сознательным тружеником, благодаря свою судьбу и советскую власть, в руках которой эта судьба находится.

Начиная с того светлого судебного момента и доныне Пашка все время лез в гору и дошел до поста председателя колхоза — настолько в нем увеличилось количество ума благодаря воздействию сознательной супруги.

И в районе Пашку тоже высоко ценили, как низовую пружину, жмущую бедные и средние массы вперед; он же сам все более тосковал, что не знает всей научности на свете, и собирался поехать учиться после пятилетки.

Я прожил в колхозе «Утро человечества» очень долго: я был свидетелем ярового сева на сто сорок процентов от плана и участником трех строительств — прудовой плотины, семенного амбара и силосной башни.

После каждого очередного успеха Пашка выступал на собрании колхоза и провозглашал приблизительно одну и ту же тему:

— Я — товарищ Пашка — со всеми вами, бедняками и товарищами, добьюсь того, чтобы в СССР никогда не смолкал рев гудков индустриализации, как над британским империализмом никогда не заходит солнце. И дальше того: мы добьемся, чтобы дым наших заводов застил солнце над Британией!.. Мы должны в будущем году взять какой-нибудь героический завод, дабы полностью снабжать его из нашего колхоза пшеничным зерном,— пусть наш рабочий товарищ оставит черный кислый хлеб и кушает наш первый первач! Это говорю я — товарищ Пашка!..

* * *

Дожив близ Пашки до начала осени, полюбив его до глубокой дружбы, ибо он был живым доказательством, что глупость есть лишь преходящее социальное условие, я все же в один светлый день подал ему руку на прощанье и поехал в уральские степи.

— Езжай куда хочешь,— сказал мне Павел Егорович.— Все мы кипим в одном классовом котле, и сок твоей жизни дойдет до меня.

Расставаясь с товарищами и врагами, я надеюсь, что коммунизм наступит скорее, чем пройдет наша жизнь, что на могилах всех врагов, нынешних и будущих, мы встретимся с товарищами еще раз и тогда поговорим обо всем окончательно.

ЮВЕНИЛЬНОЕ МОРЕ

Море юности

День за днем шел человек в глубину юго-восточной степи Советского Союза. Он воображал себя паровозным машинистом, летчиком воздухофлота, геологом-разведчиком, исследующим впервые безвестную землю, и всяким другим организованным профессиональным существом — лишь бы занять голову бесперебойной мыслью и отвлечь тоску от сердца.

Он управился — уже на ходу — открыть первую причину землетрясений, вулканов и векового переустройства земного шара. Эта причина, благодаря сообразительности пешехода, заключалась в переменном астрономическом движении земного тела по опасному пространству космоса; а именно как только, хотя бы на мгновенье, земля уравновесится среди разнообразия звездных влияний и приведет в гармонию все свое сложное колебательно-поступательное движение, так встречает незнакомое условие в кипящей вселенной, и тогда движение земли изменяется, а погашаемая инерция разогнанной планеты приводит земное тело в содрогание, в медленную переделку всей массы, начиная от центра и кончая, быть может, перистыми облаками. Такое размышление пешеход почел не чем иным, как началом собственной космогонии, и нашел в том свое удовлетворение.

В конце пятого дня этот человек увидел вдалеке, в плоскости утомительного пространства несколько черных земляночных жилищ, беззащитно расположенных в пустом месте.

Пока пешеход спешил к тому поселению, наступил сумрак и в одном жилище зажгли свет.

Поселение оказалось усадьбой: вокруг большого двора стояли четыре землебитных дома и один большой бревенчатый сарай, обваленный по низу землей, в которых разные животные подавали свои голоса. Около сарая бегала на рыскале и бушевала от злобы собака.

На дворе повсюду пахло теплом животной жизни, вокруг лежала смирная смутная степь, нагретая дневным солнцем, и пришедший человек почувствовал добро здешней жизни и захотел спать.

В одном окне землебитного жилища горел огонь. Прибывший

подошел к окну и увидел пожилого человека, который сидел около лампы и читал через очки старинную книгу в заржавленном, железном переплете. Он медленно шептал что-то тонкими усохшими губами и тяжко вздыхал, когда переворачивал страницу, видимо, томясь своим впечатлением от чтения.

Пешеход вошел в низкую комнату и поздоровался со старым чтецом.

— Здравствуй,— не спеша ответил пожилой человек.— Соваться пришел?

— Нет,— сказал пришедший и спросил: — Что здесь такое?

— Здесь мясосовхоз нумер сто один,— сказал читавший книгу и, поглядев в страницу, прочитал оттуда какое-то очередное старое слово.— А тебе что нужно? Ты здесь, братец, со своими вопросами не суйся!

— А можно мне увидеть директора? — спросил прибывший.

— Можно,— ответил без охоты пожилой человек.— Гляди на меня — это я вот директор. А ты думал: директор здесь кто-то особенный — это же я!

Пешеход вынул бумагу и дал ее директору. В бумаге сообщалось, что в систему мясосовхозов командируется инженер-электрик сильных токов товарищ Николай Вермо, который окончил, кроме того, музтехникум по классу народных инструментов, дотоле же он был ряд лет слесарем, часовым механиком, шофером и еще кое-чем, в порядке опробования профессий, что указывало на безысходную энергию тела этого человека, а теперь он мчится в действительность, заряженный природным талантом и политехническим образованием. Такова была приблизительная тема отношения, препровождавшего инженера Вермо в совхоз.

Прочитав документ, директор вдруг обрадовался и стал говорить с гостем на историческую, мировоззренческую и литературоведческую тему. Он любил все темы, кроме скотоводства, и охотно отдавал мысль любой далекой перспективе, лишь бы она находилась на сто лет впереди или на столько же назад.

Директор почувствовал теперь даже небольшое уважение к культурному служащему ввиду того, что он не суется с мнениями, а сидит молча и слушает.

Животные давно перестали подавать голоса и задремали до рассвета в своих скотоместах. В землебитном домике, где сидели два человека, от лампы и высказанных слов стало душно, скучно, и Николай Вермо уснул на стуле против директора. Собака тоже умолкла к тому времени, не получая из степи отзвука на свою злобу, видимо, она смирилась с отсутствием врага и заснула в пустой тыкве, заменяющей ей будку. Эту тыкву совхоз вырастил год тому назад, чтобы показать ее на районной выставке как экспонат агрономического усердия. И действительно, тыква получила премию, а затем из той тыквы выбрали внутренность и сделали из нее собачью будку, поскольку кухарки совхоза отказались обрабатывать для пищи такие слишком мощные овощи.

— Ты не видел нашей тыквы? — спросил директор у Вермо;

252

но Вермо спал.— Ты бы глянул: великое растение! Полезная площадь нашей тыквы — половина квадратной сажени. У нас на дальнем гурте целых сто штук таких выдолбленных тыкв: в них спят доярки и гуртоправы. Я целый жилкризис этими тыквами решил... Ах, ты спишь уже? Ну спи, бедный человек, а я еще почитаю...

И директор снова углубился вниманием в старинную железную книгу, излагавшую историю Иоанна Грозного, приложив к задумавшейся, грустящей голове несколько пальцев правой руки.

Через полчаса прибывший молодой человек проснулся от неудобства и засмотрелся в лицо директора.

— Что вы такое? — спросил Вермо.— Я ведь, может быть, сумею отобразить вас в звуке: я музыке учился.

— Отобрази,— с польщением согласился директор.— Я Адриан Умрищев: я должен у тебя звучать мощно. Я ведь предполагаю попасть в вечный штатный список истории как нравственная и разумно-культурная личность переходной эпохи. Поэтому ты сочини меня как можно гуще и веди по музыке басом. Я люблю оркестры!.. Ты что думаешь,— переменил голос Умрищев,— иль мне сподручно здесь сидеть среди животных?

— А разве нет? — удивился Вермо.

— Нет,— вздохнул Умрищев.— Я здесь очутился как «Невыясненный»! Как выяснюсь, так исчезну отсюда навсегда. Ты можешь или нет сочинить в виде какого-либо гула тоску неясности?

— Могу, наверно,— пообещал Вермо, чувствуя бред жизни от своей усталости и от этого человека.

Умрищев стал высказываться, как он долгое время служил по разным постам в дальних областях Союза Советов и Союза потребительских обществ, а затем возвратился в центр. Однако в центре уже успели забыть его значение и характеристику, так что Умрищев стал как бы неясен, нечеток, персонально чужд и даже несколько опасен. К тому же новая обстановка, сложившаяся за время отсутствия того же Умрищева, образовала в системе такое соотношение сил и людей, что Умрищев очутился круглой сиротой среди этого течения новых условий. Он увидел по возвращении незнакомый мир секторов, секретариатов, групп ответственных исполнителей, единоначалия и сдельщины,— тогда как, уезжая, он видел мир отделов, подотделов, широкой коллегиальности, мир совещаний, планирования безвестных времен на тридцать лет вперед, мир натопленных канцелярских коридоров и учреждений такого глубокого и всестороннего продумывания вопросов, что для решения их требуется вечность — навсегда забытую теперь старину, в которой зрел некогда оппортунизм. Втуне вздохнув, Умрищев пошел в секторную сеть своего ведомства и стал выясняться; его слушали, осматривали лицо, читали шепотом документы и списки стажа, а затем делали озадаченные, напряженные выражения в глазах и говорили: «Нам все же что-то не очень ясно, необходимо кое-что дополнительно выяснить, и тогда уже мы попытаемся вынести какое-либо более или менее определенное решение». Умрищев ответил, что он вполне ясный ответработник и все достоверные документы при нем налицо. «Все же достаточной ясности о вас для нас пока не существует, будем пробовать пытаться выяснить ваше состояние»,— отвечало Умрищеву учреждение. Таким способом Умрищев был как бы демобилизован из действующего советского аппарата и попал в специальный состав невыясненных. В том учреждении, которое заведовало Умрищевым, невыясненных людей скопилось уже целых четыреста единиц, и все они были зачислены в резерв, приведены в боевую готовность и поставлены на приличные оклады. Раза два-три в месяц невыясненные приходили в учреждение, получали жалование и спрашивали: «Ну как, я не выяснен еще?» — «Нет,— отвечали им выясненные,— все еще пока что нет о вас достаточных данных, чтобы дать вам какое-либо назначение,— будем пробовать выяснять!» Выслушав, невыясненные уходили на волю, посещали пивные, пели песни и бушевали свободными, отдохнувшими силами; затем они, собранные из разнообразных городов республики и даже из заграничной службы, шли в гости друг к другу, читали стихотворения, провозглашали лозунги, запевали любимые романсы, и Умрищев, вспомнив сейчас то невозвратное время невыясненности, спел во весь голос романс в тишине мясного совхоза:

> В жизни все неверно и капризно,
> Дни бегут, никто их не вернет.
> Нынче праздник — завтра будет тризна,
> Незаметно старость подойдет.

Когда-то невыясненные громадным хором пели этот романс в буднее время и вытирали глаза от слез и тоски бездеятельности. Именно этот романс они сердечно любили и гремели его во все голоса где-нибудь среди рабочего дня. После сборища невыясненные расходились кто куда мог: кто уже имел комнату, кто жил где-нибудь из милости, а наибольшее количество расходилось по отраслевым учреждениям своего ведомства; в этих учреждениях невыясненные ночевали и принимали любовниц,— один невыясненный успел уже настолько влюбиться в какую-то сотрудницу, что от ревности ранил ее после занятий чернильницей месткома. Кроме того, невыясненные звонили по казенным телефонам между собой, играли в шашки с ночными сторожами, читали от скорби архивы и писали письма родственникам на бланках отношений. По ночам невыясненные падали со столов, потому что видели страшные сны, а утром одевались поскорее до прихода служащих, выметали мусор и шли в буфет есть первые бутерброды. Когда же, бывало, вовсе ободняется, невыясненные шли в секторы кадров, к которым они были приписаны, и спрашивали замедленными голосами, уже боясь втайне, что их наконец выяснили и предпишут назначение: «Ну как?» — «Да пока еще никак,— отвечает, бывало, сектор.— Вот у вас есть в деле справочка, что вы один месяц болели — надо выяснить, нет ли тут чего более серьезного, чем болезнь». Невыясненный уходил прочь и, чтобы прожить поскорее служебное время, когда его ночлежное учреждение заселено штатами, заходил во все уборные и не спешил оставлять их; выйдя же оттуда, читал сплошь попутные стенгазеты, придумывал свои мнения по затронутым вопросам, а иногда давал даже свою собственную заметку о каком-либо замеченном непорядке как единичном явлении. Некоторые невыясненные состояли в своем положении по году; таким говорили, что вот уже скоро они поедут на работу: осталось только выяснить, почему они не сигнализировали своевременно о какой-либо опасности отставания, когда еще были в прошлом на постах, или — почему ниоткуда не видно, что он не подвергался каким-либо местным взысканиям по соответствующим линиям,— нет ли здесь скрытых признаков кумовства: именно в том, что послужной список слишком непорочный. Невыясненный начинал уже серьезно и, главное, тоскливо сознавать, что он ведь действительно смутный, невыясненный и определенно пагубный человек: что-то в нем есть такое скрытое и вредное, объективно очевидное, а лично неизвестное. Он шел тогда с горя в бухгалтерию доказывать, что два месяца не пользовался выходными днями и, получив за них содержание, направлялся к друзьям и товарищам — пить пиво и петь романсы среди дня. Один из невыясненных уже настолько полюбил свою волю и безответственность, что когда его действительно куда-то назначили — сурово отказался. Он тихо сообщил про свою глубоко скрытую болезнь, которую он даже сам не чувствует, но которая, однако, в нем находится. Ему ответили, что скрывание болезни есть та же симуляция, а за симуляцию — суд; и этот невыясненный как бы сошел впоследствии немного с ума.

Сам Умрищев опростался от невыясненности лишь случайно: он вышел однажды в скучный день из учреждения и заметил, что некий человек звал взмахом руки машину. Машина к нему подъехала, и человек сел в нее для поездки. «Слушай,— сказал тогда Умрищев,— подбрось-ка и меня куда-нибудь». «Почему?» — озадачился из машины человек. «Потому что я член союза и ты член: мы же товарищи!» Человек в автомобиле вначале задумался, а потом сказал: «Садись»; в дороге же он задумался еще более, точно вспомнил нечто простое и влекущее, как печной дым над теплым колхозом зимой.

Незнакомый человек привез Умрищева к себе в гости: жена-комсомолка дала обоим прибывшим обед и чай, а затем муж-начальник выслушал на полный желудок и сонную голову беду Умрищева. Жена при этом начала кустарно точить мужа, что он есть худший вид оппортуниста, что он потворщик рвачества и заражен гнилым либерализмом,— если так будет продолжаться, она не сможет с ним жить. Муж поник от чувствительного стыда, потому что в словах жены была существенная правда, а наутро он дал Умрищеву назначение в мясосовхоз, чтобы человек довыяснился на практической работе. Заодно муж комсомолки разверстал весь резерв невыясненных и предал суду десять служащих своего ведомства, дабы они имели случай опомниться от своих дел. Вечером же, доложив жене, муж получил от последней тот ударный поцелуй, который он всегда предпочитал иметь.

Чем больше объяснял Умрищев свое течение жизни, тем грустнее становился Вермо; даже изо рта старика, благодаря его уставшему дыханию, выходила скука старости и сомнений. Светлые глаза Вермо, темневшие от счастья и бледневшие от печали, сейчас стали видными насквозь и пустыми, как несуществующие. Прибывший пешеход участвовал в пролетарском воодушевлении жизни и вместе с лучшими друзьями скапливал посредством творчества и строительства вещество для той радости, которая стоит в высотах нашей истории. Он уже имел, как миллионы прочих, предчувствие всеобщего будущего, предчувствие, наполнявшее его сердце избыточной силой,— он мог чувствовать даже мертвое, даже основную причину землетрясения и вулканических сил, но вот сидел перед ним старый человек, который не производил на него никакого ощущения, точно живший ранее начала летосчисления. Быть может, поэтому Умрищев с такой охотностью читал Иоанна Грозного, потому что ясно сознавал невзгоду своей жизни — ведь все враги сейчас сознательны — и глубоко, хотя и чисто исторически, уважал целесообразность татарского ига и разумно не хотел соваться в железный самотек истории, где ему непременно будет отхвачена голова.

Ночь, теряя свой смысл, заканчивалась; за окном землебитного жилища уже начал прозябать день, и небо покрылось бледностью рассвета: сырая и изможденная, всюду лежала еще ничем не выдающаяся земля, и лишь кое-где на ней стала шевелиться и вскрикивать разнохарактерная живность.

Вермо сидел неподвижно: он видел раннюю бледность мира в окне и слушал начинающееся смятение жизни. Однако это не был тот напев будущего, в который он беспрерывно и тщетно вникал,— это был обычный вековой шум, счастливый на заре, но равнодушный и безотрадный впоследствии.

Умрищев, потеряв интерес к гостю, снова приступил к своему медленному чтению старины, иногда улыбаясь какой-нибудь ветхой шутке, а иногда вытирая слезы сочувственной печали, тем более что он встретил описание того грустного факта, как однажды, при воцарении Грозного с неба пошел каменный и мелкозернистый дождь, отчего немало случилось повреждения тогдашнему историческому населению.

— Вот были люди и происшествия,— сказал Умрищев, утешаясь книгой, и стал читать вслух: «Царь Иван захотел однажды на святки, имея доброе самочувствие, установить в Китай-городе баловство пищей. Для чего он указал боярину Щекотову привесть откуда ни на есть в тот Китай-город до 70 сбитенщиков, 45 харчевников, 30 крупенников, 14 обжарщиков и прочую пищевую силу по одному либо по два человека на каждую сортовую еду. Но люди торговые и промысловые откупились от той милости, дабы не соваться в неиспытанное, а сговорились меж собой есть до смерти добрые домашние щи либо тюрю».— Умрищев здесь отринулся от чтения и довольно улыбнулся: — Да у нас в один районный центр требуется больше пищевиков, чем во весь Китай-город: минималисты были, черти, одну тюрю любили!

Николай Вермо уже давно соскучился с этим неясным человеком и встал, чтоб уйти прочь, тем более что на дворе уже разгорался новый день, а здесь горела лампа.

— Ну, я пойду,— стеснительно сказал Вермо.— До свиданья.

— Ступай и не суйся,— ответил директор.— Чем старина сама себя пережила: она не совалась!.. Ступай, а то мне тоже вскоре надо поехать кой-куда: окоротить сующихся...

После ухода инженера Умрищев взял из-под стола следующую книгу и заинтересовался ею. Это была «Торговля пенькою в Шацкой провинции — в 17 веке». Он и пеньку любил, и шерсть, и пшено, и быт мещерских и мордовских племен в моршанском крае, и черное дерево в речных глубинах, и томленье старинных девушек перед свадьбой — все это полностью озадачивало и волновало душу Умрищева; он старался постигнуть тайну и скуку исторического времени, все более доказывал самому себе, что вековечные страсти-страдания происходят оттого, что люди ведут себя малолетним образом и всюду неустанно суются, нарушая размеры спокойствия.

* * *

Вермо вышел на солнце и не спеша отправился через центральную усадьбу на дальние гурты. Босые доярки уже несли ведра с молоком, шагая по земле толстыми ногами; на пороге ночлежной горницы сидел пожилой пастух,— он ел что-то из чашки на коленях и посматривал на доярок, на незнакомого человека и на отдаленные пастбища, где ему придется пробыть весь день и много воображать, вследствие того что пастуху на целине мало работы и все время думается разное в голову.

Вместе с ним из совхоза вышла молодая женщина и пошла с ним нечаянно рядом. Она была немного привлекательна, но, видимо, проста и доверчива, так как шла и рассматривала человека объективно, как вещь, еще не чувствуя к нему ни вражды, ни любезности. А Вермо уже стеснялся ее как человек, у которого сердце всегда живет под напором скопившейся любви и который, не испытав еще, быть может, женщины, уже боится исчезнуть в неизвестном направлении собственной страсти, невнимательно храня себя для высшей доли. Но втайне, стесненным сердцем, Николай Вермо мог любить людей сразу, потому что тело его было уже заранее переполнено безысходной жизнью. Он осмотрел в последний раз женщину — она действительно сейчас добра и хороша: черные волосы, созревшие в жаркой степи, покрывали ее голову и приближались к глазам, блестевшим уверенным светом своего чувства существования; ее скромный рот, немного открытый (от внимания к постороннему), показывал прочные зубы, которые потемнели без порошка, и грудь дышала просторно и терпеливо, готовая кормить детей, прижать их к себе и любить, чтобы они выросли. Вермо возмужал от волнения, его стеснительность прошла, и он сказал женщине хриплым, не своим голосом:

— Как скучно бывает жить на свете!

— Отчего скучно? — произнесла женщина.— Нам тоже еще невесело, но уже нескучно давно...

Инженер остановился; спутница его также дальше не пошла, и он снова неподвижно рассматривал ее — уже всю, потому что и туловище человека содержит его сущность. Глаза этой женщины были сейчас ясны и осторожны: безлюдье лежало позади ее тела — светлый и пустой мир, все качество которого хранилось теперь в этом небольшом человеке с черными волосами. Женщина молча стояла перед своим дорожным товарищем, не понимая или из хитрости.

— Скучно оттого, что не сбываются наши чувства,— глухо проговорил Вермо в громадном и солнечном пространстве, покрытом дымом пастушьих костров.— Смотришь на какое-нибудь лицо, даже неизвестное, и думаешь: товарищ, дай я тебя поцелую. Но он отвернется — не кончилась, говорит, классовая борьба, кулак мешает коснуться нашим устам...

— Но он не отвернется,— ответила женщина.

— Вы, например? — спросил Вермо.

— Я, например,— сказала женщина из совхоза.

Вермо обнял ее и долго держал при себе, ощущая теплоту, слушая шум работающего тела и подтверждая самому себе, что мир его воображения похож на действительность и горе жизни ничтожно. Тщательно все сознавая, Вермо близко поглядел в лицо женщины, она закрыла глаза, и он поцеловал ее в рот. Затем Вермо убедился еще раз в истинности своего состояния и, сжав слегка человека, уже хотел отойти в сторону, сохраняя приобретенное счастье, но здесь женщина сама придержала его и вторично поцеловала.

— Суешься уже? — сказал огорченный и забытый голос со стороны.

Пока двое людей глядели друг в друга, подъехал верхом третий человек — Умрищев и загодя засмеялся такому явлению — поцелую в степи.

— Она мне очень понравилась! — ответил Вермо, и ему опять стало скучно от лица Умрищева.

— Не и пускай понравилась, а ты не суйся! — посоветовал Умрищев.— Тебе нравится, а ты в сторону отойди — так твое же добро целей-то будет: ты подумай...

— Проезжай, Умрищев,— сказала женщина.— На гурте доярка удавилась: я с тобой считаться иду!

— Ну-ну, приходи,— охотно согласился Умрищев.— Только в женскую психиатрию я соваться не буду.

— Я тебя сама туда всуну — обратно не вылезешь, — сказала женщина обещающим голосом.

— Не сунусь, женщина! — ответил Умрищев. — Пять лет в партии без заметки просостоял оттого, что не совался в инородные дела и чуждые размышления, еще двадцать просостою — до самого коммунизма — без одной родинки проживу: успокойся, Босталоева Надежда!

Умрищев тут же уехал, а женщина, Надежда Босталоева, еще постояла, думая уже не о своем ближайшем товарище, а о мертвой доярке, но глаза ее были все такими же, как и во время дружбы с Вермо.

По дороге до гурта инженер узнал, что его попутная подруга работает секретарем гуртовой партячейки, и ей здесь тяжело, иногда мучительно, зачастую страшно, но она не может сейчас жить какой-либо легкой жизнью в нашей стране трудного счастья.

Босталоева шла впервые на этот гурт; до того она работала на другом гурте, но теперь здесь стало слишком тяжко и сложно — прежний секретарь на здешнем гурте пал духом, и комитет партии послал сюда — в «Родительские Дворики» — Надежду Босталоеву, чтобы разбить и довести до гробовой доски действующего классового врага.

Гурт «Родительские Дворики» находился в русле древней речки, высохшей лет тысяча тому назад. Два землебитных жилища составляли убежище гуртовщиков на зимнее время, а для укрытия от летнего ненастья лежали по окрестной степи громадные выдолбленные тыквы.

Судя по ландшафту, насколько хватало зрения, гуртовая база была расположена разумно и удобно: ровно и спокойно лежала земля на десятки видимых верст, как уснувшая навеки, беззащитная и открытая зимнему холоду и всем безлюдным ветрам; лишь по одному месту та земля имела впалое положение, и там было слабое затишье от вихрей непогоды — это был след, прорытый древней и бедной рекой, теперь задутой суховеями, погребенной наносами до последнего ослабевшего источника, умолкшей навсегда. Но памятники реки, в виде песчаных выносов, еще лежали на гуртовой усадьбе, и для их зарощения в песок были посажены прутья шелюги и чернотала, а между теми прутьями и самородными лопухами лежали ночлежные пустые тыквы великого размера.

Посреди гуртового места находился срубовый колодезь, и две женщины непрерывно вытаскивали ручною силой воду из глубины земли и относили ее в бак — для питья людям и животным.

Те «Родительские Дворики» имели списочное число коров — четыре тысячи, не считая быков, лошадей, волов и разной мелкой подспорной живности в форме кроликов, овец, кур и прочих существ. Стало быть, сам тот гурт составлял из себя уже мощный мясосовхоз и являлся надежным источником мясной пищи для пролетариата.

Когда Вермо и Босталоева только пришли на гурт, Умрищев там уже господствовал и проверял все элементы хозяйства, какие попадались ему навстречу. По сторонам Умрищева ходили два человека — заведующий гуртом зоотехник Високовский и старший гуртоправ Афанасий Божев.

— Вы должны вести себя, как две мои частности,— говорил им Умрищев на ходу,— и бездирективно никуда не соваться.

— Нам это, Адриан Филиппович, понятно: обстановочка ведь суетливая! — охотно и даже счастливо отвечал Божев, а сам улыбался всем своим чистым и честным лицом, на котором приятно находились два благожелательных глаза степного светлого цвета.

Високовский молчал. Он любил скотину саму по себе и давно собирался уйти работать в область племенного животноводства, дабы воспитывать скот для рождения потомства, а не для убийства; он был худой по телу, может быть, потому что больше ел молоко, прудовую рыбу, кашу и редко брал говядину, и знал свою науку с угрюмой точностью — видел в любом животном не только вес и продуктивность, но одновременно и субъективное настроение. За это его любили в скотоводческом объединении и платили ему большие средства, которые он, не имея родных, тратил на баловство любимой скотины; например, он приобретал шерстяной материал и сам шил чулки на зиму для кроликов, угощал быков солеными пышками, построил стеклянную теплицу печного отопления, с тем чтобы там росла зимой свежая кормовая трава для мужающих телят, которым уже надоело молоко,— и еще многое другое совершил Високовский ради любви своей к делу.

Меж тем Умрищев совершал свои замечания по гурту. Выйдя в пекарню, он отпробовал хлеба и сказал ближним подчиненным: «Печь более вкусный хлеб». Все согласились. Выйдя наружу, он вдруг задумался и указал Високовскому и Божеву: «Серьезно продумать все формы и недостатки». Божев сейчас же записал эти слова в свою книжку. Увидя какого-то человека, тихо шедшего стороною, Умрищев произнес: «Усилить трудовую дисциплину». Здесь что-то помешало Умрищеву идти дальше, он стал на месте и показал в землю: «Сорвать былинку на пешеходной тропинке, а то бьет по ногам и мешает сосредоточиться». Божев наклонился было, чтобы сразу уничтожить былинку, но Умрищев остановил его: «Ты сразу в дело не суйся, ты сначала запиши его, а потом изучи,— я же говорю принципиально: не только про эту былинку, а вообще, про все былинки в мире». Божев спешно записал, а Високовский шел рядом, ничего не говоря и не делая. Вскоре на тропинку выбежал кролик и от внезапного ужаса не мог бежать и стал на задние ноги, обратив лицо прямо к людям.

— Хорошее животное! — оценил Умрищев кролика.

— Да, оно ничего: оно милое, Адриан Филиппович! — согласился Божев.

Невдалеке показалась свинья; она подошла к Умрищеву и покрутила около него хвостом, что также понравилось Умрищеву, и он одобрил это животное.

Но зато, придя в служебный кабинет Височковского, Умрищев сразу почувствовал ярость. В самом деле — в кабинете было кругом нечисто, имелись следы и остатки каких-то огромных животных, точно сюда приходили по делам быки, пригибаясь в дверях; бумаги лежали под бутылками с мочой больных коров, стены не имели убранства и были покрыты рваными итоговыми данными и на стуле у стола сидел как посетитель подсвинок.

— Это ж государственная измена! — воскликнул Умрищев в кабинете.— Вы весь авторитет нашего руководства роняете вниз! — закричал он по направлению к Височковскому.— Вас скотина здесь не уважает, а вы целым штатом хотите руководить! За такие кабинеты надо вон с отметкой увольнять!

— Тише, начальник,— попросил Височковский,— говорите негромко: я вас услышу все равно.

— Вас бы надо гидрометеором по голове,— потише сказал Умрищев,— чтоб вы почувствовали что-то.

— Гидрометеор — это дождь, товарищ Умрищев,— равнодушно заявил Височковский.

— Я имею в виду тот дождь,— объяснил Умрищев,— который шел при Иоанне Грозном — каменный, исторический дождь!

Вслед за тем Умрищев велел Божеву позвать гуртового кузнеца Кемаля, убогого глухонемого счетовода Тишкина, профуполномоченного, старушку Федератовну, а заодно и Босталоеву с явившимся зачем-то инженер-музыкантом. Умрищев любил иногда собрать, как родню, подчиненный аппарат в кучу и поговорить с ним по душам, не составляя повестки дня.

* * *

Босталоева вошла в свое новое жилище, а Вермо остановился у входа. Это было временное общежитие, построенное из земли и покрытое для крепости дерном.

На правой половине земляной горницы лежали во сне усталые доярки и телятницы, а налево храпели пастухи, водоносы, колодезники, случники, студенты-ветеринары и прочие профессии; некоторые же сидели на земляном полу и писали письма далеким товарищам или читали книги, чертили изображения и думали, облокотившись на руку.

Тут же, в сенях общежития, на большом столе для кружковых занятий лежал мертвый человек. Он был покрыт красным сукном, но одна небольшая старая женщина приоткрыла сукно у изголовья мертвеца и гладила свободной рукой чье-то остывшее лицо.

— Это Айна? — спросила Босталоева у той устарелой женщины.

— Да — то кто же! — раздражительно ответила боченковидная старушка и обернулась своим лицом, похожим на блюдцеобразное озеро.

Вермо подошел со стороны и загляделся на покойницу. Смуглая девушка, наверно киргизка, лежала навзничь с постаревшим грустным лицом и открыла рот от последней слабости. Босталоева приподняла покрывало на покойнице и стала ощупывать своей рукой тело Айны, будто разыскивая следы смерти и тайное место гибели человека. Инженер так же близко наклонился над скончавшейся; он увидел опухшее от женственности тело, уже копившее запасы для будущего материнства, и терпеливые рабочие руки, без силы сложенные на животе; Вермо разглядел полотно рубашки, которое повсеместно выдавали ударницам, и почувствовал запах еще сохранившегося пота и прочих отходов уже умолкшей, трудной жизни; но смерти нигде не было заметно.

Тогда Босталоева отвернула ворот на горле Айны, и все увидели темный запекшийся рубец вокруг шеи — след от бичевы, которая перерезала гортань и сожгла дыханье этой девушки.

Здесь пришел Афанасий Божев и позвал Босталоеву с инженером на совещание.

— Ведь миллиарды разных людей умерли бесполезно,— сказал Божев.— Что же вы одну-то стоите жалеете! Мало ли на свете жителей осталось!.. Жалейте хоть меня, если в вас гнилой либерализм бушует!

— Всех жалеть не нужно,— заявила старушка, бывшая тут,— многих нужно убить...

Сказав это, пожилая рабочая отвернула от горя свое лицо, и все промолчали, не понимая значения ее речи, а потом ушли на гуртовое совещание.

Когда Божев привел Босталоеву и Вермо, Умрищев уже давно говорил, сам не понимая о чем, а только чувствуя что-то доброе. Он развивал перед присутствующими различные картины мероприятий, например, предлагал так организовать все гуртовые работы, чтобы каждый уж молчал постоянно, делал по раз запущенному порядку свое узкое, мирное дело и ни во что не совался.

— Каждому трудящемуся надо дать в его собственность небольшое царство труда — пусть он копается в нем непрерывно и будет вечно счастлив,— развивал Умрищев вслух свое воображение.— Один, например, чистит скотоместа, другой чинит по степи срубовые колодцы, третий пробует просто молоко — какое скисло, какое нет,— каждый делает планово свое дело и некуда ему больше соваться. Я считаю, что такая установка даст возможность опомниться мне и всему руководящему персоналу от текущих дел, которые перестанут к тому времени течь. Пора, товарищи, социализм сделать не суетой, а заботой миллионов.

Собрание молчало; старушка Федератовна уже загорюнилась, облокотившись на коричневую руку; она знала, что ей думать, и глядела на Умрищева, как на подлого.

— Что здесь такое? — спросила Босталоева.— Что мы обсуждаем и какая повестка дня?

— Я ничего не понимаю,— со сдержанной враждебностью объяснил Високовский,— обратитесь к товарищу директору: он должен знать.

Високовский, презирая Умрищева, начинал распространять

свое холодное чувство уже гораздо шире, может быть, на весь руководящий персонал советского скотоводства, Босталоева это поняла.

— А теперь слушайте меня дальше,— говорил Умрищев.— Есть еще разные неопределенные вопросы, изученные мною по старинной и по советской печати. У грабарей дети рожаются весной, у вальщиков — среди лета, у гуртоправов — к осени, у шоферов — зимой, монтажницы отделываются к марту месяцу, а доярки в марте только починают: поздно-поздно, голубушки, починаете — летом носить ведь жарко будет!..

— Да что ты скучаешь-то все, батюшка: то жарко, то тяжко,— осерчала старушка,— да мы вытерпим!

Умрищев только теперь обратил свой взгляд на ту старушку, и вдруг все его задумчивое лицо сделалось ласковым и снисходительным.

— Стару-у-шка! — сказал он с глубоким сочувствием.

— Стари-чок! — настолько же ласково произнесла старушка.

— Ты что ж — существуешь?

— А что ж мне больше делать-то, батюшка? — подробно говорила старушка.— Привыкла и живу себе.

— А тебе ничего, не странно жить-то?

— Да мне ничего... Я только интервенции боюсь, а больше ничего... Бессонница еще мучает меня — по всей республике громовень, стуковень идет, разве тут уснешь!

Здесь Умрищев даже удивился:

— Интервенция?! А ты знаешь это понятие? Что ты во все слова суешься?..

— Знаю, батюшка. Я все знаю — я культурная старушка.

— Ты, наверно, Кузьминишна?! — догадывался Умрищев.

— Нет, батюшка,— ответила старушка,— я Федератовна. Кузьминишной я уже была.

— Так ты, может, формально только культурной стала? — несколько сомневался Умрищев.

— Нет, батюшка, я по совести,— ответила Федератовна.

Умрищев встал на ноги и сердечно растрогался.

— Дай я тебя поцелую! Нежная моя, научная старушка! — говорил Умрищев, целуя Федератовну несколько раз.— Никуда ты не совалась, дожила до старости лет и стала ты, как боец, против всех стихий природы!

— И против классового врага, батюшка! — поправила Федератовна.— Против тебя, против Божева Афанаса и против еще каких-нибудь, кто появится... Я ведь все кругом вижу, я во все суюсь, я всем здесь мешаю!..

— Говори, бабушка,— обрадованно попросила Босталоева.— У нас повестки дня нету, а ты факты знаешь!

— Да то ништ я фактов не знаю! — медлила Федератовна.— Я всю республику люблю, я день и ночь хожу и щупаю, где что есть и где чего нету... Да без меня б тут давно мужики-единоличники всех коров своих гнусных на наших обменяли, и не узнал бы никто, а кто и проведал бы, так молчал уж: ай ему жалко нашу федеративную республику?! Ему себя жалко!

Босталоева в тот час глядела на Николая Вермо; инженер все более бледнел и хмурился — он боролся со своим отчаянием, что жизнь скучна и люди не могут побороть своего ничтожного безумия, чтобы создать будущее время. Когда начал говорить Божев задушенно, с открытым и правдивым лицом и с милыми глазами, светящимися пролетарской ясностью,— Вермо заслушался одних звуков его голоса и был доволен, но потом, когда почувствовал весь смысл хитрости Божева, то отвернулся и заплакал. Федератовна, бывшая близко, подошла к инженеру и вытерла ему глаза своей сухой ладонью.

— Будет тебе,— сказала старушка,— иль уж капитализм наступает: душа с советской властью расстается. Мы их кокнем: высохни глазами-то.

Собрание сидело в озадаченном виде. Одна Босталоева улыбнулась и захотела узнать, в чем Умрищев и Божев каются: ведь обвинение их бабушкой Федератовной голословно, она, может быть, недовольна не классовыми фактами, а лишь старостью своих лет.

Божев в молчаливом обозлении сжал зубы во рту: он сразу понял, какую мучительную ошибку он совершил, испугавшись обвинения старухи из ее щербатого рта — ведь действительности никто здесь не знает. Умрищев же думал безмолвно для самого себя: «Всю жизнь учился не соваться, а тут вот сунулся с покаянием — и пропал! Ну кто тебе директиву соваться дал — скажи, пожалуйста: кто? Жил бы себе молча и убого, как остальные два миллиарда живут!»

Божев, засмеявшись, предложил всем перейти к текущим делам, поскольку бабушка Федератовна отлично понимает, что единственным желанием его и Умрищева было доставить удовольствие заслуженной совхозной бабушке и, стало быть, не прекословить ей. Это же ясно — это ведь было предпринято ради уважения к трудовому стажу Федератовны, но вовсе не ради какой-либо идейной серьезности.

Умрищев же уныло промолвил, что ошибиться он давно не может, поскольку для оперативного свершения ошибки надо все же сунуться куда-то или во что-то, а он давно уж ни до чего не касается, особенно до вопросов мировоззренчества.

— Товарищи, на дворе, пока мы сидим, наступил тем временем вечер,— сказал в заключение Умрищев.— Посмотрите, как это довольно хорошо. Посмотрите затем на эту советскую старушку (он показал на Федератовну), разве это не вечер капитализма, слившийся на севере с зарей социализма? И разве не приятно сказать нашей Федератовне, этой доброй тетушке всего будущего и теще всего прошлого, словесную милость? Пусть она утешается по-пустому на старости лет!

Здесь Федератовна как была, так и схватила Умрищева за отросшую бороду, на что Умрищев даже не вскрикнул, решив уже претерпеть все это, как самую дешевую му́ку, а Божев моментально обнял всю старушку — с одной стороны, для ласкового успокоения, с другой — для защиты Умрищева. Но Федератовна, обернувшись, хлестнула ладонью по лицу Божева, а он не посмел обидеться. Ночью же, учтя эпоху, Божев уничтожил все ночлежные тыквы, чтобы улучшить тем самым свое политическое положение и ослабить очередную невзгоду жизни.

* * *

На следующий день доярку Айну понесли в гробу два выходных пастуха. За ее гробом шла подруга — профуполномоченная, провожавшая тело, несмотря на неплатеж Айной членских взносов; тут же находился кузнец Кемаль, вздыхавший все время от какой-то нечленораздельной силы; затем двигался Умрищев с Божевым и в стороне ото всех шла Надежда Босталоева, держа за руки Мемеда, малолетнего брата Айны. Впереди гроба шел Вермо. Один скотник имел хроматическую гармонию и дал ее Вермо, чтобы музыка сопровождала погибшую.

До могилы было далеко — версты две. Друг Айны, кузнец Кемаль, выбрал для погребения сухое песчаное место и вырыл там могилу, чтобы девушка побольше пролежала целой.

Когда вышли подальше, Николай Вермо сыграл по слуху Аппассионату Бетховена; в течение игры он чувствовал радость и победу и желал отомстить всему миру за беззащитность человека, которого несли мертвым следом за ним. Существо жизни, беспощадное и нежное, волновалось в музыке, оттого что оно еще не достигло своей цели в действительности, и Вермо, сознавая, что это тайное напряженное существо и есть большевизм, шел сейчас счастливым. Музыка исполнялась теперь не только в искусстве, но даже на этом гурте — трудом бедняков, собранных изо всех безнадежных пространств земли.

С пустого неба солнце освещало землю и шествие людей; белая пыль эоловых песков неслась в атмосферной высоте — вихрем, которого внизу было не слышно,— и солнечный свет доходил до земной поверхности смутным и утомленным, как сквозь молоко. Жара и скука лежали на этой арало-каспийской степи; даже коровы, вышедшие кормиться, стояли в отчаянии среди такого тоскливого действия природы, и неизвестный бред совершался в их уме. Вермо, мгновенно превращавший внешние факты в свое внутреннее чувство, подумал, что мир надо изменять как можно скорей, потому что и животные уже сходят с ума. В этом удручении Вермо спросил у Босталоевой, что ей представлялось, когда он играл.

— Мне представлялась какая-то битва,— как мы с кулацким классом, и музыка была за нас! — ответила Босталоева.

Вермо сыграл далее свое сочинение, заключавшее надежду на приближающийся день жизни, когда последний стервец будет убит на земле. Вермо всегда не столько хотел радостной участи человечеству — он не старался ее воображать,— сколько убийства всех врагов творящих и трудящихся людей.

Поэтому его музыка была проста и мучительна, близкая по выразительности к произношению яростных слов. Одна пьеса Вермо такой и была, и он сыграл ее, когда гроб поднесли к степной песчаной могиле. Умрищев и Божев не понимали музыки Вермо; они думали, что эти звуки имеют горестное значение, и понемногу плакали из приличия.

Около открытой могилы уже сидела Федератовна и смотрела внутрь земли. Она смерти не боялась, ей только было удивительно — куда же денется ее активная сила, если придется умереть, и кто будет болеть тогда старой грудью за совхозное дело.

— А ты что ж мало плачешь-то? — спросила она у Божева.— Ишь какой сухой весь пришел!

— Ветер слезы сдувает, Мавра Федератовна,— объяснил Божев.

— Ветер? — удивилась Федератовна.— А ты отвернись от него на тихую сторонку и плачь!..

Божев отвернулся и посилился добавочно поплакать, глядя свое лицо со лба вниз,— но Федератовна, обождав, подошла к нему, провела рукой по лицу, попробовала слезную влагу Божева на язык и обнаружила:

— Разве это слезы? Они же не соленые! Ты пот со лба на глаза себе сгоняешь — ты вон что надумал, кулацкий послед!

— Ей-богу, это слезы, Мавра Федератовна,— увещевал Божев,— у тебя язык не чует.

— У меня-то не чует? — допытывалась Федератовна.— А если б и чуял, так я своему языку не поверю, я только уму своему верю да партии большевиков!..

Айну в тот момент положили на край могилы. Все прибывшие люди стояли вокруг покойной и смотрели в ее лицо, уже снедаемое ветхими силами смерти, старое, как у Федератовны.

— Прощай, дочка! — сказала Федератовна и, согнувшись, поцеловала Айну, и видно было, как тело старухи стало изнемогать от немощи, от забот и от злости к действующему, живому врагу.

Надежда Босталоева расцеловала девушку-киргизку страстно и несколько раз, а Умрищев только коснулся рукой ее лба и произнес:

— Что ж тут горевать или поражаться: смерть всегда присутствует в текущих делах истории!

Вермо попрощался с Айной предпоследним; целуясь с умершей, он подумал, что если б она осталась жива, он мог бы жениться на ней. Афанасий же Божев припал к Айне в последнюю очередь и зарыдал над ней искренним голосом.

— Это он от страха старается: горя в нем нету! — определила Федератовна страдание Божева.

Но Божев поднял лицо кверху, и все увидели на нем открытую печаль. Кузнец Кемаль спустился в могилу, и ему подали гроб; Кемаль уложил получше гроб в земле и прибил крышку, навеки отделив умершую от ее врагов и товарищей, от всей будущей жизни, которую Айна хотела как девушка и комсомолка.

Брат Айны, Мемед, не горевавший по сестре, потому что она стала для него страшная и чужая, подошел к Божеву и сказал ему:

— Дядь, на ней твоя веревка осталась. Она кругом пуза завязана. Ты ее лучше возьми.

Кемаль сейчас же вскрыл гроб и развязал у покойной пояс. Это была крученая бечева, какие применяют для кнутов. Кемаль тут же отдал эту бечеву Божеву и закрыл гроб вторично.

— Ей больно было, а ты ее бил! — равнодушно сказал Мемед Божеву, глядя на крученую бичеву.— Она взяла и умерла, а ты с веревкой остался!

* * *

На гурт «Родительские Дворики» прибыло много народа. Москвич, член правления Скотоводобъединения, и худой секретарь недалекого райкома партии повели так называемое глубокое обследование всего мясосовхоза; Умрищев же был на воле и давал начальству такие объяснения, которыми старался поставить всех в тупик.

— Был ли на совхозе распространен ваш лозунг «А ты не суйся!»? — спрашивал Умрищева секретарь райкома.

— Был, конечно,— охотно отвечал Умрищев; чем вопрос был опасней, тем Умрищев добрее и подробней отвечал на него.— Вот Божев сунулся к Айне — ее погубил и сам пропал. Этот лозунг, дорогой товарищ, идет по всему свету еще от Иоанна Грозного, а Грозный ведь был глубокий человек: ты возьми данные истории! Желаешь, я тебе предложу кое-что для чтения?

— Не желаю,— говорил секретарь.— Вы мне скажите другое: сколько ежедневно пропадало молока в совхозе? Сколько у вас выдаивалось из совхозных коров молока — руками окрестных кулаков и зажиточных единоличников? Можете ответить?

— Ну, еще бы! — сообщил Умрищев.— Наша старушка Федератовна совалась, вот, повсюду и говорила мне, что ведер тысячу. А если б она не совалась, то и до тебя бы дело не дошло и вопроса такого бы не стояло.

— Хорошо,— спокойно произносил секретарь, безмолвно борясь со своим сердцем.— Сколько племенных совхозных коров кулаки обменяли на свой беспородный скот? При содействии Божева, конечно!

— Я в этот счет не вмешивался,— с точностью отвечал Умрищев.— Я вел глубокую тактику и довольно принципиальную политику. А именно: пускай хоть кулаки, хоть бедняки, хоть кто, поменяют немножко своего скота на наш. Кулака раскулачат, бедняк войдет в колхоз — и все совхозное племя попозже или пораньше все равно очутится в обобществленном секторе. А вот в этом-то и скажется доброе, хозяйственное и ведущее влияние совхоза на колхозную прицепку. Тебе теперь понятно?

— Вы подлец и дурак,— тихо сказал секретарь, бледнея от сдерживаемого страдания.— Кулак порежет наш племенной скот, а ваш беспородный скот принесет нам одни убытки и повальные болезни.

— Какой это ваш и какой это мой скот? — спросил Умрищев.— Я имею собственность только в виде идейных мыслей, а не коров, я ношу при себе билет члена партии! Ты, брат, особо-то не суйся!

— Вы правы,— говорил секретарь,— билет члена партии вы носите при себе. Но я не прав, что сволочь его носит!

Умрищев вскочил во весь рост, желая как можно мужественней возмутиться, но вдруг икнул два раза подряд от нервного страха и заикал далее беспрерывно.

— Это я... книг начитался. Это я... исторически хочу... Ты гляди на меня, как...

— Как на икающего оппортуниста,— сказал секретарь.

— Хоть бы... так,— икая, соглашался Умрищев.

— Как на второго убийцу киргизской девушки и как на кулацкого мерзавца!

Здесь Умрищев позабыл икнуть очередной раз и вовсе освободился от икоты.

Секретарь райкома отвел глаза на маленькое окно гуртовой избы и что-то подумал о летнем дне, блестевшем за стеклом. Он вообразил красоту всего освещенного мира, которая тяжко добывается из резкого противоречия, из мучительного содрогания материи, в ослепшей борьбе, и единственная надежда для всей изможденной косности — это пробиться в будущее через истину человеческого сознания — через большевизм, потому что большевизм идет впереди всей мучительной природы и поэтому ближе всех к ее радости; горестное напряжение будет на земле недолго. Секретарь райкома вспомнил затем Надежду Босталоеву, чьи черные таинственные волосы, скромный рот и глаза, в которых постоянно стоит нетерпеливое искреннее чувство, создавали в секретаре странное и неосновательное убеждение, что эта женщина одним своим существованием показывает верность линии партии, и вся голова, туловище, всякое движение Босталоевой соответствуют коммунизму и обеспечивают его близкую необходимость; Босталоева бы умерла при торжестве кулачества или мелкой буржуазии. Но секретарь был приучен большевизмом к беспощадному разложению действительности, и он сказал самому себе, не обращая внимания на Умрищева: «Я, наверно, субъективно люблю Босталоеву и наряжаю ее в идеологическое подвенечное платье... Я опоздал — ее надо давно назначить на гурт, пусть она покажет себя в действии, и я полюблю ее сильнее или разлюблю совсем...»

Умрищев тем временем настолько обозлился на все сущее, что решил уехать в дальний сибирский район, сделаться там секретарем и основать районное негласное оппортунистическое царство, в форме Руси Иоанна Грозного или мещерского племени: все равно ничего не будет, пускай хоть покой обоснуется в отдаленном месте, а прожить можно одним пеньковым промыслом или даже не евши, чем так теоретически мучиться.

— Как теперь партия? — спросил Умрищев.— Наверно, разлюбит меня?

— Очевидно,— сказал секретарь и послал его к прокурору, который уже давно ожидал Умрищева где-то на завалинках гурта.

— Ну, тогда я соваться начну! — пообещал Умрищев.— Как-нибудь она меня полюбит! — И ушел.

Как только завечерело, секретарь начал пить чай и позвал к себе Босталоеву с мальчиком Мемедом, чтобы угостить их чем-нибудь сладким. Федератовна же пришла по своей доброй воле и начала причитать беспрерывно, что районная контора задерживает контингенты стройматериалов для совхоза, что переводы кредитных лимитов опаздывают, что среди пастухов слаба культработа и мало заметно самозакрепление. При этом она плакала горючими слезами, так как у нее серьезно болело сердце, и запивала чаем потерю своих сил. Вспомнив об Айне, она уж не могла нагореваться: ведь было же четко и ясно, что Божев — классовый враг, отчего она не поверила своему предчувствию, своему ноющему сердцу, а ждала фактов, либеральничала и объективно помогала совершиться смерти.

— Бабка-дура,— сказал Мемед.— Всегда плачет и всегда живет. Сестра не плакала, а умерла...

— Я тебя в ясли завтра отдам: у подкулачников брехать научился? — сказала старуха.

— Там страшно,— произнес мальчик.

— А чего тебе страшно там? — спросила Босталоева.

— Там старик с бородой как картина висит,— сказал Мемед.— Бабкин жених...

Секретарь и Босталоева поняли мысль ребенка и засмеялись, а Федератовна обиделась за Карла Маркса, хотя секретарь уверял ее, что и Маркс бы улыбнулся сейчас.

— Ты знаешь, отчего умерла твоя сестра? — спросил секретарь у Мемеда.

— Бабка говорила — от нее,— ответил Мемед,— у бабки бдительность пропала. А сестру Афанас измучил, не бабка.

Мальчик представлял сестру с живостью всех фактов ее мучения. Она жила тогда за десять верст от гурта, в землянке у дальнего пастбища. Божев приезжал туда верхом на лошади и с кнутом, а доярки и Айна с ними в бане не мылись, горячего к обеду не варили и спали от работы мало. Но Айна не горевала, потому что хотела сделать социализм, только чесала под рубашкой ногтями. Божев приезжал на коне, ел пышки из своего мешка и забирал с собою пастухов — оставил только одного на пятьсот коров с быками. На ночь стадо расходилось без пути, пастух засыпал, а утром плакал нарочно, как будто от страха и горя, потому что в стаде начали пропадать полные красные коровы и являлись худые или мелкие, которые жрали и не росли,— молока же давали по четыре кружки. Именные быки тоже скрылись куда-то, а пришли незнакомые — они ходили скучные и худые, и совхозные коровы их били, а неизвестные быки молчали. Айна не стала спать, вышла на ночь пасти стадо, ходила в темноте и узнала, что приезжали верховые мужики, пригоняли своих коров с быками и угоняли совхозных. Айна ходила за чужими людьми следом, дошла до степных хуторов и возвратилась. Потом она пошла на гурт за людьми и ружьями, но ее встретил Божев и вернул обратно: «Ты,— говорит,— бежать от стада хочешь, ты летунья, ты врешь, я сам считаю коров по списочному числу». Когда сосчитал, оказалось верно. Божев изругал Айну: «Тебе замуж надо, ты бесишься, все коровы целы, разве ты помнишь все пятьсот коров в морду?» «Помню»,— сказала Айна и побежала из стада на гурт. Божев дал ей время побежать, а потом нагнал и бил кнутом, как летунью, которая срывает планы прокормления рабочих и служащих.

Айна упала, Божев ее взял и привез. Скоро Божев прислал нового пастуха, потому что старый пастух пропал вместе с десятью коровами и маточным быком; новый пастух угонял стадо далеко и приводил его к вечеру без молока. Айна была умная и узнала, что кулацкие и зажиточные жены выдаивают коров вдалеке. Она тайно добежала до директора Умрищева, но Умрищев сказал ей: «Не суйся, работай под выменем, чего ты все бесишься!»

Айна не вернулась в стадо, а пошла в районный комитет партии. К ней пристали еще две подруги-доярки, которые бежали навсегда от жизни в степи, Айна же шла по делу. Божев скакал за ними полдня; доярки прятались, но Божев разглядел их с лошади и опять бил Айну кнутом, как кулацкую девку, которая срывает дисциплину и уводит рабочую силу. Айна говорила ему, что идет выходить замуж за тракториста, Божев же спросил у нее отпускной талон и снова рубцевал, что не было талона. Однако двух других доярок Божев не задержал, и они убежали, довольные, что спаслись, и пропали бесследно. Когда Божев остался с Айной один в пустых местах, он вдруг весь осознался и стал напуганным. От страха смерти, которая достанется ему за порчу батрачки, Божев вдруг полюбил Айну. Он задумал так сильно и искренно обнять Айну, чтобы его любовь дошла к ней до сердца и она бы за все простила ему и согласилась быть женой. Он стал добрым, плакал до вечера у бедного подола Айны, обнимал ее измученные ноги и бегал в истоме по песчаным барханам. Айна все время не давалась ему, потом опять пошла дальше в район. Но Божев вновь достиг ее и шел за ней молча, бросив лошадь, а вечером изувечил ее, когда Айна усталая и измученная легла на землю. Айна схватила Божева за горло, когда была под его тяжестью, и душила его, но сила клокотала в горле Божева, он не умер, а сестра Мемеда ослабела и заснула. Наутро Божев оправил оборванную Айну, отыскал лошадь, подпоясал доярку бечевой от своего кнута и повез женщину на гурт, все время искренно лаская доярку за плечи, а встречным людям говорил, что он на ней скоро женится, так как полюбил. Айна стала смирная; ей дали два выходных дня подряд, и она, обмывшись в бане, ходила с Мемедом по полю и так целовала брата, что плакала от своей жадности и нежности к нему. Потом она сказала Мемеду, как большому, все, что было, и ушла за конфетами в совхозный кооператив. Целую ночь она не приходила, а после ночи увидели, что она висит мертвая на постройке колодца и под ногами у нее лежит кулек с конфетами и зарплата за четыре месяца.

* * *

Божева осудили и увезли в городскую тюрьму. Там его вывели во двор и поставили к ограде, сложенной из старого десятивершкового кирпича; Божев успел рассмотреть эти ветхие кирпичи, которые до сих пор еще лежат в древних русских крепостях, погладил их рукой в своей горести — и вслед за тем, когда Божев обернулся, в него выстрелили. Божев почувствовал ветер, твердою силой ударивший ему в грудь, и не мог упасть навстречу этой силе, хотя и был уже мертвым; он только сполз по стене вниз.

Умрищев же сумел убедить кого-то в районном городе, что он может со временем, по правилам диалектического материализма, обратиться в свою противоположность; благодаря этому его послали работать в колхоз, ограничившись вынесением достаточно сурового выговора. В колхозе же, расположенном невдалеке от «Родительских Двориков», Умрищев стал поступать наоборот своим мыслям: как только что надумает, так вспомнит, что его природа — это ведь оппортунизм, и совершит действие наоборот; до некоторого времени названные обратные действия Умрищева имели успех, так что бывшего директора колхозники выбрали своим председателем. Но впоследствии Умрищева ожидала скучная доля, о которой в свое время стало известно всем...

Уезжая, член правления скотоводного треста и секретарь райкома определили гурту «Родительские Дворики» быть самостоятельным мясосовхозом, а директором нового мясосовхоза назначили Надежду Босталоеву, носящую в себе свежий разум исторического любопытства и непримиримое сердце молодости.

В помощницы себе Босталоева взяла Федератовну, а Николая Вермо назначила главным инженером совхоза. Зоотехник Високовский пришел к Босталоевой в землянку и вежливо, тщательно скрывая свою производственную радость, поздравил Босталоеву с высоким постом. Он надеялся, что эволюция животного мира, остановившаяся в прежних временах, при социализме возобновится вновь и все бедные, обросшие шерстью существа, живущие ныне в мутном разуме, достигнут судьбы сознательной жизни.

— Теперь засыпается пропасть между городом и деревней,— сказал Високовский,— коммунистическое естествознание сделает, вероятно, из флоры и фауны земли более близких родственников человеку... Пропасть между человеком и любым другим существом должна быть перейдена...

— Будет еще лучше,— обещала Босталоева.— Самая далекая ваша мечта все равно не опередит перспектив нашей партии. Между живой и мертвой природой будет проложен вечный мост.

Високовский ушел и на совхозном подворье подхватил и унес к себе своего любимого подсвинка.

Босталоева разобралась в планах и директивах, а затем позвала к себе Вермо и Федератовну.

— Вермо,— сказала она,— в прошлом году «Родительские Дворики» поставили пятьсот тонн мяса, в этом году нам задали тысячу тонн, а поголовье увеличивается процентов на двадцать, потому что мало пастбищ и мало воды...

Вермо улыбнулся.

— Мы должны выполнить, Надежда,— ответил инженер.— Москва вызывает нас на творчество; нормальной мещанской работой взять такого плана нельзя — значит, в центре доверяют нашим силам...

— Партия слишком уж любит массы,— сказала Федератовна,— оттого она и ценит так ихний ум. Без ума этот план нам сроду не взять!

— Мы поставим три тысячи тонн говядины,— высказалась Босталоева.— Мы не только трудящийся, мы творческий класс. Правда ведь, товарищ Вермо?

Инженер молчал; он воображал великий расчет партии на максимального человека массы, ведущего весь класс вперед,— тот же расчет, который имел сам Ленин перед Октябрем месяцем семнадцатого года.

— Да то ништ не правда? — ответила Федератовна.— Уже дюже массы жадны стали на новую светлую жизнь: никакого укороту им нету!

Вермо ушел в полынное поле и только что приготовился подумать о выполнении огромного плана, как ему в лицо подул дальний ветер с запахом горелой соломы. Инженер почувствовал, что этот ветер ему знакомый — ветер не изменился, изменилось и выросло лишь тело Вермо, но и в глубине его тела осталось что-то маленькое неизменное — то, чем вспомнил он сейчас этот теплый ветер, пахнущий дымом далеких печек, второй раз в жизни подувший ему в лицо из дальних мест. Вермо обратился к самому себе и ощутил свое сердце, все более наполняющееся счастьем,— так же, как в детстве тело наливается зреющей жизнью. Когда же дул этот ветер в первый раз в лицо Вермо? Он обернулся на «Родительские Дворики». Там робко дымила одна печная труба — это кухонные мужики растопляли кухню для обеда. Шло лето, грусть росла, и надежды на еще несбывшееся будущее расстилались по неровному миру — это уже чувствовал Вермо когда-то, в свой забытый день. Над «Родительскими Двориками» не хватало мельницы, мелющей зерно: такая мельница была в родном месте Вер-

мо, где он вырос и возмужал. И еще не было в совхозе такого до́-
ма, где бы тебя всегда ожидали — не было отца и матери,— но
зато в совхозе были Босталоева, Федератовна, Високовский, а
мельницу можно построить... Вермо вспомнил летний день детства
на окраине родины — маленького города — и этот вечер, который
нес тогда дым жизни далеких и незнакомых людей.

Мельницу же в «Родительских Двориках» надо построить
теперь же. Сила ветра будет качать сейчас воду из колодца, а
осенью и зимою, когда дуют самые плотные ветры, сила воздуш-
ного течения будет отапливать помещения для скота, где целых
полгода зябнут и худеют коровы. Пусть теперь степной ветер
обратится в электричество, а электричество начнет греть коров и
сохранит на них мясо, сдуваемое холодом зимы: скучную силу
осеннего ветра в зимнюю пургу, поющую о бесприютности жизни,
наступило время превратить в тепло, и во вьюгу можно печь
блины.

Вечером Вермо сказал Босталоевой, как нужно отопить совхоз
без топлива. Босталоева позвала Високовского, Федератовну,
кузнеца Кемаля, еще двоих рабочих, и все они прослушали инженера.

Кемаль заключил, что дело ветряного отопления — безубы-
точное; он сам думал о том, только, не зная электричества, хотел,
чтоб ветер вертел и нагревал трением какие-либо бревна или чурки, а чурки тлели бы и давали жар,— однако это технически сум-
бурно.

— А хватит нам киловатт-часов-то? — спросила Федератовна.— Ты амперы-то сосчитал с вольтами? — испытывала старуха
инженера Вермо.— Ты гляди, раз овладел техникой?!. А проволоку, шнур и разные частички где ты возьмешь? Мы вон голых гвоздей второй год не допросимся, алебастру, извести и драни нету
нигде...

— Я поеду в район, в край и достану все, что нужно, сама,—
сказала Босталоева, запечалившись вдруг отчего-то.— Високовский, сколько мы нагоним мяса, если в скотниках будет тепло?..

— Можно телят выпаивать круглый год,— размышлял Високовский.— Весной мы родили две тысячи телят, а теперь будем
осеменять коров круглый год — получим минимум три тысячи
телят, на добавочную тысячу больше. Это при том стаде, какое у
нас есть...

Далее Високовский сделал расчет на бумаге; он сообразил,
сколько дадут товарного мяса добавочные телята, на сколько самое меньшее пополнеют благодаря теплу взрослые животные,—
и выразил цифру: триста тонн чистого живого мяса, не считая
громадной прибавки молока и масла от улучшения бытовых
условий.

— Почти двадцать вагонов! — обрадованно произнесла
Босталоева.— Мы это сделаем, товарищ Вермо! Бабушка, ты
будешь бригадиршей на постройке... Бабушка, возьмись по-старинному; когда великаны жили, говорят...

— Обожди, девчонка! — осерчала Федератовна.— Великаны были только сильны, а по уму любой цыпленок норовистей их. Обождите, вам говорят!.. Если на небе тихо, а на дворе мороз в тридцать градусов по Реомюру, в тридцать семь по Цельсию: вы тогда — что?!

Вермо думал быстрее, чем кончила Федератовна:

— Мы, бабушка, из коровьих лепешек брикетов наделаем в запас. Пусть Кемаль сделает деревянный пресс для обжима и брекетирования коровьих лепешек...

— Я уж ему двенадцать раз говорила, дураку,— сказала Федератовна.— Лежит зимой добро по всему гурту, а скот зябнет...

— Мне оппортунист Умрищев не велел,— оправдался Кемаль.— Я несколько раз докладывался: пора, говорю, нам заготовить деревянный блюминг, что ж это такое? Коровы ведь зарождают в туловище не одно молоко с мясом, а и топку! Давай, говорю, мне двух плотников и слесаря на помощь — я тебе из коров Донбасс сделаю, я тебе из коровьего желудка центральное отопление поставлю...

— Кто будет крутить ваш брикетный пресс? — спросил Вермо.

— Два вола,— сообщил Кемаль.

— Нет, ветер,— не согласился инженер,— не тратьте животных, живите за счет мертвой природы.

— Я люблю вас, гражданин Вермо,— произнес Високовский.

— Ветер лучше,— согласился Кемаль.— Пресс можно крутить, когда ветряк не нужен для тепла.

Федератовна, хоть и была довольна, но не очень — она потребовала от Вермо, чтоб он составил проект с экономической стороной, а она его проверит со всех точек: старуха была настолько скупа и осторожна в отношении социализма, что даже для верного друга требовала предосудительного контроля,— мало ли совершается в советском мире расточительства благодаря действию слишком радостных чувств!

Вермо согласился составить проект, а Федератовна пошла заботиться по советскому мясному хозяйству; она уже полгода как не спала, только дремала на заре, объясняя это тем, что она уже старая и ей было достаточное время выспаться при империализме.

Под вечер старуха села в совхозную таратайку и поехала по всем пастбищам, по всем стадам, нажевывающим себе тело в степях; и когда развернулась ночь, то все еще гремела в пространстве таратайка Федератовны — этот звук старушечьей езды наводил жуть на нерадивых гуртоправов, потому что невозможно было что-либо скрыть от бессонной специальной бдительности Федератовны, умудренной хитростью классового врага. Даже лучшие доярки вздрогнули, когда узнали, что старуха стала помощником директора. Покойница Айна давала больше всех работы — она выдаивала по 190 литров молока в сутки при норме 125; бабушка же однажды просидела в степной ферме трое суток и надоила 700 литров.

— Сучки-подкулачницы,— сказала тогда Федератовна двум бабам-лодырям.— Только любите, чтоб вам груди теребили, а до коровьих грудей у вас охоты нет...

Она помнила всех выдающихся коров в совхозном поголовье, а быков знала лично каждого. Проезжая сквозь жующие стада, старушка всегда сходила с таратайки и бдительно осматривала скотину, особенно быков — их она пробовала кругом, даже вниз к ним заглядывала: целы и здоровы ли у производителей все части жизни.

Сейчас уж далеко звучала таратайка Федератовны и удалялась все более скоро, потому что старуха совала рукой в кучера и пилила его сзади своими словами.

В эту ночь, когда поднялась луна на небе, животные перестали жевать растения и улеглись на ночлег по балкам и по низовьям, напившись воды у колодцев; несъеденная трава тоже склонилась книзу, утомившись жить под солнцем, в смутной тоске жары и бездождия. В тот час Босталоева и Вермо сели верхами на лошадей и понеслись, обдаваемые теплыми волнами воздуха, по открытому воздушному пространству земного шара...

Забвение охватило Вермо, когда скрылось из глаз все видимое и жилое и наступила одна туманная грусть лунного света, отвлекающая ум человека и прохладу мирной бесконечности, точно не существовало подножной нищеты земли. Не умея жить без чувства и без мысли, ежеминутно волнуясь различными перспективами или томясь неопределенной страстью, Николай Вермо обратил внимание на Босталоеву и немедленно прыгнул на ее коня, оставив своего свободным. Он обхватил сзади всю женщину и поцеловал ее в гущу волос, думая в тот же момент, что любовь — это изобретение, как и колесо, и человек, или некое первичное существо, долго обвыкался с любовью, пока не вошел в ее необходимость.

Босталоева не сопротивлялась — она заплакала; обе лошади остановились и глядели на людей.

Вермо отпустил Босталоеву и пошел по земле пешком. Босталоева поехала шагом дальше.

— Зачем вы целуете меня в волосы? — сказала вскоре Босталоева.— У меня голова давно не мытая... Надо мне вымыться, а то я скоро поеду в город — стройматериалы доставать.

— Стройматериалы дают только чистоплотным? — спросил Вермо.

— Да,— неясно говорила Босталоева,— я всегда все доставала, когда и на главной базе работала... Вермо, сговоритесь с Високовским, составьте смету совхозного училища: нам надо учить рабочих технике и зоологии. У нас не умеют вырыть колодца и не знают, как уважать животных...

Но Вермо уже думал дальше: колодцы же — ветхость, они ровесники происхождению коровы как вида: неужели он пришел в совхоз рыть земляные дыры?

К полуночи инженер и директор доехали до дальнего пастбища совхоза — самого обильного и самого безводного. После того пастбища — на восток — уже начиналась непрерывная пустыня, где в скучной жаре никого не существует.

Худое стадо, голов в триста, ночевало на беззащитном выпуклом месте, потому что нигде не было ни балки, ни другого укрытия в тишине рельефа земли. Убогий колодец был серединой ночующего гурта, и в огромном пойловом корыте спал бык, храпя поверх смирившихся коров.

Редкий ковыль покрывал здешнюю степь, при этом много росло полыни и прочих непищевых, бедных трав. Из колодца Вермо вытащил на проверку бадью — в ней оказалось небольшое количество мутной воды, а остальное было заполнено отложениями четвертичной эпохи — погребенной почвой.

Почуяв воду по звуку бадьи, бык проснулся в лотке и съел влагу вместе с отложениями, а ближние коровы лишь терпеливо облизали свои жаждущие рты.

— Здесь так плохо! — проговорила Босталоева с болезненным впечатлением.— Смотрите — земля, как засохшая рана...

Вермо с мгновенностью своего разума, действующего на все коренным образом, уже понял обстановку.

— Мы достанем наверх материнскую воду. Мы нальем здесь большое озеро из древней воды — она лежит глубоко отсюда в кристаллическом гробу!

Босталоева доверчиво поглядела на Вермо: ей нужно было поправить в теле это дальнее стадо и, кроме того, Трест предполагал увеличить стадо «Родительских Двориков» на две тысячи голов; но все пастбища, даже самые тощие, уже густо заселены коровами, а далее лежат умершие пространства пустыни, где трава вырастет только после воды. И те пастбища, которые уже освоены, также нуждаются в воде,— тогда бы корма утроились, скот не жаждал, и полумертвые ныне земли покрылись бы влажной жизнью растений. Если брикетирование навоза и пользование ветром для отопления даст триста тонн мяса и двадцать тысяч литров молока, то откуда получить еще семьсот тонн мяса для выполнения плана?

— Товарищ Босталоева,— сказал Вермо,— давайте покроем всю степь, всю Среднюю Азию озерами ювенильной воды! Мы освежим климат и на берегах новой воды разведем миллионы коров! Я сознаю все ясно!

— Давайте, Вермо,— ответила Босталоева.— Я любить буду вас.

Оба человека по-прежнему находились у колодца, и бык храпел возле них. К колодцу подошел пастух. Он был на хозрасчете. У него болело сердце от недостачи двух коров, и он пришел поглядеть — не чужие ли это люди, которые могут обменять коров или выдоить их, тогда как он и сам старался для лучшей удойности не пить молока.

Вермо в увлечении рассказал пастуху, что внизу, в темноте

земли лежат навеки погребенные воды. Когда шло создание земного шара и теперь, когда оно продолжается, то много воды было зажато кристаллическими породами, и там вода осталась в тесноте и покое. Много воды выделилось из вещества, при изменении его от химических причин, и эта вода также собралась в каменных могилах в неприкосновенном, девственном виде...

— Ну как засиделая девка в шалаше,— обратно объяснил пастух инженеру,— выпусти ее, она тебе сразу рожать начнет, из нее так и посыпется.

Вермо не услышал: он заметил, как дрожали первичные волны рассвета на востоке, и мучил в темноте своего сознания зарождающуюся, еле живую мысль, еще неизвестную самой себе, но связанную с рассветом нового дня. Однако, опершись рукой на спящего быка, Вермо уже приобрел другую догадку: не пришла ли пора отойти от ветхих форм животных и завести вместо них социалистические гиганты, вроде бронтозавров, чтобы получить от них по цистерне молока в один удой?

На обратном пути Вермо погрузился в смутное состояние своего безостановочного ума, который он сам воображал себе в виде низкой комнаты, полной табачного дыма, где дрались оборвавшиеся от борьбы диалектические сущности техники и природы. Не было того естественного предмета или даже свойства, судьбу которого Вермо уже не продумал бы навеки вперед; поэтому он и в Босталоевой видел уже существо, окруженное блестящим светом социализма, светом таинственного летнего дня, утонувшего в синеве своих лесов, наполненного чувственным шумом еще неизвестного влечения.

Когда же Вермо глядел на конкретный облик Босталоевой и на других ныне живущих людей, вырывающихся из мертвого мучения долготы истории, то у него страдало сердце и он готов был считать злобу и все ущербы существующих людей самым счастливым состоянием жизни.

* * *

Возвращаясь среди утренней зари на «Родительские Дворики», Вермо и Босталоева встретили бригаду колодезников, и Босталоева велела колодезному бригадиру прийти вечером к инженеру Вермо, чтобы решить вопрос о добыче подземных морей.

Молодой бригадир Милешин невнимательно потрогал ногу Босталоевой, сидевшей на лошади, и ответил:

— Товарищ директор, прошлый год было постановление районного съезда о бурении на глубокую воду. Я тогда докладывал, и моя речь транслировалась по радио на все колхозы-совхозы. Я добился как факта, что у нас нет воды, ее не хватит социализму — у нас есть только одна сырость, один земляной пот... Я вечером приду.

Босталоева сняла шапку с бригадира гидротехников и пошевелила ему волосы.

Далее инженер и директор поехали по малоизвестной ближней дороге, и вскоре им представился странный вид земли, будто оба человека очутились в забытом сне: пространство лежало не в ширину, а в толщину, и всюду были такие мощные взбугрения почвы, что делалось скучно и душно в мире, несмотря на окружающую прелесть свежего дня.

«Надо использовать тяжесть планеты! — заботливо решил Вермо, наблюдая эту толщину местной земли.— Можно будет отапливать пастушьи курени весовою силой обвалов или варить пищу вековым опусканием осадочных пород...»

Мелкий человек с большой бородой стоял невдалеке на толстой земле и читал книгу при восходящем солнце. Простосердечный Вермо решил, что тот человек полюбил теорию и думает, вероятно, о пролетарской космогонии, наблюдая одновременно солнце в упор. Но Босталоева сразу рассмеялась:

— Это Умрищев,— сказала она.— Он думает, что тут было при Иване Грозном: не лучше ли?

И действительно, то стоял в глубоком размышлении Умрищев, держа ветхую книгу в руках. Он небрежно глядел в сияющую природу и думал о чем-то малоизвестном; лицо его слегка похудело, но зато гуще обросло волосом и в глазах находилось постоянное углубление в коренные вопросы человеческого общества и всего текущего мироздания.

Он не заинтересовался конными людьми, ответил только на привет Вермо и дал необходимое разъяснение: что колхоз его отсюда недалеко — виден даже дым утренних похлебок, что сам он там отлично колхозирует и уже управился начисто ликвидировать гнусную обезличку и что теперь он думает лишь об усовершенствовании учета: учет! — Умрищев вдруг полюбил своевременность восхода солнца, идущего навстречу календарному учтенному дню, всякую цифру, табель, графу, наметку, уточнение, талон,— и теперь читал на утренней заре Науку Универсальных Исчислений, изданную в 1844 году и принадлежащую уму барона Корфа, председателя Общества Поощрения Голландских Отоплений. Одновременно Умрищев заинтересовался что-то принципиальной сущностью мирового вещества и предполагает в этом направлении предпринять какие-то философские шаги.

Босталоева скучно и гневно поглядела на Умрищева и пустила лошадь в сильный бег; эта женщина не верила в глупость людей, она верила в их подлость.

Вермо оглянулся издали на Умрищева — все так же стоял человек на толстой земле, вредный и безумный в историческом смысле. Вермо сейчас же предложил Босталоевой собрать все районные невыясненные и подопытные личности в одно место и поставить производство исторического идиотизма в крупном или хотя бы полузаводском масштабе, с тем чтобы заблаговременно создать для будущих поколений памятники последних членов отживших классов; Умрищев ведь тоже хотел, как нравственная и разумно-культурная личность, быть занесенным в список штатных единиц истории!

Босталоева ответила, что поучительные памятники следует устраивать после гибели враждебных существ,— теперь же нужно заботиться только об их безвозвратной смерти. Вермо наклонился с седла, чтобы лучше разглядеть классовое зло на лице Босталоевой, но лицо ее было счастливое и серые глаза были открыты, как рассвет, как утреннее пространство, в котором волнуется электромагнитная энергия солнца.

Вермо почувствовал эту излучающую силу Босталоевой и тут же необдуманно решил использовать свет человека с народнохозяйственной целью; он вспомнил про электромагнитную теорию света Максвелла, по которой сияние солнца, луны и звезд и даже ночной сумрак есть действие переменного электромагнитного поля, где длина волны очень короткая, а частота колебаний в секунду велика настолько, что чувство человека скучает от этого воображения. Вермо вспомнил далее первичную зарю сегодняшнего дня, когда свет напрягался на востоке и слабел от сопротивления бесконечности, наполненной мраком,— и Вермо, опершись тогда на быка, утратил в темноте своего тела пробуждавшееся рациональное чувство освещенного неба...

И сейчас еще Вермо не знал, что можно сделать из небесного света.

— Товарищ Босталоева,— сказал он,— дайте мне руку...

Босталоева дала ему свою опухшую от ветра и работы руку, и оба человека проехали некоторое время со сдвоенными руками, причем Вермо жал руку женщины, помогая этим не страсти, а размышлению,— у него даже остыло все тело, теплота которого ушла на внутреннюю силу задумчивости.

Вскоре показалось расположение «Родительских Двориков», беспомощное издали, особенно если сравнить с Двориками небесное пространство, напряженное грозной и безмолвной электромагнитной энергией солнца.

* * *

К ночи Босталоева назначила производственное совещание.

Колодезный бригадир Милешин, зоотехник Височковский, инженер Вермо, Федератовна, кузнец Кемаль, пять гуртоправов (потому что совхоз состоял из пяти участков) и гуртший пастух Климент, выбранный, как природный практик, председателем производственного совещания, присутствовали на этом собрании уже загодя. Повестка дня состояла из вопросов переустройства всего мясного хозяйства, ради того чтобы произвести говядины в совхозе не тысячу тонн, как задано планом, а две тысячи; далее следовало задуматься над пастбищами для прокорма новых двух тысяч коров и сорока быков, о которых в дирекции получено письмо, что они гонятся пешим шагом из соседнего района — отсюда полтораста верст.

Как только опустилась вечерняя заря, так приехала и Босталоева из степи, закончив где-то свои дневные заботы.

Климент, глядя на солнце привыкшими глазами, сказал заседанию, что пора уж хозяйски думать о социализме, чтоб в степи было все экономично и умело.

— Во мне вот лежит большевистский заряд,— сказал Климент.— А как начну им стрелять в свое дело, так выходит кой-что мало... Ты стараешься все по-большому, а получается одна мелочь — сволочь! Ты скотину напитаешь во как, я сам траву жую, прежде чем скотину угощаю, а отчет мне показывает — по молоку недоборка, а по говядине — скотина рость перестала!.. На центральном гурте взяли сорок рабочих всякого пола из колхоза, по сговору,— мне два помощника, два умных на глаз мужика досталось. Что ж такое?! Ходят они, бушуют и стараются — я сам на них пот щупал,— а все на моем гурте как было плохо, так стало еще хуже... Не досмотрю сам — скотина стоит в траве голодная, а не ест: непоеная! А мужики мои аж скачут от ударничества, под ними волы бегом бегут, а куда — неизвестно, кликнешь — они назад вернутся, прикажешь — тужатся, проверишь — проку нету. Это что такое, это откуда смирное охальство такое получается? Злой человек — тот вещь, а смирный же — ничто, его даже ухватить не за что, чтобы вдарить!..

— У нас классовая борьба,— тихо сказала Босталоева.

— Да то что ж! — сразу согласился Климент.— А то не она, что ль?

— Откуда твои мужики-то, дурак бесхарактерный? — спросила Федератовна.— Из какого это колхоза тебе помощь дали?

— А из того, матушка-старушка, где наш прошлый директор книги читает. Он там мужикам какую-то слабость организовал и говорит, чтоб никто не горевал, потому что все на свете есть электрон, который никуда не денется, хоть вся диктатура иди против него. Теперь там зажиточное население всех про электрон спрашивает: каждый хочет электроном стать, а как — не знают...

— Вермо,— обратилась Босталоева,— поезжайте, пожалуйста, с Федератовной в колхоз к Умрищеву и объясните ему, что такое электрон. Теперь давайте обсудим зимнее отопление коровников.

Собрание вступило в это обсуждение, а Високовский вручил Босталоевой бумагу, где описывалось суточное положение совхоза, здоровье скота, отгон масла из молока — и между прочим отмечалась бесследная пропажа восьми коров и смерть двенадцати голов телят. Босталоева с терпеливым сердцем прочитала бумагу; она знала, что надо беречь свою ненависть, чтоб ее хватило до конца классового врага.

Собрание приняло решение строить ветряное отопление и рыть землю вглубь, вплоть до таинственных девственных морей, дабы выпустить оттуда сжатую воду на дневную поверхность земли, а затем закупорить скважину, и тогда среди степи останется новое пресное море — для утоления жажды трав и коров.

Ввиду дальности и безвестности ювенильной воды, Вермо предложил прожигать землю вольтовой дугой, которая будет плавить кристаллические толщи и входить в них, как нож в тесто.

Федератовна, по своей скупости на социалистические средства, не велела было этим заниматься, но Вермо объяснил ей, что глубокое бурение электрическим пламенем, безусловно, является событием всемирно-исторического значения, и старушка, улыбаясь щербатым ртом, согласилась, так как была слаба на славу. Вслед за тем собрание начало думать, куда поместить новые две тысячи коров, и Вермо выдумал уже было кое-что — ничего не выдумывать он не мог: он бы разрушился от напора личной жизни,— но Кемаль, с мгновением столь же оживленного разума, предложил резать плиты в ближайшем месторождении известкового камня и строить из этих плит скотные жилища.

— Резать камень надо не железом, а электрическим огнем: двое рабочих могут заготовить и сложить тысячу скотомест! — враз сообщил Вермо.

— Хорошо сказал! — обрадовался Кемаль и тут же сказал еще лучше: — А соединять друг с другом мы будем электрической сваркой — такой же вольтовой дугой, которой мы нарежем плиты в карьерах...

Вермо вытер заслезившиеся от восторга глаза и встал на ноги, будучи рад всеобщей радости.

— Вы забыли про коровьи брикеты,— напомнила Босталоева. Ее глаза побелели от усталости, она наклонилась на свои руки и потеряла во сне сознание.

Проснулась она уже поздно ночью в своей комнате и сразу велела запрягать лошадь, чтобы ехать до железной дороги и выспаться в степной повозке.

Босталоева решила немедленно достать в краевом центре стройматериалы и оборудование и построить до зимы новые коровьи помещения, а также отопительный ветряк с динамо-машиной и пресс для брикетирования коровьих лепешек. Что касается девственных морей, то Босталоева задумала поступить в городе в институт и учиться заочно, с тем чтобы самой стать инженером и проверить проект Вермо; а сейчас начать эту работу она стеснялась, потому что не понимала еще внутреннего устройства земного шара и не видела ни разу вольтовой дуги. Был еще один трудный выход: перевыполнить вдвое-трое план, получить премию и добиться согласия всех рабочих совхоза приобрести на премиальные деньги машину для бурения земли электрическим огнем. Что мешало этому?

В совхозе играла хроматическая гармония; это Вермо выдумывал музыку — он чаще всего играл свои текущие сочинения и сразу же их забывал.

Вокруг совхозного поселения лежала неизвестная тьма, укрыв

дальние и беззащитные стада; еще далее тех стад были колхозы, деревни, бывшие уездные города — тысячи дружелюбных и ненавидящих людей; советские коровы сейчас лежали у водопоев, быки храпели, и равнодушные пастухи варили себе что-нибудь на ночь, чтоб не скучать от голода во сне... Только десятая часть пастухов была коммунистами, которые старались спать днем, и то посменно, а ночью они ходили во тьме с открытыми глазами. Если каждые сутки будет исчезать по восемь коров, то сколько можно отправить мяса в Донбасс и в Сталинград?

Босталоева сложила в чемодан два запасных платья, ведомость потребных стройматериалов и оборудования, белье, поглядела на себя в зеркало и села на кровать в одиночестве. «У меня ведь нет родственников! — вспомнила она.— Была одна сестра, но мы забыли писать письма друг другу!.. Не забудь узнать в Ветеринарном институте — Високовский не напомнил мне,— как добывают семя из мочи для искусственного оплодотворения... Вермо! Я хочу выйти замуж за тебя при социализме; а может быть, расхочу еще!»

Вермо в тот час играл, как он думал, сонату о будущем мире: в виде выдуманных им звуков ходили по благородной земле гиганты молока и масла — живые существа, но с некоторыми металлическими частями тела, дабы лучше было уберечь их от болезней и обеспечить постоянство продуктивности; например, пасть была стальная, кишечник оперирован почти начисто (против заболеваний от разложения кала), а молочные железы должны иметь электромагнитное усовершенствование. Свободные доярки и рабочие слушали музыку Вермо и его разъяснения о значении исполняемой музыки и тогда только верили, что это так.

Босталоевой подали повозку. Она вышла в дорожном плаще, ее черные волосы блестели от света через окно, и ей стало страшно уезжать из совхоза, когда он остается один во тьме.

Она позвала Федератовну, велела ехать ей завтра вместе с Вермо в умрищевский колхоз, увидеть все, что следует, и если нужно — поставить в райкоме вопрос о немедленной ликвидации остатков кулачества и об удалении из района мясосовхоза всех буржуазных, жестких элементов, иначе хозяйство вести нельзя.

— Я заеду сама в райком,— сказала Босталоева.— Проверьте лучше электрон Умрищева: по-моему, это его новый политический лозунг.

— С Умрищевым я одна управлюсь,— высказалась Федератовна.— Электрон — я знаю что такое, меня физике научили,— это такая частичка; а лозунги я чую, даже когда сам оппортунист молчит про них! Поезжай, девочка,— наган не забудь взять!

Вермо опечалился. Дерущиеся диалектические сущности его сознания лежали от утомления на дне его ума.

— Надежда Михайловна,— произнес Вермо,— я ехал с вами утром и увидел на небе электромагнитную энергию! Нам нужно сделать оптический трансформатор — он будет превращать пульсацию солнца, луны и звезд в электрический ток. Он будет питаться бесконечным пространством, он...

— Да остановись ты думать хоть ради человека-то,— обиделась на Вермо Федератовна.— Человек уезжает, а он бормочет — голову ей забивает. Девке и без тебя есть забота: иль мы сами физики не знаем, один ученый какой! Что ты, при капитализме, что ль, живешь, когда одни особенные думали!

— До свиданья, Вермо,— подала руку Босталоева.— Делайте пока земляные работы, а я привезу оборудование...

С теми словами Босталоева уехала в темноту, в далекий краевой город.

* * *

В одно истекшее летнее утро повозка Надежды Михайловны Босталоевой, директора мясосовхоза «Родительские Дворики», остановилась в селе у районного комитета партии. Различные партийцы расположились кругом комитета на раннем солнце; многие спали с омертвевшими впадинами глаз, другие говорили что-то и глядели в широту пространства, где было много положено их молодости и силы и где сейчас уже сталлся газ тракторов, блестел тес новостроек, шли на работу бригады людей,— пустоту и скорбь капитализма сменял многолюдный социализм.

Секретарь райкома спал: он лег в постель не далее двух часов назад, потрудившись всю ночь. Босталоева не хотела ждать и вошла в комнату спящего секретаря. Он открыл глаза и узнал ее сразу, потому что все время помнил о ней и втайне ожидал ее, хотя и не имел никакой надежды.

Босталоева сообщила свою просьбу; секретарь лежа прослушал ее, не понимая вначале ничего. Она ему нравилась как соучастница в мучительной классовой борьбе, как товарищ по беспрерывной работе и как женщина, не имеющая никакого тайного личного наслаждения так же, как и сам секретарь.

— Про умрищевский колхоз мы уже знаем кое-что,— сказал секретарь в ответ.— Вчера мы постановили на бюро проверить положение колхозов вокруг твоего совхоза и выжечь остатки кулачья.

Босталоева попрощалась с секретарем и уехала. Секретарь райкома засмотрелся ей вслед с крыльца дома — ему стало жалко, что она уезжает; все люди, которых он наиболее любил, постоянно были невидимы: находились вдалеке, поглощались трудом, исчезали из дружбы — и нужно ждать еще пять или десять лет, чтобы наступил коммунизм, когда механизмы вступят в труд и освободят людей для взаимного увлечения.

В краевом городе Босталоевой негде было остановиться. Все гостиницы давно наполнились безвыездными инженерами и квалифицированными рабочими Ленинграда и Москвы. Босталоева попала в город в ту пору, когда в нем почти не было приюта, потому что буржуазно-семейные убежища строители снесли в прах, а новые светлые сооружения еще не просохли для вселения.

Тогда Босталоева поселилась в том учреждении, где она хотела достать стройматериалы: ей пошел навстречу местком, который отвел ей для ночлега свою комнату и дал зеркальце, как члену союза и женщине. Ночью Босталоева открыла окно из месткома и засмотрелась в освещенное, гремящее строительство заводов, улиц и жилых домов. В учреждении было темно; молча лежали архивы, скрывая в бумагах бюрократизм, вредительство, бред мелких исчезающих классов и воодушевленный героизм. Босталоева прошла по коридорам гулкого учреждения, потрогала папки в шкафах и серьезно задумалась в скучной пустоте канцелярий.

Вымывшись в ванне, которая вполне разумно была приурочена к какому-то кабинету, Босталоева переоделась в чистое белье и легла спать на столе месткома, слушая через открытое окно шум ночной работы, голоса людей, смех женихов и невест, завыванье напряженных машин, гудки транспорта, песни сменившихся красноармейских караулов — весь гул большевистской жизни.

Она заснула успокоенная и счастливая, не услышав, как во второй половине ночи по ней ходили крысы.

Наутро Босталоева пошла ходатайствовать о бревнах, гвоздях, о динамо-машине, о проволоке и о железных частях для пресса, который должен сжимать коровий кал и делать из него топливные брикеты.

В большом зале учреждения стоял гул от умственной работы, сотни усердных служащих соображали о снабжении тысячи строительств и беспрерывно бились на плановом поприще с представителями мест, употребляя чай в промежутках труда.

В углу того зала сидел молодой еще, но уже поседевший ответственный исполнитель по разнарядке стройматериалов; он уныло глядел в чад пространства своего учреждения, не видя возможности удовлетворить самым необходимым даже ударные строительства и спецработы.

Босталоева подошла к нему:

— Мне нужен ящик гвоздей,— сказала она.

Исполнитель улыбнулся и отечески-ответственно сообщил ей:

— Голубушка моя, мне гвоздей нужно десять тысяч тонн!.. Вы откуда?

Босталоева уселась и с задушевностью надежды рассказала исполнителю всю нужду своего совхоза. Когда она говорила, к исполнителю подошли еще посетители и местные служащие; все они слушали женщину и явно улыбались над ее просьбой о внеплановом снабжении, но сам исполнитель был грустен.

— На весь ваш район мы дали пол-ящика гвоздей: возьмите оттуда себе горсть! — сказал исполнитель, привыкнув к строительному страданию.

Все люди, бывшие близко, удовлетворенно засмеялись: они

пришли по делам планового снабжения и действовали не на основе искренности, а посредством высшего комбинирования.

— Вы сволочь! — произнесла Босталоева.— Дайте мне ваш бумажный план, я выдумаю вам гвозди!

Ответственный исполнитель сначала составил акт об оскорблении себя в присутствии свидетелей, а затем дал ей план, поскольку это было его обязанностью.

Босталоева рассмотрела всю разверстку гвоздей, и ей жалко стало каждое строительство, потому что каждое строительство просило жадно и каждому давалось мало,— она не могла указать, кого надо обездолить, чтобы совхоз получил гвозди. В конце ведомости было четыре тонны проволоки-катанки, назначенной в контору оргтары для опытной увязки.

Босталоева пошла к начальнику учреждения с плановой ведомостью в руках; начальник, оголтелый от голода на стройматериалы, сидел среди чада в своем кабинете, окруженный многолюдством ходатаев по делам. Его убеждали, перед ним открывали очаровательные перспективы пускового чугунного завода, если только начальник даст гвоздей, ему угрожали карами вышестоящих инстанций и его угощали экспортными папиросами; начальник глядел в воздух сквозь дремоту своей усталости и, втайне радуясь, полагал про себя: «Старайтесь, крутитесь, черти,— ничего я вам не дам: учитесь изобретать и находить подножные ресурсы!»

Заметив неслужебное лицо Босталоевой, начальник сразу подозвал ее и вник в ее дело. Босталоева предложила начальнику отдать ей полтонны катанки, а она вместо катанки сделает в совхозе опытную увязку из соломы и пришлет ее оргтаре.

Начальник учреждения, пожилой рабочий, вдруг потерял свою дремоту и ясными глазами оглядел всю Босталоеву:

— Тебе сколько — полтонны нужно? — спросил он.— Возьми себе все четыре, ты из них дело сделаешь... Горюнов! — крикнул он ближнему секретарю.— Снять катанку с оргтары, перенарядить ее «Родительским Дворикам»! Поставь вопрос об этой оргтаре перед РКИ, пускай ей шерсть там опалят: надо показать мерзавцам, что металл бывает горячий. Верещагный! — провозгласил начальник поверх гула учреждения в сторону ответственного исполнителя,— зайди ко мне после занятий, я тебя, может, уволю за проволоку...

В тот же день Босталоева отправила три тонны катанки на совхоз, а одну тонну оставила на складе; затем — уже к вечеру — она явилась на гвоздильный завод и попросила директора нарубить ей из проволоки гвоздей.

— А за что мне их вам рубить? — сказал директор.— За ваши глаза?

— Да,— ответила Босталоева и посмотрела на него своими обычными глазами.

Директор глянул на эту женщину, как на всю федеративную республику,— и ничего не сумел промолвить: сколько он ни отправлял в республику продукции, выгоняя промфинплан до полутораста процентов, республика все говорила: мало даешь — и сердилась. И теперь стояла перед ним эта женщина, требовательная, как республика, и так же лишенная пока богатых фондов и особой прелести.

— Разве поцеловать мне вас за гвозди! — улыбнулся директор.

— Ладно,— согласилась Босталоева.

Директор с удивлением почувствовал себя всего целиком — от ног до губ,— как твердое тело и даже внутри его все части стали ощутительными,— до этого же он имел только одно сознание на верху тела, а что делалось во всем его корпусе, не чувствовал.

— А вы не обидетесь? — спросил директор, бдительно наблюдая кабинет: нигде не слышно было шагов, телефон молчал, вентилятор гудел ровно, как безмолвный.

— Не обижусь,— ответила Босталоева,— потому что я привыкла... Прошлый год я достала кровельное железо, мне пришлось за это сделать аборт. Но вы, наверно, не такая сволочь...

— Нет,— спокойно сказал директор, садясь на место.— Где ваша катанка: вечером я сам стану за автомат, вы подождете десять минут и получите свои гвозди... Везите катанку сюда.

Директор равнодушно опустил голову к текущим делам. Босталоева сама подошла к нему и поцеловала его — таким способом, что впоследствии, когда Босталоева уже ушла, директор ходил в уборную глядеться в зеркало — не осталось ли чего на его лице от этой женщины, потому что он все время чувствовал какой-то лишний предмет на своих губах.

Вечером Босталоева получила гвозди на заводе. Директор сам вывез ей из цеха четыре ящика на электрокаре и взял расписку в получении продукции. Босталоева отправила гвозди на вокзал и пошла ночью, под взошедшей слабой луной, по новостроящимся гремящим улицам. Она читала вывески неизвестных ей организаций — «Химрадий», «Востокогаз», «Электробюро высоких напряжений», «Комиссия воздуходувок», «Контора тяжелых фундаментов», «НТО изучения вибраций промустановок», «КрайВЭО» и т. п.— и была рада, что таинственные, мутные и нежные силы природы действуют в рядах большевиков, начиная от силы тяжести и кончая нежной вибрацией и электромагнитной волной, трепещущей в темной бесконечности.

Окна «КрайВЭО» были освещены; девушки-техники работали, склонившись над чертежными досками; молодой инженер, поседевший от бурной технической жизни, проверял на логарифмической линейке расчеты техников и показывал изуродованным рабочим пальцем в просчеты и ущербы чертежей.

Босталоева прислонилась лицом к оконному стеклу и долго смотрела на своих ровесниц и товарищей. Лунная ночь шла в легком воздухе, летние сады и травы по-прежнему произрастали на земле, но они были почти безлюдны теперь, как отжившее явление, никто не гулял по ним в праздности настроения.

Босталоева вошла в КрайВЭО, подумала в недоумении про свою долю и попросила динамо-машину в сто лошадиных сил у заведующего сектором снабсбыта. Заведующий ничего не сказал в ответ Босталоевой, только посмотрел куда-то мимо нее — в страну электрического голода. Босталоева прошла в своем мучении, что нету машин, по нагретым, освещенным горницам учреждения, и ей понравился глубокий труд технической науки. Одна чертежница миловидно улыбнулась Босталоевой; Босталоева тотчас же заметила эту человечность, и, склонившись над чертежной доской, две женщины поговорили, как подруги: одна скучала по ребенку, ожидающему мать до полночи в запертой комнате, другая хотела динамо-машину. По утрам та чертежница занималась в Чертежно-конструкторском институте, а после, не заходя домой, сразу поспевала на работу; ночью же она старалась меньше спать, чтобы больше видеть своего ребенка. Босталоева обещала чертежнице приходить в ее комнату с вечера и заниматься с ребенком, пока возвратится мать.

На другой день Босталоева так и сделала, переселившись в жилище чертежницы на время командировки. Она рисовала четырехлетнему мальчику коров и солнце над ними, изобразила партийную умную старушку Федератовну, потом быка, коровью драку у водопоя; одинокий мальчик смотрел и слушал эти факты с пользой и удивлением. Наконец пришла мать, которая долго не давала спать ребенку, и с подробностью рассказала ему, что она делала в долгий день и про динамо-машину, которую она начала чертить в институте с натуры.

Босталоева сразу же узнала от матери-чертежницы, что это — большая динамо-машина, она давно стоит в аудитории, как чертежная модель, но сколько в ней сил, неизвестно: завтра чертежница обещала списать табличку-спецификацию.

Утром Босталоева пошла в то учреждение, где она впервые стала на ночлег, и там ей дали повестку, чтобы она явилась днем в нарсуд — как ответчица по делу о названии сволочью государственного служащего.

Рабочий судья прочитал вслух перед лицом интересующегося народа дело Босталоевой и вдруг дал свое заключение: ответчицу оправдать и вынести ей публичную благодарность за бдительность к экономии металла, а истца-служащего признать действительной сволочью и предать наказанию, как негодную личность. Народ вначале было озадачился, но потом обрадовался суждению судьи; истец же наклонил лицо и публично опозорился, впредь до особых заслуг перед рабочим классом.

Из камеры суда Босталоева ушла, как артистка — под звуки всеобщих приветствий, и сам судья воскликнул ей: «До свиданья, приходите к нам еще выявлять эти элементы!»

Была еще середина дня, шло жаркое лето и время пятилетки. Заботливая тревога охватила сердце Босталоевой, когда она остановилась среди краевого города,— с жадностью она глядела на доски и бревна построек, на грузовики с железными принадлежностями, на провода высокого напряжения,— она болела, что в ее совхозе много одной только природы и нет техники и стройматериалов. Еще Босталоева страдала о том, что мало будет мяса для гремящего на постройках пролетариата, если даже «Родительские Дворики» дадут две тысячи тонн,— и ей надо поскорее маневрировать.

Босталоева зашла в институт к подруге-чертежнице и увидела старую динамо-машину, с которой студентки чертили детали. Она прочитала на неподвижной машине надпись, что в ней 850 ампер, 110 вольт, но не знала — сильно это или слабо. Выйдя из института, она написала телеграмму Вермо, что машина есть, но в ней 850 ампер и по ней учатся черчению молодые кадры; как же быть?

Ночью инженер Вермо прислал Босталоевой ответную телеграмму: «Придумал более совершенную, современную конструкцию динамо-машины, делаем ее из дерева и проволоки во всех деталях, окрасим в нужный цвет и вышлем багажом институту. Так как чертить можно с деревянной разборной модели — обменяйте нашу деревянную на ихнюю металлическую, наша деревянная конструктивно лучше, для черчения полезней».

«Дорогой мой Вермо,— подумала Босталоева.— Где живет сейчас твоя невеста? Может быть, еще пионеркой с барабаном ходит!..»

На другой день Босталоева вошла к секретарю ячейки Чертежно-конструкторского института. Побледневший человек, спавший позавчера, выслушал женщину и встал со своего места с восторгом.

— Отправляйте сегодня же нашу динамо в ваш совхоз! — воскликнул он, наполнившись сознательной радостью.— Мы будем чертить трансформатор, пока не привезут деревянную модель вашего инженера... Сколько, вы сказали, добавит мяса динамо-машина? — я забыл.

— Сто или двести тонн,— сообщила Босталоева.

Ей захотелось сейчас сделать какое-нибудь добро этому товарищу; она любила всякое свое чувство сопровождать веществом другого человека, но секретарь глядел на нее отвлеченно, и она воздержалась.

Через несколько суток секретарь сам построил упаковочные ящики и отправил динамо-машину в «Родительские Дворики», в то же время он попросил еще раз приехать через полгода, но Босталоева лишь косвенно улыбнулась на это.

— Тогда мы возьмем шефство над вашим совхозом! — провозгласил секретарь ячейки.

— Ладно,— согласилась Босталоева.— Вы помогите нам организовать в совхозе учебный комбинат. Нам хочется достать ювенильное море, тогда мы нарожаем миллионы телят, и вы успеете поесть наше мясо... Но вперед нам нужно сто пастухов сделать инженерами.

— Ювенильное море! — вскричал секретарь, сам не зная, что это такое, но чувствуя, что это хорошо.— Мы добьемся через крайком в порядке шефства, чтоб теперь же у вас был технический комбинат!

— Нам нужна электротехника, гидрология и наука о мясном животноводстве,— говорила Босталоева,— плюс еще общая подготовка...

— Даю! — радовался секретарь.— Сегодня же поставлю шефство на ячейке и на общем собрании. Обними меня.

Босталоева обняла это худое тело, выгорающее сразу от всех лучших причин, какие есть в жизни.

— Достань мне электрические печи для коровников,— скромно улыбнулась Босталоева, не переставая оглядывать секретаря,— и арматуру для них, и наружные изоляторы, и еще кое-что... Ná тебе спецификацию.

— Печей нету нигде,— отказал секретарь, уходя в сторону.— Через месяц у нас будет практика в конструкторских мастерских: сделаем через два месяца в порядке шефства, давай спецификацию! Тебе не поздно?

— Ладно,— разрешила Босталоева,— мне даже рано, мне нужно к зиме.

Она ушла; секретарь склонил голову к столу и перестал чувствовать в сердце интерес к окружающим фактам.

— Буду шефствовать! — с горем выступающих слез воскликнул он и стал провертывать на столе текущие дела.

В тот день Босталоева уехала на подводе в леспромхоз. У нее появилось целесообразное желание — завести себе повсюду шефов, чтобы обратиться к сердцу рабочего класса и тронуть его.

В леспромхозе Босталоева прожила целую декаду, прежде чем успела добиться любви к «Родительским Дворикам» у всего треугольника. Однако же директор леспромхоза решил упрочить свою симпатию к мясосовхозу чем-нибудь более выдающимся, чем одно симпатичное настроение. И он написал двустороннее шефское обязательство, по которому леспромхоз немедленно отправлял в совхоз бревна, доски, брусья, оболонки и различные жерди, а совхоз ежемесячно должен отгружать леспромхозу по две тонны мяса, в качестве добровольного угощения!

Но когда вопрос о шефстве был поставлен на коллективное размышление рабочих, Босталоева объявила, что она согласна угощать рабочих, но только чтобы директор не ел ее мяса, потому что он допустил в подходе к шефству оппортунистическую практику, а она оппортунистов питать не хочет — она не гнилая либералка.

Сидевшее собрание встало наполовину при этих словах и отказалось есть даровое мясо Босталоевой, вымученное из нее директором. Председатель профкома произнес свою речь, где он уничтожил всякий факт нищенства и угощенчества, в которых рабочий класс никогда не понуждается.

Директор, пока слушал, уже успел написать в блокноте черновик признания своей правой, деляческой ошибки. На квартире он не спал всю ночь; он глядел через одинарное окно в тьму лесов, слушал голоса полуночных птиц и ожидал от тишины природы смирения своих тревожных чувств; но и тут он не мог успокоиться, поскольку такое отношение к природе есть лишь натурфилософия — мировоззрение кулака, а не диалектика. На рассвете директор вышел в контору и там написал чернилами раскаяние в одной ошибке и ордер на отправку «Родительским Дворикам» лесоматериалов в полуторном количестве против того, что просила Босталоева.

К вечеру того же дня Босталоева приехала обратно в крайцентр. Она уже тосковала по совхозу, у нее даже болел иногда живот от страха, что в «Родительских Двориках» что-нибудь случится. У Босталоевой осталась теперь одна забота — заказать пресс для приготовления навозных брикетов, а потом уехать в степь. Промучившись целый ряд суток по всему кругу учреждений, Босталоева не нашла себе такого сочувствия, чтобы ей дали предметы для устройства пресса, и притом во внеплановом порядке. В горе своем Босталоева прошла в крайком партии. Там ее принял третий секретарь крайкома, старик, паровозный машинист; он пил чай с домашним пирогом и старался вообразить себе ясно этот пресс, делающий топливо из животных нечистот.

— Хорошо,— сказал в заключение старик, представив себе жмущую машину пресса.— Зачем ты шаталась по всему нашему бюрократизму, кустарная дурочка! Ты бы зашла ко мне сразу.

Старший машинист позвонил по телефону в Институт Неизвестных Топливных Масс и велел помочь «одной девице» жечь коровье добро, а вечером пусть институт сообщит ему на квартиру свое исполнение.

— Ступай теперь, умница, в этот институт,— сказал секретарь.— Там ребята тебе сделают пресс... Спроси инженера Гофт, это мой помощник — не здесь, а на паровозе... Если обидишься на что-нибудь, зайди опять ко мне.

По уходе Босталоевой секретарь долго был доволен: старый механик почувствовал, что ушедшая девушка носила в своей голове миллион тонн нового топлива. Доев домашний пирог, он пошел к первому секретарю краевого комитета и сказал ему, что настала пора обратить в топливо все животные извержения, лежащие на площади края. Первый секретарь согласился подумать над этой задачей в текущих делах бюро.

Когда наступило бюро, то на заседание вызвали как докладчика Босталоеву и двух теплотехников из Института Неизвестных Топлив. Обсудив мероприятие, бюро крайкома поручило институту сделать в течение двух месяцев два опытных пресса для «Родительских Двориков», а сам босталоевский совхоз превратить в свою опытную станцию, связавшись с инженером Вермо и кузнецом Кемалем.

Наполнившись счастьем своих достижений, Босталоева уехала наутро в «Родительские Дворики», навстречу будущему времени своей жизни.

* * *

Тем временем как Босталоева была в командировке, в «Родительских Двориках» умерло восемнадцать коров, а у одного быка непонятным образом был отрезан член размножения, и бык тоже умер.

Кроме того, семь коров были убиты в драке животных у дальнего водопоя, когда бык не сумел установить правильной очереди: старые коровы начали стервенеть и бодаться и семерых трехлеток кончили на месте.

Федоратовна же лежала десять дней, больная животом и поносом, и только терла десны во рту, не имея зубов, чтобы ими скрипеть.

Високовский лично производил вскрытие коров и нашел причиной их смерти крупную нечищеную картошку, которую им скормили либо нештатные пастухи, либо неизвестные подкулачники. Високовский призвал к павшим коровам выздоравливающую Федератовну и, заплакав редкими слезами, жалобно сказал:

— Я не могу больше служить в таком учреждении!.. Я специалист, я никаких родных в мире не имею, а здесь животных воспитываю, а ваши кулаки их картошками душат, ваши колодцы сухими стоят... Если кулаки у вас еще будут, а воды все мало и мало, я уеду отсюда. Я два года любил телушку Пятилетку, в ней уж десять пудов веса было, я мясного гения выращивал здесь, а ее теперь затоптали в очереди за водой! Это контрреволюция: я умру — или жаловаться буду!..

Федератовна скучно поглядела на Високовского, как глядела она обычно на беспартийных.

— Какие это наши кулаки, дурак ты узкий!.. Езжай на дальние степи стеречь гурты, я всех пастухов арестовала.

— Сейчас поеду,— вытерев лицо, смирно согласился Високовский.

Федератовна сняла с работы также Вермо и Кемаля вместе с их бригадами, рывшими котлованы под ветряную мельницу и еще под одно сооружение, смысл которого Вермо до приезда Босталоевой никому не говорил,— всю живую людскую наличность Федератовна бросила в мясные гурты.

Сама же Федератовна села в таратайку и поехала без остановки в умрищевский колхоз.

В колхозе была тишина, из многих труб шел дым, слабый от безветрия и солнечной жары,— это бабы пекли блинцы; на дворах жили толстые мясные коровы и лошади, на улицах копались куры в печной золе и из века в век грелись старики на завалинках, доживая свою позднюю жизнь. Грустные избы неподвижно стояли под здешним старинным солнцем, как бедное стадо овец, пустые дороги выходили из колхоза на вышину окружающих горизонтов и беззаботно храпели мужики в сенцах, наевшись блинцов с чухонским маслом. Еще на краю колхоза Федератовна встретила четырех баб, которые понесли в горшках горячие пышки в совхоз своим арестованным мужьям-пастухам; однако те бабы, видно, не особо горевали, так как ихние туловища ходили ходуном от сытых харчей и бабы зычно перебрехивались.

Тоска неподвижности простиралась над почерневшими соломенными кровлями колхоза. Лишь на одном дворе ходил вол по кругу, вращая, быть может, колодезный привод; водило, к которому был привязан вол, оказалось слишком длинным, так что для вола требовался большой круг и ему разгородили соседние плетни; поэтому вол то выходил на улицу, то скрывался на гумно. Одинокий поющий звук ворота, вращаемого бредущим одурелым животным, был единственным нарушением в полуденной тишине дремлющего колхоза.

Федератовна остановила свою таратайку и пошла сквозь по избам: ее всегда возмущала нерациональная ненаучная жизнь деревень, устройство печек без правильной теории теплоиспользования, общая негигиеничность и классовое исхищрение зажиточных жителей.

В первой же избе, которую посетила Федератовна, была бьющая в глаза ненормальность: в печке стояли два горшка с жидкой пищей и бежали наружу, а баба сидела на лавке с чаплей и не принимала мер.

Федератовна как была, так и бросилась в печку и выхватила оттуда оба горшка голыми руками.

— Нет на вас образования, серые черти! — с яростью сказала Федератовна хозяйке.— Ведь жидкость-то расширяется от температуры, дура ты обнаглелая,— зачем же ты воду с краями наливаешь: чтоб жир убегал?.. А в колхоз небось шла — брыкалась! Да как же тебя, домовую, образованию научить, если прежде всего единоличного демона твоего не задушить в тебе... У-у, анчихристы, замучили вы нашего брата!.. Дай вот я к тебе еще приду... Я еще погляжу, как ты в ликбез ходишь, какая ты общественница здесь, дура неумильная!..

Федератовна ушла с несчастным сердцем, а дворовая баба сначала обомлела, а потом ощерилась.

В другой избе Федератовна начала кушать молоко и сливки и раскушала, что это совхозная продукция, отнюдь не колхозная: слишком высок процент жира и пенка вкусна. Здесь старушка ничего не сказала, а только вздохнула с протяжностью и положила зло в запас своего сердца.

На следующем дворе мужик-колхозник экстренно помчался куда-то, не видя гостью, а гостья села на лопушок и обождала его; в запертом сарае в тот час кто-то томительно рычал и давился, и вскоре оттуда же стали доходить мучительные звуки расставания с жизнью. Федератовна подошла к сараю и заметила в прореху, что там терзается корова и еще две коровы стоят около нее, облизывая языками ее уже утомляющееся смертью лицо. В тот момент мужик примчался обратно: он держал в одной руке топор, а в другой квитанцию и, отперев коровник, умертвил свое животное топором, зажав квитанцию в зубах. Кончив дело, мужик засунул руку в пасть коровы и вынул оттуда громадную размятую картошку, обмоченную кровью и слизью.

В эти моменты некоторые жители уже управились заметить таратайку Федератовны, и зажиточные ребятишки летали по дворам, предупреждая кого нужно, что появилась сама старуха, чтоб все сидели смирно, а остаточное кулачество пусть прячется в колодцы. Спустя ряд мгновений в деревне потух ряд печек и несколько последних, исхищренных кулаков полезли по бурьянным гущам к колодцам и залезли в них по веревкам, а в колодцах сели на давно готовые, прибитые к шахте табуретки и закурили.

Федератовна как только вышла с последнего двора, как глянула своей зоркостью на изменившийся дух деревни, так у нее закипело все, что было внутри, даже съеденное кушанье.

Она пошла тогда к старому бедняку, своему другу, Кузьме Евгеньевичу Иванову, который в тот час облеживался после работы.

Кузьма Евгеньевич со всей симпатией встретил старушку и открыл ей тайну умрищевского колхоза.

— Я ведь здесь, как Союзкиножурнал,— сказал старик Кузьма, любивший туманные картины еще со старого времени,— все вижу и все знаю... Тут что делается, кума, аж последняя теория замирает в груди!.. Дай-ка я тебе чайку погрею в чугуне.

Погрев чаю, бедный старик торжественно объявил, что он вчерашний день организационно покинул колхоз и стал революционным единоличником, ибо Умрищев учредил здесь кулачество.

Федератовна вцепилась здесь в бедняка-старика и, склонив его книзу за отросток волос, начала драть оборкой юбки по заднице:

— Вот тебе, революционный единоличник! Вот тебе кулачество! Вот тебе Союзкиножурнал! Все видишь, все знаешь — так не молчи, действуй, бунтуй, старый сукин сын!.. Вот тебе теория, вот тебе — в груди она замирает! Не будь, не будь — либералистом не будь! Старайся, старайся, активничай, выявляй, помогай, шагай, не облеживайся, не единоличничай, суйся, суйся, суйся, бодрствуй, мучитель советской власти!..

Укротившись в этом бою и выпив чаю, чтоб не пропадала кипяченая вода, Федератовна пошла проверять экономику колхоза. Она обнаружила, что на каждом дворе была полная живая и мертвая утварь — от лошади до бороны, не говоря уже про пользовательных, про молочных или шерстяных животных. Что же, спрашивается, было обобществлено в этом колхозе?

Никакой коллективной конюшни или прочей общественной службы Федератовна не нашла, хотя и прощупала всю деревню сквозь, даже в погреба заглядывала и на чердаки лазила.

С этим непонятным мнением и бушующим сердцем Федератовна появилась к председателю Умрищеву. Умрищев, оказывается, жил в той самой избе, по усадьбе которой бродил вол, таская ярмо привода.

Умрищев сидел в занавешенной комнате, на столе у него горела лампа под синим абажуром, и он читал книгу, запивая чтение охлажденным чаем. Кроме лампы на столе Умрищева кружился вентилятор и подавал в задумчивое лицо человека беспрерывную струю воздуха, помогающую неустанно мыслить мыслителю. Зная науку, Федератовна расследовала действие вентилятора и нашла, что он кружится силой вола, гонимого погонщиком, который ходил вослед животному с лицом павшего духом, вол передавал свою живую мощь на привод, а от привода шли далее — через переходные оси — канаты, за канаты были привязаны веревки, а уж вентилятор вращала суровая нитка.

— Здравствуй, негодный! — сказала Федератовна.

— Здравствуй, старушка! — ответил Умрищев.— Что это тебя носит по всей территории?! Ты бы лучше жила всидячку и берегла силу в голову.

— Ты что это?.. Где у тебя тут диалектика в действии? Ты что — ты кулачество здесь рожаешь?.. Я все, батюшка, знаю, я все, батюшка, видела!.. Замолчи, несчастный схематик,— сейчас тебя тресну!

— Садись,— сказал Умрищев, держа одну руку близ утомившейся головы, а другую кладя на зачитанную страницу,— садись, старушка: встоячку я не говорю... Ты у меня видела отсутствие обезлички — первый этап моего руководства.

— Какое такое отсутствие обезлички? — как молодая, затрепетала вся Федератовна.— А ты знаешь, что твои колхозники пастухами у нас были, что они коров наших в гроб кладут, целые гурты твои бабы обдаивают, что...

— Ты не штокай, старушка,— возразил Умрищев,— ты тверже руководи, соблюдай классовую политику в отношении рабсилы и держись четче на своем посту.

Старуха подвигала пустыми деснами во рту и даже вымолвить ничего не смогла от напора ненавистных чувств.

— Ты погляди на мое достижение,— указывал со спокойствием духа Умрищев,— у меня нет гнусной обезлички: каждый хозяин имеет свою прикрепленную лошадь, своих коров, свой инвентарь и свой надел — колхоз разбит на секции, в каждой секции — один двор и один земельный надел, а на дворе — одно лицо хозяина, начальник сектора.

— А чьи же это лошадки у твоих хозяев?

— Ихние же,— пояснил Умрищев,— я учитываю чувственные привязанности хозяина к бывшей собственной скотине: я в этом подходе конкретный руководитель, а не механист и не богдановец.

Старуха дрогнула было от идеологической страсти, но с мудростью сдержалась.

— Старичок, старичок,— слабо сказала она,— а в чем же колхоз у тебя держится?

— Колхоз держится только во мне,— сообщил Умрищев.— Вот здесь,— Умрищев прислонил ладонь к своему лбу,— вот здесь соединяются все противоречия и превращаются силой моей мысли в ничто. Колхоз — это философское понятие, старушка, а философ здесь я.

— А все у тебя состоят в колхозе, старичок?

— Нет, бабушка,— пояснил Умрищев,— я не держусь абсолютных величин: все абсолютное превращается в свою противоположность.

— Покажи-ка мне классовую ведомость,— спросила Федератовна.

Умрищев показал графу на бумаге, что двадцать девять дворов бедных и маломощных хозяев не состояло в колхозе — они отписались назад с приходом Умрищева, а всего в деревне было сорок четыре двора.

Федератовна вскочила с места, всем своим округлым телом, собираясь вступить с Умрищевым в злобное действие, но в дверь вошел в валенках чуждый человек.

— Здравствуй, товарищ Умрищев,— у меня горе к тебе есть! — сказал пришедший.

— Горе? — удивленно произнес Умрищев.— Для теоретического диалектика, товарищ Священный, горе всегда превращается в свою противоположность: горя боятся только идеалисты.

Священный, конечно, согласился, что горе для него не ужас, однако у него прокисли прошлогодние моченые яблоки в кооперативе и стали солеными, как огурцы, а морковь пролежала свою сладость и приобрела горечь.

— Это прекрасно! — радостно констатировал Умрищев.— Это диалектика природы, товарищ Священный: ты продавай теперь яблоки как огурцы, а морковь как редьку!

Священный жутко ухмыльнулся своим громадным пожилым лицом, на котором лежали следы возраста и рубцы неизвестных побоищ; он с непонятной жадностью поглядел на старушку, а затем сразу захохотал и умолк с внезапным испугом, точно ощутив какое-то свое, контрольное, предупреждающее сознание. От его смеха по комнате понесся нечистый воздух изо рта, и понятно стало, какую мощную жрущую силу носил в себе этот человек, как ему трудно было жить среди гула своего работающего организма, в дыму пищеваренья и страстей.

Священный сел на скамейку в одышке от собственной тяжести,— хотя он не был толст, а лишь громаден в костях и во всех отверстиях и выпуклостях, приноровленных для ощущения всего постороннего. Сидячим он казался больше любого стоячего, а по размеру был почти средним. Сердце его стучало во всеуслышание, он дышал ненасытно и смотрел на людей привлекающими, сырыми глазами. Он даже сидя жил в целесообразной тревоге, желая, видимо, схватить что-либо из предметных вещей, воспользоваться всем ощутимым для единоличной жизни, сжевать любую мякоть и проглотить ее в свое пустое, томящееся тело, обнять и обессилить живущее, умориться, восторжествовать, уничтожить и пасть самому смертью среди употребленного без остатка, заглохшего мира.

Священный вынул рукой из мешка, пришитого к своим штанам, кашу, съел четыре горсти и начал зажевывать ее колбасой, изъятой из того же мешочного кармана; он ел, и видно было, как скоплялась в нем сила и надувало лицо багровой кровью, отчего в глазах Священного появилась даже тоска: он знал, как скудны местные условия и насколько они не способны удовлетворить его жизнь, готовую взорваться или замучиться от избытка и превосходства. Надувшись и шумя своим существом, Священный молча жевал, что лежало в его кармане.

Умрищев, вспомнив про пищу и про то, что мысль есть материалистический факт, попросил у Священного пищи. Священный так чему-то обрадовался, что выбросил, как рвоту, жеваное изо рта и вынул из бокового мешка кривой кусок колбасы, закопченной на огне. Умрищев без внимания взял колбасу, но Федератовна как глянула на этот продукт, так взвизжала, как девушка, и зажмурилась от срама: она узнала бычий член размножения, срезанный у производителя совхоза.

Умрищев же, начитавшись физико-математических наук, ничем теперь не брезговал, поскольку все на свете состоит из электронов, и съел ту колбасу.

Открыв глаза, Федератовна бросилась энергично на Умрищева и укусила его; однако ж благодаря беззубию старушки Умрищев не узнал боли и подумал, что в старухе загорелись стихии остаточных страстей — преддверие гроба. Захохотавший, развонявшийся Священный также получил укус Федератовны, но он лишь обрадовался, почувствовав укус старухи.

На столе Умрищева остановился вентилятор; в дверь пришел сонный, унылый погонщик с топориком и сказал, что вол был сытый и здоровый, но скучный последнее время и умер сейчас: наверно, от тоски своего труда для ненужного человека.

— Я теперь кандидат партии и ухожу со двора,— сказал погонщик.— Бабушка,— обратился он к Федератовне,— ты с совхоза, возьми меня туда.

— А что с тобою такое, родимец? — спросила Федератовна.— Чего ты прежде не сигнализировал, какой ты кандидат партии!..

— Мне, бабушка, неважно тут стало, у меня сердце испортилось от них и ум уморился...

— А отчего ж у тебя сердце-то испортилось?

— От них,— сказал вентиляторный батрак.— У них такая наука, чтоб бить совхоз и твердеть зажиточному единоличнику... Мишка Сысоев двух телок у совхоза свел — а ты не знала,— он члену кооперации товарищу Священному их на фарш продал, в кооперации товарищ Священный постоянно фарш на машине крутит, раньше хотел сосисочную фабрику открывать — теперь войны ожидает... Мишка Сысоев и Петька Голованец в пастухах были у тебя и хотели коров увезть: они порезали их на степи, а товарищ Священный обещал им лошадь, потом подрался с нею и убил лошадь,— коров черекнули, а везти не на чем, тут ты поймала пастухов и в амбар заперла. Они теперь сидят, кричат — им там мочи нету, а бабы им блинцы пекут из твоего молока, а мука своя...

— Я не давал установок бить совхоз! — вскричал Умрищев.— Я теоретик, а не практик: я живу здесь лишь как исторически заинтересованная личность, а в последнее время перехожу на точные науки, в том числе на физику и на изучение бесконечно больших тел! Это клевета классового врага на ряды теоретических работников!

Священный по-страшному и беспрерывно хохотал, а Умрищев глубоко, но чисто теоретически возмущался.

На дворе же все время шел жаркий день, стареющий в ветхой пустынной пыли, покрытой чадом тления местной почвы, и весь колхоз находился в этой туманной неопределенности атмосферы.

— Ведь здесь же была ликвидация кулачества: кто же тут есть? — узнавала Федератовна, держа бдительный взгляд на всех присутствующих людях.— Где же тут сидит самый принципиальный стервец?

— А здесь они,— вяло показал погонщик на Умрищева и Священного,— а под ними зажиточные остатки, которые жир наживают на твоей говядине с совхоза. У тебя за год сто коров семнадцать дворов съели — и мало, а ты один обман знала...

Федератовна на вид не удивилась, только подернулась гусиной кожей возбуждения.

— А чего ж бедняки-колхозники глядели и молчали? — спросила она.

— А это же я и есть бедняк-колхозник,— с собственным изумлением сказал погонщик, сам в первый раз додумав, кто он такой.— Как же я молчу, когда я весь говорю. На тебе топорик, а то товарищ Священный сейчас убьет тебя.

Священный, чуть двинувшись, схватил погонщика вентиляторного вола поперек и начал давить его слабое тело до смерти, но погонщик стукнул его топором в темя незначительным ударом уставших рук, и оба человека упали в мебель. Умрищев, вообще не склонный к практике действий, обратил внимание Федератовны на полную неуместность происходящего факта. Тем временем лежащий Священный был далеко не мертвый и пробил ногами стену на улицу, высунувшись конечностями в деревню, но уже обратно он не мог подобрать свои ноги, потому что погонщик терпеливо дорубал голову своего врага.

Федератовна взяла погонщика за руку и увела его на двор. Погонщик напился на дворе воды, поглядел на оставшийся без Священного мир и повеселел:

— Это я работал на жаре без шапки, у меня голова ослабла, и я тебе знать ничего не давал. Как буду на совхозе работать, так куплю себе шапку.

— Нет, малый,— сказала Федератовна,— ты в совхозе не

будешь работать... Ты зачем, поганец, человека убил? — что ты — вся советская власть, что ли, что чуждыми классами распоряжаешься? Ты же сам — одна частичка, ты хуже электрона теперь?

Погонщик помутился на вид и опустил рано стареющую голову.

— Это, бабушка, от жары: мне голову напекло... Дай я вот шапку куплю!

Федератовна пригнула погонщика и погладила его лохматую голову.

— Нет, ты брешешь — голова у тебя нормальная...

На околице колхоза встал вихрь кругового ветра и поднял с земли разные предметы деревенского старья. Позади вихря шла не колеблясь прочная туча дорожной пыли. Это двигалось добавочное стадо в «Родительские Дворики», уже многие сутки одолевая пешком полтораста верст. Позади стада ехали на волах гуртовщики и ели арбузы от жажды.

Федератовна отправила убийцу-погонщика в совхоз со стадом и велела ждать ее, а сама села в таратайку и направилась в район, в комитет партии.

В районе Федератовна не застала секретаря партии — он умер вскоре после свидания с Босталоевой, потому что у него вскрылась от истощения тела внутренняя рана гражданской войны.

Новый секретарь, товарищ Определеннов, уже взял курс дела в умрищевском колхозе и еще имел в своем распоряжении всю картину бушующих капиталистических элементов, окружающих «Родительские Дворики».

А сейчас он грустно жалел, что не управился лично объездить колхозы умрищевского влияния, когда даже старушка мчится неустанно в таратайке по степи и действует энергичной силой.

Федератовна начала обижать Определеннова упреками, что он хуже покойника и руководит районом из своего стула, что он скатится в конце концов в схематизм и утонет в теории самотека. Секретарь, хотя и чувствовал свое слабое недовольство, все-таки радовался наличию таких старушек в активе района.

— Бабушка,— сказал с любовью к ней Определеннов,— Умрищева мы сегодня обсудим на бюро и отдадим из партии к прокурору, а тебя мы перебрасываем из совхоза на место Умрищева. Ты согласна?

Федератовна почувствовала было тоску, но сознание враз справилось в ней с ничтожным чувством личности, и она сказала:

— Согласуй с директором и пиши путевку, товарищ Определеннов... Либо социализм, либо нет — ведь вот вопрос-то!

Отвернувшись, Федератовна, как всякая рядовая бабка из масс, вытерла в знак огорчения свои глаза краем кофты — она чувствовала свое расставание с Босталоевой.

— Ты это что? — спросил Определеннов.

— Ты пиши, ты пиши наше партийное, а это мое, старое бабье, выходит наружу.

— Да то-то! — сказал Определеннов, предначертывая какую-то повестку дня.— А я думал, ты горюешь о чем-то.

— Да то ништ не горюю, да то ништ не скучаю! — закричала вдруг Федератовна.— Иль я безгрудая, бездушная, нездешняя какая!.. Родные мои Дворики, Надюшка моя, товарищ Босталоева, отымает меня Умрищев-злодей, уж смеркается сердце мое, схоронилися вы за дорогою...— и, склонившись плачущим лицом на стол секретаря, старуха заголосила на весь районный центр.

Через час терпеливый Определеннов спросил у нее:

— Ну как, бабушка?

— Обсохла уж,— ответила Федератовна.— Давай инструкцию на ликвидацию умрищевской школки.

Определеннов длительно улыбнулся и не стал учить умную и чувствительную старушку, поскольку она сама уже постигла все.

* * *

Надежда Босталоева возвратилась в «Родительские Дворики». Она приехала тихо, в вечерние часы, на подводе привокзального единоличника.

Не доезжая двух верст, Босталоева остановилась. В совхозе стояла неизвестная башня, емкая и полезная по виду, хотя и невысокая по размеру. Закат солнца освещал темный материал местного происхождения, из которого была построена башня. Кроме башни в совхозе был еще огромной силы и величины ветряк, при этом он крутился сейчас в пустоте совершенно тихого воздуха.

Подъехав еще ближе, Босталоева убедилась, что землебитных жилых домов в совхозе уже нет, и также не было никаких других следов прежних обжитых «Родительских Двориков» — ни шелюги, ни знакомых предметов в виде тропинок, лопухов и самородных камней, доставленных сюда неизвестной силой,— теперь была лишь развороченная грузная земля, как битва, оставленная погибшими бойцами.

— Что здесь такое? — с испугом спросила Босталоева.— Где же мой совхоз?

Возчик-единоличник объяснил ей, что совхоз должен быть тут.

— А это просто какие-то факторы! — сказал возчик на башню и мельницу.— Теперь ведь много факторов в степи, а я живу около транспорта, я отсюда дальний. Транспорт, тот я знаю: тара 414 пудов, нетто, диаметр шейки, тормоз Казанцева, закрой поддувало и сифон, автоблокировка; три свистка — дай ручные тормоза; два — освободи обратно; багаж принимается при наличии проездного билета. А степь я не люблю: это место для меня как-то почти что маловероятное, я люблю больше всего вагоны парового отопления и еще сторожевые будки. В будках хорошо живется сторожевому человеку: кругом тихо, работы мало, мимо поезда мчатся, выйди и стой себе с сигналом, а потом осмотри свой участок и заваривай себе кашу...

Босталоева со вниманием посмотрела на этого случайного, преходящего для нее человека: как велика жизнь, подумала она, и в каких маленьких местах она приютилась и надеется...

В снесенном совхозе ходили четыре вола по взбугренной почве и крутили мельницу наоборот, то есть не текущий воздух вертел снасть, а живая сила вращала снизу крылья в воздухе. Босталоева с удивлением спросила у Кемаля, радостно созерцавшего такое разорение, что это означает.

Кемаль, назначенный к этому дню секретарем ячейки, подал Босталоевой разросшуюся от работы руку и сказал:

— Это мы притирку частей делаем, чтоб механизм обыгрался на ходу: новый паровоз тоже сам себя сначала не тянет, пока не обкатается...

Около мельницы гонял волов инженер Вермо, обнищавший в одежде и успевший постареть за истекшее время. Он было обрадовался, что видит Босталоеву, но вдруг задумался другим нагрянувшим на него сомнением:

— Надежда Михайловна,— сказал он,— что, если мы ликвидируем всех пастухов, а коров поручим быкам. Високовский мне говорил, что бык — это умник, если его приучить к ответственности: субъективно бык будет защитником коров, а объективно — нашим пастухом! Штатное многолюдство — это отсталость, Надежда Михайловна: нам надо поменьше людей — в республике слишком много работы... Федератовна арестовала кулацких пастухов, а нам их теперь негде держать — их связал Климент веревкой от бегства и увел в районную тюрьму. Говорят, пастушьи бабы защекотали Климента в степи, а бабьи мужья разбежались. Динамо-машину мы получили, но без вас было скучно...

Инженер говорил что попало, пробрасывая сквозь ум свою скопившуюся тоску. Босталоева ничего не ответила Вермо: она настолько утомилась от своих действий в городе, от впечатлений исторической жизни, от своего сердца, отягощенного заглушенной страстью, что уснула вскоре в тени неизвестной башни, молчаливо обидевшись на всех.

Проснулась она вечером, покрытая от росы и ночного холода разной одеждой.

Вблизи от Босталоевой сидели шестнадцать человек, среди них были Кемаль, Вермо и Високовский, и все они ели пищу из одного котла.

— Сломали весь совхоз, а сами кашу едят! — сказала Босталоева.— Сволочи какие!.. Кто из вас первый начал землю здесь рыть, здоровы ли гурты; где Федератовна-старушка?.. Кемаль, ты за чем тут глядел, кто эти люди сидят? Я прямо удивляюсь: какие вы малолетние! А я думала, вы и вправду коммунисты!

— Мы-то? — прохаркнувшись от мелкой каши с молоком, произнес Кемаль.— Мы-то не коммунисты? Ах ты дура-девчонка! Я старый кузнец и механик, я не смеялся тридцать лет, а вот пришел инженер Вермо, открыл нам пространство науки — и я улыбнулся на твой совхоз из землянок! Ты же все лозунги извращаешь, ты с природой, ты с отсталостью примирялась здесь — нервная ничтожность такая!.. Ты уехала, старуха твоя пропала — тоже советская наседка такая — и мы втроем,— Кемаль показал еще на Вермо и Високовского,— мы сказали твоему старушьему совхозу: прочь, ты не дело теперь! И не было его в одну ночь! Надо трудиться, товарищ директор, не за лишнюю сотню тонн говядины, а за десять тысяч тонн!.. Ты — девчонка еще в глазах техники!

«Отчего у нас люди так быстро развиваются,— подумала Босталоева, заново разглядывая Кемаля.— Это прямо превосходно!»

Другие рабочие, оказавшиеся на проверку бедняками, сбежавшими из умрищевского колхоза, также начали стыдить Босталоеву за ее недооценку башни, мельницы и дальнейших перспектив.

Високовский взял Босталоеву, как женщину, под руку и повел ее в башню. Босталоева молчала. Вермо глядел ей вслед и думал, сколько гвоздей, свечек, меди и минералов можно химически получить из тела Босталоевой. «Зачем строят крематории? — с грустью удивился инженер.— Нужно строить химзаводы для добычи из трупов цветметзолота, различных стройматериалов и оборудования».

Башня была сложена из сжатых, сбрикетированных ручным прессом глино-черноземных кирпичей и представляла собой вид усеченного конуса.

В сенях башни находилось особое стойло — оно хоть и не имело еще арматуры, но это было то же, что электрический стул для человека — место смертельного убийства животных высоким напряжением. Високовский и Вермо не хотели портить качества мяса предсмертым ужасом и безумной агонией живого существа от действия механического орудия. Наоборот, животное будет подвержено предварительной ласке в электрическом стойле, и смерть будет наступать в момент наслаждения лучшей едой. Внутренность башни была выложена досками в тесную пригонку, а доски покрыты слоем клеевого лака, непроходимым для электричества.

— Вы понимаете, что это? — спросил Високовский.

— Нет, я не понимаю,— сказала Босталоева.— Ведь дожди же размоют эту земляную каланчу.

— Толщина кладки земляных брикетов здесь такая, Надежда Михайловна,— объяснил Високовский,— что нужно десять лет ливней, чтобы вода смыла башню...

Вид животных, гонимых сквозь пространства пешком в города на съедение или даже запертых в неволю вагонов, всегда приводил Високовского в душевное и экономическое содрогание. Коровы, и особенно быки, слишком впечатлительны, чтобы переносить железнодорожную езду, вид городов и ревущую индустриализацию. У животных расстраиваются нервы, они высыпают беспрестанно из себя навоз и теряют съедобный вес. Сосчитано, что при езде в вагоне на тысячу верст коровы худеют на десять и больше процентов, а быки вовсе тают, тоскуя, что им уж никогда теперь не придется случаться.

Если «Родительские Дворики» отправят в течение года две тысячи тонн коров, то двести, а может быть, и четыреста тонн наиболее нежного мяса будет истрачено в пути благодаря похудению животных. Кроме того, коровы могут вовсе умереть в дороге. Эти двести или четыреста тонн говядины должен сохранить электрический силос, построенный как башня. Коровьи туловища разрубаются на сортовые части и загружаются в башню. Затем небольшое количество высоконапряженного тока пропускается сквозь всю массу говядины, и говядина сохраняется долгое время, даже целый год, в свежем и питательном состоянии, потому что электричество убивает в нем смертных микробов.

По мере надобности мясо накладывается в приспособленные кадушки с выкачанным воздухом и отправляется в города. В дальнейшем следует вокруг электрического силоса развить комбинат, с тем чтобы на месте обращать мясо в фарш, колбасу, студень, консервы и отправлять в города готовую еду.

У Босталоевой после разговора с Високовским сжалось сердце, что она еще не инженер и ей нужно излишне любить Вермо.

Високовский развил перед директором еще ряд мер, обдуманных им совместно с Вермо и Кемалем, для резкого накопления мяса в совхозе, а Босталоева молча думала о новом техническом большевизме, которому уже не соответствует ее ум.

Здесь в башенные сени вошла бывшая совхозная кухарка, не знавшая, куда теперь ей деться, когда все сломали, когда из металлических ложек мужики сделали проволоку, суповые котлы раскатали в листы, когда даже ушные сережки вынули у нее и расплавили их в олово,— эта печальная, бесхозная женщина, лишенная бытового состояния, сказала, что движется новое стадо из какого-то дальнего пункта: идите его встречать и организуйте поскорее баб из степи, потому что некому обдаивать скотину, а из нее уж капает молоко в землю.

Босталоева и Високовский вышли из сеней башни и увидели погонщика умрищевского вентиляторного вола; погонщик прибежал первым, чтобы осознать новое место своей жизни и сообщиться.

* * *

Устроив вновь прибывшее стадо на участок степного разнотравия, открытый недавно Високовским около одного дальнего одичавшего колодца, Босталоева возвратилась ночью в совхоз. Вермо играл на гармонии, а Кемаль плясал — с тем выражением, словно хотел выветрить из себя всю надоевшую старую душу и взять другой воздух из дующего ветра.

Странно и опасно было видеть костер в степной темноте, веселых людей, крылья могучей мельницы, башню и слушать, как всеобщий человеческий голос, прекрасную музыку, всегда соответствующую намерению борющихся большевиков. Босталоева вошла в среду людей и стала танцевать по очереди со всеми товарищами, пока не перепробовала всех; только Вермо, как занятый музыкант, не мог потанцевать с Босталоевой, но зато она двигаясь обещала ему достать агрегат для бурения на ювенильное море, и Вермо с энергией радости начал еще лучше играть на гармонии. Один погонщик вентиляторного вола стоял в стороне, не примкнув к дружбе и музыке, но и его Босталоева взяла в дело танца, отчего погонщик весь заухмылялся и уж заранее согласен был положить всю свою силу на совхозном строительстве — настолько он мало еще видел нежности в жизни. Танцуя погонщик нюхал подругу-директора и наслаждался своим достоинством, нужностью и равенством с высшими друзьями, а Босталоева глядела на него близко и улыбалась ему в лицо своей улыбкой серьезной искренности, своими спокойными верными глазами, и погонщик чувствовал ее легкую руку на своем плече, привыкшем к тяжести и терпению.

Глядя на танцующих, Вермо успел уже продумать вопрос о рационализации отдыха и счастья, а сам не мог победить в своем сердце чувства той прозрачной печали, которая происходила от сознания, что Босталоеву может обнять целый класс пролетариата, и она не утомится, она тоже ответит ему со страстью и преданностью.

Вскоре погонщик умрищевского вола заржал от радости не своим голосом — женским басом, и танец постепенно прекратился, поскольку долгое веселье превращается уже в скорбь.

Наступила полночь; воздух начал прозябать от росы и отсутствия солнца, и всем людям, всей технической бригаде Вермо и Кемаля захотелось спать и согреваться. Тут же стало известно, что вся теплая одежда ушла со вновь нанятыми пастухами на пастбища, на месте была только одна громадная кошма, метров в десять или пятнадцать длины. Все влезли под ту кошму, а Босталоеву положили в середину, чтобы ей было теплей, и ближние соседи отодвинулись от нее, желая дать Босталоевой больше дыхания и свободы, если она будет шевелиться во сне.

Наутро в совхоз приехала в таратайке Федератовна, и с ней прибыл в качестве кучера секретарь райкома Определеннов. Старушка еще издали закричала от злости, решив, что умрищевцы управились украсть без нее весь совхоз.

— Подожди ты шуметь, убогая,— остановил ее Определеннов, не терпевший никакого визга на земле как знака бессилия.— Побольше спокойствия, бабушка — нам ничто не страшно.

Застав под кошмой население совхоза, Определеннов стянул со спящих кошму, и они сразу проснулись, как оголтелые.

Опомнившись, видя недовольство старухи и секретаря, Вермо начал порочить естественное самотечное устройство природы и потворство этому оппортунистическому устройству со стороны администрации совхоза. Например, разве землянично-землебитная и деревянная форма совхоза не есть ненависть к технике? Разве можно получить мясо от полуголодного, непоеного скота, бродящего в печале по пище десятки верст ежедневно? И мы снесли в ночь всю совхозную убогость, дабы освободить мебель с утварью и взять из них гвозди, доски и прочие материалы для истинной техники, для утроения продукции совхоза!

— Он прав вполне,— с неопределенной грустью сказал Кемаль.

— Вы еще понятия не имеете о большевистской технологии,— говорил Вермо среди летнего утра, неумытый и постаревший от темпа своих размышлений,— у вас нет органического ощущения техники как первого чувства своей жизни...

Федератовна, осознав, что кто-то хотел обидеть науку, враз стала на точку яростной защиты Вермо и приветствовала речью башню и мельницу.

Определеннов смеялся над старушкой и был рад, что в «Родительских Двориках» под видом чувственного восторга происходит на самом деле социалистическое скотоводство, превозмогающее все существующее на свете на этот счет.

— Говори теперь ты, Високовский,— предложил Определеннов.

— Хотя я зоотехник,— сказал Високовский, желая выявить чем-нибудь охватившую его радость зоотехнического творчества, хотя бы тем, что покаяться,— хотя моя дисциплина долгое время была заражена невежественным оппортунизмом и вредительством и взглядом на зоологию как на мягкую какую-то, тихую науку, где все гармонично и эволюционно, но я заявляю, что советская зоотехника немыслима без металлургии, без машиностроения, без электрификации, потому что только железо и огонь добудут нам воду в сухих степях, потому что лишь тонкая пульсация электричества, приближающаяся по нежности и остроте своего факта к жизненным явлениям, к зоологии, лишь она, эта пульсация, игра солнечной энергии в атомной глубине материи, как определяет Николай Эдвардович Вермо, лишь она даст нам излишний нарост мяса на костях животных, позволит нам рационально забить скот, сохранить его без потерь и отлично транспортировать. Затем я предлагаю уничтожить немедленно текучесть рабсилы...

— Как конкретно? — спросил Определеннов, вслушиваясь с полным сердцем в слова специалиста.

— Уничтожить ее как текучесть, как пережиток разрыва города с деревней... Нужно ввести скользящую шкалу профессий, чтобы пастух был обучен строительству и мог быть плотником зимой или еще чем-либо, чтобы человек обнимал своим уменьем несколько профессий и чередовал их во времена года... Каждый трудящийся может и обязан иметь хотя бы две профессии — наш Кемаль имеет их целых четыре,— это даст десятки тысяч экономии по одним «Родительским Дворикам»... Да здравствует наша жизнь и наш напряженный труд для всех товарищей... как дальних, так и близких! — неожиданно кончил скромный Височовский и медленно покраснел, почувствовав свою заключительную патетическую бестактность.

— Да здравствуют наши социалистические специалисты! — громко сказал Определеннов, чтобы уничтожить краску ложного смущения с лица Височовского.

Но Височовский покраснел еще гуще, и все засмеялись, а Босталоева смеялась до тех пор, пока у нее не вышли слезы, блестевшие на свете солнца, как роса, на черной траве ресниц. Все люди поглядели на глаза Босталоевой, а Вермо сказал:

— Я ручаюсь, что не каждый еще сумеет умереть из нас, как наступит высший момент нашей эпохи: нам тогда потребуется лишь построить оптический приемник-трансформатор света в ток, как мы сейчас строим радиоприемники, и через него к нам польется бесконечная электрическая энергия — из солнечного пространства, из лунного света, из мерцания звезд и из глаз человека... Вот какая проблема, товарищи, сидит в одном взоре Босталоевой, а вы увидели ее глазами полового мещанства: так ведь никуда не годится!

— Глянь в мои глаза! — попросила Федератовна.— У меня там горит электричество иль потухло?

Вермо поглядел в старушечьи очи.

— Плохо горит,— сказал инженер,— у тебя бельма растут.

Федератовна сразу оценила было этот факт как заглушенную вылазку классового врага, но потом пошевелила деснами и передумала.

— Пусть растут,— согласилась старуха,— я и видеть не буду, так почую. А ты научный левак!

— Погоди судить, бабушка,— сказал Определеннов.— У них уже есть дела, а ты говоришь слова... Давайте, товарищи, наметим план технической реконструкции «Родительских Двориков».

Здесь же, на общей кошме, был составлен перечень главных мер, а именно:

Название работы	Цель ее	Фамилия бригадира и срок исполнения	Полезный эффект и примечания
1	2	3	4
1. Закончить постройкой электродвигатель; установить динамо; смонтировать трансмиссионную передачу; провести электрическую сеть	Зимой: отопление скотных баз и рабочих жилищ, подача жара на кухню. Летом: давать силу на насос и на брикетный пресс	Вермо 2 месяца	300 тонн добавочной говядины. На 100 руб. топлива. Уничтожение жажды на центральной усадьбе
2. Электротехнический монтаж силосной башни и убойного стойла	Заготовка свежей говядины в долгий прок	Височовский, консультация Вермо 1 месяц	Не менее 400 тонн мяса. При отсутствии ветра питать башню следует от воловьего приво-

1	2	3	4
			да ввиду малого количества тока, потребного для башни
3. Пресс для брикетирования коровьей желудочной продукции	Решение степной топливной проблемы	Кемаль	Экономия 2 тысячи руб., которые должны быть истрачены на покупку стороннего топлива
4. Приобрести, перепроектировать, переделать 2 вольтовых агрегата разной мощности	Электрическим пламенем меньшего агрегата резать камень в карьерах и сваривать их вновь на месте кладки, с целью постройки цельнолитых жилищ для людей и скота. Мощным агрегатом прижигать скважины в глубину земного шара, дабы вскрыть кристаллическую гробницу материнского моря, либо вообще достигнуть богатых запасов воды — взять оттуда количество влаги, достаточное для образования постоянного озера или степного моря. Параллельно бурить немедленно вольтовым огнем неглубокие водоносные скважины на всех пастбищах и зимних гуртах совхоза (малое водоснабжение)	Босталоева, Вермо 3 месяца	По строительству 50 тыс. р. По малому водоснабжению 40 тыс. р. в год По большому водоснабжению (на материнское море): социалистический риск
5. Изобрести и сконструировать оптический прибор для обращения солнечного света в электричество	Получать энергию в степи и во всем мире из любой точки освещенной бесконечности	Вермо, Кемаль, Босталоева Не менее года	Установление технического большевизма в «Родительских Двориках» и на всем открытом пространстве земли
6. Сконструировать животноводческий комбайн на автомобильном шасси	Быстрое обдаивание отдаленных гуртов и доставка сливок на совхозную маслобойку	Високовский, Кемаль. 2 месяца	18 тысяч рублей в год

В седьмом, восьмом и девятом пункте плана назначались прочие виды работ. Всякое мероприятие по этому плану должно иметь помощь и консультацию со стороны Института Неизвестных Топливных Масс, КрайВЭО, Института Дешевой Энергии, Варнитсо, Общества Глубокого Бурения и прочих соответствующих организаций.

* * *

Через месяц или полтора в «Родительские Дворики» прибыли оборудование и материалы, занаряженные Босталоевой в крайцентре, и то потому, что Босталоева сама нашла свои заблудившиеся на железной дороге грузы и привела вагоны на ближайшую станцию. Иначе бы грузы могли вовсе осиротеть, приобрести безвестное состояние и их сейчас же присвоили бы себе агенты многочисленных строек, населявшие в то время все узловые пункты транспорта; эти агенты-снабженцы беспрерывно глядели волчьими глазами на потоки чужих грузов и только свою стройку считали действительно решающей для судьбы социализма, поэтому они прямо удивлялись, что кого-то еще снабжают, кроме них, и способствовали превращению блуждающих грузов в бесхозное сиротство, чтобы переадресовать их себе, пользуясь суетой всеобщего строительства.

Около того же времени в совхоз приехали два инженера из края: электрик Гофт и гидрогеолог Даев. Гофт был из Института Неизвестных Топлив, а Даев от Варнитсо и Общества Глубокого Бурения. Совместно с инженером Вермо они довели конструкторские идеи вольтового бурения до чертежного детального выражения и поправили различные упущения в устройстве башни брикетного пресса и ветродвигателя.

Инженер Гофт уже не хотел уезжать из совхоза и остался в нем до окончания всех работ, а Даев и Босталоева отправились скорее в краевой город и в Ленинград, дабы найти подходящие электросварочные агрегаты; эти агрегаты были нужны для немедленного переустройства их на другую службу. Один из агрегатов должен успеть перерезать камни в карьере и сварить из этих камней жилища еще до наступления зимы.

Контора переустройства совхоза помещалась в сенях электросилосной башни, где все чертили, считали, спали и бредили от ночного воображения. Кемаль взял себе на учет такой бытовой недостаток и отправился в колхоз к Федератовне. Через четверо суток он привез из колхоза на волах шесть пустых изб, принадлежавших ранее кулакам, тем, что прятались в колодцы от старухи. Эти избы лишь в слабой степени повредились от транспорта и вполне оказались пригодными для размещения техперсонала и для ночлега технических бригад.

Инженер Вермо развернул фронт работ сразу — по всем сопротивлениям; главный же удар он сосредоточил на достройке и оборудовании электрической мясной башни, где производил весь монтаж лично.

Но рабочих было всего шестнадцать человек, и люди так умаривались, что не могли смыть водой свой пот и им не хватало сна для забвения усталости.

Однажды ночью Вермо сидел за столом и, скучая по Босталоевой, рассматривал ее книги. Вокруг Вермо спали люди на полу, от них пахло отработанной жизнью, их рубашки заживо сотлели на постоянно греющемся теле и рты были печально открыты, чтобы освежиться воздухом ночи и продуть насквозь свое туловище, зашлаковавшееся смертельными скоплениями немощи.

Кемаль лежал навзничь с омертвевшим видом лица; он сегодня в одиночку таскал бревна на верх башни, а вчера забивал якорные сваи для крепления ветродвигателя от зимних бурь.

В своем дыхании он плавно поднимал и опускал ребра, обросшие жилами тяжелой силы, и лицо его, хотя и было покрыто печалью утомления, но все же хранило в своем смутном выражении нежность надежды и насмешку над грубой тягостью жизни,— в этом Кемаль, хотя и незаметно, но походил на Босталоеву.

«Зачем он таскает бревна, зачем он не повесил блока́ и не заставил вола втянуть бревно на канате? — думал Вермо в тишине большого пространства.— Зачем вообще нам труд как повторенье однообразных процессов; нужно заменить его беспрерывным творчеством изобретений!»

Погонщик умрищевского вентиляторного вола спал вниз лицом. Он трудился по рытью земли для различных установок. Вермо решил завтра же сделать несколько конных лопат и рыть грунт силой волов или даже приспособить под это дело ветер.

Вермо не знал, есть ли у Кемаля и погонщика вентиляторного вола другая жизнь, эстетические вкусы и накопления на сберкнижке. Они были, наверно, безродными и превращали будущее в свою родину.

В вещах Босталоевой Вермо нашел «Вопросы ленинизма» и стал перечитывать эту прозрачную книгу, в которой дно истины ему показалось близким, тогда как оно на самом деле было глубоким, потому что стиль был составлен из одного мощного чувства целесообразности, без всяких примесей смешных украшений, и был ясен до самого горизонта, как освещенное простое пространство, уходящее в бесконечность времени и мира.

Читая, Вермо ощущал спокойствие и счастливое убеждение верности своей жизни, точно старый серьезный товарищ, неизвестный в лицо, поддерживал его силу, и все равно, даже если бы погиб в изнеможении инженер Вермо, он был бы мертвым поднят дружескими руками на высоту успеха — и уцелевшие товарищи добудут из глубины земли материнское море и свет солнца превратят в электричество.

Под утро Вермо вышел наружу. Вращающаяся земля несла здешнее место навстречу солнцу, и солнце показывалось в ответ. Но Вермо не вдумывался в это явление, вдумываясь обычно во все, что попадалось; он слишком начитался за ночь и чувствовал себя сейчас недостаточно умным. Он отошел дальше в степь и лег в нее вниз лицом с настроеньем своей незначительности.

Откуда-то из участка к Вермо подошел Високовский. Он сказал, что снял с пастбищ двенадцать пастухов в помощь техническим бригадам, а коров поручил наиболее сознательным быкам; он уже делал опыты самоохраны и самокормления стад, приучая отдельных быков к определенному поголовью коров, организуя этим шагом бычьи семейства. И что же? — быки дерутся между собой, каждый желая обеспечить для своих коров лучшую траву и водопой, а коровы мирно пасутся и полнеют в теле. Если перейти на способ бычьих семейств, то можно вдвое сократить степной штат людей.

Вермо не слушая глядел на Високовского.

Затем он возвратился в избу, где по-прежнему спали рабочие; но лица их, освещенные зарею, приняли торжественное выражение. Вермо понял, насколько мог, столпов революции: их мысль — это большевистский расчет на максимального героического человека масс, приведенного в героизм историческим бедствием,— на человека, который истощенной рукой задушил вооруженную буржуазию в семнадцатом году и теперь творит сооружение социализма в скудной стране, беря первичное вещество для него из своего тела.

Эта идея неслышно растворена в книгах, прочитанных Вермо ночью,— потому что ее нельзя услышать мелким сердцем индивидуалиста или буржуя.

В тот же день Вермо составил бригаду в семь человек и сам стал в ее ряды. Он хотел осуществить ставку на творческого пролетарского человека, с тем чтобы изобретение стало способом работы, чтобы не Кемаль таскал бревна, а ветер или вол; и чтобы работа шла на смысле, а не на грустном терпении тяжести, как работает мещанин капитализма.

К концу первой десятидневки в бригаде почти не применялся черный труд — его сменили деревянно-веревочные и железные приспособления, движимые животной силой волов.

* * *

Через два месяца, уже осенью, прибыли из Ленинграда переделанные электросварочные агрегаты и другое необходимое оборудование. Одновременно с многочисленными машинами приехали Босталоева и инженер Даев.

Босталоева ехала от железной дороги через колхоз и привезла с собой смирившегося Умрищева, которого выслала Федератовна в совхоз для проверки в рабочем котле.

Умрищев был давно исключен из партии, перенес суд и отрекся в районной газете от своего чуждого мировоззрения. Он ходил теперь робко по земле, не зная, где ему место, долгие дни жил при Федератовне в качестве домашнего хозяина, чему Босталоева по невыясненной причине радовалась и смеялась на протяжении всей совместной дороги в степном фаэтоне, а Умрищев только сторонился от нее на узком месте сиденья.

Босталоева была несколько дней в Москве, в Скотоводобъединении, и привезла оттуда новость для всех рабочих: в «Родительских Двориках» организуется образцовый опытно-учебный мясокомбинат. Этот вопрос был поднят крайкомом партии и теперь всюду согласован и обдуман.

Спустя еще некоторое время в «Родительские Дворики» съехалось большое число людей из Москвы и краевого центра: они должны были участвовать в организации учебного мясокомбината и быть свидетелями первого в мире бурения земли вольтовой дугой, чтобы прожечь грунт до воды.

Инженер Вермо, как только получил вольтовый агрегат, уехал с ним в степь неизвестной дорогой, взяв с собой одного Кемаля.

Возвратившись через четверо суток, Вермо установил агрегат среди новостроящейся усадьбы совхоза; запустил мотор и направил фронт сияющего, шарообразного пламени вертикально в недра земли.

Делегация Москвы и края уселась к тому времени на скамьи вокруг воющего агрегата; столб едкого газа поднялся над плавящейся породой, обращающейся в магму, затем — через полчаса — раздался взрыв, и наружу вырвался вихрь пара: это пламя вошло в массу воды и пережгло ее в пар. Вермо выключил агрегат.

Каждый из бывших здесь освидетельствовал сделанную скважину: она была неглубока, около трех метров, поскольку совхоз стоял в низменности, внутренняя поверхность скважины покрылась расплавленной, застывшей теперь породой, что сообщало крепость колодцу от обвала, и внизу светилась вода. Затем Вермо и Кемаль, настроив пламя в острую форму, стали резать его лезвием заранее заготовленные самородные камни и тут же сваривали их вновь в монолиты, слагая сплошную стену, чтоб было ясно, как нужно строить теперь жилища людям и приют скоту.

* * *

В глубокую осень из Ленинграда в Гамбург отплыл корабль. На борту корабля находились инженер Вермо и Надежда Босталоева. Они имели командировку в Америку сроком на полтора года, чтобы проверить там в опытном масштабе идею сверхглубокого бурения вольтовым пламенем и научиться добывать электричество из пространства, освещенного небом.

На берегу их провожали две фигуры небольших людей: Федератовна и Умрищев. Старушка приехала издалека, чтобы проводить Босталоеву и поплакать по ней на вечное прощанье, потому что она уже не надеялась прожить полтора года: слишком активно билось ее сердце всю жизнь, и оно устало.

Федератовна была одета в шляпу, которая сидела на ее голове, как чертополох; маленький смирный Умрищев держал под руку старую женщину и вытирал глаза белым платочком от сочувствия.

Он еще в колхозе полюбил Федератовну за оживленность, за открытую страстность сердца, за беспощадность ее идейного духа, и старушка, будучи положительной женщиной, увлеклась постепенно терпеливым отрицательным старичком, так что они поженились в течение времени.

Корабль уплыл в водяные пространства земли. Вермо и Босталоева отошли от борта. Старичок и старушка остались на далеком берегу и долго плакали, глядя на горизонт, а потом приступили к взаимному утешению друг друга.

Вечером того же дня, ложась спать в гостинице, Умрищев долго кряхтел, предполагая и боясь высказаться.

— Мавруша, а Мавруш! — обратился он после томления к Федератовне.

— Что тебе, старичок? — охотно спросила Федератовна.

— А что, Мавруш, когда Николай Эдвардович и Надежда Михайловна начнут из дневного света делать свое электричество,— что, Мавруш, не настанет ли на земле тогда сумрак?.. Ведь свет-то, Мавруш, весь в проводе скроется, а провода, Мавруш, темные, они же чугунные, Мавруш!..

Здесь лежачая Федератовна обернулась к Умрищеву и обругала его за оппортунизм.

ГОСУДАРСТВЕННЫЙ ЖИТЕЛЬ

Пожилой человек любил транспорт наравне с кооперативами и перспективой будущего строительства. Утром он закусывал вчерашней мелочью и выходил наблюдать и наслаждаться. Сначала он посещал вокзал, преимущественно товарные платформы прибытия грузов, и там был рад накоплению товаров. Паровоз, сопя гущей своих мирных сил, медленно осаживал вагоны, полные общественных веществ: бутылей с серной кислотой, бугров веревок, учрежденской клади и необозначенных мешков с чаем-то полезным. Пожилой человек, по имени Петр Евсеевич Веретенников, был доволен, что их город снабжается, и шел на платформу отправления посмотреть, уходят ли оттуда поезда в даль Республики, где люди работают и ожидают грузов. Поезда уходили со сжатыми рессорами,— столько везли они необходимой тяжести. Это тоже удовлетворяло Петра Евсеевича,— тамошние люди, которым назначались товары, будут обеспечены.

Невдалеке от станции строился поселок жилищ. Петр Евсеевич ежедневно следил за ростом сооружений, потому что в теплоте их крова приютятся тысячи трудящихся семейств и в мире после их поселения станет честней и счастливей. Покидал строительство Петр Евсеевич уже растроганным человеком — от вида труда и материала. Все это заготовленное добро посредством усердия товарищеского труда вскоре обратится в прочный уют от вреда осенней и зимней погоды, чтобы самое содержание государства, в форме его населения, было цело и покойно.

На дальнейшем пути Петра Евсеевича находился небольшой, уже использованный сельской общественностью лес, лишь изредка обогащенный строевыми, хотя и ветшающими соснами. В межевой канаве того малого леса спал землемер; он был еще не старый, но изжитый, видимо, ослабевший от землеустройства человек. Рот его отворился в изнеможении сна, и жизненный тревожный воздух смоляной сосны входил в глубину тела землемера и оздоровлял его там, чтобы тело вновь было способно к землеустройству пахарей хлеба. Человек отдыхал и наполнялся счастьем попутного покоя; его инструменты — теодолит и мерная лента — лежали в траве, их спешно обследовали муравьи и сухой паучок, проживающий от скупости всегда единолично. Петр Евсеевич нарвал травы среди ее канавного скопища, оформил ту траву в некую мякоть и подложил ее под спящую голову землеустроителя, осторожно побеспокоив его, чтоб получилось удобство. Землемер не проснулся,— он лишь простонал что-то, как жалобная сирота, и вновь опустился в сон. Но отдыхать на мягкой траве ему уже было лучше. Он глубже поспит и точнее измерит землю,— с этим чувством своего полезного участия Петр Евсеевич пошел к следующим делам.

Лес быстро прекращался, и земля из-под деревьев переходила в овражные ущербы и в еще несверстанную чересполосицу ржаных наделов. А за рожью жили простые деревни, и над ними — воздух из жуткого пространства, Петр Евсеевич считал и воздух благом,— оттуда поставлялось дыхание на всю площадь государства. Однако безветренные дни его беспокоили: крестьянам нечем молоть зерно, и над городом застаивается зараженный воздух, ухудшая санитарное условие. Но свое беспокойство Петр Евсеевич терпел не в качестве страдания, а в качестве заботливой нужды, занимающей своим смыслом всю душу и делающей поэтому неощутимой собственную тяжесть жизни. Сейчас Петр Евсеевич несколько волновался за паровоз, который с резкой задыхающейся отсечкой пара, доходившей до напряженных чувств Петра Евсеевича, взволакивал какие-то грубые грузы на подъем. Петр Евсеевич остановился и с сочувствием помощи вообразил мучение машины, гнетущей вперед и на гору косность осадистого веса.

— Лишь бы что не лопнуло на сцепках,— прошептал Петр Евсеевич, сжимая зубы меж зудящих десен.— И лишь бы огню хватило,— ведь он там воду жжет! Пусть потерпит, теперь недалеко осталось...

Паровоз со скрежетом бандажей пробуксовывал подъем, но не сдавался влипающему в рельсы составу. Вдруг паровоз тревожно и часто загудел, прося сквозного прохода: очевидно, был закрыт семафор; машинист боялся, что, остановившись, он затем не возьмет поезд в упор подъема.

«И что это делается, господи боже мой!» — горестно поник Петр Евсеевич и энергично отправился на вокзал — рассмотреть происшествие.

Паровоз дал три свистка, что означает остановку, а на вокзале Петр Евсеевич застал полное спокойствие. Он сел в зале третьего класса и начал мучиться: «Где же тут государство? — думал Петр Евсеевич.— Где же тут находится автоматический порядок?»

— Щепотко! — крикнул дежурный агент движения составителю поездов.— Пропускай пятьдесят первый на восьмую. Сделай механику и главному отметку, что нас транзитом забили. Ты растаскал там цистерны?

— Так точно! — ответил Щепотко.— Больше пока ничего не принимайте,— мне ставить некуда. Надо пятьдесят первый сработать.

«Теперь все вполне понятно,— успокоился Петр Евсеевич.—

Государство тут есть, потому что здесь забота. Только надо населению сказать, чтоб оно тише существовало, иначе машины лопнут от его потребностей».

С удовлетворенным огорчением Петр Евсеевич покинул железнодорожный узел, чтобы посетить ближнюю деревню, под названием Козьма.

В той Козьме жило двадцать четыре двора. Дворы расположились по склонам действующего оврага и уже семьдесят лет терпели такое состояние. Кроме оврага деревню мучила жажда, а от жажды люди ели плохо и не размножались как следует. В Козьме не было свежей и утоляющей воды, — имелся небольшой пруд среди деревни, внизу оврага, но у этого пруда плотина была насыпана из навоза, а вода поступала из-под жилья и с дворовых хозяйственных мест. Весь навоз и мертвые остатки человеческой жизни смывались в ложбину пруда и там отстаивались в желто-коричневый вязкий суп, который не мог служить утоляющей влагой. Во время общегражданских заболеваний, а именно холеры, тифа или урожая редкого хлеба, потому что в здешней почве было мало тучного добра, — люди в Козьме ложились на теплые печи и там кончались, следя глазами за мухами и тараканами. В старину, говорят, в Козьме было до ста дворов, но теперь нет следов прошлой густоты населения. Растительные кущи покрыли обжитые места вымороченных усадеб, и под теми кущами нет ни гари, ни плешин от кирпича или извести. Петр Евсеевич уже рылся там, — он не верил, чтобы государство могло уменьшиться, он чувствовал размножающуюся силу порядка и социальности, он всюду наблюдал автоматический рост государственного счастья.

Крестьяне, проживающие в Козьме, уважали Петра Евсеевича за подачу им надежды и правильно полагали, что их нужду в питье должна знать вся Республика, а Петр Евсеевич в том их поддерживал:

— Питье тебе предоставят, — обещал он. — У нас же государство. Справедливость происходит автоматически, тем более питье! Что это — накожная болезнь, что ли? Это внутреннее дело, — каждому гражданину вода нужна наравне с разумом!

— Ну, еще бы! — подтверждали в Козьме. — Мы у Советской власти по водяному делу на первой заметке стоим. Черед дойдет — и напьемся! Аль мы не пили сроду? Как в город поедешь, так и пьешь.

— Совершенно верно, — определял Петр Евсеевич. — Да еще и то надо добавочно оценить, что при жажде жизнь идет суше и скупее, ее от томления больше чувствуешь.

— От нее без воды деться некуда, — соглашались крестьяне. — Живешь — будто головешку из костра проглотил.

— Это так лишь мнительно кажется, — объяснил Петр Евсеевич. — Многое покажется, когда человеку есть желание пить. Солнце тоже видится тебе и нам жарой и силой, а его паром из самовара можно зазастить и потушить — сразу на скатерти холод настанет. Это только тебе и нам так воображается в середине ума...

Петр Евсеевич себя и государство всегда называл на «вы», а население на «ты», не сознавая, в чем тут расчет, поскольку население постоянно существует при государстве и обеспечивается им необходимой жизнью.

Обычно в Козьме Петру Евсеевичу предлагали чего-нибудь поесть — не из доброты и обилия, а из чувства безопасности. Но Петр Евсеевич никогда не кушал чужой пищи: ведь хлеб растет на душевном наделе, и лишь на одну душу, а не на две,— так что есть Петру Евсеичу было не из чего. Солнце — оно тоже горит скупо и социально: более чем на одного трудящегося едока оно хлеба не нагревает, стало быть, вкушающих гостей в государстве быть не должно.

Среди лета деревня Козьма, как и все сельские местности, болела поносом, потому что поспевали ягоды в кустах и огородная зелень. Эти плоды доводили желудки до нервности, чему способствовала водяная гуща из пруда. В предупреждение этого общественного страдания козьминские комсомольцы ежегодно начинали рыть колодцы, но истощались мощью непроходимых песков и ложились на землю в тоске тщетного труда.

— Как это вы все делаете без увязки? — сам удручался и комсомольцев упрекал Петр Евсеевич.— Ведь тут грунт государственный, государство вам и колодезь даст — ждите автоматически, а пока пейте дожди! Ваше дело — пахота почвы в границах надела.

Покидал Козьму Петр Евсеевич с некоторой скорбью, что нет у граждан воды, но и со счастьем ожидания, что, стало быть, сюда должны двигаться государственные силы и он их увидит на пути. Кроме того, Петр Евсеевич любил для испытания ослабить свой душевный покой посредством и организации малого сомнения. Это малое сомнение в государстве Петр Евсеевич выносил с собой из Козьмы вследствие безводия деревни. Дома Петр Евсеевич вынимал старую карту Австро-Венгрии и долгое время рассматривал ее в спокойном созерцании; ему дорога была не Австро-Венгрия, а очерченное границами живое государство, некий огороженный и защищенный смысл гражданской жизни.

Под картиной севастопольского сражения, которая украшала теплое, устойчивое жилище Петра Евсеевича, висела популярная карта единого Советского Союза. Здесь Петр Евсеевич наблюдал уже более озабоченно: его беспокоила незыблемость линии границ. Но что такое граница? Это замерший фронт живого и верного войска, за спиною которого мирно вздыхает согбенный труд.

В труде есть смирение расточаемой жизни, но зато эта истраченная жизнь скопляется в виде государства — и его надо любить нераздельной любовью, потому что именно в государстве неприкосновенно хранится жизнь живущих и погибших людей. Здания, сады и железные дороги — что это иное, как не запечатленная надолго кратковременная трудовая жизнь? Поэтому Петр

Евсеевич правильно полагал, что сочувствовать надо не преходящим гражданам, но их делу, затвердевшему в образе государства. Тем более необходимо было беречь всякий труд, обратившийся в общее тело государства.

«Нет ли птиц на просе? — с волнением вспоминал Петр Евсеевич.— Поклюют молодые зернышки, чем тогда кормиться населению?»

Петр Евсеевич поспешно удалялся на просяное поле и, действительно, заставал там питающихся птиц.

«И что же это делается, господи боже ты мой? Что ж тут цело будет, раз никакому добру покоя нет? Замучили меня эти стихии — то дожди, то жажда, то воробьи, то поезда останавливаются! Как государство-то живет против этого? А люди еще обижаются на страну: разве они граждане? Они потомки орды!»

Согнав птиц с проса, Петр Евсеевич замечал под ногами ослабевшего червя, не сумевшего уйти вслед за влагой в глубину земли.

«Этот еще тоже существует — почву гложет! — сердился Петр Евсеевич.— Без него ведь никак в государстве не обойдешься!» — и Петр Евсеевич давил червя насмерть: пусть он теперь живет в вечности, а не в истории человечества, здесь и так тесно.

В начале ночи Петр Евсеевич возвращался на свою квартиру. Воробьи тоже теперь угомонились и жрать на просо не придут; а за ночь зернышки в колосьях более созреют и окрепнут — завтра их выклевать будет уже трудней. С этим успокоительным размышлением Петр Евсеевич подъедал крошки утреннего завтрака и преклонял голову ко сну, но заснуть никак не мог; ему начинало что-нибудь чудиться и представляться; он прислушивался — и слышал движение мышей в кооперативах, а сторожа сидят в чайных и следят за действием радио, не доверяя ему от радости; где-нибудь в редко посещаемой степи кулаки сейчас гонятся за селькором, и одинокий государственный человек падает без сил от ударов толстой силы, подобно тому, как от неуравновешенной бури замертво ложится на полях хлеб жизни.

Но память милосердна — Петр Евсеевич вспомнил, что близ Урала или в Сибири — он читал в газете — начат возведением мощный завод сложных молотилок, и на этом воспоминании Петр Евсеевич потерял сознание.

А утром мимо его окон проходили на работу старики-кровельщики, нес материал на плече стекольщик, и кооперативная телега везла говядину; Петр Евсеевич сидел, как бы пригорюнившись, но сам наслаждался тишиной государства и манерами трудящихся людей. Вон пошел в потребительскую пекарню смирный, молчаливый старичишка Терморезов; он ежедневно покупает себе на завтрак булочку, а затем уходит трудиться в сарай Копромсоюза, где изготовляются веревки из пеньки для нужд крестьянства.

Разутая девочка тянула за веревку козла — пастись на задних дворах; лицо козла, с бородкой и желтыми глазами, походило на дьявола, однако его допускали есть траву на территории, значит, козел был тоже важен.

«Пускай и козел будет,— думал Петр Евсеевич.— Его можно числить младшим бычком».

Дверь в жилище отворилась, и явился знакомый крестьянин — Леонид из Козьмы.

— Здравствуй, Петр Евсеевич,— сказал Леонид.— Вчерашний день тебе бы у нас обождать, а ты поспешил на квартиру...

Петр Евсеевич озадачился и почувствовал испуг.

— А что такое вышло? А? Деревня-то цела, на месте? Я видел, как один нищий окурок бросал, не спалил ли он имущество?..

— От окурка-то деревня вполне сохранилась... А — только что ты вышел — с другого конца два воза едут, а сзади экипаж и в нем старик. Старик говорит: «Граждане, а не нужна ли вам глубокая вода?» Мы говорим: «Нужна, только достать ее у нас мочи нет». А старик сообщает: «Ладно, я — профессор от государства и вам достану воду из материнского пласта». Старик поночевал и уехал, а два техника с инструментом остались и начали почву щупать внутрь. Теперь мы, Петр Евсеевич, считай, будем с питьем. За это я тебе корчажку молока завез: если б не ты, мы либо рыли зря, либо не пивши сидели, а ты ходил и говорил: ждите движения государства, оно все предвидит. Так и вышло. Пей, Петр Евсеевич, за это наше молоко...

Петр Евсеевич сидел в разочаровании, он опять пропустил мимо себя живое государство и не заметил его чистого первоначального действия.

— Вот,— сказал он Леониду.— Вот оно приехало и выбыло. Из сухого места воду вам добудет, вот что значит оно!

— Кто же это такое? — тихо спросил Леонид.

— Кто! — отвлеченно произнес Петр Евсеевич.— Я сам не знаю кто, я только его обожаю в своем помышлении, потому что я и ты — лишь население. Теперь я все вижу, Леонид, и замру в надежде. Пускай птицы клюют просо, пускай сторожа в кооперативе на радио глядят, а мыши кушают добро,— государство внезапно грянет и туда, а нам надо жить и терпеть.

— Это верно, Петр Евсеевич, всегда до хорошего дотерпишься, когда ничего не трогаешь.

— Вот именно, Леонид! — согласился Петр Евсеевич.— Без государства ты бы молочка от коровы не пил.

— А куда ж оно делось бы? — озаботился Леонид.

— Кто же его знает куда! Может, и трава бы не росла.

— А что ж было бы?

— Почва, Леонид, главное дело — почва! А почва ведь и есть государственная территория, а территории тогда бы и не имелось! Где ж бы твоей траве поспеть было? В безвестном месте она не растет — ей требуется территория и землеустройство. В африканской Сахаре вон нету государства, и в Ледовитом океане нет, от этого там и не растет ничего: песок, жара да мертвые льды!

— Позор таким местам! — твердо ответил Леонид и сразу

смолк, а потом добавил обыкновенным человеческим голосом: — Приходи к нам, Петр Евсеевич, без тебя нам кого-то не хватает.

— Были бы вы строгими гражданами, тогда бы вам всего хватило,— сказал Петр Евсеевич.

Леонид вспомнил, что воды в Козьме еще нет, и напился из ведра Петра Евсеевича в запас желудка.

После отъезда крестьянина Петр Евсеевич попробовал подаренного молока и пошел ходить среди города. Он щупал на ходу кирпич домов, гладил заборы, а то, что недостижимо ощущению, благодарно созерцал. Быть может, люди, что творили эти кирпичи и заборы, уже умерли от старости и от истощения труда, но зато от их тела остались кирпичи и доски — предметы, которые составляют сумму и вещество государства. Петр Евсеевич давно открыл для своей радости, что государство — полезное дело погибшего, а также живущего, но трудящегося населения; без произведения государства население умирало бы бессмысленно.

В конце пути Петр Евсеевич нечаянно зашел на вокзал,— он не особо доверял железной дороге, слыша оттуда тревожные гудки паровозов. И сразу же Петр Евсеевич возмутился: в зале третьего класса один мальчик топил печку казенными дровами, несмотря на лето.

— Ты что, гадина, топливо жжешь? — спросил Петр Евсеевич. Мальчик не обиделся, он привык к своей жизни.

— Мне велели,— сказал он.— Я за это на станции ночую.

Петр Евсеевич не мог подумать, в чем тут дело, отчего летом требуется нагрев печей. Здесь сам мальчик помог Петру Евсеевичу рассеяться от недоразумения: на станции были залежи гнилых шпал. Чтобы их не вывозить, велено было сжечь в печках помещений, а тепло выпустить в двери.

— Дай мне, дядь, копейки две! — попросил после рассказа мальчик.

Просил он со стыдом, но без уважения к Петру Евсеевичу. Для Петра же Евсеевича дело было не в двух копейках, а в месте, которое занимал этот мальчик в государстве: необходим ли он? Такая мысль уже начинала мучить Петра Евсеевича. Мальчик неохотно сообщил ему, что в деревне у него живут мать и сестры-девки, а едят одну картошку. Мать ему сказала: «Поезжай куда-нибудь, может быть, ты себе жизнь где-нибудь найдешь. Что ж ты будешь с нами страдать,— я ведь тебя люблю». Она дала сыну кусок хлеба, который заняла на хуторах, а должно быть, врет — ходила побираться. Мальчик взял хлеб, вышел на разъезд и залез в пустой вагон. С тех пор он и ездит: был в Ленинграде, в Твери, в Москве и Торжке, а теперь — тут. Нигде ему не дают работы, говоря: в нем силы мало, и без него много круглых сирот.

— Что ж ты будешь делать теперь? — спрашивал его Петр Евсеевич.— Тебе надо жить и ожидать, пока государство на тебя оглянется.

— Ждать нельзя,— ответил мальчик.— Скоро зима настанет,

я боюсь тогда умереть. Летом и то помирают. Я в Лихославле видел,— один в ящик с сором лег спать и там умер.

— А к матери ты не хочешь ехать?

— Нет. Там есть нечего, сестер много,— они рябые, их мужики замуж не берут.

— Что ж им своевременно оспу не привили? Ведь фельдшера на казенный счет ее прививают?

— Не знаю,— сказал мальчик равнодушно.

— Ты вот не знаешь,— раздраженно заявил Петр Евсеевич,— а вот теперь о тебе заботься! Во всем виновато твое семейство: государство ведь бесплатно прививает оспу. Привили бы ее твоим сестрам, когда нужно было, и сестры бы замужем давно были, и тебе бы место дома нашлось! А раз вы не хотите жить по государству,— вот и ходите по железным дорогам. Сами вы во всем виноваты — так пойди матери и скажи! Какие же я тебе две копейки после этого дам? Никогда не дам! Надо, гражданин, оспу вовремя прививать, чтоб потом не шататься по путям и не ездить бесплатно в поездах!

Мальчик молчал. Петр Евсеевич оставил его одного, не жалея больше виноватого.

Дома он нашел повестку: явиться завтрашний день на биржу труда для очередной перерегистрации,— там Петр Евсеевич состоял безработным по союзу совторгслужащих и любил туда являться, чувствуя себя служащим государству в этом учреждении.

СЕМЕН

(Рассказ из старинного времени)

Семилетний ребенок весь долгий летний день своей жизни был занят работой: он заботился о двух братьях, еще более маленьких, чем он. Самую же меньшую сестру пока еще нянчила сама мать, и старший семилетний сын до некоторого времени как бы отдыхал от нее. Но он знал, что скоро и сестра будет отдана в его хозяйство, потому что у матери опять подымался живот, хотя она и говорила сыну, что это от еды. Отец и мать семилетнего Семена Пономарева были люди добрые, поэтому мать постоянно рожала детей; чуть откормив грудью одного, она уже починала другого.

— Пускай живут,— говорил отец, узнав, что жена опять понесла,— чего им там томиться?

— Папа, а где они там? — спрашивал Семен.— Они там мертвые?

— А то какие же? — говорил отец.— Раз с нами не живут, то мертвые.

— Они там мучаются? — узнавал Семен.

— Ты видишь, сюда все лезут — значит, мучаются,— сообщал отец.— С нами им плохо: ты уж большой — сам знаешь, а там еще хуже...

— У нас плохо,— говорила мать, засовывая хлебную жвачку в рот самой меньшей дочери.— Ох, плохо...

Отец глядел на мать кроткими, сильными глазами.

— Ничего. Пусть растут: не жить им — еще хуже.

Лишь года три-четыре после своего рождения Семен отдыхал и жил в младенчестве, потом ему стало некогда. Отец сам сделал тележку из корзины и железных колес, а мать велела Семену катать по двору маленького брата, пока она стряпает обед. Среди дня маленький брат спал, но вскоре просыпался и плакал,— тогда его приходилось опять возить по двору кругом — мимо сарая, нужника, калитки в сад, мимо флигеля, плетня, мимо ворот на улицу и снова к сараю. Затем, когда родился и подрос еще один брат Семена, он их сажал в тележку сразу двоих и тоже возил по двору кругом, пока не умаривался. Уморившись, он просил у матери хлеба в окно, и она ему давала кусок, а Семен снова усердно упирался руками в грядушку тележки и вез ее перед собой, забываясь в долгом путешествии среди соломинок, сора, камешков и редких травинок двора; он глядел на них вниз сонными глазами и шептался с ними о чем-то или думал в уме, что они тоже такие, как он, и нечего ему скучать, они ведь молчат и не скучают — ни соломинки, ни трава. Иногда Семен разговаривал со своими братьями в тележке, но они мало понимали его и любили плакать; если они плакали долго, то Семен их наказывал, давая каждому рукой по голове, но редко. Семен видел, что его братья — жалкие люди и, может быть, плачут от испуга, что их обратно прогонят туда, где они были мертвые, когда не рожались. «Пусть живут»,— соглашался Семен. Время от времени Семен спрашивал у матери в окно:

— Мама, пора?

— Нет, нет, катай их еще! — отвечала мать из комнаты.

Она там стряпала, кормила и качала последнюю девочку, стирала, штопала и чинила белье, мыла полы, бедные деньги берегла, как большие, сама дрова с девчонкой на руках ходила собирать около склада, где их мужики возили и роняли нечаянно с возов, а потом не подымали, чтоб легче было лошадям,— дрова чужие, а лошади свои.

Отец Семена работал кузнецом в кузнице около шоссейной дороги, которая шла до Москвы на тысячу верст и еще дальше. Отец дома только спал, а утром он просыпался раньше всех, брал краюшку хлеба и уходил. По вечерам же, зимой и летом, он приходил уже в темноте, редко заставая самого старшего сына Семена, когда тот еще не спал. Перед тем как лечь спать, отец обыкновенно лазал по полу на коленях между спящими детьми, укрывал их получше гунями, гладил каждого по голове и не мог выразить, что он их любит, что ему жалко их, он как бы просил у них прощения за бедную жизнь; потом отец ложился около матери, которая спала в один ряд с детьми тоже на полу, клал свои холодные, занемевшие ноги на ее теплые и засыпал.

Утром, проснувшись, дети начинали плакать — они хотели есть, пить, и, кроме того, им было странно и непривычно жить, в их теле что-нибудь постоянно болело, потому что там не произошло еще окостенения. Один Семен не плакал, он молча терпел свою нужду в пище и сначала заботился о братьях, а потом уже доедал с матерью, что оставалось от меньших детей, или то, что случайно испортилось и протухло, чтобы зря не выкидывать еду. Мать уже давно жила, она не могла сильно мучиться, когда хотела есть, но Семен тосковал до самого обеда. Катая братьев в тележке, он шел печальный, потому что в нем болело сердце от голода, он плакал и тихо скулил, чтобы забыться. Братья глядели на него из тележки и тоже начинали кричать от страха, раз их старший брат боится чего-то. Тогда Семен находил в выброшенной печной золе кусочки древесного угля или отламывал известку от стены флигеля и давал братьям; они принимались сосать и глотать уголь и от жадности переставали кричать. Семен же закатывал тележку с братьями за сарай, где между курником, плетнем и стеной сарая рос лопух, лежали жестянки и житейский мусор, а сам уходил на улицу. Там он ходил мимо чужих домов, ища глазами, что валяется на земле. Больше всего он любил находить огрызки яблок и морковь. Когда он находил их и ел, у него слабело сердце от радости, он сразу смеялся и бежал поскорее обратно к братьям, которые могли без него уползти из тележки неизвестно куда и навеки пропасть. Семен на бегу поднимал подол рубашки и смотрел на свой живот; ему казалось, что там живет кто-то отдельный от него, который то мучает его, то ласкает, но лучше б там не было никого совсем, лучше жить одному без горя.

Братья действительно самостоятельно выбирались из тележки,— один из них умел только ползать, а другой уже ходил понемногу. Который ходил, тот не мог далеко уйти — его били все встречные предметы — по лбу, по боку, в живот, и он вскоре сваливался от боли и плакал. Опасен был меньший брат, Петька, который ползал; он был еще весь мягкий, пухлый от младенчества, он полз медленно, и встречные предметы трогали его мало, поэтому он мог тихим ходом уползти в щели под плетнями и скрыться в траве и кустарнике на чужих дальних дворах или заснуть в собачьей будке.

Собрав братьев обратно в тележку, Семен опять их катал по земле, рассказывая им, какие на свете бывают дожди и молнии, какие башни стоят в городе, где живут богатые,— он уже много прожил и все видел; у него есть дом из железа на краю леса, он ходит туда ночью, чтобы жить там одному по-страшному, потому что он работает царем у волков. Братья слушали его со страхом и верой; младший, Петька, понимал мало, но все равно боялся. Сам Семен тоже слушал свои рассказы с интересом, и хотя у него не было по правде железного дома и он не служил по ночам царем у волков, но он был счастлив от своего воображения на самом деле. Открыв рты, забывая моргать глазами, братья глядели на Семена, как на высшего, ужасного человека; у них не было ничего, что нужно рассказывать, они и говорить умели лишь немного слов, поэтому, слушая, дети не помнили самих себя.

Но Семену вдруг становилось жалко двух своих братьев; в них не хватало даже ума, чтобы воображать себя хорошими, и они еще не успели научиться любить одну свою жизнь. Дети смотрели на старшего брата доверчиво и по-бедному, их глаза не выражали сладкой радости и выдуманной мысли или гордости,— для них было неважно, где происходит счастье — внутри их или снаружи, в другом человеке, лишь бы это было и они могли знать, чтобы не сомневаться.

— Я царем не работаю, я нарочно,— грустно говорил Семен.— Я бы тогда деньги или говядину домой приносил, а то у нас нужда в доме, всего мало...

— А ты воруй говядину и матери давай,— советовал второй после Семена, пятилетний Захар.— У мамы голова болит от горя, она мне говорила,— вспоминал Захар; он уже умел собирать щепки для растопки самовара и следил во время обеда, чтобы мать не обделила его куском — отцу надо побольше, чем ему, Семену чуть-чуть только побольше, а Петьке меньше всех, он еще не вырос и может объесться.

Однажды мать до обеда закричала Семену в окно, чтобы он шел скорее домой. У нее начались родовые муки, и она велела Семену сходить к Капишке — бабке-повитухе, чтоб она пришла. Семен враз привел старуху за руку, он ее знал и раньше. У Капишки был один только верхний зуб, этим зубом она прихватывала нижнюю губу, а то губа свешивалась вниз, и тогда открывалась темная пропать пустого рта. На ночь, на сон грядущий, Капишка подвязывала нижнюю челюсть тесемкой к темени, иначе рот ее разваливался во сне и туда набирались мухи, ища себе теплое место. Лицо Капишки давно уже стало походить на мужика, оно позеленело от старости и, должно быть, от злобы, а на верхней губе ее росли седые усики. Старуха была такая худая, что Семен слышал, когда вел ее за руку домой, как в ней что-то шуршало и поскрипывало, наверно, ее жилы терлись о кости.

Капишка взяла от матери и отдала Семену самую маленькую, ручную сестру-девчонку и велела ему долго не приходить домой. Семен посадил сестру в тележку меж двух братьев и сказал им, что мать опять рожает, теперь им еще хуже будет жить. Он увез детей за курник, где было тихое место, и там они все задремали, потому что прошел уже полдень, была пора обедать, а мать заболела. Семен покачал детей в тележке, чтоб они крепче заснули, а сам ушел домой и спрятался в сенях, во тьме. Он хотел услышать, как рожаются люди, отчего они живут, и дрожал от горя и страха. Мать в комнате то кричала, то стонала, то шептала чего-то. Капишка гремела посудой, раздирала материю в тряпки и хозяйствовала там, как на домашней ежедневной работе.

— А ты не плачь, не горюй, моя дочка! — сказала Капишка матери Семена.— Дай я к тебе рядом лягу, может — тебе полегчает!..

Капишка покряхтела немного, а потом в комнате стало тихо. Наверно, старуха легла рядом с матерью на перину, постеленную на пол. Слышно лишь было, как мать часто и трудно дышала, словно спеша переработать свое мученье.

— Тебе — трудно, а как же ему-то? — говорила Капишка.

— Кому, бабушка? — быстро, стараясь не заплакать от боли, спросила мать.

— А тому, кто рожается! — сказала Капишка.— В него ведь душа входит сейчас, в самую тесноту, в середину тельца, лезет к нему, все жилы жмет и натягивает... А ты что ж, отрожаешь, ухмыльнешься да опять почнешь,— чем тебе заниматься-то?..

— Я больше не буду рожать,— томясь, сказала мать.

— Нюжли ж не будешь? — произнесла старуха.— Аль так я тебе и поверила!.. И-их, дочка, рожать не будешь, замутнеешь, погниешь, заквокнешь вся — не вспомнишь, что жизнь прожила, злобой подернешься... Лучше уж мучиться, да знать, что живая живешь!

Мать опять застонала.

— Иль опять трудно? — сказала Капишка.— Ну, дуйся, дуйся, надувайся прилежней! Давай вместе, я тоже буду рожать! — Старуха начала кряхтеть и надуваться; она старалась в этом больше матери, ради того, чтоб утешить роженицу и хотя бы одной видимостью положить часть ее мук на себя.

Семен продрог от ожидания и грусти; из комнаты пахло чем-то кислым и словно желтым, мальчик сидел и боялся. Вдали, на дворе, за курником, сразу с чего-то закатилась криком младшая сестра Нюшка,— может быть, она упала из тележки вниз головой. Но крик сестры вдруг прекратился, как будто его и не было и он лишь почудился. Семен побежал туда, к детям, на проверку. На дне тележки спал один меньший Петька, а Захарка и Нюшка уже вылезли оттуда куда-то: это, наверно, Захар вытащил сестру, сама она не сумела бы оставить тележку. Семен огляделся и услышал, что Захарка говорит кому-то: «У, гадина такая, ты зачем рожалась!» Семен вошел в курник. Там в сумраке, под пустыми куриными насестами, Захарка сидел верхом на животе маленькой сестры и душил ее горло руками. Она лежала навзничь под ним и старалась дышать, помогая себе голыми ножками, которыми она скреблась по нечистой земле курника. Заплаканные глаза ее молча и уже почти равнодушно глядели в лицо Захарке, а пухлыми руками она упиралась в душащие ее руки брата. Семен дал сзади кулаком Захарке в правое скуло. Захарка свалился с сестры и ударился левым виском о плетневую горбушку в стене курника; он даже не заплакал, а сразу забылся от сильной боли в голове. Семен ударил его еще несколько раз по чем попало, но вскоре опомнился, перестал бить и сам заплакал. Сестра уже повеселела, она подползла к нему на четвереньках и ждала, пока старший брат обратит на нее внимание. Семен взял ее к себе на руки и, послюнявив одну свою ладонь, вытер ей заплаканные глаза, а потом отнес ее в тележку, побаюкал там, и сестра покорно, испуганно заснула рядом с меньшим братом.

Захарка самостоятельно вышел из курника; на левой щеке его засохла кровь, но он больше не обижался. «Ладно,— сказал он Семену,— я тебе, вырасту, все вспомню!» — и лег спать на землю около тележки, зная, что мать опять рожает и обед не готовила. Семен тоже лег в тени тележки и заснул, пока вечернее солнце не засветило ему в лицо.

Но есть время в жизни, когда невозможно избежать своего счастья. Это счастье происходит не от добра и не от других людей, а от силы растущего сердца, из глубины тела, согревающегося своим теплом и своим смыслом. Там, в человеке, иногда зарождается что-то самостоятельно, независимо от бедствия его судьбы и и против страдания,— это бессознательное настроение радости; но оно бывает обычно слабым и скоро угасает, когда человек опомнится и займется своей близкой нуждой. Семен часто просыпался нечаянно счастливым, потом одумывался и забывал, что ему жить хорошо.

Вечером пришел из кузницы отец и стал варить кулеш в чугунном горшке. Мать уже родила девчонку и спала от потери сил. Капишка дождалась кулешу, поела со всем семейством и стала говорить отцу, чтоб он ей дал денег, а то ей хочется жить дальше, но не на что. Отец дал ей сорок копеек, Капишка завязала их в уголок платка и пошла к себе на ночлег.

На другой день отец спозаранку ушел на работу, а мать не могла подняться. Поэтому Семен повел один целое хозяйство. Сначала он привез на тележке два ведра воды из бассейна, затем стал умывать, обряжать и кормить детей. Кроме того, надо было убрать комнату, сварить для матери жидкую кашу, купить хлеба и молока, глядеть за двумя братьями, чтобы они не скрылись куда-нибудь, не провалились в нужник и не сделали пожара.

Мать молча, слабыми глазами следила за Семеном, как он заботился и работал. Новорожденная девочка лежала при ней и уже сосала, кормилась из ее груди.

В полдень Семен напитал всех детей хлебом с молоком, а мать кашей, и дети легли спать. Семен стал уже думать, чем кормить семейство вечером, потому что за обед все поели, а запасов и остатков не было. Вымыв посуду, Семен пошел к домохозяину, чтобы попросить взаймы хлеба и пшена.

— Да ведь вы не отдадите небось! — сказал домохозяин; у него было десятин сорок земли, и он сдавал ее в аренду крестьянам, а сам ничего не делал, лежал на диване или на лежанке и читал крестовый календарь Гатцука. Семену давно хотелось попросить у домохозяина крестовый календарь и посмотреть в нем картинки, но он боялся.

— Мы отдадим,— сказал Семен.— Отец вот получку получит, а я принесу...

Домохозяин дал Семену хлеба фунта два и пшена в подол рубашки.

— Гляди, чтоб ваша саранча на дворе не гадила! — сказал хозяин.— Захарка сегодня в трех местах напачкал, ты убери пойди...

— Сейчас уберу пойду,— пообещал Семен.— Они ведь маленькие еще,   не понимают.

— А вот я, как увижу, дам ему чертоплешину по башке, он сразу поймет! — сказал хозяин.

— Бить их лучше не надо,— попросил Семен,— а то я ваш дом ночью подожгу!

— Ишь ты, сволочь какая!..— заговорил домохозяин, но Семен уже скрылся с хлебом и пшеном.

Летний детский день жизни шел долго и трудно, пока не напитались все птицы, воробьи и куры; когда они уже умолкли и стали дремать от пищи и усталости, тогда на небе появился сумрак и слышно стало, как вдалеке по шоссейной дороге уезжают телеги в деревню и стучат кузнецы в придорожных кузницах.

Мать и все дети в семействе Семена еще спали; он один сидел на сундуке и ожидал, когда проснется кто-нибудь,— он не привык жить один на свободе, в нем собиралась печаль, и сердце опять хотело заботы. Но глаза Семена начали слипаться, он прилег головой на сундук и, стараясь кое-что помнить, все позабыл и уснул.

Однако все матери спят мало, и мать Семена тоже вскоре открыла глаза.

— Семен! — сказала она.— Затопи печку, поставь чугун с водой, искупай ребятишек!..

Семен сразу вскочил со своего места на сундуке. Но мальчик еще не отдохнул, не согрелся во сне и теперь дрожал от слабости.

— Мне плохо,— говорила мать,— сходи за отцом, пусть он пораньше придет.

— Сейчас,— сказал Семен.— Мама, не рожай больше детей, я уморился.

— Я больше не буду,— ответила мать; она лежала навзничь на перине и еле дышала, истощенная рождением ребенка.

Новая дочка лежала около матери в глубоком сне и не понимала, что она уже живая. Семен с удивлением глядел на свою самую маленькую сестру: только что родилась, ничего еще не видела, а спит все время и просыпаться не хочет, как будто жизнь для нее была неинтересна.

— Семен, попробуй меня, какая я холодная,— произнесла мать.— Если я умру, ты выходи детей за меня, отцу ведь некогда, он хлеб нам добывает...

Семен прилег к матери и попробовал ее лоб — он был холодный и мокрый, а нос ее стал худой и глаза побелели.

— Все внутренности отвалились во мне, я как пустая лежу,— сказала мать.— Ты самый старший, ты береги своих братьев и сестер,— может, хоть они людьми вырастут...

Мать подержала голову Семена в своих руках и велела ему:

— Иди за отцом.

Семен сходил за отцом, но тот не смог сразу прийти, ему еще осталось ошиновать три колеса, и хозяин ждет работу. «Дотерпит, не помрет,— сказал хозяин кузницы про Семенову мать,— жены, они каждый месяц у нас помирать собираются!» Семен, вернувшись, развел на загнетке огонь под таганом и начал варить пшенный кулеш на ужин. Ребятишки уже проснулись,— Захарка встал около загнетки и подкладывал щепки в огонь, чтобы кулеш скорее и вкусней варился, а Петька подполз к матери и долго смотрел в ее лицо и водил по нему руками, точно проверяя, что мать еще цела, она только больная и плачет.

Отец вернулся из кузницы, как обычно, в темноте. Он поел, что оставил ему Семен от детей, и лег спать рядом с матерью. Семен еще не спал, он видел, как отец осторожно обнял мать и поцеловал ее в щеку; мать повернулась к отцу лицом, сжалась, как маленькая, тесно собирая свое коченеющее, опустевшее тело. Полежав немного, отец встал и пошел в чулан. Он принес оттуда старую большую дерюжку и покрыл ею все время стынущую мать. Новую девочку он переложил от матери к себе, потому что мать уже не могла бы ею заниматься, если она заплачет ночью. Семен всю ночь хотел не спать, боясь, что мать умрет или отец нечаянно задавит во сне младшую девочку, но глаза его сами закрылись, и он открыл их лишь утром, когда на него залез Захарка и ткнул ему пальцем в ухо.

Отец ходил по комнате, качая на руках плачущую новорожденную дочь. Мать по-прежнему лежала на полу на перине, покрытая одеялом, а сверху большой дерюгой. Она спряталась там с головой и не вставала.

Семен подошел к матери — посмотреть ее и спросить, что ему нужно делать с утра, чего стряпать ребятишкам и где занять денег до получки отца.

— Не надо ее открывать,— сказал отец Семену,— она под утро умерла. Ступай, сходи за Капишкой.

— Зачем за Капишкой? — спросил Семен.

— Пускай она у нас теперь живет,— говорил отец.— Будет хоть за детьми смотреть и обед готовить. Она старая женщина.

— На что нам Капишка! — произнес Семен.

— Старая жаба такая! — сказал Захарка.— Она жрать много будет, а нам самим мало!

Семен взял к себе новую сестру из рук отца. Петька и младшая сестра (теперь уже старшая) сидели на полу; они молча играли друг с другом в разный сор и лоскутки матери, делая из них себе вещи и богатство.

— А как же нам теперь жить! — сказал Семен и жалостно сморщил лицо; горе его медленной горячей волной подымалось от сердца к горлу, но еще не дошло до слез.— Чем же нам теперь грудную кормить, она ведь тоже умрет...

— Она еще маленькая,— говорил отец,— она не жила еще, не привыкла, не знает ничего. Придется ее с матерью вместе похоронить.

Семен укачал на своих руках плачущую новую девочку, она уснула и умолкла. Он положил ее временно на перину, к ногам матери.

— Папа, сколько стоит коза? — спросил Семен.

— Да, наверно, недорого, я не знаю,— ответил отец.

— Купи ее нам в получку,— попросил Семен.— Захарка будет в поле пасти ее ходить, а вечером я подою из нее молоко, вскипячу его, и мы сами, без матери, выкормим девочку. Я ей из соска буду давать,— купим сосок и на пузырек его наденем... Только скажи сам Захарке, чтоб он из козы в поле ничего не сосал, а то он любит выгадывать!

— Я не буду ничего сосать из козы твоей,— пообещал Захарка.— В ней молоко несладкое, мне давно мама давала.

Отец молчал. Он глядел на всех своих детей, на умершую жену, которая грелась около него всю ночь, но все равно не могла согреться и теперь окоченела,— и кузнец не знал, что ему подумать, чтобы стало легче на душе.

— Им мать нужна, а не коза,— произнес отец.— Ведь ты только, Семен, один старший, а они еще маленькие все...

Семен был сейчас в одной рубашке, потому что не успел надеть штанов с тех пор, как проснулся. Он поглядел вверх, на отца, и сказал ему:

— Давай я им буду матерью, больше некому.

Отец ничего не сказал своему старшему сыну. Тогда Семен взял с табуретки материно платье, капот и надел его на себя через голову. Платье оказалось длинным, но Семен оправил его на себе и сказал:

— Ничего, я его подрежу и подошью.

Умершая мать была худая, поэтому платье на Семена пришлось бы впору, если б оно не было длинным. Отец смотрел на старшего сына,— «восьмой год уже ему», подумал он.

Теперь, одетый в платье, с детским грустным лицом, Семен походил столько же на мальчика, сколько и на девочку,— одинаково. Если б он немного подрос, то его можно принять даже за девушку, а девушка — это все равно что женщина; это — почти мать.

— Захарка, ступай на двор, покатай в тележке Петьку с Нюшкой, чтоб они есть не просили,— сказал Семен в материнском капоте.— Я вас тогда позову. У нас дела много с отцом.

— Тебя ребята на улице девчонкой дразнить будут! — засмеялся Захар.— Ты дурочка теперь, а не мальчик!

Семен взял веник и стал мести пол вокруг перины, где лежала мать.

— Пускай дразнят,— ответил Семен Захарке,— им надоест дразнить, а я девочкой все равно привыкну быть... Ступай, не мешайся тут, бери детей в тележку, а то вот веником получишь!

Захарка позвал с собой Петьку, и он пополз за ним на двор, а Нюшку Захарка взял к себе на руки, еле справляясь с тяжестью сестры.

Отец стоял в стороне и понемногу, бесшумно плакал. Семен, прибрав комнату, подошел к отцу:

— Папа, давай сначала мать откроем, ее надо обмывать... А потом ты плакать будешь, и я буду, я тоже хочу — мы вместе!

НА ЗАРЕ ТУМАННОЙ ЮНОСТИ

I

Родители ее умерли от тифа в гражданскую войну в одну ночь. Ольге тогда было четырнадцать лет от роду, и она осталась одна, без родных и без помощи, в маленьком поселке при железнодорожной станции, где отец ее работал составителем поездов. После того, как отца и мать помогли похоронить соседи и знакомые, девочка жила еще несколько дней в пустой, выморочной квартире. Ольга вымыла полы в кухне и комнате, прибралась и села на табурет, не зная, что ей делать дальше и как теперь жить. Соседка-бабушка принесла девочке кулеш в чашке, чтобы сирота, бывшая худой и не по летам маленького роста, поела что-нибудь, и Ольга скушала все без остатка. А когда бабушка ушла, Оля начала стирать белье: рубашку матери и подштанники отца, что от них сохранилось из белья и верхней одежды. Вечером Ольга легла спать на койку, где спали всегда отец с матерью, когда они были живые и больные. Наутро она встала, умылась, прибрала постель, подмела комнату и сказала: «Опять надо жить!» — так часто говорила ее мать. Затем Ольга пошла в кухню и стала там хлопотать, точно она, подобно умершей матери, стряпала обед; стряпать было нечего, не было никаких продуктов, но Ольга все же поставила пустой горшок на загненку печки, взяла чаплю, оперлась на нее и, вздохнув, пригорюнилась около печи, как делала мать. Потом она перетерла и поставила в ящик стола всю посуду, посмотрела на часы, подтянула гирю к циферблату и подумала: «Не то отец вовремя придет с дежурства, не то запоздает? Если будет формироваться маршрут, то опоздает...» — так обычно думала мать Ольги, называя своего мужа отцом. Теперь девочка-сирота тоже думала и поступала подобно матери, и ей от этого было легче жить одной. Когда она делала вместо матери все дела по хозяйству, когда она повторяла ее слова, вздыхала от нужды и тихо томилась на кухне, девочка воображала, что мать ее еще жива в ней немного, она чувствовала ее вместе с собою.

Вечером Ольга зажгла лампу, в ней был на дне керосин, налитый когда-то отцом, и поставила огонь на подоконник. Так же делала и ее мать, когда ожидала отца в темное время. Отец, подходя к дому, еще издали кашлял и сморкался, чтобы жена и дочь слышали, что идет отец. Но теперь на улице было постоянно тихо; народ разошелся по сельским хлебным местам либо лежал в своих жилищах, слабый и болезненный, а в некоторых дворах вовсе вымер. Ольга все же дотемна ожидала отца или кого-нибудь, кто бы пришел к ней, но никто не вспомнил о сироте — ни бабушка-соседка, ни другие люди, потому что у них была своя боль и своя забота. Тогда она легла в кровать родителей и уснула одна.

Девочка пожила дома еще два дня, переночевала, а потом ушла на станцию. Далеко, в губернском городе на Волге, жила ее тетя; она приезжала два года тому назад гостить к матери и была в воображении Ольги богатой и доброй. Тетка была сестрой матери, она даже походила на нее лицом, и девочка хотела сейчас поскорее уехать к ней, чтобы жить около тетки и не скучать по матери. Болея перед смертью, мать говорила, что если Ольге суждено жить, то пусть она едет к тетке, чтобы не оставаться одной на свете; сестра матери и накормит сироту, и обошьет, и отдаст в учение. Теперь дочь вспомнила мать и послушалась ее.

На вокзале было пустынно; война с буржуями отошла в южную сторону. На железнодорожном пути против вокзальной платформы стоял один небольшой, старый паровоз и два пустых товарных вагона. Из будки паровоза на девочку глядел помощник машиниста; он помнил ее отца и мать и знал, что они скончались, поэтому позвал сироту на машину. Девочка влезла по трапу на паровоз; механик развязал красный платок с пищей и вынул оттуда четыре печеных картошки; затем он погрел их на котле, посыпал солью и дал Ольге две картошки, а две съел сам. Ольге захотелось, чтобы механик взял ее к себе домой, она бы стала у него жить и привыкла бы к нему. Но паровозный механик ничего не сказал девочке доброго, он только покормил ее и спрятал обратно свой пустой красный платок. Он сам был многодетный человек и не мог решить, сможет ли он прокормить лишний рот.

Ольга просидела на паровозе до вечерних сумерек, пока не подъехал к вокзалу длинный поезд с вагонами-теплушками, в которых находились красноармейцы.

— Я теперь пойду, мне к тетке ехать надо,— сказала Ольга механику.— Мне мать велела, когда она еще живая была.

— Раз надо, тогда езжай,— сказал ей механик.

Ольга сошла с паровоза и направилась к красноармейскому поезду. Все вагоны были открыты настежь, и почти все красноармейцы вышли наружу; некоторые из них ходили по вокзальной платформе и смотрели, что находится вокруг них — водонапорная башня, дома около станции и далее — простые хлебные поля. Четыре красноармейца несли суп в цинковых ведрах из станционной кухни; Ольга близко подошла к тем ведрам с супом и поглядела в них: оттуда пахло вкусным мясом и укропом, но это было для красноармейцев, потому что они ехали на войну и им надо быть сильными, а Ольге кушать этот суп не полагалось.

Около одного вагона стоял задумчивый красноармеец; он не спешил идти обедать и отдыхал от дороги и от войны.

— Дядя, можно я тоже с вами поеду? — попросилась Ольга.— Меня родная тетка ждет...

— А где она отсюда проживает? — спросил красноармеец.— Далече?

Ольга назвала город, и красноармеец согласился, что это — далеко, пешком не дойдешь, а с поездом завтра к утру, пожалуй, поспеешь туда.

В это время к вагону подошли два красноармейца с ведром супа, а позади них еще несколько красноармейцев несли в руках хлеб, махорку, кашу в кастрюле, мыло, спички и прочее довольствие.

— Вот тут девочка доехать до тетки просится,— сказал красноармеец своим подошедшим товарищам.— Надо бы взять ее, что ли.

— А чего нет — пускай едет! — сказал красноармеец, прибывший с двумя хлебами под мышками.— В невесты она не годится — мала, а в сестры — как раз...

Ольгу посадили в вагон, дали ей ложку и большой ломоть хлеба, и она села среди красноармейцев, чтобы есть общий суп из цинкового чистого ведра. Вскоре один красноармеец заметил, что ей неловко есть, сидя на полу, и он велел ей встать на колени — тогда она будет доставать ложкой погуще со дна, будет видеть, где плавает жир и где находится говядина.

После ужина поезд тронулся. Красноармейцы уложили Ольгу на верхнее помостье, потому что там было теплее и тише, а сверху укрыли ее двумя шинелями, чтобы она не продрогла от ночной или утренней прохлады.

II

Поздно утром красноармейцы разбудили Ольгу. Поезд стоял на большой станции; незнакомые паровозы чужими голосами гудели вдалеке, и солнце светило не с той стороны, с какой оно светило в поселке, где жила Ольга. Красноармейцы подарили Ольге половину печеного хлеба и ломоть сала и опустили ее, под руки, из вагона на землю.

— Тут твоя тетка живет,— сказали они.— Ступай к ней, учись и вырастай большая, в твое время хорошо будет жить.

— А я не знаю, где тетка живет,— произнесла Ольга снизу; она стояла теперь одна, в бедной юбочке, босая и с хлебом.

— Сыщешь,— ответил задумчивый красноармеец.— Люди укажут.

Но Ольга не уходила; ей хотелось остаться с красноармейцами в вагоне и ехать с ними, куда они едут. Она уже привыкла к ним немного, и ей хотелось каждый день есть суп с говядиной.

— Ну, иди помаленьку,— поторопили ее из вагона.

— А вы сказали, мне хорошо будет, а когда? — спросила она, боясь сразу уходить к тетке, неизвестно куда.

— Потерпи,— ответил ей прежний, задумчивый красноармеец.— Нам сейчас заботы много: белых надо покончить.

— Я потерплю,— согласилась Ольга.— А теперь до свидания, я к тетке пошла.

Тетку она отыскала лишь к самому вечеру. Она спрашивала всех встречных, у кого лица были добрее, но никто не знал, где ж..вет Татьяна Васильевна Благих. Хлеб у Ольги отобрал один прохожий человек, который попросил откусить один раз, но взял весь хлеб и ушел в сторону, сказав девочке, что хлебом спекулировать теперь воспрещается. Ольга съела поскорее все сало, которое дали ей красноармейцы, чтобы его никто больше не отнял, и вошла в один двор — попросить напиться. Пожилая женщина вынесла ей кружку воды и сказала, что больше подать нечего.

— А я не побираюсь, я к тетке приехала,— сказала Ольга.

— А кто ж твоя тетка-то? — с подозрением спросила дворовая женщина.

Ольга подробно назвала свою тетку; тогда женщина почему-то вздохнула и указала девочке, куда надо идти: направо в угол, и там будет третий дома по левой стороне с некрашеными ставнями, там и живут Благих, муж и жена, а детей у них нету.

— Нету? — спросила Ольга.

— Нету,— подтвердила женщина,— у этих людей дети рожаться не любят.

Ольга нашла небольшой деревянный дом с некрашеными ставнями, вошла во двор, заросший дикой травою, и постучала в запертые сени. Оттуда послышался недовольный, тихий голос, затем шаги, и дверь отворилась — она была закрыта на засов и щеколду, как на ночь. Босая, простоволосая тетка Татьяна Васильевна вышла к Ольге и осмотрела девочку. Ольга увидела перед собой тетку; она думала, что тетка была веселой и доброй, какой Ольга запомнила ее в детстве, когда Татьяна Васильевна жила в гостях у отца и матери, а теперь тетка глядела на девочку равнодушными глазами и не обрадовалась, что к ней приехала круглая сирота.

— Ты что сюда явилась? — спросила тетка.

— Мне мать велела,— произнесла Ольга.— Она ведь теперь умерла вместе с отцом, а я одна живу... Тетя, их больше нету!

Татьяна Васильевна подняла конец фартука и вытерла глаза.

— Наша родня вся недолговечная,— сказала она.— Я ведь тоже — только на вид здорова, а сама не жилица... И-их, нет, не жилица!

Ольга с удивлением смотрела на тетку,— теперь она казалась ей доброй, потому что грустила об умершей сестре и о самой себе.

— Живешь-живешь, и погоревать некогда,— вздохнула Татьяна Васильевна.— Ты ступай покуда посиди на улице,— указала она племяннице,— а то я сейчас полы только вымыла, уборку сделала, пустить тебя некуда...

— А я на дворе побуду, тут трава у вас растет,— сказала Ольга.

Но Татьяна Васильевна рассердилась:

— Нечего тебе на дворе тут делать! Здесь у нас куры ходят, они и так не несутся, а ты пугать их будешь — сидеть. А траву мы косим на корм кроликам, ходить по ней нельзя... Ступай по тропинке за ворота!

Ольга вышла на улицу; посередине ее лежали сложенные в штабель старые, ржавые рельсы, между ними уже много раз вырастала и умирала трава, и теперь она снова росла. Девочка села на эти рельсы,— они находились как раз против окон того дома, где жила тетка,— и стала ожидать, когда высохнут полы в комнатах у тетки, и тогда ее позовут и накормят.

Но прошли уже все прохожие, проехали крестьяне на телегах в свои деревни, и ломовые возчики, возившие пшено в мешках со станции, перестали ездить,— наступил вечер, и стало темно. У Ольги озябли голые ноги, она их поджала ближе к себе и задремала, сидя на стынущем рельсе. Затем, открыв глаза, она увидела, что в окнах тетки теперь горел свет, а на всей улице была страшная тихая ночь детства, населенная еле видимыми, неизвестными существами, от которых все люди спрятались домой и заперли двери на железо. Ольга побежала поскорее к тетке; калитка была закрыта, тогда девочка постучала в освещенное окно. Изнутри комнаты отдернули занавеску, и оттуда на Ольгу поглядело большое лицо пожилого человека, обросшего густой черной бородой; он быстро проглотил что-то, словно испугавшись, что к нему пришли отнимать пищу, и внимательно всмотрелся во тьму своими глазами, такими маленькими, что они казались кроткими, как бывает у животных. Позади этого человека был виден стол с ужином, и Татьяна Васильевна сейчас поспешно убирала хлеб и посуду со стола.

Ольга отошла от окна. Вскоре отворилась калитка, и оттуда выглянула тетка.

— Ты что стучишь? — спросила она.— А мы уж думали, ты давно ушла...

— Я уморилась ждать, когда вы позовете,— сказала Ольга.— Я боюсь одна на улице...

— Ну, иди уж,— позвала тетка.

В кухне и горнице у тетки было чисто, прибрано и покойно, и пахло хорошо, как у богатых. «Здесь я жить не буду,— подумала Ольга.— Тут нельзя: скажут — ты испачкаешь все». Муж Татьяны Васильевны, который смотрел на Ольгу через окно, опять ел за столом свой ужин.

— От своих детей бог избавил, зато нам их родня подсыпает,— вздохнула Татьяна Васильевна.— Вот тебе, Аркаша, племянница моя, она теперь круглая сирота: пои-корми ее, одевай и обувай!..

— Изволь радоваться! — равнодушно, точно про себя сказал муж Татьяны Васильевны.— Ну, дай ей поесть и пускай она сегодня переночует... А то отвечать еще за нее придется!

— А чего ж я ей постелю-то! — воскликнула тетка.— У нас

ведь нет ничего лишнего-то: ни белья, ни одеяла, ни наволочки чистой!

— Я так буду спать — на жестком, а покроюсь своим платьем,— согласилась Ольга.

— Пусть ночует,— указал жене дядя, Аркадий Михайлович.— А ты нынче не зверствуй, а то тебе Советская власть покажет!

Татьяна Васильевна сначала озадачилась, а потом пришла в озлобление:

— Чем же это она мне покажет-то?.. Советская-то власть, она что, она думает, что люди — это ангелы-товарищи,— а они возьмут нарожают детей, а сами помрут,— вот пусть она их и кормит, власть-то Советская!..

— Прокормит,— уверенно сказал муж тетки, жуя кашу с маслом из ложки.

— «Прокормит»! — передразнила Татьяна Васильевна своего мужа.— Кто их прокормит, если у них родители рожают без удержу! Уж я-то знаю, как трудно оборачиваться Советской власти, уж я-то ей сочувствую!..

— Меня кормить не надо, я спать хочу,— сказала Ольга; она села на сундук и отвернулась лицом от чашки с кашей, которая стояла на столе перед хозяином.

Муж тетки вытер свою ложку, положил ее около чашки и сказал сироте:

— Садись, доедай,— тут осталось.

Ольга села к столу и начала понемногу есть пшенную кашу, подгребая ее со дна чашки.

— Ну вот, а говорила, что тебя кормить не надо, ты спать хочешь,— произнесла тетка и поскорее положила на сундук подушку без наволочки, чтоб девочка ложилась спать.

— Я немножко,— ответила Ольга; она еще раз взяла половину ложки каши, затем начисто облизала ложку и аккуратно положила ее на стол.— Больше не буду,— сообщила она.

— Уже наелась? — добрым голосом спросила Татьяна Васильевна.

— Нет, я расхотела,— сказала Ольга.

— Ну, ложись теперь спать, отдыхай,— пригласила ее тетка на сундук.— А то мы свет сейчас потушим: чего зря керосину гореть!

Ольга улеглась на сундук, тихо сжалась всем телом, чтобы чувствовать себя теплее, и уснула на твердом дереве, как на мягкой постели, потому что у нее не было сейчас другого места на свете.

III

Утром дядя и тетка проснулись рано; дядя был железнодорожным машинистом и уезжал в очередную поездку на товарном поезде. Татьяна Васильевна собрала мужу сытные харчи в дорогу — кусок сала, хлеб, стакан пшена для горячей похлебки, четыре вареных яйца — и машинист надел теплый пиджак и шапку, чтобы не остудить голову на ветру.

— Так как же нам теперь жить-то? — шепотом спросила Татьяна Васильевна у мужа.

— А что? — сказал Аркадий Михайлович.

— Да, видишь, вон,— указала тетка на Ольгу,— лежит наше новое сокровище-то!

— Она — твоя родня,— ответил ей муж,— делай сама с нею что хочешь, а мне чтоб покой дома был.

После ухода мужа тетка села против спящей племянницы, подперла щеку рукой, пригорюнилась и тихо зашептала:

— Приехала, развалилась — у дяди с тетей ведь добра много: накормят, обуют, оденут и с приданым замуж отдадут!.. Принимайте, дескать, меня в подарок,— вот я босая, в одной юбчонке, голодная, немытая, сирота несчастная... Может, бог даст, вы скоро подохнете — дядя с тетей, так я тут хозяйкой и останусь: что́ вы горбом да трудом добыли, я враз в оборот пущу!.. Ну уж, милая, пускай черти кромешные тебя к себе заберут, а с моего добра я и пыль тебе стирать не позволю, и куском моим ты подавишься!.. Мужик целый день на работе, на ветру, на холоде, а я с утра до ночи не присяду, а тут на́ тебе, приехала на все готовое: любите, питайте меня... Ольга, чего ты все спишь-то? — вдруг громко позвала Татьяна Васильевна.— Ишь уморилась, подумаешь,— вставать давно пора! Мне из-за тебя ни за чего приниматься нельзя!..

Ольга лежала неподвижно, обратившись лицом к стене; она свернулась в маленькое тело, прижав колени почти к подбородку, сложив руки на животе и склонив голову, чтобы дышать себе на грудь и согревать ее; изношенное серое платье покрывало ее, но это платье уже было не по ней — она из него выросла, и его хватало лишь потому, что Ольга лежала тесно сжавшись; днем же почти до колен были обнажены худые ноги подростка, и руки покрывались обшлагами рукавов только до локтей.

— Ишь ты, разнежилась как! — раздражалась близ нее тетка.

— Я не сплю,— сказала Ольга.

— А что ж ты лежишь тогда, мне ведь горницу убирать пора!

— Я вас слушала,— отвечала девочка.

Тетка осерчала:

— Ты еще путем не выросла, а уж видать, что — ехидна!

Ольга встала и оправила на себе платье. Помолчав, Татьяна Васильевна сказала ей:

— Пойди умойся, потом я самовар поставлю. Небось кушать хочешь!

Ольга ничего не ответила; она не знала, что нужно сейчас думать и как ей быть.

За чаем тетка дала Ольге немного черных сухарей и половину вареного яйца, а другую половину съела сама. Поев, что ей дали,

Ольга собрала со скатерти еще крошки от сухарей и высыпала их себе в рот.

— Иль ты не сыта еще? — спросила тетка.— Тебя теперь и не прокормишь!.. Уйдешь из дому, а ты начнешь по шкафам крошки собирать да по горшкам лазить... А мне сейчас как раз на базар надо идти, как же я тебя одну-то во всем доме оставлю?

— Я сейчас пойду, я у вас не останусь,— ответила ей Ольга.

Тетка довольно улыбнулась.

— Что ж, иди,— значит, тебе есть куда идти... А когда соскучишься, в гости будешь к нам приходить. Так-то будет лучше.

— Когда соскучусь, тогда приду,— пообещала Ольга и ушла.

На улице было утро, с неба светило теплое солнце; скоро будет уже осень, но она еще не наступила, только листья на деревьях стали старыми. Ольга пошла мимо домов по чужому, большому городу, но смотрела она на все незнакомые места и предметы без желаний, потому что она чувствовала сейчас горе от своей тетки, и это горе в ней превратилось не в обиду или ожесточение, а в равнодушие; ей стало теперь неинтересно видеть что-либо новое, точно вся жизнь перед ней вдруг омертвела. Она двигалась вперед вместе с разными прохожими людьми и, что видела вокруг, тотчас забывала. На одном желтом доме висели объявления и плакаты, люди стояли и читали их. Ольга тоже прочитала, что́ там было написано. Там писалось о том, куда требуются рабочие и на какой разряд оплаты по семиразрядной тарифной сетке; затем объявлялось, что в университет принимаются слушатели с предоставлением стипендии и общежития. Ольга пошла в университет,— она хотела жить в общежитии и учиться; она уже четыре зимы ходила в школу, когда жила при родителях.

В канцелярии университета никого не было, все ушли в столовую, но сидел на стуле один сторож-старик и ел хлебную тюрю из жестяной кружки, выбирая оттуда пальцами моченые кусочки хлеба. Он сказал Ольге, что ее по малолетству и несознательности сейчас в университет не примут, пусть она сначала поучится добру в низшей школе.

— Я хочу жить в общежитии,— проговорила Ольга.

— Чего хорошего! — ответил ей старик.— Живи с родными, там тебе милее будет.

— Дедушка, дай мне тюрю доесть,— попросила Ольга.— У тебя ее немножко осталось, ты ей все равно не наешься, а моченки ты уже все повытащил...

Старик отдал свою кружку сироте.

— Похлебай: ты еще маленькая, тебе хватит, может — наешься... А ты чья сама-то будешь?

Ольга начала есть тюрю и ответила:

— Я ничья, я сама себе своя.

— Ишь ты, сама себе своя какая! — произнес старик.— А тюрю мою зачем ешь? Харчилась бы сама своим добром, жила бы в чистом поле...

Ольга отдала кружку обратно старику:

— Доедай сам, тут еще осталось... Меня в люди не принимают!

IV

Служащие канцелярии, пришедшие из столовой, приняли в Ольге участие. Заведующий написал письмо на курсы подготовки младших железнодорожных агентов с просьбой принять осиротевшую дочь рабочего на эти курсы и обеспечить ее всем необходимым для жизни. Сторож-старик проводил вечером Ольгу по адресу, и комендант курсов пока что отвел для Ольги место в общежитии — койку и шкаф — рядом с другой такой же койкой в маленькой выбеленной комнате; далее по коридору было еще много комнат, где жили учащиеся. Комендант велел Ольге на завтрашний день с утра, когда придет заведующий курсами, оформить свое поступление посредством заполнения анкеты.

Несколько дней Ольга привыкала к подругам по общежитию и к своей новой жизни, а потом почувствовала, что ей здесь хорошо. Утром и вечером она училась в подготовительном классе, который находился при курсах, а среди дня был перерыв на обед и на отдых. Узнав, что Ольга нуждается и не может платить в столовой за пищу, заведующий велел выдать новой учащейся стипендию за полмесяца вперед, а также башмаки, белье, нитки, две пары чулок, верхнюю куртку и прочее, что полагалось по норме.

Грусть и тревога перед жизнью, вызванные в Ольге смертью родителей, ночлегом у тетки и сознанием, что все люди обходятся без нее и она никому не нужна,— теперь в ней прекратились. Ольга понимала, что она теперь дорога и любима, потому что ей давали одежду, деньги и пропитание, точно родители ее воскресли и она опять жила у них в доме. Значит, все люди, вся Советская власть считают ее необходимой для себя, и без нее им будет хуже.

И Ольга училась с прилежным усердием, чувствуя в себе спокойное, счастливое сердце, лишь иногда оно томилось в ней неутешимым воспоминанием об отце и матери, и девочка хотела, чтобы ее снова любил кто-нибудь,— отдельный человек, подобно отцу или матери, а не все люди, которые сейчас ее кормят и учат, но которых она хорошо не знает.

Просыпаясь по ночам, Ольга забывала, что она лежит в общежитии, ей казалось, что рядом с нею спят в сумраке на своей старой кровати мать и отец, что слышатся свистки маневрового паровоза со станции и брешут собаки вдалеке, охраняя добро своих хозяев, сложенное в дворовых закутах. Но глаза ее понемногу привыкли к сумраку, и девочка видела спящую подругу-соседку, пятнадцатилетнюю Лизу. Подруга всегда спала кротко, тихо дыша спокойным телом; ей, может быть, снилось ее девичье предчувствие — будущая счастливая жизнь; из-за толстых стен большого здания слышался долгий городской гул, всегда как будто удаляющийся, но возникающий вновь из ночного труда и движения людей.

В классе Ольга сидела рядом с Лизой, которая тоже была наполовину сиротой: ее отца убили в империалистическую войну, а мать, нестарая женщина, вышла замуж за заведующего столовой и, не заботясь более о своей дочери, предалась шумной, сытой жизни и какой-то общественной деятельности. Но перед Лизой открылись другие близкие люди: утратив мать, она нашла подруг в общежитии, узнала, кто такой Ленин, что такое революция,— и печаль нужды и сиротства оставила ее сердце, которое дотоле было бедным и несчастным, потому что она чувствовала жизнь лишь как необходимость терпеть голод и тоску вдвоем с матерью, в одиночестве своей комнаты, около печки-лежанки, где они спали и изредка готовили пищу, когда доставали пшена и щепок. Затем мать ушла к мужу и забывала приносить дочери хлеб...

Подруги, общежитие, обучение наукам, кружки самодеятельности, питание всем готовым в столовой — это было не то, что домашнее уныние и непрерывная забота о хлебе, утомляющая детскую душу.

Ольга вначале не понимала, за что ее здесь кормят и позволяют жить в чистоте и тепле, почему здесь не нужно вдобавок к учению работать, а нужно только думать, учиться, слушать музыку, когда играют по вечерам в клубе на гармонии, и читать книги, описывающие всю жизнь. И Ольга боялась, что ее прогонят из школы и общежития, потому что ее пока ведь не за что любить, кормить и доверчиво тратить на нее добро народа. И хотя она не пугалась нужды и ночлега в неприютных местах, но ей было жалко лишиться этой счастливой и веселой жизни в общежитии, чувства свободы и сознания своего значения, которое она приобретала из книг и от учителей на курсах; ей уже не хотелось теперь жить как прежде, со спрятанным, тихим сердцем,— она хотела чувствовать все, что ей раньше было незнакомо.

На вечере в честь годовщины Октябрьской революции Ольга впервые в жизни долго слушала музыку на рояле, привезенном из Дворца труда, и она заплакала, оттого что это было хорошо, оттого что жизнь не может быть скучна и обыкновенна, она должна быть волшебной, похожей на истинное предчувствие ее, которое существует в детском или юношеском сердце.

Ольга спросила у Лизы, которая была рядом с ней на стуле:

— Лиза, нас не прогонят отсюда домой? У меня ведь дома больше нет! Кто это все делает для нас?

— Это Ленин,— сказала Лиза.— Он нас никогда не тронет!

— А почему? — спросила Ольга.

Лиза удивилась:

— Почему?.. А потому, что он нас тоже любит, мы будущие люди, мы будем коммунизмом... Без нас всем станет плохо.

Ольга задумалась, она не поняла Лизу.

— А как же он будет — коммунизм? Надо ведь стараться!

— Ленин знает, как будет все! — легко ответила Лиза.

Ольга посмотрела на портрет Ленина. «Он уже старый,— подумала она,— как мой отец; мы много хлеба едим и одежду скоро носим, а вчера на курсы пять возов дров привезли,— нам надо скорее учиться и вырастать, чтоб самим работать». Она была мала ростом и несильная в теле, и сама это знала. «Как бы не помереть,— еще озаботилась она.— Недавно тиф и грипп ходили, а то на нас Ленин потратит последнее, а мы вдруг помрем от болезни и ничего не сделаем, и даже его никогда не увидим».

Ночью, укрывшись с головой, Ольга начала думать о своей и всеобщей жизни; она представила себе Ленина, как живого, главного отца для себя и для всех бедных, хороших людей,— и от этой мысли она почувствовала ясное, верное счастье в своем сердце, как будто вся смутная земля стала освещенной и чистой перед нею, и жалкий страх ее утратить хлеб и жилище прошел, потому что разве Ленин может ее обидеть или оставить опять одну, без надежды и без родства на свете?.. Ольга любила правильное устройство мира, чтобы все было в нем уместно и понятно,— так было ей лучше думать о нем и счастливее жить.

V

Ослабленным и худым учащимся в столовой давали обыкновенно добавок к обеду, если они его просили,— по второй тарелке супу или каши. В первое время ученья Ольга тоже часто брала себе добавок, чтобы сытнее наедаться, но теперь она перестала требовать добавки и с неудовольствием смотрела на Лизу, которая всегда съедала двойную порцию второго блюда. Ольга жалела общую пищу республики, чтобы осталось больше хлеба для красноармейцев и рабочих,— для всех, кто сейчас нужнее, чем она.

Но через несколько месяцев, к весне, столовой вдруг вовсе перестали выдавать продукты, а всем учащимся курсантам задержали выдачу стипендий. После оказалось, что в этом деле были повинны белые офицеры, служившие в губпродкоме и финотделе, и те, кто им доверил советскую службу.

Лиза, не поев всего два дня, на третий день заплакала, а Ольга не стала плакать. Ольга с утра пошла на третий этаж дома, где жили разные вольные жильцы, и попросила у хозяек работы по домашнему хозяйству,— уроки в этот день она пропустила. Но хозяйки из экономии всюду управлялись сами, и лишь в одной квартире полная женщина, Полина Эдуардовна, велела Ольге вымыть полы, потому что ей самой было трудно нагибаться от излишней полноты тела. За эту работу Ольга получила фунт хлеба, два куска сахару и еще немного денег.

Вернувшись в общежитие, Ольга подождала Лизу, когда окончатся дневные уроки, и разделила с ней пополам хлеб и сахар. Лиза скушала свою долю, но не наелась и опять стала печальной от голода.

— Скажи мне, какие были сегодня уроки? — спросила у нее Ольга.

— Сегодня были неинтересные уроки! — ответила Лиза. Ольга нахмурилась.

— Ты учись теперь за себя и за меня, пока нам стипендию не отдадут,— сказала она.— А я буду тебя кормить и у тебя уроки записывать, а по вечерам стану их готовить...

Лиза спросила:

— А что ты будешь делать?

— Полы пойду у людей помою, за детьми посмотрю,— делов везде много,— грустно сказала Ольга.— А ты учись, я тебя одна прокормлю.

— Я есть хочу,— произнесла Лиза.— Я не наелась твоим хлебом и куском сахара.

— Я тебе сейчас еще хлеба принесу,— пообещала Ольга и ушла из комнаты.

Она отправилась к тетке, но побоялась пойти к ней сразу и села на рельсы, лежавшие на улице против окон теткиного дома. Старые рельсы, неизвестно чьи, находились на прежнем месте, и Ольга с улыбкой встречи и знакомства погладила их рукой. Она сидела долго и видела, что тетка два раза глядела на нее в окно, но тем более ей трудно было пойти в дом родных, хотя Ольга уже давно озябла на зимнем холоде.

Вечером Татьяна Васильевна вышла за калитку и позвала племянницу:

— Иди уж, чего сидишь!.. Потрескай моего кулешу...

Ольга вошла в дом и съела кулеш из жестяной чашки, которую подала ей тетка; Аркадия Михайловича дома не было, но Татьяна Васильевна торопила, чтоб Ольга ела скорее, потому что тетке надо было уходить, и она из-за спешки даже забыла дать сироте хлеба, из-за которого Ольга и пришла к тетке, с тем чтобы унести хлеб Лизе.

Накормив племянницу кулешом без хлеба, Татьяна Васильевна неожиданно сказала:

— Посиди еще, мне рано уходить,— и вдруг вытерла фартуком глаза, где не было слез или их было очень мало.

Затем тетка рассказала Ольге, что ей сейчас надо идти в железнодорожную столовую: муж ее, Аркадий Михайлович, теперь всегда, как сменится, то умывается прямо из паровоза и потом идет в столовую, где он спознался, на старости лет, с одной официанткой-подавалкой, Маруськой Вихревой, и ей надо пойти туда, чтобы дознаться про эту измену...

— Тетя,— обратилась Ольга,— дайте мне кусочек хлеба побольше.

Тетка молча поглядела на сироту и еще некоторое время подумала.

— Ну да бери уж,— произнесла тетка в раздражении от гибели всей своей жизни.— Все одно, жить теперь мне — не судьба... Горькая моя головушка!

Татьяна Васильевна заплакала и запричитала по самой себе, затем по мужу и по своему опустевшему дому, а Ольга самостоятельно открыла шкаф, где хранились продукты, и взяла оттуда ковригу печеного хлеба. Тетка глядела на нее, но ничего не говорила, только когда Ольга разрезала ковригу пополам и половину хлеба взяла на руки, Татьяна Васильевна вскрикнула и еще сильнее заплакала.

— Вот моей и жизни конец! — тихо сказала она.— Кого мне теперь кормить, кого питать, кого в доме ожидать!..

Ольга пообещала вскоре еще навестить родную тетку и попрощалась с нею; она спешила.

— Приходи хоть ты-то ко мне! — попросила ее Татьяна Васильевна.— Уж ты видишь, какая я стала,— совсем на человека не похожа...

В общежитии Ольга застала Лизу; она уже вернулась с вечерних занятий, не досидев одного урока. Ольга отдала ей хлеб и велела есть, а сама начала заниматься далее по пройденным сегодня предметам, чтобы не отстать. Лиза жевала хлеб и говорила подруге, чтó сегодня было в классе, но она сама плохо усвоила уроки и не могла объяснить, что такое периодическое число.

— Надо стараться,— сказала ей Ольга.— Чего ты уроки не досиживаешь? А когда сидишь — о чем думаешь? Эх ты, горькая твоя головушка!

— Тебе какое дело! — обиделась Лиза.— Чего мы завтра будем есть? — вздохнула она.

— Что сегодня, то и завтра,— ответила Ольга.— Я достану. Не надо было говорить, что мы будущие люди, когда ты ото всего умереть боишься и периодического числа не запомнила... Это прошедшие, буржуазные люди такие были — вздыхали и боялись, а сами жили по сорок и пятьдесят лет... Нам надо остаться целыми, нас Ленин любит!

Лиза перестала есть хлеб и сказала:

— Я больше не буду, давай уроки вместе делать, у меня в животе щипало, есть хотелось.

— Что у тебя, кроме живота, ничего нету, что ли? — рассердилась Ольга.— У тебя сознание должно где-нибудь быть!

Подруги сели делать уроки к общему столику, и долго еще светил свет на две их задумчивые склонившиеся головы, в которых работал сейчас человеческий разум, питаемый кровью из сердца. Но вскоре они нечаянно задремали и, встрепенувшись на мгновение, улыбнулись и легли на свои кровати в безмолвном детском сне.

Наутро Ольга снова пошла работать по людям, чтобы кормить себя и Лизу, а Лиза должна учиться пока одна за них обеих.

Ольге пришлось наняться приходящей нянькой к одному человеку, рано потерявшему жену,— другой домашней работы нигде не было. Ребенку было всего полтора года, звали его Юшкой, и Ольга должна находиться с ним в комнате по девять и десять часов в день, пока отец Юшки не возвращался под вечер с завода;

за эту работу Ольга должна получать с хозяина стол и зарплату по тарифу работников Нарпита.

Ольга полюбила Юшку; это был мальчик с большой головой, темноволосый, с серыми чистыми глазами, внимательно и добродушно наблюдавшими все явления и происшествия в комнате; он обычно не плакал и терпел без раздражения и обиды свои младенческие невзгоды. Ольгу привлекла в ребенке одна его особенность: взяв сначала, он отдавал обратно ей все, что она ему дарила, и прибавлял к тому еще что-нибудь лишнее, что у него бывало под руками — в люльке или на полу, где он играл и ползал. Если Ольга давала ему старую погремушку, то мальчик дарил ей в ответ деревянную бочку, которой он играл до того, и норовил еще отдать и соску с пузырьком или прочую обиходную для него вещь. Когда Ольга кормила Юшку кашей, он ел с охотой в том случае, если нянька тоже ест с ним — одну ложку ей в рот, а другую ему, и так по очереди,— иначе ребенок есть не хотел. Не отвыкнув еще, вероятно, от матери и думая, что Ольга — это та же мать, возвратившаяся к нему с прежней любовью, Юшка шарил у няньки руками около груди и жалобно глядел на Ольгу. Нянька отводила ему ручки, отучала его, но Юшка не верил и льнул к материнскому молоку, которого он, должно быть, не успел насосаться; тогда Ольга однажды не вытерпела просьбы ребенка и дала ему в рот одну грудь, хотя это было ей трудно, потому что грудь ее была еще в зачатке и очень мала. Но Юшка, не получая из груди никакого питания, жадно чмокал губами и остался затем все же удовлетворенным, точно он действительно наелся. Обхватив руку Ольги, Юшка вскоре заснул от своего счастья, забытого и возвращенного ему. Отплатить своей няньке за это счастье он пока еще ничем не мог.

Ровно месяц прожила Ольга в няньках, нося каждый вечер пищу Лизе из своей доли, а потом нужда в работе миновала: курсантам выплатили полностью всю задолженность по стипендии и в столовую начали возить продукты. Но Ольга уже не могла оставить Юшку одного без помощи; почти ежедневно она видела его, навещая ребенка в обеденный перерыв между уроками или вечером после занятий.

У Юшки уже была другая нянька, старуха, но Юшка признавал Ольгу выше, любимей старухи и всегда тянулся к ней, норовя найти у нее грудь, и Ольга втайне, если старуха копалась в стороне и не видела их, давала Юшке сосать свою сухую девичью грудь.

Отец Юшки, тридцатилетний механик-дизелист, молча глядел на Ольгу, когда она нянчила и ласкала ребенка при нем, и шептал про себя: «Как жаль, как жаль!» Ему было жалко, что Ольга никогда не сможет быть для Юшки приемной матерью, и он, отвернувшись от сына и Ольги, глядел в окно и видел, что оно становится смутным, потому что у него застилались глаза несдержанными слезами.

Ольге не понравилась новая нянька-старуха: она могла теперь

доверить Юшку лишь с большой разборчивостью; поэтому Ольга отыскала детские ясли и уговорила отца устроить туда Юшку. Отец вначале колебался,— он не верил, что государственные няньки, члены профсоюзов, получающие зарплату по тарифной сетке, могут заменить детям матерей, но Ольга возразила ему тем, что она тоже государственная, советская нянька и тоже получала у него зарплату по тарифу. Отец тогда подумал и согласился носить Юшку в детские ясли.

VI

Через три года, по окончании курсов, Ольгу и Лизу направили на железнодорожную линию на практику. Перед отъездом Ольга попрощалась с Юшкой и заплакала над ним. Подросший мальчик уже давно привык называть Ольгу мамой; он обнял ее и долго не отпускал от себя, пока им не пришло время расставаться...

Ольге в ту пору стало семнадцать лет, а Лизе восемнадцать. Их отправили, как подруг, вместе, чтобы они не скучали и лучше работали.

Им назначили проходить практику на маленькой станции Серьга, невдалеке от города, где они учились. Здесь они должны были работать конторщиками, весовщиками, подменять дежурного по станции и даже научиться управлять маневровым паровозом.

Стояло лето, жилого поселка вблизи станции не было, поэтому начальник станции поселил курсанток в оборудованный для перевозки войск товарный вагон, поданный в дальний тупик.

Сначала подруги захотели пройти практику на станционном паровозе, с чем согласился начальник станции,— они целые долгие летние дни дежурили на старом паровозе серии «О-в». Машинист, пожилой человек, ушел в отпуск, его заменял теперь помощник Иван Подметко, молчаливый парень тридцати с лишним лет, а Ольга и Лиза вдвоем служили ему помощниками. Подметко стал учить девушек своим способом — как не надо на машине работать.

— Видишь, паровоз у меня сейчас не стронется с места, а пар я открою,— говорил Подметко. Он открывал регулятор, но машина не шла.

Ольге и Лизе нужно было догадываться, отчего это происходило.

— Отсечка мала, поверни реверс! — догадывалась Ольга.

— Ну, верно,— ухмылялся Подметко.— А вот если я сейчас разгоню машину вперед, а потом как шарахну реверсом назад, а регулятор оставлю на всем открытии,— предлагал Подметко,— то что у меня тогда получится?

— Если ты продувных кранов не откроешь, крышки цилиндров порвешь, либо поршневой шток согнешь, либо дышла искалечишь,— сообщала ему Ольга.

— Всякой дурочке понятно,— соглашался Подметко.— А котел вы можете сжечь? Я вас научу... Ну, это после, а сейчас ступайте всю машину оботрите, чтоб блестела, и сами потом умойтесь,— что вы чумазые, как чумички, сидите на паровозе: грязь — ведь это лишнее трение и смерть!.. Смотрите на меня — и думайте!

После трех месяцев работы на паровозе Лиза стала работать в конторе у начальника станции — изучать искусство движения поездов по графику, а Ольга была направлена в пакгауз — в помощники к весовщику; она хотела в точности знать дело грузовых операций, главную работу железных дорог.

Поздней осенью практические занятия обеих курсанток кончились: они должны были теперь возвратиться обратно на курсы, сдать экзамены и получить назначение на постоянную, обыкновенную службу. Едва ли их назначат вместе, и подругам предстояла разлука. Они часто сидели по вечерам в своем жилом вагоне, свесив ноги наружу, и говорили о великой жизни, которая их ожидает впереди. Перед ними была смутная степь, холодеющая в ночи,— большая, грустная, но добрая и волшебная, как будущее время, ожидающее юность. У подруг заходилось сердце от предчувствия и воображения, и они обнимали друг друга, полные доверчивости.

Незадолго до отъезда навсегда со станции Серьга Ольга однажды проснулась на утренней заре. Лиза крепко спала рядом с нею, укутавшись с головой в серое железнодорожное одеяло, взятое из спального вагона. В воинской теплушке было привычно тепло и тихо, подруги успели обжить ее за длинное лето. И это их темное, тихое жилище начал заполнять далекий, тревожный, рвущийся вихрем скорости и ветра гудок паровоза. Тогда Ольга сообразила, отчего она проснулась: паровоз, наверно, кричал еще раньше, во время ее сна. Она сразу вскочила с места и побудила Лизу:

— Вставай... У него тормоза не держат!

Ольга схватила свою одежду с табуретки и оделась. Паровоз опять запел, приближаясь издалека. Ольга прислушалась к словам машины.

«Нет,— задумалась она.— Он говорит о том, что у него состав оборван...»

Она раскатила дверь, выпрыгнула из вагона и побежала к станции; Лизу ей ожидать уже было некогда, пусть она спит одна на заре и не раскрывает на себе одеяло.

Против вокзального здания на третьем пути стоял одинокий паровоз; он был единственным на станции, и больше ничего не было вокруг него, кроме здания вокзала; и степь тоже была сейчас светлой и пустой. Из паровоза глядели в направлении приближающегося поезда два человека — пожилой машинист и его помощник Иван Подметко; они ожидали, что случится, когда оборван состав поездного маршрута; по правилу все поездные маршруты миновали станцию Серьгу с ходу, без остановки, как и все пассажирские поезда, кроме почтовых.

В минувшую ночь на станции дежурил сам начальник станции. Он стоял сейчас на платформе и, сняв фуражку, вслушивался в сигналы приближающегося поезда, идущего с затяжного уклона.

Ольга подбежала к нему:

— Вы слышите — у него состав оборван!

— Я слышу,— недовольно ответил начальник станции, и вдруг он опечалился и рассерчал, как пожилой, уставший человек.— Ну отчего все эти происшествия обязательно случаются в мое дежурство? Неужели мне покоя не полагается?..

Ольга ему не ответила; она глядела в сторону набегающей катастрофы; оробевший начальник станции поглядел туда же.

Вдали, на прямой, был виден путь, поднимавшийся от станции в крутой и долгий подъем, и оттуда, с затяжного уклона, шел грудью вперед паровоз — с открытым полным паром, на всей отсечке.

Тот паровоз время от времени тревожно пел, то сигналя об обрыве, то прося сквозного прохода.

Начальник станции внимательно посмотрел на Ольгу.

— Ведь это же воинский состав оборван!.. Надо поскорее принимать какое-либо решение!

Ольга попросила его:

— Командуйте!

— Сейчас,— в тревоге и поспешности сказал начальник,— сейчас мысль ко мне придет!

— Долго,— говорила Ольга.— Не надо, я сама знаю...

Она сошла с платформы вниз, перебежала пути, достигла маневрового паровоза и ухватилась за поручень трапа, ведущего в кабину машины. Затем она обернулась к начальнику станции:

— Предупредите соседнюю станцию, дайте сквозной проход! — и вбежала на тихо сипящий, мирный паровоз.

Выходной семафор со станции был закрыт. Начальник станции взглянул на него и исчез с платформы вокзала.

— Сифон! — сразу сказала Ольга, войдя на паровоз.— Что же вы тут смотрите, сидите?

Иван Подметко молча повернул кран сифона, открыл дверцу в топку и начал кидать туда уголь полной лопатой. Пламя не поспевало высасываться тягой вон в атмосферу и забивалось длинными красно-черными языками внутрь паровозной будки через открытую шуровку.

— Поедешь со мной? — спросила Ольга у пожилого, спокойного машиниста, хозяина машины.

Механик ответил не враз: он подумал, потрогал гущу волос на подбородке и произнес:

— Уклон велик: расшибемся... Ведь и за Серьгой продолжается уклон к Волге,— тут только на станции одна маленькая площадка. А у меня семейство большое...

Выходной семафор открыл начальник станции. Паровоз воинского поезда пропел совсем близко. Ольга сказала механику:

— Ну, нам надо ехать — ты сходи, береги своих детей! Подметко по-прежнему поспешно загружал топку.

— А ты? — спросила его Ольга.

— Мне можно,— ответил Подметко.— Давай! Я бездетный!

На платформу вокзала вышел начальник станции; он держал в вытянутой руке развернутый желтый флаг: осторожная езда по усмотрению. А тяжелый поезд уже гремел вблизи стальными колесами, и паровоз снова завыл о катастрофе.

Машинист станционного паровоза молча сошел на землю и помаленьку направился вдоль пути, якобы по текущему делу, касающемуся обслуживания машины.

Начальник станции был скрыт от Ольги набежавшим составом. Сначала промчался паровоз, за ним с воем и скрежетом, с лихою игрою рессор прошло немного вагонов, у которых были настежь открыты двери. «А где же Лиза? — подумала Ольга.— Неужели она спит и не слышит?..» Через открытые двери вагонов на мгновение стали видны красноармейцы; они силою молодых рук сдерживали бьющихся лошадей, испугавшихся скорости и раскачки вагонов, и лошади вышибли копытами доски из стен вагонов, так что видна была древесина на срезах досок.

Паровоз с вагонами прошел, и на платформе остался лежать жезл, сброшенный с паровоза. Начальник станции поднял жезл, вынул из него записку и прочел: «Оборвано двадцать — тридцать вагонов. Ухожу от хвоста. Дайте проход и предупреждение вперед. Механик А. Благих».

Начальник станции с этой запиской прыгнул с платформы, перебежал рельсы и отдал записку Ольге.

Ольга взяла записку, прочла ее и поглядела туда, откуда прибыл паровоз с головной частью поезда.

Оттуда, с горизонта, без паровоза надвигался и сразу вырастал несущийся хвост поезда. Сейчас была видна лишь передняя лобовая часть вагона — тупая, слепая стенка, от скорости увеличивающаяся на глазах.

Ольга, не найдя в себе места, куда спрятать записку начальника станции, взяла ее в рот, повернула несколько раз штурвал реверса вперед, до отказа, и двинула регулятор на открытие пара; паровоз тронулся.

Ольга взяла ручку регулятора на себя, потом от себя, покачала его и поставила его на всю дугу. Паровоз бросился вперед, пар стал бить в трубу в ускоренной, задыхающейся отсечке.

Маневровый станционный паровоз уже ушел со станции, но начальник, на всякий случай, поднял сигнал остановки — красный диск — и свободною руку ладонью к поезду. С вихрем и музыкой свободной скорости появился перед ним хвост поезда в двадцать — тридцать вагонов; большая часть вагонов была открытыми платформами. На этих платформах стояли легкие орудия, кухня и лежало, покрытое брезентами, разное воинское имущество. Красноармейцы спокойно сидели на тех платформах и пели свои песни. Лишь командир их, держась за стойку одного тормозного вагона, молча глядел вперед, и тормоза под этим вагоном, как нечаянно заметил начальник станции, были зажаты намертвую, но одним вагоном удержать состав, несущийся под уклон, было невозможно.

Начальник станции сейчас же ушел в дежурную комнату — сообщать в отделение службы эксплуатации о назревающем происшествии.

Паровоз, который вела Ольга, сильно раскачало от скорости, но она не убавляла открытия пара и отсечки. Время от времени она глядела на водомерное стекло, на манометр и назад, где ее нагонял свободный оборванный состав, разгоняющийся под уклон. Иван Подметко беспрерывно загружал топку углем, чтобы держать хорошее давление в котле и уходить вперед. Но, оглянувшись назад, он начинал сомневаться: оборванный хвост поезда их быстро нагонял.

— Не удержим состава, расшибемся,— сказал он.— Придется погибать.

— Прыгай! — посоветовала ему Ольга.

— А ты? — спросил Подметко.

— Я останусь одна,— ответила Ольга.

Подметко распахнул дверцу топки и снова начал швырять туда лопаты с углем.

— Я буду тоже с тобой,— сказал он.— Справимся.

Машина Ольги шла уже на предельной скорости; колесные дышла были почти незаметны от поспешности своего движения. Ольга одна видела сейчас положение своей машины. Слепой состав шел скорее, чем ее паровоз, и настигал убегающую машину почти в упор.

— Иван! — крикнула она.— Шуруй скорее топку! Ты завалил пламя углем,— что же ты со мной делаешь?

Подметко взял кочергу и засунул ее в бушующий огонь. Однако расстояние между паровозом и слепым составом все более сокращалось. «Неужели? — думала Ольга.— Неужели я сейчас умру? Не хочется!»

Вдруг она услышала красноармейскую песню, которую пели на открытых платформах нагоняющего ее бешеного поезда. «Не буду я умирать!» — решила она. Она высунулась из окна паровозной кабины далеко наружу и увидала, что ей будет сейчас трудно: вагоны с разгона собьют ее легкий паровоз под откос.

Она обернулась к Ивану Подметко.

— Уходи! Нас расшибет сейчас!

Иван еще немного подумал вдобавок.

«Надо воду выбить — шибче поедем»,— и он дернул штангу крана продувки цилиндров, а потом схватился за поручни трапа и исчез вниз: должно быть, прыгнул в песок балласта, чтобы спасти свою жизнь.

Ольга заметила, что Подметко ушел, и прошептала «боже мой!», как говорила когда-то ее покойная мать. Далее она не успела ничего подумать. Она почувствовала удар в машину, и паровоз ее прыгнул вперед, как живой и сознательный. Ольга обернулась через окно назад,— что случилось? — и тут же ощутила второй, громящий, тупой удар. «Ну же, бедная! — с испугом вслух сказала она сама себе.— Пусть песни поют без тебя!» — и Ольга закрыла регулятор, пустила песок под колеса, дала реверс назад, обратно открыла регулятором пар на полный ход и повела кран паровозного тормоза на все его открытие. Машина ее на мгновение стала вмертвую, уперлась на месте,— Ольга сейчас же отпустила воздушный тормоз, а затем сама, всею машиной, надавила задним ходом на ударивший в нее состав, но инерция задних, напирающих вагонов еще не погасла — и они своей мертвой силой разгона вглухую вдвинули тендер паровоза в его кабину, где находился одинокий механик. Ольга поняла, что происходит, и свернулась в комок на своем месте машиниста: «Это теткин муж, сволочь Благих, Аркадий Михайлович,— это он оборвал состав! У меня записка в зубах была, где я ее потеряла? Где Лиза, неужели все спит?»

Ольгу сжало в машине. Она почувствовала, как ей стало душно, как всю ее — без остатка, вместе с одеждой — вдавливает чужая сила в железное тело горячего котла и у нее лопается грудь, которую некогда сосал Юшка.

Маневровый паровоз даже не сошел с рельсов, в машину только вдвинулся тендер — на котел, но зато оборванный состав уцелел, если не считать сцепных приборов одного переднего вагона, ударившего в паровоз. Теперь весь поезд мирно стоял на высокой насыпи, среди чистого поля, освещенного безветренным утренним солнцем. Красноармейцы и командир сначала вышли на траву и подошли к паровозу. В паровозе лежала во сне или в смерти незнакомая, одинокая женщина. Тогда командир и его помощник, разобрав крышу над будкой паровоза, освободили женщину из машины и опустили ее оттуда на руки красноармейцев.

После того командир отошел в сторону и громко сказал:

— Четверо остаются здесь! Остальные — бегом, назад к станции. Первые четверо несут раненую, затем передают ее с рук на руки новым четверым людям, а те — следующим! Все.

Через полчаса Ольга была доставлена на руках красноармейцев обратно на станцию Серьгу. С нею же прибыл командир эшелона, не оставлявший ее в пути. Он соединился по железнодорожному телеграфу с командованием военного округа и доложил происшествие: у механика ранена голова и грудь; все красноармейцы невредимы, имущество цело; в случае дальнейшего развития свободной скорости оборванный состав неминуемо сошел бы с рельсов на закруглении перед волжским мостом или на самом мосту; либо же состав был бы сокрушен на станции, расположенной по ту сторону реки, за мостом, куда поезд должен был ворваться. Из военного округа сообщили, что высылают санитарный автомобиль «скорой помощи» с двумя врачами и всеми принадлежностями для лечения; автомобиль пойдет по шоссе напрямую и достигнет станции назначения скорее, чем экстренный паровоз.

Командир склонился к Ольге, лежавшей на диване в телеграфной комнате:

— Кого вы хотите увидеть? Мы сейчас вызовем. Может быть, родственников или друзей?

— Юшку,— сказала Ольга.— А больше никого не надо, пусть за меня все люди на свете живут...

— Хорошо,— ответил командир и дал знак телеграфисту приготовиться к передаче.— А это кто — Юшка?

— Ребенок,— произнесла Ольга.

Командир удивился молодости матери, но ничего не сказал.

* * *

Ольга долго и терпеливо болела, но выздоровела, стала жить и живет до сих пор.

ЛУГОВЫЕ МАСТЕРА

Небольшая у нас река, а для лугов ядовитая. И название у нее малое — Лесная Скважинка. Скважинкой она прозвана за то, что омута в ней большие: старики сказывали, что мерили рыбаки глубину деревом, так дерево ушло под воду, а дна даже не коснулось, а в дереве том высота большая была — саженей пять.

Народ у нас до сей поры рослый. Лугов — обилие, скота бывало много и харчи мясные каждое воскресенье.

Только теперь пошло иное. На лугах сладкие травы пропадать начали, а полезла разная непитательная кислина, которая впору одним волам.

Лесная Скважинка каждую весну долго воду на пойме держит — в иной год только к июню обсыхают луга, да и в себя речка наша воду начала плохо принимать: хода в ней засорены. Пройдет ливень — и долго мокреют луга, а бывало враз обсохнут. А где впадины на лугах, там теперь вечные болота стоят. От них зараза и растет по всей долине, и вся трава перерождается.

Село наше по-нонешнему называется Красногвардейское, а по-старинному Гожево.

Жил у нас один мужик в прозвище Жмых, а по документам Отжошкин.

В старые годы он сильно запивал.

Бывало — купит четверть казенной, наденет полушубок, тулуп, шапку, валенки и идет в сарай. А время стоит летнее.

— Куда ты, Жмых? — спросит сосед.

— На Москву подаюсь,— скажет Жмых в полном разуме.

В сарае он залезал в телегу, выпивал стакан водки и тогда думал, что поехал в Москву. Что он едет, а не сидит в сарае на телеге. Жмых думал твердо и даже разговаривал со встречными мужиками:

— Ну, што, Степан? Живешь еще? Жена, сваха моя, цела?

А тот, встречный Степан, будто бы отвечает Жмыху:

— Цела, Жмых, двойню родила. Отбою нету от ребят.

— Ну ничего, Степан, рожай, старайся,— воздуху на всех хватит,— отвечал Жмых и как бы ехал дальше.

Повстречав еще кой-кого, Жмых выпивал снова стакан, а потом засыпал. Просыпался он недалеко от Москвы.

Тут он встречал, будто бы, старинного друга, к тому же еврея.

— Ну как, Яков Якович. Все тряпки скупаешь, дерьмом кормишься?

— По малости, господин Жмых. (Тогда еще господа были: дело довоенное), по малости. Что-то давно не видно вас, соскучились...

— Ага, ты соскучился. Ну, давай выпьем!

И так Жмых — встречая, беседуя и выпивая — доезжал до Москвы, не выходя из сарая. Из Москвы он сейчас же возвращался обратно — дела ему там не было,— и снова дорогу ему переступали всякие знакомые, которых он угощал.

Когда в четверти оставалось на донышке, Жмых допивал молча один и говорил:

— Приехали, слава тебе, господи, уцелел, Мавра,— кричал он жене,— встречай гостя! — и вылезал из телеги, в которой стоял уже четвертый день. После того Жмых не пил с полгода, потом снова «ехал в Москву». Вот какой у нас Жмых.

* * *

Позже, в революцию, он совсем остепенился:

— Сурьезное,— говорит,— время настало.

Ходил на фронте красноармейцем, Ленина видел и всякие чудеса, только не все подробно рассказывал.

Воротился Жмых чинным мужиком.

— Будя,— говорит,— пора нонешнюю деревню истребить.

— Как так, за што такое? Аль новое распоряжение такое вышло?

— Оно самотеком понятно,— говорил Жмых.— Нагота чертова. Беднота ползучая. Што у нас есть? Солома, плетень да навоз. А сказано, что бедность — болезнь и непорядок, а не норма.

— Ну и што ж? — спрашивали мужики.— А как же иначе? Дюже ты умен стал...

Но Жмых имел голову и стал делать в своей избе особую машину, мешая бабьему хозяйству. Машина та должна работать песком — кружиться без останову и без добавки песка, которого требовалось одно ведро.

Делал он ее с полгода, а может, и больше.

— Ну как, Жмых? — спрашивали мужики в окно.— Закружилась машина? Покажь тогда.

— Уйди, бродяга! — отвечал истомленный Жмых.— Это тебе не пахота — тут техническое дело.

Наконец Жмых сдался.

— Што ж, аль песок слаб? — спрашивали соседи.

— Нет, в песке большая сила,— говорил Жмых,— только ума во мне не хватает: учен дешево и рожден не по медицине.

— Вот оно што...— говорили соседи и уважительно глядели на Жмыха.

— А вы думали — что! — уставился на них Жмых.— Эх вы, мелкие собственники!

Тогда Жмых взялся на сочливые луга.

И действительно — пора. Избыток народа из нашего села каждый год уходил на шахты, а скот уменьшался, потому что кормов не было. Где было сладкое разнотравье — одна жесткая осока пошла. Болото загоняло наше Гожево в гроб.

То и взяло Жмыха за сердце.

Поехал он в город, привез оттуда устав мелиоративного товарищества и сказал обществу, что нужно канавы по лугу копать, а самую Лесную Скважинку чистить сквозь.

Мужики поломались, но потом учредили из самих себя то мелиоративное товарищество. Назвали товарищество «Альфа и Омега», как было указано в примере при уставе.

Но никто не знал, что такое — «Альфа и Омега».

— И так тяжко придется — дернину рыть и по пузо копаться,— говорили мужики,— а тут Альфия. А может, она слово какое законное, мы вникнуть не можем и зря отвечать придется.

Поехал опять Жмых слова те узнавать. Узнал: «Начало и Конец» — оказались.

— А чему начало и чему конец — неизвестно,— сказали гожевцы, но устав подписали и начали рыть землю, как раз работа в поле переменилась.

Тяжела оказалась земля на лугах: как земля та сделалась, так и стояла непаханая.

Жмых командовал, но и сам копался в реке, таскал карчу и разное ветхое дерево.

Приезжал раз техник, мерил болото и дал Жмыху план.

Два лета бились гожевцы над болотами и над Лесной Скважинкой. Пятьсот десятин покрыли канавками да речку прочистили на десять верст.

И правда, что техник говорил, луга осохли.

Там, где вплавь на лодке едва перебирались,— на телегах поехали — и грунт ничего себе, держал.

На третий год луга вспахали. Лошадей измаяли вконец: дернина тугая, вся корневищами трав оплелась, в четыре лошади однолемешный плужок едва волокли.

На четвертый год весь укос с болота собрали, и кислых трав стало меньше.

Жмых торопил всю деревню — и ни капли не старел ни от труда, ни от времени. Что значит польза и интерес для человека.

На пятый год травой тимофеевкой засеяли всю долину, чтобы кислоту всю в почве истребить.

— Мудер мужик,— говорили гожевцы на Жмыха.— Всю Гожевку на корм теперь поставил.

— Знамо, не холуй! — благородно отзывался Жмых.

Продали гожевцы тимофеевку — двести рублей десятина дала.

— Вот это да! — говорили мужики.— Вот это не кроха, а пища!

— Холуи вы,— говорил Жмых.— То ли нам надо? То ли советская власть желает? Надобно, чтобы роскошная пища в каждой кишке прела.

— А как же то станется, Жмых? И так добро из земли прет,— говорили посытевшие от болотного добра гожевцы.

— В недра надобно углубиться,— отвечал Жмых.— Там добро погуще. Может, под нами железо есть аль еще какой минерал. Будя землю корябать — века зря проходят. Пора промысел попрочней затевать.

РЕКА ПОТУДАНЬ

Трава опять отросла по набитым грунтовым дорогам гражданской войны, потому что война прекратилась.

В мире, по губерниям снова стало тихо и малолюдно: некоторые люди умерли в боях, многие лечились от ран и отдыхали у родных, забывая в долгих снах тяжелую работу войны, а кое-кто из демобилизованных еще не успел вернуться домой и шел теперь в старой шинели, с походной сумкой, в мягком шлеме или овечьей шапке,— шел по густой, незнакомой траве, которую раньше не было времени видеть, а может быть — она просто была затоптана походами и не росла тогда. Они шли с обмершим, удивленным сердцем, снова узнавая поля и деревни, расположенные в окрестности по их дороге; душа их уже переменилась в мучении войны, в болезнях и в счастье победы,— они шли теперь жить точно впервые, смутно помня себя, какими они были три-четыре года назад, потому что они превратились совсем в других людей — они выросли от возраста и поумнели, они стали терпеливей и почувствовали внутри себя великую всемирную надежду, которая сейчас стала идеей их пока еще небольшой жизни, не имевшей ясной цели и назначения до гражданской войны.

Поздним летом возвращались домой последние демобилизованные красноармейцы. Они задержались по трудовым армиям, где занимались разным незнакомым ремеслом и тосковали, и лишь теперь им велели идти домой к своей и общей жизни.

По взгорью, что далеко простерто над рекою Потудань, уже вторые сутки шел ко двору, в малоизвестный уездный город, бывший красноармеец Никита Фирсов. Это был человек лет двадцати пяти от роду, со скромным, как бы постоянно опечаленным лицом,— но это выражение его лица происходило, может быть, не от грусти, а от сдержанной доброты характера либо от обычной сосредоточенности молодости. Светлые, давно не стриженные волосы его опускались из-под шапки на уши, большие серые глаза глядели с угрюмым напряжением в спокойную, скучную природу однообразной страны, точно пешеход был нездешний.

В полдень Никита Фирсов прилег около маленького ручья, текущего из родника по дну балки в Потудань. И пеший человек задремал на земле под солнцем, в сентябрьской траве, уже уставшей расти здесь с давней весны. Теплота жизни словно потемнела в нем, и Фирсов уснул в тишине глухого места. Насекомые летали над ним, плыла паутина, какой-то бродяга-человек переступил через него и, не тронув спящего, не заинтересовавшись им, пошел дальше по своим делам. Пыль лета и долгого бездождия высоко стояла в воздухе, сделав более неясным и слабым небесный свет, но все равно время мира, как обычно, шло вдалеке вослед солнцу... Вдруг Фирсов поднялся и сел, тяжко, испуганно дыша, точно он запалился в невидимом беге и борьбе. Ему приснился страшный сон, что его душит своею горячей шерстью маленькое, упитанное животное, вроде полевого зверька, откормившегося чистой пшеницей. Это животное, взмокая пóтом от усилия и жадности, залезло спящему в рот, в горло, стараясь пробраться цепкими лапками в самую середину его души, чтобы сжечь его дыхание. Задохнувшись во сне, Фирсов хотел вскрикнуть, побежать, но зверек самостоятельно вырвался из него, слепой, жалкий, сам напуганный и дрожащий, и скрылся в темноте своей ночи.

Фирсов умылся в ручье и прополоскал рот, а потом пошел скорее дальше; дом его отца уже был близко, и к вечеру можно успеть дойти до него.

Как только смерклось, Фирсов увидел свою родину в смутной, начавшейся ночи. То было покатое, медленное нагорье, подымавшееся от берегов Потудани к ржаным, возвышенным полям. На этом нагорье расположился небольшой город, почти невидимый сейчас благодаря темноте. Ни одного огня не горело там.

Отец Никиты Фирсова спал сейчас: он лег, как только вернулся с работы, когда еще солнце не зашло. Он жил в одиночестве, жена его давно умерла, два сына исчезли на империалистической войне, а последний сын, Никита, был на гражданской: он, может быть, еще вернется,— думал про последнего сына отец,— гражданская война идет близко около домов и по дворам, и стрельбы там меньше, чем на империалистической. Спал отец помногу,— с вечерней зари до утренней,— иначе, если не спать, он начинал думать разные мысли, воображать забытое, и сердце его мучилось в тоске по утраченным сыновьям, в печали по своей скучно прошедшей жизни. С утра он сразу уходил в мастерскую крестьянской мебели, где он уже много лет работал столяром — и там, среди работы, ему было более терпимо, он забывался. Но к вечеру ему делалось хуже в душе, и, вернувшись на квартиру, в одну комнату, он поскорее, почти в испуге, засыпал до завтрашнего утра; ему и керосин был не нужен. А на рассвете мухи начинали кусать его в лысину, старик просыпался и долго, помаленьку, бережно одевался, обувался, умывался, вздыхал, топтался, убирал комнату, бормотал сам с собою, выходил наружу, смотрел там погоду и возвращался — лишь бы потратить ненужное время, что оставалось до начала работы в мастерской крестьянской мебели.

В нынешнюю ночь отец Никиты Фирсова спал, как обычно,

по необходимости и от усталости. Сверчок, уже которое лето, жил себе в завалинке дома и напевал оттуда в вечернее время — не то это был тот же самый сверчок, что и в позапрошлое лето, не то внук его. Никита подошел к завалинке и постучал в окошко отца; сверчок умолк на время, словно он прислушивался, кто это пришел — незнакомый, поздний человек. Отец слез с деревянной старой кровати, на которой он спал еще с покойной матерью всех своих сыновей, и сам Никита родился когда-то на этой же кровати. Старый, худой человек был сейчас в подштанниках, от долгой носки и стирки они сели и сузились, поэтому приходились ему только до колен. Отец близко прислонился к оконному стеклу и глядел оттуда на сына. Он уже увидел, узнал своего сына, но все еще смотрел и смотрел на него, желая наглядеться. Потом он побежал, небольшой и тощий, как мальчик, кругом через сени и двор — отворять запертую на ночь калитку.

Никита вошел в старую комнату, с лежанкой, низким потолком, с одним маленьким окном на улицу. Здесь пахло тем же запахом, что и в детстве, что и три года назад, когда он ушел на войну; даже запах материнского подола еще чувствовался тут — в единственном месте на всем свете. Никита снял сумку и шапку, медленно разделся и сел на кровать. Отец все время стоял перед ним, босой и в подштанниках, не смея еще ни поздороваться как следует, ни заговорить.

— Ну как там буржуи и кадеты? — спросил он немного погодя.— Всех их побили иль еще маленько осталось?

— Да нет, почти всех,— сказал сын.

Отец кратко, но серьезно задумался: все-таки ведь целый класс умертвили, это большая работа была.

— Ну да, они же квелые! — сообщил старик про буржуев.— Чего они могут, они только даром жить привыкли...

Никита встал перед отцом, он был теперь выше его головы на полторы. Старик молчал около сына в скромном недоумении своей любви к нему. Никита положил руку на голову отца и привлек его к себе на грудь. Старый человек прислонился к сыну и начал часто, глубоко дышать, словно он пришел к своему отдыху.

На одной улице того же города, выходившей прямо в поле, стоял деревянный дом с зелеными ставнями. В этом доме жила когда-то вдовая старушка, учительница городского училища; вместе с нею жили ее дети — сын, мальчик лет десяти, и дочь, белокурая девочка Люба, пятнадцати лет.

Отец Никиты Фирсова хотел несколько лет тому назад жениться на вдовой учительнице, но вскоре сам оставил свое намерение. Два раза он брал с собою в гости к учительнице Никиту, тогда еще мальчика, и Никита видел там задумчивую девочку Любу, которая сидела и читала книжки, не обращая внимания на чужих гостей.

Старая учительница угощала столяра чаем с сухарями и говорила что-то о просвещении народного ума и о ремонте школьных печей. Отец Никиты сидел все время молча; он стеснялся, крякал, кашлял и курил цигарки, а потом с робостью пил чай из блюдца, не трогая сухарей, потому что, дескать, давно уже сыт.

В квартире учительницы, во всех ее двух комнатах и в кухне, стояли стулья, на окнах висели занавески, в первой комнате находились пианино и шкаф для одежды, а в другой, дальней, комнате имелись кровати, два мягких кресла из красного бархата и там же на стенных полках помещалось много книг,— наверно, целое собранье сочинений. Отцу и сыну эта обстановка казалась слишком богатой, и отец, посетив вдову всего два раза, перестал к ней ходить. Он даже не управился ей сказать, что хочет на ней жениться. Но Никите было интересно увидеть еще раз пианино и читающую, задумчивую девочку, поэтому он просил отца жениться на старушке, чтобы ходить к ней в гости.

— Нельзя, Никит! — сказал в то время отец.— У меня образованья мало, о чем я с ней буду говорить! А к нам их позвать — стыдно: у нас посуды нету, харчи нехорошие... Ты видал, у них кресла какие? Старинные, московские! А шкаф? По всему фасу резьба и выборка: я понимаю!.. А дочь! Она, наверно, курсисткой будет.

И отец теперь уже несколько лет не видел своей старой невесты, лишь иногда он, может быть, скучал по ней или просто размышлял.

На другой день после возвращения с гражданской войны Никита пошел в военный комиссариат, чтобы его отметили там в запас. Затем Никита обошел весь знакомый, родной город, и у него заболело сердце от вида устаревших, небольших домов, сотлевших заборов и плетней и редких яблонь по дворам, многие из которых уже умерли, засохли навсегда. В его детстве эти яблони еще были зелеными, а одноэтажные дома казались большими и богатыми, населенными таинственными умными людьми, и улицы тогда были длинными, лопухи высокими, и бурьян на пустырях, на заброшенных огородах представлялся в то давнее время лесною, жуткою чащей. А сейчас Никита увидел, что маленькие дома жителей были жалкими, низкими, их надо красить и ремонтировать, бурьян на пустых местах беден, он растет не страшно, а заунывно, обитаемый лишь старыми, терпеливыми муравьями, и все улицы скоро кончались волевой землей, светлым небесным пространством,— город стал небольшим. Никита подумал, что, значит, им уже много жизни прожито, если большие, таинственные предметы обратились в маленькие и скучные.

Он медленно прошел мимо дома с зелеными ставнями, куда он некогда ходил в гости с отцом. Зеленую краску на ставнях он знал только по памяти, теперь от нее остались одни слабые следы,— она выцвела от солнца, была вымыта ливнями и дождями, вылиняла до древесины; и железная крыша на доме уже сильно заржавела — теперь, наверно, дожди проникают через крышу и мокнет потолок над пианино в квартире. Никита внимательно посмотрел в окна этого дома; занавесок на окнах теперь не было, по ту сторону стекол виднелась чужая тьма. Никита сел на скамейку около калитки обветшалого, но все же знакомого дома. Он думал, что, может быть, кто-нибудь заиграет на пианино внутри дома, тогда он послушает музыку. Но в доме было тихо, ничего не известно. Подождав немного, Никита поглядел в щель забора на двор, там росла старая крапива, пустая тропинка вела меж ее зарослями в сарай и три деревянные ступеньки подымались в сени. Должно быть, умерли уже давно и учительница-старушка, и ее дочка Люба, а мальчик ушел добровольцем на войну...

Никита направился к себе домой. День пошел к вечеру, — скоро отец придет ночевать, надо будет подумать с ним, как жить дальше и куда поступать на работу.

На главной улице уезда было небольшое гулянье, потому что народ начал оживать после войны. Сейчас по улице шли служащие, курсистки, демобилизованные, выздоравливающие от ран, подростки, люди домашнего и кустарного труда и прочие, а рабочий человек выйдет сюда на прогулку позже, когда совсем смеркнется. Одеты люди были в старую одежду, по-бедному, либо в поношенное военное обмундирование времен империализма.

Почти все прохожие, даже те, которые шли под руку, будучи женихами и невестами, имели при себе что-нибудь для хозяйства. Женщины несли в домашних сумках картофель, а иногда рыбу, мужчины держали под мышкой пайковый хлеб или половину коровьей головы либо скупо хранили в руках требуху на приварок. Но редко кто шел в унынии, разве только вовсе пожилой, истомленный человек. Более молодые обычно смеялись и близко глядели в лица друг другу, воодушевленные и доверчивые, точно они были накануне вечного счастья.

— Здравствуйте! — несмело со стороны сказала женщина Никите Фирсову.

И голос тот сразу коснулся и согрел его, будто кто-то, дорогой и потерянный, отозвался ему на помощь. Однако Никите показалось, что это ошибка и это поздоровались не с ним. Боясь ошибиться, он медленно поглядел на ближних прохожих. Но их сейчас было всего два человека, и они уже миновали его. Никита оглянулся,— большая, выросшая Люба остановилась и смотрела в его сторону. Она грустно и смущенно улыбалась ему.

Никита подошел к ней и бережно оглядел ее — точно ли она сохранилась вся в целости, потому что даже в воспоминании она для него была драгоценность. Австрийские башмаки ее, зашнурованные бечевой, сильно износились, кисейное, бледное платье доходило ей только до колен, больше, наверно, не хватило материала,— и это платье заставило Никиту сразу сжалиться над Любой — он видел такие же платья на женщинах в гробах, а здесь кисея покрывала живое, выросшее, но бедное тело. Поверх платья был надет старый дамский жакет,— наверно, его носила еще мать Любы в свою девичью пору,— а на голове Любы ничего не было, одни простые волосы, свитые пониже шеи в светлую прочную косу.

— Вы меня не помните? — спросила Люба.

— Нет, я вас не забыл,— ответил Никита.

— Забывать никогда не надо,— улыбнулась Люба.

Ее чистые глаза, наполненные тайною душою, нежно глядели на Никиту, словно любовались им. Никита также смотрел в ее лицо, и его сердце радовалось и болело от одного вида ее глаз, глубоко запавших от житейской нужды и освещенных доверчивой надеждой.

Никита пошел с Любой одной к ее дому,— она жила все там же. Мать ее умерла не так давно, а младший брат кормился в голод около красноармейской полевой кухни, потом привык там бывать и ушел вместе с красноармейцами на юг против неприятеля.

— Он кашу там есть привык, а дома ее не было,— говорила Люба про брата.

Люба теперь жила лишь в одной комнате,— больше ей не надо. С замершим чувством Никита осмотрелся в этой комнате, где он в первый раз видел Любу, пианино и богатую обстановку. Сейчас здесь не было уже ни пианино, ни шкафа с резьбою по всему фасу, остались одни два мягких кресла, стол и кровать, и сама комната теперь перестала быть такою интересной и загадочной, как тогда, в ранней юности,— обои на стенах выцвели и ободрались, пол истерся, около изразцовой печи находилась небольшая железная печка, которую можно истопить горстью щепок, чтобы немного согреться около нее.

Люба вынула общую тетрадь из-за пазухи, потом сняла башмаки и осталась босая. Она училась теперь в уездной академии медицинских наук: в те годы по всем уездам были университеты и академии, потому что народ желал поскорее приобрести высшее знание; бессмысленность жизни, так же как голод и нужда, слишком измучили человеческое сердце, и надо было понять, что же есть существование людей, это — серьезно или нарочно?

— Они мне ноги трут,— сказала Люба про свои башмаки.— Вы посидите еще, а я лягу спать, а то мне очень сильно есть хочется, а я не хочу думать об этом...

Люба, не раздеваясь, залезла под одеяло на кровати и положила косу себе на глаза.

Никита молча просидел часа два-три, пока Люба не проснулась. Тогда уже настала ночь, и Люба встала в темноте.

— Моя подруга, наверно, сегодня не придет,— грустно сказала Люба.

— А что — она вам нужна? — спросил Никита.

— Даже очень,— произнесла Люба.— У них большая семья и отец военный, она мне приносит ужин, если у нее что-нибудь останется... Я поем, и мы с ней начинаем заниматься...

— А керосин у вас есть? — спросил Никита.

— Нет, мне дрова дали... Мы печку зажигаем — мы на полу садимся и видим от огня.

Люба беспомощно, стыдливо улыбнулась, словно ей пришла на ум жестокая и грустная мысль.

— Наверно, ее старший брат, мальчишка, не заснул,— сказала она.— Он не велит, чтоб меня его сестра кормила, ему жалко... А я не виновата! Я и так не очень люблю кушать: это не я — голова сама начинает болеть, она думает про хлеб и мешает мне жить и думать другое...

— Люба! — позвал около окна молодой голос.

— Женя! — отозвалась Люба в окно.

Пришла подруга Любы. Она вынула из кармана своей куртки четыре больших печеных картошки и положила их на железную печку.

— А гистологию достала? — спросила Люба.

— А у кого ее доставать-то? — ответила Женя.— Меня в очередь в библиотеке записали...

— Ничего, обойдемся,— сообщила Люба.— Я две первые главы на факультете на память выучила. Я буду говорить, а ты запишешь. Пройдет?

— А раньше-то! — засмеялась Женя.

Никита растопил печку для освещения тетради огнем и собрался уходить к отцу на ночлег.

— Вы теперь не забудете меня? — попрощалась с ним Люба.

— Нет,— сказал Никита.— Мне больше некого помнить.

* * *

Фирсов полежал дома после войны два дня, а потом поступил работать в мастерскую крестьянской мебели, где работал его отец. Его зачислили плотником на подготовку материала, и расценок его был ниже, чем у отца, почти в два раза. Но Никита знал, что это временно, пока он не привыкнет к мастерству, а тогда его переведут в столяры и заработок станет лучше.

Работать Никита никогда не отвыкал. В Красной Армии тоже люди не одной войною занимались,— на долгих постоях и в резервах красноармейцы рыли колодцы, ремонтировали избушки бедняков в деревнях и сажали кустарник в вершинах действующих оврагов, чтобы земля дальше не размывалась. Война ведь пройдет, а жизнь останется, и о ней надо было заранее позаботиться.

Через неделю Никита снова пошел в гости к Любе; он понес ей в подарок вареную рыбу и хлеб — свое второе блюдо от обеда в рабочей столовой.

Люба спешила читать по книжке у окна, пользуясь тем, что еще не погасло солнце на небе; поэтому Никита некоторое время сидел в комнате у Любы молчаливо, ожидая ночной темноты. Но вскоре сумрак сравнялся с тишиной на уездной улице, а Люба потерла свои глаза и закрыла учебную книгу.

— Как поживаете? — тихо спросила Люба.

— Мы с отцом живем, мы — ничего,— сказал Никита.— Я вам там покушать принес,— вы съешьте, пожалуйста,— попросил он.

— Я съем, спасибо,— произнесла Люба.

— А спать не будете? — спросил Никита.

— Не буду,— ответила Люба.— Я же поужинаю сейчас, я буду сыта!

Никита принес из сеней немного мелких дровишек и разжег железную печку, чтобы был свет для занятий. Он сел на пол, открыл печную дверцу и клал щепки и худые короткие поленья в огонь, стараясь, чтоб тепла было поменьше, а света побольше. Съев рыбу с хлебом, Люба тоже села на пол, против Никиты и около света из печки, и начала учить по книжке свою медицину.

Она читала молча, однако изредка шептала что-то, улыбалась и записывала мелким, быстрым почерком несколько слов в блокнот,— наверно, самые важные вещи. А Никита только следил за правильным горением огня, и лишь время от времени — не часто — он смотрел в лицо Любы, но затем опять подолгу глядел на огонь, потому что боялся надоесть Любе своим взглядом. Так время шло, и Никита думал с печалью, что скоро оно пройдет совсем и ему настанет пора уходить домой.

В полночь, когда пробили часы на колокольне, Никита спросил у Любы, отчего не пришла ее подруга, по имени Женя.

— А у нее тиф повторился, она, наверное, умрет,— ответила Люба и опять стала читать медицину.

— Вот это жалко! — сказал Никита, но Люба ничего не ответила ему.

Никита представил себе в мысли больную, горячую Женю,— и, в сущности, он тоже мог бы ее искренне полюбить, если б узнал ее раньше и если бы она была немного добра к нему. Она тоже, кажется, прекрасная: зря он ее не разглядел тогда во тьме и плохо запомнил.

— Я уже спать хочу,— прошептала Люба, вздыхая.

— А поняли все, что прочитали-то? — спросил Никита.

— Все чисто! Хотите, расскажу? — предложила Люба.

— Не надо,— отказался Никита.— Вы лучше берегите при себе, а то я все равно забуду.

Он подмел веником сор около печки и ушел к отцу.

С тех пор он посещал Любу почти каждый день, лишь иногда пропуская сутки или двое, ради того, чтоб Люба поскучала по нем. Скучала она или нет — неизвестно, но в эти пустые вечера Никита вынужден был ходить по десять, по пятнадцать верст, несколько раз вокруг всего города, желая удержать себя в одиночестве, вытерпеть без утешения тоску по Любе и не пойти к ней.

У нее в гостях он обыкновенно занимался тем, что топил печь и ожидал, когда она ему скажет что-нибудь в промежуток, отвлекшись от своего учения по книге. Каждый раз Никита приносил Любе на ужин немного пищи из столовой при мастерской крестьянской мебели; обедала же она в своей академии, но там давали кушать слишком мало, а Люба много думала, училась и вдобавок еще росла, и ей не хватало питания. В первую же свою получку Никита купил в ближней деревне коровьи ноги и затем всю ночь варил студень на железной печке, а Люба до полночи занималась с книгами и тетрадями, потом чинила свою одежду, штопала чулки, мыла полы на рассвете и купалась на дворе в кадушке с дождевой водой, пока еще не проснулись посторонние люди.

Отцу Никиты было скучно жить все вечера одному, без сына, а Никита не говорил, куда он ходит. «Он сам теперь человек,— думал старик.— Мог же ведь быть убитым или раненным на войне, а раз живет — пусть ходит!»

Однажды старик заметил, что сын принес откуда-то две белые булки. Но он их сразу же завернул в отдельную бумагу, а его не угостил. Затем Никита, как обычно, надел фуражку и пошел до полночи, и обе булки тоже взял с собой.

— Никит, возьми меня с собой! — попросил отец.— Я там ничего не буду говорить, я только гляну... Там интересно,— должно быть, что-нибудь выдающееся!

— В другой раз, отец,— стесняясь, сказал Никита.— А то тебе сейчас спать пора, завтра ведь на работу надо идти...

В тот вечер Никита не застал Любы, ее не было дома. Он сел тогда на лавочку у ворот и стал ожидать хозяйку. Белые булки он положил себе за пазуху и согревал их там, чтоб они не остыли до прихода Любы. Он сидел терпеливо до поздней ночи, наблюдая звезды на небе и редких прохожих людей, спешивших к детям в свои жилища, слушал звон городских часов на колокольне, лай собак по дворам и разные тихие, неясные звуки, которые днем не существуют. Он бы мог прожить здесь в ожидании, наверно, до самой своей смерти.

Люба неслышно появилась из тьмы перед Никитой. Он встал перед ней, но она сказала ему: «Идите лучше домой»,— и заплакала. Она пошла к себе в квартиру, а Никита обождал еще снаружи в недоумении и пошел за Любой.

— Женя умерла,— сказала Люба ему в комнате.— Что я теперь буду делать?..

Никита молчал. Теплые булки лежали у него за пазухой — не то их надо вынуть сейчас, не то теперь уж ничего не нужно. Люба легла в одежде на кровать, отвернулась лицом к стене и плакала там сама для себя, беззвучно и почти не шевелясь.

Никита долго стоял один в ночной комнате, стесняясь помешать чужому грустному горю. Люба не обращала на него внимания, потому что печаль от своего горя делает людей равнодушными ко всем другим страдающим. Никита самовольно сел на кровать в ногах у Любы и вынул булки из-за пазухи, чтобы деть их куда-нибудь, но пока не находил для них места.

362

— Давайте я с вами буду теперь! — сказал Никита.

— А что вы будете делать? — спросила Люба в слезах.

Никита подумал, боясь ошибиться или нечаянно обидеть Любу.

— Я ничего не буду,— ответил он.— Мы станем жить как обыкновенно, чтоб вы не мучились.

— Обождем, нам нечего спешить,— задумчиво и расчетливо произнесла Люба.— Надо вот подумать, в чем Женю хоронить,— у них гроба нету...

— Я завтра его принесу,— пообещал Никита и положил булки на кровать.

На другой день Никита спросил разрешения у мастера и стал делать гроб; их всегда позволяли делать свободно и за материал не высчитывали. По неумению он делал его долго, но зато тщательно и особо чисто отделал внутреннее ложе для покойной девушки; от воображения умершей Жени Никита сам расстроился и немного покапал слезами в стружки. Отец, проходя по двору, подошел к Никите и заметил его расстройство.

— Ты что тоскуешь: невеста умерла? — спросил отец.

— Нет, подруга ее,— ответил он.

— Подруга? — сказал отец.— Да чума с ней!.. Дай я тебе борта в гробу поравняю, у тебя некрасиво вышло, точности не видать!

После работы Никита понес гроб к Любе; он не знал, где лежит ее мертвая подруга.

В тот год долго шла теплая осень, и народ был доволен. «Хлебу вышел недород, так мы на дровах сбережем»,— говорили экономические люди. Никита Фирсов загодя заказал сшить из своей красноармейской шинели женское пальто для Любы, но пальто уже приготовили, а надобности, за теплым временем, в нем все еще не было. Никита по-прежнему ходил к Любе на квартиру, чтобы помогать ей жить и самому в ответ получать питание для наслаждения сердца.

Он ее спрашивал один раз, как они дальше будут жить — вместе или отдельно. А она отвечала, что до весны не имеет возможности чувствовать свое счастье, потому что ей надо поскорее окончить академию медицинских знаний, а там — видно будет. Никита выслушал это далекое обещание, но не требовал большего счастья, чем оно уже есть у него благодаря Любе, и он не знал, есть ли оно еще лучшее, но сердце его продрогло от долгого терпения и неуверенности — нужен ли он Любе сам по себе, как бедный, малограмотный, демобилизованный человек. Люба иногда с улыбкой смотрела на него своими светлыми глазами, в которых находились большие, черные, непонятные точки, а лицо ее вокруг глаз было исполнено добром.

Однажды Никита заплакал, покрывая Любу на ночь одеялом перед своим уходом домой, а Люба только погладила его по голове и сказала: «Ну будет вам, нельзя так мучиться, когда я еще жива».

Никита поспешил уйти к отцу, чтобы там укрыться, опомниться и не ходить к Любе несколько дней подряд. «Я буду читать,— решал он,— и начну жить по-настоящему, а Любу забуду, не стану ее помнить и знать. Что она такое особенное — на свете великие миллионы живут, еще лучше ее есть. Она некрасивая!»

Наутро он не встал с подстилки, на которой спал на полу. Отец, уходя на работу, попробовал его голову и сказал:

— Ты горячий: ложись на кровать! Поболей немножко, потом выздоровеешь... Ты на войне нигде не раненный?

— Нигде,— ответил Никита.

Под вечер он потерял память; сначала он видел все время потолок и двух поздних предсмертных мух на нем, приютившихся греться там для продолжения жизни, а потом эти же предметы стали вызывать в нем тоску, отвращение,— потолок и мухи словно забрались к нему внутрь мозга, их нельзя было изгнать оттуда и перестать думать о них все более увеличивающейся мыслью, съедающей уже головные кости. Никита закрыл глаза, но мухи кипели в его мозгу, он вскочил с кровати, чтобы прогнать мух с потолка, и упал обратно на подушку: ему показалось, что от подушки еще пахло материнским дыханием — мать ведь здесь же спала рядом с отцом,— Никита вспомнил ее и забылся.

Через четыре дня Люба отыскала жилище Никиты Фирсова и явилась к нему в первый раз сама. Шла только середина дня; во всех домах, где жили рабочие, было безлюдно — женщины ушли доставать провизию, а дошкольные ребятишки разбрелись по дворам и полянам. Люба села на кровать к Никите, погладила ему лоб, протерла глаза концом своего носового платка и спросила:

— Ну что, где у тебя болит?

— Нигде,— сказал Никита.

Сильный жар уносил его в своем течении вдаль ото всех людей и ближних предметов, и он с трудом видел сейчас и помнил Любу, боясь ее потерять в темноте равнодушного рассудка; он взялся рукой за карман ее пальто, сшитого из красноармейской шинели, и держался за него, как утомленный пловец за отвесный берег, то утопая, то спасаясь. Болезнь все время стремилась увлечь его на сияющий, пустой горизонт — в открытое море, чтоб он там отдохнул на медленных, тяжелых волнах.

— У тебя грипп, наверно, я тебя вылечу,— сказал Люба.— А может, и тиф!.. Но ничего — не страшно!

Она подняла Никиту за плечи и посадила его спиной к стене. Затем быстро и настойчиво Люба переодела Никиту в свое пальто, нашла отцовский шарф и повязала им голову больного, а ноги его всунула в валенки, валявшиеся до зимы под кроватью. Обхватив Никиту, Люба велела ему ступать ногами и вывела его, озябшего, на улицу. Там стоял извозчик. Люба подсадила больного в пролетку, и они поехали.

— Не жилец народ живет! — сказал извозчик, обращаясь к

лошади, беспрерывно погоняя ее вожжами на уездную мелкую рысь.

В своей комнате Люба раздела и уложила Никиту в кровать и укрыла его одеялом, старой ковровой дорожкой, материнскою ветхою шалью — всем согревающим добром, какое у нее было.

— Зачем тебе дома лежать? — удовлетворенно говорила Люба, подтыкая одеяло под горячее тело Никиты.— Ну зачем!.. Отец твой на работе, ты лежишь целый день один, ухода ты никакого не видишь и тоскуешь по мне...

Никита долго решал и думал, где Люба взяла денег на извозчика. Может быть, она продала свои австрийские башмаки или учебную книжку (она ее сначала выучила наизусть, чтобы не нужна была), или же она заплатила извозчику всю месячную стипендию...

Ночью Никита лежал в смутном сознании: иногда он понимал, где сейчас находится, и видел Любу, которая топила печку и стряпала пищу на ней, а затем Никита наблюдал незнакомые видения своего ума, действующего отдельно от его воли в сжатой, горячей тесноте головы.

Озноб его все более усиливался. Время от времени Люба пробовала ладонью лоб Никиты и считала пульс в его руке. Поздно ночью она напоила его кипяченой, теплой водой и, сняв верхнее платье, легла к больному под одеяло, потому что Никита дрожал от лихорадки и надо было согреть его. Люба обняла Никиту и прижала к себе, а он свернулся от стужи в комок и прильнул лицок к ее груди, чтобы теснее ощущать чужую, высшую, лучшую жизнь и позабыть свое мученье, свое продрогшее пустое тело. Но Никите жалко было теперь умирать,— не ради себя, но ради того, чтоб иметь прикосновение к Любе и к другой жизни,— поэтому он спросил шепотом у Любы, выздоровеет он или помрет: она ведь училась и должна знать.

Люба стиснула руками голову Никиты и ответила ему:

— Ты скоро поправишься... Люди умирают потому, что они болеют одни и некому их любить, а ты со мной сейчас...

Никита пригрелся и уснул.

Недели через три Никита поправился. На дворе уже выпал снег, стало вдруг тихо повсюду, и Никита пошел зимовать к отцу; он не хотел мешать Любе до окончания академии, пусть ум ее разовьется полностью весь, она тоже из бедных людей. Отец обрадовался возвращению сына, хотя и посещал его у Любы из двух дней в третий, принося каждый раз для сына харчи, а Любе какой бы то ни было гостинец.

Днем Никита опять стал работать в мастерской, а вечером посещал Любу и зимовал спокойно: он знал, что с весны она будет его женой и с того времени наступит счастливая, долгая жизнь. Изредка Люба трогала, шевелила его, бегала от него по комнате, и тогда — после игры — Никита осторожно целовал ее в щеку. Обычно же Люба не велела ему напрасно касаться себя.

— А то я тебе надоем, а нам еще всю жизнь придется

жить! — говорила она.— Я ведь не такая вкусная: тебе это кажется!..

В дни отдыха Люба и Никита ходили гулять по зимним дорогам за город или шли, полуобнявшись, по льду уснувшей реки Потудани — далеко вниз по летнему течению. Никита ложился животом и смотрел вниз под лед, где видно было, как тихо текла вода. Люба тоже устраивалась рядом с ним, и, касаясь друг друга, они наблюдали укромный поток воды и говорили, насколько счастлива река Потудань, потому что она уходит в море, и эта вода подо льдом будет течь мимо берегов далеких стран, в которых сейчас растут цветы и поют птицы. Подумав об этом немного, Люба велела Никите тотчас же вставать со льда; Никита ходил теперь в старом отцовском пиджаке на вате, он ему был короток, грел мало, и Никита мог простудиться.

И вот они терпеливо дружили вдвоем почти всю долгую зиму, томимые предчувствием своего близкого будущего счастья. Река Потудань тоже всю зиму таилась подо льдом, и озимые хлеба дремали под снегом,— эти явления природы успокаивали и даже утешали Никиту Фирсова: не одно его сердце лежит в погребении перед весной. В феврале, просыпаясь утром, он прислушивался — не жужжат ли уже новые мухи, а на дворе глядел на небо и на деревья соседнего сада: может быть, уже прилетают первые птицы из дальних стран. Но деревья, травы и зародыши мух еще спали в глубине своих сил и в зачатке.

В середине февраля Люба сказала Никите, что выпускные экзамены у них начинаются двадцатого числа, потому что врачи очень нужны и народу некогда их долго ждать. А к марту экзамены уже кончатся,— поэтому пусть снег лежит и река течет подо льдом хоть до июля месяца! Радость их сердца наступит раньше тепла природы.

На это время — до марта месяца — Никита захотел уехать из города, чтобы скорее перетерпеть срок до совместной жизни с Любой. Он назвался в мастерской крестьянской мебели идти с бригадой столяров чинить мебель по сельсоветам и школам в деревнях.

Отец тем временем — к марту месяцу — сделал не спеша в подарок молодым большой шкаф, подобный тому, который стоял в квартире Любы, когда еще ее мать была приблизительной невестой отца Никиты. На глазах старого столяра жизнь повторялась уже по второму или по третьему своему кругу. Понимать это можно, а изменить пожалуй что нельзя, и, вздохнув, отец Никиты положил шкаф на санки и повез его на квартиру невесты своего сына. Снег потеплел и таял против солнца, но старый человек был еще силен и волок санки в упор даже по черному телу оголившейся земли. Он думал втайне, что и сам бы мог вполне жениться на этой девушке Любе, раз на матери ее постеснялся, но стыдно как-то и нет в доме достатка, чтобы побаловать, привлечь к себе подобную молодую девицу. И отец Никиты полагал отсюда, что жизнь далеко не нормальна. Сын вот только явился с войны и опять уходит из дома, теперь уж навсегда. Придется, видно, ему, старику, взять к себе хоть побирушку с улицы — не ради семейной жизни, а чтоб, вроде домашнего ежа или кролика, было второе существо в жилище: пусть оно мешает жить и вносит нечистоту, но без него перестанешь быть человеком.

Сдав Любе шкаф, отец Никиты спросил у нее, когда ему нужно приходить на свадьбу.

— А когда Никита приедет: я готова! — сказала Люба.

Отец ночью пошел на деревню за двадцать верст, где Никита работал по изготовлению школьных парт. Никита спал в пустом классе на полу, но отец побудил его и сказал ему, что пора идти в город — можно жениться.

— Ты ступай, а я за тебя парты доделаю! — сказал отец.

Никита надел шапку и сейчас же, не ожидая рассвета, отправился пешком в уезд. Он шел один всю вторую половину ночи по пустым местам; полевой ветер бродил без порядка близ него, то касаясь лица, то задувая в спину, а иногда и вовсе уходя на покой в тишину придорожного оврага. Земля по склонам и на высоких пашнях лежала темной, снег ушел с нее в низы, пахло молодою водой и ветхими травами, павшими с осени. Но осень уже забытое, давнее время,— земля сейчас была бедна и свободна, она будет рожать все сначала и лишь те существа, которые никогда не жили. Никита даже не спешил идти к Любе; ему нравилось быть в сумрачном свете ночи на этой беспамятной ранней земле, забывшей всех умерших на ней и не знающей, что она родит в тепле нового лета.

Под утро Никита подошел к дому Любы. Легкая изморозь легла на знакомую крышу и на кирпичный фундамент,— Любе, наверно, сладко спится сейчас в нагретой постели, и Никита прошел мимо ее дома, чтобы не будить невесту, не остужать ее тела из-за своего интереса.

К вечеру того же дня Никита Фирсов и Любовь Кузнецова записались в уездном Совете на брак, затем они пришли в комнату Любы и не знали, чем им заняться. Никите стало теперь совестно, что счастье полностью случилось с ним, что самый нужный для него человек на свете хочет жить заодно с его жизнью, словно в нем скрыто великое, драгоценное добро. Он взял руку Любы к себе и долго держал ее; он наслаждался теплотой ладони этой руки, он чувствовал через нее далекое биение любящего его сердца и думал о непонятной тайне: почему Люба улыбается ему и любит его неизвестно за что. Сам он чувствовал в точности, почему дорога для него Люба.

— Сначала давай покушаем! — сказала Люба и выбрала свою руку от Никиты.

Она приготовила сегодня кое-что: по окончании академии ей дали усиленное пособие в виде продуктов и денежных средств.

Никита со стеснением стал есть вкусную, разнообразную пищу у своей жены. Он не помнил, чтобы когда-нибудь его угощали почти задаром, ему не приходилось посещать людей для своего удовольствия и еще вдобавок наедаться у них.

Покушав, Люба встала первой из-за стола. Она открыла объятия навстречу Никите и сказала ему:

— Ну!

Никита поднялся и робко обнял ее, боясь повредить что-нибудь в этом особом, нежном теле. Люба сама сжала его себе на помощь, но Никита попросил: «Подождите, у меня сердце сильно заболело»,— и Люба оставила мужа.

На дворе наступили сумерки, и Никита хотел затопить печку для освещения, но Люба сказала: «Не надо, я ведь уже кончила учиться, и сегодня наша свадьба». Тогда Никита разобрал постель, а Люба тем временем разделась при нем, не зная стыда перед мужем. Никита же зашел за отцовский шкаф и там снял с себя поскорее одежду, а потом лег рядом с Любой ночевать.

Наутро Никита встал спозаранку. Он подмел комнату, затопил печку, чтобы скипятить чайник, принес из сеней воду в ведре для умывания и под конец не знал уже, что ему еще сделать, пока Люба спит. Он сел на стул и пригорюнился: Люба теперь, наверно, велит ему уйти к отцу навсегда, потому что, оказывается, надо уметь наслаждаться, а Никита не может мучить Любу ради своего счастья, и у него вся сила бьется в сердце, приливает к горлу, не оставаясь больше нигде.

Люба проснулась и глядела на мужа.

— Не унывай, не стоит,— сказала она, улыбаясь.— У нас все с тобой наладится!

— Давай я пол вымою,— попросил Никита,— а то у нас грязно.

— Ну, мой,— согласилась Люба.

«Как он жалок и слаб от любви ко мне! — думала Люба в кровати.— Как он мил и дорог мне, и пусть я буду с ним вечной девушкой!.. Я протерплю. А может — когда-нибудь он станет любить меня меньше, и тогда будет сильным человеком!»

Никита ерзал по полу с мокрой тряпкой, смывая грязь с половых досок, а Люба смеялась над ним с постели.

— Вот я и замужняя! — радовалась она сама с собой и вылезла в сорочке поверх одеяла.

Убравшись с комнатой, Никита заодно вытер влажной тряпкой всю мебель, затем разбавил холодную воду в ведре горячей и вынул из-под кровати таз, чтобы Люба умывалась над ним.

После чая Люба поцеловала мужа в лоб и пошла на работу в больницу, сказав, что часа в три она возвратится. Никита попробовал на лбу место поцелуя жены и остался один. Он сам не знал, почему он сегодня не пошел на работу,— ему казалось, что жить теперь ему стыдно и, может быть, совсем не нужно: зачем же тогда зарабатывать деньги на хлеб? Он решил кое-как дожить свой век, пока не исчахнет от стыда и тоски.

Обследовав общее семейное имущество в квартире, Никита нашел продукты и приготовил обед из одного блюда — кулеш с говядиной. А после такой работы лег вниз лицом на кровать и стал считать, сколько времени осталось до вскрытия рек, чтобы утопиться в Потудани.

— Обожду, как тронется лед: недолго! — сказал он себе вслух для успокоения и задремал.

Люба принесла со службы подарок — две плошки зимних цветов; ее там поздравили с бракосочетанием врачи и сестры милосердия. А она держалась с ними важно и таинственно, как истинная женщина. Молодые девушки из сестер и сиделок завидовали ей, одна же искренняя служащая больничной аптеки доверчиво спросила у Любы — правда или нет, что любовь — это нечто чарующее, а замужество по любви — упоительное счастье? Люба ответила ей, что все это чистая правда, оттого и люди на свете живут.

Вечером муж и жена беседовали друг с другом. Люба говорила, что у них могут появиться дети и надо заранее об этом подумать. Никита обещал начать в мастерской делать сверхурочно детскую мебель: столик, стул и кроватку-качалку.

— Революция осталась навсегда, теперь рожать хорошо,— говорил Никита.— Дети несчастными уж никогда не будут!

— Тебе хорошо говорить, а мне ведь рожать придется! — обижалась Люба.

— Больно будет? — спрашивал Никита.— Лучше тогда не рожай, не мучайся...

— Нет, я вытерплю, пожалуй! — соглашалась Люба.

В сумерках она постелила постель, причем, чтоб не тесно было спать, она подгородила к кровати два стула для ног, а ложиться велела поперек постели. Никита лег в указанное место, умолк и поздно ночью заплакал во сне. Но Люба долго не спала, она услышала его слезы и осторожно вытерла спящее лицо Никиты концом простыни, а утром, проснувшись, он не запомнил своей ночной печали.

С тех пор их общая жизнь пошла по своему времени. Люба лечила людей в больнице, а Никита делал крестьянскую мебель. В свободные часы и по воскресеньям он работал на дворе и по дому, хотя Люба его не просила об этом,— она сама теперь точно не знала, чей этот дом. Раньше он принадлежал ее матери, потом его взяли в собственность государства, но государство забыло про дом — никто ни разу не приходил справляться в целости дома и не брал денег за квартиру. Никите это было все равно. Он достал через знакомых отца зеленой краски-медянки и выкрасил заново крышу и ставни, как только устоялась весенняя погода. С тем же прилежанием он постепенно починил обветшалый сарай на дворе, оправил ворота и забор и собирался рыть новый погреб, потому что старый обвалился.

Река Потудань уже тронулась. Никита ходил два раза на ее берег, смотрел на потекшие воды и решил не умирать, пока Люба еще терпит его, а когда перестанет терпеть, тогда он успеет скончаться — река не скоро замерзнет. Дворовые хозяйственные работы Никита делал обычно медленно, чтобы не сидеть в комнате и не надоедать напрасно Любе. А когда он отделывался начисто, то нагребал к себе в подол рубашки глину из старого погреба и шел с ней в квартиру. Там он садился на пол и лепил из глины фигурки людей и разные предметы, не имеющие подобия и назначения,— просто мертвые вымыслы в виде горы с выросшей из нее головой животного или корневища дерева, причем корень был как бы обыкновенный, но столь запутанный, непроходимый, впившийся одним своим отростком в другой, грызущий и мучающий сам себя, что от долгого наблюдения этого корня хотелось спать. Никита нечаянно, блаженно улыбался во время своей глиняной работы, а Люба сидела тут же, рядом с ним на полу, зашивала белье, напевая песенки, что слышала когда-то, и между своим делом ласкала Никиту одною рукой — то гладила его по голове, то щекотала под мышкой. Никита жил в эти часы со сжавшимся кротким сердцем и не знал, нужно ли ему еще что-либо более высшее и могучее, или жизнь на самом деле невелика,— такая, что уже есть у него сейчас. Но Люба смотрела на него утомленными глазами, полными терпеливой доброты, словно добро и счастье стали для нее тяжким трудом. Тогда Никита мял свои игрушки, превращал их снова в глину и спрашивал у жены, не нужно ли затопить печку, чтобы согреть воду для чая, или сходить куда-нибудь по делу.

— Не нужно,— улыбалась Люба.— Я сама сделаю все...

И Никита понимал, что жизнь велика и, быть может, ему непосильна, что она не вся сосредоточена в его бьющемся сердце — она еще интересней, сильнее и дороже в другом, недоступном ему человеке. Он взял ведро и пошел за водой в городской колодец, где вода была чище, чем в уличных бассейнах. Никита ничем, никакой работой не мог утомить свое горе и боялся, как в детстве, приближающейся ночи. Набрав воды, Никита зашел с полным ведром к отцу и посидел у него в гостях.

— Что ж свадьбу-то не сыграли? — спросил отец.— Тайком, по-советски управились?..

— Сыграем еще,— пообещал сын.— Давай с тобой сделаем маленький стол со стулом и кровать-качалку,— ты поговори завтра с мастером, чтоб дали материал... А то у нас дети, наверно, пойдут!

— Ну что ж, можно,— согласился отец.— Да ведь дети у вас скоро не должны быть: не пора еще...

Через неделю Никита поделал для себя всю нужную детскую мебель; он оставался каждый вечер сверхурочно и тщательно трудился. А отец начисто отделал каждую вещь и покрасил ее.

Люба установила детскую утварь в особый уголок, убрала столик будущего ребенка двумя горшками цветов и положила на спинку стула новое вышитое полотенце. В благодарность за верность к ней и к ее неизвестным детям Люба обняла Никиту, она поцеловала его в горло, прильнула к груди и долго согревалась близ любящего человека, зная, что больше ничего сделать нельзя. А Никита, опустив руки, скрывая свое сердце, молча стоял перед нею, потому что не хотел казаться сильным, будучи беспомощным.

В ту ночь Никита выспался рано, проснувшись немного позже полуночи. Он лежал долго в тишине и слушал звон часов в городе — половина первого, час, половина второго: три раза по одному удару. На небе, за окном, началось смутное прозябание — еще не рассвет, а только движение тьмы, медленное оголение пустого пространства, и все вещи в комнате и новая детская мебель тоже стали заметны, но после прожитой темной ночи они казались жалкими и утомленными, точно призывая к себе на помощь. Люба пошевелилась под одеялом и вздохнула: может быть, она тоже не спала. На всякий случай Никита замер и стал слушать. Однако больше Люба не шевелилась, она опять дышала ровно, и Никите нравилось, что Люба лежит около него живая, необходимая для его души и не помнящая во сне, что он, ее муж, существует. Лишь бы она была цела и счастлива, а Никите достаточно для жизни одного сознания про нее. Он задремал в покое, утешаясь сном близкого милого человека, и снова открыл глаза.

Люба осторожно, почти неслышно плакала. Она покрывалась с головой и там мучилась одна, сдавливая свое горе, чтобы оно умерло беззвучно. Никита повернулся лицом к Любе и увидел, как она, жалобно свернувшись под одеялом, часто дышала и угнеталась. Никита молчал. Не всякое горе можно утешить; есть горе, которое кончается лишь после истощения сердца, в долгом забвении или в рассеянности среди текущих житейских забот.

На рассвете Люба утихла. Никита обождал время, затем приподнял конец одеяла и посмотрел в лицо жены. Она покойно спала, теплая, смирная, с осохшими слезами...

Никита встал, бесшумно оделся и ушел наружу. Слабое утро начиналось в мире, прохожий нищий шел с полной сумою посреди улицы. Никита отправился вослед этому человеку, чтобы иметь смысл идти куда-нибудь. Нищий вышел за город и направился по большаку в слободу Кантемировку, где спокон века были большие базары и жил зажиточный народ; правда, там нищему человеку подавали всегда мало, кормиться как раз приходилось по дальним, бедняцким деревням, но зато в Кантемировке было праздно, интересно, можно пожить на базаре одним наблюдением множества людей, чтобы развлеклась на время душа.

В Кантемировку нищий и Никита пришли к полудню. На околице города нищий человек сел в канавку, открыл сумку и вместе с Никитой стал угощаться оттуда, а в городе они разошлись в разные стороны, потому что у нищего были свои соображения, у Никиты их не было. Никита пришел на базар, сел в тени за торговым закрытым рундуком и перестал думать о Любе, о заботах жизни и о самом себе.

...Базарный сторож жил на базаре уже двадцать пять лет и все годы жирно питался со своей тучной, бездетной старухой. Ему всегда у купцов и в кооперативных магазинах давали мясные, некондиционные остатки и отходы, отпускали по себестоимости пошивочный материал, а также предметы по хозяйству, вроде ниток, мыла и прочего. Он уже и сам издавна торговал помаленьку пустой, бракованной тарой и наживал деньги в сберкассу. По должности ему полагалось выметать мусор со всего базара, смывать кровь с торговых полок в мясном ряду, убирать публичное отхожее место, а по ночам караулить торговые навесы и помещения. Но он только прохаживался ночью по базару в теплом тулупе, а черную работу поручал босякам и нищим, которые ночевали на базаре; его жена почти всегда выливала остатки вчерашних мясных щей в помойное место, так что сторож всегда мог кормить какого-нибудь бедного человека за уборку отхожего места.

Жена постоянно наказывала ему — не заниматься черной работой, ведь у него уж борода седая вон какая отросла,— он теперь не сторож, а надзиратель.

Но разве бродягу либо нищего приучишь к вечному труду на готовых харчах: он поработает однажды, поест, что дадут, и еще попросит, а потом пропадает обратно в уезд.

За последнее время уже несколько ночей подряд сторож прогонял с базара одного и того же человека. Когда сторож толкал его, спящего, тот вставал и уходил, ничего не отвечая, а потом опять лежал или сидел где-нибудь за дальним рундуком. Однажды сторож всю ночь охотился за этим бесприютным человеком, в нем даже кровь заиграла от страсти замучить, победить чужое, утомленное существо... Раза два сторож бросал в него палкой и попадал по голове, но бродяга на рассвете все же скрылся от него,— наверно, совсем ушел с базарной площади. А утром сторож нашел его опять — он спал на крышке выгребной ямы за отхожим местом, прямо снаружи. Сторож окликнул спящего, тот открыл глаза, но ничего не ответил, посмотрел и опять равнодушно задремал. Сторож подумал, что это — немой человек. Он ткнул наконечником палки в живот дремлющего и показал рукой, чтоб он шел за ним.

В своей казенной, опрятной квартире — из кухни и комнаты — сторож дал немому похлебать из горшка холодных щей с выжирками, а после харчей велел взять в сенях метлу, лопату, скребку, ведро с известью и прибрать начисто публичное место. Немой глядел на сторожа туманными глазами: наверно, он был и глухой еще... Но нет, едва ли,— немой забрал в сенях весь нужный инструмент и материал, как сказал ему сторож, значит — он слышит.

Никита аккуратно сделал работу, и сторож явился потом проверить, как оно получилось; для начала вышло терпимо, поэтому сторож повел Никиту на коновязь и доверил ему собрать навоз и вывезти его на тачке.

Дома сторож-надзиратель приказал своей хозяйке, чтоб она теперь не выхлестывала в помойку остатки от ужина и обеда, а сливала бы их в отдельную черепушку: пусть немой человек доедает.

— Небось и спать его в горнице класть прикажешь? — спросила хозяйка.

— Это ни к чему! — определил хозяин.— Ночевать он наружи будет: он ведь не глухой, пускай лежит и воров слушает, а услышит — мне прибежит скажет... Дай ему дерюжку, он найдет себе место и постелит...

На слободском базаре Никита прожил долгое время. Отвыкнув сначала говорить, он и думать, вспоминать и мучиться стал меньше. Лишь изредка ему ложился гнет на сердце, но он терпел его без размышления, и чувство горя в нем постепенно утомлялось и проходило. Он уже привык жить на базаре, а многолюдство народа, шум голосов, ежедневные события отвлекали его от памяти по самом себе и от своих интересов — пищи, отдыха, желания увидеть отца. Работал Никита постоянно; даже ночью, когда Никита засыпал в пустом ящике среди умолкшего базара, к нему наведывался сторож-надзиратель и приказывал ему подремывать и слушать, а не спать по-мертвому. «Мало ли что,— говорил сторож,— намедни вон жулики две доски от ларька оторвали, пуд меда без хлеба съели...» А на рассвете Никита уже работал, он спешил убрать базар до народа; днем тоже есть нельзя было, то надо навоз накладывать из кучи на коммунальную подводу, то рыть новую яму для помоев и нечистот, то разбирать старые ящики, которые сторож брал даром у торгующих и продавал затем в деревню отдельными досками,— либо еще находилась работа.

Среди лета Никиту взяли в тюрьму по подозрению в краже москательных товаров из базарного филиала сельпо, но следствие оправдало его, потому что немой, сильно изнемогший человек был слишком равнодушен к обвинению. Следователь не обнаружил в характере Никиты и в его скромной работе на базаре как помощника сторожа никаких признаков жадности к жизни и влечения к удовольствию или наслаждению,— он даже в тюрьме не поедал всей пищи. Следователь понял, что этот человек не знает ценности личных и общественных вещей, а в обстоятельствах его дела не содержалось прямых улик. «Нечего пачкать тюрьму таким человеком!» — решил следователь.

Никита просидел в тюрьме всего пять суток, а оттуда снова явился на базар. Сторож-надзиратель уморился без него работать, поэтому обрадовался, когда немой опять показался у базарных рундуков. Старик позвал его в квартиру и дал Никите покушать свежих горячих щей, нарушив этим порядок и бережливость в своем хозяйстве. «Один раз поест — не разорит! — успокоил себя старый сторож-хозяин.— А дальше опять на вчерашнюю холодную еду перейдет, когда что останется!»

— Ступай, мусор отгреби в бакалейном ряду,— указал сторож Никите, когда тот поел хозяйские щи.

Никита отправился на привычное дело. Он слабо теперь чувствовал самого себя и думал немного, что лишь нечаянно появлялось в его мысли. К осени, вероятно, он вовсе забудет, что он такое, и, видя вокруг действие мира,— не станет больше иметь о нем представления; пусть всем людям кажется, что этот человек живет себе на свете, а на самом деле он будет только находиться здесь и существовать в беспамятстве, в бедности ума, в бесчувствии, как в домашнем тепле, как в укрытии от смертного горя...

Вскоре после тюрьмы, уже на отдании лета,— когда ночи стали длиннее,— Никита, как нужно по правилу, хотел вечером запереть дверь в отхожее место, но оттуда послышался голос:

— Погоди, малый, замыкать!.. иль и отсюда добро воруют?

Никита обождал человека. Из помещения вышел отец с пустым мешком под мышкой.

— Здравствуй, Никит! — сказал сначала отец и вдруг жалобно заплакал, стесняясь слез и не утирая их ничем, чтоб не считать их существующими.— Мы думали, ты покойник давно... Значит, ты цел?

Никита обнял похудевшего, поникшего отца,— в нем тронулось сейчас сердце, отвыкшее от чувства.

Потом они пошли на пустой базар и приютились в проходе меж двух рундуков.

— А я за крупой сюда пришел, тут она дешевле,— объяснил отец.— Да вот, видишь, опоздал, базар уж разошелся... Ну, теперь переночую, а завтра куплю и отправлюсь... А ты тут что?

Никита захотел ответить отцу, однако у него ссохлось горло, и он забыл, как нужно говорить. Тогда он раскашлялся и прошептал:

— Я ничего. А Люба жива?

— В реке утопилась,— сказал отец.— Но ее рыбаки сразу увидели и вытащили, стали отхаживать,— она и в больнице лежала: поправилась.

— А теперь жива? — тихо спросил Никита.

— Да пока еще не умерла,— произнес отец.— У нее кровь горлом часто идет: наверно, когда утопала, то простудилась. Она время плохое выбрала,— тут как-то погода испортилась, вода была холодная...

Отец вынул из кармана хлеб, дал половину сыну, и они пожевали немного на ужин. Никита молчал, а отец постелил на землю мешок и собирался укладываться.

— А у тебя есть место? — спросил отец.— А то ложись на мешок, а я буду на земле, я не простужусь, я старый...

— А отчего Люба утопилась? — прошептал Никита.

— У тебя горло, что ль, болит? — спросил отец.— Пройдет!.. По тебе она сильно убивалась и скучала, вот отчего... Цельный месяц по реке Потудани, по берегу, взад-вперед за сто верст ходила. Думала, ты утонул и всплывешь, а она хотела тебя увидеть. А ты, оказывается, вот тут живешь. Это плохо...

Никита думал о Любе, и опять его сердце наполнялось горем и силой.

— Ты ночуй, отец, один,— сказал Никита.— Я пойду на Любу погляжу.

— Ступай,— согласился отец.— Сейчас идти хорошо, прохладно. А я завтра приду, тогда поговорим...

Выйдя из слободы, Никита побежал по безлюдному уездному большаку. Утомившись, он шел некоторое время шагом, потом снова бежал в свободном легком воздухе по темным полям.

Поздно ночью Никита постучал в окно к Любе и потрогал ставни, которые он покрасил когда-то зеленой краской,— сейчас ставни казались синими от темной ночи. Он прильнул лицом к оконному стеклу. От белой простыни, спустившейся с кровати, по комнате рассеивался слабый свет, и Никита увидел детскую мебель, сделанную им с отцом,— она была цела. Тогда Никита сильно постучал по оконной раме. Но Люба опять не ответила, она не подошла к окну, чтобы узнать его.

Никита перелез через калитку, вошел в сени, затем в комнату,— двери были не заперты: кто здесь жил, тот не заботился о сохранении имущества от воров.

На кровати под одеялом лежала Люба, укрывшись с головой.

— Люба! — тихо позвал ее Никита.

— Что? — спросила Люба из-под одеяла.

Она не спала. Может быть, она лежала одна в страхе и болезни или считала стук в окно и голос Никиты сном.

Никита сел с краю на кровать.

— Люба, это я пришел! — сказал Никита.

Люба откинула одеяло со своего лица.

— Иди скорей ко мне! — попросила она своим прежним, нежным голосом и протянула руки Никите.

Люба боялась, что все это сейчас исчезнет; она схватила Никиту за руки и потянула его к себе.

Никита обнял Любу с тою силою, которая пытается вместить другого, любимого человека внутрь своей нуждающейся души; но он скоро опомнился, и ему стало стыдно.

— Тебе не больно? — спросил Никита.

— Нет! Я не чувствую,— ответила Люба.

Он пожелал ее всю, чтобы она утешилась, и жестокая, жалкая сила пришла к нему. Однако Никита не узнал от своей близкой любви с Любой более высшей радости, чем знал ее обыкновенно,— он почувствовал лишь, что сердце его теперь господствует во всем его теле и делится своей кровью с бедным, но необходимым наслаждением.

Люба попросила Никиту,— может быть, он затопит печку, ведь на дворе еще долго будет темно. Пусть огонь светит в комнате, все равно спать она больше не хочет, она станет ожидать рассвета и глядеть на Никиту.

Но в сенях больше не оказалось дров. Поэтому Никита оторвал на дворе от сарая две доски, поколол их на части и на щепки и растопил железную печь. Когда огонь прогрелся, Никита отворил печную дверцу, чтобы свет выходил наружу. Люба сошла с кровати и села на полу против Никиты, где было светло.

— Тебе ничего сейчас, не жалко со мной жить? — спросила она.

— Нет, мне ничего,— ответил Никита.— Я уже привык быть счастливым с тобой.

— Растопи печку посильней, а то я продрогла,— попросила Люба.

Она была сейчас в одной заношенной ночной рубашке, и похудевшее тело ее озябло в прохладном сумраке позднего времени.

ДЖАН[1]

1

Во двор Московского экономического института вышел молодой нерусский человек Назар Чагатаев. Он с удивлением осмотрелся кругом и опомнился от минувшего долгого времени. Здесь, по этому двору, он ходил несколько лет, и здесь прошла его юность, но он не жалеет о ней — он взошел теперь высоко, на гору своего ума, откуда виднее весь этот летний мир, нагретый вечерним отшумевшим солнцем.

По двору росла случайная трава, в углу стоял рундук для мусора, затем находился ветхий деревянный сарай, и около него жила одинокая старая яблоня без всякого участья человека. Вскоре после этого дерева лежал самородный камень весом пудов, наверно, в сто,— неизвестно откуда, и еще далее впилось в землю железное колесо от локомобиля девятнадцатого века.

Двор был пуст. Молодой человек сел на порог сарая и сосредоточился. Он получил в канцелярии института справку о защите дипломной работы, а самый диплом ему вышлют после по почте. Больше он сюда не вернется. Он втайне прощался со всеми здешними, мертвыми предметами. Когда-нибудь они тоже станут живыми — сами по себе или посредством человека. Он обошел все ненужные дворовые вещи и потрогал их рукою; он хотел почему-то, чтобы предметы запомнили его и полюбили. Но сам в это не верил. По детскому воспоминанию он знал, что после долгой разлуки странно и грустно видеть знакомое место: ты с ним еще связан сердцем, а неподвижные предметы тебя уже забыли и не узнают, точно они прожили без тебя деятельную счастливую жизнь, а ты был им чужой, одинок в своем чувстве и теперь стоишь перед ними жалким неизвестным существом.

За сараем рос старый сад. Там сейчас ставили столы, проводили временный свет и делали разное убранство. Директор института назначал сегодня вечернее торжество для второго выпуска советских экономистов и инженеров. Со двора своего училища Назар Чагатаев пошел в общежитие, чтобы отдохнуть и пере-

---

[1] Д ж а н — душа, которая ищет счастье (туркменское народное поверье).— *Прим. автора.*

одеться для вечера. Он лег на свою кровать и нечаянно уснул — с тем ощущением внезапного телесного счастья, которое бывает лишь в молодости.

Позже, во время темного вечера, Чагатаев снова пришел в сад экономического института. Он надел свой хороший серый костюм, сбереженный в долгие студенческие годы, и побрился перед ручным девичьим зеркалом. Все его имущество лежало под подушкой и в тумбочке около кровати. Чагатаев, уходя на вечер, с сожалением поглядел во внутреннюю тьму своего шкафа; скоро он забудет его, и запах одежды и тела Чагатаева навсегда исчезнет из этого деревянного ящика.

В общежитии жили студенты других вузов, поэтому Чагатаев отправился один. В саду играл оркестр, приглашенный из кинотеатра, столы были составлены в одну длинную очередь, и над ними горели прожекторные лампы, подвешенные электриками на времянках между деревьями. Пустая летняя ночь стояла над головами собравшихся на свое торжество, на свое последнее свидание, и вся прелесть той ночи была в открытом и теплом пространстве, в тишине неба и растений.

Музыка играла. Молодые люди сидели за столами, готовые разойтись отсюда по окружающей земле, чтобы устроить себе там счастье. Скрипка музыканта иногда замирала, как удаленный, слабеющий голос.

Чагатаеву казалось, что это плачет человек за горизонтом,— может быть, в той никому не знакомой стране, где он когда-то родился, где теперь живет или умерла его мать.

— Гюльчатай! — сказал он вслух.

— Что такое? — спросила его соседка, технолог.

— Ничего не значит,— объяснил Чагатаев.— Гюльчатай — моя мать, горный цветок. Людей называют, когда они маленькие и похожи на все хорошее...

Скрипка играла снова, ее голос не только жаловался, но и звал — уйти и не вернуться, потому что музыка всегда играет ради победы, даже когда она печальная.

Вскоре начались танцы, игры, обычное торжество молодости. Чагатаев глядел на людей и в ночную природу; ему еще долго предстояло здесь находиться, может быть, вечно, бороться с мученьем, работать и быть счастливым.

Против Чагатаева сидела неизвестная ему юная женщина, с глазами, блестевшими черным светом, в синем платье, надетом высоко, до подбородка, как на старухе, что ей придавало неудобный и милый вид. Она не танцевала, стесняясь или не умея, и с увлечением глядела на Чагатаева. Ей нравилось его смуглое лицо с узкими чистыми глазами, направленными на нее в упор с добром и угрюмостью, его широкая грудь, скрывающая сердце с тайными чувствами, и мягкий, немощный рот, способный плакать и смеяться. Она не скрывала своей симпатии и улыбнулась Чагатаеву; он ей ничем не ответил. Общее веселье все более увеличивалось. Студенты — экономисты, плановики и инженеры — брали со столов цветы, рвали траву в саду и делали из них своим подругам подарки или прямо посыпали им растения на их густые волосы. Затем появилось конфетти, и оно тоже пошло в дело удовольствия. Женщина, сидевшая против Чагатаева, исчезла — она танцевала теперь на садовой тропинке, обсыпанная разноцветными бумажками, и была довольна.

Другие женщины, оставшиеся за столом, тоже были счастливы от внимания своих друзей, от окружавшей их природы и от предчувствия своего будущего, равного по долготе и надеждам бессмертию. Лишь одна между ними была без цветов и конфетти на голове; к ней никто не склонялся с шутливыми словами; и она жалко улыбалась, чтобы показать, что принимает участие в общем празднике и ей здесь приятно и весело. Глаза же ее были грустны и терпеливы, как у большого [рабочего животного] [1]. Иногда она чутко глядела по сторонам и, убедившись, что никому не нужна, быстро собирала со стульев соседей упавшие цветы и красочные бумажки и прятала их незаметно. Чагатаев изредка видел ее действия, но понять не мог; ему уже стало скучно от долгого одинакового торжества, и он собирался уйти отсюда. Женщина, собиравшая цветы, павшие с других людей, тоже ушла куда-то — время вечера вышло, звезды стали большими, начиналась ночь. Чагатаев встал с места и поклонился ближним товарищам — он не скоро с ними увидится.

Чагатаев пошел мимо деревьев и заметил ту женщину с [лошадиным] лицом, спрятавшуюся в тени; она его не видела, она сейчас накладывала себе на волосы цветы и ленты, потом она вышла из-за деревьев опять к освещенному столу. Чагатаев сейчас же возвратился туда: он хотел немедленно опрокинуть столы, повалить деревья и прекратить это наслаждение, над которым капают жалкие слезы, но женщина была теперь счастливая, смеющаяся, с розой в темных волосах, хотя глаза ее были заплаканы. Чагатаев остался в саду; он подошел к ней и познакомился; она оказалась студенткой-дипломницей химического института. Он ее пригласил танцевать, хотя сам не умел, но она танцевала отлично и вела его в такт музыке, как нужно. Глаза ее быстро высохли, лицо похорошело, и тело, привыкшее к дикой робости, теперь с доверием прижималось к нему, полное поздней девственности, пахнущее добрым теплом, как хлеб. Чагатаев забылся около нее, сон и счастье исходили от этой чужой женщины, с которой он, вероятно, не встретится более; так часто живет рядом с нами незаметное блаженство.

Свидание и веселье продолжалось до света на небе; затем сад опустел, осталась мертвая утварь, все разошлись. Чагатаев и его новая подруга Вера пошли по Москве, освещенной зарею. Чужеземец Чагатаев любил этот город, как родину, и был благодарен, что он здесь долго жил, узнал науку и съел много хлеба

---

[1] Здесь и далее в квадратных скобках отмечены места, где правка автором не завершена.— *Ред.*

без попрека. Он посмотрел на свою спутницу — ее лицо стало красивым от встающего вдалеке солнца.

Прошло время, небо стало высоким и чистым, напряженное солнце беспрерывно посылало свое добро земле — свет. Вера шла молча. Чагатаев изредка всматривался в нее и удивлялся, почему она кажется всем нехорошей, когда даже скромное молчание ее напоминает безмолвие травы, верность привычного друга. Ведь это только издали можно ненавидеть ее, отрицать или быть вообще равнодушным к человеку. Но когда Чагатаев видел теперь вблизи морщины утомления на ее щеках, выражение лица, прячущего ее желания, глаза, хранимые веками, опухшие губы — все таинственное воодушевление этой женщины, скрытое в ее живом веществе, все доброе и сильное создание ее тела, то он робел от нежности к ней и не мог бы ничего сделать против нее, и ему даже стыдно было думать о том, красива она или нет.

— Я уморилась, мы ведь не спали,— сказала Вера,— давайте прощаться.

— Ничего,— ответил Чагатаев.— Я скоро уезжаю, давайте немого побудем.

Они еще пошли вперед, миновали долгие улицы и где-то остановились.

— Здесь я живу,— указала Вера на новое большое жилище.

— Пойдемте к вам. Вы ляжете отдыхать, а я посижу около вас и потом уйду.

Вера стояла в смущении.

— Ну, хорошо,— сказала она и повела гостя.

У нее была большая комната с обычной мебелью девушки, но эта комната была какой-то грустной, занавешенной шторами, скучной и почти пустой.

Вера сняла летний плащ, и Чагатаев заметил, что она полнее, чем кажется. Затем Вера стала рыться в своих хозяйственных закоулках, чтобы покормить гостя, а Чагатаев засмотрелся на старинную двойную картину, висевшую над кроватью этой девушки. Картина изображала мечту, когда земля считалась плоской, а небо — близким. Там некий большой человек встал на землю, пробил головой отверстие в небесном куполе и высунулся до плеч по ту сторону неба, в странную бесконечность того времени, и загляделся туда. И он настолько долго глядел в неизвестное, чуждое пространство, что забыл про свое остальное тело, оставшееся ниже обычного неба. На другой половине картины изображался тот же вид, но в другом положении. Туловище человека истомилось, похудело и, наверно, умерло, а отсохшая голова скатилась на тот свет — по наружной поверхности неба, похожего на жестяной таз,— голова искателя новой бесконечности, где действительно нет конца и откуда нет возвращения на скудное, плоское место земли.

Но Чагатаеву, как больному, ничто теперь стало немило и неинтересно. С оробевшим сердцем он обнял Веру, склонившуюся близ него по своему хозяйскому делу, и прижал ее к себе с силой и осторожностью, будто желая как можно ближе приникнуть к ней, чтобы согреться и успокоиться. Вера сразу поняла его и не оттолкнула. Она выпрямилась, склонила его голову ниже своей и стала ласкать его черные жесткие волосы, а сама глядела в сторону, отстраняя лицо, но все же слезы ее изредка падали на голову Чагатаева и там высыхали. Вера плакала бесшумно, одними слезами, бегущими из глаз, стараясь не менять выражения лица, чтобы не всхлипывать. Чагатаев услышал ее, однако ему было все равно, что сейчас случается, и он бы не мог теперь никому помочь.

— Я ведь беременная,— сказала Вера.

— Пусть! — ответил Чагатаев, прощая ей все, храбрый в сердце, как обреченный на смерть.

— Нет! — печально говорила Вера, закрываясь концом рукава, чтобы высушить слезы и скрыть свое некрасивое лицо, о котором она помнила даже во сне.— Нет. Я ничего не могу.

Чагатаев оставил ее. Ему не нужно было обязательно утешать себя яростным наслаждением с Верой, чтобы иметь счастье. Достаточно быть с нею вблизи, держать ее руку и спросить, почему она плачет — от горя или оскорбления.

— У меня недавно умер мой муж,— сказала Вера.— А мертвого, вы знаете, как трудно забыть. И ребенок, когда родится, он не увидит отца, а одной матери ему мало будет... Ведь правда мало?

— Мало,— согласился Чагатаев.— Теперь я буду его отцом.

Он обнял ее, и они уснули в светлое время дня, и шум строящейся Москвы, бурение недр, ссоры населения на уличном транспорте — все умолкло в их ушах; они лишь друг друга держали руками, и каждый из них слушал сквозь сон глухое, кроткое дыхание другого.

Под вечер, незадолго до окончания занятий в учреждениях, они зарегистрировались в ближнем загсе. Они стояли между двумя букетами цветов; заведующий загсом поздравил их краткой речью, предложил поцеловаться в знак пожизненной верности и посоветовал иметь много детей, чтобы революционное поколение распространилось на вечные времена. Чагатаев дважды поцеловал Веру и дружески попрощался с заведующим, думая о том, что хорошо было бы, если бы и он поцеловал Веру, а не ограничился служебной необходимостью.

С тех пор Чагатаев каждый день приходил по вечерам в гости к Вере, когда она уже ждала его и радовалась его приходу. Они сразу же обнимались, причем Чагатаев обращался с Верой крайне осторожно, храня в ней ребенка от погибшего отца. Затем они шли гулять, как все люди обычно, под руку по улице, осматривали внимательно витрины, точно готовясь многое приобрести, следили за небом, где были свои происшествия, и не забывали ничего из окружающих их, беспрерывно текучих событий, как будто сердце во время любви настолько тяжело, что его надо все время развлекать пустяками, чтоб оно не чувствовало своей работы.

Но Чагатаев еще не был настоящим мужем Веры, она все время отклоняла его сожительство — с нежностью и страхом, чтобы не обидеть его и не отдаться ему. Она словно боялась погубить в страсти свое бедное утешение, которое явилось внезапно и странно; или она просто хитрила, расчетливо и разумно, желая иметь в своем муже неостывающую теплоту, чтобы самой согреваться в ней долго и надежно. Однако Чагатаев не мог вынести своего чувства к Вере на одной духовной и бесчеловечной привязанности, и он вскоре заплакал над нею, когда она лежала на кровати, по виду беспомощная, но улыбающаяся и непобедимая.

Чагатаев не умел терпеть силу своей жизни, он знал ее невинность и доброту, поэтому его оскорбляла чужая недоступность, и он терял память и соображение. Еще в детстве он также топал босыми ногами в землю, обливался слезами от безутешного неистовства и грозился прохожим, когда видел еду за толстым стеклом и не мог ее немедленно съесть.

2

Лето продолжалось. От жары тлели торфяные болота вокруг Москвы, и по вечерам в воздухе стояла гарь, смешанная с теплым парующим духом удаленных колхозов и полей, точно всюду в природе готовили пищу на ужин. Чагатаев проводил с Верой последние дни: он получил назначение на работу; ему нужно было уезжать на родину, в середину азиатской пустыни, где жила или уже давно умерла его мать. Чагатаев пропал оттуда мальчиком пятнадцать лет тому назад. Старая мать его, туркменка Гюльчатай, надела ему шапку-папаху, положила в сумку кусок старого чурека и еще добавила лепешку, испеченную из растертых корней камыша, катрана и ярмалыка, затем дала тростинку в руку, чтобы вместо старшего друга шло растение рядом, и велела идти.

— Ступай, Назар,— сказала она, не желая видеть его мертвым рядом с собой.— Если узнаешь отца своего, ты к нему не подходи. Увидишь базары и богатство, в Куня-Ургенче, в Ташаузе, Хиве — ты туда не иди, ступай мимо всех, иди далеко к чужим. Пусть отец твой будет незнакомым человеком.

Маленький Назар не хотел уходить от матери. Он ей говорил, что привык умирать и больше не боится, что он мало будет есть. Но мать прогоняла его.

— Нет,— говорила она.— Я уже так слаба, что любить тебя не могу, живи теперь один. Я забуду тебя.

Назар заплакал около матери. Он обнял одну ее худую холодную ногу и долго стоял, впившись в ослабевшее привычное тело; небольшое сердце его стало тогда больным, оно сразу вдруг утомилось и билось тяжело, как намокшее. Мальчик сел в пыль земли и сказал матери:

— Я тоже тебя забуду, я тоже тебя не люблю. Вы маленького

человека кормить не можете, а когда умрете, то никого у вас не будет.

Он лег лицом вниз и заснул в сырости слез и своего дыхания. Проснулся Назар в пустом месте. Мать ушла, с пустыни шел ничтожный чужой ветер — без всякого запаха и без живого звука. Некоторое время мальчик сидел смирно, он ел материнский чурек, оглядывался и думал ту мысль, которую теперь с возрастом забыл. Перед ним была земля, где он родился и захотел жить. Та детская страна находилась в черной тени, где кончается пустыня; там пустыня опускает свою землю в глубокую впадину, будто готовя себе погребение, и плоские горы, изглоданные сухим ветром, загораживают то низкое место от небесного света, покрывая родину Чагатаева тьмою и тишиной. Лишь поздний свет доходит туда и освещает грустным сумраком редкие травы на бледной засоленной земле, будто на ней высохли слезы, но горе ее не прошло.

Назар стоял на краю темной земли, павшей вниз; далее начиналась песчаная пустыня, более счастливая и светлая, и среди песчаных покойных бугров даже в тихое время, в тот исчезнувший детский день, ютился мелкий ветер, бредущий и плачущий, изгнанный издалека. Мальчик прислушался к этому ветру и повел глазами за ним, чтобы увидеть его и быть с ним вдвоем, но не увидел ничего, и тогда он закричал. Ветер пропал от него, никто не отозвался. Вдалеке наступала ночь; на темную низкую землю, откуда вывела его мать, уже легла тень, и лишь курился белый дым из кибиток и землянок, где прежде жил ребенок. Назар в недоумении попробовал свои ноги и тело: есть ли он на свете, раз его никто теперь не помнит и не любит; ему нечего стало думать, будто он жил от силы и желания других близких людей, а сейчас их нет, и они прогнали его... Шершавый куст — бродяга, по-русски — перекати-поле, без ветра склонялся и перекатывался по песку, уходя отсюда мимо. Куст был пыльный, усталый, еле живой от труда своей жизни и движения; он не имел никого — ни родных, ни близких, и всегда удалялся прочь. Назар потрогал его ладонью и сказал ему: «Я пойду с тобою, одному мне скучно,— ты думай про меня что-нибудь, а я буду про тебя. А с ними я жить не хочу, они мне не велели, пускай сами умрут!» И он погрозил тростниковой палкой на родину и забывшей его матери.

Назар пошел за кустом перекати-поля и шел до самой тьмы. Во тьме он лег и уснул от слабости, трогая куст рукой, чтоб он остался с ним. Наутро он проснулся и сразу испугался, что нет с ним куста: он укатился один ночью. Назар хотел заплакать, но увидел, что куст шевелился сейчас на верху ближнего песчаного холма, и мальчик догнал его.

Родина и мать давно скрылись — пусть их забудет его сердце, пока оно растет. В тот день бредущий куст довел Назара до овечьего пастуха, и пастух напоил мальчика и накормил, а куст его привязал к палке, чтобы он тоже отдохнул. Долгое время Назар ходил с пастухом и жил у него, пока не выпал снег, тогда хозяин отпустил пастуха по делам в Чарджуй, потому что пастух стал слепнуть, и пастух отправился с мальчиком, а в городе отдал его советской власти, как не нужного никому. Советская власть всегда собирает всех ненужных и забытых, подобно многодетной вдовице, которой ничего не сделает один лишний рот.

Теперь прошли многие годы, но ничто не было забыто, и потерянная мать была такой же любимой, и для воспоминания о ней всегда будет одинокая сила в сердце, точно детство не прекратилось. Отца своего Чагатаев никогда не знал. Русский солдат Хивинских экспедиционных войск Иван Чагатаев пропал прежде, чем родила Гюльчатай, бывшая тогда молодой женой Кочмата, от которого она уже имела двоих маленьких детей; но дети от Кочмата умерли, когда Назар был в младенчестве, о них только говорила ему мать впоследствии, что они жили когда-то. Кочмат же был беден и гораздо старше своей жены; он жил тем, что ходил на байские земли в Куня-Ургенч и в Ташауз — работать на хошарах, чтобы хоть в летнее время питать семейство хлебом. А в зимнее время он почти беспрерывно спал в землянке, вырытой у подножья Усть-Урта. Он берег свою неимущую силу, и Гюльчатай лежала с ним под одною кошмой; она тоже грелась и дремала в долгие зимы, чтобы меньше есть, а между ними лежали их дети, когда они были живы. Изредка Гюльчатай выходила, добывала траву на пищу или шла наниматься батрачкой в Хиву... Однажды в Хиве она не нашла работы; была в то время зима, богатые пили чай и ели баранину, а бедные ждали тепла и роста растений. Гюльчатай ютилась на базаре, ела кое-что, что оставалось на земле от торговцев, но побираться стыдилась людей. На том хивинском базаре ее заметил солдат Иван Чагатаев и стал приносить ей каждый день казенную пищу в котелке. Гюльчатай ела солдатский суп с говядиной на вечернем пустом базаре, а солдат понемногу касался ее и затем обнимал. Но женщине совестно было в ответ на угощение отвергать человека: она молчала и не сопротивлялась. Она думала, чем отблагодарить русского, и не было у нее ничего, кроме того, что выросло от природы.

— Отчего у тебя слезы на глазах? — спросила Вера у Чагатаева в день его отъезда на родину.

— Я вспомнил свою мать, как она улыбалась мне, когда я был маленьким.

— Но как же?

Чагатаев затруднился.

— Не помню... Она мне радовалась и оплакивала меня,— теперь люди так не улыбаются. У ней слезы лились по счастливому лицу.

Мать говорила Назару, что муж ее, Кочмат, когда узнал, что Назар — сын русского солдата, а не его, то он не ударил ее и не сделался яростным, а только стал скучным и чуждым для всех.

Он ушел отдельно вдаль и там один отдышался от своей печали; потом он вернулся и любил Гюльчатай по-прежнему.

Назар Чагатаев пошел гулять с Верой в последний раз. Вечером его поезд уйдет в Азию. Вера уже собрала его в дальнюю дорогу: заштопала чулки, пришила нужные пуговицы, сама выгладила белье и несколько раз перепробовала и проверила все вещи, лаская их и завидуя им, что они поедут вместе с ее мужем.

На улице Вера попросила Чагатаева зайти с нею к знакомым. Может быть, через полчаса он навсегда перестанет любить ее.

Они вошли в большую квартиру. Вера познакомила мужа с пожилой женщиной и спросила:

— Что Ксеня — дома или еще где-нибудь?

— Дома, дома, она только что пришла,— сказала хозяйка.

В просторной неубранной комнате сидела черноволосая девочка лет тринадцати или пятнадцати. Она читала книжку и вертела конец своей косы в руке.

— Мама! — И девочка обрадовалась пришедшей матери.

— Здравствуй, Ксеня! — сказала Вера.— Это моя дочь,— познакомила она девочку с Чагатаевым.

Чагатаев пожал странную руку, детскую и женскую; рука была липкая и нечистая, потому что дети не сразу приучаются к чистоте.

Ксеня улыбалась. Она не походила на мать — у нее было правильное лицо юноши, немного грустное от стыда и непривычки жить и бледное от усталости роста. Глаза ее имели разный цвет — один черный, другой голубой, что придавало всему выражению лица кроткое, беспомощное значение, точно Чагатаев видел жалкое и нежное уродство. Лишь рот портил Ксеню — он уже разрастался, губы полнели, словно постоянно жаждали пить, и было похоже, что сквозь невинное безмолвие кожи пробивалось наружу сильное разрушительное растение.

Все молчали от неопределенного положения, хотя Ксеня уже догадывалась про все.

— Вы здесь живете? — спросил пустяковое дело Чагатаев.

— Да, у матери моего папы,— сказала Ксеня.

— А где папа, он умер?

Вера была в стороне, она глядела в окно, на Москву.

Ксеня засмеялась.

— Нет, что вы! Мой папа молодой, он живет на Дальнем Востоке и строит мосты. Два уже построил!

— Большие мосты? — спросил Чагатаев.

— Большие: один висячий, другой с двумя опорными быками и потерянными кессонами. Они скрылись навсегда, они потерялись! — радостно сказала Ксеня.— У меня фотография из газеты есть!

— Папа вас любит?

— Нет, он любит незнакомых, он нас с мамой любить не хочет.

Они говорили еще, в сердце Чагатаева было неясное сожаление — он сидел с легким, грустным чувством, как во сне и путешествии. Забывая обыкновенную жизнь, он взял руку Ксении к себе и стал держать ее, не разлучаясь.

Ксеня сидела со страхом и удивлением, разноцветные глаза ее смотрели мучительно, как двое близких и незнакомых между собой людей. Ее мать, Вера, стояла в отдалении, молча улыбаясь дочери и мужу.

— Тебе не пора собираться на вокзал? — спросила она.

— Нет, я не поеду сегодня,— сказал Чагатаев. Он скреб башмаками по полу, борясь с нетерпением своей души перед этой девочкой. Ему было, кроме того, стыдно, что его состояние Вера и Ксеня могут принять за жестокую мужскую любовь; он же чувствовал перед Ксеней лишь привязанность, полную смутного наслаждения, человеческого родства и заботы о ее лучшей судьбе. Он хотел бы быть для нее берегущей силой, отцом и вечной памятью в ее душе.

Извинившись, Чагатаев вышел на полчаса, купил в Мосторге различных вещей на триста рублей и принес их в подарок Ксении, если бы он не сделал этого, то сожалел бы многие дни.

Ксеня обрадовалась подаркам, а мать ее нет.

— У Ксени всего два платья, и последняя обувь развалилась,— сказала Вера.— Отец ведь ничего не присылает, а я работаю недавно... Зачем ты накупил этих пустяков, на что девочке дорогие духи, замшевая сумка, какое-то пестрое покрывало?..

— Ну, мама, пускай, ничего! — говорила Ксеня.— Платье мне бесплатно в детском театре дадут, я там активистка, а в отряде скоро горные башмаки начнут распределять, мне обуви не надо. Пусть будет сумка и покрывало.

— Все-таки напрасно,— сетовала Вера.— И ему самому нужны деньги, он едет далеко.

— Мне хватит,— сказал Чагатаев. Он вынул еще четыреста рублей и оставил их на пропитание Ксени.

Девочка подошла к нему. Она поблагодарила Чагатаева, протянув ему руку, и сказала:

— Я вам тоже скоро буду давать подарки. Скоро наступит богатство!

Чагатаев поцеловал ее и попрощался.

— Назар, ты больше не любишь меня? — спросила Вера на улице.— Пойдем разведемся, пока ты не уехал... Ты видел — Ксеня моя дочь, ты ведь у меня третий, и мне тридцать четыре года.

Вера умолкла. Назар Чагатаев удивился:

— Почему я тебя не люблю? А ты любила других мужей?

— Я любила. Второй умер, и я по нем и теперь плачу одна. А первый оставил меня с девочкой сам, я его тоже любила и была верна... И мне пришлось долго жить без человека, ходить по веселым вечерам и бумажные цветы самой класть себе на голову...

— Но почему я тебя не люблю?

— Ты любишь Ксеню, я знаю... Ей будет восемнадцать лет,

а тебе тридцать, может, немного больше. Вы поженитесь, а я вас посватаю. Ты только не лги мне и не волнуйся, я привыкла терять людей.

Чагатаев остановился перед этой женщиной, как непонимающий. Ему было странно не ее горе, а то, что она верила в свое обреченное одиночество, хотя он женился на ней и разделил ее участь. Она берегла свое горе и не спешила его растратить. Значит, в глубине рассудка среди самого сердца человека находится его враждебная сила, от которой могут померкнуть живые сияющие глаза среди лета жизни, в объятиях преданных рук, даже под поцелуями своих детей.

— Поэтому ты со мной и не жила? — спросил Чагатаев.

— Да, поэтому. Ты ведь не знал, что у меня есть такая дочь, ты думал — я моложе и чище...

— Ну и что ж! Мне это безразлично...

— Нет, скажи: ты сейчас влюбился в Ксеню? Я заметила.

— Влюбился,— ответил Чагатаев,— я не вытерпел.

Они молча дошли до комнаты Веры. Она стала среди своего жилища, не снимая плаща, равнодушная и чужая для собственных окружающих предметов. Если бы был сейчас внезапный случай, она подарила бы всю свою утварь соседке; это доброе дело немного утешило бы ее и вместе с уменьшением имущества уменьшило бы размер ее страдающей души.

Но затем ей пришлось бы раздать свое тело до последнего остатка; однако и этот последний остаток мучился бы с тою же силой, как все тело вместе с одеждой, инвентарем и удобствами, и его также нужно было бы отдать, чтоб уничтожить и забыть.

Отчаяние, тоска и нужда могут сжиматься в человеке вплоть до его последней щели: лишь предсмертное дыхание выносит их вон.

— Ну, как же мне быть теперь? — спросила Вера, произнося эти слова для себя.

Чагатаев понимал Веру. Он обнял ее и долго держал близ груди, чтобы успокоить ее хотя бы своим теплом, потому что мнимое страданье наиболее безутешно и слову не поддается.

Вера начала отходить от горя.

— Ксеня тебя тоже полюбит... Я воспитаю ее, внушу ей память о тебе, сделаю из тебя героя. Ты надейся, Назар,— годы пройдут быстро, а я привыкну к разлуке.

— Зачем привыкать к худому? — сказал Чагатаев; он не мог понять, почему счастье кажется всем невероятным и люди стремятся прельщать друг друга лишь грустью.

Чагатаеву горе надоело с детства, а теперь, когда он стал образованным, ему оно представлялось пошлостью, и он решил устроить на родине счастливый мир блаженства, а больше неизвестно, что делать в жизни.

— Ничего,— сказал Чагатаев и погладил Вере ее большой живот, где лежал ребенок, житель будущего счастья.— Рожай его скорее, он будет рад.

— А может, нет,— сомневалась Вера.— Может, он будет вечный страдалец.

— Мы больше не допустим несчастья,— ответил Чагатаев.

— Кто такие вы?

— Мы,— тихо и неопределенно подтвердил Чагатаев. Он почему-то стыдился говорить ясно и слегка покраснел, словно тайная мысль его была нехороша.

Вера обняла его на прощанье — она следила за часами, разлука подходила близко.

— Я знаю, ты будешь счастлив, у тебя чистое сердце. Возьми тогда к себе мою Ксеню.

Она заплакала от своей любви и неуверенности в будущем; ее лицо вначале стало еще более безобразным, потом слезы омыли его, и оно приобрело незнакомый вид, точно Вера глядела издалека чужими глазами.

3

Поезд давно покинул Москву; прошло уже несколько суток езды. Чагатаев стоял у окна, он узнавал те места, где он ходил в детстве, или они были другие, но похожие в точности. Такая же земля, пустынная и старческая, дует тот же детский ветер, шевеля скулящие былинки, и пространство просторно и скучно, как унылая чуждая душа; Чагатаеву хотелось иногда выйти из поезда и пойти пешком, подобно оставленному всеми ребенку. Но детство и старое время давно прошло. Он видел на степных маленьких станциях портреты вождей; часто эти портреты были самодельными и приклеены где-нибудь к забору. Портреты, вероятно, мало походили на тех, кого они изображали, но их рисовала, может быть, детская пионерская рука и верное чувство: один походил на старика, на доброго отца всех безродных людей на земле; однако художник, не думая, старался сделать лицо похожим и на себя, чтобы видно было, что он теперь живет не один на свете и у него есть отцовство и родство,— поэтому искусство становилось сильнее неумелости. И сейчас же за такой станцией можно видеть, как разные люди рыли землю, сажали что-то или строили, чтобы приготовить место жизни и приют для бесприютных. Порожних, нелюдимых станций, где можно жить лишь в изгнании, Чагатаев не видел; везде человек работал, отходя сердцем от векового отчаяния, от безотцовщины и всеобщего злобного беспамятства.

Чагатаев вспомнил материнские слова: «Иди далеко, к чужим, пусть отец твой будет незнакомым человеком». Он ходил далеко и теперь возвращается, он нашел отца в чужом человеке, который вырастил его, расширил в нем сердце и теперь посылает снова домой, чтобы найти и спасти мать, если она жива, похоронить ее, если она лежит брошенной и мертвой на лице земли.

В одну ночь поезд остановился по неожиданному случаю в темной степи. Чагатаев вышел к двери в тамбур вагона. Было тихо, вдали сопел паровоз, пассажиры спали в покое. Вдруг в степной темноте вскрикнула одна птичка, ее что-то напугало. Чагатаев вспомнил этот голос через многие годы, как будто его детство жалобно прокричало из безмолвной тьмы. Он прислушался; еще какая-то птица что-то быстро проговорила и умолкла, он тоже помнил ее голос, но сейчас забыл ее имя: может быть, пустынная славка, может быть, пустельга. Чагатаев вышел из вагона. Невдалеке он заметил кустарник и, дойдя до него, взял его за ветвь и сказал ему: «Здравствуй, куян-суюк!» Куян-суюк слегка пошевелился от прикосновения человека и опять остался как был — равнодушный и спящий.

Чагатаев отошел еще дальше. В степи что-то шевелилось и покрикивало, она казалась бесшумной лишь для отвыкших ушей. Земля стала опускаться в низину, началась синяя высокая трава. Чагатаев, с интересом воспоминания, вошел в траву; растения дрожали вокруг него, колеблемые снизу, разные невидимые существа бежали от него прочь — кто на животе, кто на ножках, кто низким полетом — что у кого имелось. Они, наверно, сидели до того неслышно, но спали из них лишь некоторые, далеко не все. У всякого было столько заботы, что дня, видимо, им не хватало, или им жалко было тратить краткую жизнь на сон, и они только чуть дремали, опустив пленку на полглаза, чтобы видеть хоть полжизни, слышать тьму и не помнить дневной нужды.

Забыв свое дело, Чагатаев почувствовал запах влаги; где-то вблизи было озеро или колодезь. Он направился туда и вскоре вошел в какую-то небольшую, влажно растущую траву, похожую на маленькую русскую рощу. Глаза Чагатаева притерпелись ко мраку, он видел теперь ясно. Затем начался камыш; когда Чагатаев вошел в него, то сразу закричали, полетели и заерзали на месте все здешние жители. В камышах было тепло. Животные и птицы не все исчезли от страха перед человеком, некоторые, судя по звукам и голосам, остались, где были. Они испугались настолько, что, ожидая гибели, спешили поскорее размножиться и насладиться. Чагатаев знал эти звуки издавна и теперь, слушая томительные, слабые голоса из теплой травы, сочувствовал всей бедной жизни, не сдающей своей последней радости.

Поезд неслышно поехал. Чагатаев мог бы его догнать, но не поторопился; уехал лишь чемодан с бельем, и то его можно получить обратно в Ташкенте. Но Чагатаев решил его не получать, чтобы спешить по своему делу и не отвлекаться. Он уснул в траве, среди спокойствия, прижавшись к земле, как прежде.

Через семь дней Чагатаев дошел до Ташкента ближней пешей дорогой. Он явился в Центральный комитет партии, где его уже давно ожидали. Секретарь комитета сказал Чагатаеву, что где-то в районе Сары-Камыша, Усть-Урта и дельты Амударьи блуждает и бедствует небольшой кочевой народ из разных национальностей. В нем есть туркмены, каракалпаки, немного узбеков, казахи, персы, курды, белуджи и позабывшие, кто они. Раньше этот народ почти постоянно жил во впадине Сары-

Камыша, откуда он ходил работать на хошары и на чигири в Хивинский оазис, в Ташауз, в Ходжейли, Куня-Ургенч и другие дальние места. Бедность и отчаяние того народа были настолько велики, что он о земляной хошарной работе, которая продолжалась лишь несколько недель в году, думал как о благе, потому что ему давали в эти дни есть хлебные лепешки и даже рис. На чигирях тот народ работал вместо ослов, двигая своим телом деревянное водило, чтобы подымалась в арык вода. Осла надо кормить круглый год, а рабочий народ из Сары-Камыша ел лишь немного времени, а потом уходил вон. И целиком не умирал и на другой год снова возвращался, протомившись где-то на дне пустыни.

— Я знаю этот народ, я там родился,— сказал Чагатаев.

— Поэтому тебя и посылают туда,— объяснил секретарь.— Как назывался этот народ, ты не помнишь?

— Он не назывался,— ответил Чагатаев.— Но сам себе он дал маленькое имя.

— Какое его имя?

— Джан. Это означает душу или милую жизнь. У народа ничего не было, кроме души и милой жизни, которую ему дали женщины-матери, потому что они его родили.

Секретарь нахмурился и сделался опечаленным.

— Значит, все его имущество — одно сердце в груди, и то когда оно бьется...

— Одно сердце,— согласился Чагатаев,— одна только жизнь; за краем тела ничего ему не принадлежит. Но и жизнь была не его, ему она только казалась.

— Тебе мать говорила, что такое джан?

— Говорила. Беглецы и сироты отовсюду и старые, изнемогшие рабы, которых прогнали. Потом были женщины, изменившие мужьям и попавшие туда от страха, приходили навсегда девушки, полюбившие тех, кто вдруг умер, а они не захотели никого другого в мужья. И еще там жили люди, не знающие бога, насмешники над миром, преступники... Но я не помню всех — я был маленький.

— Езжай туда теперь. Найди этот потерянный народ — Сары-Камышская впадина пуста.

— Я поеду,— согласился Чагатаев.— Что мне там делать? Социализм?

— Чего же больше? — произнес секретарь.— В аду твой народ уже был, пусть поживет в раю, а мы ему поможем всей нашей силой... Ты будешь нашим уполномоченным. Туда послали кого-то из района, но едва ли он что сделает там: кажется, не наш человек...

Затем секретарь дал Чагатаеву подробные, тщательные инструкции, командировочную бумагу, и Чагатаев попрощался.

Он задумал плыть на родину вниз по Амударье, сев около Чарджуя в каюк.

На ташкентской почте он получил письмо от Веры. Она писала, что ребенок ее приближается на свет, он уже думает что-то внутри ее тела, потому что часто шевелится и бывает недоволен.

«Но я ласкаю его, я глажу свой живот и, согнувшись лицом ближе к нему,— писала Вера,— говорю: «Чего ты хочешь? Тебе там тепло и тихо, я стараюсь мало двигаться, чтобы ты не раздражался,— зачем ты хочешь уйти из меня?..» Я привыкла к нему, все время живу с ним как с другом, как хотела жить с тобой, и рождения его я боюсь — не потому, что мне будет больно, а потому, что это будет начало разлуки с ним навек, и его ножки, которыми он сейчас стучит, спешат уйти от матери, и они будут уходить все дальше и дальше — по мере его жизни, пока мой сын не скроется совсем от меня, от моих заплаканных глаз... Ксеня тебя помнит, но скучает, что ты далеко, не скоро приедешь, даже ничего не известно. Не умер ли ты уже где-то?»

Чагатаев послал Вере открытку, что он целует ее и Ксеню — в ее разноцветные глаза, и пройдет недолго, как он приедет, когда он сделает счастье среди одной земли.

4

Из Чарджуя в Нукус собирались идти с кооперативными товарами четыре каюка. Чагатаев не стал пользоваться своим правом командированного человека, потому что это право слабо признавалось, а нанялся быть помощником речного матроса. Он условился идти до Хивинского оазиса, а там сойдет на берег.

Наступили долгие дни плавания. Утром и вечером река превращалась в золотой поток благодаря косому свету солнца, проницающему воду сквозь ее живой, несущийся ил. Эта желтая земля, путешествующая в реке, заранее была похожа на хлеб, цветы и хлопок и даже на тело человека. Иногда на камышовой вершине сидела разноцветная незнакомая птичка, она вертелась от внутреннего волнения, блестела перьями под живым солнцем и пела что-то сияющим тонким голосом, будто уже наступило блаженство для всех существ. Птица напоминала Чагатаеву про Ксеню, маленькую женщину с цветными глазами, думающую что-нибудь сейчас про него.

Через четырнадцать суток Чагатаев сошел на берег Хивинского оазиса, получив расчет и благодарность от старшего матроса.

Побывав несколько дней в Хиве, Чагатаев пошел на родину, в Сары-Камыш, дорогой детства. Он помнил эту дорогу по слабевшим признакам: песчаные холмы теперь казались ниже, канал более мелким, путь до ближайшего колодца короче. Солнце светило такое же, но менее высоко, чем в то время, когда Чагатаев был маленьким. Курганчи, кибитки, встречные ослы и верблюды, деревья по арыкам, летающие насекомые — все было прежнее и неизменное, но равнодушное к Чагатаеву, точно ослепшее без него. Он шел обиженный, как по чужому миру, вглядываясь во все окружающее и узнавая забытое, но сам оставался неузнанным. Каждое мелкое существо, предмет и растение, оказывается, было более гордым и независимым от прежней привязанности, чем человек.

Дойдя до сухой реки Кунядарьи, Назар Чагатаев увидел верблюда, который сидел, подобно человеку, опершись передними ногами, в песчаном наносе. Верблюд был худ, горбы его опали, и он робко глядел черными глазами, как умный грустный человек. Когда Чагатаев подошел к нему, верблюд не обратил на подошедшего внимания: он следил за движением мертвых трав, гонимых течением ветра,— приблизятся они к нему или минуют мимо. Одна былинка подвинулась близко по песку к самому его рту, и тогда верблюд сжевал ее губами и проглотил. Вдали влачилось круглое перекати-поле, верблюд следил за этой большой живой травой глазами, добрыми от надежды, но перекати-поле уходило стороною; тогда верблюд закрыл глаза, потому что не знал, как нужно плакать.

Чагатаев осмотрел верблюда кругом; животное давно стало худым от голодной нужды и болезни, шерсть его выпала почти вся, остались лишь некоторые клочья, поэтому верблюд дрожал от непривычки и озноба. Он, наверно, был разгружен и оставлен здесь каким-либо прохожим караваном вследствие слабости своих сил — либо его хозяин сам погиб, а животное начало ожидать его, пока не истратило в себе жизненного запаса. Потеряв способность движения, верблюд уперся остатком силы в передних ногах и привстал, чтобы видеть былинки трав, нагоняемые на него ветром, и поедать их. Когда ветра не было, он закрывал глаза, не желая тратить напрасно зрения, и был в дремоте; опуститься и лечь он не хотел, тогда бы он снова приподняться уже не смог, и так оставался сидячим постоянно — то бдительным, то дремлющим, пока смерть не склонила бы его вниз или пока любой ничтожный зверь пустыни не кончил бы его одним ударом маленькой лапы.

Чагатаев долго сидел около этого верблюда, наблюдая и понимая его. Затем он принес издали несколько охапок перекати-поля и дал верблюду их съесть. Напоить он его не мог, у него самого было только две фляги воды, но он знал, что дальше по руслу Кунядарьи есть пресные озера и мелкие колодцы. Однако трудно нести на себе верблюда по песку.

Наступил вечер. Чагатаев кормил верблюда, доставая ему траву из ближних окрестностей, пока тот не положил своей головы на землю; он уснул кротким сном новой жизни. Благодаря ночи, стало холодать. Чагатаев поел лепешек из своего мешка, потом прижался к туловищу верблюда, чтобы согреться, и задремал. Он улыбался; все было странно для него в этом существующем мире, сделанном как будто для краткой насмешливой игры. Но эта нарочная игра затянулась надолго, на вечность, и смеяться никто уже не хочет, не может. Пустая земля пустыни, верблюд, даже бродячая жалкая трава — ведь это все должно быть серьезным, великим и торжествующим; внутри бедных существ есть чувство их другого, счастливого назначения, необходимого и непременного,— зачем же они так тяготятся и ждут чего-то? Чагатаев свернулся калачом около живота верблюда и уснул, удивляясь необыкновенной действительности.

5

Через шесть дней пути по Кунядарье Чагатаев увидел Сары-Камыш. Все это время он вел за собою ожившего верблюда, который мог уже идти своей силой. Но еще не мог везти на себе человека.

Чагатаев сел на краю песков, там, где они кончаются, где земля идет на снижение в котловину, к дальнему Усть-Урту. Там было темно, низко, Чагатаев нигде не разглядел ни дыма, ни кибитки,— лишь в отдалении блестело небольшое озеро. Чагатаев перебрал руками песок, он не изменился: ветер все прошедшие годы сдувал его то вперед, то назад, и песок стал старым от пребывания в вечном месте.

Сюда его мать когда-то вывела за руку и отправила жить одного, а теперь он вернулся. Он пошел дальше с верблюдом, в середину родины. Как маленькие старики, стояли дикие кустарники; они не выросли с тех пор, когда Чагатаев был ребенком, и они, кажется, одни из всех местных существ не забыли Чагатаева, потому что были настолько привлекательны, что это походило на кротость, и в равнодушие или в беспамятство их поверить было нельзя. Такие безобразные бедняки должны жить лишь воспоминанием или чужой жизнью, больше им нечем.

Несколько дней Чагатаев потратил на блуждание по этой своей детской стране, чтобы найти людей. Верблюд самостоятельно ходил за ним следом, боясь остаться один и заскучать; иногда он долго глядел на человека, напряженный и внимательный, готовый заплакать или улыбнуться и мучаясь от неуменья.

Ночуя в пустых местах, доедая свою последнюю пищу, Чагатаев, однако, не думал о своем благополучии. Он направлялся в глубь безлюдной впадины, по дну древнего моря, спеша и беспокоясь. Лишь однажды он лег среди дневного пути и прижался к земле. Сердце его сразу заболело, и он потерял терпение и силу бороться с ним; он заплакал по Ксене, стыдясь своего чувства и отрекаясь от него. Он видел ее сейчас близкой в уме и в воспоминании; она улыбалась ему жалкой улыбкой маленькой женщины, которая может любить только в душе, но обниматься не хочет и боится поцелуев, как увечья. Вера сидела вдали и шила детское белье, сокращая разлуку с мужем и уже почти равнодушная к нему, потому что внутри ее шевелился и мучился другой, еще более любимый и беспомощный человек. Она ждала его, желала увидеть его лицо и боялась расстаться с ним. Но ее утешало, что еще долгие годы она будет целовать и обнимать его, когда захочет, пока он не вырастет и не скажет ей: «Будет тебе, мама, приставать ко мне, ты мне надоела!»

Чагатаев поднял голову. Верблюд жевал какую-то худую,

костлявую траву, маленькая черепаха томительно глядела черными нежными глазами на лежавшего человека. Что было сейчас в ее сознании? Может быть, волшебная мысль любопытства к таинственному громадному человеку, может быть, печаль дремлющего разума.

— Мы тебя одну не оставим! — сказал Чагатаев черепахе.

Он заботился о существующем, как о священном, и был слишком скуп сердцем, чтобы не замечать того, что может служить утешением.

Они пошли с верблюдом далее, к Усть-Урту, где в самом подножье возвышенности жил один забытый старик. Он ночевал в землянке, вырытой в сухом спуске холма, и питался мелкими животными и корнями растений, находившимися в расщелинах плоскогорья. Древняя старость и убожество сделали его мало похожим на человека. Он прожил давно человеческий век, все чувства его удовлетворились, а ум изучил и запомнил местную природу с точностью исчерпанной истины. Даже звезды, многие тысячи их, он знал наизусть по привычке, и они ему надоели.

Его звали Суфьян; одет он был в старинную шинель русского солдата времен хивинской войны и в картуз, а обувался в обмотки из тряпок.

Когда он заметил Чагатаева, он вышел к нему из своего земляного жилища и уставился в пространство безлюдными глазами.

К нему шел человек с верблюдом. Суфьян сразу узнал прохожего и огорчился втайне, что нет для него ничего неизвестного.

— Я тебя знаю,— сказал он Чагатаеву.— Ты был мальчик Назар.

— А я тебя не знаю,— ответил Чагатаев.

— Ты не знаешь, ты живешь, как ешь: что в тебя входит, то потом выходит. А во мне все задерживается.

Старик сморщился, вспоминая улыбку привета, но его лицо, даже спокойное, было похоже на пустую кожу высохшей умершей змеи. Удивившись, Чагатаев потрогал руку и лоб Суфьяна. О жизни и живых никто не заботится, но теперь наступила пора...

Чагатаев сказал старику, что он пришел издалека, ради своей матери и своего народа, но есть ли он на свете или уже давно кончился?

Старик молчал.

— Ты встретил где-нибудь своего отца? — спросил он.

— Нет. А ты знаешь Ленина?

— Не знаю,— ответил Суфьян.— Я слышал один раз это слово от прохожего, он говорил, что оно хорошо. Но я думаю — нет. Если хорошо — пусть оно явится в Сары-Камыш, здесь был ад всего мира, и я здесь живу хуже всякого человека.

— Я вот пришел к тебе,— сказал Чагатаев.

Старик опять сморщился в недоверчивой улыбке.

— Ты скоро уйдешь от меня, я умру здесь один. Ты молод, твое сердце бьется тяжело, ты соскучишься.

Чагатаев приблизился к старику и поцеловал его, как раньше целовал Веру, крепко и неутомимо. Странно, что уста старика имели тот же человеческий вкус, как губы далекой молодой женщины.

— Здесь ты умрешь от сожаления, от воспоминаний. Здесь, персы говорили, был ад для всей земли...

Они вошли в землянку, где жил на камышовой подстилке Суфьян. Он дал лепешку гостю, испеченную из корней трав плоскогорья. В отверстии входа видна была вечерняя тень, бегущая в яму Сары-Камыша, где в древности находился всемирный ад. Чагатаев слышал в детстве это устное предание и теперь понимал его полное значение. В далеком отсюда Хорасане, за горами Копет-Дага, среди садов и пашен, жил чистый бог счастья, плодов и женщин — Ормузд, защитник земледелия и размножения людей, любитель тишины в Иране. А на север от Ирана, за спуском гор, лежали пустые пески; они уходили в направлении, где была середина ночи, где томилась лишь редкая трава, и та срывалась ветром и угонялась прочь, в те черные места Турана, среди которых беспрерывно болит душа человека. Оттуда, не перенося отчаяния и голодной смерти, бежали темные люди в Иран. Они врывались в гущи садов, в женские помещения, в древние города и спешили поесть, наглядеться, забыть самих себя, пока их не уничтожали, а уцелевших преследовали до глубины песков. Тогда они скрывались в конце пустыни, в провале Сары-Камыша, и там долго томились, пока нужда и воспоминание о прозрачных садах Ирана не поднимали их на ноги... И снова всадники черного Турана появлялись в Хорасане, за Атреком, в Астрабаде, среди достояния ненавистного, оседлого, тучного человека, истребляя и наслаждаясь... Может быть, одного из старых жителей Сары-Камыша звали Ариманом, что равнозначно черту, и этот бедняк пришел от печали в ярость. Он был не самый злой, но самый несчастный и всю свою жизнь стучался через горы в Иран, в рай Ормузда, желая есть и наслаждаться, пока не склонился плачущим лицом на бесплодную землю Сары-Камыша и не скончался.

Суфьян оставил Чагатаева ночевать. Экономист томился во сне: уходят дни и ночи напрасно, нужно торопиться и делать счастье на адовом дне Сары-Камыша; от нетерпения сердца он долго не мог уснуть, считая течение времени. Как свет совести, горели звезды на небе, верблюд сопел снаружи, и по песку осторожно скреблась сорванная дневным ветром обессиленная трава, точно стремясь идти самостоятельно на своих ножках-былинках.

На следующий день Чагатаев и Суфьян вышли с места, чтобы найти пропавших людей. Верблюд тоже пошел за ними, боясь одиночества, как боится его любящий человек, живущий в разлуке со своими.

На краю Сары-Камыша Чагатаев вспомнил знакомое место.

Здесь росла седая трава, не выросшая больше с тех пор, как было в детстве Назара. Здесь мать сказала ему когда-то: «Ты, мальчик, не бойся, мы идем умирать» — и взяла его за руку ближе к себе. Вокруг собрались все бывшие тогда люди, так что получилась толпа, может быть, в тысячу человек, вместе с матерями и детьми. Народ шумел и радовался; он решил идти в Хиву, чтобы его убили там сразу весь, полностью, и больше не жить. Хивинский хан давно уже томил этот рабский, ничтожный народ своей властью. Он сначала редко, потом все более часто присылал в Сары-Камыш всадников из своего дворца, и те забирали из народа каждый раз по нескольку человек, а затем их либо казнили в Хиве, либо сажали в темницу без возврата. Хан искал воров, преступников и безбожников, но их трудно было отыскать. Тогда он велел брать всех тайных и безвестных людей, чтобы жители Хивы, видя их казнь и муку, имели страх и содрогание. Сперва народ джан боялся Хивы, и многие люди заранее чувствовали изнеможение от страха; они переставали заботиться о себе и семействе и только лежали навзничь в беспрерывной слабости. Затем стали бояться все люди,— они глядели в чистую пустыню, ожидая оттуда конных врагов, они замирали от всякого ветра, метущего песок по вершине бархана, думая, что это мчатся верховые. Когда же третья часть народа или более была забрана без вести в Хиву, народ уже привык ожидать своей гибели; он понял, что жизнь не так дорога, как она кажется, в сердце и в надежде, и каждому, кто остался цел, было даже скучно, что его не взяли в Хиву. Но молодой Якубджанов и его друг Ораз Бабаджан не хотели зря ходить в Хиву, если можно умереть на свободе. Они бросились с ножами на четверых ханских стражников и оставили их на месте лежачими, сразу лишив их славы и жизни. А маленький Назар, увидев чужих вооруженных людей, побежал к матери за одной острой железкой, которую он спрятал себе для игры, но обратно он прибежал уже поздно: стражники умерли без его железки. Ораз и Якубджанов исчезли после того, сев на лошадей убитых солдат, а остальной народ пошел толпой в Хиву, счастливый и мирный; люди были одинаково готовы тогда разгромить ханство или без сожаления расстаться там с жизнью, поскольку быть живым никому не казалось радостью и преимуществом и быть мертвым не больно. Впереди пошел бахши, бормоча свою песню, а рядом с ним был Суфьян, и тогда уже старый человек. Назар смотрел на мать; он удивлялся, что она теперь веселая, хотя шла помирать, и все прочие люди шли также охотно. Дней через десять или пятнадцать сары-камышский народ увидел хивинскую башню. Дорога до Хивы была тяжелая и медленная, но трудность и нужда неподвижной жизни тоже требовали привычного сердца, поэтому люди не чувствовали раздражения от излишней усталости. Около самой Хивы пришедший народ окружило небольшое ханское конное войско, но тогда народ, видя это, запел и развеселился. Пели все, даже самые молчаливые и неумелые; узбеки и казахи танцевали впереди всех, один русский несчастный старик играл на губной гармонии, мать Назара подняла руки, точно готовясь к тайному танцу, а сам Назар с интересом ждал, как их всех и его самого сейчас убьют солдаты. Около ханского дворца стояли толстые смелые стражники, берегущие хана от всех. Они с удивлением глядели на прохожий народ, который шел мимо них с гордостью и не боялся силы пуль и железа, будто он был достойный и счастливый. Эти дворцовые стражники вместе с прежними всадниками должны постепенно окружить сары-камышский народ и загнать его в тюремное подземелье; но веселых трудно наказывать, потому что они не понимают зла.

Один помощник хана подошел близко к старым людям из Сары-Камыша и спросил их:

— Чего им надо и отчего они чувствуют радость?

Ему ответил кто-то, может быть, Суфьян или прочий старик:

— Ты долго приучал нас помирать, теперь мы привыкли и пришли сразу все,— давай нам смерть скорее, пока мы не отучились от нее, пока народ веселится!

Помощник хана ушел назад и больше не вернулся. Конные и пешие солдаты остались около дворца, не касаясь народа: они могли убивать лишь тех, для кого смерть страшна, а раз целый народ идет на смерть весело мимо них, то хан и его главные солдаты не знали, что им надо понимать и делать. Они не сделали ничего, а все люди, явившиеся из впадины, прошли дальше и вскоре увидели базар. Там торговали купцы, еда лежала наружи около них, и вечернее солнце, блестевшее на небе, освещало зеленый лук, дыни, арбузы, виноград в корзинах, желтое хлебное зерно, седых ишаков, дремлющих от усталости и равнодушия.

Назар спрашивал тогда мать:

— А когда же будет смерть? Я хочу!

Но мать сама не знала, что будет сейчас, она видела, что все еще живы, и боялась опять возвращаться в Сары-Камыш и снова там вечно жить. На хивинском базаре народ стал брать разные плоды и наедаться без денег, а купцы стояли молча и не били этих хищных людей. Назар ел медленно, он глядел кругом, ожидая убийства, и успел съесть только одну дыню. Наевшись, народ стал скучным, потому что веселье его прошло и смерти не было. Гюльчатай повела Назара в пустыню, все люди также ушли прочь, в старое место своей жизни.

Назар с матерью вернулись назад в Сары-Камыш. На этой жесткой седой траве, где Чагатаев сейчас стоял с Суфьяном, они тогда отдыхали, и мать сказала сыну:

— Давай опять жить, мы не умерли!

— Мы с тобою целы,— согласился Назар.— Знаешь что, мама, мы будем жить — ничего не думать, нарочно нас нет.

— Хорошо тем, кто умер внутри своей матери,— сказала Гюльчатай.

— У тебя в животе? — спросил Назар.— А почему ты меня

там не оставила? Я бы умер, и меня сейчас не было, а ты ела и жила и думала про меня: нарочно я живой.

Гюльчатай посмотрела тогда на сына: счастье и жалость прошли по ее лицу.

Теперь Чагатаев лишь погладил ту давнюю траву, живущую поныне без изменения, потому что она умерла еще до рождения Назара, но все еще держалась, как живая, глубокими мертвыми корнями. Суфьян понимал, что в Чагатаеве происходит сейчас какое-то волнение жизни, но не интересовался этим: он знал, что чем-нибудь надо человеку наполнять свою душу, и если нет ничего, то сердце алчно жует собственную кровь.

Через четыре дня Суфьян и Чагатаев настолько захотели есть, что стали видеть сновидения, в то время как ноги их шли и глаза видели обыкновенный день. Верблюд не покидал людей, но двигался в отдалении от них, где была ему попутная пища из травы. Суфьян глядел в свои плывущие сны без надежды, а Чагатаев то улыбался от них, то мучился. Дойдя до протока Дарьялык у Мангырчардара, два пешехода стали на обычный ночлег, и Суфьян размешал воду у берега, чтоб она была мутнее, гуще и питательней, а потом, напившись, оба человека легли в пещерку, дабы тело забыло, что оно живет, и скорее миновала ночь. Проснувшись наутро, Чагатаев увидел мертвого верблюда; он лежал вблизи с окаменевшими глазами, на его шее замерла кровь разреза, и Суфьян рылся в его внутренностях, как в мешке с добром, выбирая оттуда сырые части с чистой кровью и насыщаясь ими. Чагатаев тоже подполз к верблюду; из открытого тела его пахло теплом и сытостью, кровь еще капала и текла по скважинам в дальних ущельях его туловища, жизнь умирала долго. Наевшись, Чагатаев и Суфьян в блаженстве уснули опять и проснулись не скоро.

Затем они пошли далее — в разливы, в устье Амударьи. Они взяли с собой в запас верблюжьего мяса, но Чагатаев ел его без аппетита: ему было трудно питаться печальным животным; оно тоже казалось ему членом человечества.

6

Жители Сары-Камышской впадины разбрелись в камышах и кустарниках по устью Амударьи. Прошло уже около десяти лет, как народ джан пришел сюда и рассеялся среди влажных растений. Комары вначале разъедали людей так, что они раздирали себе кожу до костей, но спустя время кровь их привыкла к комариному яду и стала вырабатывать из себя противоядие, от которого комары делались беспомощными и падали на землю. Поэтому комары теперь боялись людей и не приближались к ним вовсе.

Некоторые люди народа расселились отдельно, по одному человеку, чтобы не мучиться за другого, когда нечего есть, и чтобы не надо было плакать, когда умирают близкие. Но изредка люди жили семьями; в таком случае они не имели ничего, кроме любви друг к другу, потому что у них не было ни хорошей пищи, ни надежды на будущее, ни прочего счастья, развлекающего людей, и их сердце ослабело настолько, что могло содержать в себе лишь любовь и привязанность к мужу или жене,— самое беспомощное, бедное и вечное чувство.

Суфьян и Чагатаев сперва блуждали двое суток в сумрачных камышах по сырой земле, прежде чем увидели один травяной шалаш. В нем жил слепец Молла Черкезов, его берегла и кормила дочь Айдым, девочка лет десяти. Молла узнал Суфьяна по голосу, но говорить им было не о чем. Они посидели один против другого на камышовой подстилке, попили чая, приготовленного из растертых и высушенных корней того же камыша, и попрощались.

— Есть у вас новости? — спросил Суфьян, прощаясь.

— Нет, жизнь идет одинаково,— ответил Черкезов.— Жена моя, милая Гюн, утонула в воде и умерла.

— Отчего утонула твоя достойная Гюн?

— Не стала жить. Возьми у меня девочку Айдым и приведи мне молодую ослицу, буду с ней жить по ночам, чтоб не было мыслей и бессонницы.

— Я беден,— сказал Суфьян,— ослицы у меня нету. Ты обменяй дочь на старуху. Живи со старухой: тебе все равно.

— Все равно,— согласился Молла Черкезов.— Но старухи скоро помирают, их не хватает человеку.

— Ты слыхал, к нам приехал Назар из Москвы; ему велели помочь нам прожить нашу жизнь хорошо.

— Четыре человека приезжали раньше Назара,— сообщил Черкезов.— Их искусали комары, и они уехали. Я слепой человек, мое дело — тьма, мне хорошо не будет.

— Тебе хорошо даже от ослицы и от старухи,— сказал здесь Чагатаев.— Твое счастье похоже на горе.

— С женой время идет незаметно,— ответил Молла Черкезов.

Девочка Айдым сидела на земле и, раздвинув ноги, растирала маленьким камнем на большом корневище камыша; она была здесь хозяйкой и приготовляла пищу. Кроме камыша около девочки лежало несколько пучков болотной и пустынной травы и одна чистая кость осла или верблюда, выкопанная где-нибудь в дальних песках,— для приварка. Вымытый котел стоял между ног Айдым, она бросала в него время от времени то, что готовили ее руки, она собирала суп на обед. Девочка не интересовалась гостями; глаза ее были заняты своею мыслью,— вероятно, она жила тайной, самостоятельной мечтой и делала домашнюю работу почти без сознания, отвлеченная от всего окружающего своим сосредоточенным сердцем.

— Отпусти со мною твою дочь! — попросил Чагатаев у хозяина.

— Она еще не выросла, что ты будешь делать с ней? — сказал Молла Черкезов.

— Я приведу тебе старую, другую.

— Приводи скорее,— согласился Черкезов.

Чагатаев взял за руку Айдым, она глядела на него черными, ослепительно блестящими, как бы невидящими глазами, пугаясь и не понимая.

— Пойдем со мною,— сказал ей Чагатаев.

Айдым потерла руки о землю, чтобы они очистились, встала и пошла, оставив все свои дела на месте недоделанными, не оглянувшись ни на что, словно она прожила здесь одну минуту и не покидала сейчас живого отца.

— Суфьян, тебе ведь одинаково — идти со мной или нет? — обратился Чагатаев к старику.

— Одинаково,— ответил Суфьян.

Чагатаев велел ему остаться у слепого, чтобы помогать Черкезову кормиться и жить, пока он не вернется.

Назар пошел с девочкой по узкому следу людей в камышовом лесу. Он хотел увидеть всех жителей этой заросшей страны, весь спрятавшийся сюда от бедствия народ. Про свою мать Гюльчатай он ни разу не спросил у Суфьяна, он надеялся неожиданно встретить ее живой и помнящей его, а про то, где остались лежать ее кости, он всегда успеет узнать.

Айдым шла покорно за Чагатаевым всю долгую дорогу. Камыши иногда кончались. Тогда Назар и девочка выходили на пустые песчаные и илистые наносы, на мелкие озера, обходили жесткие старческие кустарники и опять входили в камышовую гущу, где была тропинка. Айдым молчала; когда она уморилась, Чагатаев взял ее себе на плечи и понес, держа ее за колени, а она обхватила ему голову. Потом они отдыхали и пили воду из чистого песчаного водоема. Девочка смотрела на Чагатаева странным и обыкновенным человеческим взглядом, который он старался понять. Может быть, это означало: возьми меня к себе; может быть: не обмани и не замучай меня, я тебя люблю и боюсь. Или эта детская мысль в темных, сияющих глазах была недоумением: отчего здесь плохо, когда мне надо хорошо!..

Чагатаев посадил Айдым к себе на руки и перебрал ее волосы на голове. Она вскоре уснула у него на руках, доверчивая и жалкая, рожденная лишь для счастья и заботы.

Наступил вечер. Идти дальше было темно. Чагатаев нарвал травы, сделал из нее теплую постель для защиты от ночного холода, переложил девочку в эту травяную мякоть и сам лег рядом, укрывая и согревая небольшого человека. Жизнь всегда возможна, и счастье доступно немедленно.

Чагатаев лежал без сна; если бы он уснул, Айдым раскрылась бы голым телом и окоченела. Большая черная ночь заполнила небо и землю — от подножья травы до конца мира. Ушло одно лишь солнце, но зато открылись все звезды и стал виден вскопанный, беспокойный Млечный Путь, как будто по нему недавно совершился чей-то безвозвратный поход.

7

Свет зари осветил спящих на траве. Одна рука Чагатаева находилась под головой Айдым, чтобы ей не жестко и не влажно было спать, другой он закрыл свои глаза, укрываясь от утра. Неизвестная старуха сидела около спящих и смотрела на них без памяти. Она трогала, еле касаясь, волосы, рот и руки Чагатаева, нюхала его одежду, оглядывалась вокруг и боялась, что ей помешают. Потом она осторожно вынула руку Назара из-под головы девочки, чтобы он никого сейчас не чувствовал и не любил, а был с нею одной. Спина ее давно уже и навсегда согнулась, и, когда старуха разглядывала что-либо, лицо ее почти ползало по земле, точно она была невидящая и искала потерянное. Она осмотрела все, во что был одет Назар, перепробовала руками ремешки и тесемки его штанов и обуви, помяла в руках материю его куртки и провела пальцем, смоченным во рту, по черным запыленным бровям Чагатаева. Затем она успокоилась и легла головой к ногам Назара, счастливая и усталая, как будто она дожила до конца жизни и больше ей ничего не осталось делать, как будто у этих башмаков, гниющих изнутри от пота, покрытых пылью пустыни и грязью болот, она нашла свое последнее утешение. Старуха задремала или уснула, но вскоре поднялась опять. Чагатаев и Айдым спали по-прежнему: дети спят долго, и даже солнце, бабочки и птицы их не будят.

— Проснись скорее! — сказала старуха, обняв руками спящего Чагатаева.

Он открыл глаза. Старуха стала целовать его шею, грудь через одежду, руку, ползя лицом по человеку, и проверяла, и рассматривала вблизи все его тело: целы или нет его части, не отболело и не потеряно ли что-нибудь в разлуке.

— Не надо: ведь ты моя мать,— сказал Чагатаев.

Он встал на ноги перед ней, но мать была сгорблена настолько, что не могла теперь видеть его лица, она тянула его за руки вниз, к себе, и Чагатаев согнулся и сел перед ней. Гюльчатай тряслась от старости или от любви к сыну, но не могла ничего сказать ему. Она только водила по его телу руками, испуганно ощущая свое счастье, и не верила в него, боясь, что оно пройдет.

Чагатаев смотрел в глаза матери, они теперь стали бледные, отвыкшие от него, прежняя блестящая темная сила не светила в них; худое, маленькое лицо ее стало хищным и злобным от постоянной печали или от напряжения удержать себя живой, когда жить не нужно и нечем, когда про самое сердце свое надо помнить, чтоб оно билось, и заставлять его работать. Иначе можно ежеминутно умереть, позабыв или не заметив, что живешь, что необходимо стараться чего-то хотеть и не упускать из виду самое себя.

Назар обнял мать. Она была сейчас легкой, воздушной, как маленькая девочка,— ей нужно начинать жить сначала, подобно ребенку, потому что все силы у нее взяло терпение борьбы с постоянным мученьем, и она не имела никогда свободного от горя остатка сердца, чтобы чувствовать добро своего существования; она не успела еще понять себя и освоиться, как наступила пора быть старухой и кончаться.

— Где ты живешь? — спросил ее Назар.

— Там,— показала Гюльчатай рукой.

Она повела его через мелкие травы, через редкий камыш, и вскоре они дошли до небольшой деревни, расположенной на поляне среди камышового леса. Чагатаев увидел камышовые шалаши и несколько кибиток, связанных тоже из камыша. Всего было жилищ двадцать или немного больше. Ни собаки, ни осла, ни верблюда Чагатаев не заметил в этом поселении, даже домашняя птица не ходила на воле по траве.

Около крайнего шалаша сидел голый человек, кожа на нем висела складками, как изношенная, усталая одежда; он перебирал на своих коленях тростинки камыша, собирая из них себе вещь для домашней утвари или украшение. Этот человек не удивился появлению Чагатаева и не ответил даже на его поклон; он бормотал что-то про себя, воображая никому не видимое, занимая свою душу собственным, тайным утешением.

— Здесь живет весь наш народ или еще есть? — спросил Чагатаев у матери.

— Я уже забыла, Назар, я не знаю,— сказала Гюльчатай, с усилием пробираясь вслед за ним и низко неся голову, как трудный груз.— Были еще люди, десять людей, они живут по камышам до самого моря — раньше жили, теперь им пора умереть, должно быть, умерли, и к нам никто не приходит...

Шалаши и кибитки кончились. Дальше опять начинался камыш. Чагатаев остановился. Здесь было все,— мать и родина, детство и будущее. Ранний день освещал эту местность: зеленый и бледный камыш, серо-коричневые ветхие шалаши на поляне с редкой подножной травой и небо наверху, наполненное солнечным светом, влажным паром болот, лессовой пылью высохших оазисов, взволнованное высоким неслышным ветром,— мутное, измученное небо, точно природа тоже была лишь горестной, безнадежной силой.

Оглядевшись здесь, Чагатаев улыбнулся всем призрачным, скучным стихиям, не зная, что ему делать. Над поверхностью камышовых дебрей, на серебряном горизонте, виднелся какой-то замерший мираж — море или озеро с плывущими кораблями и белая сияющая колоннада дальнего города на берегу. Мать молча стояла около сына, склонившись туловищем книзу.

Она жила в шалаше, на глине, без мужа и без родных. Две камышовые циновки лежали на земле внутри ее жилища — одной она покрывалась, на другой спала. Еще у нее был чугунный горшок для пищи и глиняный кувшин, а на перекладине висел ее девичий яшмак и одна тряпка, в которую она заворачивала Назара, когда он был грудным ребенком. Кочмат умер лет

шесть тому назад, от него осталась одна штанина (другую Гюльчатай истратила на латки для юбки) и мочалка, служившая
Кочмату, чтобы вытирать пот и грязь со своего тела, когда приходилось ходить работать на хошарах по оазисам.

Мать Назара жила здесь бобылкой-колтаманкой. Она удивилась, что Назар еще жив, но не удивилась, что он вернулся: она
не знала про другую жизнь на свете, чем та, которой жила сама,
она считала все на земле однообразным.

Чагатаев сходил за девочкой Айдым, он разбудил и привел
ее в камышовый шалаш матери. Гюльчатай ушла рыть коренья
травы, ловить мелкую рыбу камышовой кошелкой в водяных
впадинах, искать птичьи гнезда в зарослях, чтобы собрать на
пищу яиц или птенцов,— вообще, поджиться что-либо у природы для дальнейшего существования. Она вернулась лишь к вечеру и стала готовить еду из трав, камышовых корней и маленьких рыбок; она теперь уже не интересовалась, что около нее
находится сын, и совсем не глядела на него и не говорила никаких слов, точно весь ее ум и чувство были погружены в глубокое, непрерывное размышление, занимавшее все ее силы. Краткое человеческое чувство радости о живом, выросшем сыне прошло, или его вовсе не было, а было одно изумление редкой встре-
чей.

Гюльчатай не спросила даже, хочет ли есть Назар и что он думает делать на родине, в камышовом поселении.

Назар глядел на нее; он видел, как она шевелится в привычном
труде, и ему казалось, что она на самом деле спит и движется не
в действительности, а в сновидении. Глаза ее были настолько
бледного, беспомощного цвета, что в них не осталось силы для
зрения,— они не имели никакого выражения, как слепые и умолк-
шие. Судя по большим зачерствелым ногам, Гюльчатай жила
всегда босой; одежда ее состояла из одной темной юбки, продолженной до шеи в виде капота, залатанной разнообразными кусками материи, вплоть до кусков из валяной обуви, которыми
обшит подол. Чагатаев потрогал платье матери, оно было надето
на голое тело, там не имелось сорочки,— мать давно отвыкла
зябнуть по ночам и по зимам или страдать от жары — она при-
терпелась.

Назар позвал мать. Она отозвалась ему, она его понимала.
Назар стал помогать ей разводить огонь в очаге, устроенном в
виде пещерки под камышовой наклонной стеной. Айдым смотрела на чужих черными чистыми глазами, храня в них сияющую
силу своего детства, свою робость, которая была печалью, потому
что ребенку хотелось быть счастливым, а не сидеть в сумраке
шалаша, думая о том, дадут есть или нет. Чагатаев вспомнил, где
он видел такие же глаза, как у Айдым, но более живые, веселые,
любящие,— нет, не здесь, и та женщина была не туркменка, не
киргизка, она давно забыла его, он тоже не помнит ее имени,
и она не может представить себе, где сейчас находится Чагатаев
и чем занимается: далеко Москва, он здесь почти один, кругом

камыш, водяные разливы, слабые жилища из мертвых трав. Ему скучно стало по Москве, по многим товарищам, по Вере и Ксене, и он захотел поехать вечером в трамвае куда-нибудь в гости к друзьям. Но Чагатаев быстро понял себя. «Нет, здесь тоже Москва!» — вслух сказал он и улыбнулся, глядя в глаза Айдым. Она оробела и перестала смотреть на него.

Мать сварила себе жидкую пищу в чугуне, съела ее без всякого остатка и еще вытерла пальцами посуду изнутри и обсосала их, чтобы лучше наесться. Айдым внимательно следила за Гюльчатай, как она ела, как еда проходила внутри ее худого горла мимо жил, но она смотрела без жадности и зависти, с одним удивлением и с жалостью к старухе, которая глотала траву с горячей водой. После еды Гюльчатай уснула на облежанной камышовой подстилке, и в то время уже наступил общий вечер и ночь.

8

Первый день жизни Чагатаева на родине прошел; сначала светило солнце, на что-то можно было надеяться, теперь небо померкло и уже появилась вдалеке одна неясная, ничтожная звезда.

Стало сыро и глухо. Народ в этой камышовой стране умолк; его так и не услышал Чагатаев. Он набрал травы поблизости, сделал из нее постель в материнском шалаше и уложил Айдым в теплое место, чтоб она тоже спала.

Он вышел затем один, дошел до какого-то пустого, еле влекущегося протока Амударьи и вновь возвратился. Мощная ночь уже стояла над этой страной, мелкий молодой камыш шевелился у подножия старых растений, как дети во сне. Человечество думает, что в пустыне ничего нет, одно неинтересное дикое место, где дремлет во тьме грустный пастух и у ног его лежит грязная впадина Сары-Камыша, в котором совершалось некогда человеческое бедствие,— но и оно прошло, и мученики исчезли. А на самом деле и здесь, на Амударье, и в Сары-Камыше тоже был целый трудный мир, занятый своей судьбой.

Чагатаев прислушался: кто-то говорил вблизи, насмешливо и быстро, но оставался без ответа. Назар подошел к камышовому жилищу. Слышно было, как внутри него дышали спящие люди и поворачивались на своих местах от беспокойства.

— Подбирай шерсть на земле, клади мне за пазуху,— говорил голос спящего старика.— Собирай скорее, пока верблюды линяют...

Чагатаев прислонился к камышовой стене. Старик сейчас лишь шептал в бреду, не слышно что. Ему снилась какая-то жизнь, вечное действие, он бормотал все более тихо, как будто удалялся.

— Дурды, Дурды! — стал звать голос женщины; она шевелилась, и циновка под ней шелестела.— Дурды! Не убегай от меня, я уморилась, я не догоню тебя... Остановись, не мучай меня, мой ножик острый, я зарежу тебя сразу, ты поддайся.

Они умолкли и спали теперь мирно.

— Дурды! — тихо позвал Чагатаев снаружи.

— А? — отозвался изнутри голос бормотавшего старика.

— Ты спишь? — спросил Чагатаев.

— Сплю,— ответил Дурды.

Чагатаев вспомнил этого Дурды в синеве своего детства; был в то время один худой человек из племени иомудов, который кочевал вдвоем с женой и ел черепах. В Сары-Камыш он приходил потому, что начинал скучать, и тогда сидел молча в кругу людей, слушал их слова, улыбался и был доволен тайным счастьем своего свидания; потом он опять уходил в пески ловить черепах и думать что-то в своей душе. Одинокая женщина (Назару тогда она казалась тоже старой) шла вослед мужу и несла за плечами все их семейное имущество. Маленький Назар провожал их до песков и долго глядел на них, пока они не скрывались в сияющем свете, превращаясь в плывущие головы без тела, в лодку, в птицу, в мираж.

Рядом была другая камышовая хижина, построенная в форме кибитки. Около нее сидела небольшая собака. Чагатаев удивился ей, потому что никаких домашних животных он здесь ни разу не видел. Черная собака смотрела на Чагатаева, она открывала и закрывала рот, делая им движение злобы и лая, но звука у нее не получалось. Одновременно она поднимала то правую, то левую переднюю ногу, пытаясь развить в себе ярость и броситься на чужого человека, но не могла. Чагатаев наклонился к собаке, она схватила своей пастью его руку и потерла ее между пустыми деснами — у нее не было ни одного зуба. Он попробовал ее за тело — там часто билось жестокое жалкое сердце, и в глазах собаки стояли слезы отчаяния.

В кибитке кто-то изредка смеялся кротким, блаженным голосом. Чагатаев поднял решетку, навешенную на жерди, и вошел внутрь жилища. В кибитке было тихо, душно, не видно ничего. Чагатаев согнулся и пополз, ища того, кто здесь есть. Жаркий шерстяной воздух томил его. Чагатаев ослабевшими руками искал неизвестного человека, пока не нащупал чье-то лицо. Это лицо вдруг сморщилось под пальцами Чагатаева, и изо рта человека пошел теплый воздух слов, каждое из которых было понятно, а вся речь не имела никакого смысла. Чагатаев с удивлением слушал этого человека, держа его лицо в своих руках, и старался понять, что он говорит, но не мог. Переставая говорить, этот сидячий житель кибитки кратко и разумно посмеивался, потом говорил опять. Чагатаеву казалось, что он смеется над своей речью и над своим умом, который сейчас что-то думает, но выдуманное им ничего не значит. Затем Чагатаев догадался и тоже улыбнулся: слова стали непонятны оттого, что в них были одни звуки — они не содержали в себе ни интереса, ни чувства, ни воодушевления, точно в человеке не было сердца внутри и оно не издавало своей интонации.

— Возьми поди взойди на Усть-Урт, подними что-нибудь и мне принеси, а я в грудь положу,— сказал этот человек, а потом снова засмеялся.

Ум его еще жил, и он, может быть, смеялся в нем, пугаясь и не понимая, что сердце бьется, душа дышит, но нет ни к чему интереса и желания; даже полное одиночество, тьма ночной кибитки, чужой человек — все это не составляло впечатления и не возбуждало страха или любопытства. Чагатаев трогал этого человека за лицо и руки, касался его туловища, мог даже убить его,— он же по-прежнему говорил кое-что и не волновался, будто был уже посторонним для собственной жизни.

Снаружи была прежняя ночь. Чагатаев, уходя дальше, хотел вернуться, взять и унести с собой бормочущего человека; но куда его надо нести, если он замучился до того, что нуждался уже не в помощи, а в забвении? Он оглянулся; безмолвная собака шла за ним, в камышовых шалашах лежали люди во сне и в своих сновидениях, по вершинам камышовых зарослей иногда проходила дрожь слабого ветра, уходя отсюда до самого Арала. В шалаше, рядом с тем, где спали мать и Айдым, кто-то тихо разговаривал. Собака вошла туда и вышла назад, а потом бросилась назад домой, боясь потерять или забыть, где находится ее хозяин и убежище.

Чагатаев пришел обратно к матери и лег, не раздеваясь, рядом с Айдым. Девочка дышала во сне редко и почти незаметно, было страшно, что она может забыть вздохнуть и тогда умрет. Лежа на глине, Чагатаев слышал в дремоте, как по глухому низу земли раздавалось сонное бормотание его народа и в желудках мучительно варились кислые и щелочные травы. В соседнем травяном жилище муж говорил с женой; он хотел, чтобы у них родился ребенок — может, он сейчас зачнется.

Но жена отвечала:

— Нет, в нас с тобой слабость одна, мы десять лет его зачинаем, а он не зачинается во мне, и я всегда пустая, как мертвая...

Муж молчал, потом говорил:

— Ну, давай чего-нибудь делать вдвоем, нам нечему радоваться с тобой.

— Что же,— отвечала женщина,— мне одеться не во что, тебе тоже; как зимою будем жить!

— Когда будем спать, то согреемся,— отвечал муж,— от бедности чего же больше делать: одна ты осталась, поневоле глядишь и любишь!..

— Больше нечего,— соглашалась женщина,— нету никакого добра у нас с тобой, я все думала-передумала и вижу, что люблю тебя.

— Я тоже тебя,— говорил муж,— иначе не проживешь...

— Дешевле жены ничего нету,— ответила женщина.— При нашей бедности, кроме моего тела, какое у тебя добро?

— Добра не хватает,— согласился муж,— спасибо хоть жена рожается и вырастает сама, нарочно ее не сделаешь: у тебя есть груди, живот, губы, глаза твои глядят, много всего, я думаю о тебе, а ты обо мне, и время идет...

Они замолчали. Чагатаев почистил уши от скопившейся серы и стал слушать далее — не будет ли еще оттуда слов, где лежат муж и жена.

— Мы с тобой плохое добро,— проговорила женщина,— ты худой, слабосильный, а у меня груди засыхают, кости внутри болят...

— Я буду любить твои остатки,— сказал муж.

И они умолкли вовсе,— наверно, обнялись, чтобы держать руками свое единственное счастье.

Чагатаев прошептал что-то, улыбнулся и уснул, довольный, что на его родине среди двоих людей уже существует счастье, хотя и в бедном виде.

9

Утром Гюльчатай не обратила внимания ни на сына, ни на приведенную им девочку. Силы ее души хватило только на воспоминание о нем, когда он спал на траве у тропинки, рядом с Айдым; теперь она жила одной своей жизнью. В шалаше делать было нечего, все же мать долго ровняла камышовые стебли в наклонных стенах, собрала все былинки с земли, вычистила котел изнутри, оправила и свернула циновку и делала все это с глубокой тщательностью и усердием, заботясь о том, чтобы цело было ее хозяйское добро, потому что, кроме него, у нее не было связи с жизнью и прочими людьми. Затем человеку нужно что-нибудь непрерывно думать, она тоже, видимо, воображала что-то, когда трудилась в своей мелкой, почти бесполезной суете; без труда же думать она не умела; хозяйство и шалаш, когда она прибирала его, давали ей воспоминания, наполняли чувством жизни ее пустое, слабое сердце.

Она попросила у сына, чтоб он дал ей что-нибудь. Попросила она робко, без надежды и без жадности, лишь для того, чтобы у нее стало больше вещей и увеличилась, посредством них, житейская занятость,— тогда время жизни проходит лучше. Назар правильно понял мать и отдал ей плащ, кобуру от револьвера (револьвер он переложил в карман брюк), блокнот и сорок рублей денег и заодно велел накормить Айдым. Но девочка сама вперед пошла собирать себе траву на пищу, а Гюльчатай осталась.

— Ты знаешь Моллу Черкезова? — спросил ее Назар.

— Я всех знаю,— сказала мать.

— Ступай, живи у него, тебе там лучше будет. Он слепой и будет беречь тебя, пока не умрет.

Согнутая старая мать глядела в землю; она не понимала, зачем она нужна Черкезову, если и сердце ее давно бьется уже не от чувства, а от привычки, если жизнь для нее почти незаметна. Однако она пошла, не взяв ничего с собою из жилища, кроме того, что ей дал сын,— и то потому, что эти вещи находились у нее в руках. Оказывается, и домашнее добро свое она уже не любила, потому что для жадности у нее не хватало душевных человеческих сил.

Чагатаев остался жить вдвоем с Айдым, желая, чтобы сердце матери согрелось в семейной жизни с Моллой Черкезовым. Айдым сразу начала хозяйствовать, собирать и варить траву, ловить рыбу и стряпать пищу на обед. Однажды она ходила далеко через протоки и разливы, дошла до саксаульника и принесла дров в запас на зимнее время. Чагатаев сам затем сходил два раза в этот далекий саксаульник и принес дров, а девочке вовсе запретил ходить,— пусть она только разводит маленький костер в домашней печке и готовит одну похлебку в сутки. Но вскоре ему пришлось хозяйствовать полностью одному, потому что Айдым заболела и стала горячая, жаркая, мокрая от пота. Назар укрывал ее травой от озноба, протирал ей запекшиеся глаза и поил жидким супом из трав, но девочка не справлялась с болезнью, она худела, молчала и направлялась в смерть. Глаза ее без сознания глядели на Чагатаева, она не умела ничего помыслить для облегчения. Чагатаев сидел над ней долгие пустынные дни и оберегал больную от тоски и страха.

По другим шалашам и кибиткам тоже лежали больные и немощные люди. Чагатаев сосчитал, что всего в народе джан было сорок семь человек, из них человек двадцать болело. Женщин среди народа находилось одиннадцать человек, а детей до двенадцати лет — три души, считая сюда и Айдым. Женщины, как самые большие труженицы, умирали прежде всех, а оставшиеся в живых рожали детей очень редко. Здесь, напрягаясь изо всех нищих сил, желали детей более, чем в далеких странах богатства, и если дети иногда рожались, то они получали в наследство то же, что имели их родители,— корни камыша, долгую участь жизни в пустом пространстве.

Во время болезни Айдым к Чагатаеву пришел уполномоченный райисполкома Нур-Мухаммед. Чагатаев ему сказал, что он командирован сюда для помощи своему народу, который должен стать счастливым, движущимся вперед и многочисленным. Нур-Мухаммед ответил Назару, что сердце народа давно выболело в нужде, ум его стал глуп и поэтому свое счастье ему чувствовать нечем; лучше будет дать покой этому народу, забыть его навсегда или увести куда-нибудь в пустыню, в степи и горы, чтобы он заблудился, и затем посчитать его несуществующим.

Чагатаев понемногу рассмотрел Нур-Мухаммеда; он был велик ростом, уже стар, глаза его глядели из узко прорезанных век, как сквозь постоянную боль. Он одевался в узбекский халат, имел тюбетейку на голове, был обут в войлочные туфли — единственный человек во всем народе, сохранивший такую одежду. Это объяснялось тем, что сам Нур-Мухаммед не принадлежал к народу джан, а был командирован сюда полгода назад и глядел на людей чужими глазами.

— Что ты сделал здесь за полгода? — спросил его Чагатаев.

— Ничего,— сообщил Нур-Мухаммед.— Я не могу воскрешать мертвых.

— Чего ж ты ждешь тогда, зачем ты тут?

— Когда я пришел сюда, в народе было сто десять человек, теперь меньше. Я рою могилы умершим,— их хоронить в болотах нельзя, будет заражение, и я ношу мертвых в дальний песок. Буду хоронить, пока выйдут все, тогда уйду отсюда, скажу — командировка выполнена...

— Народ сам похоронит своих близких — ты для этого не нужен.

— Нет, он не будет хоронить, я знаю.

— Почему не будет?

— Мертвых должны хоронить живые, а здесь живых нет, есть не умершие, доживающие свое время во сне, ты им не сделаешь счастья, и даже своего горя они уже не знают, они больше не мучаются, они отмучились.

— Что же нам делать с тобой? — спросил Чагатаев.

— Ничего не надо,— сказал Нур-Мухаммед.— Человека нельзя долго мучить, а хивинские ханы думали — можно. Долго — он погибает, его надо — понемногу и давать ему играть, а потом опять мучить...

— Я им могилы рыть не буду,— сказал Чагатаев.— Я не знаю, кто ты: ты чужой, лучше ты уйди отсюда, оставь нас одних.

Нур-Мухаммед потрогал лоб спящей Айдым и затем поднялся с места.

— Мое дело в моей голове, а твое дело — в твоей. Скоро я понесу эту девочку в землю. До свидания.

Он ушел в свою землянку. Чагатаев завернул Айдым в траву и в циновку и быстро понес ее к матери и к Молле Черкезову: пусть ей дают пить время от времени и укрывают от ночного холода. А сам Чагатаев сразу же отправился в Чимгай, куда было сто или полтораста километров. Он шел через сухие русла, протоки, камыши и через дебри смешанных растений весь остаток дня, всю ночь и еще целый день, ободравшись и обнищав в дороге, блуждая и тяготясь нетерпением, темнея умом, пока не лег где-то лицом в мякоть мха. Потом он проснулся и увидел невдалеке большие развалины; он подошел к глиняным оплывшим стенам. Высокое солнце скопляло зной под старыми стенами; сон и забвение, беспамятство душного воздуха исходили из-под стен, где старела сухая глина. Чагатаев прошел внутрь укрепления, через то обрушенное место, где паводковые воды сделали в стене промоину. Там было еще более душно от затишья; жара неба собиралась в одно гнездо, заросшее огромными травами с толстыми сальными стволами, потому что их здесь некому было есть и они росли ради одного своего наслаждения. Чагатаев с ненавистью глядел на эти жирные растения, выискивая под ними какую-нибудь мелкую съедобную траву. Он нашел чьи-то небольшие разбитые кости: их рубили, чтобы получился гуще навар, или рассекли саблей несколько раз, если это был человек. Далее он увидел еще несколько костей и целую половину человеческого скелета вместе с черепом; этот человек скончался лицом вниз, и ребра его разошлись в стороны, как для посмертного дыхания, а одно ребро уперлось своим острием в смятый красноармейский шлем, уже сопревший теперь и проросший бледной травой. Чагатаев выпростал его из-под ребра; на шлеме еще сохранилась тень пятиконечной звезды, и внутри шлема, по надлобной полоске материи, имелась надпись химическим карандашом: «Ораз Голоманов» — имя павшего красноармейца. Чагатаев почистил шлем и надел его себе на голову, а свою фуражку положил на череп Голоманова. В глиняной стене, изнутри крепости, вероятно, штыком Голоманова или другого красноармейца, кости которого лежали где-нибудь врозь по земле, были вырезаны слова: «Да здравствует юлдаш революции!» — и штык резал глину слишком глубоко, для того чтобы время, ветер и дождь не заровняли и не смыли след этой надежды мертвых и живых. Должно быть, в тридцатом или тридцать первом году здесь находился красноармейский отряд, бившийся с басмачами, с войсками хивинских и туркменских рабовладельцев, и Голоманов с товарищами остался здесь и сотлел в спокойствии, как будто он был уверен, что непрожитая жизнь его будет дожита другими так же хорошо, как им самим. Чагатаев насыпал травы с землей на скелет Голоманова, чтоб орлы или одинокие звери не растаскали его кости, и ушел своим направлением на Чимгай.

В Чимгае он купил ящик с колхозной аптекой и достал через райком несколько десятков хинных порошков, но знал, что эти пособия слабо помогут его народу, который нуждается более всего в другой, еще не существующей жизни, которую можно терпеть, не умирая. На всякий случай он зашел еще на почту — спросить, нет ли ему писем из Москвы, может быть, есть. Внутри почтового помещения висели плакаты с изображением дальних авиационных сообщений, на наклонных столах под стеклом лежали образцы правильных почтовых адресов — в Москву, в Ленинград, в Тифлис, как будто все местные люди пишут письма только в эти пункты и тоскуют только по этим прекрасным городам.

Чагатаев обратился в окно «До востребования», и ему дали простое письмо из Москвы, которое было сюда переслано из Ташкента заботливыми работниками ЦК партии Узбекистана.

Писала Ксения: «Назар Иванович Чагатаев! Ваша жена, моя мама Вера, умерла во Второй клинической больнице в г. Москве, от родов девочки, которая когда родилась, то была мертвой, и я видела ее тело. Девочку сложили в больнице в один гроб с мамой Верой, вашей женой, похоронили в земле на Ваганьковском кладбище, не очень далеко от писателя Батюшкова. Я два раза ходила к могиле, постояла и ушла. Когда вы приедете, то я вам покажу, где находится могила. Мама велела мне вас помнить и любить, я вас помню. С пионерским приветом Ксеня».

Туркменская девушка выглянула из окна «До востребования» и сказала:

— Обождите, вам еще телеграмма есть, ей шесть дней.

И она дала Чагатаеву ташкентскую телеграмму: «Письмо смерти жены прочтено ввиду трудности сообщения с вами. Извиняемся. Разрешается выехать на месяц в Москву потом вернуться привет Оргтдел Исфендиаров. При недоставлении телеграммы двадцати дней возвратить Ташкент отправителю».

Чагатаев спрятал письмо и телеграмму, взял ящик с колхозной аптекой и ушел из почтовой конторы. Чимгай был ничтожен — слепые дувалы и глиняные жилища находились почти незаметно среди окружающего свободного пространства пустого мира. Чагатаев купил в чайхане ячменных лепешек и через пять минут был уже вне города, на ветру своей дороги; солнце горело высоко и обильно, и все же его свет не мог согреть человеческое сердце до состояния счастья. Чагатаев перестал думать; он всматривался в разные подорожные предметы — в стебли мертвой травы, упавшей с чьей-то арбы, в куски переваренной пищи осла, в русский ветхий лапоть, неизвестно с какого дальнего странника; остатки и следы чужой жизни или деятельности отвлекали Чагатаева от собственной мысли. Наконец он увидел небольшую черепаху: она лежала с высунутой опухшей шеей, с беспомощно выпущенными лапками, не храня себя более под панцирем,— она умерла здесь, при дороге. Чагатаев поднял ее и рассмотрел. Затем отнес в сторону и закопал в песок. Эта черепаха была теперь ближе к его покойной жене Вере, чем он сам, и Чагатаев остановился в недоумении. Он сел на землю с ослабевшим сознанием, не понимая, что он живет и действует с известной целью; чужды и скучны были перед ним обычные явления природы; больше не нужно ему было никакое зрелище и наслаждение, и он с отвращением бросил ячменные лепешки, нагревшиеся в руке, а потом закричал, как в детстве, когда был выведен матерью из Сары-Камыша, и стал искать глазами кого-то в этом незнакомом месте, кто его услышит и явится к нему — как будто за каждым человеком ходит его неустанный помощник и только ждет, когда наступит последнее отчаяние, чтобы показаться... Вдали, в тишине, словно за мертвым занавесом, в близком, но другом мире, что-то постоянно гукало. Звук не имел значения и определенности. Чагатаев вслушался; он вспомнил, что эти звуки были ему знакомы и раньше, но он никогда не понимал их и пропускал мимо внимания. Звуки повторялись опять, они шли редко, с мертвыми паузами, одолевая пустые места пустоты,— будто капала влага огромными леденеющими каплями, будто изредка кратко звал рожок, который уносили все дальше по синим лесам, или шло большое звездное время, что безвозвратно проходит, считая свои отмирающие части, а может быть, эти звуки раздавались гораздо ближе — внутри самого тела Чагатаева, и они происходили от медленного биения его собственной души, напоминая собой ту главную жизнь, которая сейчас забыта им, задушена горем в сжавшемся сердце...

Чагатаев встал и быстро пошел в поселение своего народа. К вечеру он настолько утомился, что уснул, не спрятавшись в какую-нибудь теплую расщелину земли, и всю ночь слышал неясный гул, разное волнение вокруг, тревожное движение природы, верящей в свое действие и назначение.

На вторую ночь он уже был в пределах камышовых дебрей, вблизи всех своих родных. Он думал, что народ джан сейчас уже спит, и пусть хотя бы во сне он не голодает и не мучается, пусть ночь идет долго, если утром он опять должен, чтобы не умереть, иметь хоть слабое представление о действительности, которое не больше сновидения. Поэтому по ночам Чагатаев обыкновенно меньше беспокоился: он понимал, что спящим жить легче, и мать его сейчас не помнит ни его, ни себя, а маленькая Айдым лежит, согреваясь сама собой, как счастливая, не нуждаясь ни в ком.

Он шел медленно, точно отдыхая, миновал низкий саксаульник, перешел через мелкую протоку; поздняя худая луна освещала текущую воду, постоянно трудящуюся без всякого одобрения. Над древней караванной дорогой, уходящей мимо Хивы в Афганию или дальше, стояла мерцающая пыль от света луны. Это было непонятно Чагатаеву. Та дорога лежит брошенной уже целые века, она идет по твердым, набитым пескам и лишь в одном месте проходит по лессовому насту, где сейчас, наверно, сухо и подымается густая пешеходная пыль. Верблюды и ослы так не пылят, их пыль подымается выше, и она сгущается в хвосте каравана. Чагатаев оставил свой путь и пошел наперерез через дикие места в южном направлении, чтобы увидеть, кто идет там, где никого не должно быть. Он долго пробирался сквозь чащу камыша, увязая в трясине, отводил руками колючие благоухающие кустарники, пока не вышел на сухой, чистый, обдутый ветрами курган, под которым лежал в своей могиле какой-нибудь забытый археологический городок.

Старая дорога окружала этот курган по его подножию и скрывалась затем на юго-восток — в Китай и Афганистан, во тьму. Неизвестные пешеходы сюда еще не подошли, они двигались тихо, их было совсем не слышно,— может быть, они свернули с дороги или возвратились назад либо легли спать на землю. Чагатаев пошел им навстречу; он не ожидал увидеть ничего счастливого или удивительного, он знал, что пылить при лунном свете могли звери, вышедшие от бедствия из глубокой дельты Амударьи, чтобы дойти до дальних оазисов, до колхозов, чтобы там наесться мясом овец.

Но навстречу ему шли люди. Чагатаев прилег в стороне от дороги и увидел их всех. Районный уполномоченный Нур-Мухаммед вел за руку слепого Моллу Черкезова; позади них шла мать Чагатаева и перебирала маленькими ногами Айдым. Далее были другие люди, и среди них старый Суфьян, бормочущий Назар-Шакир, его жена, которую он любил, как единственный дар своей жизни, затем Дурды рядом с женой — всего человек четырнадцать, может быть — восемнадцать. Остальной народ, наверно, не мог проснуться или потерял силу и желание передвигаться.

Гюльчатай несла завернутые в плащ своего сына корни камыша на будущую пищу; Айдым волокла по земле за конец стебля связку съедобных трав; Назар-Шакир держал на голове большой сверток из одеял; Молла Черкезов левой рукой держался за Мухаммеда, а правой искал что-то в воздухе,— у всех них глаза были закрыты, они шли дремлющими, некоторые шептали или бормотали свои слова, привыкнув жить воображением. Один только Нур-Мухаммед глядел вперед открытыми глазами, сознавая ясно весь мир. Он курил травяную крошку, свернутую в высушенный лист болотного тростника, и молчал.

Чагатаев вышел к Мухаммеду и спросил его: куда он ведет людей?

Нур-Мухаммед поздоровался с Чагатаевым и ответил:

— Какие люди?.. Их душа давно рассеялась, им все равно — живут они или нет.

Он продолжал идти. Чагатаев пошел рядом с ним. Мухаммед улыбнулся про себя и посмотрел в сторону: даже во тьме окружающая природа была жалка и ненавистна ему, а позади него шли почти несуществующие люди.

Дорога окружала небольшой курган, на котором только что был Чагатаев. Он с новой мыслью поглядел на этот земляной холм, под которым тоже лежал какой-нибудь небольшой народ, перемешав свои кости, потеряв свое имя и тело, чтобы не привлекать больше к себе никаких мучителей. Рабский труд, изможение, эксплуатация никогда не занимают одну лишь физическую силу, одни руки, нет — и весь разум и сердце также, и душа выедается первой, затем опадает и тело, и тогда человек прячется в смерть, уходит в землю, как в крепость и убежище, не поняв, что жил с пустыми жилами, отвлеченный и отученный от своего житейского интереса, с головою, которая привыкла лишь верить, видеть сны и воображать недействительное. Неужели и его народ джан ляжет вскоре где-нибудь вблизи и ветер покроет его землей, а память забудет, потому что народ не успел ничего воздвигнуть из камня или железа, не выдумал вечной красоты,— он лишь копал землю в каналах, но течение воды вновь их заносило, и народ опять рыл наносы и выкидывал лишний грунт из воды, а затем мутный поток осаживал новый ил и опять бесследно покрывал их труд.

— А где остальные — они спят? — спросил Чагатаев у Нур-Мухаммеда.

— Нет, они отстали, но идут за нами по следу; потом дойдут.

Айдым, бывшая близко около передних людей, упала во сне и осталась лежать. Чагатаев услышал это и оглянулся; позади лежали еще два тела заснувших людей.

— Пусть! — сказал ему Мухаммед.— Потом очнутся и догонят.

Но Чагатаев взял Айдым на руки и понес ее. Она спала и не дрожала от лихорадки, наверно, болезнь ее оставила. Несмотря на травяную еду, на болезнь, тело ее не было худым, оно забирало в себя все полезное даже из сухих тростей камыша и было приспособлено жить долго и счастливо.

— Куда ты их ведешь? — спросил Чагатаев у Нур-Мухаммеда.

— В Сары-Камыш, на родину,— ответил Нур,— где они раньше жили.

— Зачем?

— Пусть движутся куда-нибудь. Я их веду дальней дорогой — кругом разливов. Кто ходит — тому всегда легче.

— А больные? — спросил Чагатаев.

— Они тоже идут понемногу. От дороги они выздоровеют — мы оставили болота, и лихорадки не будет.

Чагатаев не верил доброму намерению Мухаммеда. Он не знал даже, почувствуют ли больные здоровье, если их разум так давно отвлекся от своего интереса и сердце привыкло томиться. По той же причине они и болезнь и страданье переносили безмолвно и бесчувственно, как будто это было не их делом. Чагатаев отстал от Мухаммеда, чтобы поглядеть на свою мать. Айдым покойно спала на его руках; Гюльчатай открыла глаза, когда к ней подошел Назар, и ничего ему не сказала; за ее руку держался слепой Молла Черкезов, слабый и блаженный. Мать рассеянно глядела на сына, которого она знала, но не помнила, если его не видела вблизи. Назар продолжал смотреть на мать, и она отвела свои глаза от него, потому что ей стыдно было жить перед сыном, будучи слабой и несчастной; она хотела бы любить его своей прежней, забытой силой, но сейчас не могла, сейчас в ней хватало сердца только для своего дыхания, и ей нравился красноармейский шлем на сыне, она думала, что надо взять его себе в подарок, чтобы согревать в нем свою голову во сне.

Позже бредущий народ встретил на своей дороге сухой, теплый песок и лег в него дремать до утра. Чагатаеву спать не хотелось; он уложил Айдым между матерью и Моллой Черкезовым и остался один, не зная, как ему пробыть до утра. И он, то скучая, то улыбаясь, бормотал про себя слова, проживая жизнь как ненужную.

10

К утру подошли те, кто вчера упал на дороге или отстал от слабости, и все опять пошли вслед за Нур-Мухаммедом. Айдым теперь шла сама и даже смеялась с Чагатаевым. Он пробовал ее лоб,— жара в ней не было, хотя ей достаточно, чтобы температура упала на полградуса, и тогда она снова становилась живой и резвой. В полдень старый Суфьян увел Чагатаева в сторону от сухой дороги. Он сказал ему, что близ амударьинских протоков еще можно встретить иногда две-три старых овцы, которые живут одни и уже забыли человека, но, увидя его, вспоминают давних пастухов и бегут к нему. Эти овцы случайно выжили или остались от огромных одичалых стад, которые баи хотели угнать в Афганистан, но не успели. И овцы прожили вместе с пастушьими собаками несколько лет; собаки их стали есть, потом подохли или разбежались от тоски, а овцы остались одни и постепенно умирали от старости, от зверей, заблудившись в песках без воды. Но редкие из них выжили и теперь бродили, дрожа, друг около друга, боясь остаться в одиночку. Они ходили большими кругами по бедной степи, не сбиваясь в сторону со своей круговой дороги; в этом был их жизненный разум, потому что съеденные и затоптанные былинки травы вновь зарождались, пока овцы миновали остальной свой путь и возвращались на прежнее место. Суфьян знал четыре таких кочевых травостойных круга, по которым ходили до своей смерти остаточные овцы от одичавших, вымерших стад. Одно из этих кочевых колец пролегало невдалеке, почти на пересечении той дороги, по которой народ джан шел теперь в Сары-Камыш.

Суфьян и Чагатаев дошли до малой влажной впадины в песке и остановились. Суфьян разрыл руками песок в глубине, он там был мокрый; старик сказал, что овцы разгребают передними ногами землю и затем жуют сырой песок, утоляя жажду,— здесь и надо ожидать овец; он знал время, в которое они обходят весь свой круговой путь, и высчитал, что срок их пришел явиться сюда; прошлый год он ходил вслед за овечьим стадом и доходил до здешнего места. Овец в стаде тогда было около сорока голов, из них Суфьян съел шесть, семеро овец пали по пути, а остальные ушли дальше.

Нур-Мухаммед подвел народ тоже сюда, где ожидали овец Чагатаев с Суфьяном, и все легли и задремали около овечьей тропинки, где овцы в прошлом году жевали сырой песок. Все люди снова спали, хотя до вечера еще было далеко и с утра немного прожито времени. Чагатаев один ходил между спящими и боялся, что больше никто не проснется: ему скучно было томиться в одном себе своими мыслями и воспоминаниями. Он подошел к Айдым,— она спала со сладко слипшимися веками глаз, с улыбкой беспамятства или сновидения. Не имея радости в действительности, она получала ее в своем чувстве и представлении, закрыв глаза. Молла Черкезов спрятал голову в грудь матери Чагатаева, прижался к ней и спал в любви и тепле, не помня, что он слепой. Нур-Мухаммед лежал в стороне; он шевелился на земле и шептал что-то.

— Ты что здесь думаешь? — спросил его Чагатаев.

— Больше сорока человек осталось,— произнес Мухаммед.— Много еще!

Он считал народ — сколько его умерло, сколько еще живо.

Чагатаев потолкал Суфьяна: старик не спал, он только держал закрытыми глаза, точно берег зрение и не желал рассеиваться душой среди впечатлений видимого дневного мира. Чагатаев сказал ему, что у него умерла в Москве жена, но Суфьян не разделил его горя, он промолчал, а затем сказал, чтобы Чагатаев пошел встретить овец — они могут найти влажный песок в другом месте и пройти стороною от лежащего народа.

Гюльчатай проснулась. Она теперь сидела, держа на коленях голову спящего Моллы Черкезова. Чагатаев пошел к матери, чтобы поговорить с ней, но ничего ей не сказал. Он сам догадался, что обращается к старику и к матери лишь для того, чтобы услышать от них утешение и прожить дальше. Но разве в том его существование, чтобы беречь себя здесь в душевном покое, в сожалении близких людей!.. Он зря не написал открытку Ксене — оттуда, где была почта,— чтобы она пошла в ЦК, если ей плохо будет жить без матери, когда он, ее отец, находится далеко и, может, не вернется для помощи.

Чагатаев погладил простоволосую голову Гюльчатай и надел ей красноармейский шлем, потому что от сильного солнца у матери должна болеть голова. Мать сняла шлем и спрятала его под себя; она верила в имущество и берегла его — от этого у нее и сейчас была кофта раздута, внутри ее на голом теле лежали различные вещи, ее собственность, согревающая ей грудь. Вблизи матери лежала киргизка лицом в песок. Она спала и вскрикивала во сне детским голосом, закатываясь иногда в младенческом плаче и затем опять отходя к спокойствию и к ровному дыханию. Чагатаев приподнял ее лицо за виски и увидел, что это была пожилая женщина, и рот ее не открывался, когда она закатывалась в детском обмирающем крике. Казалось, внутри ее плакал ребенок, невинный другой человек, и он настолько был одинок и чужд для нее, что даже не будил ее ото сна,— или это плакала ее действительная, детская душа, неизменная и еще не жившая.

Чагатаев опустил голову женщины обратно на землю и пошел навстречу блуждающим овцам. Сначала он шел обыкновенно, но потом, когда день стал покрываться ночью, он побежал скорее вперед, чтобы не пропустить овец во тьме. Изредка он останавливался и дышал для отдыха, но потом опять спешил. Когда стало совсем темно, Чагатаев бежал низко согнувшись, чтобы видеть немного редкие былинки травы и касаться их руками,— это было направление, где могли ходить овцы; иначе он мог бы сбиться в сторону, попасть в голодные пески и не заметить бредущих овец.

Он бежал долго по пустой овечьей дороге. Наступила, может быть, полночь или позже. От усталости и горя, которого он не сознавал, но оно все равно самостоятельно томило его сердце, от прохладного, слабого ветра Чагатаев потерял память на ходу,— он заснул, упал и не мог подняться. Он спал глубоко, один в пустыне, в бедной тишине, где нечему шевелиться. Черные стебли небольшой травы редко, как сироты, стояли вокруг спящего, точно жалея, что он встанет и уйдет, а им придется быть здесь опять одним.

На рассвете Чагатаев открыл глаза, его сознание чуть засветилось и опять погасло, он снова заснул, чувствуя тепло и забвение. Две овцы лежали по бокам Чагатаева и согревали его своим теплом. Другие овцы стояли вокруг в ожидании, когда человек поднимет лицо. Их было голов сорок, они давно соскучились по пастуху и теперь нашли его. Старый баран время от времени подходил к лежащему Чагатаеву и осторожно лизал его шею и волосы на затылке, баран любил запах и соленый пот человека, но давно его не пробовал. Баран поворачивался туловищем во все стороны, желая увидеть собаку пастуха, но ее не было. Он устал водить овец, мирить их на водопое, сторожить по ночам от одинокого зверя — он помнил прежнее доброе время, когда пастух и его собаки управлялись со всеми заботами, а ему приходилось только покрывать овец и спать среди них без ума, в утомлении. Теперь же он стал умным, худым и несчастным, а овцы ненавидели его за слабость сил и за равнодушие к ним и тоже вспоминали пастухов и собак, хотя собаки, устанавливая порядок среди них на водопое, рвали иногда клочья из их шерсти, которую они с трудом нажили в пустынной траве. Баран жил обиженно, он хотел стать собакой и даже пытался рвать ртом шерсть на овцах, захватывая ее беззубыми деснами.

Проснувшись, Чагатаев погнал овечью отару к своему народу и дошел до него к вечеру. Народ дремал по-прежнему, одна Айдым играла в песок, проводя в нем реки и дороги. Чагатаев разбудил людей и велел им идти собирать саксаульник и мертвую сухую траву, чтобы зажечь огонь и сварить овечье мясо на пищу. Суфьян с охотой стал резать под горло овец и первым отпивал кровь из горловых жил, а потом нацеживал ее в миску и давал пить другим, кто хотел. Очередные живые овцы стояли возле и внимательно глядели на убийство, не беспокоясь о себе, точно жизнь для них не имела преимущества. Баран же находился в отдалении, среди отары уцелевших овец, и подымал голову, чтобы лучше видеть действия Суфьяна. Когда осталось в живых лишь тридцать овец и четыре костра уже горело на становище, а многие овцы лежали голыми тушами, с худыми ляжками, с отверстиями в своих телах, полными крови и смертной жидкости,— баран закричал и повернул голову в пустое направление степи. Он давно жил среди овец и бывал как муж внутри тех мертвых, которые теперь лежали,— он знал худобу их костей и теплоту цельного, смирного тела.

Чагатаев не велел резать больше десяти голов, остальные пусть живут на племя и на питание в будущее время. Баран остался цел, он отошел и лег вдалеке, и к нему подобрались все живые овцы. Худые и опытные от дикой жизни, они сейчас издали походили на собак.

Туши начали запекать на кострах целиком, без разделки на части, и, обжаривши их, клали в сторону на песок. Затем началась еда. Люди ели мясо без жадности и наслаждения, выщипывая по небольшому куску и разжевывая его слабым, отвыкшим ртом. Лишь один Нур-Мухаммед ел много и быстро, он отрывал себе мясо пластами и поглощал его, потом, наевшись, глодал кости до полной их чистоты и высасывал мозг изнутри, а в конце еды облизал себе пальцы и лег на левый бок спать для пищеварения. Женатые отошли спать в сторону со своими женами, Молла Черкезов тоже увел далеко мать Назара, одинокие же и сироты остались вокруг потухших костров — они настолько ослабели и так глубоко уснули, словно съеденная ими пища сама в отомщение изнутри поела их силы и они были побеждены ею.

Ночью Чагатаев ходил по становищу, он сосчитал живых овец с одним бараном, собрал овечьи шкуры и головы в общее место и стал смотреть в ночную мглу: что там делает сейчас Ксеня — далеко за этой тьмой, в электрическом свете Москвы; и где лежит мертвая Вера, что там осталось в земле от ее робкого большого тела... Чагатаев пошел мимо спящих; народ лежал на песке непокрытый, как будто он был целиком перебит и не оставил себе могильщиков. Но некоторые мужья и жены шевелились, любя друг друга. Молла Черкезов тоже лежал с Гюльчатай. Чагатаев увидел это и заплакал. Он не знал, что ему делать здесь сейчас, чтобы научить этот небольшой народ социализму. Он же не мог его оставить одного умирать, потому что его самого, брошенного матерью в пустыне, взял к себе пастух и советская власть и неизвестный человек прокормил и сберег его для жизни и развития.

Больные и слабые дремали в жару. Двое из них уснули с овечьими костями в руках, которые они обсасывали перед сном, чтобы набраться сил. Чагатаев сходил в песчаную влажную яму, разгреб песок и образовал маленький колодезь; когда в него собралась вода, он пошел к больным, разбудил их и дал каждому по хинному порошку, а затем сбегал несколько раз к песчаному колодцу и принес воды в пригоршне, чтобы дать запить лекарство.

Стало уже поздно. Чагатаев озяб, прилег к одному наиболее

горячему больному, желая согреться об его тело, и уснул. Наутро баран и все овцы исчезли. Судя по следам, они ушли в открытые пески, оставив свою обычную кормовую дорогу.

11

Суфьян сделал расчет в уме и сказал, что эти овцы неминуемо возвратятся на свою кормовую дорогу либо набредут на другую, что проходит далее, через Каракумы, большой окружностью. Но обе эти кочевые дороги выходят на грязные озера Сары-Камыша, невдалеке от которых находится родина всего народа джан, и овцы рано или поздно выйдут на Сары-Камыш во впадину вечной тени и увидят темные горы Усть-Урта, где многими, кто здесь находится, была прожита вся жизнь. Нур-Мухаммед согласился с Суфьяном.

— Мы пойдем за ними,— сказал он.— Мы будем пить их кровь и есть их мясо. Через семь или восемь дней мы дойдем до Сары-Камыша... Кто-нибудь умер сегодня ночью? — спросил Нур-Мухаммед.

Ему ответили, что умерла одна старуха каракалпачка, и Нур-Мухаммед с тщательностью сделал отметку в своей записной книжке. Чагатаев не помнил этой старухи и не видел ее — она ночевала одна, уйдя далеко от общего стана, и там умерла спокойно.

Народ пошел длинной чередою по следу бежавших овец. Больные и слабые шли позади и часто садились на отдых, отпивая воду из домашних бурдюков. Чагатаев шел позади всех, чтобы никто не пропал и не умер незаметно. Животные, вероятно, бежали быстро; это разгадал Суфьян по виду овечьих следов, и так же думал Чагатаев. Он выходил на высокие барханы и до последнего горизонта не замечал даже самого слабого облака пыли от движения стада — овцы ушли слишком далеко.

Старая хивинская рабыня-туркменка дала Чагатаеву тряпку, отодрав ее от своего подола, и Чагатаев повязал себе голову, страдая от солнца. Народ шел терпеливо; Айдым выздоровела вовсе и повеселела — для нее, ничего не знавшей, здесь было достаточно предметов для всех чувств и впечатлений. Когда она уставала, Чагатаев брал ее на руки, и она могла спать у него на плече, вскрикивая иногда и бормоча свои страшные сны. Но какое сновидение питало сознание всего этого бредущего народа, если он мог терпеть свою судьбу? Истиной он жить не мог, он бы умер сразу от печали, если бы знал истину про себя. Однако люди живут от рождения, а не от ума и истины, и пока бьется их сердце, оно срабатывает и раздробляет их отчаяние и само разрушается, теряя в терпении и работе свое вещество.

До поздней и дальней ночи народ не догнал овец. Наутро Нур-Мухаммед опять спросил — кто умер за ночь или все остались живы? Умер только мальчик у одной матери, и Мухаммед с удовлетворением сделал вычитание погибшей души в своей записной книжке. Теперь в народе осталось всего двое детей — Айдым и еще небольшая девочка, рожденная случайно года три назад, когда в народ пришел какой-то человек из песков и, пожив с полгода, ушел дальше, оставив свою плоть в Гюзель, вдове разбойника из района Старого Ургенча.

На второй день народ увидел две овцы, лежавшие на дороге; они ослабели в бегстве и болезни и теперь умирали. Их поредевшая шерсть слиплась от лихорадочного пота, худощавые морды глядели злобно и дико — они теперь походили на шакалов,— а в хвостах у них не осталось никакого жира. Овец сразу убили, чтобы застать их еще живыми, и съели, не разводя огня, а кости разделили и унесли с собою на ужин. В следующие два дня не было другой пищи, кроме редких травяных былинок, вода же встретилась два раза в такырных ямах.

Народ двигался теперь только вечером и утром, а днем от слабости и жары закапывался в песок и спал. Нур-Мухаммед ежедневно отмечал умерших, а Чагатаев проверял их смерть, прислушиваясь к сердцу и наблюдая глаза, потому что однажды Суфьян и еще другой старик, ферганский раб Ораз Бабаев, притворились мертвыми. Но Чагатаев расслышал сквозь кости их глухое, далекое сердце, поднял на ноги и велел жить дальше.

— Зачем вы хотели умереть? — спросил их Чагатаев.

— У нас душа занемела от жизни,— сказал Суфьян,— кости ссохлись и согнулись, жилы сморщились: они потянуться захотели, пускай их дождь помочит, ветер посушит, черви пожуют, а то я им мешаю...

Ораз Бабаев стоял без ума, пусто глядя на Чагатаева, и не мог вначале ничего сказать; он, наверно, все равно считал себя умершим.

— Нам не живется,— сообщил он вслух,— мы каждый день пробовали.

— Ничего, мы вместе научимся,— сказал им Чагатаев.

— Немного потерпим,— согласился Суфьян,— а потом нечаянно все помрем.

Русский старик, по имени Старый Ванька, подошел к Суфьяну, попробовал его горло, разверз веки и заглянул внутрь каждого его глаза, потом ощупал ему ребра и сказал тогда:

— Чего ты! Только заматерел, а уж помираешь! Терпи: поживем, побьемся, да и меду в кадушках дождемся — с толстым ломтем подойдем да макнем...

Русский отошел, улыбаясь. Почти ежедневно, в течение шестидесяти лет, жизнь его должна окончиться, но он ни разу еще не умер и теперь разуверился в силе смерти и всякой беды, живя спокойно и равнодушно, как счастливый и бессмертный. Чагатаев знал, что Старый Ванька некогда — лет тридцать тому назад — прибежал сюда из сибирской каторги, прижился к неродному народу и жил себе одинаково со всеми, не помня больше дороги в Россию.

Ночью пошел пустынный темный ветер, песок тоже побрел

420

за тем ветром и постепенно закрыл навсегда овечьи следы. Чага-таев понял здесь жизнь. Рано утром он отошел от спящих и дрем-лющих, когда понял, что овечье стадо ушло теперь вовсе, идти за ним стало бессмысленно и ослабевший народ очутился среди пустыни, без еды и без помощи — у него не хватит сил достигнуть Сары-Камыша и он уже не сможет вернуться на-зад, в разливы Амударьи.

Утренний странный ветер дул Чагатаеву в лицо, песчаная поземка кружилась в подножье человека и стонала, как русская вьюга за ставнями избушки. Иногда же слышался жалобный звук жалейки, иногда играла гармония, дальняя труба или, чаще всего, бедная глухая дутара. Это пели пески, мучимые ветром, когда одна песчинка истиралась о другую. Чагатаев лег на землю, чтобы задуматься о дальнейшей своей работе; не для того его послали сюда, чтобы он умер здесь сам и оставил своему народу его смерт-ную участь... Он попробовал рукою свое лицо; оно обросло воло-сами, в голове завелись вши, немытое худое тело скорбело от за-пустения. Чагатаев подумал о себе как о жалком, скучном чело-веке. Кто его помнил сейчас, кроме Ксени? Но и та, наверно, уже стала забывать: юность сейчас слишком воодушевлена свои-ми счастливыми задачами. Чагатаев уснул в беспокойном песке, отдельно и довольно далеко от всех непроснувшихся людей. Все в нем замерло, глубоко и надолго, затаилось внутри тела, отжило на время, чтобы не умереть совсем. Он проснулся во тьме, полу-засыпанный песком; ветер все еще дул, и была уже новая ночь. Он проспал весь день. Чагатаев пошел на общее становище; народа там не было. Все люди давно проснулись и ушли дальше, скорее от смерти. Лежал только один Назар-Шакир; потому что он умер и теперь открыл рот, в котором говорили теперь что-то ветер и песок. Чагатаев, набредя на мертвого, долго ощупывал его и проверял действительность смерти, потом закрыл всего человека песком, чтобы он стал никому не заметен.

Чагатаев шел всю ночь; иногда он, наклонившись, видел следы прошедшего народа, иногда, когда следы уже стравил ветер, шел по чувству.

Утром Чагатаев заметил по местности, что здесь должна быть вода, и он нашел заглушенный колодец, забитый песком. Назар дорылся руками до влажной глубины и начал жевать песок, но сплевывать приходилось больше, чем получать внутрь; тогда он стал глотать мокрый песок целиком, и мученье жажды оставило его. В следующие четыре дня Чагатаев старался идти вперед по пустыне, но от слабости уходил недалеко и вновь возвращался на мокрый песок, чтобы, изнемогая от голода, не умереть от жажды. На пятый день он остался на месте, решив набраться сил в дремоте и беспамятстве, а затем догнать свой народ. Он съел два оставшиеся у него хинных порошка и разные карманные крошки, отчего ему стало лучше. Он понимал, что народ его близко, он тоже не имел сил уйти от него далеко, только неизве-стно было направление его пути. Чагатаев представлял себе, с каким тайным удовольствием Нур-Мухаммед поставил отметку в своей записной книжке о его смерти. Он улыбнулся своей старой мысли: почему люди держат расчет на горе, на гибель, когда счастье столь же неизбежно и часто доступней отчаяния... Чагатаев зарылся от солнца во влажный песок и пытался впасть в беспамятство для отдыха и для экономии жизни, но не умел и все время думал, жил понемногу и смотрел в небо, где слабым туманом шел жаркий ветер с юго-востока и было так пусто, что не верилось в существование твердого, настоящего мира.

Отлежавшись, Чагатаев пополз к ближнему бархану, где он заметил задутый наполовину песком куст перекати-поля. Он добрался до него, отломил несколько высохших ветвей и сжевал их, а оставшийся куст вырыл из песка и отпустил бродить по ветру. Куст покатился и вскоре исчез за барханами, направляясь куда-то в дальнюю землю. Затем Чагатаев поползал еще по окрестности в несколько шагов и нашел в мелких песчаных могилах весенние засохшие былинки травы, которые он также проглотил, без различия. Скатившись с бархана, он заснул у его подножия, и во сне на его слабое сознание напали разные воспоминания, бесцельные забытые впечатления, воображение скучных лиц, виденных когда-то, однажды,— вся прожитая жизнь вдруг повернулась назад и напала на Чагатаева. [Чагатаев следил за ним беспомощно и не умел теперь забыть его.] Раньше он думал, что большинство ничтожных и даже важных событий его жизни забыты навсегда, закрыты навечно последующими крупными фактами,— сейчас он понял, что в нем все цело, неуничтожимо и сохранно, как драгоценность, как добро хищного нищего, который бережет ненужное и брошенное другими. Бедный и пожилой человек не исчез из сознания, он все еще бормотал что-то, прося или жалуясь (наверное, он давно умер в действительности), но вот подруга Веры, еле виденная им когда-то, склонилась над Чагатаевым и не уходила, она надоедала, и она мучила собою дремлющего в пустыне человека, и за нею, на глиняном дувале, дрожали тени от серебристой ветви, росшей некогда на солнце — может быть, в Чарджуе, может быть, еще где-нибудь. И еще многие, едкие вечные пустяки в виде сгнившего дерева, почтового отделения в поселке, безлюдной стонущей горы на полуденном солнце, звука пропавшего ветра и нежных объятий с Верой, все это энергично вошло в Чагатаева одновременно и жило в нем неподвижно и настойчиво, хотя в истине, в прошлом, это были текущие, быстро исчезающие факты. В нем же они теперь существовали гораздо более резко и яростно, гораздо навязчивей, чем на правде. В действительности эти предметы жили кротко и не проявляли своего значения, не делали больно совести и чувству человека. Но сейчас они набились толпою в голову Чагатаева, и если от них можно было спасаться в настоящей жизни, хотя бы потому, что время проходит, то здесь события никуда не проходили, а продолжали быть постоянно и своей повторяющейся деятельностью точили и протирали кости черепа Чагатаева. Он хотел закричать, но у него не было достаточной силы. Он подумал заплакать, но испугался терять влагу, чтобы не есть потом мокрый жесткий песок. Он прислушался — не звучат ли вдали редкие, капающие, гулкие звуки — за черным мертвым горизонтом, из той темной свободной ночи, где без остатка поглощается последний солнечный свет, как река, впавшая в песчаную пустыню. Он слышал иногда те звуки дальней природы, не зная их причины и полного значения.

Чагатаев поднялся на ноги, чтобы избавиться от сна и от всего мира, застрявшего в его голове, как колючий кустарник; сон сошел с него, но вся страшная теснота воспоминаний и мыслей осталась живому наяву. Он увидел что-то на соседнем бархане — животное или кибитку, но не успел понять, что именно, и упал обратно от слабости. И то, что было на соседнем бархане — животное, или кибитка, или машина,— сейчас же вошло в сознание Чагатаева и начало томить его своей неотвязностью, хотя оно и не было понято и не имело даже имени. Это новое явление, сложившись со всеми прежними, осилило здоровье Чагатаева, и он впал в беспамятство, спасая свою душу.

Проснулся он на другой день в раннее время. Ветер ушел без остатка, всюду стояла робкая тишина, настолько пустая и слабая, что в нее внезапно могла ворваться буря. Тень ночи ушла в высоту и лежала там над миром, выше дневного света. Чагатаев теперь был здоров, ум его прояснился и думал по-прежнему о своих задачах; слабость сил не оставила его, но уже не мучила. Он предвидел, что ему, вероятно, здесь придется умереть и народ его также потеряется трупами в пустыне. Чагатаев не жалел о самом себе: большой народ жив, и он все равно исполнит всеобщее счастье несчастных; но плохо, что народ джан, изо всех народов Советского Союза наиболее нуждающийся в жизни и в счастье, будет мертв.

— Не будет! — прошептал Чагатаев.

Он стал подыматься, нажимая всем сердцем на свои дрожащие руки, упертые в песок, но сейчас же лег обратно, навзничь: позади него, со стороны затылка, кто-то находился; Чагатаев услышал быстрые, отступающие шаги какого-то существа.

Чагатаев закрыл глаза и взял в кармане рукоятку револьвера в руку; он только боялся, что теперь плохо справится со своим тяжелым оружием, потому что в руке осталась лишь младенческая сила. Он лежал долго, не шевелясь ничем, притворяясь умершим. Он знал многих зверей и птиц, которые поедают мертвых людей в степи. Наверно, позади народа — в невидимом отдалении — все время молча шли дикие звери и съедали павших людей. Овцы, народ и звери — тройное шествие двигалось в очередь по пустыне. Но овцы, теряя травяную полосу, иногда начинают идти за блуждающей травой перекати-поле, которую гонит ветер, и поэтому ветер является всеобщей ведущей силой — от травы до человека. Наверно, надо было идти по ветру, чтобы догнать овец, но Нур-Мухаммед ничего не знает, а Суфьян соскучился жить и больше не думает.

Чагатаеву хотелось сразу вскочить, выстрелить в зверя, убить его и съесть, однако он боялся, что промахнется от слабости и навсегда распугает от себя зверей. Он решил допустить зверя до самого своего тела и убить его в упор.

Легкие, осторожные шаги все время раздавались позади головы Чагатаева, то приближаясь, то удаляясь. Сократив дыхание, Назар ждал, когда бросится на него крадущееся существо, еще не уверенное в его смерти. Он беспокоился лишь, чтоб зверь не впился сразу ему в горло или, получив рану, не убежал далеко. Шаги послышались теперь рядом с головой. Чагатаев потащил немного револьвер из кармана наружу, уже чувствуя в себе хорошую силу, собранную изо всех остатков жизни. Но шаги прошли мимо его тела и удалились. Назар приоткрыл глаза; дальше его ног медленно шли две большие птицы, отдаляясь от него на противоположный бархан. Чагатаев никогда не видел таких птиц, они походили одновременно и на степных орлов-стервятников, и на диких темных лебедей; клювы их были как у стервятников, но толстая, могучая шея длиннее, чем у орлов, а прочные ноги высоко носили нежное, воздушное лебединое туловище. Сложенные черные крылья у одной птицы были сплошного серого цвета, а у другой — с красными, синими и серыми перьями; это, вероятно, самка; брюхо обеих птиц было выпушено белым, снежным пухом — Чагатаев заметил даже сбоку у самки мелкие черные точки; это блохи впились в живот птицы сквозь пух. Обе птицы чем-то походили на огромных птенцов, которые еще не привыкли жить в своем теле и двигались с осторожностью.

День стал жарким и заунывным, по песку закручивались мелкие смерчи, вечер еще высоко стоял на небе, над светом и теплом. Две птицы взошли на бархан против Чагатаева и сразу оглянулись на него дальновидными, разумными глазами. Чагатаев следил за птицами из-под неплотно закрытых век, он разглядел даже серый редкий цвет их глаз, глядевших на него с мыслью и вниманием. Самка почистила клюв о когти ног и выплюнула изо рта какой-то давний объедок, может быть, остаток расклеванного Назар-Шакира. Самец поднялся в воздух, а самка осталась на месте. Громадная птица низко полетела в сторону, затем несколькими прыжками на крыльях взлетела в высоту и сразу стала падать оттуда. Чагатаев почувствовал ветер в лицо прежде, чем птица достигла его. Он увидел над своим лицом ее белую, чистую грудь и серые расчетливо-ясные глаза, не злые, а думающие, потому что птица уже заметила, что человек жив и видит ее. Чагатаев вынул револьвер, обеими руками поднял его в воздух и ударил из него в падающую ему на голову птицу. Среди груди мчащейся птицы, в белом ее пуху, задуваемом скоростью полета, появилось темное пятно, и вслед за тем мгновенный ветер вырвал весь пух в клочья вокруг черного места попадания, а тело орла на краткое время задержалось в воздухе неподвижно.

Птица закрыла серые глаза, потом они открылись у нее сами, но уже ничего не видели,— она умерла. Она лежала на теле Чагатаева в том же положении, в каком падала: своею грудью на груди человека, головой на его голове, уткнувшись клювом в густые волосы Назара, широко распустив черные беспомощные крылья по сторонам, и ее вырванные перья и пух осыпали Чагатаева. Сам Чагатаев потерял память от удара тяжестью орла, но ранен он не был; птица лишь оглушила его, опасная скорость ее падения была заторможена встречной, пронзающей пулей... Чагатаев вскочил и сел от резкой боли: вторая птица, самка, рванула клювом его правую ногу, взяв оттуда немного мяса, и сейчас же взлетела в воздух. Чагатаев, держа револьвер обеими руками, дважды выстрелил по ней, но не попал; огромная птица исчезла за барханами, потом он разглядел ее летящей на большой высоте.

Мертвого орла уже не было на Чагатаеве, он лежал в ногах Назара на песке; его, должно быть, стащила самка, желая убедиться, что он погиб, и прощаясь с ним.

Чагатаев подполз к убитой птице и начал есть ее горло, выщипывая оттуда перья. Орлица все еще была видна, но она уже достигла той высоты неба, где даже в полдень стоит тень ночи, сумрак заката и рассвета, и Чагатаеву казалось, что она оттуда уже не возвратится, что там есть своя воздушная счастливая страна улетевших птиц.

Наевшись немного, Чагатаев перевязал ногу мертвой птицы своим поясным ремнем, а другой конец ремня продел себе в глубину штанов — тогда он услышит, если какой-нибудь хищник захочет украсть орла. Потом Чагатаев полечил слюнями рваную ранку на своей ноге, закрыл ее материей и скорее улегся, чтобы приобрести крепость сил.

12

Гюльчатай не жалела о сыне, она забыла его. Согнувшись, она шла следом за другими и трогала руками песок, когда ей казалось, что в нем лежат какие-то вещи. Молла Черкезов держался за одежду Гюльчатай, все время стараясь помнить, что он живой. Нур-Мухаммед, отчаявшись сердцем, взял на руки Айдым; он предполагал воспитать, откормить эту девочку и воспользоваться ею как женой, а потом продать другому. Его мучило, что слишком мало женщин в народе джан и те, кто были еще живыми, уже стали ветхими,— надежна только одна Айдым, потому что она еще мала. Женщины ценятся дороже мужчин, они служат одновременно и для работы и для утешения, но мужчин тоже можно продать хорошо, если они не перемрут за долгий путь.

В то утро, когда Чагатаева не оказалось на общем становище, Нур-Мухаммед улыбнулся и сделал тщательную отметку в своей книжке об его исчезновении, собирая на всякий случай сведения для составления отчета о командировке. Он решил, что Чагатаев убежал спасаться один, как всякий живой и малодушный, и Нур-

Мухаммеду стало лучше без него; люди теперь уже не спрашивали у Мухаммеда, скоро ли они дойдут до Сары-Камыша, и никогда не вспомнили о пище. Сам Нур-Мухаммед тоже мог пасть от слабости, но он еще держался старыми запасами своего тела, потому что много ел риса, мяса и фруктов, когда жил по оазисам и ходил тайно в Афганистан, к давно бежавшему хану Джунаиду.

Суфьян в тот день пошел по ветру, куда несутся вырванные, изжившие жизнь былинки травы и катится перекати-поле; он знал, что в этом направлении и пошли теперь овцы, раз ветер бесследно задул их кормовую тропинку, по которой изредка, оазисами, росла устойчивая трава. За Суфьяном пошли было остальные люди, но Нур-Мухаммед велел им идти в другую сторону — против ветра, на юго-восток. Он прижал к себе Айдым, чтобы ощутить зачатки ее женской груди, но почувствовал лишь ее тонкие ребра.

Нур-Мухаммед оглянулся на всех; ветер раскачивал народ, песчаная поземка била в ноги людей, погибшая трава влеклась навстречу пешеходам — эту траву под самый корень сжал ветер по всему песчаному безлюдью, где прошла его гребущая сила. Некоторые люди упали от ветра, другие шли во сне, разбредаясь в разные стороны, теряя друг друга в сумраке метущегося песка.

Нур-Мухаммед остановился.

Ветер дул со стороны юго-востока ровной гнетущей силой, как из машины. Народ рассеивался под ним и больше не слышал или не признавал голоса Нур-Мухаммеда, звавшего каждого по имени идти за ним вперед. Он сам еле дышал от терпения, от жажды и голода; здравый смысл его разума уже покрывался тенью равнодушия к своей судьбе. Раньше он предполагал увести весь этот ничтожный, ослабевший народ в Афганистан и продать его в рабство старым ханам, а самому прожить счастливо остальную жизнь в собственной, обильной домашним добром курганче, где-нибудь в афганской долине на берегу потока, тогда не надо будет быть членом профсоюза и кооперации, не надо сдерживать в молчании скопляющееся яростью сердце. Теперь Мухаммед, сбиваемый с ног песком и ветром, видел, что народ джан падает или разбредается в беспамятстве: тело каждого человека стало пустым и сердце постепенно вымерло. Они не дойдут до Афганистана, а дойдя туда, не сумеют быть даже последними батраками, потому что в них не осталось хотя бы слабого житейского интереса, который необходим и для раба.

Нур-Мухаммед стоял долго, пока весь народ не разошелся в сумраке ветра и не свалился там лежать — в смерти или во сне. Айдым укрылась около его горла и тихо дышала в своем забвении. Мухаммед бережно держал ее, а сам с наслаждением, не помня, что ему хочется пить и есть, следил за погибающим народом. Суфьян сел в песок и согнулся. Сгорбленная Гюльчатай давно лежала на земле, и слепой муж ее, Черкезов, укладывался за нею с подветренной стороны, точно ища удобства в супружеской постели. Худой нестарый каракалпак, по прозвищу Таган, снял с себя одежду — штаны и халат,— бросил их по ветру, а сам зарылся голым в песок и там остался, почти невидимый больше. Мухаммеду было хорошо, что в Советском Союзе теперь меньше жителей на целый народ,— пусть этот народ и не знал никто, а все-таки польза для государства уменьшилась, и работники, рывшие некогда целые реки для баев, теперь ничего не будут рыть, даже могилы для самих себя.

Нур-Мухаммед чувствовал сейчас не только удовольствие, но он даже слегка пошевеливался в некотором танце, видя в людях их последний песчаный сон. Он ценил теперь себя дороже, выше,— ему больше достанется добра в пустыне и на всей земле, потому что живых становится меньше. Неизвестно, получил бы он больше наслаждения, когда продал бы весь этот народ в рабство, или теперь, когда потерял его, когда в природе стало просторней, когда сразу закрылись рты наиболее алчных бедняков. Мухаммед решил уйти навсегда в Афганистан и унести с собой Айдым, чтобы продать ее там и оправдать хоть немного свои убытки от работы в Советском Союзе.

Ветер вдруг сразу ослабел, и стало светлее повсюду. Нур-Мухаммед прижал к себе девочку с такой силой, что Айдым открыла глаза. Он пошел ласкать ее в уютное песчаное ущелье, соскучившись без счастья от чужого тела. Ни голод, ни долгое горе не могли уничтожить в нем необходимость мужской любви, она жила в нем неутомимо, жадно и самостоятельно, пробиваясь сквозь все жесткие беды и не делясь своей силой с его слабостью. Он мог бы обнимать женщину и зачинать детей, находясь в болезни, в безумии, за минуту до окончательной смерти.

Мухаммед нашел укромное место, положил девочку и лег рядом с нею. Айдым опять впала в забытье. Он снял с нее верхние нечистые тряпки одежды и увидел голое детское существо, столь незнакомое, что страсть его вначале не стала действовать. Айдым была мала, как пятилетняя, и кости ее были обтянуты бледно-синей пленкой, не имевшей никогда достаточной упитанности, чтобы превратиться в настоящую кожу. Однако сквозь эту пленку, почти непосредственно из костей скелета, уже прорастали женские груди и начинали опухать будущие материнские места, не считаясь с бедностью вещества в других частях тела. Наверное, Айдым было уже лет двенадцать или тринадцать, если ее покормить, на ней можно жениться.

Две большие птицы с темными крыльями низко пролетели над Мухаммедом и Айдым. Мухаммед проследил их полет и затем обнял девочку, потому что у него не было времени и лишней силы терпеть свою любовь. Айдым проснулась от боли. Она видела много раз, как взрослые спят и любят, знала это дело с точностью и теперь, догадавшись обо всем, стала повторять действия старых людей, как опытная женщина, что немного удивило Нур-Мухаммеда. Айдым молча смотрела на Мухаммеда любопытными глазами, полными слез от боли и терпения. Она словно ждала чего-то, что будет сейчас с нею, неизвестного или хорошего, но ничего не было, и ей стало неинтересно.

— Уходи! Лучше я буду одна,— сказала Айдым Мухаммеду, потому что она не узнала в любви никакой новой жизни.

Но Мухаммед не оставил ее, пока его чувство не получило наслаждения: без наслаждения он не мог существовать.

В пустыне смерклось, наступила ночь, и она прошла во тьме. Некоторые люди, павшие вчера по пескам от ветра, наутро поднялись и стали оглядываться в чистом свете, среди тишины другого дня.

Вблизи, за глухим барханом, раздался выстрел. Дремавший Суфьян сел и стал слушать. Айдым прибежала к нему от Мухаммеда, который спал вдали и не проснулся.

Народ был весь живой, но жизнь в нем держалась уже не по его воле и была почти непосильна ему. Люди глядели перед собой, хотя и не сознавая ясно, как надо им пользоваться своим существованием; даже темные глаза теперь посветлели от равнодушия и не выражали ни внимания, ни силы собственного зрения, точно ослепшие или прожитые насквозь; только одна Айдым хотела быть живой, она не истратила еще детства и материнского запаса энергии, она смотрела в песок все еще блестящими глазами.

За барханом еще [стрельнули] два раза. Айдым пошла туда смотреть, но не нашла сразу места, где стреляли. Из других людей никто не пошел; они не боялись врага и не ожидали друга или помощника.

Айдым перешла четвертый бархан и увидела, что внизу его лежит спящий или мертвый человек, рядом с темной птицей. Девочка спустилась с песчаного откоса и узнала Чагатаева. Она попробовала руками его лицо, оно было теплое, изо рта шло дыхание.

— Спи! — сказала шепотом Айдым и прикрыла своими пальцами веки Чагатаева, чуть приоткрытые во сне.

Затем Айдым освободила убитую птицу от ремня, взяла ее за ногу и поволокла через пески к своему народу.

Все люди собрались вокруг птицы и глядели на нее без жадности, они отвыкли надеяться на еду. Тогда Айдым взяла нож из брошенных штанов Тагана и стала ощипывать птицу и резать ее на мелкие куски. Каждому, кто мог есть, она дала понемногу птичьего мяса, а сама высасывала кровь и сок из каждого куска, прежде чем отдать его. Народ поглотал эти куски, сглодал все кости без остатка и обсосал щипаные перья, но не наелся, а только разохотился; лучше б было ничего не есть и не тратить последнюю силу на жеванье и пищеваренье.

Айдым пошла опять к Чагатаеву. Народ, думая, что там есть еще битые мясные птицы, пошел следом за девочкой. Однако люди шли теперь слишком медленно, иные же ползли, помогая себе руками, в том числе ползла и еще помогала ползти Молле Черкезову мать Чагатаева. Некоторые же остались на месте, потому что у них уже не хватало силы нести свой скелет. Айдым, отойдя немного, подолгу ждала влекущихся за ней людей. И лишь к вечеру народ добрел до песчаного холма, за которым лежал Чагатаев. Все время, пока двигался народ, Айдым слышала трение и скрип костей внутри шевелящихся людей,— наверно, у них высох весь жир в суставах, и кости теперь мучились.

Нур-Мухаммед видел издали это движение народа, но оно его не интересовало. Он хотел сначала поискать в ближней округе какой-нибудь воды, хотя бы соленой, иначе он не дойдет до Хивинского оазиса. За Айдым он решил вернуться после, когда отыщет воду, чтобы и ее напоить, а потом уже вместе с нею он уйдет отсюда навеки в Афганистан.

13

Чагатаев заплакал от боли во сне и проснулся; он подумал, что боль ему приснилась и сейчас пройдет. Две темные птицы — одна прежняя самка, другая новый самец — отошли от него. Три раза они клевнули его тело сосущими клювами и до костей прорвали мясо на груди, колене и на плече. Отойдя немного, птицы остановились, повернули шеи и поглядели на Чагатаева — каждая птица одним глазом. Назар вынул револьвер и стал скорее стрелять в птиц, пока еще не вышло много крови из его ран и не пропала сила, собранная во сне. Птицы поднялись в воздух. Он успел стрельнуть в них два раза, и одна птица опустила крылья и села вниз, сразу подломив под себя ноги; потом она положила голову в песок и потянулась всем горлом как бы в надоевшей усталости; из горла птицы шла кровь и впитывалась в перья и ближний песок. В глазах птицы появилось равнодушие, и они задернулись серыми пленками. Другая птица ушла в высоту, закричала оттуда кратко и гулко, словно из пустого подземелья, и пропала в тумане солнечного света.

Из-за бархана показалась Айдым. Она пошла к убитой птице и поволокла ее за ногу мимо Чагатаева.

— Айдым! — позвал ее Назар.

Девочка подошла к Чагатаеву.

— Дай напиться! — попросил он.

Айдым подволокла мертвую птицу и, став на колени, приложила ее горло к губам Чагатаева и стала нажимать мокнущее горло, выдаивая оттуда кровь в рот Чагатаева.

— Ты лежи нарочно как мертвый,— сказала Айдым.— К тебе прилетят птицы, прибегут шакалы, ты их убивай, а мы будем кормиться...

— А где другие люди? — спросил Чагатаев.

— Там идут,— указала Айдым.

Чагатаев попросил ее, чтобы она принесла воды, если она есть, и промыла ему раны. Айдым осмотрела его раны, вынула из них шерсть от одежды, затем зализала их своим языком, зная, что слюна заживляет тело.

— Ничего: ты не умрешь, раны ведь маленькие,— сказала

она.— Лежи опять смирно, а то птицы больше не прилетят...

Айдым поволокла птицу за песчаный холм, где ее народ образовал свое новое становище в тишине глубокой впадины. Птицу съели сразу же, и если те далекие люди, которые едят каждый день, не почувствовали бы никакого утоления голода, съев тот маленький щипаный кусок птичьего мяса, какой дала Айдым каждому, то здесь человек большого голода почти наелся этой ничтожной пищей,— во всяком случае, его тело получило надежду и утешение.

Стало опять темно. Суфьян разрыл руками песок до влажного горизонта и начал жевать его от жажды. Некоторые люди увидели действия Суфьяна, подошли к нему и разделили с ним ужин из песка и воды. Нур-Мухаммед боялся холода и на ночь пришел к народу, чтобы лежать где-нибудь в его тесноте и согреваться.

Рано утром Мухаммед разбудил Айдым, взял ее на руки и пошел с ней навсегда в Афганистан.

Чагатаев по-прежнему лежал и сторожил птиц. Он сосчитал патроны, их у него осталось семь штук. Он знал наверное, что птицы явятся опять: он ведь убил самца, а самка с цветными крыльями улетела, и она снова вернется не одна, чтобы добить наконец человека, убившего ее первого, может быть, самого любимого мужа.

Айдым соскочила с рук Нур-Мухаммеда и прибежала к Чагатаеву попрощаться. Он поцеловал ее, погладил по лицу худою рукой и улыбнулся. Было еще сумрачно. Нур-Мухаммед ждал девочку в отдалении.

— Не ходи никуда, Айдым,— сказал Назар ребенку.— У нас скоро свое будет счастье.

— Я знаю,— ответила Айдым.— А он мне велит...

— Позови его,— сказал Чагатаев.

Айдым привела за руку большого Нур-Мухаммеда.

— Помираешь? — спросил Нур у Чагатаева.— Я думал, тебя давно птицы склевали.

— Зачем девочку уводишь с собой? — спросил его Чагатаев.

— Стало быть, нужно,— сообщил Мухаммед.

— Пусть остается с нами! — сказал Назар.

Айдым села около Чагатаева на песке.

— Я останусь,— сказала Айдым,— я маленькая, я уморюсь идти, мне не надо!

Чагатаев облокотился на локоть и привлек к себе девочку. Пала роса, и Назар незаметно полизал языком волосы Айдым, на которых были капли влаги.

— Уходи один! — сказал Чагатаев Мухаммеду.

— Мертвым пора молчать! — произнес Нур-Мухаммед.— Повернись в землю и спи! — Он ударил Чагатаева в лицо ногой, обутой в брезентовый сапог.

Чагатаев повалился навзничь; он заметил, что у Мухаммеда до сих пор лежал за пазухой учрежденческий портфель среднего служащего, может быть, Нур-Мухаммед всю свою жизнь считал лишь временной командировкой в дальние места, и единственная прелесть его существования заключалась в том, что можно оставить изжитое место и уйти на новое: пусть погибают остающиеся!

Чагатаев, не подумав, встал сразу на ноги. Он был теперь пуст и легок, тело его стало свободно, и он качался, как невесомый. Айдым уперлась руками ему в живот, чтобы он не падал. Но Нур-Мухаммед схватил Айдым поперек ее тела и пошел с нею прочь. Чагатаев бросился за ним вслед, но упал, потом опять поднялся, пытаясь сосредоточить силы. От слабости мир перемежался перед его глазами: то был, то не был. Мухаммед шел не спеша впереди, он не боялся полумертвого.

— Вы куда? — изо всех сил сказал Чагатаев.

Айдым заплакала на руках Мухаммеда.

— Возьми меня, Назар Чагатаев... Я не хочу в Афганистан: там буржуи живут...

Откуда она знает о буржуях?.. Чагатаев больше уже не упал, торжественная мысль жизни вернулась к нему, он поднял револьвер отвердевшей рукой и велел Мухаммеду остановиться. Тот увидел оружие и побежал. Айдым заметила на шее Мухаммеда болячку и впилась в нее своими отросшими ногтями. Нур-Мухаммед закричал по-страшному и ударил девочку по лицу, но размахнуться ему было негде, и ей не стало слишком больно от его удара. Айдым не отняла своих рук от болячки и повисла теперь на шее Мухаммеда, тогда он бросил ее держать, чтобы ударить по-настоящему.

— Видишь, как больно тебе! — сказала Айдым.— Тебе ведь говорили: не воруй меня, не надо! А ты украл, ты басмач! Терпи, теперь терпи!

Из-под болячки Нур-Мухаммеда шла густая кровь: засохшую корку больного места Айдым уже сорвала.

Мухаммед застонал и с трудом сбросил с себя девчонку. Оглянувшись на Чагатаева, он опять схватил Айдым и побежал с нею; он не [уважал] работать впустую. Чагатаев не мог бить по нему насмерть, чтоб не убить Айдым, которую Мухаммед прижал сейчас спереди к своей груди, и выстрелил в него по ногам. Пуля попала. Нур-Мухаммед был сорван с земли, как ненужный и посторонний, он упал с разбегу плечом в песок и мог изуродовать Айдым. Но она отлетела в сторону прежде, чем упал Мухаммед, и, сейчас же поднявшись, побежала к Назару. Чагатаев хотел выстрелить еще, чтобы уничтожить Мухаммеда, однако патронов у него было немного, их надо беречь для охоты и прокормления своего народа.

Нур-Мухаммед пролежал в песке лишь несколько секунд, а затем бросился бежать прочь, сразу вскочив на крутой откос бархана, как сильный и здоровый человек. На ходу он кричал от боли, потому что от движения еще больше рвал свою рану, но не слышал своего крика. Он скрылся за песчаным холмом, и голос его умолк навсегда для Чагатаева. Айдым стояла в изумлении, все еще глядя вослед пропавшему Нур-Мухаммеду. Она думала — скоро он умрет или нет.

Она пошла с Чагатаевым обратно.

— Скорей иди! — говорила она.— Ложись опять в песок, пока птицы не прилетели, а то нам есть нечего!

Слабея все больше, Чагатаев дошел до своего прежнего облежанного места и опустился на него. Айдым направилась к народу, на общее становище. День еще был долог, но все люди уже лежали для экономии жизни во сне или в пустом безрассудстве, покрывшись остатками одежды.

Чагатаев находился отдельно, за песчаным перевалом. Он старался думать лишь самое необходимое для общей жизни спасения. Орлица опять улетела живой и несчастной. Если в первый раз он убил ее мужа, то кого он застрелил во второй раз? Наверно, второго ее мужа... Нет, у птиц так не бывает, значит — друга или родственника ее мужа, может быть, его брата, которого она позвала себе на помощь для общего мщения. Но и брат ее мужа погиб, за кем же она полетела теперь?.. Если там — за горизонтом или в далеких небесах — у нее никого не найдется для боевой помощи, то все равно она прилетит одна. Чагатаев был убежден в этом, он знал прямые нестерпимые чувства диких животных и птиц. Они не могут плакать, чтобы в слезах и в истощении сердца находить себе утешение и прощение врагу. Они действуют, желая утомить свое страдание в борьбе, внутри мертвого тела врага или в собственной гибели.

По мере своей второй жизни в пустыне Чагатаеву казалось, что он все время куда-то едет и удаляется. Он начал забывать подробности города Москвы; лицо Ксени его память сберегала лишь в общих, неживых чертах — он жалел об этом и напрягал свое воображение, чтобы видеть ее иногда в уме; представляя ее образ, он всегда замечал, что ее губы что-то шепчут ему, но он не понимает и не слышит ее голоса за дальностью расстояния. Разноцветные глаза ее глядели на него с удивлением, может быть, с грустью, что он долго не возвращается. Но это лишь обольщающее чувство! В действительности Ксеня, наверно, вовсе забыла Чагатаева; она ведь еще ребенок, в ее сердце теснится прекрасная, завоевывающая ее жизнь, и там не хватит места для сохранения всех исчезнувших впечатлений.

День проходил пустым, не принося избавления. Чагатаев знал, что нельзя накормить народ еще одной или двумя убитыми птицами, но он не был великим человеком и не мог выдумать, что ему нужно сейчас сделать более действительное. Пусть его охота за птицами — ничтожное дело, зато оно единственно возможное, пока не прошло его изнеможение. Если бы он был в прежней силе, он обыскал бы всю пустыню вокруг на десятки километров, нашел бы диких овец и пригнал бы их сюда. Если бы хотя в одном человеке была способность пройти пятьдесят или сто километров до какого-нибудь телеграфного аппарата, он бы потребовал помощи из Ташкента. Может быть, покажется аэроплан на небе! Нет, здесь едва ли они бывают, здесь нет пока сокровищ на земле, чтобы тратить дорогую машину. И убогий малополезный труд, заключавшийся в терпении, в притворстве быть трупом, все же утешал Чагатаева, однако назавтра он решил идти с народом на родину, в Сары-Камыш, при всех обстоятельствах.

Он задремал. Мир опять чередовался перед ним, то оживая, светлый и шумящий, то отдаляясь в темное забвение, откуда он опять затем возвращался, пробиваясь в сознание Чагатаева сквозь больные кости его головы.

Вечером Чагатаев расслышал неясные звуки. Он приготовился, засунув правую руку себе под спину, где лежал револьвер. Он ошибся — это не был шум летящих орлов. Его мать, низко неся свою голову, подошла к нему, попробовала руками его тело и осмотрела глазами, глядящими в песок, всю ближнюю местность. Она не проверяла — жив или скончался ее сын,— она искала убитых птиц своими слепнущими от горя глазами. Странные скрипящие звуки шли из тела матери; сухие кости ее скелета с трудом и болью преодолевали трение друг о друга. Гюльчатай медленно удалилась, помогая себе двигаться тем, что касалась руками земли и гребла ими назад песок.

Вскоре эти же звуки многих трущихся костей Чагатаев услышал опять. Он поборол свое закатывающееся сонное сознание и сосредоточился. За песчаным перевалом бархана что-то шевелилось. Старый Ванька глядел на него оттуда; рядом с ним поднялся подошедший, очевидно, снизу, с другой стороны бархана, Суфьян, потом показалось еще чье-то неразличимое лицо, там же была Айдым и даже Молла Черкезов, хотя он не видел света. Человеческие лица постепенно прибавлялись, все они смотрели в сторону Чагатаева. Чагатаев тоже глядел на них. Больше не было слышно звуков от трения рвущихся мертвеющих костей. Множество глаз наблюдало за лежащим человеком — не жадных и не умоляющих глаз, а безразличных. Кроме Айдым, глаза всех людей глядели подобно глазам Моллы Черкезова,— ослепшими. У людей не осталось силы в сердце, чтобы держать энергию или выражение мысли в глазах. Лишь предчувствие еды привело их сюда, но и это чувство не было яростным или жестоким, как у обычного человека, а было невинным, способным остаться без удовлетворения, потому что чувство уже не поддерживалось разумом.

Чего ожидали от Чагатаева эти люди? Разве они наедятся одной или двумя птицами? Нет. Но тоска их может превратиться в радость, если каждый получит щипаный кусочек птичьего мяса. Это послужит не для сытости, а для соединения с общей жизнью и друг с другом, оно смажет своим салом скрипящие, сохнущие кости их скелета, оно даст им чувство действительности, и они вспомнят свое существование. Здесь еда служит сразу для питания души и для того, чтобы опустевшие смирные глаза снова заблестели и увидели рассеянный свет солнца на земле. Чагатаеву казалось, что и все человечество, если бы оно было сейчас перед ним, так же глядело бы на него, ожидающее и готовое обмануться в надеждах, перенести обман и вновь заняться разнообразной, неизбежной жизнью.

Чагатаев улыбнулся; он знал, что горе и страдание есть лишь призрак и сновидение, их может разрушить сразу даже Айдым своими детскими силами; в сердце и в мире бьется, как в клетке, невыпущенное, еще не испробованное счастье, и каждый человек чувствует его силу, но чувствует лишь как боль, потому что действие счастья сжато и изуродовано в тесноте, как сердце в скелете. Вскоре он переменит судьбу своего народа. Чагатаев махнул рукой глядящему на него народу. Айдым поняла и велела уйти всем, чтобы не мешать Чагатаеву охотиться.

В начале ночи, когда все люди забылись, Айдым пошла одна в пустыню искать диких овец. Суфьяну и Старому Ваньке она велела разрыть руками песок в одной небольшой долине между длинными барханами. Там, под песком, она обнаружила глину, которая должна собирать воду, и она уже пила ее немножко из ямки. Она понимала, что, когда нет пищи, вода тоже кормит.

14

Шла ночь над песками. Чагатаев спал на правом боку, и сновидения заполнили его, вытеснив жажду, голод, слабость и всякое страдание. Он танцевал в саду, освещенном электричеством, с большой, выросшей Ксеней, в летнюю ночь, пахнущую землей, детством, накануне рассвета, который уже горел на вершинах тополей, как дальний, еще неслышный голос. Ксеня томилась в его осторожных объятиях, ее глаза были закрыты, точно она спала. С рассвета, с востока шел ветер между деревьев и шевелил платья танцующих женщин. Играла музыка, ранний свет и ветер проходил по лицам людей, безмолвных и счастливых. Затем музыка утихла, стало совсем светло вокруг, и Чагатаев нес спящую Ксеню на руках. Вдруг он увидел тьму на месте света, голова его заболела, и, падая, он повернулся во время падения на спину, чтобы не ушибить Ксеню, которую он держал спереди, как маленькую: пусть она упадет на него и не убьется. Он крепко, еще сильнее схватил ее руками, но ее уже не было с ним. Он закричал, вскочил во тьме с земли, и два острых удара — опять в голову и в грудь — сбили его обратно.

Большие птицы, падая на него и вновь поднимаясь в воздух, били его клювами и рвали одежду и тело когтями. Чагатаев старался вскочить на ноги, но не успевал и терял силу от боли и новых ударов нападающих тяжелых птиц; он ворочался и греб в ожесточенном отчаянии руками песок, окруженный пустынной ночью, взмокший последней кровью. Он хотел вскрикнуть, чтобы поднять в себе, из самой глубины, из остатков исчезающей жизни яростную силу, но жалящие удары орлиных клювов и когти их, рвущие жилы, прерывали его крик, прежде чем он успевал взять воздух себе внутрь. От крыльев птиц его сбивал ветер, он не мог дышать в этой буре и давился пухом и перьями, отлетающими от птиц. Чагатаев понял, что два первых удара клювами он получил в голову, около затылка, оттуда сейчас текла кровь за шею, и еще у него, кажется, сорван один грудной сосок, там болела рана щекочущей вопиющей болью.

Наконец Чагатаеву удалось вскочить на мгновение на ноги. Он распростер руки, готовый схватить птицу, которая первая падет на него, чтобы задушить ее вручную. Орлы были в воздухе и сейчас разгонялись на него. Он наступил ногою на свой револьвер и быстро нагнулся за ним, однако не успел поднять его. Птицы бросились ему в спину, но он уже теперь опомнился и сумел сосчитать по числу своих новых ран от клювов — орлов было три. Чагатаев, схватив револьвер, опрокинулся навзничь, чтобы сбросить с себя или задавить птиц, впившихся ему в спину, но силы его действовали плохо, он свалился как попало, на бок, а орлы низко отлетели в сторону. Чагатаев попытался подняться для лучшего прицела, все истощенные кости его скелета заскрипели, так же как у людей его народа. Он прислушался, и ему жалко стало своего тела и своих костей — их собрала ему некогда мать из бедности своей плоти,— не из любви и страсти, не из наслаждения, а из самой житейской необходимости. Он почувствовал себя как чужое добро, как последнее имущество неимущих, которое хотят расточить напрасно, и пришел в ярость. Чагатаев сразу крепко сел в песке. Орлы, даже не очень поднявшись в высоту, опять со скоростью мчались на него, тесно прижав к себе крылья. Он их подпустил ближе, потом нажал курок. Чагатаев видел орлов верно, их было три, и стрелял теперь точно, хладнокровно, оберегая себя, как второго человека, как ближнего, беспомощного друга. Он выпустил пять пуль в мчавшихся орлов почти в упор. Птицы низко, со свистом воздуха, пролетели над ним, уже не сумев остановить своего разгона, потому что они были либо уже мертвые, либо раненные насмерть. Они упали в нескольких метрах далее Чагатаева, в темный ночной песок.

Чагатаев дрожал от тревоги и усталости. Он разгреб в песке пещеру и лег в нее, сжавшись телом, чтобы согреться и уснуть, не заботясь о том, сколько вытечет крови из его рваных ран, пока он будет спать, не думая о здоровье и о своей будущей жизни.

Айдым далеко ушла в ту ночь; потом она уморилась, прилегла и заснула, не услышав выстрелов Чагатаева. Но, помня, что ей спать долго нельзя, она вскоре пробудилась в беспокойстве и опять пошла. Полуночная обедневшая луна вышла из-за далекой земли и осветила пески низким светом. Айдым осмотрелась кругом проницательными глазами. Она знала, что не может быть, чтобы на земле ничего теперь не было. Если идти по пескам целый день, то обязательно что-нибудь встретишь или найдешь: либо воду, либо овец, либо увидишь многих птиц, попадется чей-нибудь заблудший осел или пробегут вблизи разные животные.

Старшие люди говорили ей, что в пустыне столько же добра, сколько на любой далекой земле, но в ней мало людей, и поэтому кажется, что и остального нет ничего. Айдым, однако, даже не знала, где есть земля более богатая и лучшая, чем пески или камышовые леса в разливах Амударьи.

Айдым стояла на самом высоком бархане; ее привлек мерцающий, брезжущий свет луны в одном направлении — по остальной земле свет шел спокойно, а там что-то мешало ему светить. Она пошла туда, где свет затемнялся, и вскоре разглядела маленькую овцу-детеныша. Овечка царапалась ногами на самой вершине невысокого холма и взметывала песок так, что издали, сквозь ослабшую тьму, поверх привидений холмистой пустыни, это казалось важным, загадочным происшествием.

Овца-ярка, наверно, выбирала из песка весенние погребенные травинки и кормилась ими. Айдым тихо взобралась на холм и обхватила овечьего детеныша. Ярка не сопротивлялась, она ничего не знала про человека. Айдым повалила ее и хотела прокусить ей слабое горло, чтобы испить крови и наесться. Но она увидела сейчас, что под барханом, часто дыша, как люди, множество овец рыли ногами песок, догребаясь до нижней, скрытой влаги. Айдым оставила ярку и сбежала с бархана, к овечьему стаду. Прежде чем она достигла крайней овцы, к ней навстречу прыгнул баран и остановился перед ней, нагнув голову для боя. Айдым посидела немного перед ним, подумала своим небольшим умом — как ей быть. Она сосчитала овечью отару — в ней было двадцать четыре головы, сложив сюда ярку и двух козлов, тоже прижившихся тут. Она отползла потихоньку к ближней роющей овце; баран тоже пошел за нею в ожидании. Айдым попробовала рукою песок в ямке, которую разгребала овца,— там было сухо, вода не чувствуется. На губах ближних овец собралась пена томления, изредка они хватали ртом песок, и выбрасывали его обратно вместе с последней слюной. Песок не поил, а сам испивал их сок. Айдым подошла к барану, он был не очень худ и лишь тяжко дышал от жажды, от напряжения перед задачами своей жизни, как главного среди овец. Айдым взяла барана за рог и повела его за собой. Баран сразу пошел, потом остановился, чтобы образумиться, но Айдым потянула его, и баран пошел за ней. Некоторые овцы подняли головы, перестали работать и пошли следом за девочкой и бараном. Оставшиеся козлы и прочие овцы также вскоре нагнали своего барана.

Айдым спешно тянула барана, память на место у нее была точная, но лишь к заре и погасшему месяцу на небе она дошла до той глубокой долины, где она отрывала себе воду в песке. Там она оставила стадо, и овцы опять принялись раскапывать ногами песок, а сама Айдым пошла на общий ночлег к народу. Она обиделась: в долине не было отрыто ни одного колодца. Старый Ванька и Суфьян либо умерли, либо поленились, или, может быть, напились одни, не заботясь о другой жизни.

Айдым ощупала на становище всех спящих и беспамятных:

они привыкли жить, дышали, и никто из них не умер. Айдым разбудила Суфьяна и Старого Ваньку и велела им идти пасти и сторожить овечье стадо, а сама отправилась к Чагатаеву, чтобы привести его есть.

Чагатаев долго не просыпался, когда его будила Айдым; он медленно умирал, потому что кровь не переставая медленно сочилась из него во сне, и видно было, как она редкими толчками выходила из ран, утихая в песке. Айдым поняла все; она сбегала обратно к народу на ночлег, но все люди уже тронулись оттуда к стаду, кто как мог: кто полз, кто шевелился на ногах, кто пользовался помощью другого. Айдым поискала глазами, у кого была более целая или мягкая одежда, но не нашла, чего ей хотелось. У всех из одежды осталось худое и нехорошее или очень малое. Молла Черкезов имел мягкие шаровары, но от его слепоты они были нечистые. Айдым сняла с себя рубашку и осмотрела ее: ничего, она еще маленькая, в ней не накопилось заразы и болезней, как у стариков, рубашка пахла одним только потом и ее телом, а грязи в ней не было — пустыня вся чистая. Айдым вернулась к Чагатаеву, разодрала свою рубашку на полоски и перевязала все его раны на теле и на голове, откуда показывалась кровь. Чагатаев проснулся уже и поворачивался, чтоб девочке удобней было работать. Он открыл глаза и увидел Айдым, убитых птиц и пески как бы сквозь густой сумрак, хотя наступило обычное солнечное утро. Он разглядел орлов и узнал в самой крупной птице самку, а другие два орла были гораздо меньше: это ее дети. Она прилетела сюда вместе с самыми верными друзьями своего мужа — его детьми.

15

Четыре дня народ джан ел и оправлялся от своего горя и бедствий. Айдым следила за тем, чтобы никто лишнего не переедал, а особо усердных на пищу останавливала или била по глазу: иначе будет не больно. Раны на теле Чагатаева подернулись пленками и заживали; он отдал Айдым свое нижнее белье, и она сшила себе юбку и кофту, а то была голая. Суфьян, который всю жизнь носил при себе необходимый житейский инвентарь — спички, иголку, нитки, шило, какой-то старинный документ о своей личности, ножик и прочее добро,— он попросил Айдым обштопать его одежду. Айдым зашила все крупные дыры на халате старика, потом заодно починила всю ветхую одежду на народе в тех местах, где видно было тело; на многих людях ей пришлось укоротить одежду, чтобы выиграть материал и пришить его тем, у кого не хватало. Из этих обрезков Тагану она сшила целые штаны и рубашку, потому что он забросил свое платье где-то в песок, когда думал, что пора кончать жизнь, и с тех пор жил голым.

На эту работу у Айдым ушло еще четыре дня — ей помогали штопать и шить только Старый Ванька и Чагатаев. Кроме того, Айдым следила за общим порядком жизни народа, за распределением пищи, за сном и за оставшимися овцами,— чтобы их пасли и поили и чтобы они не худели, не проживали своего тела зря. На ночь каждую овцу Айдым привязывала к человеку, а барана укладывала рядом с собой и прочной бечевкой туго обвязывала ему шею, а другим концом бечевки обматывалась сама вокруг живота и делала мертвый узел. Благодаря этой осторожности ни одна овца не убежала, хотя по всей ночи овцы лежали не евши и не прибавили в весе. Утром, через девять дней после того, как Айдым привела овечью отару, народ тронулся далее в дорогу, на свою родину. Теперь осталось у него десять овец и одиннадцатый баран, а тринадцать голов и трех орлов народ поел. Люди шли сейчас хорошо и чувствовали, что они существуют, не напрягаясь памятью для воспоминания о самих себе.

До Сары-Камыша оказалось всего три полных дня среднего хода. Но уже на второй день народ увидел серое плоскогорье Усть-Урта и темноту у его подножия — впадину пустых земель с редкими горькими водами. Все обрадовались и поспешили туда, точно там обеспечено было счастье и стояли убранные дома с открытыми входами, ожидающими хозяев. Чагатаев вел за руку мать и улыбался, будто он снова, как в детстве, находился перед будущей великой жизнью, готовый на мучительный, терпеливый труд, имея в сердце неясное, робкое предчувствие неизбежной победы.

Вечером третьего дня народ перешел последние светлые пески — границу пустыни — и начал спускаться в тень впадины. Чагатаев вглядывался в эту землю — в бледные солонцы, в суглинки, в темную ветхость измученного праха, в котором, может быть, сотлели кости бедного Аримана, не сумевшего достигнуть светлой участи Ормузда и не победившего его. Отчего он не сумел быть счастливым? Может, оттого, что для него судьба Ормузда и других жителей дальних, заросших садами стран была чужда и отвратительна, она не успокаивала и не влекла его сердце,— иначе он, терпеливый и деятельный, сумел бы сделать в Сары-Камыше то же самое, что было в Хорасане, или завоевал бы Хорасан...

Чагатаев любил размышлять о том, что раньше не удалось сделать людям, потому что как раз это самое ему необходимо было исполнить.

Еще через два дня народ миновал впадину и приблизился к подножию Усть-Урта. Чагатаев нашел здесь небольшой пресный водоем, питавшийся весенним стоком со склонов плоскогорья, и люди остановились около него для отдыха и для выбора постоянного жительства. Овец теперь осталось лишь три головы и четвертый баран. Но это само по себе еще не было страшным для такого народа, как джан, который мог пользоваться добром природы в самых [худых] ее местах. Айдым в первый же день нашла несколько слепых ущелий, заполненных травой перекати-поле. Траву нагнал сюда с пустыни юго-восточный ветер, и лишь тот куст перекати-поля, который не попадал в такое мертвое ущелье, поднимался по склону на высоту возвышенности и уходил через плоскогорье дальше, в степь.

Суфьян сходил в свою пещеру, где он жил до прихода Чагатаева, и дал совет обосноваться всему народу по соседству с его пещерой: там есть широкая, просторная долина, поросшая степною травой, и мелкий ручей бежит посреди нее с Усть-Урта, не иссякая до середины лета. Народ пошел к той долине и по дороге нашел следы своих прежних становищ — еще в ханские времена. Там не осталось никаких заметных предметов, была лишь обычная пустошь, несколько горстей угля, комья глины, стоял кол от кибитки, забытый всеми, изъеденный жарой и ветрами и умерший; валялась погребенная в почву старая детская тюбетейка — Айдым почистила ее и надела себе на голову.

Долина, указанная Суфьяном, была хороша для жизни. Она имела травяной покров на долгом протяжении, и еще теперь — в конце лета — не вся трава умерла: среди пожелтевших стеблей попадались живые, зеленые былинки. Русло ручья было пусто, но в глубине Сары-Камыша, в одном-двух километрах, виднелось зеркало воды — озеро, куда стекал горный ручей весною и в начале лета; этого достаточно для существования. Когда люди вошли в устье долины, множество черепах побежало от их ног, и, удалившись, они медленно повернули свои шеи и поглядели на прибывших — каждая черепаха одним черным, зорким и милым глазом. Чагатаев обрадовался им; он теперь отдохнул и опомнился: по-прежнему все в жизни стало возможным, самая лучшая участь осуществима немедленно.

Он пошел вместе с Айдым далеко в глубь Усть-Урта, на его вымершие высокие равнины. Он искал там деревьев или хотя бы саксаула, растущего иногда по оврагам,— дерево нужно было для поделки хозяйственных инструментов и принадлежностей. По дороге Чагатаев поднял Айдым на руки, чтобы она не уморилась, и целовал ее в щеки, в глаза, в волосы — от этого ему становилось лучше на сердце. Он любил ощущать другую жизнь и другое тело, ему казалось, что там есть что-то более таинственное и прекрасное, более [существенное], чем в нем самом, и его здоровье и сознание часто улучшалось лишь оттого, что он имел возможность держать кого-нибудь за руку, как в свое время Веру и еще ранее ее другую женщину, студентку экономического института, любившую его, но умершую от болезни в юности. Айдым тоже обнимала Чагатаева за голову и заглаживала пальцами две плешины в волосах — следы от орлиных ран; она помнила, что съела тогда сразу целого маленького орленка.

У Чагатаева был только перочинный нож, поэтому ему пришлось долго работать, чтобы подрезать и надломить одно небольшое дерево мягкой породы, росшее в одиночку среди каменистого ущелья, где не росло ничего другого, словно птица когда-то уронила семя этого дерева из воздуха.

В течение нескольких дней в долине Усть-Урта, избранной для жительства, работали только двое людей — Чагатаев и Айдым; остальные люди дремали в пещерках, которые они нарыли себе для ночлега в склонах долины, ловили черепах и готовили из них себе пищу, но ели мало, почти неохотно, и раз в сутки ходили на озеро пить воду. Три овцы и барана Чагатаев не велел трогать; он их оставил в запас, на крайнюю нужду. Назар пересчитал людей — кто жив, кто умер — и увидел, что не хватает одного ребенка — трехлетней девочки. Никто не мог ему сказать — ни отец ее, ни мать, ни прочие, где исчезла, умерла одна незаметно эта маленькая девочка, небольшой человек. Никто не запомнил, когда она была задута ветром и песком в пустыне и отошла от рук...

Чагатаев и Айдым стали носить глину для постройки первой курганчи, но им никто не помогал в работе. Когда Чагатаев привел работать Суфьяна и Старого Ваньку, как наиболее здоровых, то они отнесли два раза глину, а потом перестали. Они сели на землю и задумались, хотя по старости лет имели время уже все передумать и прийти к истине.

Тогда Чагатаев собрал всех людей и спросил их: имеют ли они намеренье жить? Никто ему ничего не ответил...

Многие бледные глаза глядели на Чагатаева с напряжением, чтобы не закрыться от немощи и равнодушия. Чагатаев почувствовал боль своей печали, что его народу не нужен коммунизм,— ему нужно забвение, пока ветер не остудит и не расточит постепенно его тело в пространстве. Чагатаев отвернулся ото всех; его действия, его надежды оказались бессмысленными. Нужно взять Айдым на руки и уйти отсюда навсегда. Он ушел в сторону и лег там в землю лицом. Он понимал, что, куда бы он ни ушел отсюда, он снова вернется обратно. Ведь его народ — наибольший бедняк на свете: он растратил все свое тело на хошарах и в нужде пустыни, он отучен от цели жизни и лишился сознания и своего интереса, потому что его желание никогда, ни в какой мере не осуществлялось, народ жил благодаря механическому действию своей скудной, ежедневной пищи — из черепах, черепашьих яиц и мелкой рыбы, которую он начал ловить в том водоеме, из которого пил воду. Осталась ли в народе хоть небольшая душа, чтобы, действуя вместе с ней, можно совершить общее счастье? Или там давно все отмучилось и даже воображение — ум бедняков — все умерло?.. Чагатаев знал по своей детской памяти и по московскому образованию, что всякая эксплуатация человека начинается с искажения, с приспособления его души к смерти, в целях господства, иначе раб не будет рабом. И насильное уродство души продолжается, усиливается все более, пока разум в рабе не превращается в безумие. Классовая борьба начинается с одоления «духа святого», заключенного в рабе; причем хула на то, во что верит сам господин — на его душу и бога,— никогда не прощается, душа же раба подвергается истиранию во лжи и разрушающем труде. Чагатаев помнил рассказ Старого Ваньки, как он однажды в Хиве, на дворе мечети, хотел убить павлина, чтобы продать его потом на чучело русскому купцу. В поспешности Старый Ванька бросил камень в павлина — в священную птицу, но не попал. Вдалеке, среди растительности, показался сторож или посторонний человек. Старый Ванька схватил в руку что попалось ему среди кустов и запустил в голову павлина этим предметом. Павлин сразу проглотил, скормился тем куском, какой бросил в него Ванька, и потом закричал своим подлым прерывистым криком, а Старый Ванька кинулся к нему, чтобы задушить его вручную, но не управился, потому что явившиеся мусульмане схватили Старого Ваньку, вытащили на улицу и начали бить, пока не решили, что он уже мертв, и тогда его бросили в бездействующий арык. Пока его увечили, Старый Ванька, держа руки на лице, понял по запаху своих рук, что он второй раз ударил священного павлина куском засохшего кала. Старый Ванька выполз из канавы живым, но любил затем швырять во всех летящих и сидящих птиц чем-нибудь нечистым, особенно если это были голуби,— пока по истечении многих лет не потерял интереса к такому занятию.

Над головой Чагатаева засопело какое-то животное, он подумал — это овца. Но животное схватило пастью ухо Чагатаева и стало тереть его во рту между беззубыми деснами. Это была та же яростная и малосильная собака, которую Чагатаев видел в поселении своего народа на Амударье. Она не была с людьми в пустыне, она отбилась где-то или, может быть, осталась караулить одна покинутое становище, а потом, соскучившись, прибежала прямой дорогой в Сары-Камыш, где она тоже, очевидно, жила в прежние годы. Чагатаев взял собаку за голову и пригнул ее к земле, чтоб она легла. Собака покорно легла; она дрожала от утомления — старая, дикая, не в силах закончить и изжить свою мучительную жизнь и все еще уверенная в блаженстве своего существования, потому что в самом терпении ее, в худом дрожащем теле было добро.

Собака уснула рядом с Чагатаевым. Айдым одна месила голыми ногами глину, таская воду в бурдюке за два километра. Когда Чагатаев очнулся, кругом него сидело несколько человек людей, которые ожидали его пробуждения. Суфья, самый старший человек, сказал Чагатаеву, что народ теперь нарочно не имеет души, не знает своего намерения, не льстится на лучшую пищу, он греется самым слабым теплом своего сердца, а сердце получает это тепло из травы, из черепах, из рыбы, из костей самого человека, когда ему нечего есть.

Суфьян склонился к уху Чагатаева, отодвинув собаку. Собака жадно и грустно глядела на людей. Темная, трудная надежда ее была в желании съесть всех людей, когда они умрут. Она пришла сюда не прямою отдельной дорогой, а следом за народом, идя на большом отдалении, и ела павших в песках людей, зарываясь днем глубоко в песок, чтобы ее не заметили степные орлы и прочие хищники. Суфьян сказал Чагатаеву:

— Ты думаешь плохо. Народ жить может, но ему нельзя. Когда он захочет есть плов, пить вино, иметь халат и кибитку, к нему придут чужие люди и скажут: возьми, что ты хочешь,— вино, рис, верблюда, счастье твоей жизни...

— Никто не даст,— ответил Чагатаев.

— Немного давали,— говорил Суфьян.— Горсть риса, чурек, старый халат, вечернюю песню бахши мы имели давно, когда работали на байских хошарах...

— Мать велела мне самому кормиться, когда я был маленький,— сказал Чагатаев.— Мы мало имели, мы умирали.

— Мало,— произнес Суфьян.— Но мы всегда хотели много: и овец, и жену, и воду из арыка — в душе всегда есть пустое место, куда человек хочет спрятать свое счастье. И за малое, за бедную, редкую пищу, мы работали, пока в нас не засыхали кости.

— Это вам давали чужую душу,— сказал Чагатаев.

— Другой мы не знали,— ответил Суфьян.— Я тебе говорю, если за маленькую еду мы делались от работы и голода как мертвые, то разве хватит даже нашей смерти, чтобы заработать себе счастье?

Чагатаев поднялся на ноги.

— Хватит одной жизни! Теперь наша душа в мире, другой нет.

— Я слыхал,— равнодушно сказал Суфьян,— мы знаем — богатые умерли все. Но ты слушай меня,— Суфьян погладил старый московский башмак Чагатаева,— твой народ боится жить, он отвык и не верит. Он притворяется мертвым, иначе счастливые и сильные придут его мучить опять. Он оставил себе самое малое, не нужное никому, чтобы никто не стал алчным, когда увидит его.

Суфьян ушел с теми людьми, какие были с ним. Чагатаев отправился к Айдым и работал с ней до вечера. Вечером он уложил ее спать в сухой пещерке, а сам работал опять, готовя из глины и растертой старой травы саманные кирпичи на постройку первого жилища. Вокруг него и во всей долине никого не было; все люди куда-то разошлись — может быть, ушли ловить черепах или ловить рыбу на озере. Чагатаев работал все более быстро и рационально. Поздно ночью он поднялся по склону на плоскогорье посмотреть, куда ушли все люди. Было всюду видно от чистой высокой луны; свет стоял над безлюдным Усть-Уртом, покрывая тенью гор впадину Сары-Камыша, и опять занимался далее над влекущей пустыней, уходящей к горам Ирана. Три овцы и баран паслись в соседнем мелком ущелье, с шумом ворочаясь в кучах перекати-поля, ища зеленые живые стебли. В черной тени Усть-Урта, где начинался Сары-Камыш, горел маленький огонь костра, немного далее костра лежало слабое облако тумана над озером. Чагатаев сошел с возвышенности и направился к огню. Через полчаса он подошел достаточно близко и увидел, что вокруг костра, где тихо сгорал саксаул, сидел весь народ. Он пел песню и не видел Чагатаева. Чагатаев заслушался той песни; в детстве он слышал много песен от бахши, от матери, от разных стариков — песни были прекрасные, но жалкие. Эта же песня имела незнакомый смысл, в ней было чувство, не родное его народу, но зато подходящее для него более, чем печаль. Чагатаев расслышал даже тихий, стыдящийся голос своей матери. В песне говорилось: мы не заплачем, когда придут к нам слезы, мы не улыбнемся от радости, и никто не достигнет нашего глубокого сердца, которое выйдет само к людям и ко всей жизни и протянет к ним руки, когда настанет его светлое время, и время это близко: мы слышим, как спешит в нашем сердце душа, желая выйти к нам на помощь... Песня окончилась. Старый Ванька шевелил палкой костер и вытаскивал оттуда испекшиеся рыбки, пробуя их — готовы они или нет, а неиспекшихся кидал обратно.

Чагатаев, не обнаруживая себя перед людьми, ушел обратно. Он снова взялся делать кирпичи на становище и работал, пока не растаяла луна на небе и не взошло солнце. Утром он увидел, что народ все еще сидел около потухшего костра, а Старый Ванька двигался и метался всем телом, должно быть, плясал. Чагатаев решил не оставлять своей работы, поскольку ночь уже прошла и спать не время. Он формовал кирпичи в глиняных формах, затрачивая в труд всю силу своего сердца. Айдым все еще спала, Чагатаев изредка подходил к углублению, в котором она лежала, и покрывал ее травой от мух и насекомых: пусть она набирает себе тело во сне — в рост и на долгую жизнь. Около полудня к Чагатаеву пришел Старый Ванька, он снял штаны, сшитые ему Айдым из разных кусков, вместо изношенных ранее, влез в яму, куда была завалена глина с водой, и начал месить ее худыми, жесткими ногами.

16

К осени в долине Усть-Урта было построено четыре небольших дома из саманного кирпича, окруженных общим дувалом. В этих жилищах, не имевших окон, за отсутствием стекла, разместился весь народ, впервые прочно укрывшись от ветра, от холода и мелкой, летающей, жалящей твари. Некоторые из людей долго не могли привыкнуть спать и жить за глухими стенами — через короткие промежутки времени они выходили наружу и, надышавшись там, насмотревшись на природу, возвращались со вздохом назад, в жилище.

По предложению Чагатаева народ избрал свой Совет трудящихся, куда членами вошли все люди, в том числе и Айдым, как активистка, а Суфьян стал председателем.

Весь народ джан теперь жил, не чувствуя ежедневно своей смерти, и трудился над добычей пищи в пустыне, в озере и на горах Усть-Урта, как обычно живет в мире большинство человечества. Чагатаев добился даже, чтоб каждый день был у всех обед; он знал, что это очень важно, так как обедает лишь меньшинство людей, живущих на земле, большинство — нет. Айдым хорошо вела хозяйство и заставляла всех искать и приносить пищу: траву, рыбу, черепах и мелких существ из горных ущелий; она сама вместе с Гюльчатай растирала съедобные травы, чтобы получалась мука, и своевременно указывала Суфьяну, что надо делать травяные сети для птиц, которые садятся около озера пить воду. Кто забывал свою обязанность жить и кормиться, тем Айдым говорила при всех, что когда она подрастет немного, то нарожает совсем других людей, не таких, как эти, ничтожные, которых приходится кормить ей, малолетней; ведь их матери кровью заливались, а они родились и живут, как из одолжения; вот она выроет завтра с Назаром большую яму — пусть туда ложатся все, кому не нравится на свете!

— Нам несчастных не нужно,— говорила Айдым,— глаз вырву и на стенку повешу его, будешь тогда смотреть на свой глаз, косой человек!..

Но Чагатаев был недоволен той обыкновенной, скудной жизнью, которой начал теперь жить его народ. Он хотел помочь, чтобы счастье, таящееся от рождения внутри несчастного человека, выросло наружу, стало действием и силой судьбы. И всеобщее предчувствие, и наука заботятся о том же, о единственном и необходимом: они помогают выйти на свет душе, которая спешит и бьется в сердце человека и может задохнуться там навеки, если не помочь ей освободиться.

Вскоре выпал снег. Чагатаеву и всем людям все более трудно приходилось с добычей пищи. Черепахи спрятались и уснули; великие стаи птиц пролетели над Усть-Уртом с севера на юг, они не спустились пить воду на маленькое озеро и не заметили живущего внизу небольшого человечества. Корни съедобных трав обмерли и сделались невкусными, рыба в водоеме ушла ближе ко дну, в сумрак покоя. Чагатаев понимал все эти обстоятельства. Он решил сходить один в Хиву на пищевые базы и привезти оттуда продовольственную ссуду для народа на всю зиму. Айдым зашила ему обветшалую порванную одежду, он починил себе обувь деревянными самодельными гвоздями и узкими ремешками из овечьей кожи. Затем он попрощался с каждым человеком и, велев ждать его скоро, начал спускаться во впадину Сары-Камыша. Он не взял из экономии никакой пищи с собой, рассчитав, что покроет все расстояние натощак в течение трех дней.

Чагатаев исчез в туманном далеком воздухе пустых мест, Айдым сидела на горном склоне и плакала слезами из черных блестящих глаз, она думала, что больше Назар никогда не вернется. Но в следующие дни Айдым ни разу не управилась заплакать о Чагатаеве: ее заняли заботы по хозяйству, нужда и ответственность, чтоб люди жили и не умерли. Она только вздыхала иногда, как бедная старушка. Народ все еще работал слабо, он не был убежден, что жизнь есть преимущество, его отучили от этого баи на хошарах, и он не ценил своего существования, а наслаждения, даже от пищи, вовсе не понимал.

Больше всего работы теперь, после ухода Чагатаева, приходилось на Айдым. Но ее работа не мучила, она знала от Чагатаева, что богатых нет, а она самая бедная и ей будет скоро хорошо, а потом еще лучше.

Через три дня отсутствия Чагатаева Айдым вспомнила о нем и сморщила лицо, чтобы заскучать и заплакать, но был уже вечер, ей надо поскорее отыскать овец и барана, которые забрались куда-то в дальние лощины, и она решила потосковать о Чагатаеве отдельно, когда ляжет спать. Когда она гнала овец обратно к общей курганче, то неизвестный свет ослепил ее. Около глиняных домов горели такие ясные огни, каких Айдым никогда не видала. Она остановилась и хотела уйти назад, чтобы спрятаться с овцами в пещере или в глухой, далекой пропасти, а завтра днем вернуться и посмотреть, что здесь будет. Она взяла барана за рог, а сама все глядела на огни около глиняных домов; интерес и удивление одолели в ней страх, она повела маленькое стадо домой. Она думала: огни — это либо звери, либо умное такое — оттуда, где живут большевики.

Айдым увидела фигуру Чагатаева, прошедшего мимо огня. Она побежала к нему и, дрожа, зажмурившись, ухватилась за его ногу. Чагатаев поднял ее к себе на руки и отнес спать в дом на травяную постель, а сам вернулся наружу разгружать автомобили. Он встретил их на второй день своего пути, на выходе из Сары-Камыша в пустыне. По распоряжению из Ташкента два грузовых автомобиля вышли из Хивы еще четыре дня назад. На одной машине были мясные консервы, рис, галеты, мука, лекарства, керосин, лампы, топоры и лопаты, одежда, книги и прочее добро, а на другой — двое людей, бочки с бензином, масло и запасные части.

Из Ташкента велели разыскать в районе Сары-Камыша или между Усть-Уртом и Аральским морем кочующее племя джан и помочь ему всеми средствами, а впредь до нахождения того племени или следов его, свидетельствующих об общей гибели людей, машинам назад не возвращаться.

К полночи машины были полностью разгружены, и Чагатаев сел писать доклад в Ташкент о положении народа джан, пока шоферы и начальник экспедиции заправляли машины в обратный путь. Чагатаев писал до рассвета; он предлагал в конце своего письма дать возможность оправиться народу от многолетних бедствий (теперь эта возможность дана, и народ сыто перезимует, пользуясь присланной помощью республики), а самое главное — каждому здешнему человеку нужно вновь нажить себе прожитое почти до внутренних костей, истощившееся тело, в котором слишком слабо сейчас действует чувство и сознательная мысль.

Чагатаев отдал письмо начальнику, и автомобили поехали в Хивинский оазис. Еще все люди спали, было рано, в Сары-Камыше лежал снег. Чагатаев взял топор и лопату, разбудил Старого Ваньку и Тагана и пошел с ними корчевать саксаул. В полдень они возвратились с дровами. Айдым растопила печки сухою травой и стала готовить обед из новой пищи, которую почти никто не пробовал в жизни.

Консервное мясо и рис сразу насытили людей, но они утомились от этой еды настолько, что все заснули после обеда. Вечером Чагатаев велел опять приготовить второй обед и сам начал делать лепешки из белой муки, потом приготовил еще чай и кофе, кому что будет нравиться. Наевшись вторым обедом, народ проспал до следующего полудня. Чагатаев знал, что такое питание немного вредно, но он спешил накормить людей, чтобы в них окрепли их кости и чтобы они приобрели бы хоть немного того чувства, которым богаты все народы, кроме них,— чувство эгоизма и самозащиты.

Третий обед готовил Суфьян. Он когда-то видел, что ели баи в Хорезме, и сделал приблизительно разные кушанья на память.

Чагатаев с наслаждением наблюдал, как ест его народ — без жадности, осторожно сберегая пищу у рта, с сознанием необходимости и с кроткой задумчивостью, точно представляя в своем воображении лица и душу тех людей, которые тяжко добыли эту пищу и подарили им ее.

Чагатаев терпеливо жил дальше, подготовляя тот день, когда он начнет осуществлять настоящее счастье общей жизни, без которого нечем заниматься и сердцу стыдно. Изредка он говорил с матерью, она ничего теперь не просила у него, только гладила его ноги и тело поверх одежды; он держал ее согнутую голову близ своего живота и думал о том, что ему надо сделать, чтобы искупить и утешить это почти уничтоженное существо, внутри которого он начал жить. Он не знал, что его мать вспоминала о нем лишь благодаря укорам со стороны Айдым и втайне утирала слезы, понимая, что надо любить сына, и не имея, не помня его больше в своем чувстве; поэтому она трогала его, как всякого чужого и доброго.

Через несколько дней сильно захолодало, в одном доме пришлось жарко истопить печь и заодно приготовить обильный обед, потому что печь служила и для тепла и для кухни. В других домах печей не было устроено. Сильный ветер дул с высот Усть-Урта и нес в воздухе мелкий обледенелый снег. Айдым привела овец в горницу дома, где ночевала сама, и оставила их там на ночь. Чагатаев с трудом привез воду с озера на самодельной тачке в пяти бурдюках; он поднимался на плоскогорье против обрушивающегося на него ветра и толкал тачку в упор с большим напряжением. И этот ветер, и ранняя зимняя тьма во всем мире, и пустая смертная впадина Сары-Камыша, куда хотел свалить и унести Чагатаева ветер,— все убеждало Назара в необходимости особой, другой жизни.

В одном жилище шевелились люди, внутри его горел свет из открытого входа. Там кончили обедать и дремали; Айдым гремела новой посудой, убирая всякую нечистоту и остатки, и говорила людям, чтобы они ложились сегодня на ночь здесь, где было натоплено; пусть будет тесно, но зато тепло.

Времени было часов шесть, но весь народ уже улегся в одной горнице, близко друг к другу, и спал в тесноте, как в блаженстве. Чагатаев пообедал стоя, сесть было негде. Айдым пошла ночевать в другой дом, куда она загнала овец, и туда же пошел спать Чагатаев.

Наутро пошла метель, но потеплело. В общей курганче не было никакого звука, хотя вовсе рассвело. Айдым спала в тепле среди двух овец. И овцы спали, один баран глядел как безумный на Чагатаева. Чагатаев не хотел будить Айдым, но сам пошел в теплый дом, где спали все люди. Там он зажег лампу и осмотрелся.

Народ спал в том же положении, как вчера, точно никто не повернулся за долгую ночь. Многие лица лежали теперь в постоянной улыбке. Слепой Молла Черкезов спал с открытыми глазами, подложив левую руку под спину Гюльчатай, чтобы постоянно чувствовать и хранить ее. Старый перс по прозвищу Аллах глядел вполовину одного ясного глаза, и Чагатаев не мог понять, что видит и думает сейчас этот человек, какое желание души скрывается в нем: то ли самое, что у Чагатаева, или совсем иное.

Весь остальной день Чагатаев просидел около Айдым, любуясь ее лицом, ее дыханием, рассматривая румянец юности, который все более покрывал ее щеки по мере течения долгого сна. Овец он выпустил на снег — пусть они пороются и поваляются в чистоте зимы. Затем Чагатаев взял руку Айдым в свои руки, молчаливо радуясь, что вокруг этого бедного нежного существа железной стеной защиты стоят большевики, и он сам лишь для того здесь и находится.

К вечеру Айдым проснулась. Она поругала Чагатаева — зачем он ее не разбудил раньше и у нее весь день пропал. Чагатаев сказал ей, чтоб она пошла [потрогала] остальной народ — он тоже лежит, не поднимается. Айдым, услышав такое, даже вскрикнула от ожесточения и побежала в соседний дом. Айдым подняла травяной мат над входом, чтобы холод обдал людей и они проснулись бы. Однако спящие только теснее прижимались друг к другу, съеживались, ухмылялись и спали по-мертвому.

Прошла вторая ночь. Наутро Чагатаев опять осмотрел спящих. Лица их еще более изменились, чем вчера. Старый Ванька покраснел от оживления, и теперь ему на вид было лет сорок; даже ветхий Суфьян подобрел наружностью и имел сейчас в выражении лица какую-то заинтересованность. Кара-Чорма, человек лет шестидесяти, лежал розовый и опухший и дышал воздухом с глубоким чувством, как будто питаясь влагой во время жажды. Склонившись к матери, Чагатаев не увидел изменения в ее лице; Гюльчатай, горный цветок, могла совсем не проснуться, ее глаза завалились, щеки потемнели, печать земли легла на нее. Зрачки Моллы Черкезова по-прежнему были открыты, в них появился далекий блеск, как будто проникавший из глубины мозга, и Чагатаеву показалось, что у этого человека появилось теперь зрение.

Назар истопил печь для тепла и пошел с Айдым гулять; впервые за много месяцев он имел свободный час. Метель прекратилась еще ночью; сейчас падал редкий последний снег, и на самой высокой террасе Усть-Урта уже блестел солнечный свет, веселый, ослепительный, обещающий вечное торжество. Айдым смеялась и бегала по снегу; она исчезала далеко, проваливалась в ущелья, забитые снегом, и неожиданно кидалась сзади Чагатаеву на шею. Наконец он схватил ее к себе на руки и побежал с нею к пропасти. Она заметила его намерение.

— Бросай, я не умру! — сказала Айдым.

Во время возвращения домой Айдым шла самостоятельно, рядом, и спросила Чагатаева:

— Назар, они когда проснутся?

— Скоро, скоро... Может, просыпаются уже.

Айдым задумалась.

Печь в доме еще не угасла совсем. Чагатаев растопил ее снова, и вместе с Айдым они сварили обед на весь народ, на всякий случай.

К вечеру некоторые из людей начали просыпаться. Первым проснулся Суфьян, затем Старый Ванька и Молла Черкезов, в полночь встали все, кроме Гюльчатай. Она умерла.

Чагатаев перенес ее в свободный, холодный дом и положил на постель из высохшей травы. Опомнясь от долгого сна, народ сел обедать в теплом глиняном жилище, а Чагатаев лег рядом с матерью и уснул.

Айдым кормила народ обедом и попрекала его, что он спит по две ночи подряд, а жить одну жизнь не может. Старый Ванька захохотал над нею.

— Теперь мы помрем! — говорил он.— Не горюй о нас, девчонка...

На ночь Айдым ушла в дом, где лежал Чагатаев с покойной матерью. Она смирно улеглась в углу и сразу уснула. На рассвете она поднялась и вышла по хозяйству. Натопленный дом, где остался ночевать народ, был пуст от людей, в других двух домах тоже никого не оказалось. Айдым осмотрела и приблизительно сосчитала все вещи и принадлежности, все общее добро, пошла в то помещение, где лежал запас продовольствия, привезенный из Хивы; обеспокоившись, потрогала даже стены домов и ничего не узнала нового. Продовольствие было все цело. Как она вчера брала консервные банки на обед, так они и теперь лежали. Мешки с рисом и мукой тоже стояли нетронутые. Может, что-нибудь и пропало, но немножко, может быть — табак и спички, которые брали всегда без счету.

Она поднялась по склону из долины на плоскогорье. Маленькое солнце освещало всю большую землю, и света хватало вполне. Снег блестел по Сары-Камышу и на высотах Усть-Урта.

Дул слабый ветер, но из чистого неба шло тепло, и было хорошо кругом в пространстве. Прижмуриваясь, Айдым долго наблюдала окрестности и заметила четверых людей. Все они шли по одному человеку, на большом удалении друг от друга. Один уходил по Сары-Камышу туда, где садится солнце, другой брел по нижним склонам Усть-Урта к Амударье, еще двое исчезали порознь по дальнему плоскогорью, пробираясь через горы в ночном направлении.

Айдым разбудила Назара. Чагатаев ушел один за несколько километров; он поднялся на самую высокую террасу, откуда далеко виден мир почти во все его концы. Оттуда он рассмотрел десять или двенадцать человек, уходящих поодиночке во все страны света. Некоторые шли к Каспийскому морю, другие к Туркмении и Ирану, двое, но далеко один от другого, к Чарджую и Амударье. Не видно было тех, которые ушли через Усть-Урт на север и восток, и тех, кто слишком удалился ночью.

Чагатаев вздохнул и улыбнулся: он ведь хотел из своего одного небольшого сердца, из тесного ума и воодушевления создать здесь впервые истинную жизнь, на краю Сары-Камыша, адова дна древнего мира. Но самим людям виднее, как им лучше быть. Достаточно, что он помог им остаться живыми, и пусть они счастья достигнут за горизонтом...

Он медленно пошел обратно и по дороге заплакал.

Ему все же казалось, что, несмотря на все бедствия, здесь была или начиналась счастливая жизнь, и она возможна в маленьком народе, в четырех избушках, настолько же, насколько за любым горизонтом земли. Он вынул из снега куст переката-поля и принес его в тот дом, где лежала его мать. Чагатаев тоже провожал ее сейчас в дорогу, как она его в детстве когда-то.

Айдым сидела одна в углу против мертвой старухи. Она ее боялась, и ей было интересно глядеть на нее, на то, что делается уже невидимым.

— Назар, хочешь, я поплачу по ней? — спросила Айдым.

— Не надо,— сказал Чагатаев.— Ступай напои овец. С тобой прощался кто-нибудь?

— Нет, я спала,— ответила Айдым.— Старый Ванька мне сказал, когда я уходила...

— Что сказал?

— Прощай, девка, сказал, теперь ноги ходят помаленьку и живот дышит, пора жить наступила. Больше ничего не сказал.

— А ты что?

— А я ничего... Я ему: у ишаков тоже ноги ходят.

— Почему — у ишаков?

— На всякий случай сказала!

Айдым пошла управляться с овцами, а Чагатаев взял лопату и ушел рыть могилу на плоскогорье. К вечеру он вернулся и отнес мать в землю; Айдым прибирала в то время теплую горницу, где был на постое целый народ, откочевавший неизвестно куда. Айдым засмеялась: даже слепой Молла Черкезов ушел, неужели его глаза что-нибудь увидели, как только он наелся много еды?..

17

Чагатаев и Айдым решили зимовать в четырех глиняных домах... Назар, лишенный сразу всех людей, о которых он заботился, ходил теперь один по пустым склонам Усть-Урта. Айдым стряпала обед, чинила одежду, убирала овец или делала что-нибудь другое по хозяйству — на двоих оказалось лишь немного меньше работы, чем на весь народ джан,— и время от времени она выходила глядеть наружу, чтобы Назар далеко не уходил, потому что ему, наверно, скучно жить с одной Айдым. Но Чагатаев скучал по бежавшему народу недолго; он бродил несколько дней в удивлении, что он оказался ненужным для своей родины и люди одной земли с ним предали его забвению в своей памяти, оставив его и самую младшую, единственную свою дочь сиротами в пустыне. Чагатаев не понимал равнодушного, окончательного забвения; он помнил людей неизвестных и давно умерших,— даже тех, которые ему были бесполезны и самого его не знали,— ведь иначе если погибших и исчезнувших быстро забывать, то жизнь вовсе сделается бессмысленной и жалкой: тогда останется помнить только одного себя. Однако долго терпеть печаль одиночества и разлуки Чагатаев не мог; он стал приживаться к обстоятельствам: к Айдым, к овцам, к опустевшим домам, к мелким животным, проживающим повсюду в природе, и к обмершему кустарнику.

Назар находил в укромных, теплых пещерках оврагов спящих черепах и приносил их домой. Некоторые из них отогревались от зимы и оживали, другие оставались жить спящими, собирая силы для долгого, будущего лета... Чагатаев чувствовал с удивлением, что можно существовать и совместно с одними животными, с беззвучными растениями, с пустыней на горизонте, если иметь в ближнем жилище хотя бы одного человека,— пусть даже это будет ребенок, как Айдым. И здесь, в бедной природе Усть-Урта, на ветхом дне Сары-Камыша — есть важное дело для целой человеческой жизни. Не может быть, чтобы все животные и растения были убогими и грустными — это их притворство, сон или временное мучительное уродство. Иначе надо допустить, что лишь в одном человеческом сердце находится истинное воодушевление, а эта мысль ничтожна и пуста, потому что и в глазах черепахи есть задумчивость, и в терновнике есть благоухание, означающие великое внутреннее достоинство их существования, не нуждающееся в дополнении душой человека. Может быть, им требуется небольшая помощь со стороны Чагатаева, но превосходство, снисхождение или жалость им не нужны...

По вечерам Айдым зажигала лампу. Она садилась за столом против Назара и делала что-нибудь, чего не успела сделать днем: расчесывала себе блестящие, черные волосы, набирала ковер из старых тряпок и мешочных ушивок, рассматривала с улыбкой картинки в книгах, не понимая, что они изображают, или просто глядела на Чагатаева, не сводя с него глаз, и разгадывала, что́ он думает — про нее или про другое.

— Назар,— спросила Айдым в один долгий вечер.— Назар, а отчего мы живем? Нам будет хорошо за это?

— А тебе плохо сейчас со мной? — сказал Чагатаев в ответ.

— Нет, мне хорошо теперь,— произнесла Айдым и послюнявила штопку во рту.— Я просто так себе сказала, потому что у меня во рту говорится что-нибудь...

Ее большие, открытые темные глаза были наполнены блестящей силой детства и зачинающейся юности,— они смотрели на Чагатаева с доверчивым интересом и сами по себе были предметами счастья, если глядеть на них со стороны. И если даже обмануть доверие Айдым, то она все равно простит свою обиду: ей надо жить дальше, и долго томиться каким-либо мученьем она не может.

— Назар, чего я всегда ожидаю? — опять спросила Айдым.— Отчего мне кажется такое важное, а потом ничего не бывает... Отчего у меня сердце начинает болеть?

— Ты растешь, Айдым,— сказал Чагатаев.— Пусть тебе кажется что-нибудь в голове, пусть твое сердце начинает болеть — ты не бойся, без этого горя жизнь не бывает.

— Не бывает,— согласилась Айдым.— А я не хочу, чтоб это было. У твоей матери сердце от голода болело, она мне сама говорила... Пускай у нас теперь другое горе будет, интересное, а не такое. Такое надоело. Ты выдумай что-нибудь [...]

Чагатаев привлек к себе Айдым и приласкал ее, поглаживая девочку по большой, все еще детской голове.

— Научи меня, чтоб я лучше не думала, а то я боюсь: мне кажется страшное! — сказала Айдым.

— Но ведь у тебя не от голода душа начинает болеть? — спросил Чагатаев.

— Не от голода,— ответила Айдым.— У меня от чувства... Назар, отчего я чужая?

— Кому ты чужая, Айдым? — спросил Чагатаев.

— Народ жил с нами, а теперь весь раскочевался,— сказала Айдым.— Ты тоже скоро уйдешь, кто тогда меня помнить будет?

— Я от тебя не уйду,— пообещал Чагатаев.

— Назар, скажи мне что-нибудь главное...

Айдым привернула фитиль в лампе, чтобы меньше тратилось керосина. Она понимала — раз есть что-нибудь главное в жизни, надо беречь всякое добро.

— Главного я не знаю, Айдым,— сказал Чагатаев.— Я не думал о нем, некогда было... Раз мы с тобою родились, то в нас тоже есть что-нибудь главное...

Айдым согласилась:

— Немножко только... а неглавного — много.

Айдым собрала ужинать — вынула чурек из мешка, натерла его бараньим салом и разломила пополам: Назару дала кусок побольше, себе взяла поменьше. Они молча прожевали пищу при слабом свете лампы. Тихо, неизвестно и темно было на Усть-Урте и в пустыне.

После ужина Чагатаев вышел наружу, чтобы посмотреть, что сейчас делается в мире, и послушать — не раздастся ли чей-нибудь человеческий голос во тьме... Где теперь бродит Старый Ванька или Кара-Чорма и неужели Молла Черкезов видит свет своими глазами?

Айдым тоже вышла из жилища и позвала Назара:

— Иди спать ложись, а то я огонь в лампе потушу...

— Туши,— ответил Назар,— я потом опять его зажгу.

— Нет, лучше не надо: ты спички будешь тратить! — сказала Айдым.— Ты в темноте ложись...

Айдым ушла в дом. Чагатаев сел на землю и осмотрелся. Слабая ночь шла над ним; ветра не было, звезды изредка показывались на небе — их застил высокий, легкий туман. Снег остался лишь в далеких, возвышенных овражных распадках Усть-Урта, его уже отовсюду согнал ветер и стравило полуденное солнце. А в другую сторону, на юг, лежала бедная, родная пустыня, покрытая пустым небом; иногда, на мгновение, пустыня вдруг озарялась мерцающим неизвестным светом, и там чудились горы, города, население людей, большая влекущая жизнь. Но на самом деле там сейчас спали черепахи, зябло семя прошлогодних трав и мелкий, местный ветер зачинался в песке и ложился обратно в него. Чагатаев сошел вниз, поближе к Сары-Камышу, и окликнул темное пространство. Ему ничто оттуда не ответило, и даже голос его не отозвался обратно,— звук сразу заблудился и исчез.

Чагатаев вернулся домой. Айдым спала под одеялом и больше не слышала ничего, ей снились ее детские сны, и она занята была тем, что видела в самой себе. Назар зажег лампу, наложил в сумку чуреков и оделся в ватный пиджак и шапку-папаху. Затем он приоткрыл одеяло и посмотрел в лицо Айдым,— оно было оживленным, внимательным, и глаза ее, не вполне спрятанные веками, были в движении, следя за тайными событиями в своей душе.

— Айдым,— прошептал ей Чагатаев.

Айдым открыла сначала один глаз, потом другой.

— Спи, Назар,— сказала она.

— Нет, я сейчас не буду,— ответил Чагатаев.— Я пойду народ собрать, я скоро вернусь.

— Приходи скорее,— попросила Айдым.

— Ты не скучай без меня,— сказал Назар.

— Не буду,— пообещала Айдым.— Ступай скорее, а то они ослабеют — они теперь набегались, наигрались, им пора домой.

Чагатаев тронул рукою голову Айдым и пошел от нее, но Айдым велела ему сначала потушить лампу, потому что ночь еще долга, а свет ей не нужен.

Погасив лампу, Чагатаев оставил дом и отправился по нагорью в сторону Хивы. Оглянувшись вскоре на местопребывание своего народа, Чагатаев уже не увидел там ничего,— и лишь незаметно среди всего мира и природы осталась одна уснувшая девочка Айдым. Но это ничего, ей горя мало — в домах лежит рис, мука, соль, керосин, спички тоже есть, а счастье и терпение пусть она добывает в одном своем сердце, пока не вернется к ней остальной народ.

Чагатаев шел быстро; рассвет его застал уже в глуши Сары-Камыша; а темный Усть-Урт, еще находившийся в ночи, был теперь на последнем отдалении и погружался своим основанием за край земли... На третий день пути Чагатаев пришел в Хиву. Там бывали большие базары, куда приходили люди из пустыни, чтобы посмотреть на торговое добро, купить что-либо для удовлетворения своей крайней нужды и повидаться друг с другом. Назар надеялся, что на хивинском базаре он встретит людей своего племени и уведет их обратно домой. Они неминуемо должны явиться в толпу чужого народа; им ведь нужно было послушать слухи и разговоры, посидеть в чайхане, снова почувствовать свое достоинство и задуматься о старой песне, которую споет и сыграет бахши на дутаре. В глиняных жилищах на Усть-Урте еще мало было обыкновенного, житейского, а без него нигде не живется человеку.

Чагатаев появился на хивинском базаре около полудня. Солнце, уже пошедшее на лето, хорошо освещало сорную землю базара, и земля согревалась теплом. Вокруг базара стояли дувалы жителей, около их глиняных стен сидели торгующие у своих товаров, разложенных по земле. Посреди площади на низких деревянных столах тоже шла торговля добром пустыни. Здесь лежал урюк в небольших мешках, засушенные дыни, овечьи сырые шкурки, темные ковры, вытканные руками женщин в долгом одиночестве, с изображением всей участи человека в виде грустного повторяющегося рисунка; затем целый ряд был занят небольшими вязанками дров — саксаульника и далее сидели старики на земле — они положили против себя старинные пятаки и неизвестные монеты, железные пуговицы, жестяные бляхи, крючки, старые гвозди и железки, солдатские кокарды, пустые черепах, сушеных ящериц, изразцовые кирпичи из древних, погребенных дворцов,— и эти старики ожидали, когда появятся покупатели и приобретут у них товары для своей нужды. Женщины торговали чуреками, вязаными шерстяными чулками, водой для питья и прошлогодним чесноком. Продав что-нибудь, женщина покупала для себя у стариков жестяную бляху на украшение платья или осколок изразцовой плитки, чтобы подарить его своему ребенку на игрушку, а старики, выручив деньги, покупали себе чуреки, воду для питья или табак. Торговля шла тож на тож, без прибыли и без убытка; жизнь, во всяком случае, проходила, забывалась во многолюдстве и развлечении базара, и старики были довольны. В некоторых дувалах, расположенных вокруг базара, в их внутренних дворах, находились чайхане; там сейчас шумели большие самовары и люди вели свою старую речь между собой, вечное собеседование, точно в них не хватало ума, чтобы прийти к окончательному выводу и умолкнуть. Пожилой, коричневый узбек пошел в одну чайхане; он понес за спиной сундук, обитый железом по углам,— и Чагатаев вспомнил этого человека: он видел его еще в детстве, и узбек тогда тоже был коричневый и старый. Он ходил по аулам и городам со своим инструментом и матерьялом в сундуке и чинил, лудил и чистил самовары во всех чайхане; сажа и копоть работы, ветер пустыни при дальних переходах въелись в лицо рабочего человека и сделали его коричневым, жестким, с нелюдимым выражением, и маленький Назар испугался пустынного, самоварного мастерового, когда увидел его в первый раз. Но рабочий-узбек тогда же первый поклонился мальчику, подарил ему согнутый гвоздь из своего кармана и ушел неизвестно куда по Сары-Камышу; наверно, где-нибудь в дальних песках потух самовар. Около мусорного ящика, прислонившись к нему, стояла туркменская девушка; она прижимала рукою яшмак ко рту и смотрела далеко поверх базарного народа. Чагатаев тоже поглядел в ту сторону — и увидел на краю пустыни, низко от земли, череду белых облаков, или то были снежные вершины Копет-Дага и Парапамиза, или это было ничто, игра света в воздухе, кажущееся воображение далекого мира. О чем же думала сейчас душа этой девушки,— неужели до нее не жили старшие люди, которые за нее должны бы передумать все мучительное и таинственное, чтобы она родилась уже на готовое счастье? Зачем раньше ее люди жили, если она, эта туркменская незнакомая девушка, стоит теперь озадаченная своей мыслью и печалью? Насколько же были несчастными ее родители, все ее племя, если они ничем не могли помочь своей дочери, прожили зря и умерли, и вот она стоит опять одна, так же как стояла когда-то ее нищая, молодая мать... Лицо этой девушки было милое и смущенное, точно ей было стыдно, что мало добра на свете: одна пустыня с облаками на краю, да этот базар с сушеными ящерицами, да ее бедное сердце, еще не привыкшее к нужде и терпению.

Чагатаев подошел к ней и спросил, откуда она и как ее зовут.

— Ханом,— ответила туркменка, что по-русски означало: девушка или барышня.

— Пойдем со мной,— сказал ей Чагатаев.

— Нет,— постыдилась Ханом.

Тогда Чагатаев взял ее за руку, и она пошла за ним.

Он привел ее в чайхане и поел вместе с нею горячей пищи из одной чашки, а затем они стали пить чай и выпили его три больших чайника. Ханом задремала на полу в чайхане; она утомилась от обилия пищи, ей стало хорошо, интересно, и она улыбнулась несколько раз, когда глядела вокруг на людей и на Чагатаева, она узнала здесь свое утешение. Назар нанял у хозяина чайхане заднюю жилую комнату и отвел туда Ханом, чтоб она спала там, пока не отдохнет.

Устроив Ханом в комнате, Чагатаев ушел наружу и до вечера ходил по городу Хиве, по всем местам, где люди скоплялись или бродили по разной необходимости. Однако нигде Назар не заметил знакомого лица из своего народа джан; под конец он стал спрашивать у базарных стариков, у ночных сторожей, вышедших засветло караулить имущество города, и у прочих публичных, общественных людей,— не видел ли кто-нибудь из них Суфьяна, Старого Ваньку, Аллаха или другого человека, и говорил, какие они из себя по наружности.

— Бывают всякие люди,— ответил Чагатаеву один сторож-старик, по народности русский.— Я их не упоминаю: тут ведь азия, земля не наша.

— А сколько лет вы здесь живете? — спросил Чагатаев. Сторож приблизительно подумал.

— Да уж близу сорока годов,— сказал он.— По правилу, по нашей службе надо б каждого прохожего запоминать: а может, он мошенник! Но мочи нету в голове, я уж чужой силой, сынок, живу,— свою давно прожил...

И другие старые жители Хивы или служащие тоже ничего не сообщили Чагатаеву, как будто никто из блуждающего народа джан здесь не появлялся. По справке в управлении милиции оказалось, что все души, числившиеся в племени джан, вымерли еще до революции и никакой заботы о них больше не надо.

К вечеру Чагатаев вернулся в жилую комнату в чайхане. Ханом уже проснулась; она сидела на кровати и занималась домашней работой — чинила себе платье в подоле запасной ниткой, наващивая ее во рту. Должно быть, ей каждое место приходилось считать своим домом и сразу обвыкаться с ним; иначе, если бы она откладывала свою нужду и заботу до того времени, как у нее будет свое жилище, она бы оборвалась, обнищала от небрежности и погибла от нечистоты своего тела. Чагатаев сел рядом с Ханом и обнял ее одною рукой; она перестала чинить платье и замерла в страхе и ожидании. Блаженство будущей жизни, еще не рожденной, безымянной, но уже зачинающейся в нем, прошло в сердце Чагатаева живым, счастливым ощущением. Нечто, более лучшее, чем он сам, более одушевленное и славное, томилось сейчас внутри Чагатаева, согревало его силу и радовало его. Он посмотрел на Ханом; она кротко, задумчиво улыбнулась ему, точно она вполне понимала Назара и жалела его. И тогда Чагатаев обнял Ханом обеими руками, будто он увидел в ней олицетворение того, что в нем самом еще не сбылось и не сбудется, что останется жить после него — в виде другого, высшего человека на более доброй земле, чем она была для Чагатаева. Счастливые, Ханом и Назар прижались друг к другу; старая ночь покрыла тьмою глиняную Хиву, в чайхане умолкли голоса гостей — одни из них ушли на ночлег, другие остались спать на месте — и хозяин закрыл трубу самовара глухою крышкой, чтобы несгоревший уголь затомился в трубе до завтрашнего утра. Чагатаев с жадностью крайней необходимости любил сейчас Ханом, но сердце его не могло утомиться, и в нем не прекращалась нужда в этой женщине; он лишь чувствовал себя все более свободным, счастливым и точно обнадеженным чем-то самым существенным... Если Ханом нечаянно засыпала, то Назар скучал по ней и будил ее, чтобы она опять была с ним.

Не спавший всю ночь, Чагатаев наутро встал веселым и отдохнувшим человеком, а Ханом еще долго спала, свалившись с подушки на сторону милым, доверчивым лицом. Назар погладил ее волосы, запомнил ее рот, нос, лоб — всю прелесть дорогого ему человека — и ушел в город, чтобы поискать еще раз свой народ.

Солнце уже поднялось с китайской стороны, и Чагатаев посмотрел туда немного — поверх пустынь и степей, в туманную мглу неба на востоке, где находился Китай. Там уже давно проснулись и работали полмиллиарда терпеливых бедняков,— сколько мысли и чувства было в их душах, если б можно было их сразу ощутить в одном своем сердце!..

Старый рабочий-узбек показался на базарной площади. Он вышел из помещения, в котором раньше помещался караван-сарай и ночевали верблюды; он там, наверно, провел минувшую ночь и теперь шел на работу.

Чагатаев поклонился мастеровому-узбеку и спросил его: не видел ли он прохожего человека из племени джан? Узбек поглядел на Чагатаева старыми, помнящими глазами: должно быть, он тоже узнал в Назаре бывшего ребенка, которому он некогда подарил гвоздь; что хоть однажды трогало его чувство, того самоварный мастер уже не мог забыть, да и жизнь недолга — всего не забудешь.

— В Уч-Аджи видел,— тихо сказал узбек.— Он в чайхане под русскую музыку, под гармонию плясал.

— Он Старый Ванька? — спросил Чагатаев.

— Старый Ванька,— сказал рабочий-узбек.

— А ты сейчас далеко уходишь? — спрашивал Назар.

Мастеровой помедлил — он не любил говорить про свои еще не сбывшиеся намерения.

— Далеко,— сказал узбек.— В Чарджуй ухожу, там на механика учиться буду, туда экскаваторы привезли — каналы копать; я кончаю самовары работать...

— А тебе сколько лет? — интересовался Чагатаев.— Ты успеешь механиком научиться?

— Успею,— обещал самоварный рабочий.— Мне семьдесят четыре года — это я при плохой жизни прожил, а сколько я при хорошей проживу?

— Лет полтораста? — спросил Назар.

— Может быть! — ответил старик.

Они попрощались. Чагатаев вернулся в чайхане и сговорился с хозяином, чтоб он кормил Ханом и содержал ее в помещении, пока Назар не вернется — дней через десять или пятнадцать. Но хозяин попросил дать ему на харчи для Ханом деньги в задаток; ему для коммерческого оборота нужны сейчас наличные средства. Чагатаев обещал хозяину заплатить задаток и снова пошел на хивинский базар.

К полудню ему удалось продать свой ватный пиджак: время уже все равно шло к теплу. Он взял немного денег себе, а остальные заплатил хозяину чайхане в задаток за прокормление Ханом.

Чагатаев разбудил спящую Ханом и сказал ей, чтоб она жила здесь, пока он вернется. Ханом улыбнулась ему теплым, согретым во сне лицом и велела Назару побыть еще с ней немного. Чагатаев побыл с ней, а затем оставил Ханом одну в глиняной комнате и ушел из Хивы. Он отправился сначала в южную сторону Хивинского оазиса, а потом — там видно будет...

18

Через три дня Чагатаев миновал последний аул Хивинского оазиса. Опять перед ним открылась обычная пустыня; кусты перекати-поля брели под ветром через песчаные холмы, старинная дорога вела на далекие колодцы [...]

Чагатаев побежал вперед по пустой дороге. Он хотел еще к вечеру нынешнего дня дойти до следующего оазиса — может быть, там окажется кто-нибудь, кого он ищет. Куда же они все разбрелись? Ведь их разум еще слаб и печален, они все погибнут в нищете, в отчуждении, по пескам и чужим аулам... Никакой народ, даже джан, не может жить врозь: люди питаются друг от друга не только хлебом, но и душой, чувствуя и воображая один другого; иначе, что им думать, где истратить нежную, доверчивую силу жизни, где узнать рассеяние своей грусти и утешиться, где незаметно умереть... Питаясь лишь воображением самого себя, всякий человек скоро поедает свою душу, истощается в худшей бедности и погибает в безумном унынии.

Если бы Чагатаев не воображал, не чувствовал [...], как отца, как добрую силу, берегущую и просветляющую его жизнь, он бы не мог узнать смысла своего существования,— и он бы вообще не сумел жить сейчас без ощущения той доброты революции, которая сохранила его в детстве от заброшенности и голодной смерти и поддерживает теперь в достоинстве и человечности. Если бы Чагатаев забыл или утратил это чувство, он бы смутился, ослабел, лег бы в землю вниз лицом и замер...

Две одичавшие овцы лежали невдалеке от дороги, на склоне бархана. Они были худы и подобны собакам. Чагатаев уже миновал их, но овцы пошли за ним следом, может быть, от голода или жажды, надеясь спастись при человеке, а может — от долгого одиночества и отчаяния. Однако овцы скоро изнемогли и отстали, потерявшись опять в сиротстве пустынной природы.

К вечеру Чагатаев дошел до маленького аула, расположенного у трех колодцев; здесь жили люди из племени эрсари, они кормились тем, что ловили рыбу в староречье Амударьи, когда туда набиралась паводковая вода и приносила с собой рыбу; в остальное время жители делали для певцов-бахши дутары и продавали их в ближнюю пустыню и в Чарджуй. Чагатаев слышал об этом ауле и видел его в детстве; здесь жили добрые люди, потому что они делали музыкальные инструменты и для испытания своих изделий часто должны были напевать кроткие или смешные поэтические песни.

Назар вошел внутрь первого двора и постучал в дверь, но дверь сама отворилась внутрь от его стука. На глиняном полу комнаты сидели в сумраке четверо людей; один из них тихо бил по двум струнам дутары и хрипло шептал старую песню, а другие слушали его. Чагатаев остановился при входе, чтобы не помешать музыке и песне до их окончания. Песня, видимо, тронула всех здешних людей,— они молчали, не замечая вошедшего, чуждого гостя. В песне говорилось о том, что у всякого человека есть своя жалкая мечта, свое любимое ничтожное чувство, отделяющее его ото всех, и поэтому своя жизнь закрывает человеку глаза на мир, на других людей, на прелесть цветов, живущих весною в песках...

По окончании песни старый хозяин жилища пригласил Чагатаева сесть рядом с ним и отдохнуть. Около него сидели два молодых человека, наверно его сыновья, а третьим был ветхий Суфьян. Хозяин, игравший на дутаре, передал ее теперь Суфьяну,— тот взял ее к себе и тщательно ощупал.

— Играть хочу, песню сам выдумал, сердце у меня хорошее,— сказал Суфьян,— а платить за дутару нечем: я не очень богатый человек, в одном теле своем живу...

На Суфьяне была надета прежняя, старосолдатская шинель, прожитая уже в клочья, почти насквозь, в рядно.

Хозяин дутары, сделавший ее, сказал одному сыну, что надо сварить рис и рыбу на угощение старого и нового гостя, а потом обратился к Суфьяну:

— Это очень хорошая дутара, но я ее не продаю... Ты человек старый и не мог себе нажить одной дутары, значит, ты жил добрым — я прошу тебя взять эту дутару без денег, чтоб мне стало хорошо.

Суфьян положил дутару себе на колени и загляделся на нее в удивлении, как на свое первое великое достояние.

После ужина Суфьян сыграл немного на дутаре и спел про умную, сильную рыбу, плавающую в черной, глубокой земле. Чагатаев спросил его затем: где же теперь ихнее племя джан?

— Народ жить разошелся, Назар,— сказал ему Суфьян.— Раньше силы не было уйти, а ты накормил его, и он пошел ходить.

— А зачем ему ходить? — удивился Чагатаев.— Он опять силу потратит!

— Нужно,— ответил Суфьян.— А не нужно станет, народ опять на Усть-Урт вернется.

— А куда они все пошли?

— Я не спрашивал — пусть каждый сам думает,— сказал Суфьян.— Ложись спать: время идет, ночью жить не надо, я свет люблю — мне его мало видеть осталось...

Наутро, на рассвете, Суфьян взял дутару и попрощался с хозяином.

— Пойдем со мной,— сказал Суфьян Чагатаеву.— Я буду теперь бахши, буду ходить и петь по аулам, по кибиткам, пока не помру. Со мной всех людей встретишь, ты станешь мне подпевать и кушать со мной угощенье...

— Я могу выдумать тебе новые песни, которых другие бахши еще не знают,— сказал Назар.

— Ты мне спой их по дороге,— произнес Суфьян.

Хозяин дувала дал им чурек, и Суфьян с Назаром ушли по дороге на Чарджуй.

19

До самого лета Чагатаев и Суфьян ходили вдвоем по аулам, по окраинам городов и кочевым кибиткам. Суфьян играл народу на дутаре и пел, а Назар ему иногда подпевал, и оба они кормились и жили в своем долгом пути. Они прошли все оазисы от Чарджуя до Ашхабада,— были в Байрам-Али, в Мерве, в Уч-Аджи, удалялись по колодцам и такырам в кочевья и, наконец, от Ашхабада побрели на Дарвазу.

Чагатаев нигде не встретил знакомого человека из своего народа, и сердце его уже утомилось от блуждания, тщетной надежды, от тоски и памяти по Ксене, Айдым и Хану. Он часто спрашивал у Суфьяна, как у старого умного человека: что могло случиться со всеми людьми из джана, отчего их нигде нет? Суфьян отвечал ему, что один или двое могли умереть, но остальные будут целы: жизнь для такого народа, как джан, нетрудна и любопытна, раз он уже перетерпел долгое смертное томленье.

— Он сам себе выдумает жизнь, какая ему нужна,— сказал Суфьян,— счастье у него не отымешь...

В Дарвазе Суфьян и Назар жили три дня. После того они попрощались. Суфьян задумал идти по кочевьям на Гассан-Кули, на реку Атрек, а Чагатаев решил возвращаться по хивинской дороге на Хиву, а затем через Сары-Камыш домой на Усть-Урт. Он боялся за судьбу Айдым и не знал, что сталось с Ханом, девушкой, видимо, несчастной и всем чужой. Суфьян и Назар собрали в поселке и ближних кибитках чуреков — в качестве угощения за свою музыку,— и в одно утро они разошлись в разные стороны, теперь уже, наверно, навсегда.

Было жарко, но Чагатаев привык к пустыне, к терпению

и шел от колодца к колодцу, встречая около них обыкновенно по нескольку кибиток: пустыня ведь не пустая, в ней вечно люди живут. В кибитке Чагатаев становился на ночлег и всегда ужинал в семействе добрых кочевников, как среди родственников. Чуреки, взятые из Дарвазы, он нес у себя за пазухой и на ходу ел их изредка щепотками, когда сильно уставал, чтобы отвлечь себя от утомления.

На пятый день пути Назар увидел хивинскую башню и побежал, чтобы успеть до темной ночи достигнуть базара, пока хозяин чайхане еще не спит и не закрыл дверь в заведение...

Вот он уже видит открытую дверь в чайхане, там горит свет, и оттуда вышел человек на площадь. Чагатаев пошел спокойным шагом и в чайхане поклонился гостям и хозяину. Затем он спросил у хозяина равнодушно, как чувствует себя Ханом.

Хозяин узнал Чагатаева и ответил ему:

— Она по тебе сильно соскучилась.

— Я пришел теперь,— сказал Назар.

— Она давно ушла от нас,— сообщил этот человек.— Она пошла тебя искать...

— Куда? — спросил Чагатаев.

— Не сказала,— произнес хозяин.— Она плакала один раз, потом молчала.

Чагатаев вынул остаток последнего чурека из-за пазухи и пожевал его, пока горе еще не дошло до его сердца — тогда он есть ничего не будет.

— Сколько я тебе должен денег за Ханом, что ты кормил ее? — спросил Назар.

— Денег не надо,— сказал хозяин.— Она мне посуду мыла, чайхане убирала, она работала...

Чагатаев вышел из заведения на пустой, темный хивинский базар. Тоска по утраченной, бедной Ханом уничтожила в Назаре всю его усталость, тело его сразу стало сильным и горячим, чтобы бороться со своей печалью. Он быстро пошел по площади, потом побежал и вскоре миновал пределы Хивы. Если бы Назар остановился, он бы уже не мог справиться со своим отчаянием: он бы заплакал или умер.

Без пищи и отдыха Чагатаев прошел всю ночь. Он спешил к Сары-Камышу, на Усть-Урт. Он хотел как можно скорее увидеть Айдым, чтобы успокоиться около нее и заняться заботами о ней, работой по домашнему хозяйству, обычной жизнью... В полдень, в жару Чагатаев истомился; он нашел расщелину в глинистом холме, в которой была глубокая, устойчивая тень, прогнал оттуда дремлющих ящериц и лег спать до вечера... Ночью он вошел в пределы сары-камышской впадины и впервые за дорогу от Хивы напился из небольшого мелкого озерка плохой, засоленной водой. Переспав снова дневную жару в тишине какой-то влажной ямы, с вечера Чагатаев снова тронулся в ход, и на утро следующего дня он подошел к Усть-Урту. Он быстро поднялся на взгорье, чтобы скорее увидеть глиняные дома своего племени...

Встревоженный и худой, Назар взбежал на последний подъем и остановился в радости и недоумении. Светлое, чистое солнце, еще нежаркое на этой возвышенности, озаряло кроткую пустую землю Усть-Урта; четыре небольших дома были выбелены, из кухонной знакомой трубы в безветренный воздух шел сытный, пахнущий пищей дым; отара овец, не менее чем в сотню голов, паслась на удаленном склоне горы, по ту сторону большого оврага, и в стороне от поселения лежали два старых верблюда, жуя разный сор вокруг себя, чтобы не скучать и ничего не думать напрасно... Со стесненной, озабоченной душой Чагатаев пошел в дом, где была печь, но из крайнего жилища вышла Айдым с пустым ведром. Она сначала бросила ведро на землю, однако тут же опомнилась, подняла ведро обратно к себе и побежала к Назару босыми ногами. Лицо ее стало вдруг испуганным и печальным, она припала головой к животу Чагатаева и уронила ведро, — Айдым боялась, что Назар вскоре опять оставит ее и никогда не вернется; она почувствовала вперед, раньше времени. Чагатаев взял Айдым на руки и пошел с нею на озеро — он забыл попить воды и умыться. Айдым положила ему свою голову на плечо и стала говорить в ухо, как она здесь долго жила одна, а потом пришел Таган с Кара-Чормой, они пригнали из пустыни сорок голов овец и четыре барана; эти овцы были ничьи, они ходили вослед одному верблюду, а у верблюда, должно быть, пропал хозяин, и верблюд сам не знал, куда ему теперь надо идти. А когда верблюд увидел в пустыне Кара-Чорму, то сам подошел к человеку и лег около него, и овцы тоже легли вокруг Кара-Чормы.

— Они не знали, где им пить, — сказала Айдым. — Траву они находят, а доставать из колодцев воду не умеют... А наружной воды мало бывает...

— А другой верблюд откуда? — спросил Чагатаев.

— Другого я сама нашла, — ответила Айдым. — Я в пески ходила тебя смотреть, думала — ты близко... А там есть колодезь, у него сруб сделан из саксаула — верблюд лежал горлом на срубе, смотрел на воду в колодце и капал туда изо рта слюной. Он уже ослаб и хотел умирать, я пошла домой, взяла ведро с веревкой и дала ему пить...

Назар поцеловал Айдым в щеку, она улыбнулась ему и отвернула свое лицо от него в первой совести девичества. Чагатаев опустил Айдым на землю, потому что озеро, куда они шли, было уже близко.

— Я тебе обед пойду стряпать, ты ведь уморился и есть хочешь, — сказала Айдым и убежала обратно.

Чагатаев не мог еще понять, что произошло здесь без него. Он умылся в озере, оправил и почистил одежду и пошел домой, в новый аул. Но солнце, идущее на полдень, и душный зной, начавшийся в затишье предгорья, утомили его; тело его ведь устало уже давно. Чагатаев лег в тень небольшой лощины и уснул, забылся всеми своими изнемогшими костями.

Он проснулся вечером; четверть луны светила над пустыней, народ сидел вокруг него и молчал. Чагатаев не мог сразу вспомнить, что он такое, и вновь закрыл глаза, чтобы одуматься. Большая теплая рука легла ему на лицо, и Чагатаев услышал знакомый, доверчивый голос, зовущий его.

— Ханом! — сказал Назар; ему стало хорошо, покойно, рука женщины была нежна и проста, Чагатаев не размышлял сейчас — сновидение это или правда, он думал об одной Ханом.

— Назар! — сказала Ханом и сняла свою руку с лица Чагатаева.

Назар увидел улыбающуюся Ханом; она сидела на земле около его головы и осторожно трогала теперь его волосы. Рядом с Ханом, ближе к ногам Чагатаева, сидели Таган, Старый Ванька, Молла Черкезов, Аллах и Кара-Чорма. Они внимательно глядели в лицо Назара, они все были живыми и целыми. Не веря им, Чагатаев приподнялся, протянул руку и коснулся каждого в отдельности. Позади них сидели неизвестные Чагатаеву люди — человек пять мужчин, четыре женщины и одна девочка, ровесница Айдым.

— Здравствуй, Назар,— сказал Молла Черкезов.

— Разве ты видишь меня? — спросил его Чагатаев.

— Немного вижу,— ответил Черкезов,— я уже давно привыкаю глядеть, но ведь раньше еды не было и душа болела, с чего было взяться глазам? Теперь она мне протирает глаза, целует их, и они видят свет в тумане...

— Кто их тебе целует? — спросил Назар.

— Ханом,— сказал Молла.— Она моя жена, я взял ее с собой из Нукуса, Ханом пришла туда из Хивы и жила одна на базаре... Спи,— Айдым не велела тебя будить.

— Я проснулся,— сказал Чагатаев; он сел на землю среди всех и понял, что все стало хорошо.

Вскоре из глиняных домов прибежала Айдым и, узнав, что Назар уже проснулся, велела всем идти есть плов, который она приготовила ради Назара.

Ханом взяла за руку Моллу Черкезова и вошла вослед Чагатаеву, а Назара вела за руку Айдым. Около своих жилищ Чагатаев увидел ночующую отару овец, голов в сто с небольшим; внутри одного дувала стояли три ишака, не считая еще двух верблюдов. Откуда же такое добро у небольшого народа? Ведь когда Чагатаев уходил отсюда, здесь было, кажется, всего три овцы и один баран.

Назар обошел все четыре дома; внутри их было чисто, стены выбелены, в одной комнате он заметил запасы шерсти и два небольших ковра, сотканных уже здесь же, руками женщин, пришедших жить в народ джан.

В том жилище, где Айдым собрала общий, праздничный ужин, на полу лежали вымытые циновки, в глиняных кувшинах стояла свежая трава из дальних высоких долин Усть-Урта и в больших глиняных блюдах лежал обильный плов для угощения целого народа. Вокруг этого плова сели еще пятеро неизвестных Чагатаеву пожилых туркменов, почти стариков, и семь человек женщин, кроме тех людей, что сторожили спящего Назара. Он поклонился всему своему племени и всем новым родственным людям, пришедшим жить сюда общей жизнью. Айдым велела ему взять плов первым, и после того все стали не спеша кушать пищу, понимая ее ценность и достоинство...

Всю ночь просидел народ в беседе друг с другом, в удовольствии своей дружбы и свидания. Лампа горела посреди пола в кругу людей; изредка кто-нибудь выходил посмотреть овец, ишаков и верблюдов, потом снова возвращался; ровесница Айдым уснула около своей матери, Айдым тоже спала уже, положив голову на колени Назару, счастливая Ханом дремала и стыдилась, что ей хочется спать при Чагатаеве. Беззвучно было на Усть-Урте, четверть луны давно закатилась за край пустыни, все одинокие животные спали в песках и в горах, лишь время от времени кричали ишаки в дувале.

— Зачем вы ушли от нас тогда зимой? — спросил Назар у Кара-Чормы и Моллы Черкезова.

Они нахмурились в недоумении какой-то странной мысли, а Старый Ванька ответил за них:

— Мы думали, что уж давно нету ничего на свете... Мы думали, одни мы остались — к чему ж тогда и нам жить?

— Мы проверить пошли,— сказал Аллах.— Нам интересно стало, где есть другие люди.

Чагатаев понял их и спросил, что, значит, они теперь убедились в жизни и больше умирать не будут?

— Умирать не надо,— произнес Черкезов.— Один раз умрешь — может быть, нужно бывает и полезно. Но ведь за один раз человек своего счастья не понимает, а второй раз умереть не успеешь. Поэтому тут нету удовольствия...

— А откуда у вас овцы, верблюды, где вы взяли это небедное добро? — спросил еще Чагатаев.

— Овец мы заработали,— сообщил Таган; и каждый сказал после того, что с ним случилось.

Убедившись в действительности мира и в прелести его, пожив с женщинами, поев разнообразной пищи, Таган, Аллах, равно и прочий человек из джана, пошел работать, где ему пришлась выгода. Старый Ванька брал деньги за то, что хорошо плясал в пивных, в чайхане, на базарах и на русских свадьбах, Аллах дробил камень для шоссейной дороги за Чарджуем, Молла Черкезов мыл шерсть в Нукусе. Ели они мало,— они отвыкли за прежнюю жизнь,— бедняки городов казались им купцами, одежда на них еще держалась,— поэтому деньги у каждого человека стали собираться. Они купили по-разному: кто овец, кто ишаков, кто тех и других, кто женился — и пошли постепенно домой на Усть-Урт, потому что жить оказалось можно, а новый аул их стоял вдалеке нежилым, но ведь это было их добро и родное жилище... В пустыне — у такыров, в забытых староречьях, во влажных впадинах — жили еще робкие остатки вымерших семейств и племен. Когда люди джана гнали овец и ослов домой и вели за руку своих жен, они встретили этих неизвестных людей. Аллах привел их с собой сразу шесть душ. Таган и Старый Ванька не звали их с собой, но забытые люди сами побрели за ними, чтобы спастись для дальнейшей жизни.

— Вот они с нами теперь живут наравне,— указал Старый Ванька на чужих людей.— Пусть живут: от народа не победнеешь...

— Нет, вы будете богатыми,— произнес Чагатаев.

— Устроимся и будем,— согласился Старый Ванька.— Мы по-мертвому жили, а по-хорошему жить нам не трудно.

— Не интересно даже,— сказал Аллах.

— Пока пусть нам будет хорошо, это самое интересное,— ответил Чагатаев.— Горе и печаль к нам тоже еще придут, но пусть наше горе будет не такое жалкое, какое было у нас, а другое. Наше горе было похоже на горе ящерицы или черепахи.

— Это ведь правда! — сказала вдруг молчавшая, дремлющая Ханом.

— Из какого вы племени? — спросил Чагатаев у старого туркмена, который был по виду старше всех.

— Мы — джан,— ответил старик, и по его словам оказалось, что все мелкие племена, семейства и просто группы постепенно умирающих людей, живущие в нелюдимых местах пустыни, Амударьи и Усть-Урта, называют себя одинаково — джан. Это их общее прозвище, данное им когда-то богатыми баями, потому что джан есть душа, а у погибающих бедняков ничего нет, кроме души, то есть способности чувствовать и мучиться. Следовательно, слово «джан» означает насмешку богатых над бедными. Баи думали, что душа лишь отчаяние, но сами они от джана и погибли,— своего джана своей способности чувствовать, мучиться, мыслить и бороться у них было мало, это — богатство бедных...

Народ уже дремал. Ханом приоткрыла рот в сладости сна, прислонившись к мужу, Молле Черкезову, Чагатаев, чтобы не беспокоить Айдым, спавшую головой у него на коленях, лег осторожно на том же месте, где он сидел, и закрыл глаза в покое счастья и сна.

20

До конца лета Назар Чагатаев жил в своем народе на Усть-Урте. В ауле к тому времени прибавилось три новых глиняных дома и четыре женщины зачали от своих мужей и понесли в себе детей. В ноябре месяце из Хивы вернулись Старый Ванька и Кара-Чорма; их посылал туда Чагатаев со стадом овец в тридцать голов, чтобы они сдали шерсть и мясо государству, а на вырученные деньги купили бы муку, рис, соль, керосин и прочие продукты, а также новую одежду — для запаса на всю зиму до будущего лета, когда в отаре возмужает новое потомство овец.

В конце ноября Чагатаев попрощался со своим народом. Он дал ему совет — выбрать вместо него старшим человеком народа Ханом, хотя она и носит ребенка от Моллы Черкезова уже пятый месяц; но к тому времени, как она родит, может быть, Чагатаев уже вернется из Москвы обратно на Усть-Урт. Народ подумал немного и согласился: женщина часто бывает лучше мужчины, мать дороже или милее отца.

Девочку Айдым Чагатаев тоже уводил вместе с собой. Он обещал ее отдать в Москве на обучение, а когда Айдым станет ученой девушкой, она сама придет домой на Усть-Урт и научит всех, кто ее дождется, как правильно жить дальше...

Одним утром Назар и Айдым взяли немного пищи с собой на дорогу и спустились с возвышенности Усть-Урта. Весь народ джан вышел их провожать. Сойдя во впадину Сары-Камыша, Чагатаев оглянулся; народ все еще стоял на взгорье и следил за ним.

— Айдым, посмотри на всех, кто остался,— сказал Назар.— Попрощайся!

— А я все равно вернусь ведь домой когда-нибудь, тогда их и увижу,— ответила Айдым и не стала глядеть на маленьких людей, оставшихся вдалеке.

Три овцы и баран следовали за ними полдня по своей воле, потом они отстали и потерялись в пустынных местах.

Из Хивы до Чарджуя Чагатаев и Айдым доехали на грузовом автомобиле, а из Чарджуя отправились на поезде в Ташкент. В Ташкенте Чагатаев пробыл два дня, чтобы доложить о своей деятельности. В ЦК партии Чагатаева поблагодарили за работу по спасению кочевого племени джан от гибели в дельте Амударьи и сказали, что люди дальше сами найдут свою большую дорогу, а не останутся лишь в маленьком овраге Усть-Урта. Счастье всегда имеет большой размер, оно равняется всему социализму.

Айдым жила в чайхане около вокзала и без Чагатаева не выходила на улицу от страха. На второй день вечером Чагатаев взял Айдым за руку, и они пошли садиться на московский поезд. На вокзале он послал телеграмму Ксене, не зная, помнит ли она его теперь. Айдым с удивлением глядела на Назара: он побрился, был без бороды и усов и стал непохожим на того, кто ходил с ней по пустыне, по воде и горам. Она пробовала руками новый костюм на нем, в который он оделся в Ташкенте, и думала, какой Назар богатый. Но Чагатаев ей тоже купил новую узбекскую одежду и переодел ее в вагоне во все новое, а ветхий капот ее спрятал зачем-то к себе в карман.

Почти всю первую ночь в поезде Чагатаев простоял у окна в коридоре вагона, глядя в пустыни и степи, замечая редкие, далекие костры чабанов. Айдым спала на лавке. Чагатаев изредка поправлял ее одеяло, складывал обратно руки и ноги, когда она по-детски раскидывалась, и гладил ей голову, когда она бормотала что-то во сне, мучительно переживая дневные впечатления.

В Москве на вокзале Чагатаева встретила Ксеня, выросшая и другая, чем во время их разлуки, как настоящая женщина. Она была в пальто с большим серым воротником и в черной шапочке,— в Москве шла зима. Разноцветные глаза ее заплакали, когда она увидела Чагатаева в толпе пассажиров. Она подбежала к нему и обняла, остановив движение задних людей. Ксеня не заметила сразу, что около Чагатаева стоит девочка в длинном цветном платье далекого народа и держится рукою за борт пиджака Чагатаева. Оба они были без пальто, поэтому Ксеня, после знакомства с Айдым, открыла свое пальто и взяла Айдым к себе на руки, прислонив ее тело к своей груди. Ксеня была вдвое больше Айдым, но все же она раскраснелась от напряжения. На вокзальной площади Ксеня наняла такси, потому что Назару и девочке было холодно.

— А куда мы поедем? — спросил Чагатаев у Ксени; ему некуда было ехать в Москве.

— К моей маме,— ответила Ксеня.— Я забронировала ее комнату для вас.

В автомобиле Ксеня сидела с красным лицом, словно она стыдилась чего-то, или это было от юности, когда жизнь от наслаждения кажется позором.

Автомобиль остановился. Ксеня передала Чагатаеву ключ и попросила прийти к ней завтра в гости.

— Только у меня адрес теперь другой,— сказала она.— Я живу отдельно, я одна, а вашу телеграмму мне бабушка переслала...

Она дала ему адрес на бумаге из блокнота, и они попрощались. Чагатаев вошел в знакомый новый дом, Айдым держалась за его руку. У них не было никакого багажа.

В большой комнате, убранной мелкой мебелью Веры, Чагатаев сел на постель, не раздеваясь, потом положил голову поверх одеяла; прежний, вечный запах Веры еще хранился в ее постели. Чагатаев дышал этим запахом, думал и дремал. Айдым влезла с ногами на подоконник и глядела оттуда на большую Москву.

Утром на другой день Чагатаев пошел с Айдым в магазины, купил ей европейские кофты и юбки и два пальто — для себя и для нее. Айдым сразу изменилась в новой одежде: Чагатаев увидел, что она красавица.

Вечером они поехали в гости к Ксене. Ехать было далеко, в глубину Замоскворечья. После трамвая Чагатаев и Айдым долго шли пешком и наконец нашли по писаному адресу общежитие студентов торфяного техникума. В этом техникуме, очевидно, теперь училась Ксеня.

В общежитии, как у многих девушек, у нее была отдельная комната. Чагатаев постучался в дверь, и так как перегородки между комнатами и сама стена коридора были тонкие, то сразу три девичьих голоса сказали: «Войдите», в том числе и голос Ксени.

Она открыла дверь, и сразу трудное чувство волнения заполнило ее лицо излишним румянцем. На столе находилось заранее приготовленное робкое угощение, покрытое скатертью. Ксеня усадила гостей, сняла скатерть с закусок и сейчас же стала уговаривать их съесть ее пищу, но вилки, ложки, ножики валились у нее из рук на пол, вдобавок она зацепила красное разливное вино, налитое в какую-то масленую, должно быть керосиновую бутылку, и вино разлилось по столу бесполезно. Ксеня убежала в коридор, спряталась в уборную и там заплакала от мучительного жалкого стыда. Айдым без нее устроила порядок и даже слила со стола вино обратно в бутылку, так что сохранилась четверть прежнего количества. Ксеня вернулась с темными кругами под глазами и просила все же скушать, что она купила и настряпала: больше она ничего не знала, что говорить. Она не могла объяснить, почему ей совестно иногда быть живой и грустно чувствовать себя женщиной, человеком, желать счастья и удовольствия,— даже будучи одна, она от этого сознания закрывала себе лицо руками и краснела под ладонями.

Поев из вежливости угощенье, Чагатаев и Айдым стали прощаться с хозяйкой. Чагатаев обещал прийти к ней еще раз — через несколько дней.

Но они увиделись раньше,— на следующий вечер Ксеня пришла к Чагатаеву сама. Она хотела помочь Айдым, как старшая женщина девочке. Ксеня повела ее в баню, из бани они отправились кататься на метрополитене и вернулись домой уже поздно.

В выходной день Ксеня приехала с утра и привезла с собою несколько штук своего белья, из которого она сама выросла, а для Айдым оно было впору. В тот день они все трое ходили в столовую обедать, потом гуляли, были в кино и возвратились к вечеру. Айдым свернулась на постели матери Ксени и сразу заснула. Чагатаев и Ксеня сидели против спящей девочки на маленьком диване; они молча глядели на Айдым, на ее лицо, где еще были черты детства, страдания и заботы, и на ясное выражение ее зреющей высшей силы, которая делала эти черты уже незначительными и слабыми. Чагатаев взял руку Ксени в свою руку и почувствовал дальнее поспешное биение ее сердца, будто душа ее желала пробиться оттуда к нему на помощь. Чагатаев убедился теперь, что помощь к нему придет лишь от другого человека.

ПО НЕБУ ПОЛУНОЧИ

Лейтенанта германского военно-воздушного флота Эриха Зуммера днем вызвали в штаб части и предложили приготовиться к дальнему ночному перелету на боевой машине; задание — строго секретное, маршрут перелета и пункт его окончания Зуммер получит у командира своего отряда перед стартом.

Зуммер вышел из штаба на улицу южнобаварской деревни. Он улыбнулся, вспомнив сугубо серьезное, глубоко задумчивое выражение лица начальника штаба части, точно ему действительно было над чем задумываться, точно он не был всего лишь техническим исполнителем чужой воли, простым канцеляристом для чтения получаемых бумаг.

Зуммер улыбался так же, как и грустил,— безмолвно и не меняясь в лице; он привык молчать, и впечатления жизни, естественно вызывающие в человеке смех, печаль или живое искреннее действие, теперь в нем все более превращались во внутренние сдавленные переживания, не заметные ни для кого, безопасные и бесполезные. Ум и сердце молодого летчика по-прежнему были способны воодушевляться людьми, событиями, полетом машин, он мог любить друзей и возлюбленных и ожесточаться в ненависти против врагов и тиранов, но эти свои обычные способности Эрих Зуммер обнаруживал теперь лишь очень скромно либо вовсе не обнаруживал их,— что самое лучшее, потому что открытые чувства и мысли человека становились для него все более смертельно опасными.

Даже любить для Зуммера стало невозможно. Год назад он жил в казарме под Лейпцигом, и ему понравилась Клара Шлегель, девушка, служившая на кухне в военной столовой, и он приблизился к ней, подружился с ее семейством — отцом и матерью — и ходил в ее дом по вечерам, чтобы беседовать и гулять с этой девушкой, считая ее своей невестой и желая приучить ее к себе, чтобы она затем тоже полюбила его. Может быть, для самой любви ничего и не нужно, кроме двух любящих людей, но каждому из них необходимо удостоверить перед другим свою ценность, чтобы укрепиться в его сердце, и для этого привлекаются в свидетели, в доказательство любые прекрасные факты из постороннего мира, самого по себе неинтересного для сосредоточенного чувства любящих.

Видимо, чтобы доказать свой ум и оригинальность, Эрих сказал однажды Кларе о русских, испанцах и китайцах. «Они теперь самые лучшие, самые одухотворенные люди на всей земле»,— произнес он. Клара проницательно посмотрела на Эриха и затем ответила ему, что офицеру с такими мыслями неуместно служить в германской армии и она сама позаботится, чтобы Эрих больше не работал в военной авиации.

«И вам будет безопасней, и мне спокойней,— улыбнулась Клара и добавила: — Если я выйду за вас замуж когда-нибудь».

Зуммер понял, что Клара сообщит о нем в тайную полицию, и стал ждать ареста. Он более не посещал свою невесту и не видел ее — не из боязни, а из грустного равнодушия, заполнившего Эриха, хотя жалость и приглушенная, опечаленная нежность к оставленной девушке сохранились у него. Но подобное, похожее чувство Эрих испытывал ко всем людям, которые ему были близкими или милыми когда-то и которых он утратил из виду; их голоса таились в его сердце и воспоминании и глухо, почти безмолвно шептали ему о себе, точно жалуясь на свое сиротство без него.

Арестован Эрих Зуммер не был — наверно, потому, что в тайной полиции тоже был непорядок и там руки не дошли до него или схватили кого-нибудь другого вместо него: им же все равно, была бы лишь деятельность. В благородство или в остаток человечности Клары Шлегель Эрих верил мало. Ей не от кого было научиться и привыкнуть к этим вещам,— ей, захваченной фашизмом в тринадцать лет от роду,— а он не успел ее ничему научить, потому что только любил ее и считал это достаточным. Любовь же его была не чем другим, как только заботой о своей пользе и о своей радости, о своем наслаждении прекрасным существом, а не работой для спасения женщины-ребенка, наивной и неопытной и уже теснимой жестокой враждебною силой в грустную долю постоянного робкого напряжения, где жалкий ум ее будет способен только молчать и слушаться, но не думать и где ее сердце будет биться, чтобы происходило кровообращение в теле, но не сможет превратиться в душу...

Что же он сделал, Эрих Зуммер, ради облегчения будущей участи Клары Шлегель? Он рассердился на свою невесту и оставил ее; ему не понравилось, что она хочет сообщить о его антифашистских убеждениях в тайную полицию; он отказал ей в своей дружбе, обрек ее на одиночество и беспомощность, тогда как можно было бы приблизить к себе ее сердце столь тесно, что оно всю жизнь бы согревалось дыханием Эриха и никакие холодные, гибельные ветры не остудили бы его. Ее никто не взял за руку, чтобы увести с собою в новый будущий мир людей, существующий в Германии уже теперь в скрытых сердцах.

Но сейчас уже поздно заботиться о Кларе Шлегель. Прошел почти год, как Эрих Зуммер ее не видел, и восемь месяцев миновало со времени его отъезда из-под Лейпцига сюда, в Южную Баварию. И сегодня после захода солнца он улетит через Францию в Испанию, чтобы уничтожить своих друзей, чтобы громить народ бедняков, надеющийся, как сказал их земляк Дон Кихот, на свет в будущем, а сейчас желающий лишь терпимой судьбы на своей земле.

Зуммер возвратился домой. Он снимал комнату в жилище крестьянина. В деревне, кроме Зуммера, жили еще человек двадцать офицеров из авиационных и танковых частей, расположенных поблизости. Крестьяне относились к военным терпеливо, но работали они теперь менее трудолюбиво и тщательно и жили как придется, лишь бы день прожить. Зуммер чувствовал тайное недовольство крестьян появлением военных частей в окрестности деревни. Огромная толпа вооруженных бездельников, занявшая пахотные поля под стоянки машин и постройку казарм, офицеры, поселившиеся жить в родных, отцовских домах земледельцев, гром и гул испытываемых машин в дотоле тихих, рожающих полях — все это угнетало крестьян, и они жили среди родной земли, как на чужбине, точно готовясь вот-вот переселиться отсюда навсегда или умереть.

До вечера нужно было бы выспаться, но Эрих решил не спать, ему не хотелось тратить на сон свое последнее прощальное время на родине. Он сел бриться к настольному зеркалу и увидел свое лицо: большой правильный нос, серые угрюмые глаза, светлые волосы с нехорошим рыжеватым оттенком, а нежная, слегка обветренная кожа усеяна мелкими коричневыми точками — Эрих был конопатый. В детстве поэтому Эриха дразнили «засиженным воробьями» и «дерьмом обрызганным».

«А ведь я похож на арийца,— подумал Зуммер.— Вот еще проклятое дело, надо бы нарочно изувечить себя, чтобы быть непохожим. Да и арийцев ведь нету на самом деле,— просто объявлено, что они есть, а кто скажет нет, того — железом по голове и в тюрьму. По такому способу можно заставить поверить и в гномов, и в кобольдов, и еще в кое-что невидимое, но однако злодейски действующее».

По стенам комнаты, которую снимал Зуммер, были развешаны фотографии и старые дагерротипы предков и родственников хозяина этого крестьянского дома, целые умершие поколения. Они были счастливее нынешних людей. Но почему?

Побрившись, Зуммер быстро сложил свои вещи в маленький, но емкий чемодан, вытер и проверил револьвер, положил его на виду и был уже готов к отъезду на аэродром. Прощающимися глазами он осмотрел комнату, в которой жил и которую едва ли когда посетит еще. Мучимый тоскующей мыслью, Эрих лег на кровать, чтобы отдохнуть, задуматься еще более и принять какое-либо решение, утешающее страдание.

Поколение крестьян, изображенных на фотографиях, смотрело на него со стены у кровати. Почему они были счастливее его?

«Я не понял Клары и оставил ее одну среди врагов. Я пришел в раздражение от одной ее случайной глупости, а где она могла научиться уму и чести?.. Ты и любить по-настоящему не можешь,— любят ведь только тогда, когда человек прощает любимому все, даже смерть от его руки, а ты не вытерпел, ты обиделся, ты подлец, ты ничего не понял, ты все превратил в свое обиженное настроение, и ты сегодня улетаешь в Испанию бить народ тружеников, чтобы от него остались одни сироты и чтобы сирот затем превратить в рабов...»

Пустынный свет безмолвного летнего дня озарил окно. Зуммер подошел к стеклу и увидел полевую, рабочую дорогу, уходящую на дальние пашни,— простую дорогу с колеями от колес, проложенную по мякоти земли. Крестьянин поехал по ней из деревни в отдаление; Эрих ждал, когда он обернется, но крестьянин не обернулся и скоро скрылся из вида. Две ракиты росли у той дороги, на выходе ее из деревни в поле; теплый ветер медленно шевелил их листья, и хлеб задумчиво рос по краям дороги. Это было все близко к людям и родственно им, но столь чуждо, столь уединенно в собственной, глубокой жизни, что лишь общее солнце соединяло судьбу людей и растений. Рожь и деревья живут серьезно и по своей необходимости, и им нет дела до того, что люди употребляют их плоды и их тело на то, чтобы жить за чужой, за их счет. Хлебным зернам нет дела до этого потому, что когда их хотят уничтожить, они уже созрели и почти мертвы, они готовы пасть в землю, чтобы, разродившись, умереть там, и оттого действия людей для них не заметны.

— Но я ведь не мертв еще,— понимал Эрих Зуммер.— Мне двадцать восемь лет. И я хочу жить, потому что я умираю и потому что меня убивают.

Он знал, как обессилел его ум в молчании, в скрытности, в сдержанности, как оробело его сердце в скромности и страхе, неспособное утешить даже одного человека, например — Клару Шлегель, как одновременно с непосредственным чувством и ясной, истинной мыслью у него возникает торможение, подавление этого чувства и мысли, то покорное дрожание смирившейся согбенной жизни, которая даже свои бедствия ощущает как благо, как свою единственно возможную судьбу, и жизнь проходит в суете, но без действий, в заботе, но в бессмысленности, в ожидании окончательного смертельного удара — и в беззащитности.

Так что же это? Отчего в меня, в некоего Эриха Зуммера, весь мир посылает свои сигналы и природа сеет свои семена, а из меня ничего не происходит, не возрастает обратно в ответ, в отплату и в благодарность, точно я та нерожающая, мертвая земля, в которой посеянные семена, не оживая в зачатье, лишь распадаются в прах и отравляют почву ядом погибшей, неистраченной силы, чтобы земля стала еще более бесплодной, чтобы она окаменела. Но трудно понять и правильно направить свою жизнь тому, кто не умирал ни разу и не был близок к смерти.

— Ничего, я и живу как умираю, поэтому я немного начинаю понимать, как мне следует теперь жить,— размышлял Эрих.

Он вспомнил сугубо секретный приказ о ночном дальнем перелете и улыбнулся глупости этих секретов. О том, что военные аэропланы посылаются отсюда в Испанию, знали все окрестные пастухи, их помощники и весь германский народ. Очевидное всегда делается по секрету, а явно сообщаются лишь никому не нужные, не интересные пустяки.

Эрих снова лег на кровать и забылся до вечера.

Вечером за ним прислали из штаба автомобиль, и он поехал на аэродром. До аэродрома было всего километров десять, по гудрону новой снивелированной трассы. Эрих ехал и удивлялся: где росло раньше дерево, оно было теперь срублено, где ничего раньше не росло, теперь кое-что появилось: не то трава, не то темная каменная одежда, хранящая землю от размывания. И он ехал по знакомым местам, но поражался, как чужестранец: ему было понятно, почему здесь срублено дерево, а там положен дерн для укрепления откосов, но он хотел бы здесь, в деревенских полях, видеть еще старый, смирный мир — ночные пашни, древние деревья у заросших канав, свет в окне деревенского жилища, где крестьянская семья сидит за столом и ужинает из общей чашки,— тот старый мир, возвращение в который означало бы по сравнению с фашизмом освобождение.

Зуммер велел остановить машину и вышел пеший на край дороги. Было уже темно, и огни нигде не светились из экономии керосина и электричества, лишь тревожный и вопящий голос пел где-то в отдалении, постоянный и волнообразный, похожий, что он поет из каменных недр природы, и поет оттуда вечно, так что, по привычке, его можно не слышать и жить, как в тишине. Это скулили на ближайшем опытном авиационном заводе испытуемые моторы и им подвывала аэродинамическая труба — там готовили новые конструкции истребителей и бомбардировщиков. Надо всем миром поют сейчас эти трубы и воют новые моторы на испытательных стендах. Скоро и бомбы на землю будут падать столь часто и постоянно, что люди привыкнут к ним, перестанут их слышать, и жизнь им снова покажется тихой, а смерть от осколка бомбы обычной и естественной.

Зуммер приказал шоферу ехать дальше. Километрах в двух от деревни, вправо от дороги, был расположен концентрационный лагерь — четыре длинных барака, лишь на метр возвышавшиеся над землей; стены бараков были сложены из речного мягкого камня, и ради экономии строительных материалов их всего клали в метр высоты, а остальным своим жилым объемом бараки уходили в грунт, так что они были, в сущности, большими землянками. Из сбережения железа никакой колючей проволоки вокруг концлагеря не имелось, и охрана лагеря состояла — про это слышал Эрих раньше — из старых прусских стражников и штурмовиков.

Заключенные в этом лагере работали на тяжелых земляных работах; они строили земляные насыпи для новых автомобильных дорог и планировали посадочные площадки для аэропланов.

Эрих много раз видел, как работали арестованные: они рыли лопатами землю, и движения их походили на движения людей, живущих в сновидении. Глаза одних, побледневшие и выцветшие от постоянной тоски, испуганно и робко смотрели на постороннего, свободного человека, у других в глазах светилась жизненная ненависть к свободным, как своим врагам,— почти счастливое чувство.

Однако не за участие ли в улучшении жизни людей безвестные товарищи Эриха Зуммера томятся в этом тюремном лагере? Именно так, но тогда, следовательно, и само заточение людей, врагов фашизма, есть доказательство существования свободы в сердце и в мысли человека, и невольник представляет собою безмолвное обещание общего освобождения. Поэтому нынешняя неволя германского народа, может быть, есть лишь подготовка его близкой, будущей свободы.

— И мне бы надо быть в тюрьме,— желал Зуммер.— А я офицер фашистской армии.

На аэродроме стоял готовый к вылету отряд двухместных истребителей из пяти машин.

Отпив кофе со сливками, летчики и штурманы переоделись в летную одежду, снарядились и выстроились фронтом для получения инструкций от командования. Выслушав инструкцию, летчики пошли к машинам. Инструкция была проста и заранее всем известна: лететь через Францию в Испанию, держась приблизительно высоты потолка, садиться в Испании по указанию флагманской машины, в случае ж если какая-либо машина по непреодолимой причине вынуждена будет отделиться от группы машин, летчику следует достигнуть зоны генерала Франко самостоятельно, пользуясь расчетами своего штурмана.

На машину Зуммера штурманом был назначен Фридрих Кениг. Он должен не только сопровождать машину до Испании, но и остаться в экипаже вместе с Зуммером в качестве боевого штурмана, на все время войны. Зуммер знал Кенига около года: он летал с ним в тренировочных полетах и участвовал на маневрах. Как штурман Кениг был обыкновенный работник, даже плохой,— однажды при дневном, безоблачном небе на высоте полутора тысяч метров он перепутал ориентиры и дал Зуммеру ошибочный курс. Но зато в чистых, младенческих, больших глазах Кенига постоянно горел энергичный свет искренней убежденности в истине фашизма, свет веры, а также проницательности и подозрительности, он жил в беспричинной, но четко ощущаемой им яростной радости своего существования, непрерывно готовый к бою и восторгу.

Зуммер, наблюдая Кенига, чувствовал иногда содрогание — не оттого, что штурман верил в фашизм (вера в заблуждение постепенно обессиливает и умерщвляет верующего человека, так что пусть он верует), но оттого, что идиотизм его веры, чувственная, счастливая преданность рабству были в нем словно прирожденными или естественными,— Зуммер тогда содрогался.

Он думал со страхом и грустью, что во многих других людях существует такой же инстинктивный, радостный идиотизм, как у Фридриха Кенига. Зуммер вспомнил, что при прощании с генералом специального авиационного соединения, напутствовавшего летчиков, у Кенига стояли слезы в глазах, слезы радостной преданности и полной готовности обязательно умереть за этого генерала и за кого попало из начальства, которые все вместе составляли для штурмана отчизну.

— И ты умрешь за отчизну,— сказал про себя Эрих Зуммер, усевшись на свое место пилота,— но умрешь не за ту отчизну, которую ты себе выдумал, а за мою, за всемирную отчизну, за всю разноцветную и голубую землю, которую ты хочешь покрыть коричневой глиной могил.

Машины одна за другой пошли в воздух и после короткого построения легли на курс вслед за флагманом. С привычным, но никогда не надоедающим наслаждением чувствовал Зуммер точную напряженную работу мотора. Эрих, прежде, после окончания Мюнхенского политехникума, был механиком и затем конструктором в опытных авиамастерских. Он первый построил взрывобезопасные бензиновые баки для военных аэропланов. Эти баки состояли из системы трубок, заполняемых бензином, и походили на водяной автомобильный радиатор; каждая трубка имела два специальных автоматических клапана, которые в момент порчи трубки перекрывали ее и этим отделяли трубку от всей системы. Такой способ был необходим на случай, если в бак попадает пуля противника, тогда 909-й бензин вытечет лишь из одной трубки, и даже если топливо загорится, то едва ли по малому своему количеству подожжет всю машину. Кроме того, свой бензиновый бак Зуммер предлагал помещать в машине таким образом, чтобы система трубок продувалась потоком воздуха,— этим достигалось столь сильное охлаждение горючего, что поджечь его любой пулей или даже непосредственно пламенем было очень затруднительно. И еще Зуммер предложил сделать несколько улучшений в моторной части аэроплана, не думая о пользе работы, но находя в ней утешение от своей тоски, точно занимаясь игрой, чтобы отвлечься от настоящей действительности.

Но спустя время это занятие творческой техникой ему надоело — нужно было или переменить одну игру на другую (например, начать улучшение автомобилей или радиоприемников), если хочешь чем бы то ни было утомить и растратить свою жизнь, либо, наоборот, начать жизнь всерьез и без всякой игры. И Зуммер больше не стал заниматься улучшением аэропланных моторов, потому что ни хорошие, ни плохие моторы сами по себе не помогают правильно существовать человеку, если в человеке нет священной сущности или эта сущность убита или искалечена. Может быть, эта сущность — наша душа, и неизвестно в точности, что такое, но известно, что без нее общая жизнь человечества не состоится, и это подтверждается тем, что мы страдаем...

Машина шла высоко над Францией, Фридрих Кениг сидел позади Зуммера, касаясь ручки дублированного управления. Тихий, скромный свет горел над доской приборов против Зуммера, и циферблаты приборов глядели оттуда на летчика с разным выражением своих лиц: одни нахмурясь, другие улыбаясь, третьи важно шевеля усами стрелок, будто они нарядились в стариков. Эрих улыбнулся на свои циферблаты; они показались ему детскими рожицами, потомством, которое он нарожал от верной, любимой жены.

Летчик поглядел вверх на небо Франции — какое оно было здесь, над чужой, но милой и еще свободной страной. Вечные звезды сияли на небе, подобно недостижимому утешению. Но если это утешение для нас недоступно, тем более, следовательно, земля под небом должна быть для человека прекрасной и согретой нашим дыханием, потому что люди на ней обречены жить безвыходно.

— Я его убью,— решил Зуммер участь Кенига.— Он и они хотят нас искалечить, унизить до своего счастливого идиотизма, чтобы мы больше не понимали звезд и не чувствовали друг друга, а это все равно что нас убить. Это — хуже: это ребенок с выколотыми глазами. А мы хотим подняться над самими собой, мы хотим приобрести то, чего не имеет сейчас и самый лучший человек на земле, потому что это для нас самое необходимое. Но чтобы приобрести это необходимое, следует перестать быть привычным к самому себе, постоянным, неподвижным, смирившимся человеком... Кениг вон ни в чем не чувствует нужды, и он летит сейчас со мной на завоевание мира, чтобы навсегда лишить земли и свободы тех, кто в них нуждается. Сам же он не нуждается ни в свободе, ни в душе, это ему не нужно, и поэтому он хочет уничтожить то, что ему не нужно. Ему вполне достаточно тюрьмы и могилы, но он оставил туда свободную дорогу только для нас. Он доволен, он уверен, что добыл для себя мировую истину, и теперь питается ею себе на пользу. А я бедняк, я печальный человек, я полон нужды и тоски по свободным людям. В этом наша разница с ним, и поэтому я убью Фридриха Кенига... Мне почему-то кажется, что я прав, а Кениг неверно думает, что он прав, но я уже не могу сдержать свою жизнь и убью его. Пусть наша общая мысль и горе восстанут на их веру и одержимость.

Время ушло за полночь. Флагман вел сейчас группу машин с обычной крейсерской скоростью и на небольшой сравнительно высоте: он не желал изнашивать моторы формировкой, экономил горючее и не опасался французов.

Французская земля лежала во тьме под машинами. Там, в деревнях и городах, в хижинах среди пшеницы и виноградников, спал сейчас уставший за день народ.

Зуммер долго вглядывался в далекую землю, стараясь различить на ней какой-нибудь свет, доказывающий существование человека. Наблюдению, должно быть, мешала ночная пелена тумана, поднявшаяся с возделанных полей, надышанная влаж-

475

ными устами культурных растений. Но вот Зуммер заметил слабо светящееся пятно, еле движущееся по земле поперек курса самолета. Что это может быть? Зуммер догадался: это прожектор французского курьерского паровоза, идущего либо на Ниццу, либо к Пиренеям.

На доске приборов вспыхнула маленькая красная лампочка с надписью «штурман». Зуммер склонился немного вправо, где висел микрофон, соединяющий его со штурманом.

— Мы подходим к испанской границе,— сказал ему Фридрих Кениг.— Под нами впереди, на пересечении нашего курса, идет французский ночной экспресс к Средиземному морю. Если бы у нас были бомбы, мы бы могли сейчас немного снизиться,— смеясь, шутил Кениг,— и испытать французский паровоз на запас его прочности и на пробой...

— Я военный летчик, а не авантюрист,— ответил Кенигу Зуммер.

— А никто бы не узнал,— говорил Кениг в микрофон.— У французских поездов хорошие скорости, нужно только сбить паровоз, а состав потом сам сокрушит себя. И никто бы не узнал, нельзя было бы доказать, чей бомбил самолет — решили бы, что красный испанский или итальянский... а потом похоронили бы пассажиров и забыли...

Зуммер помолчал и ответил:

— Красные испанцы воюют только со своими врагами и на своей земле... А итальянцы, они — наши союзники, но я передам нашему командованию, что вы их считаете способными на бандитизм, а меня подговаривали напасть на французский экспресс...

Кениг умолк. Зуммер улыбнулся и сказал в микрофон:

— Слушайте, Кениг... А ведь мы, если на бреющем полете ударить изо всех наших трубок, мы можем перебить паровозную бригаду, повредить паровоз, и дальше поезд пойдет вслепую на свою смерть...

— Конечно, можно,— ободрился Кениг,— хорошо бы попробовать.

«Вот человек,— подумал Зуммер.— Нет, мне пора быть ангелом, человеком надоело, ничего не выходит».

Впереди от Зуммера, непоколебимо сохраняя дистанцию, шли четыре машины отряда, и гул мотора Зуммера сливался с ревом моторов всей группы машин, и это ровное, нерушимое пение походило на безмолвие, отчего летчика клонило в сон и спокойствие. Лишь патрубки моторов, извергая напряженное, рвущееся пламя, освещали на мгновение блестящие туловища мчащихся тяжелых птиц.

«Скоро Испания,— вспомнил Эрих Зуммер.— Мне пора». Он быстро вынул револьвер из кобуры и, полуобернувшись назад к штурману, почти не видя его, всадил в чужое тело пять пуль одной струею. Фридрих Кениг поник и привалился вправо к борту мертвой головой.

Флагманская машина стала набирать высоту. Пиренеи были

476

покрыты мощным туманом; сверху, под звездами, туман казался черным: он собрался сюда на ночь из долин Франции и Каталонии, с теплых вод Средиземного моря и Атлантики.

Зуммер не последовал за флагманом; он шел на прежней высоте и сбавил обороты мотора, чтобы отстать. Выждав немного, Зуммер дал мотору максимальные обороты, затем нацелился своей машиной на удаляющуюся группу фашистских самолетов и помчался им вослед, быстро нагоняя их.

Подошедши к группе самолетов снизу на близкую дистанцию и по-прежнему форсируя мотор, Зуммер, находясь уже под флагманом, резко задрал машину вверх и одновременно взял гашетку пулеметов. Из передней кромки плоскостей засветилось пульсирующее пламя пулеметных трубок, машина словно украсилась в огни иллюминации. Пули секущим потоком ударили по головному самолету флагмана — от винта до хвоста,— потому что Зуммер не отдавал руля высоты, пока его машина, поворачиваясь вокруг своей поперечной оси, не легла навзничь. В течение, по крайней мере, половины фигуры, сделанной Зуммером, его пулеметы вели снизу вспарывающую борозду вдоль всего туловища флагманского самолета, а также громили его плоскости и рулевое устройство. Перевернувшись вниз головой, Зуммер выключил пулеметы и ушел по горизонтали в обратную сторону от прежнего курса.

Удалившись, Зуммер сделал вираж, выправил машину и снова пошел вслед своему отряду. Эрих заметил, что машина флагмана на мгновение приостановилась в воздухе, свободно вывесилась в нем и затем вертикально, набирая ускорение, пошла вниз на камни Пиренеев, темная и умолкшая насмерть. Остальные три машины в воздухе обтекли своего флагмана и продолжали свой путь на сбавление скорости, точно в размышлении, медленно выстраиваясь одна за другой. Зуммер погнался за ними, решив взять их пулеметами, с хвоста. Но штурман задней машины начал бить по Зуммеру со своего места из турельного пулемета. И вдруг он перестал стрелять, потеряв уверенность, очевидно, что он делает правильно, расстреливая немецкую машину и наблюдая, как напрямую, открыто, не защищаясь, его догоняет своя машина. «И Зуммер ли сбил машину флагмана? Может быть, это ошибка, и флагман сокрушен испанской машиной?» — предполагал хвостовой штурман, бездействуя и следя за Зуммером.

Приблизившись и взяв немного высоты, Эрих Зуммер слегка опустил нос машины, а потом вновь тронул гашетку и начал рассекать изо всех трубок своих пулеметов задний самолет отряда. Винт на фашистской машине с разгона стал вмертвую, и, колебнувшись в неустойчивости, машина беспомощно завалилась к земле рыть себе могилу. Но передняя машина группы, занявшая место флагмана, перешла с крейсерской на максимальную скорость и глубоким виражом заходила навстречу Зуммеру, становясь в атакующее положение. Зуммер, не прекращая огня, дал весь газ в мотор, поставил наиболее выгодное зажигание и пошел точным прямым курсом в лоб противника, желая уничтожить его своим пулеметным огнем и добить ударом винта в винт, тело в тело, взять врага в таран. Противник Эриха, не успев занять выгодной боевой позиции, понял маневр Зуммера и стал резко набирать высоту. Он решил, вероятно, поразить Зуммера сверху. Однако, запрокинув машину, Зуммер очутился в хвосте противника и неотступно последовал за ним.

Зуммер лучше владел тяговой работой мотора, чем его противник, поэтому Эрих догонял противника, идущего на машине той же серии. Ведя огонь и преследование, Зуммер вспомнил про последний, живой самолет, который еще может его ударить. Он поискал его глазами в небе и увидел темный силуэт машины и сверкание огня из патрубков ее мотора далеко в стороне. Машина ушла из боя в бегство. «Жаль,— подумал Эрих.— Темно, полночь, фашисты уже близко, не догоню».

Резкий свет, как безмолвный взрыв, вспыхнул впереди Зуммера, и летчик зажмурился: «Я горю? Нет»,— Эрих отпустил гашетку, потянул ручку управления, сделал крутой виток петли, вырываясь из гибели, пошел обратным курсом и опомнился.

Машина противника, вращаясь и скручивая собственное пламя, бьющее из ее корпуса, уходила под ним вниз, чтобы вонзиться в землю или раздробиться о скалу.

«Конечно»,— сказал Эрих и вздохнул с удовлетворением, как после выполненной мучительной работы. Он развернул машину и повел ее в Испанию. Небо теперь было пусто вокруг него.

По ту сторону Пиренеев лежал туман, Зуммер, сберегая горючее, не стал обходить его сверху, а вошел во влажную тьму и пошел сквозь нее прямым курсом. Он летел сейчас на уменьшенной скорости и рассчитывал свой путь, чтобы посадить машину на республиканскую землю. Можно было бы вскоре пойти на снижение, но по соображению летчика под ним находились предгорья Пиренеев, а туман, наверное, стлался до самой поверхности земли, стеснив тьму ночи в густой мрак.

Зуммер оглянулся на покойного штурмана; тот молчал, хотя еще недавно он был уверен в завоевании всего мира. Пусть спят спокойно и вечно все завоеватели мира — они жизнь хотели превратить в игру и в этой игре выиграть; они предполагали в своем жалком сознании, что действительность — лишь шутка, и у них недостало ни скромности, ни благородства, ни привязанности к людям,— так пусть же они спят мертвыми.

Зуммер увидел слабый свет. Он вышел туда, где светился свет, и увидел море, занимающееся рассветом будущего дня, первоначальной зарею нового времени. Зуммер повернул машину. Он понял, что вылетел в Средиземное море и миновал Каталонию.

Летчик пошел обратно к берегу земли. Клочья тумана, разрываемые винтом, проносились под машиной. Зуммер дал мотору полное, предельное число оборотов, и машина понесла его вперед с такою покорной и радостной мощью, точно Эрих летел в свое давно заслуженное, близкое, ожидающее его счастье.

Зуммер достиг земли и полетел над нею. Если море уже светилось перед рассветом, то здесь, над темными пашнями, было еще глухо и сумрачно, здесь шла ночь и продолжался сон народа, животных и растений...

Пролетев еще немного, Зуммер пошел на посадку. Туман действительно стлался до самой земли, словно рождался из нее, и Зуммер долго летел у поверхности почвы, почти бежал по ней, рискуя вонзиться либо в гору, либо в хижину земледельца или кочующего пастуха. Пролетев километра два, Зуммер повернул обратно и посадил машину на безвестное поле, осторожно притерев ее к неровной земле.

Было еще совсем темно и сумрачно в ночном тумане. Зуммер потушил мотор и свет над доской приборов, положил револьвер себе на колени и задремал до рассвета.

Очнувшись от сна, он услышал отдаленный гул орудий. Летчик вышел из машины и оглядел местную землю. Уже наступило утро, и низовой туман, снедаемый светом солнца, свертывался, подымался немного вверх и рассеивался; тихий свет уничтожал туман, как его уничтожает вихрь, и обнажал простую непокрытую землю. Это был картофельный огород, через который пролегала дорога, взрытая тяжелыми повозками. Ботва картофеля слабо развилась от засухи, и много картофельных кустов было преждевременно вырвано из почвы: очевидно, люди выбирали недозревшую картошку, чтобы кормиться. Зуммер направился по дороге, желая встретить кого-нибудь или разглядеть какой-либо признак, чтобы узнать, чья это земля — республиканская или фашистская, и не заблудился ли он.

Пока Зуммер шел, утро распространилось повсюду, и земля стала далеко видна. К северу на горизонте были горы, к югу, километров за пять отсюда, лежали мягкие возвышенности, и оттуда шел волнообразный постоянный гул работающей артиллерии, точно там было обычное промышленное предприятие.

Картофельное поле сменилось плантацией сахарной свеклы, а в стороне от дороги, среди зелени свеклы, Зуммер увидел бедный крестьянский дом, сложенный из известкового камня. Деревни поблизости не было видно, и в одиноком известковом доме жил, наверно, сторож этой плантации или ночевали крестьяне в рабочее время.

Эрих Зуммер пошел к тому жилищу. Еще не дойдя до него, он увидел ямы в земле от падавших сюда артиллерийских снарядов. Изгороди или каменной ограды вокруг дома не было, уцелевшая свекла росла прямо от стен жилища. Деревянная дверь лежала у крыльца дома, сброшенная наружу, и Зуммер сразу увидел, еще не войдя в дом, что внутри жилища ярко светит свет утреннего неба. Черепичная кровля и потолочный настил были снесены одним ударом артиллерийского снаряда, и теперь небо стало близким к глинобитному полу крестьянского дома.

Внутри дома была всего одна комната. В ней было сейчас прибрано, чисто, кто-то уже убрал сор и обломки от разрушенного потолка. У входа стоял деревянный стол с пустым ведром для воды и скамья для отдыха, а в глубине жилища находилась большая семейная кровать. На той кровати сидел ребенок, мальчик лет семи или восьми, и смотрел на вошедшего Эриха Зуммера. Большие глаза ребенка были широко открыты, как утренний рассвет, но они глядели пусто, точно в них было безоблачное, равнодушное небо. Мальчик уставился глазами на чужого человека, а сам не видел или не понимал летчика: во взоре ребенка не было ни страха, ни удивления, ни вопроса.

Эрих близко подошел к мальчику и спросил его по-испански (Зуммер знал несколько обыденных фраз):

— Где твоя мама?.. Она ушла за водой?..

Мальчик не ответил ему. Он сидел босой, в одних штанах, державшихся на пуговице и на лямке через плечо, и без рубашки. Светлые глаза его, глядящие из большой младенческой головы, по-прежнему не выражали ничего, будто он находился в сновидении или видел что-то другое, от чего не мог оторваться и чего не видел Зуммер.

Эрих поднял ребенка к себе на руки и пошел с ним к машине. Мальчик покорно сидел на руках Эриха и даже прильнул к его плечу в утомлении.

Солнечный день сиял над большими полями, не оставив более нигде следа ночи и тумана. Артиллерия гудела вдали, и гул ее шел не только по воздуху, но и передавался через содрогание земли.

Мальчик тихо пробормотал что-то про себя на плече Эриха и умолк. Зуммер дошел с ним до самолета и усадил ребенка в кабину на свое место. Затем он дал мальчику шоколад и велел ему есть, а сам занялся штурманом.

Эрих размундировал штурмана, открепил его от кресла, выволок наружу и бросил прочь на землю, а потом спустился сам из машины и отволок труп в сторону, в картофельную ботву. Крови из Кенига ничего не вышло, и штурманское место осталось чистым.

Испанский мальчик покорно жевал шоколад, но забывал или не мог его глотать, поэтому весь рот ребенка был набит шоколадом, а он равнодушно жевал и жевал его дальше. Зуммер попросил мальчика глотать шоколад и показал ему, как нужно это делать, но ребенок не слушал летчика и не смотрел на него. Тогда Эрих достал фляжку с коньяком, полил его немного себе на пальцы, а остальное выпил. Вытерев пальцы, Эрих выбрал ими шоколад изо рта мальчика. Ребенок непонимающе смотрел перед собой, затем в глазах его появилось выражение внимания и даже интереса, и он начал бормотать неясные детские слова на родном языке. Поговорив, мальчик умолкал, как бы вслушиваясь, что ему говорит что-то изнутри его души, и опять начинал быстро говорить в ответ кому-то.

Зуммер сидел на полу кабины и слушал ребенка, стараясь понять его. А мальчик бормотал теперь почти не останавливаясь, он все более погружался в свой внутренний мир и в свое воображение; глаза его опять опустели, они смотрели открыто, но были как ослепшие, и ребенок уже вовсе не чувствовал сейчас ничего, что существует вокруг него. Вся его сила уходила в создание не видимого никому внутреннего мира, в переживание этого мира и в младенческое бормотание.

В тоске своей Зуммер видел, как этот ребенок, живой и дышащий, все более удалялся от него в свое безумие, навсегда скрываясь туда, умирая для всех и уже не чувствуя ничего живого вне себя, вне своего маленького сердца и сознания, съедающего самого себя в беспрерывной работе воображения. Зуммер понимал, что безумие мальчика было печальнее смерти: оно обрекало его на невозвратное, безвыходное одиночество.

Но что случилось в мире перед его глазами, от чего этот ребенок был вынужден забыть всю природу и всех людей, чтобы сжаться в жалость своего безумия, как в единственную самозащиту своей жизни? Этого Эрих не мог в точности узнать, хотя и понимал, что современный мир войны и фашизма редко будет дарить детям что-либо другое, кроме смерти и безумия, а взрослым — то слабоумие, которым обладал Фридрих Кениг и обладает и будет, скажем, обладать Клара Шлегель.

Мальчик перестал бормотать и потер себе глаза обеими руками, точно стараясь проснуться, а потом опять начал говорить что-то шепотом, спеша и сбиваясь, и в этом тревожном, спешащем шепоте была, как показалось Эриху, борьба с тайным страданием, желание утомить его и отдохнуть.

«Нет, я не оставлю его жить одного,— сказал Эрих.— Я буду терпеть все и жить, чтобы он не умер... Я буду работать и драться, я не устану и не погибну».

Он взял руку мальчика, погладил ее и поцеловал. Ребенок вдруг взглянул на Эриха, будто узнавая его, потом закрыл глаза и заплакал. Он опустился с кресла летчика на пол, доверчиво прикоснулся к Эриху и внятно сказал несколько слов, из которых Эрих понял, или ему так почудилось, что мальчик хочет увидеть свою маму и просит Эриха отыскать ему ее.

— Ты увидишь свою маму,— сказал Эрих наполовину по-испански, наполовину по-немецки.— Мы отыщем ее, и ты будешь жить вместе с нею всегда.

Мальчик задумчиво и спокойно посмотрел на Эриха, словно он понял его и поверил ему.

Странный свет сверкнул в глаза Зуммера, и тяжелый удар воздуха пошевелил плоскости машины. Летчик увидел невдалеке, на картофельном поле, куски темной земли, уже падавшие обратно с воздуха вниз. Землю только что разорил и выбросил павший туда снаряд. Видимо, Зуммера заметила республиканская артиллерия и по типу машины его правильно приняла за немца. «Это хорошо,— подумал Эрих.— Следующим снарядом они разобьют меня».

Он усадил мальчика на место штурмана, прикрепил его лямками и поясом к сиденью, чтобы ребенок надежно держался на виражах и фигурах машины, а затем устроился сам на своем месте пилота.

Эрих приготовился к взлету и уже хотел нажать кнопку самопуска мотора, но, внимательно поглядев вперед, он раздумал запускать мотор. Впереди машины, приближаясь к ней, ехали по полевой дороге какие-то всадники, человек сорок или больше. Эрих посмотрел на них в бинокль и догадался по одежде и темным лицам, что это марокканцы, их кавалерийский отряд.

Зуммер пустил мотор и пошел вразбег, держа направление прямо на марокканцев. Машина быстро приблизилась к всадникам, и тогда Эрих, не отрывая самолета от земли, взял гашетку пулеметов и начал сечь огнем заметавшихся кавалеристов. Но пулеметы Зуммера через несколько секунд стрельбы замолчали; они истратили весь свой боевой запас.

Эрих выбрал ручку управления, оторвал машину и ушел в высоту — искать вместе с мальчиком, сидящим за его спиной, республиканскую землю и мать этого ребенка или тех людей, которые заменят ему родителей и возвратят в его душу утраченный разум.

ОДУХОТВОРЕННЫЕ ЛЮДИ

(Рассказ о небольшом сражении под Севастополем)

В дальней уральской деревне пели русские девушки. Одна из них пела выше и задушевнее всех, и слезы текли по ее лицу, но она продолжала петь, чтобы не отстать от своих подруг и чтобы они не заметили ее горя и печали. Она плакала от чувства любви, от памяти по человеку, который был сейчас на войне; ей хотелось увидеть его и утешить вблизи него свое сердце, плачущее в разлуке.

А он бежал сейчас по полю сражения вперед, лицо его было покрыто кровью и пóтом, он бежал, задыхаясь от смертной истомы, и кричал от ярости. У него была поранена пулей щека, и кровь из нее лилась ему за шеею и засыхала на его теле под рубашкой. Он хотел рвануть на себе рубашку, но она была спрятана далеко под бушлатом и морской шинелью. Он чувствовал лишь маленькую рану на лице и не понимал, отчего же он столь слабеет и дыхание его не держит тела. Тогда он рванул на себе воротник застегнутого бушлата; ему сейчас некогда было слабеть, ему еще нужно было немного времени, потому что он шел в атаку, он бежал по известковому полю, поросшему сухощавой полынью. Вблизи от него, справа, слева и позади, стремились вперед его товарищи, и сердца их бились в один лад с его сердцем, сохраняя жизнь и надежду против смерти.

Он пал вниз лицом, послушный мгновенному побуждению, тому острому чувству опасности, от которого глаз смежается прежде, чем в него попала игла. Он и сам не понял вначале, отчего он вдруг приник к земле, но, когда смерть стала напевать над ним долгою очередью пуль, он вспомнил мать, родившую его. Это она, полюбив своего сына, вместе с жизнью подарила ему тайное свойство хранить себя от смерти, действующее быстрее помышления, потому что она любила его и готовила его в своем чреве для вечной жизни, так велика была ее любовь.

Пули прошли над ним; он снова был на ногах, повинуясь необходимости боя, и пошел вперед. Но томительная слабость мучила его тело, и он боялся, что умрет на ходу.

Впереди него лежал на земле старшина Прохоров. Старшина

более не мог подняться: моряк был убит пулею в глаз — свет и жизнь в нем угасли одновременно. «Может быть, мать его любила меньше меня или она забыла про него»,— подумал моряк, шедший в атаку, и ему стало стыдно этой своей нечаянной мысли. Вчера он говорил с Прохоровым, они курили вместе и вспоминали службу на погибшем ныне корабле. И ему захотелось прилечь к Прохорову, чтобы сказать ему, что он никогда не забудет его, что он умрет за него, но сейчас ему было некогда прощаться с другом, нужно было лишь биться в память его. Ему стало легко, томительная слабость в его теле, от которой он боялся умереть на ходу, теперь прошла, точно он принял на себя обязанность жить за умершего друга, и сила погибшего вошла в него. С криком ярости он ворвался в окоп, в убежище врага, увидел там серое лицо неизвестного человека, почувствовал чуждое зловоние и сразил врага прикладом в лоб, чтобы он не убивал нас больше и не мучил наш народ страхом смерти. Затем моряк обернулся в темноте земляной щели и размахнулся винтовкой на другого врага, но не упомнил, убил он его или нет, и упал в беспамятстве, с закатившимся дыханием от взрывной волны. По немецкому рубежу, атакованному русскими моряками, начала сокрушающе бить немецкая артиллерия, чтобы место стало ничьим.

Старший батальонный комиссар Поликарпов издали смотрел в бинокль на поле сражения. Он видел тех, кто пал к земле и не поднялся более, и тех, кто превозмог встречный огонь противника и дошел до щелей врага на взгорье, чтобы закончить его жизнь штыком и прикладом. Комиссар запомнил, как пал сраженным Прохоров, как приостановился и неохотно опустился на землю младший политрук Афанасьев и неровно, но упрямо удалялся вперед на противника краснофлотец Красносельский, видимо уже раненный, однако стерпевший до конца свою муку.

Правый и левый фланги еще шли, но середины уже не было. Средняя часть наступающего подразделения была вся разбита и легла к земле под огнем; был или не был там кто в живых,— комиссар Поликарпов не знал; поэтому он сам решил идти туда и пополз по земле вперед.

Позади него был Севастополь, впереди — Дуванкойское шоссе. Немного левее шоссе поворачивало и шло прямо на юг, на Севастополь. Против закругления шоссе, по ту сторону его, лежало полынное поле, а немного дальше находилась высота, на которой теперь были немцы. С высоты врагу уже виден был город — последняя крепость и убежище русского народа в Крыму.

Правый и левый фланги атакующей морской пехоты вошли на взгорье, на скат высоты, и скрылись в складках земной поверхности, в окопах противника, занявшись там рукопашным боем. Огонь врага прекратился. Поликарпов поднялся в рост и побежал по взгорью. Четверо моряков с правого фланга присоединились к Поликарпову и помчались вперед, вслед комиссару, пользуясь тишиною на этой еще не остывшей от огня смертной земле.

Поликарпов заметил краснофлотца Нефедова, лежавшего замертво на земле. У комиссара тронулось сердце печалью. Он вспомнил Нефедова, павшего теперь славной смертью, а прежде это был веселый, привлекательный, но трудный человек. И вот он лежит мертвый, он остался уже позади бегущего вперед комиссара.

Внезапный и одновременный удар огня из нескольких пулеметов раздался со второго рубежа немцев; этот рубеж проходил возле самой вершины высоты. Огонь был жесткий и точный; Поликарпов обернулся к бойцам и сделал им знак, чтобы они залегли, и сам залег впереди них.

Вдобавок к пулеметам начали бить минометы, и общий огонь стал суетливым и неосмысленным. «Зачем столько огня против пятерых? — подумал Поликарпов.— Пугливо, без расчета бьют!»

Поликарпов осторожно обернулся лицом назад — к бойцам. Они лежали врозь, правильно, хорошо вжившись в землю, тесно прильнув к ней в поисках защиты от гибели.

До переднего немецкого края, куда ворвались на флангах краснофлотцы, осталось пройти метров сто, и обратно, до Дуванкойского шоссе, было столько же.

Минометный огонь усилился; маленькие толстые тела мин с воем неслись над телами людей и рвались на куски, словно от собственной внутренней ярости. Оставаться на месте было нельзя, чтобы не умереть бесполезно.

Поликарпов двинулся вперед.

— За мной! Вперед, на злодеев, мать их...

Но мина прошла мимо него и рванулась невдалеке, а пули секли воздух столь часто, что он, казалось, иссыхал и крошился.

Комиссар оглянулся на моряков: они лежали неподвижно; железная смерть пахала воздух низко над их сердцами, и души их хранили самих себя.

Поликарпов почувствовал удар ревущего воздуха в лицо и приник обратно к земле; стая тяжелых мин пронеслась над отрядом. Комиссар залег вполоборота к своим людям, чтобы видеть, все ли они целы. Пока они все еще были живы. Один Василий Цибулько что-то не шевелился, лежа ничком. Поликарпов подполз к нему поближе и увидел, что Цибулько тоже начал шевелиться,— стало быть, и он был живой. Цибулько изредка приподымал свое лицо от земли и вновь приникал к ней вплотную. Опухшие, потрескавшиеся от ветра уста его были открыты, он прижимался ими к земле и отымал их, а затем опять жадно целовал землю, находя в том для себя успокоение и утешение. Даниил Одинцов задумчиво смотрел на былинку полыни: она была сейчас мила для него. «Это все хорошо,— решил Поликарпов,— но нам пора вперед», и он снова крикнул краснофлотцам, едва ли услышанный за свистом и грохотанием огня:

— За мной! — и поднялся в рост, обернувшись на мгновение к бойцам.

Все бойцы привстали; однако близкий разрыв артиллерийского снаряда поверг их снова ниц, и сам комиссар был брошен воздухом на землю.

В третий раз комиссар поднялся безмолвно, но тут же упал, не поняв сам причины и озлобившись на враждебную силу, сразившую его. Он скоро очнулся и почувствовал, как холодеет, словно тает и уменьшается вся внутренность его тела, но мозг его работал по-прежнему ясно и жизненно, и комиссар понимал значение своих действий. Он увидел свою левую руку, отсеченную осколком мины почти по плечо. Эта свободная рука лежала теперь отдельно возле его тела. Из предплечья шла темная кровь, сочась сквозь обрывок рукава кителя. Из среза отсеченной руки тоже еще шла кровь помаленьку. Надо было спешить, потому что жизни осталось немного.

Комиссар Поликарпов взял свою левую руку за кисть и встал на ноги, в гул и свист огня. Он поднял над головой, как знамя, свою отбитую руку, сочащуюся последней кровью жизни, и воскликнул в яростном порыве своего сердца, погибающего за родивший его народ:

— Вперед! За Родину, за вас!

Но краснофлотцы уже были впереди него; они мчались сквозь чащу смертного огня на первый рубеж врага, чувствуя себя теперь свободно и счастливо, словно комиссар Поликарпов одним движением открыл им тайну жизни, смерти и победы.

Поликарпов поглядел им вслед довольными побледневшими от слабости глазами и лег на землю в последнем изнеможении.

Двое краснофлотцев дорвались до первых коротких щелей — окопов противника — и въелись в них. В одном окопе лежал без памяти, но еще живой Иван Красносельский; возле него валялись опрокинутыми два мертвых немца.

Окопы были достаточно хорошо отрыты вглубь и огонь со второго рубежа противника здесь ощущался безопасно.

— Ну, тут-то мы жители! — сказал Цибулько Одинцову.

— Тут-то что же! — согласился Одинцов.— Тут ресторан-кафе на Приморском бульваре: только всего!

— А ребята как там устроились? — спросил Цибулько.

Одинцов смотрел наружу.

— Они вот в том блиндаже остались,— сказал Одинцов.— Там им удобней.

Цибулько и Одинцов помогли Красносельскому, и тот пришел в себя. Кроме ранения в щеку, у него оказалась рана в грудь навылет; нижняя нательная рубашка присохла к телу в двух местах — возле правого соска груди, куда вошла пуля, и около родинки на спине, где пуля вышла наружу. Цибулько умело и осторожно перевязал Красносельского, изорвав на бинты свою рубашку. Наружные ранки на теле Красносельского уже подсохли и начали заживать, неизвестно было только, что сделала пуля внутри.

— Ну как ты себя чувствуешь-то? — спросил Цибулько.— После боя в эваку пойдешь иль так обойдешься, под огнем отдышишься?

— Теперь мне много легче,— сказал Красносельский.— Плохо было, когда я в атаку шел, тогда истома меня всего брала, а пока до врага дошел — я обветрился, обозлел и выздоровел. Тут вот я опять устал, пока двоих кончил. А теперь мне ничего. Плохо, когда ранение бывает спервоначалу, когда только в бой входишь,— воюешь тогда вполсилы. А теперь мне ничего — я отошел от смерти.

Но дышалось Красносельскому тяжко, и пот шел по его лицу.

— Отдыхай! — крикнул ему Цибулько, покрывая голосом стрельбу врага.— А мы пока без тебя повоюем.

Цибулько нашел место в тупом конце окопа и стал оттуда поглядывать в сторону неприятеля. Одинцов же вывалил мертвых немцев наружу и прибрал окоп от комьев земли, от осколков, от всего, что не нужно для жизни и боя.

Стало уже вечереть; стрельба немцев стала редкой, они палили сейчас ради одного предостережения, отложив свои главные заботы, видимо, до завтрашнего утра.

— А где наш батальонный комиссар товарищ Поликарпов? — спросил Красносельский.

— Ночью уберем его с поля,— сказал Одинцов.— Такие люди долго не держатся на свете, а свет на них стоит вечно.

— Это точно! — произнес Цибулько.— Вперед, говорит, за Родину, за вас!.. За нас с тобой! Родиной для него были все мы, и он умер.

— Он кровью истек? — спросил Красносельский.

— Точно,— сказал Цибулько.

На высоте настала тьма, но Севастополь был светел: над ним сияли четыре люстры осветительных ракет, и по телу города била издали тяжелая артиллерия врага. По врагу из мрака моря стреляли через город пушки наших кораблей. Цибулько и Одинцов загляделись на город, на блистающую мертвым светом поверхность моря, уходящую в затаившийся темный мир, где вспыхивали сейчас зарницы работающей корабельной артиллерии.

Красносельский лег на дно окопа и задремал для отдыха.

Он дремал, больное тело его отдыхало, но в сознании его непрерывно шел тихий поток мысли и воображения. Он слушал артиллерийскую битву за Севастополь, чувствовал прах, сыплющийся на него со стен окопа от сотрясения земли, и улыбался невесте в далекой уральской деревне. Ей там тихо сейчас, тепло и покойно,— пусть она спит, а утром пробуждается, пусть она живет долго, до самой старости, и будет сыта и счастлива — с ним или с другим хорошим человеком, если сам Красносельский скончается здесь ранней смертью, но лучше пусть она будет с ним, а другому человеку пусть достанется другая хорошая девушка или вдова — и вдовы есть ничего...

А в уральской деревне давно уже умолкла песня одиноких девушек; там время шло далеко за полночь, и скоро нужно было уже подыматься на сельскую работу. Невеста Ивана Красносельского тоже спала, и теперь она не плакала; ее лицо, прекрасное не женской красотой, но выражением удивления и невинности, было спокойно сейчас, и лишь нежное, кроткое счастье светилось на нем: ей снилось, что война окончилась и эшелоны с войсками едут обратно домой, а она, чтобы стерпеть время до возвращения Вани, сидит и скоро-скоро сшивает мелкие разноцветные лоскутья, изготовляя красивый плат на одеяло...

В полночь в окоп пришли из блиндажа политрук Николай Фильченко и краснофлотец Юрий Паршин. Фильченко передал приказ командования: нужно занять рубеж на Дуванкойском шоссе, потому что там насыпь, там преграда прочнее, чем этот голый скат высоты, и там нужно держаться до погибели врага; кроме того, до рассвета следует проверить свое вооружение, сменить его на новое, если старое не по руке или неисправно, и получить боепитание.

Краснофлотцы, отходя через полынное поле, нашли тело комиссара Поликарпова и унесли его, чтобы предать земле и спасти его от поругания врагом. Чем еще можно выразить любовь к мертвому, безмолвному товарищу?

Политрук Николай Фильченко оставил командование отрядом на Даниила Одинцова и пошел в тыл, к Севастополю, на пункт снабжения, чтобы ускорить доставку боепитания.

Осветительные ракеты медленно и непрерывно опускались с неба, сменяя одна другую; их и сейчас было четыре люстры — четыре комплекта ракет под каждым парашютом. Их быстро и точным огнем расстреливали на погашение наши зенитные пулеметы, но противник бросал с неба новые светильники взамен угасших, и бледный грустный свет, похожий на свет сновидения, постоянно освещал город и его окрестности — море и сушу.

На краю города, в одном общежитии строительных рабочих, все еще жили какие-то мирные люди. Фильченко заметил женщину, вешающую белье возле входа в жилище, и двоих детей, мальчика и девочку, играющих во что-то на светлой земле. Фильченко посмотрел на часы: был час ночи. Дети, должно быть, выспались днем, когда артиллерия на этом участке работала мало, а ночью жили и играли нормально. Политрук подошел к низкой каменной ограде, огораживающей двор общежития. Мальчик лет семи рыл совком землю, готовя маленькую могилу. Около него уже было небольшое кладбище — четыре креста из щепок стояли в изголовье намогильных холмиков, а он рыл пятую могилу.

— Ты теперь большую рой! — приказала ему сестра. Она была постарше брата, лет девяти-десяти, и разумней его.— Я тебе говорю: большую нужно, братскую, у меня покойников много, народ помирает, а ты одна рабочая сила, ты не успеешь рыть... Еще рой, еще, побольше и поглубже,— я тебе что говорю!

Мальчик старался уважить сестру и быстро работал совком в земле.

Фильченко тихо наблюдал эту игру детей в смерть.

Сестра мальчика ушла домой и скоро вернулась обратно. Она несла теперь что-то в подоле своей юбчонки.

— Не готово еще? — спросила она у трудящегося брата.

— Тут копать твердо,— сказал брат.

— Эх ты, румын-лодырь,— опорочила брата сестра и, выложив что-то из подола на землю, взяла у мальчика совок и сама стала работать.

Мальчик поглядел, что принесла сестра. Он поднял с земли мало похожее туловище человечка, величиною вершка в два, слепленное из глины. На земле лежали еще шестеро таких человечков, один был без головы, а двое без ног — они у них открошились.

— Они плохие, такие не бывают,— с грустью сказал мальчик.

— Нет, такие тоже бывают,— ответила сестра.— Их танками пораздавило: кого как.

Фильченко пошел далее по своему делу. «И мои две сестренки тоже играют где-нибудь теперь в смерть на Украине,— подумал политрук, и в душе его тронулось привычное горе, старая тоска по погибшему дому отца.— Но, должно быть, они уже не играют больше, они сами мертвые... Нужно отучить от жизни тех, кто научил детей играть в смерть! Я их сам отучу от жизни!..»

За насыпью Дуванкойского шоссе четверо моряков рыли могилу для комиссара Поликарпова.

Одинцов перестал работать.

— Комиссар говорил, что мы для него — все, что мы для него родина. И он тоже родина для нас. Не буду я его в землю закапывать!..

Одинцов бросил саперную лопатку и сел в праздности.

— Это неудобно, это совестно,— говорил Одинцову Цибулько.— Надо же спрятать человека, а то его завтра огонь на куски растаскает. Потом мы его обратно выроем — это мы его прячем пока, до победы!.. Неудобно, Данил!

Но Одинцов не хотел больше работать. Паршин и Цибулько отрыли неглубокое ложе у подножья насыпи и положили там Поликарпова лицом вверх, а зарывать его землей не стали. Они хотели, чтобы он был сейчас с ними и чтобы они могли посмотреть на него в свой трудный час. Мертвую отбитую левую руку моряки поместили вдоль груди комиссара и положили поверх нее, как на оружие, правую руку.

После того Одинцов приказал Паршину и Цибулько спать до рассвета. Красносельский, как выздоравливающий, спал уже сам по себе и всхрапывал во сне, дыша запахом сухих крымских трав. Паршин и Цибулько легли в уютную канаву у подошвы откоса, поросшую мягкой травой, свернулись там по-детски и, согревшись собственным телом, сразу уснули.

Одинцов остался бодрствовать один. Ночь шла в редкой артиллерийской перестрелке; над городом сиял страшный, обнажающий свет врага, и до утренней зари было еще далеко.

Наутро снова будет бой. Одинцов ожидал его с желанием: все равно нет жизни сейчас на свете и надо защитить добрую правду русского народа нерушимой силой солдата. «Правда у нас,— размышлял краснофлотец над спящими товарищами.— Нам трудно, у нас болит душа. А фашист, он действует для одного своего удовольствия — то пьян напьется, то девушку покалечит, то в меня стрельнет. А нас учили жить серьезно, нас готовили к вечной правде, мы Ленина читали. Только я всего не прочитал еще, прочту после войны. Правда есть, и она записана у нас в книгах, она останется, хотя бы мы все умерли. А этот бледный огонь врага на небе и вся фашистская сила — это наш страшный сон. В нем многие помрут, не очнувшись, но человечество проснется, и будет опять хлеб у всех, люди будут читать книги, будет музыка и тихие солнечные дни с облаками на небе, будут города и деревни, люди будут опять простыми, и душа их станет полной...»

И Одинцову представилась вдруг пустая душа в живом, движущемся мертвяке, и этот мертвяк сначала убивает всех живущих, а потом теряет самого себя, потому что ему нет смысла для существования и он не понимает, что это такое, он пребывает в постоянном ожесточенном беспокойстве.

Одинцов стоял один на откосе шоссе и глядел вперед, в смутную сторону врага. Он оперся на винтовку, поднял воротник шинели и думал и чувствовал все, что полагается пережить человеку за долгую жизнь, потому что не знал, долго или коротко ему осталось жить, и на всякий случай обдумывал все до конца.

Потом воображение, замена человеческого счастья, заработало в сознании Одинцова и начало согревать его. Он видел, как он будет жить после войны. Он окончит музыкальную школу при филармонии, где он учился до войны, и станет музыкантом. Он будет пианистом, и если сумеет, то и сам начнет сочинять новую музыку, в которой будет звучать потрясенное войной и смертью сердце человека, в которой будет изображено новое священное время жизни.

Одинцов посмотрел на товарищей; спят Цибулько и Паршин; спит Красносельский, раненный в грудь насквозь; навеки уснул комиссар. Плохо им спать на жесткой земле; не для такого мира родили их матери и вскормил народ, не для того, чтобы кости отрывали от тела их живых детей. Одинцов вздохнул: много еще работы будет на свете и после войны, после нашей победы, если мы хотим, чтобы мир стал святым и одушевленным, если мы хотим, чтобы сердце красноармейца, разорванное сталью на войне, не обратилось в забытый прах...

К рассвету прибыли на машине политрук Фильченко и

полковой комиссар Лукьянов; они привезли с собой боеприпасы, вооружение и пищевые продукты.

Лукьянов осмотрел позицию и увез с собой в город тело Поликарпова, пообещав наутро снова приехать на этот участок. Фильченко велел Одинцову лечь отдохнуть, потому что невыспавшийся боец — это не работник на войне.

— Иди ляжь! — сказал Фильченко.— В шубе — не пловец, в рукавицах — не косец, а сонный — не боец.

Одинцов лег в канаву возле разоспавшегося, храпящего Красносельского, приспособился к земле и уснул; он не очень хотел спать, но, раз надо было, он уснул.

Рассвело. Николай Фильченко переложил своих бойцов поудобнее, чтобы у них не затекли во сне руки, ноги и туловища. Когда он их ворочал, они бормотали ему ругательства, но он укрощал их:

— Так удобней будет, голова! Мать во сне увидишь.

Он и сам бы сейчас, хоть во сне, поглядел бы на свою мать, и дорого бы дал, чтобы обнять еще раз ее исхудавшее тело и поцеловать ее в плачущие глаза.

Наступила тишина. Далекие пушки неприятеля и наших кораблей, и до того уже бившие редко, вовсе перестали работать, светильники над Севастополем угасли, и стало столь тихо, что трудно было ушам, и Фильченко расслышал плеск волны о мол в бухте. Но в этом безмолвии шла сейчас напряженная скорая работа мастеровых войны — механиков, монтеров, слесарей, заправщиков, наладчиков, всех, кто снаряжает боевые машины в работу.

Фильченко поглядел на товарищей. Они раскинулись в последнем сне, перед пробуждением. У всех у них были открыты лица, и Фильченко вгляделся отдельно в каждое лицо, потому что эти люди были для него на войне всем, что необходимо для человека и чего он лишен: они заменяли ему отца и мать, сестер и братьев, подругу сердца и любимую книгу, они были для него всем советским народом в маленьком виде, они поглощали всю его душевную силу, ищущую привязанности.

По-детски, открытым ртом дышал во сне Василий Цибулько. Он был из трактористов Днепропетровской области, он участвовал уже в нескольких боях и действовал в бою свободно, но после боя или в тихом промежутке, когда битва на время умолкала, Цибулько бывал угрюм, а однажды он плакал. «Ты чего, ты боишься?» — сердито спросил его в тот раз Фильченко. «Нет, товарищ политрук, я нипочем не боюсь,— ответил Цибулько,— это я почувствовал сейчас, что мать моя любит и вспоминает меня; это она боится, что я тут помру,— и мне ее жалко стало!» В своем колхозе, рассказывал Цибулько, он устраивал разные предметы и способы для облегчения жизни человечества: там ветряная мельница накачивала воду из колодца в чан; там на огородах и бахчах Цибулько установил страшные чучела, действующие тем же ветром,— эти чучела гудели, ревели, размахивали руками и головами, и от них не было житья не только хищным птицам, но и людям не было покоя. Наконец, Цибулько начал кушать в вареном виде одну траву, которая в его местности спокон века считалась негодной для пищи; и он от той травы не заболел и не умер, а, наоборот — у него стала прибавляться сила, почему появилось убеждение, что та трава на самом деле есть полезное питание.

Цибулько обо всем любил соображать своей, особенной головой; он воспринимал мир как прекрасную тайну и был благодарен и рад, что он родился жить именно здесь, на этой земле, будто кто-то был волен поместить его для существования как сюда, так и в другое место.

Фильченко вспомнил, как они лежали рядом с Цибулько четыре дня тому назад в известковой яме. На их подразделение шли три немецких танка. Цибулько вслушался в ход машин и уловил слухом ритмичную работу дизель-моторов. «Николай! — сказал тогда Цибулько.— Слышишь, как дизеля туго и ровно дышат? Вот где сейчас мощность и компрессия!» Василий Цибулько наслаждался, слушая мощную работу дизелей; он понимал, что хотя фашисты едут на этих машинах убивать его, однако машины тут ни при чем, потому что их создали свободные гении мысли и труда, а не эти убийцы тружеников, которые едут сейчас на машинах. Не помня об опасности, Цибулько высунулся из известковой пещеры, желая получше разглядеть машины; он любовно думал о всех машинах, какие где-либо только существуют на свете, убежденно веря, что все они — за нас, то есть за рабочий класс, потому что рабочий класс есть отец всех машин и механизмов.

Теперь Цибулько спал; его доверчивые глаза, вглядывающиеся в мир с удивлением и добрым чувством, были сейчас закрыты, темные волосы под бескозыркой слиплись от старого дневного пота, и похудевшее лицо уже не выражало счастливой юности — щеки его ввалились и уста сомкнулись в постоянном напряжении; он каждый день стоял против смерти, отстраняя ее от своего народа.

— Живи, Вася, пока не будешь старик,— вздохнул политрук.

Иван Красносельский до флота работал по сплаву леса на Урале; он был плотовщиком. Воевал он исправно и по-хозяйски, словно выполняя тяжелую, но необходимую и полезную работу. В промежутках между боями и на отдыхе он жил молча и с товарищами водился без особой дружбы, без той дружбы, в которой каждое человеческое сердце соединяется с другим сердцем, чтобы общей большой силой сохранить себя и каждого от смерти, чтобы занять силу у лучшего товарища, если дрогнет чья-либо одинокая душа перед своей смертной участью.

Фильченко догадывался, почему Красносельский не нуждался в такой дружбе. Он был привязан к жизни другою силой, не менее мощной,— его хранила любовь к своей невесте, к далекой отсюда девушке на Урале, к странному тихому существу, питавшему сердце моряка мужеством и спокойствием. Фильченко давно заметил, еще до войны, что Красносельский, бывая на берегу, никогда не гулял в Севастополе с девушками, мало и редко пил вино, не предавался озорству молодости,— не потому, что не способен был на это, а потому, что это его не занимало и не утешало, и он тосковал в таких обычных забавах. Он жил погруженным в счастье своей любви; им владело постоянное, но однократное чувство, которое невозможно было заменить чем-либо другим, или разделить, или хотя бы на время отвлечься от него. Этого сделать Красносельский не мог, и воевал он с яростью и ровным упорством, видимо, потому, что хотел своим воинским подвигом приблизить время победы, чтобы начать затем совершение другого подвига — любви и мирной жизни.

Красносельский был человеком большого роста, руки его были работоспособны и велики, туловище развито и обладало видимой физической мощью — он должен был свирепствовать в жизни, но он был кроток и терпелив; одна нежная, невидимая сила управляла этим могучим существом и регулировала его поведение с благородной точностью.

Фильченко задумался, наблюдая Красносельского: велика и интересна жизнь, и умирать нельзя.

Юра Паршин был четыре раза ранен, два раза тяжело, но не умер. Небольшой, средней силы, веселый и живучий, способный пойти на любую беду ради своего удовольствия, он допускал свою гибель лишь после смерти последнего гада на свете. На корабле, еще в мирное время, он дважды сваливался с борта в холодную осеннюю воду, пока не было понято, что он это делал нарочно — ради того, чтобы корабельный врач выдавал ему для согревания спирт, потому что человек продрог. Паршин знал и любил многих своих севастопольских подруг, и они тоже любили его в ответ и не ревновали друг к другу, что так необычно для женской натуры. Однако тайна привлекательности Юры Паршина была проста, и понимание ее увеличивало симпатию к нему. Она заключалась в доброй щедрости его души, в беспощадном отношении к самому себе ради любого милого ему человека и в постоянной веселости. Он мог принять вину товарища на себя и отбыть за него наказание; он мог выручить подругу, если она нуждалась в его помощи. Однажды, будучи в командировке в Феодосии, он познакомился с местной девушкой; она, почувствовав в нем настоящего человека, попросила Паршина сделать ей одолжение: жениться на ней, но только не в самом деле, а фиктивно. Ей так нужно было, потому что она стыдилась своего материнства от любимого человека, который оставил ее и уехал неизвестно куда, не совершив с ней формального брака. Паршин, конечно, с радостью согласился сделать такое одолжение молодой женщине. В следующий его приезд в Феодосию была сыграна свадьба. После свадьбы он просидел всю ночь у постели своей названой жены, всю ночь он рассказывал ей сказки и были, а наутро поцеловал ее, как сестру, в лоб, и протянул ей руку на прощание. Но у женщины, слушавшей его всю ночь, тронулось сердце к своему ложному мужу, она уже увлеклась им и задержала руку Паршина в своей руке. «Оставайтесь со мной!» — попросила она. «А надолго?» — спросил моряк. «Навсегда»,— прошептала женщина. «Нельзя, я непутевый»,— отказался Паршин и ушел навсегда.

Видя в Паршине его душу, люди как бы ослабевали при нем, перед таким открытым и щедрым источником жизни, светлым и не слабеющим в своей расточающей силе, и обычные страсти и привычки оставляли их: они забывали ревность в любви, потому что их сердцу и телу становилось стыдно своей скупости, они пренебрегали расчетливым разумом, и новое легкое чувство жизни зарождалось в них, словно высшая и простая сила на короткое время касалась их и влекла за собой.

Чем занимался Юра Паршин до войны и до призыва во флот, трудно было понять, потому что он говорил всем по-разному и даже одному человеку два раза не повторял одного и того же. Истина о самом себе его не интересовала, его интересовала фантазия, и, в зависимости от фантазии, он сообщал, что был токарем на Ленинградском металлическом заводе (и он действительно знал токарное дело), либо затейником в Парке культуры имени Кирова, либо коком на торговом корабле. Служебные анкеты он заполнял с тою же неточностью, чем вызывал недоразумения.

На войне Паршин чувствовал себя свободно и страха смерти не ощущал. Его сердце было переполнено жизненным чувством, и сознание занято вымыслом, и это его свойство служило ему как бы заградительным огнем против переживаний опасности. Смерти некуда было вместиться в его заполненное, сильное своим счастьем существо.

Четыре раза он был ранен. Четыре раза врывалась к нему в тело сталь, но не уживалась там, и моряк четыре раза оживал вновь. Из этого Паршин убедился, что он обязательно уцелеет до конца войны и увидит нашу победу.

Политрук Фильченко смотрел сейчас на скорчившегося от холода, но улыбающегося неизвестному сновидению Паршина.

— Жалко вас всех, чертей! — сказал политрук вслух.— Что ж! Если мы погибнем, другие люди родятся, и не хуже нас. Была бы родина, родное место, где могут рождаться люди...

Фильченко представлял себе родину как поле, где растут люди, похожие на разноцветные цветы, и нет среди них ни одного, в точности похожего на другой; поэтому он не мог ни понять смерти, ни примириться с ней. Смерть всегда уничтожает то, что лишь однажды существует, чего не было никогда и не повторится во веки веков. И скорбь о погибшем человеке не может быть утешена. Ради того он и стоял здесь — ради того, чтобы остановить смерть, чтобы люди не узнали неутешимого горя. Но он не знал еще, он не испытал, как нужно встретить и пережить смерть самому, как нужно умереть, чтобы сама смерть обессилела, встретив его...

Политрук оглянулся. К насыпи, к их позиции, мчалась машина. Где-то далеко ударила залпом батарея врага; ей ответили из Севастополя. Начинался рабочий день войны. Солнце светило с вершины высот; нежный свет медленно распространялся по травам, по кустарникам, по городу и морю,— чтобы все продолжало жить. Пора было поднимать людей.

Моряки встали с земли, кряхтя, сопя, бормоча разные слова, и стали очищать одежду от сора и травы.

— Разобрать оружие и боеприпасы по рукам! — приказал Фильченко.

Моряки разобрали по рукам доставленное ночью оружие и снаряжение — винтовки, патроны, гранаты, бутылки с зажигательной смесью — и приладили их к себе; некоторые же оставили свои старые винтовки, как более привычные. Цибулько откатил в сторону новый пулемет и сел за его настройку в работу.

Старший батальонный комиссар Лукьянов подъехал на машине. Краснофлотцы выстроились.

— Здравствуйте, товарищи! — поздоровался комиссар.

Моряки ответили. Лукьянов поглядел в их лица и помолчал.

— Резервы подойдут позже,— сказал комиссар,— они выгрузились ночью и сейчас снаряжаются. Вы сейчас ударные отряды авангарда. Позади вас — рубеж с нашей пехотой. Ожидается танковая атака врага. Сумеете сдержать, товарищи? Сумеете не пропустить врага к Севастополю?

— Как-нибудь, товарищ старший батальонный комиссар! — ответил Паршин.

Комиссар строго поглядел на Паршина; однако он увидел, что за шутливыми словами краснофлотца было серьезное намерение, и комиссар воздержался от суждения краснофлотца.

— Надо сдержать и раскрошить врага! — произнес комиссар.— Позади нас Севастополь, а впереди — вся наша большая вечная Родина. Враг, как волосяной червь, лезет в глубь нашей земли, без которой нам нет жизни,— так рассечем врага здесь огнем! Будем драться, как спокон веку дрались русские,— до последнего человека, а последний человек — до последней капли крови и до последнего дыхания!

Комиссар поговорил еще отдельно с политруком Фильченко, сказал нужные сведения и сообщил инструкцию командования, а затем предложил краснофлотцам хорошо и надолго покушать.

— Еда — великое дело для солдата! — сказал комиссар Лукьянов на прощание и уехал, забрав две старые сменные винтовки.

Краснофлотцы взялись за пшеничный хлеб, за колбасу и консервы.

— После такой еды землю пахать хорошо! — выразил свое мнение Цибулько.— Целину можно легко поднять, и не уморишься!

— Щей не хватает,— сказал Одинцов,— и горячей говядины.

— Сейчас удобно было бы газу в сердце дать: водочки выпить,— пожалел Паршин.

— Обойдешься, сейчас не свадьба будет,— осудил Паршина Красносельский.

— Ишь ты! — засмеялся Паршин.— Он обо мне заботится. Ну, ладно, вино не в бессрочный отпуск ушло: после войны я, Ваня, на твоей свадьбе буду гулять и тогда уже жевну из бутылки!

— У нас на Урале не из рюмок пьют и не из бутылок,— пояснил Красносельский.— У нас из ушатов хлебают, у нас не по мелочи кушают...

— Поеду вековать на Урал,— сразу согласился Паршин.

После завтрака Николай Фильченко сказал своим друзьям:

— Товарищи! Наша разведка открыла командованию замысел врага. Сегодня немцы пойдут на штурм Севастополя. Сегодня мы должны доказать, в чем смысл нашей жизни, сегодня мы покажем врагу, что мы одухотворенные люди, что мы одухотворены Лениным и Сталиным, а враги наши — только пустые шкурки от людей, набитые страхом перед тираном Гитлером! Мы их раскрошим, мы протараним отродье тирана! — воскликнул воодушевленный, сияющий силой Николай Фильченко.

— Есть, таранить тирана! — крикнул Паршин.

Фильченко прислушался.

— Приготовиться! — приказал политрук.— По местам!

Морские пехотинцы заняли позиции по откосу шоссе — в окопах и щелях, отрытых стоявшим здесь прежде подразделением.

По ту сторону шоссе, на полынном поле и на скате высоты, где гнездились немцы, сейчас было пусто. Но откуда-то издали доносился ровный, еле слышный шорох, словно шли по песку тысячи детей маленькими ножками.

— Николай, это что? — спросил у Фильченко Цибулько.

— Должно быть, новую какую-нибудь заразу придумали фашисты... Поглядим! — ответил Фильченко.— Фокус какой-нибудь, на испуг иль на хитрость рассчитывают.

Шорох приближался, он шел со стороны высоты, но склоны ее и полынное поле, прилегающее к взгорью, были по-прежнему пусты.

— А вдруг фашисты теперь невидимыми стали! — сказал Цибулько.— Вдруг они вещество такое изобрели — намазался им и пропал из поля зрения!..

Фильченко резко окоротил бойца:

— Ложись в щель скорей и помирай от страха!

— Да это я так сказал,— произнес Цибулько.— Я подумал — может, тут новая техника какая-нибудь... Техника не виновата: она наука!

— Пускай хоть они видимые, хоть невидимые, их крошить надо в прах одинаково,— сказал свое мнение Паршин.

— Без ответа помирать нельзя,— сказал Красносельский.— Не приходится!

— Стоп! Не шуми! — приказал Фильченко.

Он всмотрелся вперед. По склонам вражеской высоты, примерно на половине ее расстояния от подошвы до вершины, справа и слева поднялась пыль. Что-то двигалось сюда с тыльной стороны холма, из-за плеч высоты.

Краснофлотцы, стоя в рост в отрытой земле, замерли и глядели через бровку откоса, через шоссе, на ту сторону.

Паршин засмеялся.

— Это овцы! — сказал он.— Это овечье стадо выходит к нам из окружения...

— Это овцы, но они идут к нам не зря,— отозвался Фильченко.

— Не зря: мы горячий шашлык будем есть,— сказал Одинцов.

— Тихо! — приказал политрук.— Внимание! Товарищ Цибулько, пулемет!

— Есть, пулемет, товарищ политрук! — отозвался Цибулько.

— Всем — винтовки!

— Есть, винтовки! — отозвались краснофлотцы.

Овцы двумя ручьями обтекли высоту и стали спускаться с нее вниз, соединившись на полынном поле в один поток. Стадо направлялось прямо на Дуванкойское шоссе. Уже слышны были овечьи напуганные голоса; их что-то беспокоило, и они спешили, семеня худыми ножками.

Одна овца вдруг приостановилась и оглянулась назад, на нее набежали задние овцы, получилось стеснение, и из овечьей тесноты привстал человек в серо-зеленой шинели и замахнулся на животных оружием.

«Это умная овца!» — подумал Фильченко про ту, которая остановилась, и решил действовать:

— Цибулько, пулемет по гадам среди нашей скотины!

— Вижу! — откликнулся Цибулько.

Теперь Фильченко увидел среди овец еще шестерых немцев, бежавших согнувшись в тесноте овечьей отары.

— Цибулько!

— Есть, ясно вижу цель,— ответил пулеметчик и затрепетал от нетерпения у пулеметной машины.

— Цибулько! — крикнул политрук.— Зря овец не губи, они племенные. Огонь!

Пулемет заработал. Струя пуль запела в воздухе. Два врага сразу поникли, и задние овцы со спокойным изяществом перепрыгнули через павших людей.

Стадо приблизилось почти вплотную к противоположному откосу насыпи. Теперь немцев легко было различить среди плотной массы овечьего стада. Их было человек пятьдесят. Некоторые били с хода из автоматов по насыпи шоссе, другие молча стремились вперед.

Фильченко приказал Красносельскому стать вторым номером у пулемета, а сам вместе с Паршиным и Одинцовым открыл точный, прицельный огонь из винтовок по немецким автоматчикам.

Пулемет Цибулько работал яростно и полезно, как сердце и

разум его хозяина. Половина врагов уже легла к земле на покой, но еще человек двадцать или больше немцев были целы; они успели добежать до противоположного откоса насыпи и залегли там; теперь их пулеметом или винтовками достать было невозможно. А тут еще набежали овцы, которые шли теперь прямо по головам краснофлотцев, дрожа и жалобно, по-детски, вскрикивая от страшной жизни среди человечества.

«Э, харчи хорошие гонят немцы в Севастополь!» — успел подумать Паршин.

— Цибулько! — крикнул Фильченко.— Дай нам дорогу вперед — через шоссе! Огонь по овцам!

Цибулько начал сечь овец, переваливающихся через дорожную насыпь на подразделение. Ближние передние овцы пали, а бежавшие за ними сообразили, где правда, и бросились по сторонам, в обход людей.

— Всем — гранаты! — крикнул Фильченко.— Вперед! — он бросился с гранатой через шоссе и ударил гранатой по немцам; через немцев еще бежали напуганные, пылящие, сеющие горошины овцы, и немцы их рубили палашами, чтобы освободиться от этих чертей, которых они взяли себе в прикрытие.

Моряки сработали гранатами быстро; они смешали кровь и кости овец с кровью и костями своих врагов.

Краснофлотцы вернулись на свою позицию.

— Ну как? — спросил Цибулько у Фильченко.

— Пустяк,— сказал политрук.— Больше с овцами дрались.

— Какой это бой! — вздохнул Паршин.— Это ничто.

— Кури помалу,— разрешил Фильченко.

Красносельский сволок с откоса битых овец в одно место, чтобы ночью их увезли в город людям на пищу.

Из-за высоты по шоссе и по рубежу, что проходил позади моряков, начала бить артиллерия врага. Пушки били не спешно, не часто, но настойчивой долбежкой, не столько поражая, сколько прощупывая линии советской обороны. И немцы, вероятно, ожидали получить ответ, потому что время от времени их артиллерия умолкала, словно слушая и размышляя. Но оборона не отвечала, и немцы изредка били опять, как бы допрашивая собеседника.

Комиссар Лукьянов короткими перебежками привел резерв — до полуроты морской пехоты — и расположил его на флангах подразделения Фильченко, оставив инициативу на этом участке за Фильченко.

Лукьянов выслушал сообщение политрука о небольшом бое с немцами среди овец и сказал свое заключение:

— Ну что ж. Это их боевая разведка была. Бой будет позже.

Комиссар ушел. Вскоре немецкая артиллерия перешла на боевой, ураганный режим огня.

— Пустошь делают впереди себя,— понял Фильченко.— Значит, скоро будут танки.

Он увел свое подразделение в блиндаж, покрытый всего одним накатом тонких бревен, но здесь все же было тише. Сам же Фильченко остался у входа в блиндаж, чтобы посматривать через насыпь и следить за выходом танков.

Шоссе и его откосы выпахивались снарядами до материковой породы; трупы овец и немцев калечились посмертно и то засыпались землей на погребение, то вновь обнажались наружу.

Левый склон высоты запылил у подножия, где высота переходила в полынное солончаковое поле. Артиллерийский огонь не ослабевал. Темное тело переднего танка вышло на полынное поле, за ним шли еще машины. Они шли вперед под навесом артиллерийского огня.

Фильченко укрылся в блиндаже от близкого разрыва, закидавшего его черной гарью и землей. «Надо уцелеть,— подумал он,— сейчас артиллерия смолкнет».

Когда пушки умолкли, Фильченко вывел подразделение на позицию. Танки подходили к насыпи; их было пока что семь: по полторы машины, без малого, на душу бойца.

— Вася! — крикнул Фильченко в сторону Цибулько.— Пулемет — по смотровым щелям первой машины! Красносельский, Паршин,— бутылки и гранаты! Действуйте! Огонь!

Цибулько дал первую очередь, вторую, но танк бушевал всею своей мощностью и шел вперед на моряков. Паршин и Красносельский поползли через насыпь на ту сторону дороги.

— Точней огонь, пулеметчик! — вскрикнул Фильченко.

Цибулько приноровился, нащупал щель пулевой струею, всей ощутимостью своей продолженной руки, и впился свинцом в смотровую щель машины. Танк круто рванулся вполповорота вокруг себя на одной гусенице и замер на месте: он подчинился смертному судорожному движению своего водителя. Возле танка встал на мгновение в рост Красносельский и метнул в него бутылку; черный смолистый дым поднялся с тела машины, затем из глубины дыма появился огонь и занялся высоким жарким пламенем.

Цибулько бил из пулемета уже по другим танкам. Сначала он давал короткие прицельные, ощупывающие очереди, затем впивался в цель насмерть длинной жалящей струей. Красносельский и Юра Паршин действовали за шоссейной насыпью. Они ютились в воронках, за комьями разрушенной земли, за телами павших овец, вставали на момент и метали бутылки и гранаты в ревущие механизмы.

Фильченко и Одинцов ожидали за насыпью своего времени. Сразу задымили густым дымом, а затем засветились сияющим пламенем еще два танка. Осталось в живых четыре. Но немцы скупы на потери, они свое добро не любят тратить до конца.

Четыре танка приостановились и развернулись на месте, обнажив за собой пехоту.

— Пора! — крикнул Фильченко.— Вася! По живой силе — огонь!

Цибулько вонзил струю огня в пехоту противника, сразу залегшую в землю.

Фильченко и Одинцов перебросились через насыпь. Но Красносельский и Паршин опередили их; они на животах уже подползали к залегшей пехоте врага и, чуть привстав, метнули в нее первые гранаты.

Четыре уцелевших танка молча пошли в отход; они не открыли огня, потому что немецкая пехота и русские матросы неравномерно распределились по полю и огнем с танков можно уложить своих.

Фильченко и Одинцов с хода запустили гранаты по темным телам пехотинцев. Пулемет Цибулько не давал врагам возможности подняться. Когда они приподымались,— Цибулько бил их точным секущим огнем; если они шевелились или ползли, Цибулько переходил на «штопку», то есть вонзал огонь под углом в землю сквозь тело врага. Но у пулеметчика была трудная задача: он должен был не повредить своих, сблизившихся на смыкание с противником.

Немцы, однако, тоже соображали кое-что: они поняли, что лучше на время отойти, чем до времени умереть. Человек тридцать сразу вскочили с земли, жалобно закричали и побежали вслед танкам. Фильченко и Одинцов бросили в них гранаты, потом добавили по ним из винтовок, и человек десять пали обратно на землю. Остальные пехотинцы — с полсотни — подняться уже не могли никогда.

Цибулько дал последнюю долгую очередь по бегущим и выщелочил из них еще семерых врагов, и по ним еще били с флангов.

Краснофлотцы возвратились на свою позицию в дорожной насыпи, уже обжитую и привычную, как дом. Они возвратились утомленные, как после трудной работы, и тотчас задремали, пользуясь наступившей тишиной в воздухе и на земле. На посту остался один Фильченко.

Через полчаса над полынным полем и над шоссейной дорогой низко пронеслись немецкие штурмовики. Они одновременно обстреливали землю из пулеметов и бомбили ее, и без того всю израненную. Дремавшие в окопе моряки не поднялись; бодрствующий Фильченко не стал их будить: день еще долго будет идти, и бой еще будет, пусть они отдыхают пока.

После ухода самолетов опять настала тишина. И в тишине кто-то окликнул Фильченко по имени.

Вдоль насыпи бежал корабельный кок Рубцов. Он с усилием нес в правой руке большой сосуд, окрашенный в невзрачный цвет войны; это был полевой английский термос.

— А я пищу доставил! — кротко и тактично произнес кок.— Разрешите угостить бойцов, товарищ политрук!

— Разрешаю,— значительным голосом сказал Фильченко.

— Благодарю вас,— поклонился кок.— Где прикажете накрыть стол под горячий, огненный шашлык? Мясо — вашей заготовки!

— Когда же ты успел шашлык сготовить? — удивился Фильченко.

— А я умелой рукой действовал, товарищ политрук, и успел! — объяснил кок.— Вы же тут поспеваете овец заготовлять, о вас уж половина фронта все знает. Сколько вы овец подшибли, и то люди знают, ну — точно!

— Да откуда же это люди знают, когда мы сами того не знаем! — засмеялся Фильченко.

— А на фронте ж, как в деревне на улице: чего не нужно — так все враз знают, а что надо — так, гляди, и забыли! — сказал кок.

Рубцов нашел ровное место возле самой насыпи, расстелил чистую скатерть, разложил на ней приборы, поставил тарелки — все находилось в особом ящике при термосе,— а затем вынул из термоса алюминиевый сосуд, парующий и благоухающий мясом.

Краснофлотцы, дремавшие во время воздушной бомбежки, теперь проснулись и вышли из окопа наружу, на мясной запах.

— Это ты что за кафе такое на войне устроил? — строго сказал Фильченко.

— Кафе на фронте полезно, товарищ политрук,— объяснил кок Рубцов,— оно победе не помешает, нисколько, нет! Вот гроб — это лишнее, его я не захватил. А кафе — это великое дело, товарищ политрук: это мирное время на память бойцам!

Моряки внимательно рассматривали полевое кафе Рубцова, потом одновременно поглядели на кока и захохотали во все свои молодые, отдышавшиеся глотки.

— Бегаешь ты вот тут по переднему краю, шлепнут тебя, кок, по посуде на голове! — предупредил Паршин Рубцова.

— Нет, я чуткий, я буду живой,— отверг кок такое предположение.— А я ж для вас стараюсь, чтоб тело ваше питать!

— Врешь! — сказал Цибулько.— Не бреши!

— Так я брешу, Вася, малость,— сознался кок.— Ну, я тоже хочу немножко себе на грудь чего-нибудь схватить!

— Чего тебе надо на грудь схватить? — прохрипел Красносельский.

— Ну, так,— сказал кок,— пусть орден, пусть будет медаль: я бойцов под огнем кормлю, а чем кок хуже сестры?

— Вот кок-то мировой! — сказал Одинцов.— Он и герой, он и карьерист, можно медаль ему дать, а можно и плюху! Он имеет право на две вещи сразу!

— Жрать давай! — не утерпел Цибулько.

— Пожалуйста,— пригласил кок,— у вас же во рту все время слова были, шашлыку места нету!

Подразделение Фильченко целиком уселось на траву за скатерть, а коку велено было стать на пост и глядеть вперед — следить за врагом.

Покушав, моряки решили, что кок Рубцов «может». Это слово

означало на их дружеском языке высшую оценку какого-либо действия; сейчас они оценили таким способом шашлычную работу кока.

— Кок, ты можешь! — крикнул Рубцову Паршин.

— Знаю. Я же работник творческий! — равнодушно отозвался кок.

— Этот кок далеко пойдет,— сказал Одинцов,— у него и талант и нахальство есть.

После обеда моряки выстроились. Фильченко скомандовал:

— Смирно! Равнение на кока!

Это было воинским выражением благодарности за шашлык, и кок ушел в тыл, вполне довольный своим героическим мероприятием по накормлению бойцов.

Моряки остались одни. Время было уже за полдень. Фильченко поставил часовым Одинцова, а остальным своим людям велел отдыхать. Бойцы легли по откосу снаружи, чтобы погреться немного на весеннем солнце.

— Фу-ты, черт, я пить захотел! — обиделся Паршин на свою привычку пить после пищи.— Хорошо в бою: ничего не хочешь! А как только мирно живешь, так все время тебе чего-нибудь хочется: то кушать, то пить, то спать, то тебе скучно, то...

И Паршин подробно перечислил, что требуется мирно живущему человеку; такому человеку и жить некогда, потому что ему постоянно надо удовлетворять свои потребности. А живет, оказывается, счастливой и свободной жизнью лишь боец, когда он находится в смертном сражении,— тогда ему не надо ни пить, ни есть, а надо лишь быть живым, и с него достаточно этого одного счастья.

— Вижу танки! — сказал Одинцов с насыпи.

— По местам! — приказал Фильченко.— Принять танки огнем!

Он вышел на позицию и стал терпеливо считать танки, выходившие из-за высоты. Их оказалось пятнадцать: по три машины на душу бойца, а прежде было по полторы; стало быть, немцы удвоили порцию. И тотчас же началась скорая артиллерийская стрельба; немцы били сейчас беглым огнем, отвлекая внимание русских, чтобы занять их силы на широком фронте и внезапно прорвать оборону в одном месте, вонзившись туда танками.

— Уважают нас,— сказал Цибулько, сосчитав машины.— Ишь сколько выставляют против меня одного: пятнадцать, деленное на пять и помноженное на тысячу лошадиных сил! Я доволен!

Одинцов задумался. Приближающийся грохот бегущих танков, артиллерийский огонь, беспокойная, шумная и какая-то нарочитая настойчивость врага — все это словно несерьезно, все это хотя и опасно, но похоже на действие человека, который нападает от испуга, стараясь спастись от гибели посредством злости и суеты.

Мощные танки шли напрямую; возможно, что немцы хотели теперь выйти на Дуванкойское шоссе и по шоссе рвануться сразу на Севастополь — так оно было бы более парадно.

Цибулько вслушался сквозь скрежет гусениц и дребезг стальных кузовов в частое мелодичное дыхание дизель-моторов и произнес самому себе: «Эх, и все это против меня! Здравствуйте, инженер Рудольф Дизель! Я на вас не обижаюсь, я уважаю вас за великое изобретение двигателя, я — Цибулько, простой краснофлотец, но великий человек!»

Фильченко сказал, обратившись ко всем:

— Товарищи!

Хотя он говорил тихо, а на земле сейчас было шумно, однако все слышали его.

— Товарищи! Я хочу сказать вам, что нам будет трудно. Я хочу сказать, что мы отойти не можем, мы будем биться здесь до самых своих костей...

— И костями можно биться,— произнес Паршин.— Рванул из скелета — и бей. Комиссар товарищ Поликарпов хотел бы биться своей оторванной рукой!..

— Товарищи! — говорил Фильченко.— Я говорю вам — друзья, у меня такое же сейчас чувство на сердце, как у вас, поэтому вы меня понимаете ясно. Приказываю вам стоять на этой земле и не умирать, чтобы драться долго, пока мы не поломаем здесь машины и кости врага!

Цибулько подошел к Фильченко и поцеловал его. И все, каждый с каждым, поцеловали друг друга и посмотрели на вечную память друг другу в лицо.

С успокоенным, удовлетворенным сердцем осмотрел себя, приготовился к бою и стал на свое место каждый краснофлотец. У них было сейчас мирно и хорошо на душе. Они благословили друг друга на самое великое, неизвестное и страшное в жизни, на то, что разрушает и что создает ее,— на смерть и победу, и страх их оставил, потому что совесть перед товарищем, который обречен той же участи, превозмогал страх. Тело их наполнилось силой, они почувствовали себя способными к большому труду, и они поняли, что родились на свет не для того, чтобы истратить, уничтожить свою жизнь в пустом наслаждении ею, но для того, чтобы отдать ее обратно правде, земле и народу,— отдать больше, чем они получили от рождения, чтобы увеличился смысл существования людей. Если же они не сумеют сейчас превозмочь врага, если они погибнут, не победив его, то на свете ничто не изменится после них, и участью народа, участью человечества будет смерть. Они смотрели на танки, идущие на них, и желали, чтобы машины шли скорее: лишь смертная битва могла их теперь удовлетворить.

На фланги подразделения Фильченко вышли из-за танков автоматчики; их приняли огнем моряки и краснофлотцы Фильченко и та полурота, которую привел комиссар Лукьянов. Значит, у флангов Фильченко была своя забота, на помощь их рассчитывать было нельзя. Да и фланги Фильченко, справа и слева, имели всего по тридцать бойцов, а противник давил на каждый фланг силою в полбатальона.

Там, на флангах, разгорался частый стрелковый бой, но в центре, на линии хода танков, Фильченко велел прекратить стрельбу, чтобы не обнаруживать своих слабых сил.

Битву моряков с танками должен начать Василий Цибулько. Фильченко приказал ему выждать, дав машинам приближение метров на сто.

На подходе ведущий танк рванул вперед прыжком, и все танки за ним резко увеличили свою скорость.

И тогда Цибулько начал битву; он давно уже насторожил пулемет и следил прицелом за движением танка; теперь он пустил пулемет в работу. Привычная рука и чуткое сердце Цибулько действовали точно: первая же очередь пуль ушла в щель головного танка, машину занесло в сторону, и она стала со всего хода в руках своего мертвого водителя. Но второй танк с отважной яростью влетел на шоссейную насыпь, наехав почти в упор на подразделение Фильченко. Мгновенно, опережая свою мысль, Цибулько привстал, приноровился всем телом и швырнул связку гранат под этот танк.

Цибулько забыл о себе и товарищах, и вся группа бойцов была оглушена близким взрывом и сбита с ног воздушной волной. Танк замер на месте, затем медленно от собственного веса сполз юзом по противоположному откосу, на котором еще оставалась на весу половина его туловища. Поднявшись, Цибулько ударил своей левой рукой о камень, чтобы из руки вышла боль, но боль не прошла, и она мучила бойца; из разорванных мускулов шла густая сильная кровь и выходила наружу по кости руки; лучше всего было бы оторвать совсем руку, чтоб она не мешала, но нечем было это сделать и некогда тем заниматься.

Два танка сразу появились на шоссе. Цибулько забыл о раненой руке и заставил ее действовать как здоровую. Он снова припал к пулемету и бил из него в упор по машинам, норовя поразить их в служебные скважины брони. Но пулемет затих, питать его больше стало нечем, прошла последняя лента. Тогда Цибулько, не давая жизни машинам, бросился в рост на ближний танк и швырнул под его гусеницу, евшую землю на ходу, связку гранат. Раздался жесткий, клокочущий взрыв — огонь стал рвать сталь, и разрушенный танк умолк навечно.

Цибулько не слышал пулеметной стрельбы из этого танка; однако теперь он почувствовал, что в теле его поселились словно мелкие посторонние существа, грызущие его изнутри: они были в животе, в груди, в горле. Он понял, что весь изранен, он чувствовал, как тает, исходит его жизнь и пусто и прохладно становится в его сердце, он лег на комья земли и сжался, как спал в детстве у матери под одеялом, чтобы согреться.

Иван Красносельский не дал другому танку хода на Севастополь: он выбежал к нему наперерез и бросил в него раз за разом три бутылки с жидкостью. Танк занялся пламенем и, пройдя еще немного, остановился догорать. Красносельский обернулся к товарищам; еще четыре танка вырвались и били, устрашая, с ходу из пушек и пулеметов. Одинцов и Паршин лежа ползли в мертвой зоне обстрела. Паршин метнул с земли бутылку в танк, горючая жидкость влипла в броню и занялась огнем. Снаряд с воем пронесся мимо головы Красносельского; боец ожесточился, что его может убить фашист, и закричал на машину страшным голосом, забыв, что ему внимать там не будут, потом резко и точно запустил бутылку в смертоносное тело машины и обрадовался пламени пожара. У Красносельского осталась еще одна бутылка со смесью; он бросился в яму, потому что свежий танк, обойдя горящий, шел на человека. Сейчас Красносельский узнал чувство хозяйственного удовлетворения: он уже уничтожил две машины, можно уничтожить еще одну, от этого все-таки убудет смерть на свете и жить людям станет легче; уничтожая врага, Красносельский словно накоплял добро, и он понимал пользу своего труда.

Полосуя огнем пространство, танк мчался вперед — низкий, упорный и мощный.

— Стой, стервец! — крикнул Красносельский и вонзил в гремящую сталь жалкую бутылку.

Машину обдало огнем; верхний люк танка откинулся, и оттуда показалось смутное лицо врага. Красносельский вскинул винтовку, но враг опередил его скорострельным пистолетом, и Иван Красносельский пал на землю с сердцем, разбитым свинцом. Умирая, он глядел в небо, он жалел, что его невеста останется без него сиротой, потому что никто ее так не будет любить, как он любил; и он закрыл глаза, полные слез, и больше они не открылись у него.

Паршин ударил бутылкой в следующий цельный танк, бросившийся по шоссе прямым ходом на Севастополь. Но пламя слабо принялось на машине, и танк продолжал ход, сбивая с себя скоростью дым и огонь. Тогда Паршин побежал вслед танку с гранатой, но Фильченко и Одинцов перехватили этот танк прежде Паршина: они рванули его гранатами по ходовому механизму, так что из него брызнул металл, и машина, поворочавшись на месте, омертвела. Однако Паршин уже не мог справиться с собой и добавочно дал жару машине, метнув в нее бутылку, чтобы смерть врага была вернее.

На шоссе горели танки, но новые, свежие машины, изменив курс, мчались по полынному полю и стремились выйти на поворот шоссе, минуя горящие и омертвелые танки. Остерегаясь огня врага, бившего сейчас картечью из подходивших танков, Фильченко, Одинцов и Паршин прыгнули в ближний окоп и прошли по нему в блиндаж.

В сумраке укрытия Фильченко внимательно оглядел своих товарищей, не ранены ли они и не тронуты ли робостью их души. Одинцов и Паршин часто дышали, лица их покрылись гарью и земляной грязью, но в глазах их был свет силы и неутоленное ожесточение боем.

— Что, Юра? — спросил Фильченко у Паршина.

— Ничего! — хрипло сказал Паршин.— Давай их остановим всех — не страшно, я видел смерть, я привык к ней!

Паршин в волнении, не зная, что ему делать и как остановить себя, погладил почерневшей ладонью земляную стену блиндажа.

— Давай их крошить, командир! А то я один пойду!.. Я никогда не любил народ так, как сейчас, потому что они его убивают. До чего они нас довели — я зверем стал!.. Сыпь мне в рот порох из патронов — я пузом их взорву!

— Ты сам знаешь, патронов больше нет,— произнес Фильченко и снял с себя винтовку.

Одинцов дрожал от горя и ярости.

— Пошли на смерть! Лучше ее теперь нет жизни! — пробормотал он тихо.

Враг гремел близко. Фильченко молча и надежно подвязал себе к поясу одну гранату, а две гранаты оставил товарищам; кроме этих последних трех гранат, больше у них не было никаких припасов на врага. Поэтому теперь нельзя было промахнуться или ударить слабо, теперь нужно бить точно и насмерть с первого раза.

Фильченко ничего не приказал товарищам. Он вышел из блиндажа и исчез в громе пушечной стрельбы с набегающих танков и в скрежете их механизмов, гнетущих подорожные камни. Он подполз к повороту шоссе и замер на время в ожидании.

Одинцов и Паршин, подобно Фильченко, подвязали к поясам по гранате и вышли на огонь навстречу машинам противника. Они увидели Фильченко, залегшего у поворота дороги, куда должны выйти танки в обход подбитых машин, и притаились во вмятине земли. Они понимали, что теперь им важнее всего пробыть живыми еще хоть несколько минут, и берегли себя пугливо и осторожно.

Фильченко тоже волновался; он тревожился, что ошибся в расчете — и танки не выйдут на шоссе, а пойдут по обочине с той стороны. И пока он перебежит через шоссе и доберется до машины, его рассекут из пулемета, и он умрет, как глупая кроткая тварь, на потеху врагу. Он томился, вслушиваясь в приближающийся ход машин по ту сторону дорожной насыпи, и боялся, что это последнее счастье минует его. Стреляли теперь с машин реже, и только из пушек, направляя огонь по тому рубежу обороны, который находился ближе к Севастополю, позади моряков. На флангах, в удалении все время слышалась стрельба из винтовок и автоматов,— там небольшие подразделения черноморцев сдерживали въедающихся вперед немцев.

Передний танк перевалил через шоссе еще прежде поворота и начал сходить по насыпи на ту сторону, где находился Фильченко. Командир машины, видимо, хотел идти на прорыв рубежа обороны по полевой целине.

Мощная тяжелая машина сбавила ход и теперь осторожно сверзалась с откоса земли; водитель, должно быть, не желал гнать ее как попало и снашивать ее дорогое устройство. Жалкие живые былинки, росшие по откосу, погибшая овца и чьи-то давно иссохшие кости равно вдавливались ребрами танковых гусениц в терпеливый прах земли.

Фильченко приподнял голову. Настала его пора поразить этот танк и умереть самому. Сердце его стеснилось в тоске по привычной жизни. Но танк уже сполз с насыпи, и Фильченко близко от себя увидел живое жаркое тело сокрушающего мучителя, и так мало нужно было сделать, чтобы его не было, чтобы смести с лица земли в смерть это унылое железо, давящее души и кости людей. Здесь одним движением можно было решить, чему быть на земле — смыслу и счастью жизни или вечному отчаянию, разлуке и погибели.

И тогда в своей свободной силе и в яростном восторге дрогнуло сердце Николая Фильченко. Перед ним, возле него было его счастье и его высшая жизнь, и он ее сейчас жадно и страстно переживает, припав к земле в слезах радости, потому что сама гнетущая смерть сейчас остановится на его теле и падет в бессилии на землю по воле одного его сердца. И с него, быть может, начнется освобождение мирного человечества, чувство к которому в нем рождено любовью матери, Лениным и Советской Родиной. Перед ним была его жизненная простая судьба, и Николаю Фильченко было хорошо, что она столь легко ложится на его душу, согласную умереть и требующую смерти как жизни.

Он поднялся в рост, сбросил бушлат и в одно мгновение очутился перед бегущими сверху на него жесткими ребрами гусеницы танка, дышавшего в одинокого человека жаром напряженного мотора. Фильченко прицелился сразу всем своим телом, привыкшим слушаться его, и бросил себя в полынную траву под жующую гусеницу, поперек ее хода. Он прицелился точно — так, чтобы граната, привязанная у его живота, пришлась посредине ширины ходового звена гусеницы, и приник лицом к земле с последним вздохом любви и ненависти.

Паршин и Одинцов видели, что́ сделал Фильченко, они видели, как остановился на костях политрука потрясенный взрывом танк. Паршин взял в рот горсть земли и сжевал ее, не помня себя.

— Коля умер,— сказал Одинцов.— Нам тоже пора.

Пять свежих танков появились на шоссе и стали медленно спускаться по откосу, обходя подорванную машину.

Двое моряков поднялись.

— Данил! — тихо произнес Паршин.

— Юра! — ответил ему Одинцов.

Они словно брали к себе в сердце друг друга, чтобы не забыть и не разлучиться в смерти.

— Эх, вечная нам память! — сказал, успокаиваясь и веселея, Паршин.

Они побежали на танки, сделав полукруг, чтобы встретить их грудь в грудь. Но Одинцов упал к земле прежде, чем успел встретить машину вплотную, потому что пулеметчик с танка почти в упор начал сечь свинцом грудь краснофлотца. Одинцов, умирая, силой одного своего еще бьющегося сердца, напряг разбитое тело и пополз навстречу танку — и гусеница раздробила его вместе с гранатой, превратив человека в огонь и свет взрыва.

Паршин, подбежав к другому танку, ухватился за служебный поручень и успел прокатиться немного на чужой машине, а затем, услышав взрыв на теле Одинцова, оставил поручень и отбежал от танка вперед по его ходу. Там Паршин сбросил бушлат и обнажил на себе живот с гранатой, чтобы враги видели того, кто идет против них. А затем, подождав, когда танк приблизился к нему, свободно и расчетливо лег под гусеницу.

Остальные, еще целые танки приостановились на шоссе и на сходах с него. Потом они заработали своими гусеницами одна навстречу другой и пошли обратно — через полынное поле, в свое убежище за высотой. Они могли биться с любым, даже самым страшным, противником. Но боя со всемогущими людьми, взрывающими самих себя, чтобы погубить своего врага, они принять не умели. Этого они одолеть не умели, а быть побежденными им тоже не хотелось.

И вот все кончилось. Немецкие автоматчики, обходившие с флангов место боя танков с моряками, утихли еще раньше: одни были перебиты, а оставшиеся жить окопались.

На месте боя подразделения, которым командовал политрук Фильченко, остались видимыми лишь мертвые танки и один живой человек. Живым остался один Василий Цибулько; он понимал, что скоро умрет, но пока еще был живым. Он выполз на бровку шоссе, в стороне от места боя танков со своими товарищами, и видел почти все, что было там совершено.

Теперь он увидел, как с рубежа обороны подходила к шоссе рассыпным строем наша воинская часть. От кровотечения и слабости Цибулько то видел все ясно, то перед ним померкал свет, и он забывался.

Очнувшись, Цибулько рассмотрел возле себя людей и узнал среди них комиссара Лукьянова. Люди перевязали Цибулько, потом подняли на руки и понесли его к Севастополю. Ему стало хорошо на руках бойцов, и он, как мог, начал рассказывать им и Лукьянову, тоже несшему его, что́ видел сегодня. Но всего рассказать он не успел, потому что умолк и умер.

ВОЗВРАЩЕНИЕ

Алексей Алексеевич Иванов, гвардии капитан, убывал из армии по демобилизации. В части, где он прослужил всю войну, Иванова проводили, как и быть должно, с сожалением, с любовью, уважением, с музыкой и вином. Близкие друзья и товарищи поехали с Ивановым на железнодорожную станцию и, попрощавшись там окончательно, оставили Иванова одного. Поезд, однако, опоздал на долгие часы, а затем, когда эти часы истекли, опоздал еще дополнительно. Наступала уже холодная осенняя ночь; вокзал был разрушен в войну, ночевать было негде, и Иванов вернулся на попутной машине обратно в часть. На другой день сослуживцы Иванова снова его провожали; они опять пели песни и обнимались с убывающим в знак вечной дружбы с ним, но чувства свои они затрачивали уже более сокращенно, и дело происходило в узком кругу друзей.

Затем Иванов вторично уехал на вокзал; на вокзале он узнал, что вчерашний поезд все еще не прибыл, и поэтому Иванов мог бы, в сущности, снова вернуться в часть на ночлег. Но неудобно было в третий раз переживать проводы, беспокоить товарищей, и Иванов остался скучать на пустынном асфальте перрона.

Возле выходной стрелки станции стояла уцелевшая будка стрелочного поста. На скамейке у той будки сидела женщина в ватнике и теплом платке; она и вчера там сидела при своих вещах, и теперь сидит, ожидая поезда. Уезжая вчера ночевать в часть, Иванов подумал было: не пригласить ли и эту одинокую женщину, пусть она тоже переночует у медсестер в теплой избе, зачем ей мерзнуть всю ночь, неизвестно — сможет ли она обогреться в будке стрелочника. Но пока он думал, попутная машина тронулась, и Иванов забыл об этой женщине.

Теперь та женщина по-прежнему неподвижно находилась на вчерашнем месте. Это постоянство и терпение означали верность и неизменность женского сердца,— по крайней мере, в отношении вещей и своего дома, куда эта женщина, вероятно, возвращалась. Иванов подошел к ней: может быть, ей тоже не так будет скучно с ним, как одной.

Женщина обернулась лицом к Иванову, и он узнал ее. Это была девушка, ее звали «Маша — дочь пространщика», потому что так она себя когда-то назвала, будучи действительно дочерью служащего в бане, пространщика. Иванов изредка за время войны встречал ее, наведываясь в один БАО, где эта Маша, дочь пространщика, служила в столовой помощником повара по вольному найму.

В окружающей их осенней природе было уныло и грустно в этот час. Поезд, который должен увезти отсюда домой и Машу и Иванова, находился неизвестно где в сером пространстве. Единственное, что могло утешить и развлечь сердце человека, было сердце другого человека.

Иванов разговорился с Машей, и ему стало хорошо. Маша была миловидна, проста душою и добра своими большими рабочими руками и здоровым, молодым телом. Она тоже возвращалась домой и думала, как она будет жить теперь новой гражданской жизнью; она привыкла к своим военным подругам, привыкла к летчикам, которые любили ее, как старшую сестру, дарили ей шоколад и называли «просторной Машей» за ее большой рост и сердце, вмещающее, как у истинной сестры, всех братьев в одну любовь и никого в отдельности. А теперь Маше непривычно, странно и даже боязно было ехать домой к родственникам, от которых она уже отвыкла.

Иванов и Маша чувствовали себя сейчас осиротевшими без армии; однако Иванов не мог долго пребывать в уныло-печальном состоянии; ему казалось, что в такие минуты кто-то издали смеется над ним и бывает счастливым вместо него, а он остается лишь нахмуренным простачком. Поэтому Иванов быстро обращался к делу жизни, то есть он находил себе какое-либо занятие или утешение либо, как он сам выражался, простую подручную радость,— и тем выходил из своего уныния.

Он придвинулся к Маше и попросил, чтобы она по-товарищески позволила ему поцеловать ее в щеку.

— Я чуть-чуть,— сказал Иванов,— а то поезд опаздывает, скучно его ожидать.

— Только поэтому, что поезд опаздывает? — спросила Маша и внимательно посмотрела в лицо Иванова.

Бывшему капитану было на вид лет тридцать пять; кожа на лице его, обдутая ветрами и загоревшая на солнце, имела коричневый цвет; серые глаза Иванова глядели на Машу скромно, даже застенчиво, и говорил он хотя и прямо, но деликатно и любезно. Маше понравился его глухой, хриплый голос пожилого человека, его темное грубое лицо и выражение силы и беззащитности на нем. Иванов погасил огонь в трубке большим пальцем, нечувствительным к тлеющему жару, и вздохнул в ожидании разрешения. Маша отодвинулась от Иванова. От него сильно пахло табаком, сухим поджаренным хлебом, немного вином,— теми чистыми веществами, которые произошли из огня или сами могут родить огонь. Похоже было, что Иванов только и питался табаком, сухарями, пивом и вином.

Иванов повторил свою просьбу.

— Я осторожно, я поверхностно, Маша... Вообразите, что я вам дядя.

— Я вообразила уже... Я вообразила, что вы мне папа, а не дядя.

— Вон как... Так вы позволите...

— Отцы у дочерей не спрашивают,— засмеялась Маша.

Позже Иванов признавался себе, что волосы Маши пахнут, как осенние павшие листья в лесу, и он не мог их никогда забыть... Отошедши от железнодорожного пути, Иванов разжег небольшой костер, чтобы приготовить яичницу на ужин для Маши и для себя.

Ночью пришел поезд и увез Иванова и Машу в их сторону, на родину. Двое суток они ехали вместе, а на третьи сутки Маша доехала до города, где она родилась двадцать лет тому назад. Маша собрала свои вещи в вагоне и попросила Иванова поудобнее заправить ей на спину мешок, но Иванов взял ее мешок себе на плечи и вышел вслед за Машей из вагона, хотя ему еще оставалось ехать до места более суток.

Маша была удивлена и тронута вниманием Иванова. Она боялась сразу остаться одна в городе, где она родилась и жила, но который стал теперь для нее почти чужбиной. Мать и отец Маши были угнаны отсюда немцами и погибли в неизвестности, а теперь остались у Маши на родине лишь двоюродная сестра и две тетки, и к ним Маша не чувствовала сердечной привязанности.

Иванов оформил у железнодорожного коменданта остановку в городе и остался с Машей. В сущности, ему нужно было бы скорее ехать домой, где его ожидала жена и двое детей, которых он не видел четыре года. Однако Иванов откладывал радостный и тревожный час свидания с семьей. Он сам не знал, почему так делал,— может быть, потому, что хотел погулять еще немного на воле.

Маша не знала семейного положения Иванова и по девичьей застенчивости не спросила его о нем. Она доверилась Иванову по доброте сердца, не думая более ни о чем.

Через два дня Иванов уезжал далее, к родному месту. Маша провожала его на вокзале. Иванов привычно поцеловал ее и любезно обещал вечно помнить ее образ.

Маша улыбнулась в ответ и сказала:

— Зачем меня помнить вечно? Этого не надо, и вы все равно забудете... Я же ничего не прошу от вас, забудьте меня.

— Дорогая моя Маша! Где вы раньше были, почему я давно-давно не встретил вас?

— Я до войны в десятилетке была, а давно-давно меня совсем не было...

Поезд пришел, и они попрощались. Иванов уехал и не видел, как Маша, оставшись одна, заплакала, потому что никого не могла забыть, ни подруги, ни товарища, с кем хоть однажды сводила ее судьба.

Иванов смотрел через окно вагона на попутные домики городка, который он едва ли когда увидит в своей жизни, и думал, что в таком же подобном домике, но в другом городе живет его жена Люба с детьми Петькой и Настей и они ожидают его; он еще из части послал жене телеграмму, что он без промедления выезжает домой и желает как можно скорее поцеловать ее и детей.

Любовь Васильевна, жена Иванова, три дня подряд выходила ко всем поездам, что прибывали с запада. Она отпрашивалась с работы, не выполняла нормы и по ночам не спала от радости, слушая, как медленно и равнодушно ходит маятник стенных часов. На четвертый день Любовь Васильевна послала на вокзал детей — Петра и Настю, чтобы они встретили отца, если он приедет днем, а к ночному поезду она опять вышла сама.

Иванов приехал на шестой день. Его встретил сын Петр; сейчас Петрушке шел уже двенадцатый год, и отец не сразу узнал своего ребенка в серьезном подростке, который казался старше своего возраста. Отец увидел, что Петр был малорослый и худощавый мальчуган, но зато головастый, лобастый, и лицо у него было спокойное, словно бы уже привычное к житейским заботам, а маленькие карие глаза его глядели на белый свет сумрачно и недовольно, как будто повсюду они видели один непорядок. Одет-обут Петрушка был аккуратно: башмаки на нем были поношенные, но еще годные, штаны и куртка старые, переделанные из отцовской гражданской одежды, но без прорех — где нужно, там заштопано, где потребно, там положена латка, и весь Петрушка походил на маленького, небогатого, но исправного мужичка. Отец удивился и вздохнул.

— Ты отец, что ль? — спросил Петрушка, когда Иванов его обнял и поцеловал, приподнявши к себе.— Знать, отец!

— Отец... Здравствуй, Петр Алексеевич!

— Здравствуй... Чего ехал долго? Мы ждали-ждали.

— Это поезд, Петя, тихо шел... Как мать и Настя: живы-здоровы?

— Нормально,— сказал Петр.— Сколько у тебя орденов?

— Два, Петя, и три медали.

— А мы с матерью думали — у тебя на груди места чистого нету. У матери тоже две медали есть, ей по заслуге выдали... Что ж у тебя мало вещей — одна сумка!

— Мне больше не нужно.

— А у кого сундук, тому воевать тяжело? — спросил сын.

— Тому тяжело,— согласился отец.— С одной сумкой легче. Сундуков там ни у кого не бывает.

— А я думал — бывает. Я бы в сундуке берег свое добро — в сумке сломается и помнется.

Он взял вещевой мешок отца и понес его домой, а отец пошел следом за ним.

Мать встретила их на крыльце дома; она опять отпросилась с работы, словно чувствовало ее сердце, что муж сегодня приедет. С завода она сначала зашла домой, чтобы потом пойти на вокзал. Она боялась — не явился ли домой Семен Евсеевич: он любит заходить иногда днем; у него есть такая привычка — являться среди дня и сидеть вместе с пятилетней Настей и Петрушкой. Правда, Семен Евсеевич никогда пустой не приходит, он всегда принесет что-нибудь для детей — конфет, или сахару, или белую булку, либо ордер на промтовары. Сама Любовь Васильевна ничего плохого от Семена Евсеевича не видела; за все эти два года, что они знали друг друга, Семен Евсеевич был добр к ней, а к детям он относился, как родной отец, и даже внимательнее иного отца. Но сегодня Любовь Васильевна не хотела, чтобы муж увидел Семена Евсеевича; она прибрала кухню и комнату, в доме должно быть чисто и ничего постороннего. А позже, завтра или послезавтра, она сама расскажет мужу всю правду, как она была. К счастью, Семен Евсеевич сегодня не явился.

Иванов приблизился к жене, обнял ее и так стоял с нею, не разлучаясь, чувствуя забытое и знакомое тепло любимого человека.

Маленькая Настя вышла из дома и, посмотрев на отца, которого она не помнила, начала отталкивать его от матери, упершись руками в его ногу, а потом заплакала. Петрушка стоял молча возле отца с матерью, с отцовским мешком за плечами; обождав немного, он сказал:

— Хватит вам, а то Настька плачет, она не понимает.

Отец отошел от матери и взял к себе на руки Настю, плакавшую от страха.

— Настька! — окликнул ее Петрушка.— Опомнись,— кому я говорю! Это отец наш, он нам родня!..

В доме отец умылся и сел за стол. Он вытянул ноги, закрыл глаза и почувствовал тихую радость в сердце и спокойное довольство. Война миновала. Тысячи верст исходили его ноги за эти годы, морщины усталости лежали на его лице, и глаза резала боль под закрытыми веками — они хотели теперь отдыха в сумраке или во тьме.

Пока он сидел, вся его семья хлопотала в горнице и на кухне, готовя праздничное угощение. Иванов рассматривал все предметы дома по порядку — стенные часы, шкаф для посуды, термометр на стене, стулья, цветы на подоконниках, русскую кухонную печь... Долго они жили здесь без него и скучали по нем. Теперь он вернулся и смотрел на них, вновь знакомясь с каждым, как с родственником, жившим без него в тоске и бедности. Он дышал устоявшимся родным запахом дома — тлением дерева, теплом от тела своих детей, гарью на печной загнетке. Этот запах был таким же и прежде, четыре года тому назад, и он не рассеялся и не изменился без него. Нигде более Иванов не ощущал этого запаха, хотя он бывал за войну по разным странам в сотнях жилищ; там пахло иным духом, в котором, однако, не было свойства родного дома. Иванов вспомнил еще запах Маши, как пахли ее волосы; но они пахли лесною листвой, незнакомой заросшей дорогой, не домом, а снова тревожной жизнью. Что она делает сейчас и как устроилась жить по-гражданcки, Маша — дочь про-странщика? Бог с ней...

Иванов видел, что более всех действовал по дому Петрушка. Мало того, что он сам работал, он и матери с Настей давал указания, что надо делать, и что не надо, и как надо делать правильно. Настя покорно слушалась Петрушку и уже не боялась отца, как чужого человека; у нее было живое сосредоточенное лицо ребенка, делающего все в жизни по правде и всерьез, и доброе сердце, потому что она не обижалась на Петрушку.

— Настька, опорожни кружку от картошечной шкурки, мне посуда нужна...

Настя послушно освободила кружку и вымыла ее. Мать меж тем поспешно готовила пирог-скородум, замешенный без дрожжей, чтобы посадить его в печку, в которой Петрушка уже разжег огонь.

— Поворачивайся, мать, поворачивайся живее! — командовал Петрушка.— Ты видишь, у меня печь наготове. Привыкла копаться, стахановка!

— Сейчас, Петруша, я сейчас,— послушно говорила мать.— Я изюму положу, и все, отец ведь давно, наверно, не кушал изюма. Я давно изюм берегу.

— Он ел его,— сказал Петрушка.— Нашему войску изюм тоже дают. Наши бойцы, гляди, какие мордастые ходят, они харчи едят... Настька, чего ты села — в гости, что ль, пришла? Чисть картошку, к обеду жарить будем на сковородке... Одним пирогом семью не укормишь!

Пока мать готовила пирог, Петрушка посадил в печь большим рогачом чугун со щами, чтобы не горел зря огонь, и тут же сделал указание и самому огню в печи:

— Чего горишь по-лохматому — ишь, во все стороны ерзаешь! Гори ровно. Грей под самую еду, даром, что ль, деревья на дрова в лесу росли... А ты, Настька, чего ты щепу как попало в печь насовала, надо уложить ее было, как я тебя учил. И картошку опять ты чистишь по-толстому, а надо чистить тонко — зачем ты мясо с картошки стругаешь: от этого у нас питание пропадает... Я тебе сколько раз про то говорил, теперь последний раз говорю, а потом по затылку получишь!

— Чего ты, Петруша, Настю-то все теребишь,— кротко произнесла мать.— Чего она тебе? Разве сноровится она столько картошек очистить и чтоб тебе тонко было, как у парикмахера, нигде мяса не задеть... К нам отец приехал, а ты все серчаешь!

— Я не серчаю, я по делу... Отца кормить надо, он с войны пришел, а вы добро портите... У нас в кожуре от картошек за целый год сколько пищи-то пропало?.. Если б свиноматка у нас была, можно б ее за год одной кожурой откормить и на выставку послать, а на выставке нам медаль бы дали... Видали, что было бы, а вы не понимаете!

Иванов не знал, что у него вырос такой сын, и теперь сидел и удивлялся его разуму. Но ему больше нравилась маленькая крот-

514

кая Настя, тоже хлопочущая своими ручками по хозяйству, и ручки ее уже были привычные и умелые. Значит, они давно приучены работать по дому.

— Люба,— спросил Иванов жену,— ты что же мне ничего не говоришь — как ты это время жила без меня, как твое здоровье и что на работе ты делаешь?..

Любовь Васильевна теперь стеснялась мужа, как невеста: она отвыкла от него. Она даже краснела, когда муж обращался к ней, и лицо ее, как в юности, принимало застенчивое, испуганное выражение, которое столь нравилось Иванову.

— Ничего, Алеша... Мы ничего жили. Дети болели мало, я растила их... Плохо, что я дома с ними только ночью бываю. Я на кирпичном заводе работаю, на прессу, ходить туда далеко...

— Где работаешь? — не понял Иванов.

— На кирпичном заводе, на прессу. Квалификации ведь у меня не было, сначала я во дворе разнорабочей была, а потом меня обучили и на пресс поставили. Работать хорошо, только дети одни и одни... Видишь — какие выросли. Сами всё умеют делать, как взрослые стали,— тихо произнесла Любовь Васильевна.— К хорошему ли это, Алеша, сама не знаю...

— Там видно будет, Люба... Теперь мы все вместе будем жить, потом разберемся — что хорошо, что плохо...

— При тебе все лучше будет, а то я одна не знаю — что правильно, а что нехорошо, и я боялась. Ты сам теперь думай, как детей нам растить...

Иванов встал и прошелся по горнице.

— Так, значит, в общем ничего, говоришь, настроение здесь было у вас?

— Ничего, Алеша, все уже прошло, мы протерпели. Только по тебе мы сильно скучали, и страшно было, что ты никогда к нам не приедешь, что ты погибнешь там, как другие...

Она заплакала над пирогом, уже положенным в железную форму, и слезы ее закапали в тесто. Она только что смазала поверхность пирога жидким яйцом и еще водила ладонью руки по тесту, продолжая теперь смазывать праздничный пирог слезами.

Настя обхватила ногу матери руками, прижалась лицом к ее юбке и исподлобья сурово посмотрела на отца.

Отец склонился к ней.

— Ты чего?.. Настенька, ты чего? Ты обиделась на меня? Он поднял ее к себе на руки и погладил ей головку.

— Чего ты, дочка? Ты совсем забыла меня, ты маленькая была, когда я ушел на войну...

Настя положила голову на отцовское плечо и тоже заплакала.

— Ты что, Настенька моя?

— А мама плачет, и я буду.

Петрушка, стоявший в недоумении возле печной загнетки, был недоволен.

— Чего вы все?.. Настроеньем заболели, а в печке жар прогорает. Сызнова, что ль, топить будем, а кто ордер на дрова нам новый даст! По старому-то все получили и сожгли, чуть-чуть в сарае осталось — поленьев десять, и то одна осина... Давай, мать, тесто, пока дух горячий не остыл.

Петрушка вынул из печи большой чугун со щами и разгреб жар на поду, а Любовь Васильевна торопливо, словно стараясь поскорее угодить Петрушке, посадила в печь две формы пирогов, забыв смазать жидким яйцом второй пирог.

Странен и еще не совсем понятен был Иванову родной дом. Жена была прежняя — с милым, застенчивым, хотя уже сильно утомленным лицом, и дети были те самые, что родились от него, только выросшие за время войны, как оно и быть должно. Но что-то мешало Иванову чувствовать радость своего возвращения всем сердцем,— вероятно, он слишком отвык от домашней жизни и не мог сразу понять даже самых близких, родных людей. Он смотрел на Петрушку, на своего выросшего первенца сына, слушал, как он дает команду и наставления матери и маленькой сестре, наблюдал его серьезное, озабоченное лицо и со стыдом признавался себе, что его отцовское чувство к этому мальчугану, влечение к нему как к сыну, недостаточно. Иванову было еще более стыдно своего равнодушия к Петрушке от сознания того, что Петрушка нуждался в любви и заботе сильнее других, потому что на него жалко сейчас смотреть. Иванов не знал в точности той жизни, которой жила без него его семья, и он не мог еще ясно понять, почему у Петрушки сложился такой характер.

За столом, сидя в кругу семьи, Иванов понял свой долг. Ему надо как можно скорее приниматься за дело, то есть поступать на работу, чтобы зарабатывать деньги, и помочь жене правильно воспитывать детей,— тогда постепенно все пойдет к лучшему, и Петрушка будет бегать с ребятами, сидеть за книжкой, а не командовать с рогачом у печки.

Петрушка за столом съел меньше всех, но подобрал все крошки за собою и высыпал их себе в рот.

— Что ж ты, Петр,— обратился к нему отец,— крошки ешь, а свой кусок пирога не доел... Ешь! Мать тебе еще потом отрежет.

— Поесть все можно,— нахмурившись, произнес Петрушка,— а мне хватит.

— Он боится, что если он начнет есть помногу, то Настя тоже, глядя на него, будет много есть,— простосердечно сказала Любовь Васильевна,— а ему жалко.

— А вам ничего не жалко,— равнодушно сказал Петрушка.— А я хочу, чтоб вам больше досталось.

Отец и мать поглядели друг на друга и содрогнулись от слов сына.

— А ты что плохо кушаешь? — спросил отец у маленькой Насти.— Ты на Петра, что ль, глядишь?.. Ешь как следует, а то так и останешься маленькой...

— Я выросла большая,— сказала Настя.

Она съела маленький кусок пирога, а другой кусок, что был побольше, отодвинула от себя и накрыла его салфеткой.

— Ты зачем так делаешь? — спросила ее мать.— Хочешь, я тебе маслом пирог помажу?

— Не хочу, я сытая стала...

— Ну, ешь так... Зачем пирог отодвинула?

— А дядя Семен придет. Это я ему оставила. Пирог не ваш, я сама его не ела. Я его под подушку положу, а то остынет...

Настя сошла со стула и отнесла кусок пирога, обернутый салфеткой, на кровать и положила его там под подушку.

Мать вспомнила, что она тоже накрывала готовый пирог подушками, когда пекла его Первого мая, чтобы пирог не остыл к приходу Семена Евсеевича.

— А кто этот дядя Семен? — спросил Иванов жену.

Любовь Васильевна не знала, что сказать, и сказала:

— Не знаю, кто такой... Ходит к детям один, его жену и его детей немцы убили, он к нашим детям привык и ходит играть с ними.

— Как играть? — удивился Иванов.— Во что же они играют здесь у тебя? Сколько ему лет?

Петрушка проворно посмотрел на мать и на отца; мать в ответ отцу ничего не сказала, только глядела на Настю грустными глазами, а отец по-недоброму улыбнулся, встал со стула и закурил папиросу.

— Где же игрушки, в которые этот дядя Семен с вами играет? — спросил затем отец у Петрушки.

Настя сошла со стула, влезла на другой стул у комода, достала с комода книжки и принесла их отцу.

— Они книжки-игрушки,— сказала Настя отцу,— дядя Семен мне вслух их читает: вот какой забавный Мишка, он игрушка, он и книжка...

Иванов взял в руки книжки-игрушки, что подала ему дочь: про медведя Мишку, про пушку-игрушку, про домик, где бабушка Домна живет и лен со внучкой прядет...

Петрушка вспомнил, что пора уже вьюшку в печной трубе закрывать, а то тепло из дома выйдет.

Закрыв вьюшку, он сказал отцу:

— Он старей тебя — Семен Евсеич!.. Он нам пользу приносит, пусть живет...

Глянув на всякий случай в окно, Петрушка заметил, что там на небе плывут не те облака, которые должны плыть в сентябре.

— Чтой-то облака,— проговорил Петрушка,— свинцовые плывут — из них, должно быть, снег пойдет! Иль наутро зима спозаранку станет? Ведь что ж тогда нам делать-то: картошка вся в поле, заготовки в хозяйстве нету... Ишь положение какое!..

Иванов глядел на своего сына, слушал его слова и чувствовал

свою робость перед ним. Он хотел было спросить у жены более точно, кто же такой Семен Евсеевич, что ходит уже два года в его семейство, и к кому он ходит — к Насте или к его миловидной жене,— но Петрушка отвлек Любовь Васильевну хозяйственными делами:

— Давай мне, мать, хлебные карточки на завтра и талоны на прикрепление. И еще талоны на керосин давай — завтра последний день, и уголь древесный надо взять, а ты мешок потеряла, а там отпускают в нашу тару, ищи теперь мешок, где хочешь, иль из тряпок новый шей, нам жить без мешка нельзя. А Настька пускай завтра к нам во двор за водой никого не пускает, а то много воды из колодца черпают: зима вот придет, вода тогда ниже опустится, и у нас веревки не хватит бадью опускать, а снег жевать не будешь, а растапливать его — дрова тоже нужны.

Говоря свои слова, Петрушка одновременно заметал возле печки и складывал в порядок кухонную утварь. Потом он вынул из печи чугун со щами.

— Закусили немножко пирогом, теперь щи мясные, с хлебом будем есть,— указал всем Петрушка.— А тебе, отец, завтра с утра надо бы в райсовет и военкомат сходить, станешь сразу на учет — скорей карточки на тебя получим.

— Я схожу,— покорно согласился отец.

— Сходи, не позабудь, а то утром проспишь и забудешь.

— Нет, я не забуду,— пообещал отец.

Свой первый общий обед после войны, щи и мясо, семья съела в молчании, даже Петрушка сидел спокойно, точно отец с матерью и дети боялись нарушить нечаянным словом тихое счастье вместе сидящей семьи.

Потом Иванов спросил у жены:

— Как у вас, Люба, с одеждой — наверно, пообносились?

— В старом ходили, а теперь обновки будем справлять,— улыбнулась Любовь Васильевна.— Я чинила на детях, что было на них, и твой костюм, двое твоих штанов и все белье твое перешила на них. Знаешь, лишних денег у нас не было, а детей надо одевать...

— Правильно сделала,— сказал Иванов,— детям ничего не жалей.

— Я не жалела, и пальто продала, что ты мне купил, теперь хожу в ватнике.

— Ватник у нее короткий, она ходит — простудиться может,— высказался Петрушка.— Я кочегаром в баню поступлю, получку буду получать и справлю ей пальто. На базаре торгуют на руках, я ходил — прицелялся, там есть подходящие...

— Без тебя, без твоей получки обойдемся,— сказал отец.

После обеда Настя надела на нос большие очки и села у окна штопать материны варежки, которые мать надевала теперь под рукавицы на работе,— уже холодно стало, осень во дворе.

Петрушка глянул на сестру и осерчал на нее:

— Ты что балуешься, зачем очки дяди Семена одела?..

— А я через очки гляжу, я не в них.

— Еще чего! Я вижу! Вот испортишь глаза и ослепнешь, а потом будешь иждивенкой всю жизнь проживать и на пенсии. Скинь очки сейчас же,— я тебе говорю! И брось варежки штопать, мать сама заштопает или я сам возьмусь, когда отделаюсь. Бери тетрадь и пиши палочки,— забыла уж, когда занималась!

— А Настя что́ — учится? — спросил отец.

Мать ответила, что нет еще, она мала, но Петрушка велит Насте каждый день заниматься, он купил ей тетрадь, и она пишет палочки. Петрушка еще учит сестру счету, складывая и вычитая перед нею тыквенные семена, а буквам Настю учит сама Любовь Васильевна.

Настя положила варежку и вынула из ящика комода тетрадь и вставочку с пером, а Петрушка, оставшись доволен, что все исполняется по порядку, надел материн ватник и пошел во двор колоть дрова на завтрашний день; наколотые дрова Петрушка обыкновенно приносил на ночь домой и складывал их за печь, чтобы они там подсохли и горели затем более жарко и хозяйственно.

Вечером Любовь Васильевна рано собрала ужинать. Она хотела, чтобы дети пораньше уснули и чтобы можно было наедине посидеть с мужем и поговорить с ним. Но дети после ужина долго не засыпали; Настя, лежавшая на деревянном диване, долго смотрела из-под одеяла на отца, а Петрушка, легший на русскую печь, где он всегда спал, и зимой и летом, ворочался там, кряхтел, шептал что-то и не скоро еще угомонился. Но наступило позднее время ночи, и Настя закрыла уставшие глядеть глаза, а Петрушка захрапел на печке.

Петрушка спал чутко и настороженно: он всегда боялся, что ночью может что-нибудь случиться и он не услышит — пожар, залезут воры-разбойники или мать забудет затворить дверь на крючок, а дверь ночью отойдет, и все тепло выйдет наружу. Нынче Петрушка проснулся от тревожных голосов родителей, говоривших в комнате рядом с кухней. Сколько было времени — полночь или уже под утро — он не знал, а отец с матерью не спали.

— Алеша, ты не шуми, дети проснутся,— тихо говорила мать.— Не надо его ругать, он добрый человек, он детей твоих любил...

— Не нужно нам его любви,— сказал отец.— Я сам люблю своих детей... Ишь ты, чужих детей он полюбил! Я тебе аттестат присылал, и ты сама работала,— зачем тебе он понадобился, этот Семен Евсеич? Кровь, что ль, у тебя горит еще... Эх ты, Люба, Люба! А я там думал о тебе другое. Значит, ты в дураках меня оставила...

Отец замолчал, а потом зажег спичку, чтобы раскурить трубку.

— Что ты, Алеша, что ты говоришь! — громко воскликнула мать.— Детей ведь я выходила, они у меня почти не болели и на тело полные...

— Ну и что же!..— говорил отец.— У других по четверо детей оставалось, а жили неплохо, и ребята выросли не хуже наших. А у тебя вон Петрушка что за человек вырос — рассуждает, как дед, а читать небось забыл.

Петрушка вздохнул на печи и захрапел для видимости, чтобы слушать дальше. «Ладно,— подумал он,— пускай я дед, тебе хорошо было на готовых харчах!»

— Зато он все самое трудное и важное в жизни узнал! — сказала мать.— А от грамоты он тоже не отстанет.

— Кто он такой, этот твой Семен? Хватит тебе зубы мне заговаривать,— серчал отец.

— Он добрый человек.

— Ты его любишь, что ль?

— Алеша, я мать твоих детей...

— Ну дальше! Отвечай прямо!

— Я тебя люблю, Алеша. Я мать, а женщиной была давно, с тобою только, уже забыла когда.

Отец молчал и курил трубку в темноте.

— Я по тебе скучала, Алеша... Правда, дети при мне были, но они тебе не замена, и я все ждала тебя, долгие страшные годы, мне просыпаться утром не хотелось.

— А кто он по должности, где работает?

— Он служит по снабжению материальной части на нашем заводе.

— Понятно. Жулик.

— Он не жулик. Я не знаю... А семья его вся погибла в Могилеве, трое детей было, дочь уже невеста была.

— Неважно, он взамен другую готовую семью получил — и бабу еще не старую, собой миловидную, так что ему опять живется тепло.

Мать ничего не ответила. Наступила тишина, но вскоре Петрушка расслышал, что мать плакала.

— Он детям о тебе рассказывал, Алеша,— заговорила мать, и Петрушка расслышал, что в глазах ее были большие остановившиеся слезы.— Он детям говорил, как ты воюешь там за нас и страдаешь... Они спрашивали у него: а почему? А он отвечал им: потому, что ты добрый...

Отец засмеялся и выбил жар из трубки.

— Вот он какой у вас — этот Семен-Евсей! И не видел меня никогда, а одобряет. Вот личность-то!

— Он тебя не видел. Он выдумывал нарочно, чтоб дети не отвыкли от тебя и любили отца.

— Но зачем, зачем ему это? Чтоб тебя поскорее добиться? Ты скажи, что ему надо было?

— Может быть, в нем сердце хорошее, Алеша,— поэтому он такой. А почему же?

— Глупая ты, Люба. Прости ты меня, пожалуйста. Ничего без расчета не бывает.

— А Семен Евсеич часто детям приносил что-нибудь, каждый раз приносил, то конфеты, то муку белую, то сахар, а недавно валенки Насте принес, но они не годились — размер маленький. А самому ему ничего от нас не нужно. Нам тоже не надо было, мы бы, Алеша, обошлись без его подарков, мы привыкли, но он говорит, что у него на душе лучше бывает, когда он заботится о других, тогда он не так сильно тоскует о своей мертвой семье. Ты увидишь его — это не так, как ты думаешь...

— Все это чепуха какая-то! — сказал отец.— Не задуривай ты меня... Скучно мне, Люба, с тобою, а я жить еще хочу.

— Живи с нами, Алеша...

— Я с вами, а ты с Сенькой-Евсейкой будешь?

— Я не буду, Алеша. Он больше к нам никогда не придет, я скажу ему, чтобы он больше не приходил.

— Так, значит, было, раз ты больше не будешь?.. Эх, какая ты, Люба, все вы женщины такие.

— А вы какие? — с обидой спросила мать.— Что значит — все мы такие? Я не такая... Я работала день и ночь, мы огнеупоры делали для кладки в паровозных топках. Я стала на лицо худая, страшная, всем чужая, у меня нищий милостыни просить не станет. Мне тоже было трудно, и дома дети одни. Я приду, бывало, дома не топлено, не варено ничего, темно, дети тоскуют, они не сразу хозяйствовать сами научились, как теперь, Петрушка тоже мальчиком был... И стал тогда ходить к нам Семен Евсеевич. Придет — и сидит с детьми. Он ведь живет совсем один. «Можно,— спрашивает меня,— я буду к вам в гости ходить, я у вас отогреюсь?» Я говорю ему, что у нас тоже холодно и у нас дрова сырые, а он мне отвечает: «Ничего, у меня вся душа продрогла, я хоть возле ваших детей посижу, а топить печь для меня не нужно». Я сказала — ладно, ходите пока: детям с вами не так боязно будет. Потом я тоже привыкла к нему, и всем нам бывало лучше, когда он приходил. Я глядела на него и вспоминала тебя, что ты есть у нас... Без тебя было так грустно и плохо; пусть хоть кто-нибудь приходит, тогда не так скучно бывает и время идет скорее. Зачем нам время, когда тебя нет!

— Ну дальше, дальше что? — поторопил отец.

— Дальше ничего. Теперь ты приехал, Алеша.

— Ну что ж, хорошо, если так,— сказал отец.— Пора спать.

Но мать попросила отца:

— Обожди еще спать. Давай поговорим, я так рада с тобой.

«Никак не угомонятся,— думал Петрушка на печи,— помирились, и ладно; матери на работу надо рано вставать, а она все гуляет — обрадовалась не вовремя, перестала плакать-то».

— А этот Семен любил тебя? — спросил отец.

— Обожди, я пойду Настю накрою, она раскрывается во сне и зябнет.

Мать укрыла Настю одеялом, вышла в кухню и приостановилась возле печи, чтобы послушать — спит ли Петрушка? Петрушка понял мать и начал храпеть. Затем мать ушла обратно, и он услышал ее голос:

— Наверно, любил. Он смотрел на меня умильно, я видела, а какая я — разве я хорошая теперь? Несладко ему было, Алеша, и кого-нибудь надо было ему любить.

— Ты бы его хоть поцеловала, раз уж так у вас задача сложилась,— по-доброму произнес отец.

— Ну вот еще! Он меня сам два раза поцеловал, хоть я и не хотела.

— Зачем же он так делал, раз ты не хотела?

— Не знаю. Он говорил, что забылся и жену вспомнил, а я на жену его немножко похожа.

— А он на меня тоже похож?

— Нет, не похож. На тебя никто не похож, ты один, Алеша.

— Я один, говоришь? С одного-то счет и начинается: один, потом два.

— Так он меня только в щеку поцеловал, а не в губы.

— Это все равно — куда.

— Нет, не все равно, Алеша... Что ты понимаешь в нашей жизни?

— Как что? Я всю войну провоевал, я смерть видел ближе, чем тебя...

— Ты воевал, а я по тебе здесь обмирала, у меня руки от горя тряслись, а работать надо было с бодростью, чтоб детей кормить и государству польза против неприятелей-фашистов.

Мать говорила спокойно, только сердце ее мучилось, и Петрушке было жалко мать: он знал, что она научилась сама обувь чинить себе и ему с Настей, чтобы дорого не платить сапожнику, и за картошку исправляла электрические печки соседям.

— И я не стерпела жизни и тоски по тебе,— говорила мать.— А если бы стерпела, я бы умерла, я знаю, что я бы умерла тогда, а у меня дети... Мне нужно было почувствовать что-нибудь другое, Алеша, какую-нибудь радость, чтоб я отдохнула. Один человек сказал, что он любит меня, и он относился ко мне так нежно, как ты когда-то давно...

— Это кто, опять Семен-Евсей этот? — спросил отец.

— Нет, другой человек. Он служит инструктором райкома нашего профсоюза, он эвакуированный...

— Ну черт с ним, кто он такой! Так что случилось-то, утешил он тебя?

Петрушка ничего не знал про этого инструктора и удивился, почему он не знал его. «Ишь ты, а мать наша тоже бедовая»,— прошептал он сам себе.

Мать сказала отцу в ответ:

— Я ничего не узнала от него, никакой радости, и мне было потом еще хуже. Душа моя потянулась к нему, потому что она умирала, а когда он стал мне близким, совсем близким, я была равнодушной, я думала в ту минуту о своих домашних заботах и пожалела, что позволила ему быть близким. Я поняла, что только с тобою я могу быть спокойной, счастливой и с тобою отдохну, когда ты будешь близко. Без тебя мне некуда деться, нельзя спасти себя для детей... Живи с нами, Алеша, нам хорошо будет!

Петрушка расслышал, как отец молча поднялся с кровати, закурил трубку и сел на табурет.

— Сколько раз ты встречалась с ним, когда бывала совсем близкой? — спросил отец.

— Один только раз,— сказала мать.— Больше никогда не было. А сколько нужно?

— Сколько хочешь, дело твое,— произнес отец.— Зачем же ты говорила, что ты мать наших детей, а женщиной была только со мной, и то давно...

— Это правда, Алеша...

— Ну как же так, какая тут правда? Ведь с ним ты тоже была женщиной?

— Нет, не была я с ним женщиной, я хотела быть и не могла... Я чувствовала, что пропадаю без тебя, мне нужно было — пусть кто-нибудь будет со мной, я измучилась вся, и сердце мое темное стало, я детей своих уже не могла любить, а для них, ты знаешь, я все стерплю, для них я и костей своих не пожалею!..

— Обожди! — сказал отец.— Ты же говоришь — ошиблась в этом новом своем Сеньке-Евсейке, ты никакой радости будто от него не получила, а все-таки не пропала и не погибла, целой осталась.

— Я не пропала,— прошептала мать,— я живу.

— Значит, и тут ты мне врешь! Где же твоя правда?

— Не знаю,— шептала мать.— Я мало чего знаю.

— Ладно. Зато я знаю много, я пережил больше, чем ты,— проговорил отец.— Стерва ты, и больше ничего.

Мать молчала. Отец, слышно было, часто и трудно дышал.

— Ну вот я и дома,— сказал он.— Войны нет, а ты в сердце ранила меня... Ну что ж, живи теперь с Сенькой и Евсейкой! Ты потеху, посмешище сделала из меня, а я тоже человек, а не игрушка...

Отец начал в темноте одеваться и обуваться. Потом он зажег керосиновую лампу, сел за стол и завел часы на руке.

— Четыре часа,— сказал он сам себе.— Темно еще. Правду говорят, баб много, а жены одной нету.

Стало тихо в доме. Настя ровно дышала во сне на деревянном диване. Петрушка приник к подушке на теплой печи и забыл, что ему нужно храпеть.

— Алеша! — добрым голосом сказала мать.— Алеша, прости меня!

Петрушка услышал, как отец застонал и как потом хрустнуло стекло; через щели занавески Петрушка видел, что в комнате, где были отец и мать, стало темнее, но огонь еще горел. «Он стекло у лампы раздавил,— догадался Петрушка,— а стекол нету нигде».

— Ты руку себе порезал,— сказала мать.— У тебя кровь течет, возьми полотенце в комоде.

— Замолчи! — закричал отец на мать.— Я голоса твоего слышать не могу... Буди детей, буди сейчас же!.. Буди, тебе говорят! Я им расскажу, какая у них мать! Пусть они знают!

Настя вскрикнула от испуга и проснулась.

— Мама! — позвала она.— Можно, я к тебе?

Настя любила приходить ночью к матери на кровать и греться у нее под одеялом.

Петрушка сел на печи, спустил ноги вниз и сказал всем:

— Спать пора! Чего вы разбудили меня? Дня еще нету, темно во дворе! Чего вы шумите и свет зажгли?

— Спи, Настя, спи, рано еще, я сейчас сама к тебе приду,— ответила мать.— И ты, Петрушка, не вставай, не разговаривай больше.

— А вы чего говорите? Чего отцу надо? — заговорил Петрушка.

— А тебе какое дело — чего мне надо! — отозвался отец.— Ишь ты, сержант какой!

— А зачем ты стекло у лампы раздавливаешь? Чего ты мать пугаешь? Она и так худая, картошку без масла ест, а масло Настьке отдает.

— А ты знаешь, что мать делала тут, чем занималась? — жалобным голосом, как маленький, вскричал отец.

— Алеша! — кротко обратилась Любовь Васильевна к мужу.

— Я знаю, я все знаю! — говорил Петрушка.— Мать по тебе плакала, тебя ждала, а ты приехал, она тоже плачет. Ты не знаешь!

— Да ты еще не понимаешь ничего! — рассердил отец.— Вот вырос у нас отросток.

— Я все дочиста понимаю,— отвечал Петрушка с печки.— Ты сам не понимаешь. У нас дело есть, жить надо, а вы ругаетесь, как глупые какие...

Петрушка умолк; он прилег на свою подушку и нечаянно, неслышно заплакал.

— Большую волю ты дома взял,— сказал отец.— Да теперь уж все равно, живи здесь за хозяина...

Утерев слезы, Петрушка ответил отцу:

— Эх ты, какой отец, чего говоришь, а сам старый и на войне был... Вон пойди завтра в инвалидную кооперацию, там дядя Харитон за прилавком служит, а он хлеб режет, никого не обвешивает. Он тоже на войне был и домой вернулся. Пойди у него спроси, он всем говорит и смеется, я сам слышал. У него жена Анюта, она на шофера выучилась ездить, хлеб развозит теперь, а сама добрая, хлеб не ворует. Она тоже дружила и в гости ходила, ее угощали там. Этот знакомый ее с орденчик был, он без руки и главным служит в магазине, где по единичкам промтовар выбрасывают...

— Чего ты городишь там, спи лучше, скоро светать начнет,— сказала мать.

— А вы мне тоже спать не давали... Светать еще не скоро будет. Этот без руки сдружился с Анютой, стало им хорошо житься. А Харитон на войне жил. Потом Харитон приехал и стал ругаться с Анютой. Весь день ругается, а ночью вино пьет и закуску ест, а Анюта плачет, не ест ничего. Ругался-ругался, потом уморился, не стал Анюту мучить и сказал ей: чего у тебя один безрукий был, ты дура баба, вот у меня без тебя и Глашка была, и Апроська была, и Маруська была, и тезка твоя Нюшка была, и еще на добавок Магдалинка была. А сам смеется. И тетя Анюта смеется, потом она сама хвалилась — Харитон ее хороший, лучше нигде нету, он фашистов убивал и от разных женщин ему отбоя нету. Дядя Харитон все нам в лавке рассказывает, когда хлеб поштучно принимает. А теперь они живут смирно, по-хорошему. А дядя Харитон опять смеется, он говорит: «Обманул я свою Анюту, никого у меня не было — ни Глашки не было, ни Нюшки, ни Апроськи не было и Магдалинки на добавок не было, солдат — сын отечества, ему некогда жить по-дурацки, его сердце против неприятеля лежит. Это я нарочно Анюту напугал...» Ложись спать, отец, потуши свет, чего огонь коптит без стекла...

Иванов с удивлением слушал историю, что рассказывал его Петрушка. «Вот сукин сын какой! — размышлял отец о сыне.— Я думал, он и про Машу мою скажет сейчас...»

Петрушка сморился и захрапел; он уснул теперь по-правде.

Проснулся он, когда день стал совсем светлый, и испугался, что долго спал, ничего не сделал по дому с утра.

Дома была одна Настя. Она сидела на полу и листала книжку с картинками, которую давно еще купила ей мать. Она ее рассматривала каждый день, потому что другой книги у нее не было, и водила пальчиком по буквам, как будто читала.

— Чего книжку с утра пачкаешь? Положь ее на место! — сказал Петрушка сестре.— Где мать-то, на работу ушла?

— На работу,— тихо ответила Настя и закрыла книгу.

— А отец куда делся? — Петрушка огляделся по дому, в кухне и в комнате.— Он взял свой мешок?

— Он взял свой мешок,— сказала Настя.

— А что он тебе говорил?

— Он не говорил, он в рот меня и в глазки поцеловал.

— Так-так,— сказал Петрушка и задумался.— Вставай с пола,— велел он сестре,— дай я тебя умою почище и одену, мы с тобой на улицу пойдем...

Их отец сидел в тот час на вокзале. Он уже выпил двести граммов водки и пообедал с утра по талону на путевое довольствие. Он еще ночью окончательно решил уехать в тот город, где он оставил Машу, чтобы снова встретить ее там и, может быть, уже никогда не разлучаться с нею. Плохо, что он много старше этой дочери пространщика, у которой волосы пахли природой.

Однако там видно будет, как оно получится, вперед нельзя угадать. Все же Иванов надеялся, что Маша хоть немного обрадуется, когда снова увидит его, и этого будет с него достаточно; значит, и у него есть новый близкий человек, и притом прекрасный собою, веселый и добрый сердцем. А там видно будет!

Вскоре пришел поезд, который шел в ту сторону, откуда только вчера прибыл Иванов. Он взял свой вещевой мешок и пошел на посадку. «Вот Маша не ожидает меня,— думал Иванов.— Она мне говорила, что я все равно забуду ее и мы никогда с ней не увидимся, а я к ней еду сейчас навсегда».

Он вошел в тамбур вагона и остался в нем, чтобы, когда поезд пойдет, посмотреть в последний раз на небольшой город, где он жил до войны, где у него рожались дети... Он еще раз хотел поглядеть на оставленный дом; его можно разглядеть из вагона, потому что улица, на которой стоит дом, где он жил, выходит на железнодорожный переезд и через тот переезд пойдет поезд.

Поезд тронулся и тихо поехал через станционные стрелки в пустые осенние поля. Иванов взялся за поручни вагона и смотрел из тамбура на домики, здания, сараи, на пожарную каланчу города, бывшего ему родным. Он узнал две высокие трубы вдалеке: одна была на мыловаренном, а другая на кирпичном заводе; там работала сейчас Люба у кирпичного пресса; пусть она живет теперь по-своему, а он будет жить по-своему. Может быть, он и мог бы ее простить, но что это значит? Все равно его сердце ожесточилось против нее, и нет в нем прощения человеку, который целовался и жил с другим, чтобы не так скучно, не в одиночестве проходило время войны и разлуки с мужем. А то, что Люба стала близкой к своему Семену или Евсею потому, что жить ей было трудно, что нужда и тоска мучили ее, так это не оправдание, это подтверждение ее чувства. Вся любовь происходит из нужды и тоски; если бы человек ни в чем не нуждался и не тосковал, он никогда не полюбил бы другого человека.

Иванов собрался было уйти из тамбура в вагон, чтобы лечь спать, не желая смотреть в последний раз на дом, где он жил и где остались его дети; не надо себя мучить напрасно. Он выглянул вперед — далеко ли осталось до переезда, и тут же увидел его. Железнодорожный путь здесь пересекала сельская грунтовая дорога, шедшая в город; на этой земляной дороге лежали пучки соломы и сена, павшие с возов, ивовые прутья и конский навоз. Обычно эта дорога была безлюдной, кроме двух базарных дней в неделю; редко, бывало, проедет крестьянин в город с полным возом сена или возвращается обратно в деревню. Так было и сейчас; пустой лежала деревенская дорога; лишь из города, из улицы, в которую входила дорога, бежали вдалеке какие-то двое ребят; один был побольше, а другой поменьше, и бо́льший, взяв за руку меньшего, быстро увлекал его за собою, а меньший, как ни торопился, как ни хлопотал усердно ножками, а не поспевал за большим. Тогда тот, что был побольше, волочил его за собою. У последнего дома города они остановились и поглядели в сторону вокзала, решая, должно быть, идти им туда или не надо. Потом они посмотрели на пассажирский поезд, проходивший через переезд, и побежали по дороге прямо к поезду, словно захотев вдруг догнать его.

Вагон, в котором стоял Иванов, миновал переезд. Иванов поднял мешок с пола, чтобы пройти в вагон и лечь спать на верхнюю полку, где не будут мешать другие пассажиры. Но успели или нет добежать те двое детей хоть до последнего вагона поезда? Иванов высунулся из тамбура и посмотрел назад.

Двое детей, взявшись за руки, все еще бежали по дороге к переезду. Они сразу оба упали, поднялись и опять побежали вперед. Бóльший из них поднял одну свободную руку и, обратив лицо по ходу поезда в сторону Иванова, махал рукою к себе, как будто призывая кого-то, чтобы тот возвратился к нему. И тут же они снова упали на землю. Иванов разглядел, что у бóльшего одна нога была обута в валенок, а другая в калошу,— от этого он и падал так часто.

Иванов закрыл глаза, не желая видеть и чувствовать боли упавших обессилевших детей, и сам почувствовал, как жарко у него стало в груди, будто сердце, заключенное и томившееся в нем, билось долго и напрасно всю его жизнь и лишь теперь оно пробилось на свободу, заполнив все его существо теплом и содроганием. Он узнал вдруг все, что знал прежде, гораздо точнее и действительней. Прежде он чувствовал другую жизнь через преграду самолюбия и собственного интереса, а теперь внезапно коснулся ее обнажившимся сердцем.

Он еще раз поглядел со ступенек вагона в хвост поезда на удаленных детей. Он уже знал теперь, что это были его дети, Петрушка и Настя. Они, должно быть, видели его, когда вагон проходил по переезду, и Петрушка звал его домой к матери, а он смотрел на них невнимательно, думал о другом и не узнал своих детей.

Сейчас Петрушка и Настя бежали далеко позади поезда по песчаной дорожке возле рельсов; Петрушка по-прежнему держал за руку маленькую Настю и волочил ее за собою, когда она не поспевала бежать ногами.

Иванов кинул вещевой мешок из вагона на землю, а потом спустился на нижнюю ступень вагона и сошел с поезда на ту песчаную дорожку, по которой бежали ему вослед его дети.

РАННИЕ
СОЧИНЕНИЯ

ЛЕНИН

Сегодня исполняется 50 лет от рождения первому работнику русской революции, великому другу труда — Владимиру Ильичу Ленину.

В этот день вся Красная Россия, все истомленные, изработавшиеся люди, в мастерских городов, на оттаявших пашнях, пусть все вспомнят его, всю свою жизнь горящего в нечеловеческом ежедневном труде за наше освобождение, за честную жизнь на земле.

В непрерывной жертве и самоотречении, он забыл про себя, слившись с интересами дела, которому отдался с юности...

Вся его душа и необыкновенное чудесное сердце горят и сгорают в творчестве светлого и радостного храма человечества на месте смрадного склепа, где жили — не жили, а умирали всю жизнь, каждый день, гнили в мертвой тоске наши темные загнанные отцы...

Ленин — это редкий, быть может, единственный человек в мире. Таких людей природа создает единицами в столетия.

В нем сочетались ясный, всеохватывающий, точный и мощный разум с нетерпеливым, потому что слишком много любящим, истинно человеческим сердцем.

И все это сковано единой сверхчеловеческой волей, направляющей жизнь к определенным раз поставленным целям, не позволяющей склониться и колебаться.

Это и есть та сила, которая вырывала не один раз погибавшее рабочее и мужицкое тело из пастей бесчисленных хищников и спасла в конце концов русскую революцию от всех напастей, а с ней спасла и революцию мировую, ибо победа рабочих и крестьян в России родит революцию всей земли.

Но главное в Ленине (за что и полюбили мы его так, когда поближе узнали) это — что он вперед понимал и высказал тайную, еще не родившуюся мысль, сокровенное желание миллионов трудового народа — и не в одной России, а всего мира.

Тайную и самую глубокую мечту о власти высшей справедливости на земле, оказалась которой, как показала жизнь, рабочая Советская власть. Ленин не только первый заговорил об этой власти, но и начал работать, чтобы такая на самом деле власть была у трудящихся людей, пока не добился своего.

Та злоба, с которой была встречена эта невиданная власть буржуазией, была вестником грядущей любви и признания ее миллионами трудящихся.

Ленин задолго уловил сам дух еще молчавшей трудовой земли и вынес в свет общего сознания то, чего все хотят, что всем нужно, без чего жизнь не пойдет дальше и что нужно сделать теперь же — осуществление справедливости, правды и счастья, и пути к ним — через Советскую власть к коммунизму.

И Ленин еще с юности забил тревогу и всю жизнь бил в набат, звал отстающих и хилых, звал к победе и великой общей радости, к борьбе и новым страданиям.

Многие от него отстали, многие стали друзьями, но никто не знал, насколько он был прав, насколько его душа и мысли слились с душою рабочего люда, насколько верен был его взгляд на общий ход освобождения трудящихся из тисков капитала.

В Ленине выразилось все, чем живет и чего хочет каждый угнетенный человек,— он — любимое дитя и лучший учитель рабочих станка и сохи. Он наитием, чутьем предугадывает, как надо бороться в данную минуту, чтобы быть ближе к победе.

Сознание нашего рабочего класса часто отстает от сознания Ленина, он вперед выражает его, а быстрота в еще не окончившейся борьбе — великое дело.

Чуткость вождя и неиссякаемое светлое озарение гения, избранника — вот что живо в Ленине и делает его нам родным и близким, вот что поражает наших врагов.

Он и восставший побеждающий народ — это одно.

Все его предвидения сбываются, каждый новый шаг безошибочен — значит, и сам он живет тем же, чем жив борющийся рабочий и крестьянин.

Ленин — душа рабочего класса и его сердце, его мозг и воля, его великая ненависть и вдохновенная любовь. Да живет и крепнет в Ленине его бодрый человеческий гений!

И пусть с новою силой горит в наших сердцах пламя творчества, радостной правды на земле!..

НО ОДНА ДУША У ЧЕЛОВЕКА

Древнейшая идея человечества вылита Достоевским в четыре художественные формы с родной его душе целомудренностью и тревожной, смертельной страстью — идея пола.

Первой функцией жизни человека была не мысль, не сознание, а половая страсть — стремление к продлению жизни, первая стычка со смертью, желание бессмертия и вечности.

Мы живем в то время, когда пол пожирается мыслью. Страсть темная и прекрасная изгоняется из жизни сознанием. Философия пролетариата открыла это и помогает борьбе сознания с древним, еще живым зверем. В этом заключается сущность революции духа, загорающейся в человечестве.

Буржуазия произвела пролетариат. Пол родил сознание.

Пол — душа буржуазии. Сознание — душа пролетариата.

Буржуазия и пол сделали свое дело жизни — их надо уничтожить. Пусть прошлое не висит кандалами на быстрых ногах вперед уходящего...

Наша общая задача — подавить в своей крови древние горячие голоса страсти, освободить себя и родить в себе новую душу — пламенную победившую мысль. Пусть не женщина — пол со своей красотою-обманом, а мысль будет невестой человеку. Ее целомудрие не разрушит наша любовь.

Достоевский бился на грани мира пола и мира сознания. И то одно, то другое брали верх в его истомленной душе мученика.

Мышкин — Рогожин, вот две стихии, два центра, два мечущихся дьявола сердца Достоевского. А Настасья Филипповна — это слияние двух миров — Мышкина и Рогожина — в одно в самый опасный, смертельный, неустойчивый момент, висение над бездной на травинке.

Настасья Филипповна — сам Достоевский, ни живущий, ни мертвый, путающий смерть с жизнью, союзник то бога, то дьявола, пугающийся и раненный насмерть сомнением, падающий, ищущий Достоевский.

Настасья Филипповна не жила, а искала жизнь и находила ее то в дьяволе — Рогожине, то в боге — Мышкине. Потому что душа ее — дитя третьего, неведомого царства, где никто не царствует, где ничего нет, где свобода, пустота и вихри мертвых пустынь. Туда ведет провал в гранитной стене жизни. Это тот мир, откуда истекают все другие миры — и Мышкин, и Рогожин. Этот путь давно пройден вселенной, и только Достоевский с своей душой — Настасьей Филипповной — отстал и бродит там один, зовет и молится. ⟨...⟩

«Идиот» как пьеса выражает собою борьбу полов. Рогожин — сама земля, ее черные мощные недра, вырвавшаяся еще бессознательная жизнь и в своем полете к вечности уничтожающая и себя и самую возможность вечности (Настасью Филипповну).

Мышкин — родной наш брат. Он вышел уже из власти пола и вошел в царство сознания. Только одно осталось у него от прежнего — сожаление. Он еще не знает сущности жалости: она не в любви к хилому, а в борьбе, превращении хилого в сильного, постройке железных дворцов мощи на болотных зябях бессилия. Жалость — тление души. Борьба и ненависть — ее огонь и взрыв.

Князь Мышкин — пролетарий: он рыцарь мысли, он знает много; в нем душа Христа — царя сознания и врага тайны. Он не отвечает ударом на удар: он знает, что бить злых — это бить детей. Прощение малым.

Рогожин в исполнении Т. Волкова должен бы быть еще грубее. Автор забыл, что Рогожин — непроснувшееся, почти не живущее существо, что разница между ним, деревом, ветром — небольшая.

Мышкин не должен быть жалок: в недрах души его есть знание, что он — великий дух. И в его жизни это должно прорываться и быть видимо (видела же это Настасья Филипповна). Мышкин — царь у Достоевского, а этого никто не заметил в игре актера.

Тов. Мрозовская — Настасья Филипповна — позабыла, что она Мрозовская и стала Настасьей Филипповной. Отрекшись от себя, она превратила «игру», театр в ожившую по воле артиста действительность.

Она явила собой образ души Достоевского, погибающего духа сомнения и неуверенности, ищущего спасения духа в страдании, искупления — в грехе и преступлении, идущего к жизни неизвестными людям путями.

ДУША МИРА

Женщина и мужчина — два лица одного существа — человека; ребенок же является их общей вечной надеждой.

Некому, кроме ребенка, передавать человеку свои мечты и стремления; некому отдать для конечного завершения свою великую обрывающуюся жизнь. Некому, кроме ребенка. И потому дитя — владыка человечества, ибо в жизни всегда господствует грядущая, ожидаемая, еще не рожденная чистая мысль, трепет которой мы чувствуем в груди, сила которой заставляет кипеть нашу жизнь.

Женщина осуществляет ребенка, своею кровью и плотью она питает человечество. Она сводит небо на землю, совершенствуя человека, поднимая его, очищая сменой поколений его горящую душу.

Если дитя — владыка мира, то женщина — мать этого владыки, и смысл ее существования — в сыне, своей радостной надежде, творимой сыном. Т. е. смысл ее жизни такой же, как и у всего человечества — в будущем, в приближении родного и желаемого. И поэтому в женщине живет высшая форма человеческого сознания — сознание непригодности существующей вселенной, влюбленность в далекий образ совершенного существа — в сына, которого нет, но который будет, которого она уже носит в себе, зачатого совестью погибающего мира, виновного и кающегося.

Женщина перегоняет через свою кровь безобразие и ужас земли. Своею пламенной любовью, которую она и сама никогда не понимала и не ценила, своим никогда не утихающим сердцем она в вечном труде творчества тайной идущей жизни, в вечном рождении, в вечной страсти материнства — и в этом ее высшее сознание, сознание всеобщности своей жизни, сознание необходимости делать то, что уже делает, сознание ценности себя и окружающего — любовь.

Но что такое женщина? Она есть живое действенное воплощение сознания миром своего греха и преступности.

Она есть его покаяние и жертва, его страдание и искупление. Кровавый крест пира со смеющейся, прекрасной жертвой. Это женщина, это ее тайное сокровенное существо. Она улыбается, истекая кровью, кричит от боли, когда рождает человека, а после любит без конца то, что ее мучило. Ее ребенок — высокий взлет ее нежной, творческой, сияющей души, проломленный путь в бесконечность, живая, теплая надежда, которую женщина держит в своих материнских ласковых руках.

Женщина — искупление безумия вселенной. Она — проснувшаяся совесть всего, что есть. И эта мука совести с судорожной страстью гонит и гонит все человечество вперед по пути к оправданию и искуплению. И в первом ряду человечества — его любовь и сердце — женщина, со стойкостью вождя пробивающаяся вперед, через горы греха и преступлений, с испуганными, наивными глазами ребенка, которые страшней всякого страха своей затаенной упорностью и неизменностью; перед этим взором улыбающейся матери отступает и бежит зверь.

Страсть тела, двигающего человека ближе к женщине, не то, что думают. Это не только наслаждение, но и молитва, тайный истинный труд жизни во имя надежды и возрождения, во имя пришествия света в страждущую распятую жизнь, во имя побед человека. Открытая нежность, живущая в приближении к женщине — это прорыв каменных стен мировой косности и враждебности. Это величайший момент, когда всех черных змей земли накрывает лед смерти. В тишине засветившейся нежности матери-женщины погибают миры со своими солнцами. Восходит новый тихий свет единения и любви слившихся потоков всех жизней, всех просветившихся существ.

Безмолвие любви — последнее познание двух душ, что одно. И женщина знает, что мир и небо и она — одно, что она родила все, оттого у нее нет личности, оттого она такая неуловимая и непонятная, потому что отдалась всему, приобрела сердцем каждое дыхание.

Познав себя, женщина познала вселенную. Познав вселенную, она стала душой ее, возлюбленной мира, гордой гранитной надеждой. Она доведет страдающую жизнь до конца пути.

Женщина — тогда женщина, когда в ней живет вся совесть темного мира, его надежда стать совершенным, его смертная тоска.

Женщина тогда живет, когда желание муки и смерти в ней выше желания жизни. Ибо только смертью дышит, движется и зеленеет земля.

Не увидеть рай, а упасть мертвой у врат его — вот смысл женщины, а с нею и человечества.

Мыслитель Отто Вейнингер, вышедший из недр буржуазии, в своей книге «Пол и характер» проклял женщину. «Мужчина, представляющий собою олицетворение низости, стоит бесконечно выше наиболее возвышенной из женщин»,— написал он и, развивая мысль, утверждал, что существование женщин — одна случайность и насмешка, и доказал это распространенностью сводничества среди женщин. Мужчинам Вейнингер отдал все, что отнял у женщины, но забыл, что если женщины — сводницы, то тогда мужчины — снохачи. Я бы мог опровергнуть его книгу от начала до конца, но сделаю это в другом месте. Нас эта книга интересует только как вопль погибающего, ибо, вынув душу из мира — женщину, Вейнингер зашатался и исчез в вихре безумия (он убил себя юношей). Прощение честному!

Революция дала в руки женщины все силы жизни, главенство над ее ростом и расцветом. Нет ничего в мире выше женщины, кроме ее ребенка. Это она знает и сама.

Ибо в конце концов женщина лишь подготовляет искупление вселенной. Свершит же это искупление ее дитя, рожденное совестью мира и кровью материнского сердца.

Да приблизится царство сына (будущего человечества) страдающей матери и засветится светом сына погибающая в муке родов душа ее.

Андрей Платонов

От редакции: несмотря на трудность усвоения мысли (не слога, а мысли, ибо слог прост) товарища Платонова и некоторую сложность взглядов его на роль женщины в будущем и в революции,— редакция находит возможным дать данной статье рабочего Платонова место на страницах своей крестьянской газеты, ибо крестьянину, смотрящему на женщину как на доходную статью своего хозяйства, статья эта будет поучительна.

СЛЫШНЫЕ ШАГИ
(Революция и математика)

Социальная революция — ворота в царство сознания, в мир мысли и торжествующей науки. Сам коммунизм тогда только и стал действительной страшной несломимой силой, когда он стал наукой.

Это не будет теперешней наукой, тлеющей в университетах, лабораториях и библиотеках. Это будет бушующее пламя познания, охватившее все города, все улицы, все существа нашей планеты.

Познание станет таким же нормальным и постоянным явлением, как теперь дыхание или любовь.

Страсть к познанию все больше, все мучительней разгорается в человечестве. Но голова его еще не свободна, мысль подчинена брюху. Надо сначала избавиться от этого зверя. А лучшее средство избавиться от зверя, чтобы он не выл и не мешал, это — накормить и утолить его, а не уничтожить, как думали раньше.

В ожидании царства сознания трудно и нестерпимо и все смотрят далеко вперед. Оттого будущее становится как бы настоящим, и сам ты оттого не тот, что есть.

Человек есть тот, кем он хочет быть, а не тот, кто живет у всех на глазах.

Тихими шагами идет к нам будущее, а мы к нему бежим навстречу и радуемся заранее. И наша радость не обманется.

Мы уже слышим приближение того, чего никогда не было и что будет один раз.

Был математик Минковский, который теперь умер, он нашел зависимость времени и пространства. Такую тесную связь, почти тождество, что время и пространство есть как бы две взаимно, одна другую производящие величины. Он раз написал такую формулу: V—1 секунд.= 300 тысячам километров.

Т. е. **величина времени**, равная корню квадратному из отрицательной величины (—1 секунд.) равняется СКОРОСТИ 300 000 километров — скорости света. Значит, некоторая величина времени равна некоторой величине пространства. Они тождественны, они — одно. В одной формуле разумеются абсолютные величины, мировые постоянные. Т. е. свет может обладать такой скоростью при отсутствии всякого сопротивления на своем пути. Время — тоже, но для времени мы и не знаем сопротивления, в нашем мире оно не встречалось человеческому опыту.

Значит, формула Минковского определяет зависимость двух основных понятий человеческого сознания — времени и пространства, действующих в абсолютной сфере, лишенной всяких сопротивлений и относительных взаимных влияний.

Время, равное корню квадратному из —1 секунд., беспрерывно производит, вмещает в себя линейное пространство в 300 000 километров, потому что такое время, время и пространство, соответственное, тождественное, одно без другого невозможно и бессмысленно. Они уравновешиваются взаимно и только потому существуют.

Квадратный корень из (—1) есть величина мнимая, т. е. несуществующая, не поддающаяся пока познанию.

Раньше она приводила в суеверный ужас математиков. О ней, наверное, уже знал Пифагор, когда слышал математику с религией.

Но при вычислениях мнимая величина предполагается существующей, реальной и результаты получаются точные.

Больше того, мнимые величины открыли математике новые просторы.

Есть влекущая, обещающая много тайна в том, что пространство, по формуле Минковского, равняется МНИМОЙ величине. Тут есть указание, закрытая дверь на большую дорогу.

Несовершенство нашего сознания в том, что я, например, не мог понять сразу эту формулу, а сначала почувствовал ее; ее истина не открылась для меня, а вспыхнула.

После уже я перевел ее в сознание и закрепил там. Поэтому формулу Минковского трудно объяснить. Ее надо взять сразу, мгновенно схватить ее крайнюю сущность, и тогда поймешь.

Тут уже чувство предшествует мысли. В один из близких дней я напишу о конце теоремы Кантора. Эта теорема страдает неоконченностью. Он нашел великое начало, нарисовал стройную фигуру новой истины, но немного недоговорил, будто забыл вставить истине глаза, освещавшие ее внутри, ее крайнюю глубину. Этот завершающий конец попробовали сделать мы с товарищами. О том и будет написано.

СВЕТ И СОЦИАЛИЗМ

По всей земле сейчас идет творчество социализма. Одновременно же должны быть созданы (и они создаются) эквиваленты социализму в физике, химии, технике, биологии и т. д. Иначе социализм не мыслим и не возможен.

Мы здесь остановимся на техническом эквиваленте социализму. Социалистическая техника должна найти и суметь утилизировать такую энергию, которая бы почти автоматически творила бы человечеству все то колоссальное количество продуктов, о котором капитализм не имеет никакого представления. Социализму нужна эквивалентная ему физическая сила, чтобы посредством ее социализм стал твердой вещью и утвердил свое мировое господство. Но сила безграничной мощи, всюду имеющаяся, всегда готовая к производству, сила, освобождающая человека от низших форм труда.

Имя этой силы — свет, обыкновенный солнечный дневной рассеянный свет, но также и свет луны и звезд. Эту силу мы и хотим запрячь в станки. Ее во вселенной столько, сколько пространства. Дальше мы увидим, что свет и пространство — одно и то же.

Производственная мощь капиталистического общества слагалась из угля и железа и соответствующей социальной организации. Неравномерное распределение по земле естественных запасов топлива, немногочисленность таких резервуаров энергии — все эти естественные условия именно обосновывали капиталистический способ производства. Электрификация отчасти побеждает эти неблагоприятные для социалистического производства естественные условия и разрывает зависимость энергии от географического пункта. Но только частично. Нам же нужно полное решение вопроса. Только тогда и можно сделать социализм, заранее определив его, когда мы узнаем, какая физическая сила и как будет запряжена в социалистическое производство.

Эта сила — свет.

Пространство, по новейшим учениям, электромагнитной природы. Физическая функция пространства — электромагнитное переменное поле. Ибо свет есть переменное электромагнитное поле с очень большой частотой периодов (обратных перемен направления); в секунду это число периодов равно приблизительно 500 триллионов. Длина же электромагнитной световой волны равна приблизительно 0,6 микрон.

Принципиальной разницы, таким образом, между электричеством, работающим в лампе, и светом нет. В Воронеже динамо электростанции вырабатывают переменный ток 50 периодов в сек. и длиной волны в 3 километра (не ручаюсь за точность, насколько только помню).

Далекие от всяких поэтических словесных экскрементов, мы говорим, что видим, чувствуем и знаем: единственно известная нам физическая функция пространства есть свет, который есть переменное электромагнитное поле с ужасающей частотой периодов в сек. и неимоверно малой длиной волны. Свет и электричество — одно и то же. Пространство же и время составляют все, что мы знаем о мире. Все, что мы знаем, есть комбинированные функции пространства и времени.

Электричество же есть все, что мы знаем о так называемом «чистом» пространстве — эфире.

Не вдаваясь в теоретические области, ибо чистая теория — предрассудок умирающей эпохи, нас же интересует не столько истина, сколько материальный продукт, не справедливость, а факт господства.

Мы просто говорим, что социализм нужно строить на такой физической силе, которая самая дешевая, самая распространенная и запасы которой не поддаются исчислению (света столько — сколько пространства), т. е. на свете и из света надо отлить и выточить коммунизм.

Вся вселенная есть, точно говоря, резервуар, аккумулятор электрической энергии, т. к. вселенная прежде всего пространство, а пространство прежде всего электромагнитное переменное поле. Рассматривая же историю как практическое разрешение единого энергетического вопроса, конечное решение которого есть полное, 100%-ное использование вселенной человеком без всякой затраты сил человека, мы можем сказать: использование света для промышленности есть самое совершенное решение энергетического вопроса для нашего времени. Вспомним, что база мира растений есть свет. Сделаем же свет также и базой мира человека. И вся техника для этого должна быть сведена к светотехнике, вся физика (м. б., и химия) к электрике.

Светотехника должна сконструировать тот механизм, который превращает свет солнца в обыкновенный рабочий электрический ток, годный для наших электромоторов. Этот механизм уже наполовину сконструирован. Называется он фотоэлектромагнитный резонатор-трансформатор. Его назначение — свет, этот небесный поток, переделывать в земной человеческий ток. В случае удачного разрешения этой технической задачи (мы не входим тут в ее детали) свет, а с ним вся вселенная станет «пролетарием» человечества на многие неисчерпаемые века, и человечество не истощит эту энергию никакими машинами, сопротивлениями и сооружениями. Даже энергия расколотого Резерфордом атома ничто в сравнении с энергией светового океана.

При социализме в основе творчества человека лежит не настроение, не случай, вдохновение или интуиция, а сознание. И поэтому если фотоэлектромагнитный резонатор-трансформатор еще не сделан, его надо сделать сознательно волей, потому что он необходим для утилизации света, а свет — для социализма. Ибо свет должен лечь в основу социалистического производства — или не будет никогда социализма, а будет вечная «переходная эпоха». Социализм придет не ранее (а немного позднее) внедрения света, как двигателя, в производство. И только тогда из светового производства вырастет социалистическое общество, новый человек,— существо, полное сознания, чуда и любви, коммунистическое искусство — это вселенская скульптура, планетная архитектура, и только тогда совершится совокупление человечества в одно физическое существо, а искусство, как его теперь понимают, будет не нужно, п. ч. искусство — это корректив революционной материи в реакционном сознании, а при коммунизме материя и сознание будут одно.

В эпоху света и будет осуществлен посредством того же света межзвездный транспорт и будет познано (потому что будет до последних глубин переработано) электричество — этот ключ к познанию вселенной и меч к победе над ней.

О ЛЮБВИ

Есть в мире два знания: одно только удивляет, другое очаровывает. Ученые нашли, что скорость световых и электрических волн в эфире равна 300 000 километров в секунду; что человек в конце концов животное, сумевшее передразнить своими действиями мир и тем приспособившееся к нему и отчасти победившее его.

Повторение, в течение веков и веков, скажем, такого процесса, как зажигание вулканической лавой или молнией лесов, самовозгорание торфа, степей и т. д.,— повторение этих явлений родило в животных — предтече человека — чувство как бы вечной необходимости в огне. Раньше ведь земля жила более лихорадочной, более юной, свирепой жизнью. Огонь, естественный огонь чаще видели животные. Если сейчас появление огня в природе пугает даже человека, то когда-то могло быть и наоборот — исчезнувшие лесные и болотные пожары могли ужаснуть животных, привыкших в течение веков к неугасимому огню на горизонте. И изобретателем огня было то животное, которое приволокло потухающее дерево из сгоревшего леса и зажгло им другой лес, чтобы успокоить этим себя и свою самку, т. к. они привыкли к пламени и отсутствие его для них ужасно и неестественно.

Это только, конечно, предположение, а не исторический факт (в прошлые времена, да и теперь, в большинстве случаев, сначала является вещь, а потом вырастает потребность в ней).

Такие области знания, как физика эфира, теория электричества — таят в себе такие глубокие тайны, что их открытие будет долго ослеплять и поражать человечество.

Наука — красавица, но только своими одеждами. Она — свет, чистый и до конца прозрачный, но ни теплый, ни холодный. Этот неморгающий глаз человечества смотрит, но не любуется, а думает, и как глаз, наука нужна, чтобы только видеть и освещать.

И есть другое знание, которое очаровывает и перед которым благоговеют. Назвать знанием его в полном смысле нельзя. Это другое, и вы сами увидите что.

Я вам расскажу о силе, которая настолько сильна, что может обессилить себя и перестать быть силой, о красоте, которая может стать безобразием и чудовищем, если захочет, о свободе, для которой сладка и желанна бывает неволя, и об истине, которая одевается ложью и все-таки бывает истинной, настолько она всемогуща. Жизнь смеется и из гробов. Когда мне приходилось говорить об этом с маленьким мальчиком, я объяснил ему как можно понятней и проще мир и жизнь человечества. О своем труде в прошлые времена сами мы должны прежде других проникнуться до конца этой силой, чтобы понять ее и передать это понятие другим.

Скажу все до конца. До сих пор человечество только и хотело ясного понимания, горячего ощущения той вольной пламенной силы, которая творит и творит и разрушает вселенные. Человек — соучастник этой силы, и его душа есть тот же огонь, каким зажжено солнце и в душе человека такие и еще большие пространства, какие лежат в межзвездных пустынях.

Человек хочет понять себя, чтобы освободиться от ложных понятий греха и долга, возможного и невозможного, правды и лжи, вреда и выгоды и т. д. Когда поймет человек себя, он поймет все и будет навсегда свободен. Все стены падут пред ним, и он наконец воскреснет, ибо настоящей жизни еще нет.

Что поймет человек вперед — себя или природу — это не важно, это все равно.

Почему же это так? Раз человек и вселенная — одно, и человек сам та же сила, которая бьется и дышит в звездах и траве, то что же ему не понятно, что его мучит и мешает жить, мешает быть вполне той вольной чудесной силой, которая ничем не ограничена и для которой нет невозможного; что живому человеку мешает быть жизнью, для чего ему потребовалось объяснение и понимание мира и жизни, чтобы жить? Ведь вон трава растет, пока ей растется, и не знает ни горя ни радости в человеческом смысле. Ведь радость человек понял только после горя. Объяснить эту великую историческую работу всего человечества — значит объяснить все. Попробуем же это сделать.

Вся задача ее решения лежит в пределах самого человечества и не распространяется дальше. И вся разгадка лежит в сознании человека, в его мысли — этом новом молодом чувстве человека, присущем только человеку и больше никому и ничему.

В порядках борьбы за существование, в каких-то организмах, предшествующих человеку, родилась мысль как новая мощная органическая функция для жизни и победы. В человеке мысль достигла своего расцвета, высшей силы и совершенства. Этот новый орган жизни требует себе соответствия, равновесия с миром.

Если чувства, которые гораздо древнее мысли, уже нашли общую, уравновешивающую их в мире точку в форме наслаждения, то мысль еще не твердо стоит в мире, мысль, так сказать, не сбалансирована с природой, и от этого происходит всякая мука, отрава и порча жизни: чувство расцветает в миге наслаждения — и чувство нашло себе пищу, уравновесилось, усиливается и служит целям человека. Мысль не нашла себе еще ответа. Ответить же и удовлетворить мысль может только истина, и не осколки истины (часть истины — всегда ложь, только вся истина — истина), а вся истина.

Ту трепетную силу, творящую вселенные, чувство назвало бы именем блага и наслаждения... Мысль назвала бы эту силу истиной. И до того момента, пока мысль не обнимет всю вселенную и не сознает ее как истину, человечеству нужны будут разные религии, разные науки и всякие другие условные знаки, дымные образы, где как будто уже светится истина, найдены все концы, но этого еще нет на самом деле, раз идет время и сменяются (веры), отвергаются и забываются веры и знания. Чувство родилось давно и уже слилось с душою мира. Мысль не слилась, не совпала еще, а только ищет этого слияния в полном познании мира.

Это неравновесие мысли и мира, т. е. отсутствие истины, произвело историю человечества, т. е. труд на протяжении веков.

Значит, религия и науки — это попытки слияния мысли с миром. Но мысль — чисто человеческое свойство, и весь вопрос о так называемой истине, наш, местный вопрос. Этот вопрос и мешает нам жить, мешает воскреснуть для полной, настоящей, всесильной жизни. Чтобы найти жизнь, надо решить этот вопрос, уравновесить истиной голодное человеческое сознание. Познанный же мир все равно что покоренный. А раз мы покорим мир, мы освободимся от него и возвысимся над ним, создадим иную вселенную.

Маленькая как будто вещь мысль требует себе работы и удовлетворения — и родила своим существованием то мучительное состояние, что человек ищет смысла, будучи сам смыслом, хочет изменить мир и не знает для того хорошего оружия, а всякое оружие находится же в его руках. Весь мир должен стать равен человеческой мысли — в этом истина.

Вот в чем вся суть.

До наших пор человек, стремясь овладеть истиной мира для его покорения, как требует его новая органическая сила — мысль, человек создавал только миражи истины, обманные видения ее в виде религий и наук. Теперь подошло время, когда человек действительно может познать мир, овладеть истиной об нем, что нужно делать, чтобы и мальчику и мне жилось хорошо, то на мой вопрос, как назвать ту ласковую силу, которая в нас бьется и ведет нас к счастью и силе, мальчик отвечал: моя мама. Другой человек, писатель, после долгого разговора крикнул: так это не жизнь, как хорошо! И он сам сказал, как легко ему стало после того, как он понял жизнь. Оказывается, он ее не понимал.

А до этого он сидел угрюмый и бледный, со скорчившейся от тоски душой. Над народом не надо смеяться, даже когда он по-язычески верит в свою богородицу. Сознание, что на небе есть благая богородица — роднее и ласковей матери, дает сердцу мужика любовь и силу, и он веками ходит за сохой и работает и живет как мученик. Если мы хотим разрушить религию и со-знаем, что это сделать надо непременно, т. к. коммунизм и рели-гия несовместимы, то народу надо дать вместо религии не меньше, а больше, чем религия. У нас многие думают, что веру можно отнять, а лучшего ничего не дать. Душа нынешнего человека так сорганизована, так устроена, что вынь только из нее веру, она вся опрокинется, и народ выйдет из пространств с вилами и топорами и уничтожит, истребит пустые города, отнявшие у народа его утешение, бессмысленное и ложное, но единственное утешение.

Вы скажете: но мы дадим народу взамен религии науку. Этот подарок народ не утешит. Наука в современном смысле и сущест-вует-то только 100—150 лет, религия же десятки тысяч лет. Что же сильнее и что глубже въелось в нутро человека? Сами ученые, самые вожди науки почти все были верующими людьми.

Наука еще стоит на таком низком уровне, что не может быть руководительницей человека, силой, стоящей выше его. Жизнь пока еще мудрее и глубже всякой мысли, стихия неимоверно сильнее сознания, и все попытки замещения религии наукой не приведут к полной победе науки. Людям нужно другое, более высшее, более универсальное понятие, чем религия и чем наука. Люди хотят понять ту первичную силу, ту веселую буйную мать, из которой все течет и рождается, откуда вышла и где веселится сама эта чудесная бессмертная жизнь, откуда выросла эта маленькая веточка — религия, которая теперь засыхает, и на одном с ней стволе вырастает другой цветок — наука, память.

ЧЕЛОВЕК И ПУСТЫНЯ

В занесенных песком сухих пустынях Средней Азии ученые люди находят остатки **прочных**, разумно распланированных горо-дов, большие инженерные устройства, снабжавшие водой из глубоких подземных водоносных пластов эти города, и другие сложные сооружения. Когда-то в этих местах, где теперь мертвые пустыни, были живые культурные трудолюбивые народы, имев-шие высокую науку, умевшие строить большие здания и хорошо боровшиеся с природой за пищу, богатство и покой.

Спрашивается, почему же эти народы погибли и почему на месте их зеленых государств теперь стали желтые и серые пус-тыни? Почему нивы и прохладу сменил песок и жара? Один немецкий буржуазный мудрец, Шпенглер — по фамилии, пишет, что народы и культуры гибнут потому, что исчерпывается, стихает и блекнет их душа и дальше им делать нечего в жизни. Это, конечно, неправда. Народы, населявшие те места, где теперь пустыни, погибли оттого, что хозяйство их все меньше и меньше давало толку, от полного безволия и чрезвычайной трудности добыть воду — хозяйство стало приносить доходов меньше, чем было на него израсходовано...

Отчего же нашла пустыня на цветущую благодатную страну, где этой пустыни никогда не было? Многие думают, что сам по себе климат изменился. Это неверно. Коренное состояние климата больших стран если и меняется, то на протяжении сотен тысяч лет. Потом, чтобы климату измениться, надо нанести природе где-нибудь рану, чтобы пошла от нее зараза вокруг.

Есть так называемый водный режим страны, то есть определенный круговорот и порядок ее влагооборота: дождей, рек, подземных грунтовых вод. Своим сельским хозяйством человек взрывается в этот природный порядок выпадения, стока и распределения воды. Человек вырубает леса, распахивает залежи и степи и думает, что от этого ничего не изменится. Водное же хозяйство природы — очень нежная вещь и чувствительная.

Вырубая по склонам леса, взбудораживая степной дерн, человек дает свободный скат весенним и ливневым водам с поверхности земли. Скатываясь, вода вымывает из распаханных степей полезные вещества, хлеб растений, и уносит эти вещества в реки, а потом в моря. Кроме того, несущаяся вода истачивает поверхность земли и делает овраги, которые плодят пески; выносы из оврага перепруживают и засоряют реки, а занесенная река заболачивает пойменные луга. От оврагов подземная грунтовая вода уходит глубже, достать ее становится труднее, уходящая грунтовая вода делает землю суше, испаряет ее в воздух меньше, и климат весь становится резче, злее и жарче.

Так, давая ход весенним ливневым водам и вообще водам от осадков, человек уничтожает плодородие земли, уменьшает площадь удобных земель, плодит овраги и пески, уничтожает реки, иссушает землю и климат. Вот в чем причина пустынь. Человек задается целью нажить от земли побольше и поскорее, а там хоть не расти трава. И действительно, после хозяйствования человека не растет трава там, где она росла до человека.

Человек есть хищник и разрушитель природы. Мы теперь, идя к коммунизму, не только должны всемерно использовать природу, но и хранить ее и чинить от последствий нашего хозяйствования. Ремонт и починка природы производится посредством так называемых мелиораций (коренных улучшений земель). Мы должны думать вперед и планировать свою работу на века, на годы, а не на дни. Мы не должны плодить за собой пустынь и обрекать свои поколения на бегство, смерть и войны. Мы пустыни должны переделывать в зеленые страны и обитель человека.

ПИСЬМА

«ЖИВЯ ГЛАВНОЙ ЖИЗНЬЮ...»

(А. Платонов в письмах к жене, документах и очерках)

В течение нескольких последних лет ко мне часто обращаются люди — знакомые и незнакомые — со странной просьбой: покажите или опубликуйте письма вашего мужа к вам. Откуда они о них знают, почему их это интересует — нелегко ответить. Думаю, не из праздного любопытства и литературной моды. Вероятно, люди всегда тоскуют по большой, настоящей любви. Слишком легко и разменно проходит порой это высокое чувство, дающее силу жить, работать, переносить разлуку и великие трудности.

Одухотворенные, сердечные отношения не всегда выдерживают проверку сложными жизненными и житейскими обстоятельствами и тогда либо мельчают и разрушаются, либо ограничиваются благодушным и тесным мирком любящих.

А. Платонов даже в трудные для него времена никогда не замыкался в кругу семьи и не сосредоточивался на себе — он по натуре своей был глубоко неравнодушным и, в подлинном значении этого слова, общественным человеком. Однако, помимо неизменной социальной уверенности, его оптимизм, жизнестойкость и писательскую работоспособность питало, как он сам выразился, «ощущение счастья вблизи родного существа, ибо любовь есть соединение любимого человека со своими основными и искреннейшими идеями — осуществление через него (любимого, любимую) своего смысла жизни».

Писем ко мне А. Платонова сохранилось не очень много.

Я подготовила отдельные фрагменты из них, в которых, на мой взгляд, личное перестает быть только личным и может тронуть читателя глубиной мысли, чистотой и ясностью чувств.

Что же касается других материалов, публикуемых в подборке,— очерка, извлечений из записных книжек, официального документа,— о них в своем месте.

М. Платонова

1922 г., осень

*(В напоминание, в вечное сердечное чувство деревеньки Волошино[1],
школы в ней и мельницы напротив)*

Я шел по глубокому логу. Ночь, бесконечные пространства, далекие темные деревни и одни звезды над головой в мутной смертельной мгле. Нельзя поверить, что можно выйти отсюда, что есть города, музыка, что завтра будет полдень, а через полгода весна. В этот миг сердце полно любовью и жалостью, но некого тут любить. Все мертво и тихо, все далеко. Если вглядишься в звезду, ужас войдет в душу, можно зарыдать от безнадежности и невыразимой муки — так далека, далека эта звезда. Можно думать о бесконечности — это легко, а тут я вижу, я достаю ее и слышу ее молчание. Мне кажется, что я лечу, и только светится недостижимое дно колодца и стены пропасти не движутся от полета. От вздоха в таком просторе разрывается сердце, от взгляда в провал между звезд становишься бессмертным.

А кругом поле, овраги, волки и деревни. И все невыразимо, и можно вытерпеть всю вечность с великой неимоверной любовью в сердце...

Сердце навсегда может быть поражено покосившейся избенкой на краю деревни, и ты не забудешь, не разлюбишь ее никогда, каким бы ты мудрым и бессмертным ни стал, куда бы ни ушел!

Я и на Солнце и на Сатурне не забуду этого лога, этой ночи и смертной тишины...

Всякий человек имеет в мире невесту, и только потому он способен жить. У одного ее имя Мария, у другого приснившийся тайный образ во сне, у третьего весенний тоскующий ветер.

Я знал человека, который заглушал свою нестерпимую любовь хождением по земле и плачем.

Он любил невозможное и неизъяснимое, что всегда рвется в мир и не может никогда родиться...

Сейчас я вспоминаю о скучной новохоперской степи, эти воспоминания во мне связаны с тоской по матери — в тот год я в первый раз надолго покинул ее[2].

Июль 1919 года был жарок и тревожен. Я не чувствовал безопасности в маленьких домиках города Новохоперска, боялся уединения в своей комнате и сидел больше во дворе. В моей комнате висели иконы хозяина, стоял старый комод — ровесник учредителям города, а дверь в любой момент могла наглухо закрыть жилище большевика: через окно тоже не было спасения: под ним лежал ворох колючей проволоки.

Я жил и томился, потому что жизнь сразу превратила меня из ребенка во взрослого человека, лишая юности. До революции я был мальчиком, а после нее уже некогда быть юношей, некогда расти, надо сразу нахмуриться и биться... Не доучившись в технической шк'оле, я спешно был посажен на паровоз помогать машинисту[3]. Фраза о том, что революция — паровоз истории, превратилась во мне в странное и хорошее чувство: вспоминая ее, я очень усердно работал на паровозе. Были во мне тогда и другие — такие же слова (из детского чтения):

В селе за рекою
Потух огонек...[4]

Эти стихи, Мария, сразу объяснили мне уют, скромность и теплоту моей родины — и от них я больше любил уже любимое. Позже слова о революции-паровозе превратили для меня паровоз в ощущение революции.

Чтобы что-нибудь полюбить, я всегда должен сначала найти какой-то темный путь для сердца, к влекущему меня явлению, а мысль шла уже вслед.

...Иногда я ходил в клуб рабочей молодежи — комсомол в Новохоперске еще не образовался[5],— мне странно было читать в доме, из окон которого виднелась душная бедная степь, призывы к завоеванию земного шара, к субботникам и изображения Красной Армии в полной славе. А кругом города, в траве и оврагах, ютились белые сотни, делая степь непроходимой и опасной. В городе стояли какие-то небольшие молодые части красноармейцев, сутками спавших от больших походов.

Я уже два раза писал в губернскую газету, которая командировала меня сюда, что в Новохоперске положение неважное[6]. Но редактор был одновременно комендантом укрепленного района, и от занятости он не отвечал мне. Он мне в напутствие цитировал на память Глеба Успенского, советуя хорошенько провариться на самом дне, на огневой линии пролетарской революции и помочь там неграмотным преданным людям, которых губит не белая сила, а собственное невежество.

Конец военного и политического руководства этого человека достигал Новохоперских дробных фронтов, и я увидел здесь, что это руководство никуда не годно, оно ведет нас к быстрому и сплошному поражению. Я вспомнил статьи редактора и коменданта — о прелести зеленого губернского города, куда он приехал из Москвы, об общественно-политической постановке воспитания в детских домах, о культуре загнивающей буржуазии и философии Шпенглера. Подписывались статьи надуманной, выдающейся фамилией: Сталеметный. Официальные и боевые приказы подписывались той же фамилией, с прибавлением первой буквы имени: Ф. Очевидно, это был псевдоним, но давний и присохший к своему изобретателю...

Мне были ненавистны и странны такие претензии человека — на славу даже о своей фамилии.

Когда я прочел в конце боевого приказа, подписанного Ф. Сталеметным, фразу: «Красные бойцы, вечные славные трупы с Пер-Лашез ожидают смертельной мести общему врагу за свою гибель»,— я понял, что Сталеметный не серьезный революционер, не практический человек, а простой журналист, которому важен не действительный успех, а лишь бы его сочинения напечатали.

Он не знал, что непонятное не возбуждает мужества в тех отчаянных, самозабвенных людях, в которых революция стала почти телесным чувством. Красногвардейцам нужнее всего в те времена были патроны и штаны, а комендант укрепрайона писал рецензии на имажинистские книжки... А красногвардейцы воевали просто: бились насмерть с казаками с одним патроном в винтовке и двумя жилами в теле; один хутор — Мравые Лохани, казаки заняли прочно, и главный хутор был в семи верстах от города: хутор был окружен вязкими болотами и мочажинами,— тогда отряд учителя Нехворайко обул своих лошадей в лапти, чтобы они не тонули на трясинах, и в одну ночь вышиб казаков в болото, где они все и остались, потому что их лошади были босые...

Я понимал, что белых вышибить легко: казаки приехали в Россию, как в колонию,— награбить и поскорее уехать домой. Это хорошо знали и все крестьяне. От этого же в партизанах была крепкая уверенность в победе — они чувствовали во враге не мужественного противника, а случайного и трусливого вора...

...Я люблю больше мудрость, чем философию, и больше знание, чем науку. Надо любить ту вселенную, которая может быть, а не ту, которая есть. Невозможное — невеста человечества, и к невозможному летят наши души... Невозможное — граница нашего мира с другим. Все научные теории, атомы, ионы, электроны, гипотезы,— всякие законы — вовсе не реальные вещи, а отношения человеческого организма ко вселенной в момент познающей деятельности...

1923 г.

...В Ямской слободе, при самом Воронеже, где я родился, были плетни, огороды, лопуховые пустыри... Не дома, а хаты, сапожники и много, много мужиков на Задонской большой дороге.

Всею музыкой слободы был колокол «Чугунной» церкви; его умилительно слушали в тихие летние вечера старухи, нищие и я... И еще больше я любил (и чем больше живу, тем больше люблю) паровозы, машину... Я тогда уже понял, что все делается этими простыми людьми и что между лопухом, побирушкой, полевой песней и электричеством, паровозом и гудком, содрогающим землю, есть связь, родство... И я знаю, что жалостный пахарь завтра же сядет на пятиосный паровоз и так будет орудовать регулятором, что его не узнаешь...

Рост травы и вихрь пара требуют равных механиков... Теперь исполняется моя мечта — человек каменный, еле зеленеющий мир превращает в чудо и свободу...

Н.К.З.
Воронеж. Губ. Зем. УПР.
Подотд. С. Х. Мелиорац.
Мая 11 дня 1926 г.
№2451 Л.

УДОСТОВЕРЕНИЕ

Дано предъявителю сего Платонову Андрею Платоновичу в том, что он состоял на службе в Воронежском Губземуправлении в должностях Губернского Мелиоратора (с 10 мая 1923 г. по 15 мая 1926 г.) и Заведывающего работами по электрификации с. х. (с 12 сентября 1923 г. по 15 мая 1926 г.)

За это время под его непосредственным административно-техническим руководством исполнены в Воронежской губернии следующие работы:

построено 763 пруда, из них 22% с каменными и деревянными водосливами и деревянными водоспусками;

построено 315 шахтных колодцев (бетонных, каменных и деревянных);

построено 16 трубчатых колодцев;

осушено 7600 десятин;

орошено (правильным орошением) 30 дес.;

исполнены дорожные работы (мосты, шоссе, дамбы, грунтовые дороги) — и построены 3 сельские электрические силовые установки.

Кроме того, под руководством А. П. Платонова спроектирован и начат постройкой плавучий понтонный экскаватор для механизации регулировочно-осушительных работ.

Тов. Платоновым с 1 августа 1924 г. по 1 апреля 1926 г. проведена кампания общественно-мелиоративных работ в строительной и организационной частях, с объемом работ на сумму около 2 миллионов руб. Под непосредственным же его руководством проведена организация 240 мелиоративных товариществ и организационная подготовка работ по мелиорации и сельскому огнестойкому строительству за счет Правительственных ассигнований и банковых ссуд на восстановление с. х. Воронежской губернии.

А. П. Платонов как общественник и организатор проявил себя с лучшей стороны.

Печать: Главное Управление Землеустройства и мелиорации г. Воронежа.

С подлинным верно: Секретарь Отдела Мелиорации

(Н. Бавыкин)[7]

...По прошествии многих лет нам с Андреем Платоновичем стало ясно, что вызов его на работу в Москву, в наркомзем, был инспирирован самим Рамзиным[8] с целью удалить с работы Платонова, лишить поддержки его планы и начинания, утвержденные комиссей ГОЭЛРО. Все было рассчитано на то, чтобы сорвать работы в Воронеже. Многие инженеры и профессора, работающие у Платонова или приезжающие для инспектирования его работ, были позднее замешаны в делах Промпартии. Но молодого специалиста и энтузиаста поддерживали в губернии такие люди, как Михайлов — секретарь крайкома, Божко — секретарь губисполкома и газета «Воронежская коммуна», в которой Платонов печатал свои статьи о мелиорации и улучшении положения крестьян губернии путем оплаты работ продуктами питания.

Платоновым была развернута широкая деятельность по осушению болот под посевы на огромном пространстве Воронежской губернии, по очищению рек Черная Калитва и Тихая Сосна. По его инициативе было организовано множество мелиоративных товариществ, что давало крестьянам возможность строить колодцы, рыть пруды, ставить плотины, электростанции, чинить дороги, то есть восстанавливать сельское хозяйство области после гражданской войны. До перевода в Москву Платонов пробыл четыре года на посту главного губернского инженера-мелиоратора (см. выше копию документа, который сохранился в моем архиве). В это же время все работники, поддержавшие мероприятия Платонова, оказались отозванными на работу — кто в Ростов, кто в Краснодар и т. д. Платонову становилось все труднее защищать свои проекты, и он согласился ехать в Москву, откуда его перебросили на «тяжелый прорыв» в Тамбов[9].

Что представлял собою в ту пору Тамбов, населенный «божьими старушками» и техническим персоналом, еще носившим на своих технических фуражках старые николаевские значки, можно узнать из многих сохранившихся ко мне писем. Позднее у Платонова возникло желание дать художественное изображение увиденного и пережитого в Тамбове — так родилась давно знакомая читателям повесть «Город Градов».

II. ТАМБОВ, 1926—1927 гг.

1926 г.

...С утра, как приехал, до вечера познакомился с Тамбовским начальством. Был на конференции специалистов, а вечером на сессии Губисполкома. Обстановка для работ кошмарная. Склока и интриги страшные. Я увидел совершенно неслыханные вещи. Меня тут уже ждали и великолепно знают и начинают немножко ковырять. (Получает-де «огромную» ставку, московская «знаменитость»!) На это один местный коммунист заявил, что советская власть ничего не пожалеет для хорошей головы...

Я не преувеличиваю. Те, кто меня здесь поддерживают и знают, собираются уезжать из Тамбова (зав. Г. З. У. и зав. Губмелиоземом). Мелиоративный штат распущен, есть форменные кретины и доносчики. Хорошие специалисты беспомощны и задерганы. От меня ждут чудес!

Попробую поставить работу на здоровые ясные основания, поведу все каменной рукой и без всякой пощады.

Возможно, что меня слопают... Город живет старушечьей жизнью, шепчется, неприветлив и т. д.

Зав. Губмелиоземом уезжает в Сталинград (Царицын) и зовет меня с собой. Я стараюсь быть пока нейтральным...

Ночевал у Барабанова[10]... Все утро ходил с комиссионершей и женой Барабанова осматривать комнаты. Нашел за 15 руб., с необходимой мебелью, с отоплением и двумя самоварами. Сегодня после занятий переезжаю туда.

Был у Тихомирова (в редакции): сами предложили работать... В Тамбове (как говорят в редакции) нет ни одного поэта, ни одного беллетриста! Удивительный город!

...Уверен, что долго не проживу, чудовищно зверская обстановка... Как Тотик[11], не скучает по мне? Я уже заскучал. Очень мне тут тяжело. Толкай мои литературные дела, пожалуйста...

...Работать (по мелиорации) почти невозможно. Тысячи препятствий самого нелепого характера. Не знаю, что у меня выйдет...

В газете сидят чиновники. Ничего не понимают в литературе. Но постараюсь к ним подобраться, буду писать специальные статьи: стихи и рассказы они не признают...

С 15-го начинается большое совещание специалистов, продлится около 15 дней...

Дорогая Маша!

Пишу тебе третье или четвертое письмо из своего изгнания. Грусть моя по тебе растет вместе с днями, которые все больше разделяют нас.

Вот Пушкин по памяти:

> Я помню милый нежный взгляд
> И красоту твою земную;
> Все думы сердца к ней летят,
> Об ней в изгнании тоскую...

И я плачу от этих стихов и еще от чего-то. Я уехал, и как будто захлопнулась за мной тяжелая дверь... Как сон прошла совместная жизнь, или я сейчас уснул и мой кошмар — Тамбов... Видишь, как трудно мне. А как тебе — не вижу и не слышу. Думаю о том, что ты сейчас там делаешь с Тоткой. Как он? Мне стало как-то все чуждым, далеким и ненужным. Только ты живешь во мне — как причина моей тоски, как живое мучение и недостижимое утешение...

Еще Тотка — настолько дорогой, что страдаешь от одного подозрения его утратить. Слишком любимое и драгоценное мне страшно — я боюсь потерять его...

...Работаю над «Епифанами». Тебе посылаю «Антисексус»[12]. Про «Антисексус» допустимо еще одно предисловие — сливочное масло издательства,— лишь бы прошел в сборник. Об этом необходимо убедительно просить Молотова[13].

...Мария и Тотик!

Когда это письмо придет к вам, будет уже Новый год.

С Новым годом, родимые мои! С новыми надеждами, с новой любовью к старому мужу, с новой и крепкой радостью...

Я его встречал за окончанием «Эфирного тракта»!

Приехал сегодня утром с осмотра работ. Сейчас 5 час. вечера. Вновь охватила меня моя прочная тоска, вновь я в «Тамбове», который в будущем станет для меня каким-нибудь символом, как тяжкий сон в глухую тамбовскую ночь, развеваемый утром надеждою на свидание с тобой...

Начал проводить годовой план работ через местные органы. Сопротивление моей системе работ огромное (я требую больших сумм на техперсонал). Если мой план принят не будет — я поставлю вопрос о своем уходе. Работать без техперсонала нельзя, отвечать я не буду за то, что обречено заранее на провал, раз не принимают трезвого плана...

Передай поскорее Молотову (Директор издат. «Молодая гвардия») посылаемое... Почему мою вещь «Эфирный тракт» передают 3-ему рецензенту?[14] Пошли их к черту! Пусть принимают или возвращают.

Мне некогда умирать в Тамбове:

> Здесь музу резвую
> Заспишь, забудешь!

> *(Пушкин)*

Кончаю, меня ждет работа о волгодонском канале Петра[15]. Очень мало исторического материала, опять придется лечь на свою «музу»: она одна еще мне не изменяет.

...Полтораста страниц насиловал я свою музу в «Эфирном тракте». Пока во мне сердце, мозг и эта темная воля творчества — «муза» мне не изменит. С ней мы действительно — одно. Она — это мой пол в душе. Пиши, пожалуйста, твои письма это настоящая ценность — ведь это голос твой и моего Тотки...

...Заключила ли ты договора с Молодой Гвардией? Как вышло у тебя с Поповым[16]. Стихи я начал подбирать[17]... Мешает работе сильная головная боль, которой у меня никогда не было. Наверно, я простудил голову или перенатужился в работе.

...«Епифанские шлюзы» написаны, не веришь? Но негде напечатать, т. к. на службе печатать постороннюю работу теперь не разрешают... Петр казнит строителя шлюзов Перри в пыточной башне в странных условиях. Палач — гомосексуалист. Тебе это не понравится. Но так нужно.

Нравятся тебе такие стихи:

Любовь души, заброшенной и страстной,
Залог души, любимой божеством...

Спутал, забыл. Очень старо, но хорошо. Это писал Перри, когда был женихом Мери Карборунд. Потом она стала женой другого. Потом прислала в Епифань из Нью-Кестля неизвестное письмо, его положил за икону к паукам епифанский воевода, а Перри умер в Москве. Шлюзы не действовали. Народ не шел на работы или бежал в скиты и жил ветхопещерником в глухих местах. Вот тебе Епифанские шлюзы. Я написал их в необычном стиле, отчасти славянской вязью — тягучим слогом. Это может многим не понравиться. Мне тоже не нравится — как-то вышло...

...Я с трудом нашел себе новое жилище (там старуха не топила совсем), несмотря на то, что квартир и комнат в Тамбове много. Принимают за большевика и чего-то боятся. Город обывательский, типичная провинция, полная божьих старушек.

Мне очень скучно. Единственное утешение для меня — это писать тебе письма и снова дорабатывать «Эфирный тракт»...

В Г. З. У. отвратительно. Вот когда я оставлен наедине с собственной душой и старыми мучительными мыслями. Но я знаю, что есть хорошего и бесценного (литература, любовь, искренняя идея), все это вырастает на основании страдания и одиночества. Поэтому я не ропщу на свою комнату — тюремную камеру — и на душевную безотрадность...

Иногда мне кажется, что у меня нет общественного будущего, а есть будущее, ценное только для меня одного. И все же бессмысленно тяжело — нет никаких горизонтов, одна сухая трудная работа, длинный и глухой «Тамбов».

...Помнишь эти годы? Какой мукой, грязью и нежностью они были наполнены?..

Неужели так вся жизнь?

...Я не ною, Мария, не подумай, а облегчаю себя посредством этого письма. Что же мне делать?

...Да, Тамбов обманул; жить нам стало хуже. Но остаться в Тамбове или уехать обратно, зависит не только от меня. В Тамбове за меня держатся крепко, и что бы я ни сделал дурного, меня не прогонят, чего бы я хотел...

...Высшая администрация меня «обожает»: вот, говорят, настоящий хирург, какой нам нужен был. Но я это отметаю, т. к. знаю цену ласки начальства.

...Время нас разделяет, снег идет кучами. Милая, что ты делаешь сейчас? Неужели так и кончится все? Неужели человек — животное и моя антропоморфная выдумка одно безумие? Мне тяжело, как замурованному в стене. Слушай, Мария, подбери стихи, как сумеешь. Когда я приеду, чтобы сразу проверить, отобрать и сдать Молотову... Я знаю, он невыносимый канительщик.

...Мария, хочу побеседовать с тобой...

Прежде всего — Кирпичников — это не я[18]. И вот почему. Мои идеалы о д н о о б р а з н ы и п о с т о я н н ы. Я не буду литератором, если буду излагать только свои неизменные идеи. Меня не станут читать. Я должен опошлять и варьировать свои мысли, чтобы получились приемлемые произведения. Именно — опошлять! А если бы я давал в сочинения действительную кровь своего мозга, их бы не стали печатать. Теперь тебе ясно, почему. Кирпичников влюбился в мещаночку Руфь в Риверсайде. Кирпичников носит мои черты только отчасти.

Смешивать меня с моими сочинениями — явное помешательство. Истинного себя я еще никогда и никому не показывал, и едва ли когда покажу. Этому есть много серьезных причин, а главная — что я никому не нужен по-настоящему. Ты права, что М. А. Кирпичникова ценнее своего мужа, как жена и человек. Я нарочно рисовал ее скромными и редкими чертами...

«Епифанские шлюзы» печатаются, но медленно. Кому их послать, тебе или Молотову?

1927 г.

Дорогая Муся!..

Посылаю «Епифанские шлюзы». Они проверены. Передай их немедленно кому следует. Обрати внимание Молотова и Рубановского на необходимость *точного сохранения моего языка.* Пусть не спутают...

Как-то ты живешь и чего ешь с Тоткой?

Я такую пропасть пишу, что у меня сейчас трясется рука. Я хотел бы отдохнуть с тобой хоть недельку, хоть три дня. Денег нет, а то бы я приехал нелегально в Москву на день-два...

Быть может, на днях пошлют в командировку в Козлов, и тогда я прикачу домой на один день. Только трудно; ты не знаешь, как сейчас берегут деньги, и хоть в Козлов мне до зарезу нужно съездить, чтобы наладить дело, но дадут сроку дня 2 и денег рублей 15 (от Тамбова до Козлова 60 верст).

А все-таки постараюсь пробиться в Москву на день. Очень я соскучился, до форменных кошмаров...

...Любовь — мера одаренности жизнью людей, но она, вопреки всему, в очень малой степени сексуальность. Любовь страшно проницательна, и любящие насквозь видят друг друга со всеми пороками и не жалуют один другого обожанием...

Любовь совсем не собственничество. Быть может, брак — это социальное приложение любви — и есть собственничество и результат известных материальных отношений людей — это верно. Но любовь, как всякую природную стихию, можно приложить и иначе. Как электричеством, ею можно убивать, светить над головою и греть человечество...

...По-моему, ты не имеешь права зачеркивать посвящения, написанные не тобою. Когда книга выйдет с посвящением, ты имеешь возможность и право выступить в ежедневной или журнальной прессе с заявлением, что ты отводишь от себя авторское посвящение...[19] Я думаю, уверен, что тебя обидел Молотов, я верю, что что-то задело тебя, он давно мудрит. Как тяжко, что я далеко. Наверно, в Москве зима хороша! Я делаю все возможное, чтобы вырваться к тебе до выхода сборника. Я тебе благодарен за то, что прислала верстку.

Я вспомнил сейчас стихи, которые спутал в прошлом письме:

> ...Возможность страсти, горестной и трудной,—
> Залог души, любимой божеством...

Это из «Епифанских шлюзов». Думаю теперь засесть за небольшую автобиографическую повесть (детство, 5—12 лет, примерно)[20]. Может быть, напишу небольшой фантастический рассказ на тему «как началась и когда кончится история». Название, конечно, будет иное.[21]

Моя жизнь застыла, я только думаю, курю и пишу...

...Письма к тебе — для меня большая отрада. Действительно, они заменяют беседу. Жду твоих писем...

Тотику — поцелуй, объятие и катание верхом в далекой перспективе. Ну, прощай, моя далекая невеста, и береги нашего первого и единственного сына.

...Окруженный недобрыми людьми (но работая среди них, понимаешь меня!), я одичал и наслаждаюсь одними своими отвлеченными мыслями. Поездка моя по уездам была тяжела... Жизнь тяжелее, чем можно выдумать, теплая крошка моя. Скитаясь по захолустьям, я увидел такие грустные вещи, что не верил, что где-то существует роскошная Москва, искусство и проза. Но мне кажется — настоящее искусство, настоящая мысль только и могут рождаться в таком захолустье. Но все-таки здесь грустная жизнь, тут стыдно даже маленькое счастье... Оставим это...

> ...Любимой женщине судьбою я поручен
> И буду век с ней сердцем неразлучен...

...Какая жестокая и бессмысленная судьба — на неопределенно долгое время оторвать меня от любимой. Утешение мое, что я живу и для ребенка и, кажется, способен пережить ради вас самую свирепую муку...

...Препровождаю при сем 40 стихотворений, прошу тебя буквально с ними поступить нижеследующим образом:

1) Передай все Молотову и проси выпустить отдельной книжкой;

2) Стихотворений я отобрал немного, но зато они, по-моему, доброкачественны;

3) Если ты или Молотов найдете необходимым дополнить эти стихотворения другими какими-либо (из моего сборника), то вы можете это сделать по своему усмотрению;

4) Книжку можно назвать просто, напр., «Стихи» или еще как-нибудь;

5) Книжке может быть предпослано чье-нибудь предисловие или нет — пусть будет так, как ты это согласуешь с Молотовым;

6) Книжку следует издать с наивозможной быстротой,— все недоумения и неясности решите сами, без меня — дабы не упускать зря времени. Я заранее согласен на все (п. ч. верю тебе).

Все. Действуй быстро, энергично, не обращай внимания на мелочи и не волнуйся. Поступай самостоятельно (в смысле принятия решений) и стремись к главному — к наибыстрейшему изданию книжки...

...Я окончательно и скоро навсегда уезжаю из Тамбова...

...Здесь дошло до того, что мне делают прямые угрозы. Я не люблю тебе об этом писать и пишу коротко. У нас с тобой есть более важные вещи, чем тамбовские дела, о которых не стоит говорить. Но все же скажу, что служить здесь никак нельзя. Правда на моей стороне, но я один, а моих противников — легион, и все они меж собой кумовья (Тамбов — гоголевская провинция). И это чепуха, но я просто не хочу попусту тратить силы. Я и так их здесь потратил много...

Меня, конечно, отсюда Г. З. У. пускать не будет. Н. К. З. будет всячески протестовать и гнать меня обратно. Но я уже решился. Здесь просто опасно служить. Воспользуются каким-нибудь моим случайным техническим промахом и поведут против меня такую кампанию, что погубят меня. Просто задавят грубым количеством...

...Сегодня было у меня огромное сражение с противниками дела и здравого смысла. И я, знаешь, услышал такую фразу, обращенную ко мне: «Платонов, тебе это даром не пройдет...»

Оставим эту скуку, милая невеста, вечное счастье мое! Два дня назад я пережил большой ужас. Проснувшись ночью (у меня неудобная жесткая кровать) — ночь слабо светилась поздней луной,— я увидел за столом у печки, где обычно сижу я, самого себя. Это не ужас, Маша, а нечто более серьезное. Лежа в постели, я увидел, как за столом сидел тоже я и, полуулыбаясь, быстро писал. Причем то я, которое писало, ни разу не подняло головы и я не увидел у него своих глаз. Когда я хотел вскочить или крикнуть, то ничего во мне не послушалось. Я перевел глаза в окно, но увидел там обычное смутное ночное небо. Глянув на прежнее место, себя я там не заметил.

До сих пор я не могу отделаться от этого видения, и жуткое

предчувствие не оставляет меня. Есть много поразительного на свете. Но это — больше всякого чуда. Не помню, где — в Москве или в Тамбове — я тоже видел сон, что говорю с Михаилом Кирпичниковым (я тогда писал «Эфирный тракт»), и через день я умертвил его. Каждый день я долго сижу и работаю, чтобы сразу свалиться и уснуть...

III. ТУРКМЕНИЯ, 1933—1936 гг.

30/III—34 г.[22]

...Кругом пустыня, жарко, растет саксаул, много верблюдов с милыми мордами — Тотик сразу бы их полюбил. И вот в жарких песках море, рабочий поселок, мачты рыбачьих кораблей... Я смотрю жадно на все, незнакомое мне. Всю ночь светила луна над пустыней — какое здесь одиночество, подчеркнутое ночными людьми в вагоне... На станциях продают рыбу киргизы и их дети, много рыбы. Если бы ты видела эту великую скудность пустыни! Мне нравятся люди на станциях — киргизы. Изредка видны глиняные жилища вдалеке с неподвижным верблюдом. Я никогда не понял бы пустыни, если бы не увидел ее — книг таких нет. Завтра вечером я в Ташкенте и еду дальше...

2/IV—34 г.

...Сегодня в 4 часа дня я приехал в Ашхабад. На горизонте горы, покрытые снегом. Ашхабад несколько напоминает Сочи. Недавно первый раз обедал, кормят так обильно, что стыдно есть. Но мне не нравится так праздно пребывать, и я что-нибудь придумаю... Кроме того, публика не по мне,— я люблю смотреть все один, тогда лучше вижу, точнее думаю... Сильно мучает меня скука по тебе и по Тотику, все время напрягаешься в борьбе с собственным сердцем...

4/IV—34 г.

Вагон, вечер.

Здравствуйте, елдаши (товарищи)!

Только три неполных дня и пробыл в Ашхабаде... Я еду в Красноводск... Все остальные писатели остались в Ашхабаде, сидят в ваннах и пьют прохладительные напитки. Я уже оторвался от всех. Из Красноводска мы уедем далее на Нефтедаг (я не знаю, где это точно). В Красноводск приехал академик Губкин; с ним состоится встреча на нефтяных промыслах. Из Нефтедага мы поедем еще куда-то, так что в Ашхабад я вернусь дней через шесть.

...Красноводск на берегу Каспийского моря со стороны Азии, туда пресную воду привозят на пароходах из Баку. Все это интересно видеть, только я очень переутомился и поэтому плохо себя чувствую...

...Выучился нескольким словам по-туркменски:

Ты моя хелей муххабат! — любимая жена.

Ты моя курбаша! — жаба. А Тотик — мой хелей балала, т. е. жигит, любимый ребенок, юноша.

Моя шан, дпрэк (душа и сердце) тоскуют по вас.

Это я уже второе письмо пишу вам сегодня. Не знаю, где его сумею отправить. Сильное беспокойство охватывает меня за вас. Ведь я очень далеко...

Ну, хашлашма (прощай!), моя хелей, мой балала!

5/IV—34 г.

Я в Красноводске. Вижу зеленое, взволнованное Каспийское море. На берегу жалкий город в песчано-глинистых горах. Завтра уеду отсюда обратно в Ашхабад. Море совсем непохоже на Черное, оно более ядовитое, пена белей и яростней. Я пишу это, сидя на камне на берегу, и другой камень служил мне столом. На другом берегу Кавказ. Сколько я везу тебе нового, сколько я узнал!

Целую вас.

...За несколько минут до отъезда в пустыню пишу эту записку...

Я несколько волнуюсь и не скрываю этого. Мне предстоит трехсуточная езда в Центральные Кара-Кумы (второй раз). А ведь Кара-Кумы не менее Сахары. Трое суток на грузовике в глубь Сахары! Говорят, европеец обязательно по условиям климата покрывается фурункулами. Так что я буду первую неделю ходить в нарывах. Куда я еду, там нет ничего, кроме редких мутных колодцев, гадов-рептилий, неба и порожнего песка...

...Ночь еще очень долга, и у меня к тому же бессонница, несмотря на утомление...

...Я здесь стараюсь спешить работать, в том смысле, чтобы найти, открыть что-либо стоящее, годное, как косвенное сырье для пьесы. Но всегда надо больше рассчитывать на себя, чем на внешний материал.

Пока ничего ясного еще не нашел, но это ведь всегда бывает так у меня: я нахожу нужное неожиданно и часто не тогда, когда ищу. Я очень бы хотел увидеть, хоть на минуту, как вы там живете с Тоткой, как он учится и ведет себя без меня. Мне кажется, что без меня он должен вести себя солидно.

Тотик!

Я ездил далеко в пустыню, где идет вечный песчаный ураган, где люди ходят всегда в особых очках. Я был без очков, и у меня глаза сильно разболелись. Видел страшную змею и фалангу.

В песчаной пустыне...

...Завтра, 16-го, я уезжаю на 10 дней в Центральные Кара-Кумы. Вернусь в Ашхабад дней через 10—11. Сегодня перевел тебе ко дню рождения 400 рублей. (А раньше перевел 500.) Получила ли ты все?..

Еду в пустыню один с автомобилем-грузовиком, который ведет рабочий на серные рудники где-то в Дарвазе. Путь будет идти по пескам, по линии колодцев (через каждые 50—70 км колодезь: яма с остатком весенней воды). Что увижу — напишу. Вчера был вместе с тремя писателями и археологами в ауле Багир (30 км от Ашхабада). Там есть развалины древнейших городов: Нессы-Александрийской и мусульманского города. Древность этих городов 2000—3000 лет. Нашел несколько маленьких осколков посуды того времени с расцветкой, привезу их в Москву.

...Развалины очень красивы. Они лежат у подножья гор Копет-Дага; за этими персидский Хороссан (область), а лицом и укреплениями эти крепости-города обращены в пустыню Кара-Кумов. Мы долго смотрели на пустыню с высот развалин Александра Македонского. Развалины (стены) глиняные, но страшно прочные. Вся Азия ведь глиняная, бедная и пустая.

Мы были до первых звезд. Пустыня под звездами произвела на меня огромное впечатление. Я кое-что понял, чего раньше не понимал.

Несколько раз мы пили кок-чай (зеленый чай без сахара) в чай-ханах аулов. Сидели на коврах среди стариков и беседовали. Здесь довольно много персов и курдов.

...Напиши, мне трудно решить, оставаться мне еще или нет. Правда, мы очень бедные, но у нас кроме бедности есть еще и сердце, которое может сильно тосковать...

...Я нашел, правда, в еле уловимой форме фольклорную тему. Так же, как когда-то Апулей нашел где-то в Азии тему Амура и Психеи. Не знаю, что у меня выйдет,— это сказка о Джальме.[23]

Сильно стосковался о тебе... Дни идут все более тягостно и долго. Стоит тягостная жара, от писателей изжога и т. п. Однако это к Азии не относится, она велика и интересна. Если бы ты с Тотиком могла хорошо пережить жару и пустыню, мы бы легко могли здесь устроиться на 2—3 месяца все вместе. Для тебя это много бы дало...

1936 г.

...Я только приехал 2 часа назад. Поезд опоздал на 18 часов из-за мороза и снегов. Я сижу в номере гостиницы. Из окна вижу горы Копет-Дага, на них снег, над ними ночной свет луны, серебрящиеся облака. Опять я все это вижу, как 10 месяцев назад, как будто я сам участник «Такыра».

«Такыр» они очень одобряют, но, по-моему, не вполне (далеко

не вполне) понимают его. Сказывается просто отсутствие квалификации. Но это мне все равно. Встретили меня внимательно и приветливо, но довольно сдержанно... Но ведь я не очень избалован такими вещами, это пустяки.

В конце концов я здесь совершенно одинок. Абсолютно. Глубокая грусть, подобная здешней тишине гор и пустынь, охватывает меня. Сказывается, конечно, и дорога, которая зашатала меня. Но ты почему-то кажешься такой далекой, как будто я обратно тебя никогда не достигну. И действительно, я очень далеко нахожусь, здесь медленно тянется время. Стараюсь занимать себя работой, и в вагоне сколько возможно занимался ею. Но беспокойство за вас обоих никогда не оставляет меня, и неподвижность, в которой нахожусь всего несколько часов, уже тяжко гнетет. В Ашхабаде пробуду 5—6 дней, после чего тронусь в путешествие, а потом, после путешествия, поеду в Воронеж или Ленинград, не знаю сам как решить...

А. Платонова поразил «песчаный» океан. Долгое время писатель находился под впечатлениями песчаных пространств Чарджоу, Ташауза и Куня-Ургенча. Будучи профессиональным художником, он оставался в душе и инженером-мелиоратором — предвидел большое будущее «такырных», безводных и мертвых земель, верил, что туркменский народ, затерявшийся в песках и живущий отдельно от Центральной России и европейской цивилизации, в новых социальных условиях не только овладеет безжизненными пространствами «такыров», но превратит огромные мертвые пространства в каналы и саксауловые рощи. Этой мыслью проникнуты рассказ «Такыр» и библейская повесть «Джан», написанные в результате изучения А. Платоновым Туркменистана.

ГОРЯЧАЯ АРКТИКА

Туркменский народ далеко еще не овладел своей родиной: он живет лишь по «берегам» песчаного океана. Южный берег — это прикопетдагская полоса Ахалтекинского оазиса, Тедженский оазис, Мервский культурный район и Чарджоу. Затем культурная линия земель спускается вниз по Аму-Дарье, в направлении Ташауза и Куня-Ургенча: это восточный «берег» пустыни.

Таким образом, лишь южный и восточный «берега» Туркмении заняты людьми. На остальном пространстве великой страны, за редкими исключениями, лежит взволнованное ветром море безлюдных песков. Блуждающие русла рек Памира, Парапамиза и Копет-Дага, их беспокойные дельты, оставившие перемытые минеральные остатки от некогда девственных плодоносных земель, плюс смертельное влияние походов Тимура и Александра Македонского,— все это помогло образоваться Кара-Кумам, и потоки воды надолго умолкли на параллели Копет-Дага, Терджена, Мерва, Чарджуя, в узкой долине Аму-Дарьи, предоставив сухое пространство ветрам и векам.

Искусственные холмы Тимура, древнеазиатские и греческие городища все еще покрывают обитаемые места Туркмении. Поэтому нынешняя Туркмения представляет собою кладбище дотуркменских народов. Эти кладбища городов напоминают не только о поражении, но и о героизме, о торжестве культур, теперь поникших в глиняных развалинах.

Мы сегодня не претендуем на то, чтобы унаследовать эти глиняные развалины, хотя и не отказываем им в своем уважении.

Задача социалистической туркменской культуры заключается, однако, не в уважении к глиняным развалинам древнего мощного мира и не в изучении их — хотя эта задача также занимает наше внимание,— наша задача заключается в полном промышленном и сельскохозяйственном освоении Кара-Кумов, в создании великого туркменистанского оазиса на одном из самых печальных мест нашей планеты.

Возможно ли это? Нет ли здесь утопической задачи, скрывающей в себе лишь ложно-героическое пустословие и обещание сделать сегодня то, что возможно лишь завтра?

Нет, это не ложная, не завтрашняя, не непосильная задача. Другая советская республика — РСФСР, обращенная лицом к не менее пустой и тяжкой пустыне — к Арктическому океану,— сумела воодушевить, вооружить и поднять на дело овладения Арктикой тысячи своих наиболее мужественных и одаренных людей, и образцы их деятельности запечатлены теперь навсегда в памяти всех людей советских народов.

Разве дело овладения Кара-Кумами менее почетное, менее важное и более трудное, чем завоевание Арктики? Нет, не менее важное и не более трудное. Ни одна пустыня до социализма еще не была освоена под человеческое обитание. Разве Кара-Кумы менее опасны, менее полезны, чем Ледовитый океан, или не хватает в Туркмении и в Советском Союзе мужества и техники для ликвидации пустыни? Нет, Кара-Кумы столь же мучительны и опасны, как самые гибельные пространства земли, они наверняка способны погубить сотни пионеров и прокормить, обогатить, поднять на высоту социалистического достоинства десять — двадцать миллионов трудящихся, а мужества, техники и работоспособности хватит в Туркмении, а чего не достанет, тем поможет Советский Союз.

Кара-Кумы для Туркмении — это даже больше, чем Арктика для Советского Союза. В Кара-Кумах лежит будущее туркменского размноженного народа,— они станут местом социализма и дальнейшего исторического развития.

Чрезвычайно важно мобилизовать волю и воодушевление всего туркменского народа — особенно молодежи — на завоевание Кара-Кумов, чтобы пустыня стала героической школой социалистического творчества, подобно тому, как Арктика служит такой же школой для русских и северных народов.

Сейчас Кара-Кумы нуждаются в своих челюскинцах, и среди туркмен найдутся свои Шмидты и Воронины, способные подготовить пустыню для счастливого существования новых поколений. Кара-Кумы — это не только географическое пространство, это гигантское поприще для энтузиазма молодого Туркменистана, это сборник тем для туркменской литературы и искусства. Ведь покорение среднеазиатской «горячей Арктики» потребует не только большой техники и большого труда, но и «большой души». Пусть подумают над этим туркменские и·русские писатели — инженеры социалистического чувства сознания.

Можно подумать, что такое «чрезвычайное» отношение к Кара-Кумам потребует особого финансирования работ по завоеванию пустыни. Это неверно. Работы по завоеванию пустыни уже идут, уже финансируются, но смысл этих работ далеко не всеми понимается. Не создано подъема, ответственности, радости и напряжения вокруг этой деятельности, не дано обобщающей ясной идеи. Разве хорошо, героически, как следует ведется дело на Серных Буграх, в Нефтедаге, в Эрбенте или на других аванпостах пустыни? Разве это рядовые операции?

Далее того. Почему нет заботы о таких простых, относительно дешевых, доступных вещах, как восстановление старых такырных колодцев, постройка новых, организация государственной службы технического надзора за ними? Колодцы ведь не только базы животноводства, они создают пунктирные трассы путей для проникновения в пустыню.

Но колодцы такырного стока или грунтового питания пользуются лишь пресной водой. Основные же запасы кара-кумской воды засолены. Однако и минерализованную воду можно включать в хозяйственный оборот.

Ташкентским изобретателем К. Г. Трофимовым уже предложены дешевые, портативные опреснители, работающие на лучистой энергии солнца; им же создана конструкция насоса, работающего на небольшой разности температур; кроме того, мировая техника располагает водоподъемниками, подходящими для наших целей (например, «Бессонэ-фавор» и др.). Почему бы не испытать широко эти механизмы и не пустить их затем в эксплуатацию взамен ветхого снаряжения из блока, веревки и кожаного мешка. Мы иногда тратим лишние деньги на очень далекие перспективы, забывая овладеть близкими.

Работы т. Федосеева по искусственному дождю также должны отнести к самым ближайшим перспективам. Работы М. П. Петрова и его сотрудников на Репетекской песчаной станции хлопководов из института в Байрам-Али и многих других доказывают, во-первых, что в Туркмении уже есть кадры «челюскинцев пустыни», во-вторых, что пустыни может и не быть, она не обязательна при социализме. Нам приходилось ходить в саксауловых рощах Репетека на сыпучих барханах, где пустыни уже не чувствуется вовсе.

Маленький Репетек одним из первых отрядов перешел в активное наступление на Кара-Кумы, потому что современная техника растениеводства, умноженная на творческое искусство советских работников, позволяет зарастить пески, создать на них мощную кормовую базу для животноводства, широко поставить дело лесного саксаульного хозяйства и организовать химическую промышленность из растительного сырья.

Древняя поверхность пустыни вполне пригодна для культурного, высокорентабельного социалистического хозяйства. И вот — всячески поддерживая и вдохновляя наступление на пустыню по ее, так сказать, поверхностям, мы, однако, решаемся заявить, что ключ к полному завоеванию «жаркой Арктики» лежит в ее недрах.

Теперь ведь ясно, что Кара-Кумы (по крайней мере на своих окраинах) — это цистерны с нефтью, ящики с углем, мешки с серой и так далее. Природа противоречива: под убогой наружностью пустыни она скрывает наше будущее достояние, более драгоценное, чем если бы на ней росли буковые рощи. И нам кажется, что пески можно преодолеть, лишь углубившись под их залегание. Нефть, газы, сера, уголь, минералы, химические руды заставят покрыть мертвое пространство Кара-Кумов живой промышленностью и возвысить труд, культуру, благосостояние и душу туркменского народа до такого уровня, на каком не была ни одна культура древности.

Могучие средства промышленности поведут за собою хлопок, животноводство, транспорт, водоснабжение, сельское хозяйство в таких темпах, каких эти отрасли еще не знали. Машина обеспечит другую скорость роста и другую надежность плодоношения растению и животному в пустыне. Прекрасные внутренние качества туркменского народа — проницательный, иронический ум, способность к точному математическому знанию, страстная преданность социалистической Родине — лучше всего могут развиваться в наиболее совершенной форме труда — в промышленности. Однако трудно будет начать широкое завоевание Кара-Кумов промышленностью, если вперед не будет достигнуто резких успехов по хлопку, овцеводству, по кормовым и хлебным культурам. Именно отсюда главным образом должны начать свой поход «челюскинцы песков», чтобы повысить наступательную силу народного хозяйства Туркмении. Пустыня достаточно обильна и позволяет произвести ее завоевание на самоокупаемости и саморасчете.

Мы желаем, чтобы сегодня весь социалистический Туркменистан понял «Черные пески» как будущую страну своих детей и чтобы это сознание проникло в его волю и сердце.

Весь Советский Союз поможет Туркмении в ее всемирной работе по превращению Кара-Кумов в сплошной цветущий оазис социализма. Советский Союз уже научился одолевать льды Северного океана, и он сумеет справиться с пустынями.

Пусть идея завоевания Кара-Кумов — героическая, простая и хозяйственно-необходимая — станет воодушевляющей генеральной мыслью туркменского народа и всех, кто этот народ любит. Осуществление этой идеи даст Туркмении богатство и всемирную славу и выведет бывших кочевников в строй передовых народов Союза, в культурный авангард человечества.

Худая пустыня, давно рассыпавшая свои кости в прах и прах истратившая на ветер, исчезнет и забудется навечно. По Ледовитому океану пойдут рейсовые корабли, а на месте кара-кумских барханов будет находиться высшая человеческая цивилизация — социализм.

Сделаем так, чтобы эти события случились одновременно.

Из писем в Ленинград, 1934 г.

...Как хорошо не только любить, но и верить в тебя как в Бога (с большой буквы), но и иметь в тебе личную, свою религию. Любовь, перейдя в религию, только сохранит себя от гибели и от времени.

Как хорошо в этом Боге не сомневаться, имея личность Божества всегда перед собою.

Любовь — есть собственность, ревность, пакость и прочее.

Религия — не собственность, и она молит об одном — о возможности молиться, о целости и жизни Божества своего.

Мое спасение — в переходе моей любви к тебе в религию.

И всех людей в этом спасение.

Это я знаю вернее всего, и за это буду воевать.

Как хорошо и спокойно мне, Мария.

Я счастливее первых дней любви к тебе.

Я от тебя ничего не требую теперь. В боготворении любимой — есть высшая и самая прочная любовь.

...Наука родилась не для понимания мира, а для завоевания его человеком, для того, чтобы влить мир в человека.

Понимание мира — предпосылка к покорению его...

...Наука родилась в тот момент, когда человек почувствовал себя отделенным от вселенной, когда природа извергла из себя это существо и человек захотел снова слиться с ней для своего спасения.

...Все научные теории, атомы, ионы, электроны, гипотезы, всякие законы — вовсе не реальные вещи, а отношения человеческого организма ко вселенной в момент познающей деятельности...

Из писем в Крым, 1936 г.

...Наверно, в Крыму тебе понравится. Главное мое беспокойство — землетрясения. Никто не знает, будут они или нет. Главное — во время землетрясения не быть в здании или у скалы в море. Скала может деформироваться и задавить человека, море «вздохнет» на берег так, что погребет под собой людей и т. д.

Смотри, Мария! Если будет тревожно или землетрясение повторится — выезжай в Москву... Что Тот ужасен (капризничает, ты пишешь) понятно, он устал с дороги. Но что он вспомнил в Симферополе о нашем дворике — это знаменито!

...Я живу плохо... скучно и дурно мне. Жизнь моя свелась совсем к примитиву: служба и дома. Был у Новикова...[24]

Но одиночество мне страшно — так я привык бессознательно иметь рядом с собой тебя. Я говорю искренне. Я увижу тебя очень нескоро. Мне предстоит переплыть океаны трудностей. Ты ведь знаешь, как трудно в Москве все дается. Самое тяжелое — без тебя мне плохо работается...

...Я работаю. Иногда меня питает энергия остервенения, чтобы выбраться на чистую, независимую воду жизни.

...Пишу о нашей любви[25]. Это сверхъестественно тяжело. Я же просто отдираю корки с сердца и разглядываю его, чтобы записать, как оно мучается. Вообще писатель — это жертва и экспериментатор в одном лице. Но не нарочно это делается, а само собой так получается. Но — это ничуть не облегчает личной судьбы писателя — он неминуемо исходит кровью. Как все это грустно, однако, Мария!

...В Совкино мне говорят, что на мои вещи нельзя писать рецензий, а надо писать целые исследования и т. д., до того они, дескать, хороши. Отчасти это преувеличено, но все же каждому должно быть лестно. (Но ведь не ставят Айну, испортили совсем!)...[26]

Сейчас читал свои стихи. Предлагаю издать их не в Мол. Гвардии, хотя Молотов просил дать их через неделю.

Помнишь ты такой отрывок:

> ...Помню я, в тоске воспоминанья,
> Свежесть влажной, девственной земли
> И небес дремучее молчанье,
> И всю прелесть милую вдали...
>
> Но чем жизнь страстней благоухала,
> Чем нежней на свете красота,
> Тем жаднее смерть ее искала
> И смыкала певшие уста...

Меня это тронуло нынче больше, чем когда я писал эти стихи.

Вот что самое страшное в человеке — когда его люди не интересуют и не веселят и когда природа его не успокаивает, т. е. когда он погружен весь в свою томящуюся душу. Так обстоит у меня. Сегодня воскресенье, ездил с Петей[27] к аэродрому, должны быть мотоциклетные гонки, но не состоялись. Я пешком дошел почти до Серебряного бора. И ничто меня не тронуло, не успокоило и не обрадовало.

...Природа отстала от меня. Легко понять — почему, но говорить неохота... Смерть, любовь и душа — явления совершенно тождественные. Это ты знаешь и без меня хорошо...

Кончим об этом. Я не сумел сделать просто из жизни то, о чем мечтал в ранние годы...

...Опиши мне Крым. У тебя очень хороший стиль в письме из Симферополя, несмотря на то, что ты писала его наспех. Вот так и пиши. Какое ощущение оставило море, какие горы, небо, воздух и весь инвентарь тамошней природы. Я отсюда ничего себе не могу вообразить. Что вы едите? Как Тотик встретил море? Как ты (я спрашиваю это, чтобы вообразить тебя в Крыму)?

И все остальное. Мне все будет любопытно. Ты знаешь, я нечаянно открыл принцип беспроводной передачи энергии. Но только принцип. До осуществления — далеко. Будет время — напишу статью в научный журнал. Маша, это захватывающая задача,— страсть к научной истине не только не умерла во мне, а усилилась за счет художественного созерцания.

...Я негармоничен и уродлив — но так и дойду до гроба, без всякой измены себе. Завтра ответ в Совкино о службе...

Пиши мне все, Машенька. На деле я никогда не был и не буду твоим врагом. А был только на словах.

Муза! Если там плохо, приезжай немедленно, не беспокойся ни о чем... Валя сказала, что там плохо, что ты не получаешь моих писем.

Как бы я тоже хотел уехать из этой пустой квартиры. У меня окончательно разошлось сердце, и по ночам льется изможающий пот. Сегодня я выясню, в чем дело. Я не беспокоюсь, только мне некогда болеть. Думаю, что врач скажет о покое, отдыхе и проч. Они же умеют лечить лишь понос...

Но трудно работать без тебя, трудно писателю быть без Музы. Я уже привык к твоему новому имени, которое я сам дал тебе, и говорю с тобой в воображении, называя только так. Еще ни разу я не говорил тебе его в лицо... Вот пишу, пишу и не могу оторваться. Как будто я вблизи с тобой. Скажи сыну (ведь он уже большой, десять лет), что я его люблю, что я по нем соскучился и часто смотрю на все его игрушки, на столик, которые теперь пусты и ждут его.

...Я еду к вам! Получил деньги, пока соберусь, письмо уже придет до меня.

IV. ВОЙНА. ДЕЙСТВУЮЩАЯ АРМИЯ[28]

Андрей Платонович считал, что назначение литературы времени Отечественной войны — быть вечной памятью о нашем народе, сберегшем мир от фашизма и уничтожившем врагов человеческого рода.

В его понятие «вечной памяти» входит и понятие вечной славы. Слово «вечный» не будет преувеличением, если образы людей военного времени будут запечатлены в произведениях, полных «истинной действительности, одухотворенных оживляющим мастерством писателя...».

«...Искусство должно, преодолев недостаток человеческого сердца, склонного к забвению, восстановить справедливость».

И еще несколько высказываний о войне, оставшихся в письмах и записных книжках:

«...После войны, когда на нашей земле будет построен храм вечной славы воинам, то против него... следует соорудить храм вечной памяти мученикам нашего народа. На стенах этого храма мертвых будут начертаны имена ветхих стариков, женщин, грудных детей. Они равно приняли смерть от рук палачей человечества...

...А кладбище убитых на войне! И встанет к жизни то, что должно быть, но не свершено: творчество, работа, подвиги, любовь — вся картина жизни несбывшейся. И что было бы, если бы она сбылась? Изобразить то, что в сущности убито — не одни тела. Великая картина жизни и погибших душ, возможностей. Дается мир, каков бы он был при деятельности погибших,— лучший мир, чем действительный: вот что погибает на войне — убита возможность прогресса... (1944 г., письмо с фронта).

...Немцы хотят убить «синюю птицу» человечества. Пока что они убивают всех нижних воробьев, а птица возвышается и улетает от своего врага... (1943 г.)

...Помнишь о тех, которые, обвязав себя гранатами, бросились под танки врага? Это, по-моему, самый великий эпизод войны, и мне поручено («Красной Звездой») сделать из него достойное памяти этих моряков произведение.

...Я пишу о них со всей энергией духа, какая только есть во мне. У меня получается нечто вроде реквиема в прозе. И это произведение, если оно удастся мне, Мария, самого меня хоть отдаленно приблизит к душам погибших героев... Мне кажется... что мне кое-что удается, потому что мною руководит воодушевление их подвигом... (1942 г.)[29]

...Русский солдат для меня святыня, и здесь я вижу его непосредственно. Только позже, если буду жив, я опишу его...»

Июль, 1942 г.

...Я только что вернулся с материалами в «Красную Звезду», был на фронте...

...Я видел грозную, прекрасную картину боя современной войны.

В небе гром наших эскадрилий, под ними гул и свист потоков артиллерийских снарядов, в стороне хриплое тявканье минометов.

Я был так поражен зрелищем, что забыл испугаться, а потом уже привык и чувствовал себя хорошо. Наша авиация действует мощно и сокрушительно, она вздымает тучи земли над врагом, а артиллерия перепахивает все в прах! Наши бойцы действуют изумительно. Велик, добр и отважен наш народ!

...Представь себе, в земле укрыты тысячи людей, тысячи пар глаз глядят вперед, тысячи сердец бьются, вслушиваясь в канонаду огня, и поток чувства проходит в твоей груди, и ты сам не замечаешь, что вдруг слезы странного восторга и ярости текут по твоим щекам. Я, ты ведь знаешь, привык к машинам, а в современной войне сплошь машины, и от этого я на войне чувствую себя как в огромной мастерской среди любимых машин.

...Ночью я видел пылающий в небе самолет врага. От скорости полета и ветра огонь распускался за ним, как космы у ведьмы...

...Я уже знал раньше от П. Трошкина, что твой отец скончался в Ленинграде. Сожалею и сочувствую тебе. Ты знаешь, я любил Александра Семеновича и был ему товарищем, особенно в последние годы. Я вспоминаю, как мы были с ним в Луге, нанимали лошадей, как он приезжал к нам в Москву. Теперь его нет. Может быть, еще узнаешь что-то из блокадного Ленинграда, напиши мне, пожалуйста...

6/VI—1943 г.

Дорогая моя жена Маша. Я под Курском. Наблюдаю и переживаю сильнейшие воздушные бои. Однажды попал в приключение. На одну станцию немцы совершили налет. Все вышли из эшелона. Я тоже. Почти все легли. Я не успел и смотрел стоя на осветительные ракеты. Потом я лечь не успел, меня ударило головой о дерево, но голова уцелела... Два дня болела голова, которая у меня никогда не болит, и шла сильно кровь из носа. Теперь все это прошло; взрывная волна была слаба для моей гибели. Меня убьет только прямое попадание по башке. Как-то ты там живешь, одинокая моя? Я так по тебе соскучился, так много есть что рассказать, так много есть чего писать. А главное, я так тоскую о холмике земли на армянском кладбище.[30] Когда-то я еще буду там, я сам не знаю. Что у вас там нового? Я тут редко что слышу, п. ч. бываю в дальних местах. Задумал одну вещь, очень важную... Но где тут писать!

...Я сделал здесь на войне столь важные выводы из его смерти, о которых ты узнаешь позже, и это тебя немного утешит в твоем горе...

...Недавно я сказал как бы маленькую речь, где вспомнил такой факт из фронтовой действительности: один наш командир поднимал своих бойцов в атаку, был сильный огонь противника, у командира оторвало миной левую руку; тогда он взял свою оторванную руку в правую, поднял свою окровавленную руку над своей головой, как меч и как знамя, воскликнул: «Вперед!», и бойцы яростно пошли за ним в атаку. И первый мой тост был за здоровье, за победу великого русского солдата.

Этот факт с рукой я описал в рассказе «Реквием» (памяти пяти моряков-севастопольцев).[31]

...Я видел на фронте храбрейших людей, которые, однако, не могут ни слушать музыку, ни видеть цветы — плакали...

...Она (Красная Армия) приняла на свою грудь, на свое оружие ураганное давление германской армии, затомила на себе силу немцев и затем перешла в сокрушающее упорное наступление, уничтожая вросшую в землю оборону противника...

...Пишу о войне, а душа покоя просит. Тихая ночь войны, проникнутая взорами людей, таких, как я, бодрствующих в окружающем мраке, льется по земле. Невнятные звуки возникают во тьме, около нашей землянки, а потом снова безмолвие. Иногда во мраке светятся ракеты, висят они мучительно долго, освещая все зеленым, иногда синим светом, но потом все-таки гаснут.

И странно тебе покажется, но мне в такие ночи не так грустно. Мне кажется, что мой сын где-то там, в этом сине-зеленом мраке...[32]

КОММЕНТАРИИ

1) В деревне Волошино (близ Воронежа) учительствовала будущая жена писателя М. А. Кашинцева, выехавшая туда по окончании двух курсов университета по набору Воронежского наробраза на «ликвидацию неграмотности». По ее воспоминаниям, «каждые десять — двенадцать дней Платонов приходил в деревню... Замерзший, весь в ледяных сосульках. Было страшно за него. В сельсоветах ему не всегда давали лошадей, хотя у него был корреспондентский билет от газеты «Воронежская коммуна», и ему выпадало преодолевать десятки километров пешком по степи, а кругом рыскали волки».

2) После VI Воронежского съезда Советов (20—23 июня), решившего направить в уезды ответственных партийных и советских работников для оказания помощи по мобилизации населения на борьбу с Деникиным на местах, А. Платонов командируется в г. Новохоперск в качестве корреспондента газеты «Известия Совета обороны Воронежского укрепленного района».

3) До революции А. Платонов учился в приходской и четырехклассной городской школах, трудовую деятельность начал с 13,5 лет: мальчиком в страховом обществе «Россия», литейщиком на трубном заводе, помощником машиниста на локомобиле в имении Усть помещика полковника Я. Г. Бек-Мармарчева, в различных мастерских (см. автобиографию А. Платонова.— Государственный архив Воронежской обл., ф. 19, оп. 22, ед. хр. 6, л. 260—260 об.). Говоря о технической школе, А. Платонов, по всей вероятности, имеет в виду железнодорожный политехникум, в который поступил в начале 1918 года.

4) Строки из стихотворения А. С. Пушкина «Вишня».

5) А. Платонов в данном случае исходит из личных наблюдений — Новохоперская городская организация комсомола была создана 14 мая 1919 года («Молодежь Воронежской губернии в революционном движении 1903—1920 гг.» Сборник документов и материалов. Воронеж. кн. изд-во, 1958, с. 213), но с приближением армии Деникина все ее 15 членов уходят на фронт («Дни грозовые. Воронежская организация КПСС в годы гражданской войны 1918—1920 гг. Документы и материалы». Воронеж. кн. изд-во, 1960, с. 154).

6) Положение Новохоперска в июле 1919 года, то есть во время пребывания здесь А. Платонова, действительно было сложным. В результате июньского наступления Добровольческая армия заняла полностью шесть уездов Воронежской губернии, в том числе и Новохоперский. Линия фронта, сложившаяся на конец июня, в течение июля и первой половины августа оставалась, по существу, неизменной: Царицын — Балашов — Борисоглебск — Острогожск. Новохоперск, таким образом, постоянно оказывался во фронтовой полосе, являясь местом ожесточенных схваток. За это время город переходил из рук в руки шесть раз (см.: «История гражданской войны в СССР», в 5-ти т., т. IV, М., Госполитиздат, 1959, с. 203). В уезде была совершенно разрушена партийная организация. Как явствует «Из отчета Воронежского губернского комитета РКП(б) Центральному Комитету РКП(б) о работе с 23 июня по 1 августа 1919 года», многие коммунисты мобилизовались на фронт, а оставшиеся перестали считать себя членами партии. На оккупированной врагами территории усилился бандитизм, подогреваемый кулачеством, бывшими царскими урядниками, торговцами, дезертирами и уголовниками («Очерки истории Воронежской области», т. 2. Воронеж, Изд-во ВГУ, 1967, с. 83). К. С. Еремеев, комендант Воронежского укрепленного района, реально оценивая обстановку летней кампании 1919 года, писал в своих воспоминаниях: «Воронежская губерния пережила период Октябрьской революции... через год после Октября. Военные события, немцы, гайдамаки, петлюровцы, казаки, наша партизанщина наконец, и все это оставило свой след». (Цит. по кн.: К р е м л е в И. В литературном строю. Воспоминания. «Московский рабочий», 1968, с. 129).

7) В «Удостоверении», выданном писателю по увольнении в связи с его отзывом в Москву, ошибочно датируются начало и окончание работы А. Платонова в Воронежском губземуправлении. По постановлению губисполкома А. Платонов зачисляется в штат работников земельного управления 5 февраля 1922 года, где в течение четырех лет (по 10 мая 1926 года, о чем свидетельствует и датировка на штампе удостоверения — мая 11 дня 1926 года) занимает различные должности, непосредственно связанные с мелиорацией и электрификацией сельского хозяйства: председателя комиссии по гидрофикации, управляющего губернским мелиоративным бюро, заведующего отделением гидрофикации и подотделом сельскохозяйственной мелиорации, а также работами по электрификации сельского хозяйства, председателя комиссии по постройке гидроэлектростанции на Дону и др. В автобиографии 1924 года А. Платонов так объясняет свой переход на практическую народнохозяйственную работу: «Засуха 1921 г. произвела на меня чрезвычайно сильное впечатление, и, будучи техником, я не мог уже заниматься созерцательным делом — литературой» (Государственный архив Воронежской обл., ф. 19, оп. 22, ед. хр. 6, л. 260 об.).

8) Л. К. Рамзин (1887—1948) — один из руководителей Промпартии, нелегальной контрреволюционной организации, действовавшей в СССР в 1925— 1930 годах с целью свержения диктатуры пролетариата и реставрации капита-

лизма. В октябре 1930 года Л. К. Рамзин был осужден по делу Промпартии, в дальнейшем искупил свою вину перед Советским государством, выполнив ряд ценных для народного хозяйства исследований.

9) В 1926—1927 годах А. Платонов возглавляет подотдел мелиорации в Тамбовском губернском земельном управлении.

10) Главный инженер-мелиоратор Тамбовского губернского земле-управления.

11) Речь идет о сыне А. П. и М. А. Платоновых.

12) «Епифань» — известная повесть «Епифанские шлюзы», давшая название первому сборнику прозы писателя, впервые опубликована в журнале «Молодая гвардия», 1927, № 6.

«Антисексус» — неопубликованный рассказ А. Платонова.

13) Здесь и далее — Г. З. Литвин-Молотов (1898—1972), редактор воронежских газет «Красная деревня» и «Воронежская коммуна», с которым А. Платонов познакомился весной 1919 года. С этих пор между ними установились дружеские отношения. В 1921 году Г. З. Литвин-Молотов возглавил издательство «Буревестник» в Краснодаре, где выпустил книжку стихов А. Платонова «Голубая глубина» со своим предисловием. С 1925 года Г. З. Литвин-Молотов член правления Госиздата, затем председатель правления и главный редактор издательства «Молодая гвардия». Именно в это время А. Платонов ведет переговоры об издании сборника повестей и рассказов «Епифанские шлюзы».

О роли Г. З. Литвина-Молотова в творческой судьбе молодого писателя свидетельствует дарственная надпись А. Платонова на его книге: «...человеку, которому я обязан своим лучшим и чистым прошлым и, может быть, буду обязан будущим. С глубокой любовью, которую ничто не встревожит — Андрей Платонов. 11/VII—27 г. Москва».

14) Повесть «Эфирный тракт» при жизни А. Платонова не была опубликована. Впервые — в сб. «Фантастика-1967» (М., «Молодая гвардия», 1968), вошла также в однотомник писателя «Потомки солнца» (М., «Советский писатель», 1974).

15) Речь идет о работе над повестью «Епифанские шлюзы», в основу которой положены исторические события из эпохи Петра I, связанные с неудачной попыткой строительства канала между Волгой и Окой в конце XVII — начале XVIII веков.

16) А. Попов — работник кинофабрики «Мосфильм».

17) Здесь и в последующих письмах речь идет о договоре на книгу стихов А. Платонова, которая так и не была издана.

18) Кирпичников — герой повести «Эфирный тракт».

19) Повесть «Епифанские шлюзы» посвящена М. А. Кашинцевой.

20) Рассказ «Семен». Впервые опубликован в журнале «Красная новь» (1936, № 11).

21) Неосуществленный замысел А. Платонова.

22) Основной целью бригады оргкомитета ССП СССР в Туркмении (1933—1934 гг.) было создание литературно-художественного сборника, приуроченного к десятилетию Туркменистана. «Каждый из участников бригады взял себе определенную тему и, направившись в район, собрал нужный ему материал... Наряду со своей основной творческой работой бригада приняла энергичное участие

в подготовке к I Всетуркменскому съезду писателей» («Литературная газета», 1934, 20 мая).

23) Фольклорная тема, о которой пишет здесь А. Платонов, впоследствии реализована писателем в рассказе «Такыр», вошедшем в альманах к десятилетию Туркменистана «Айдинг-гюнлер» (изд. Юбилейной комиссии ЦИК ТССР, М., 1934).

24) А. Н. Новиков — писатель, автор романов «О душах живых и мертвых», «Последний год», «Впереди идущие» и др.

25) А. Платонов в это время пишет рассказ «Фро».

26) Речь — о фильме по сценарию А. Платонова, появившемся на экранах в довоенное время.

27) П. А. Трошкин, свояк А. Платонова.

28) С октября 1942 года А. Платонов в действующей армии в качестве специального корреспондента газеты «Красная Звезда». «Его увлекали,— вспоминает редактор «Красной Звезды» генерал-майор Д. Ортенберг,— не столько оперативные дела армии или фронта, сколько люди. Он впитывал все, что видел и слышал, глазами художника. Наши корреспонденты «жаловались»: надо ехать, а Платонова нет. А он сидит где-нибудь в землянке или в окопе, увлеченный солдатской беседой, забыв обо всем на свете. Был Платонов человеком непритязательным и легко мирился со всеми неудобствами и невзгодами фронтовой жизни. «На войне надо быть солдатом»,— не раз говорил он своим товарищам.

Но его скромность и застенчивость сразу испарялись, когда пытались оставить Платонова в тылу...

Возвращался Платонов в редакцию оживленный и даже веселый и говорил: «Разобьем фашистов. Ей-богу, разобьем...» («Лит. Россия», 1973, 4 мая, с. 10—11).

За годы войны А. Платоновым написано большое количество очерков, корреспонденций и рассказов, которые печатались в газетах «Красная Звезда» и «Труд», в журналах «Краснофлотец», «Октябрь», «Новый мир», «Знамя» и других, а также составили сборники прозы писателя: «Под небесами Родины» (Уфа, 1942); «Рассказы о Родине» (М., Гослитиздат, 1943); «Броня» (М., Воениздат, 1943); «В сторону заката солнца» (М., «Советский писатель», 1945). Наиболее полное собрание рассказов писателя военных лет представлено в книге «Смерти нет!» (М., «Советский писатель», 1970).

В ноябре 1944 года А. Платонов прибыл с фронта с тяжелой формой туберкулеза. Демобилизован в феврале 1946 года по болезни.

29) Здесь: о работе над рассказом «Одухотворенные люди», в основу которого был положен героический подвиг морских пехотинцев В. Цибулько, И. Красносельского, Ю. Паршина, Д. Одинцова и Н. Фильченкова под Севастополем летом 1942 года. «Морские пехотинцы... стояли против двадцати фашистских танков. Гранаты на исходе. Ни одной нельзя промахнуться. Иначе танки пройдут. А промахнуться в таком бою — дело нехитрое. И пробил час Фильченкова (у А. Платонова: Фильченко.— *В. Ч.*). Он привязал гранаты к поясу и бросился с ними под танк. Чтоб наверняка. Все последовали его примеру» (подполковник В. Филатов. «Золотое созвездие». «Правда», 1974, 16 апреля).

Рассказ впервые опубликован в журнале «Знамя » (1942, № 11) под названием «Одушевленные люди. Рассказ о небольшом сражении под Севастополем». В 1970 году на основе этого произведения создана пьеса «Севастопольские моряки» (режиссер Н. А. Александров), а в 1971 — музыкальная трагедия «Июльское воскресенье», либретто которой, помимо сюжетного мотива из

«Одухотворенных людей», вобрало в себя подлинные письма и документы погибших воинов, народные частушки, причитания, стихи А. Твардовского и «Севастопольские рассказы» Л. Толстого.

30) Здесь и ниже — о сыне А. П. и М. А. Платоновых.

31) Описанный героический поступок художественно воспроизведен А. Платоновым в рассказе «Одухотворенные люди»: «Комиссар Поликарпов взял свою левую руку за кисть и встал на ноги, в гул и свист огня. Он поднял над головой, как знамя, свою отбитую руку, сочащуюся последней кровью жизни, и воскликнул в яростном порыве своего сердца, погибающего за родивший его народ:

— Вперед! За Родину, за вас!

Но краснофлотцы уже были впереди него: они мчались сквозь чащу смертного огня на первый рубеж врага, чувствуя себя теперь свободно и счастливо, словно комиссар Поликарпов одним движением открыл им тайну жизни, смерти и победы».

32) Приведенная цитата из письма была впоследствии использована А. Платоновым в рассказе «Челюсть дракона (Один бой)»: «Тихая ночь войны, проникнутая взорами тысяч бодрствующих людей, медленно лилась на земле. Мгновенные невнятные звуки изредка возникали во тьме и снова утихали в безмолвии. Время от времени в дальнем мраке, рассеивая напряжение, светилась ракета, и она гасла...» (Цит. по кн.: А н д р е й П л а т о н о в. «Смерти нет!» Рассказы. М., «Советский писатель», 1970, с. 66).

Публикация и вставные главки М. А. Платоновой

«ОДНАЖДЫ ЛЮБИВШИЕ...»

Предисловие собравшего письма.

По-моему, достаточно собрать письма людей и опубликовать их — и получится новая литература мирового значения. Литература, конечно, выходит из наблюдений людей. Но где больше их можно наблюдать, как не в их письмах?

Я всегда любил почту — это милое, крепкое бюрократическое учреждение, с величайшей бережностью и тайной влекущее открытку с тремя словами привета через дикие сопротивления климата и пространства!

Три вещи меня поразили в жизни — дальняя дорога в скромном русском поле, ветер и любовь.

Дальняя дорога — как влечение жизни, ландшафты встречного мира и странничество, полное живого исторического смысла.

Ветер — как вестник беспокойной вселенной, бьющий в открытое лицо неутомимого путника, ласкающий, как дыхание любимого человека, сопротивляющийся шагу и делающий усталую кровь веселой влагой.

Наконец, любовь — язва нашего сердца, делающая нас умными, сильными, странными и замечательными существами.

Я далек от теоретических подходов к таким вещам. Я полон участия к ним, страсть сподвижничества, «приспешничества» и кровной заинтересованности заставляет меня убивать жизнь, которая могла бы быть более удачной, на переписку чужих писем, на смакование далеких от моего тела страстей.

В чем увлекательность и интерес любви для стороннего наблюдателя? В простом и недостаточно оцененном свойстве любви — искренности. Это сближает любовь с работой (от создания симфоний до кирпичной кладки) — и там и тут нужна искренность, то есть полное соответствие действий внутреннему и внешнему природному устройству, иначе любовь станет деловой подлостью, а кирпич вывалится из стены, и дом рухнет. Природа беспощадна и требует к себе откровенных отношений. Любовь — мера одаренности жизнью людей, но она, вопреки всему, в очень малой степени сексуальность. Любовь страшно проницательна, и любящие насквозь видят друг друга со всеми пороками и не жалуют один другого обожанием.

Любовь совсем не собственничество. Быть может, брак — это

социальное приложение любви — и есть собственничество и результат известных материальных отношений людей — это верно. Но любовь, как всякую природную стихию, можно приложить и иначе. Как электричеством, ею можно убивать, светить над головою и греть человечество.

Вы понимаете, что любовь, как и электричество, тут ни при чем. Она не учреждена. Дело в том, как и кто ею пользуется,— вернее, кто ею одержим.

Я не говорю, что помещаемые ниже письма я нашел в «старой корзине под сломанной кроватью», или в урне клуба, или на чердаке, или я получил их в наследство от умершего родственника. Этого не было. Письма эти действительны. Корреспонденты еще живы и существуют где-то затаенной счастливой жизнью, полной, однако, по совместительству, общественной деятельности очень большого масштаба. Это не так важно.

Письма я не правил, и они не все налицо — многие утрачены и не попали мне в руки.

Из писем видно, что любовь существует, что она то сияет, то льется черной кровью страсти, то страдает яростной ревностью, то глухо бормочет, отрекаясь от себя.

Вы видите, как трется внутри себя сильный организм человека и как бушует в нем подпертая живая сила, рвущаяся для творчества, и как она круто отклоняется жестокими встречными стихиями.

Любовь чрезвычайно похожа на обычную жизнь. Но какая разница! Вероятно, любовь вначале только количественно отличается от жизни, зато потом это количество переходит в качество — и получается почти принципиальная разница между любовью и жизнью.

В конце концов — я не знаю, что это такое. Но посмотрите, какое это замечательное явление — не хуже ветра и дороги.

Там, где я не удерживаюсь, я вставляю небольшие сведения от себя.

Здесь я не автор, не «сочинитель», а, так сказать, платонический соучастник этой любви — быть может, потому, что ею обездолен и сажусь к чужому обеденному горшку.

А. Платонов

P. S. Письма — обычны и ничем особенным не блещут: это — не литература. Так же, как прочесть «Вестник Научно-мелиорационного института», для одоления писем нужна специальная заинтересованность.

Сентябрь, 1925 г.

Муська! Маша!

Пишу тебе стоя на Ухожаевской почте. Свою постель оставил в Доме крестьянина и заплатил там полтинник за сутки будущей жизни.

комнате жил некий «А. И. Павлов» и, может быть, сидел за тем же столом, где сейчас сижу я, и так же скучал в этом глухом и тихом городе. Я с трудом нашел себе жилище, несмотря на то, что квартир и комнат в Ухожаеве много... Город обывательский — типичная провинция, полная божьих старушек и постных звонов из церквей.

Мне очень скучно. Единственное утешение — это писать тебе письма и раздумывать над беспроволочной передачей электрической энергии. На службе гадко.

Вот когда я оставлен наедине со своей душой и старыми мучительными мыслями.

Но я знаю, что все, что есть хорошего и бесценного (любовь, искренняя идея),— все это вырастает на основании страдания и одиночества.

Поэтому я не ропщу на свою комнату... и на душевную безотрадность...

Я не ною, Мария, а облегчаю себя посредством этого письма. Что же мне делать?..

Мне как-то стало все чужим, далеким и ненужным. Только ты живешь во мне — как причина моей тоски, как живое мучение и недостижимое утешение.

Еще Тотка — настолько дорогой, что страдаешь от одного подозрения его утратить. Слишком любимое и драгоценное мне страшно,— я боюсь потерять его, потому что боюсь тогда умереть.

Видишь, какой я ничтожный: боюсь умереть и поэтому берегу вас обоих как могу.

Помнишь эти годы! Какой мукой, грязью и нежностью они были наполнены?

Неужели так вся жизнь?..

Я бы хотел чем-нибудь развеселить тебя, но никак не могу даже улыбнуться.

Ты бы не смогла жить в Ухожаеве...

Как странно все, я как в бреду и не могу опомниться. Но и выхода нет для меня. Я постараюсь успокоиться, лишь бы покойно и хорошо было вам. Оба вы слишком беззащитны и молоды, чтобы жить отдельно от меня. Вот чего я боюсь. Оба вы беспокойны, стремительны и еще растете — вас легко изуродовать и обидеть. Но что делать, я не знаю. Обними и расцелуй Тотика, я не скоро увижу его, не скоро я повожу его верхом. А ты вспомни обо мне и напиши письмо, потому что я тобой только держусь и живу.

Александр

Под этим письмом нарисованы какие-то странные значки и сигналы, напоминающие автомобили. Может быть, это самостоятельный язык тоскливой любви, а может быть, просто рисунки для развития сынишки автора письма.

Город очень запущенный, глухой, поросший травой на всех подсолнечных местах. Гораздо хуже Воронежа. Но весь в зелени и масса садов и скверов, где есть даже детский песок, как в Москве. Очень тихо и спокойно кругом, даже слышно дыхание курицы. Сейчас 6 часов вечера, и я не знаю, куда мне деваться, куда я приехал — закрыто. Но сторож говорит, что вечером будет собрание, и я туда пойду через час.

Здесь хорошо только отдыхать и жир наращивать, а ты бы, например, с твоим живым характером, здесь жить не смогла.

...Тотик[1] не скучает по мне? Не знаю, Муся, что мне делать?.. Приеду, посоветуемся. В Воронеж, наверное, не поеду. Душа не лежит и уже тоскую по вас.

В вагоне к «Ночной поэме» написал еще 12 строк. Мешала балакающая жлоборатория. Поезд шел страшно медленно и по худым шпалам. Ехали глухими старорусскими и позднетатарскими местами. Встретилась станция под названием «Бортный Ухожай»! Что это такое — ты ведь филолог. Гуляй больше и бди осторожность: иначе автобус сожрет мою Мусю. Кончаю писать: почту здешнюю хотят закрывать. Обними моего маленького мужичка и купи ему сказку, скажи, что отец все-таки пошлет его в Крым вместе с матерью, которую я сейчас мысленно и жадно целую.

Александр

Наверное, прошло долгое время. Автор письма уже разлучен с любимой женщиной и живет одиноко в другом городе. Его давит фантастическое горе, он плачет над бумагой, и чернила расходятся. Этот мужественный, терпеливый и мирный человек чувствует, как скрежещет его сердце от могучей тоски, и мучается в холодной запертой комнате, стараясь устать и уснуть. Он сознает, что все это, быть может, чепуха, что излишняя кровь сердца бросилась в голову и отравляет сознание. Остатками все еще счастливого разума он сознает, что страдать так ни к чему, что жизнь обширна, но этот слабый контроль головы уже отказывается сопротивляться сердечной стихии, но человек все еще борется и старается писать о серых вещах провинции, чтобы защититься...

Ухожаев, 11 декабря 1925, 6 ч

Мария!

Вот сижу я в маленькой почти пустой комнате (кровать). Маленький дом стоит на дворе. Двор и занесен снегом. Стоит долгая, прочная тишина. Я одинок. На моей двери висит эмалированная табли... лов, Артист Императорских Театров». Когда-то, ...

---

[1] Маленький сын автора письма.

Дорогая Маша!

Пишу тебе третье или четвертое письмо из своего изгнания. Грусть моя по тебе растет вместе с днями, которые все больше разделяют нас.

Вот Пушкин по памяти:

> Я помню милый
> нежный взгляд
> И красоту твою земную;
> Все думы сердца
> к ней летят,
> Об ней
> в изгнании тоскую...

И я плачу от этих стихов и еще от чего-то. Я уехал, и как будто захлопнулась за мной тяжелая дверь. Я один в своей темной камере и небрежно влачу свое время. Как будто сон пришла совместная жизнь, или я сейчас уснул, и мой кошмар — Ухожаев.

Видишь, как трудно мне. А как тебе — не вижу и не слышу. Думаю о том, что ты сейчас там делаешь. Почему ты не хочешь писать мне? Я хорошего не жду, но и плохого не заслужил. Завтра утром я переезжаю в пригород Ухожаева, где я нашел себе комнату со столом за 30 р. в месяц. Там, правда, грязно, старуха нечистоплотна, но дешево. Похоже, что я перехожу в детские условия своей жизни. Ямская слобода, бедность, захолустье, керосиновая лампа и зимние ветры за жалким окном.

Работать на службе почти невозможно. Тысячи препятствий самого нелепого характера. Не знаю, что у меня выйдет. Тяжело мне как в живом романе. Но просить о переезде тебя не смею. Ты не выживешь тут — такая кругом бедность, тоска и жалобность. Хотя материально жили бы хорошо...

Я так еще много хочу тебе сказать, но почему ты молчишь? Неужели и теперь я чужой тебе. Обними моего Тотку, моего милого потомка, ради которого я готов на все. Прощай...

Александр

Публикация М. Платоновой и Е. Жирковой

«ТРУД ЕСТЬ СОВЕСТЬ»

Из записных книжек разных лет

Блокноты, тетради, записные книжки — это, вероятно, лишь огромное название уже давно существующего и все еще нового, то есть формально не узаконенного, литературного жанра. Этот жанр существует для небольших произведений, которые всего удобнее и полезнее излагать именно способом «записной книжки».

Если же блокноты и записные книжки являются складочно-заготовительными пунктами литературного сырья, то было бы странно опубликовывать что-либо «из записной книжки», потому что питать читателя сырьем нельзя, это есть признак неуважения к читателю и доказательство собственного высокомерия.

1931—1933

Искусство должно умереть — в том смысле, что его должно заменить нечто обыкновенное, человеческое; человек может хорошо петь и без голоса, если в нем есть особый, сущий энтузиазм жизни.

Писать надо не талантом, а «человечностью» — прямым чувством жизни.

Преодолеть, простить недостатки друг друга нельзя, не имея чувства родственности.

Сквозь череду горя, труда и бедствия — к молодости, к вере и радости...

Напряжение нежности.

И новые силы, новые кадры могут погибнуть, не дождавшись еще социализма, но их «кусочки», их горе, их поток чувства войдут в мир будущего. Прелестные молодые лица большевиков,— вы еще не победите; победят ваши младенцы. Революция раскатится д а л ь ш е вас! Привет верующим и умирающим в перенапряжении!

Как непохожа жизнь на литературу (мальчик в Мелекесе): скука, отчаяние. А в литературе — «благородство», легкость чувства и т. д. Большая ложь — слабость литературы. Даже у Пушкина и Толстого — мучительное лишь «очаровательно».

Оставляй для судьбы широкие проходы.

Ночное пение аэродинамических труб во всех крупных городах мира — вот мелодия времени, истории.

Крестьянин имеет переменную душу от погоды, от ветров.

1936—1938

Человечество — без облагораживания его животными и растениями — погибнет, оскудеет, впадет в злобу отчаяния, как одинокий в одиночестве.

Надо относиться к людям по-отцовски.

Это и есть новая любовь между людьми — сквозь души других.

Трагедия оттертости, трагедия «отставленного», ненужного, когда строится блестящий мир, трагедия «пенсионера» — великая мука.

Критика, в сущности, есть дальнейшая разработка богатства темы, найденной первым, «основным» автором. Она есть «довыработка» недр, дальнейшее совершенствование мыслей автора. Критика может быть многократной.

Первый автор обычно лишь намечает, оконтуривает недра и лишь частично их выбирает, а критик (идеальный) доделывает начисто несовершенное автором.

1941—1950

Явная, демонстративная доброта бывает компенсацией тайного зла. Мне нужен рассказ об этом.

У многих людей ум заменяется наглостью, иронией, насмешкой — «вы интеллигенты»... Но за этим — невежество хулигана. Эгоизм жулика.

Назначение литературы нашего времени, времени Отечественной войны, это быть вечной памятью о поколениях нашего народа, сберегших мир от фашизма и уничтоживших врагов человеческого рода.

В понятие вечной памяти входит и понятие вечной славы. Вероятно, этим назначением литературы она сама полностью не определяется, но сейчас именно в этом направлении лежит ее главная служба.

Слово «вечный» не будет преувеличением, если образы людей нашего времени будут запечатлены в произведениях, полных истины действительности, одухотворенных оживляющим мастерством писателя.

Остающиеся жить обязаны вечной памятью по ушедшим из жизни героям, потому что живые сохранены подвигами тех, кто погиб. Но нельзя от следующих за ними поколений требовать столь многого: человеческому сердцу свойственны не только совесть, долг и память, но также и забвение. Задачей искусства и является создание незабвенного из того, что преходяще, забвенно, что погибло или может погибнуть, но почему мы, живые, обязаны жизнью и спасением,— в такой же мере обязаны, как матери; искусство должно здесь, преодолев недостаток человеческого сердца, склонного к забвению, восстановить справедливость.

Но дело не только в такой эпической необходимости, дело здесь и в практической пользе: если живая и, так сказать, частная конкретность Отечественной войны стушуется когда-либо в будущем силой забвения, то как люди могут увидеть для себя поучение из великого, но уже минувшего события... Здесь важна именно частная конкретность, потому что литература имеет дело с отдельным человеком, с его личной судьбой, а не с потоками безымянных существ. Мы должны сберечь в памяти и в образе каждого человека в отдельности, тогда будут сохранены и все во множестве и каждый будет прекрасен, необходим и полезен теперь и в будущем, продолжая через память действовать в живых и помогая их существованию.

Если бы наша литература исполнила эту свою службу, она бы, между прочим, оберегла многих людей, в том числе и тех, которым еще только надлежит жить, от соскальзывания их в подлость. Но эта польза — дополнительная, а не главный результат...

Война с чрезвычайной быстротой образует новые характеры людей и ускоряет процесс жизни. Один красноармеец сказал: бой есть жизнь на большой скорости. Это верно. Жизнь на большой скорости означает, что формируется великое множество людей, причем складываются и такие характеры, которые не могли сложиться прежде и которые, возможно, никогда более не повторятся в качестве подобия в другом человеке. Служба литературы, как служба вечной славы и вечной памяти всех мертвых и всех живых, увеличивается этим обстоятельством в своем значении и делается еще более незаменимой ничем.

Мне рассказывали о младшем сержанте, который вместе с другим своим товарищем завалил трупом немца огневое сечение немецкого дзота, и никто толком не мог сообщить о человеческих свойствах этого редкого героя.

Однако, зная свойства нашего народа и армии, можно все-таки понять и написать об этом человеке, если иметь к нему сердечную заинтересованность. Писатель должен уметь решать уравнения со многими неизвестными. В этой связи важно знать одну вещь. Всякое искреннее серьезное человеческое чувство всегда имеет в себе и предчувствие, то есть как бы дальнейшее расширение или увеличение чувства за пределы первоначального ощущения,— и тогда делается ясным то, что не было видимо в характере или судьбе его. Например, распространенное чувство любви между мужчиной и женщиной, по убеждению самих любящих, «вечно», но если эта любовь достаточно глубока, то она же бывает и «грустна», потому что в ней же самой находится предчувствие ее окончания, хотя бы путем смерти любящих.

В нашей литературе еще мало предчувствия, подобного точному знанию. Если вспомнить военные произведения предвоенных лет, то в них верно только убеждение в непобедимости и побеждающей мощи нашего народа, но драмы войны в них нет.

Рождается ребенок лишь однажды, но оберегать его от врага и от смерти нужно постоянно. Поэтому в нашем народе понятие матери и воина родственны; воин несет службу матери, храня ее ребенка от гибели. И сам ребенок, вырастая сбереженным, превращается затем в воина.

Не так давно я видел одно семейство. В опаленном бурьяне была зола от сгоревшего жилища, и там лежало обугленное мертвое дерево. Возле дерева сидела утомленная женщина, с тем лицом, на котором отчаяние от своей долговременности уже выглядело как кротость. Она выкладывала из мешка домашние вещи — все свое добро, без чего нельзя жить. Ее сын, мальчик лет восьми-девяти, ходил по теплой золе сгоревшей избы, в которой он родился и жил. Немцы были здесь еще третьего дня. Мальчик был одет в одну рубашку и босой, живот его вздулся от травяной бесхлебной пищи; он тщательно и усердно рассматривал какие-то предметы в золе, а потом клал их обратно или показывал и дарил их матери. Его хозяйственная озабоченность, серьезность и терпеливая печаль, не уменьшая прелести его детского лица, выражали собою ту простую и откровенную тайну жизни, которую я сам от себя словно скрывал.

Это лицо ребенка возбуждало во мне совесть и страх. Как сознание своей вины за его обездоленную судьбу.

— Мама, а это нам нужно такое? — спросил мальчик.

Мать поглядела, ребенок показал ей гирю от часов-ходиков.

— Такое не нужно — куда оно годится! — сказала мать.— Другое ищи.

Ребенок усиленно разрывал горелую землю, желая поскорее найти знакомые, привычные вещи и обрадовать ими мать; это был маленький строитель Родины и будущий воин ее. Он нашел спекшуюся пуговицу, протянул ее матери и спросил:

— Мама, а какие немцы?

Он уже знал — какие немцы, но спросил для верности или от удивления, что бывает непонятное. Он посмотрел вокруг себя — на пустырь, на хромого солдата, идущего с войны с вещевым мешком, на скучное поле вдали, безлюдное без коров.

— Немцы, — сказала мать, — они пустодушные, сынок... Ступай, щепок собери, я тебе картошек испеку, потом кипяток будем пить...

— А ты зачем отцовы валенки на картошку сменяла? — спросил сын у матери. — Ты хлеб теперь задаром на пункте получаешь, нам картошек не надо, мы обойдемся... Отца и так немцы убили, ему плохо теперь, а ты рубашку его променяла и валенки...

Мать промолчала, стерпев укоризну сына.

— А мертвые из земли бывают жить?

— Нет, сынок, они не бывают.

Мальчик умолк, неудовлетворенный. Неосуществленная или неосуществимая истина была в словах ребенка. В нем жила еще первоначальная непорочность человечества, унаследованная из родника его предков. Для него непонятны были забвения и его сердцу несвойственная вечная разлука.

Позже я часто вспоминал этого ребенка, временно живущего в земляной щели... Враждебные, смертельно-угрожающие силы сделали его жизнь при немцах похожей на рост слабой ветви, зачавшейся в камне, — где-нибудь на скале над пустым и темным морем. Ее рвал ветер, и ее смывали штормовые волны, но ветвь должна была противостоять гибели и одновременно разрушать камень своими живыми, еще неокрепшими корнями, чтобы питаться из самой его скудости, расти и усиливаться — другого спасения ей нет. Эта слабая ветвь должна вытерпеть и преодолеть и ветер, и волны, и камень: она — единственное живое, а все остальное — мертвое, и когда-нибудь ее обильные, разросшиеся листья наполнят шумом опустошенный войной воздух и буря в них станет песней.

Немцы хотят убить «синюю птицу» человечества. Пока что они убивают всех нижних воробьев, а птица возвышается и улетает от своего врага.

На войне у людей ландшафт воспринимается иначе, оценивается каждый естественный предмет, потому что война — это зона между их жизнью и смертью, где жизнь добывается в тяжелом труде через смерть врага, — война вместе с тем место, где надолго решается судьба человечества. Например, русское серое обычное поле является великим многозначительным образом, а супряга, когда тринадцать-четырнадцать детей и старух впряжены в общую лямку, тянут однолемешный плуг, с и м в о л о м непобедимой России...

...Одно из самых опасных для народа последствий войны — разрушение семьи. Где найти нравственную силу, которая сможет противостоять губительным страстям людей, и где находятся источники их истинной любви, которыми люди обмениваются в знак верности и взаимного чувства на всю жизнь...

Сарай в дер. Малый Тростенец. На месте сожженного сарая — огромное количество пепла, обугленных костей, обугленных трупов. Среди трупов масса немецких зажигательных бомб — для усиления температуры. Люди предварительно расстреляны. Характер некоторых ранений указывает на то, что в отдельных случаях смерть наступила не моментально, а ж и в ы е е щ е л ю д и подвергались сожжению вместе с трупами (около 5—6 тысяч).

Еще много могил не вскрыты: Тучинки, Кальварийское кладбище, на Раковой улице, в Парке культуры и др.

По данным комиссии, в местах истребления только в области уничтожено 300 тысяч человек, не считая сотен тысяч, сожженных в кремац. печах. Из них военнослужащих — 150 тысяч...

После войны, когда на нашей земле будет построен храм вечной славы воинам, то против него следует соорудить храм вечной памяти мученикам нашего народа. На стенах этого храма мертвых будут начертаны имена ветхих стариков, женщин и грудных детей. Они равно приняли смерть от рук палачей человечества.

Ребенок долго учится жить; он учится самоучкой, но ему помогают и старшие люди, которые уже приучились жить, существовать. Наблюдать за развитием сознания в ребенке и за осведомленностью его в окружающей неизвестной действительности составляет для нас радость.

...Если бы мой брат Митя или Надя — через 21 год после своей смерти вышли из могилы подростками, как они умерли, и посмотрели б на меня, что со мною сталось? — Я стал уродом, изувеченным и внешне и внутренне.— «Андрюшка, разве это ты?» — «Это я — я прожил жизнь».

Мать, рождая сына, всегда думает: не ты ли — тот?

Женщина — путь и средство, сын ее — цель и смысл пути.

Драма великой и простой жизни: в бедной квартире вокруг пустого деревянного стола ходит ребенок лет 2—3-х и плачет — он тоскует об отце, а отец его лежит в земле, в траншее, под огнем, и слезы тоски стоят у него в глазах; он скребет землю ногтями от горя по сыну, который далеко от него, который плачет по нем в серый день, босой, полуголодный, брошенный.

Рабочий человек должен глубоко понимать, что ведер и паровозов можно наделать сколько угодно, а п е с н ю и в о л н е н и е сделать нельзя. П е с н я д о р о ж е в е щ е й, она человека к человеку приближает. А это трудней и нужнее всего...

Солдат,— тайна солдата в том, что он, в его характере, в его природе и замысле «стушеваться», предоставить высшую волю другим, себе оставить исполнение, существование в тени, в безымянности...

Офицер есть образ Родины для солдат на поле боя. Никого иного нет ближе для солдата в час битвы, в час его возможной смерти.

Деятельность офицера должна доказывать любовь отечества к солдату. В этом залог победы войск.

Искусство, как потение живому телу, как движение ветру,— органически присуще жизни.

Если я замечу, что человек говорит те же слова, что и я, или у него интонация в голосе похожа на мою, у меня начинается тошнота...

Любовь одного человека может вызвать к жизни талант в другом человеке или, по крайней мере, пробудить его к действию. Это чудо мне известно.

...Смысл жизни не может быть большим или маленьким — он непременно сочетается с вселенским и всемирным процессом и изменяет его в свою особую сторону,— вот это изменение и есть смысл жизни.

...Любовь честнее доверия, потому что даже обманутый влюбленный заслуживает не сожаления, а удивления и уважения.
Любовь никогда не выглядит глупостью, а доверие — всегда, если оно не соединено с любовью.

...Любовь есть соединение любимого человека со своими основными и искреннейшими идеями — осуществление через него (любимого — любимую) своего смысла жизни.

Любить женщину легко — это значит любить себя.

Сознание женщины — сама мать.

Жизнь есть упускаемая и упущенная возможность.

Сторонник и проповедник «красивой жизни»,— для него эта жизнь — истина и вся философия.

Поймы рек Оскола, Валуя, Уразво, Потудани, Девицы — это целые заболоченные страны.

Электротехника должна быть самостоятельной наукой, объединяющей всю практику (собственно электротехнику) и теорию электричества — электрику.

Электротехника, хотя и кровное дитя физики, должна оторваться от своей матери и жить отдельно, самостоятельно.

Искусство не терпит пустоты,— оно должно быть заполнено жизнью и людьми, как поле травой.

Нельзя социалистический реализм подменить вульгарным сентиментализмом.

Искусство заключается в том, чтобы посредством н а и п р о с т е й ш и х средств выразить н а и с л о ж н е й ш е е. Оно — высшая форма экономии.

...Зависть и ответственность художника от общей исторической жизни народа.

Настоящий художник не может принять натурализм как руководство к творчеству (указание Энгельса). В действительности указание Энгельса, разработанное самим Энгельсом очень детально, есть не что иное, как обоснование социалистического реализма искусства наших дней...

«Пагубный пример» — все с Запада (Герцен). Все тогда ссылались на Запад, теперь на СССР, СССР стал центром мировоззрения мира.

Труд есть совесть.

Все возможно — и удается все, но главное — сеять души в людях.

КОММЕНТАРИИ

В однотомник включены наряду с известными прозаическими произведениями Андрея Платонова (1899—1951) разных лет многие забытые рассказы, статьи талантливейшего художника, а также его ранние сочинения, письма к жене М. А. Платоновой, документы и записные книжки. Многие из них, включая записные книжки «Труд есть совесть», статьи из воронежских газет 20-х годов, никогда не входили в прижизненные и посмертные издания писателя. Подобное издание стало возможным благодаря многолетней работе скончавшейся в 1983 году вдовы писателя М. А. Платоновой, подготовившей в последние годы жизни ряд важнейших публикаций из архива писателя (и среди них уникальную подборку писем и документов «Живя главной жизнью», появившуюся в журнале «Волга» в 1975, № 9), а также благодаря неустанным поискам, «литературным раскопкам» исследователей и текстологов (О. Г. Ласунского, М. Н. Сотсковой, Л. И. Шубина, В. П. Дорофеева, В. А. Верина и др.).

В данном издании читатель выходит напрямую к Платонову, выходит, по выражению М. М. Бахтина, «в самую сердцевину, в самую глубину человека». Этот принцип определил и принципы размещения произведений, с одной стороны, в жанрово-хронологическом порядке, с другой — в порядке, способствующем полному пониманию личности художника и предыстории его «нечаянного» и вечного совершенства.

ПРОЗА

«Сокровенный человек». Впервые в сб. «Сокровенный человек», М., «Молодая гвардия», 1928 г.

Одним из первых, прочитав ее в рукописи, о повести отозвался А. К. Воронский. Он писал А. М. Горькому 11 августа 1927 года: «Мне нравится Андрей Платонов, он честен в письме, хотя еще и неуклюж. У меня есть его повесть о рабочем Пухове — эдакий русский Уленшпигель — занятно...» В дальнейшем эта повесть вызвала самые разноречивые оценки. Р. Мессер в статье «Попутчики второго призыва» писала о том же Пухове: «Он в конце концов ушиблен революцией, он ее восхищенный и подавленный наблюдатель... Он идет на поводу у революции, за ее «красоту», но не знает своего места в ней» («Звезда», 1930, № 4). М. Майзель отмечал редкую заинтересованность Пухова в судьбах революции, но видел лишь созерцательное, «попутническое» отношение к ней: «Самые героические поступки Пухов совершает сомнамбулически, толкаемый своеобразной авантюрной любознательностью. Мир, раскрывающийся перед ним, раздражает его пытливость и в своей неорганизованности проигрывает при сравнении с высшей гармонией механики... Отношение Пухова к революции определяется своеобразным боевым и одновременно созерцательным фатализмом. Революция привлекает его, главным образом, как некий социальный аперитив, возбуждающий вкус к жизни» («Звезда», 1930, № 4).

Таковы были давние, как отметит В. Дорофеев — автор предисловия к одному из первых после смерти Платонова сборников «В прекрасном и яростном мире», попытки «составить масштабную карту души» платоновского героя на основе социологических схем. В статье В. Дорофеева, в работах Л. Шубина, С. Бочарова, В. Эйдиновой, В. Скобелева и В. Свительского, Н. Тюльпинова, Т. А. Никоновой критическая мысль отчасти успешнее, но, видимо, тоже не до конца «разгерметизировала» удивительный характер платоновского Уленшпигеля. Участие в делах революции как «лучшей судьбе людей» неразрывно связано в Пухове с уяснением самого себя, самопознанием, стадией «психологического освоения ее отдельными людьми» (Н и к о н о в а Т. А. Человек и революция.— В сб.: Творчество А. Платонова. Воронеж, 1970, с. 163).

«У с о м н и в ш и й с я М а к а р». Впервые в журн. «Октябрь», 1929, № 9.

Название рассказа и выбор имени, основного психологического акцента в поведении главного героя, неутомимо ищущего истины и одновременно «угнетенного» житейской бессмыслицей человека из низов,— безусловно связаны для Платонова с традицией, идущей от Ф. М. Достоевского (Макар Девушкин в «Бедных людях»), В. Г. Короленко («Сон Макара»), А. М. Горького («Макар Чудра») и пр. «макарологией». Кстати говоря, в том же 1929 году за 4—5 месяцев до «Усомнившегося Макара» появился рассказ Алексея Платонова (однофамильца А. П. Платонова — *В. Ч.*) под названием «Макар — карающая рука» («Новый мир», 1929, № 5). Исследователи отмечали и более ранние совпадения, перекличку названий — сборник рассказов Н. Тихонова 1927 года назывался «Рискованный человек», платоновская повесть, давшая название книге 1928 года,— «Сокровенный человек» и т. п.

Платоновский Макар — и новый характер, и неожиданная, новая вариация излюбленного писателем эксперимента с героем-путником, скитальцем, ищущим истины не в покое, а в своеобразном «путничестве», в приключениях, в «соударениях» с другими «я». Платонову вообще была близка эта тема и жанр древнерусской литературы: жизнь — лабиринт, человек — вечный путник, судьба — итог множества «соударений», хождений, споров и бесед с горемзлосчастьем... Далеко заходили (вернее залетали) платоновские путники. Еще в 1922 году явился первый платоновский «Макар» — чудак Епишка, попавший в условное, космическое пространство: «...Епишка стоял точкой на конце последнего оборота *спирали млечного пути*. Дальше ничего не было видно, и Епишка пожалел, что он человек, и хотел быть бессмертным, чтобы иметь время накопить силу стать завоевателем и жителем того, чего не видно за последней маленькой звездой, за *змеевиком млечного пути*» («Приключения Баклажанова»).

Далее стали являться другие путники и странники, оказывавшиеся лицом к лицу не с одним космосом,— а со стихией остановившегося в развитии быта, с лабиринтом, с «закончившейся» историей. Таковы Копчиков («Родоначальники нации»), Савва Агапчиков, бросивший даже пахать, не найдя оправдания всему миру («Рассказ о многих интересных вещах»), Евдок, у которого «занудилась душа» («Бучило»). К концу 20-х годов, после создания «Города Градова» и «Сокровенного человека», круг хождений и скитаний очередных «макаров» — и особенно Макара Ганнушкина — стал все более сужаться. Их путничества становились все менее стихийными, поле для экспериментов — все чаще коридоры учреждений, канцелярий, «присутствий» нового типа.

Для понимания сущности стремлений Макара Ганнушкина, так настойчиво обличающего учреждения, стихию бумажной волокиты, забвения деревни как якобы бессмысленного, «неорганизованного» пространства, весьма существенно одно свидетельство В. Б. Шкловского. Пересказывая суждения Платонова на своем, тоже весьма парадоксальном языке, В. Б. Шкловский (он встретил Платонова-мелиоратора летом 1926 года на работах в глухих степях на реке Тихая Сосна) записал:

«Деревня — это наша судьба. Нельзя натопить комнату в нетопленном доме. Наша культура буржуйская. Она топила комнату, как железную печь. Холодеет дерево и железо в пустынной, не освещенной деревне. Не поможет забивать дверь ковром» (Ш к л о в с к и й В. Б. Третья фабрика. М., «Круг», 1926, с. 126).

Учреждения, где сосредотачивается вся «направляющая» мысль, рассылаемая затем в виде предписаний, реляций, приказов и т. п., сонм чиновников — для Макара тоже вроде одной отопленной, мыслящей комнаты среди якобы хаотичного, «бесчинствующего» мира. Он никак не может с этим — удобным для стряпчих и подьячих новых времен — взглядом согласиться. «Социализм надо строить руками массового человека, а не чиновничьими бумажками наших учреждений»,— говорит его герой, человек из некогда «неотопленной деревни» — России.

Рассказ был подвергнут необоснованной, крайне пристрастной критике, не учитывавшей ни былого пути писателя-революционера, ни особенностей его языка. Безвестная В. Стрельникова в статье «Разоблачители» социализма. О подпильнячниках («Вечерняя Москва», 1929, 28 сент.) попробовала как бы в связи с «Усомнившимся Макаром» ревизовать даже... положительную оценку «Епифанских шлюзов» (1927), оценить неудачу героя повести Бертрана Перри в XVIII веке, в эпоху Петра I, как историческую аналогию к будто бы «дутым прожектам Октябрьской революции». Ф. М. Левин, в будущем искренний друг и заступник Платонова, поддавшись общему воздействию критики, разносной в отношении платоновской «макарологии», тоже вдруг оценил «Епифанские шлюзы» как «классический образец литературной нейтральности, прекрасный пример ухода писателя от революционной эпохи» («Резец», 1930, № 1, с. 1).

«К о т л о в а н» (1930) — в полном, соответствующем авторскому оригиналу виде повесть была впервые опубликована в журнале «Новый мир» (1987, № 6).

«Котлован» — одно из тех новых для читателя произведений, которые вносят очень существенную поправку в традиционный образ Андрея Платонова. Вернее, оно вместе с «Ювенильным морем» открывает самого подлинного Платонова. Сейчас впервые, может быть, становится понятным вовсе не вынужденный, не отступнический смысл признания Платонова в анкете издательства «Московское товарищество писателей» 1934 года: «Литературное направление, в котором я работаю, оценивается как сатирическое. Субъективно же я не чувствую, что я сатирик, и в будущей работе не сохраню сатирических черт». Для создателя классического в советской сатире произведения — таким произведением является платоновская повесть «Город Градов» (1927) — это, известное и ранее, признание выглядело весьма странным, оно трактовалось как уступка зловещим обстоятельствам, стеснительная самозащита. Даже наиболее серьезный исследователь творчества А. П. Платонова 60—70-х годов Л. Шубин писал в 1967 году, а в ином виде и позднее, об отступлении, тактических уступках писателя: «Встать в позу обиженного, не понятого обществом писателя Платонов не мог... Писатель отступал... Отступление не означало, однако, полной капитуляции. Писатель жертвовал произведениями, но пытался сохранить дорогие ему мысли» (Ш у б и н Л. И. Поиски смысла отдельного и общего существования. М., 1987, с. 194, 195).

Капитуляции после «Усомнившегося Макара» и волны критических разносов, как сейчас показывает «Котлован», не было. Ни полной, ни частичной. Платонов не жертвовал ничем. Наоборот, он, работая всецело для себя, «в стол», окончательно становился похож «на самого себя».

Кто же он в «Котловане»? Каков его новый образ?

Андрей Платонов сейчас — удивительный мастер социально-философских, гуманистических «утопий-предупреждений», сложных «фантазий-тревог». Он весьма своеобразно обосновывал необходимость «опережающего» видения, изображения русской послереволюционной действительности, важность, как сказал современный критик, **прямого изображения предстоящих свершений**», ускоренного и наглядного испытания в настоящем моделей будущего. Раньше на эти высказывания, не зная «Котлована», не представляя, что русский Г. Уэллс уже жил среди нас, жил **неузнанным,** мы не обращали особого внимания. А он не просто жил, он остро чувствовал и скорость истории, и возможность ошибок, утрат.

Революция — локомотив истории, ее душа — скорость преобразований... «Слышен был гулкий поток воздуха **от трения** бегущего тела паровоза»,— так образно скажет Платонов о стремительности исторического процесса в романе «Чевенгур». Почти гоголевское ощущение разрываемого движением воздуха! Оглядеться, уточнить свой путь, смысл деяний при такой скорости можно с помощью своеобразного испытания моделей, создания и разрушения утопий, с помощью особой «насмешливой игры», но полной глубокого сочувствия к «играющим».

Стремительное движение «локомотива» вызвало в многоукладной России невиданное смешение осознанных и стихийно-природных исканий, привело в движение огромное наследие преданий, легенд, стихийного правдоискательства. Это очень существенное обстоятельство, важное для понимания творчества Андрея Платонова в целом и «Котлована» в особенности. У него была своя версия, своя «рабочая гипотеза» истории и революции. «Народ называет свое мировоззрение правдой и смыслом жизни. Традиционное русское историческое правдоискательство соединилось в Октябрьской революции с большевизмом для реального осуществления народной правды на земле. Тогда наш корабль вышел в открытую бесконечную даль истории, в сияющее пространство»,— так оценивал даже в 1943 году былую историческую ситуацию, сложное наложение скоростей герой платоновского рассказа «Размышления офицера». Можно, конечно, спорить с этой платоновской рабочей гипотезой, с его «соединилось». Как и с известными строками Н. Клюева, тоже верившего в некий синтез большевизма и аввакумовского (и иного!) правдоискательства.

> Есть в Ленине керженский дух,
> Игуменский окрик в декретах.

Соединение, а вернее смешение различнейших нравственно-философских стихий — правдоискательства, мечтательства всех видов, своего рода «суеверий», еретических прожектов будущего «рая» и точных исторических знаний — определило облик, направленность и полную противоречий атмосферу всех платоновских утопий.

Платонов сознательно шел навстречу такой «противоречивости» как подлинному историзму в прозе. Если дар поэта, как сказал С. Есенин, «ласкать и корябать», то он хотел именно «корябать», тревожить, беспокоить читателя, а не заласкивать его до полного застоя мысли, до превращения всей отечественной истории только в «историю праздников». Платонов — это и показывает «Котлован» — оказался в сущности одним из немногих писателей, которые осознали эту многоукладную Русь как реальность, не отбросили, не обрубили эти, зачастую «сырые», анархистские, патриархальные, спутанные правдоискательские мечтания, жившие в народе, не отбросили их жестко в отход, в отсев. Он словно дал им ход, довел до логических завершений. «Отрубленный» вариант истории, как известно, тоже не исчезает бесследно. Лучше учесть, исследовать и его! Больше того. На своеобразной этической лестнице в «Котловане» Платонов поставил этих незрелых, «сырых» правдоискателей, страстных энтузиастов пролетарского Рая, в которых новая «идея находилась в окружении житейских страстей», в окружении их же невежества, навыков рабства, выше тех чистеньких, беспочвенных чиновников, которые глядели на мир «уныло-предвидящими глазами», у которых «идея» ничем не окружена, чиста, гола и уныла. Они не замечали, что в пафосе бесконечной борьбы за чистоту «идеи», среди чисток, выбраковываний, ликвидаций людей за ту или иную заземленность, «неполноценность», «отягощенность» историческим прошлым, строили уже в сущности райское будущее не для людей, а... без людей! В «Котловане» с огромной силой прозвучала эта высокая тревога:

«— Ликвидировали!?— сказал он из снега.— Глядите, нынче меня нету, а завтра вас не будет. Так и выйдет, что в социализм придет один ваш главный человек!»

Из каких «снегов», тундр, тайги звучит этот мужественный вопрос к тем, кого мы условно называем «перегибщиками», «волюнтаристами» и т. п.? От имени каких бесчисленных «щепок»?

* * *

Эти страстные догадки-предупреждения, актуальные и в наши дни, конечно заглушенные, «забитые», не услышанные ранее, зазвучали в полную силу уже в платоновском романе «Чевенгур» (1928—1930). «Котлован» вообще кажется одним из сокращенных, отжатых вариантов этой первой утопии Платонова. Новые оттенки и тревог, и надежд писателя выявили бедняцкая хроника «Впрок» (1931), повесть «Ювенильное море» (1934). Но самым энергичным, сжатым и тревожным «конспектом» предвидимого будущего, «моделью-предупреждением», конечно, стал «Котлован», утонувший колокол.

Если продолжить тему революции-локомотива, революции-корабля, то можно сказать, судя по «Котловану», что платоновский корабль (или ковчег?) вышел на сей раз в бесконечную даль истории с особенно сложным грузом: на нем собрано и все лучшее, светлое, что вымечтали социальные низы России, народ-правдоискатель в своих снах о будущем, и все мрачное, болезненное, даже страшное, что породили в нем же века рабства, разобщения, гнета, невежества, отсутствия навыков демократического бытия, отчуждения и весьма частого торжества бессмыслицы в истории.

Откуда иначе могла родиться та категоричность, максимализм решений, потребность в резком волевом изменении всего уклада, составляющая основную музыку «Котлована»?

«Поставим вопрос: откуда взялся русский народ? И ответим: из буржуазной мелочи! Он бы и еще откуда-нибудь родился, да больше места не было. А потому мы должны бросить каждого в рассол социализма, чтоб с него слезла шкура капитализма и сердце обратило внимание на жар жизни вокруг костра классовой борьбы и произошел бы энтузиазм!..»

Нарочито-«конфузный» язык Платонова, тонко передающий все движения его романтической, но сострадающей мысли, отнюдь не был самоцелью. Вот какие страсти, искания, волюнтаристские решения возникают на корабле, с огромной скоростью идущем в будущее! Если учесть, что обитатели этого же «корабля» (он предстает то в виде «города-коммуны» в «Чевенгуре», то совхоза в «Ювенильном море», то начатого «котлована» и колхоза с Оргдвором в «Котловане») уже в самом начале плавания к обетованной земле с изумлением обнаруживают, как быстро формализуются, оказениваются их же сокровенные мечты, как улетучивается теплота души, как фраза заменяет дело и сердечное сочувствие, рождая особое состояние обманутости, задумчивости, «тоску тщетности», то... Легко представить все изнеможение художнической мысли Платонова, причудливо-живописное смешение романтических и сатирических красок в его утопиях!

«Когда строку диктует чувство, оно на сцену шлет раба»,— писал Б. Л. Пастернак. «Посланные» Платоновым на сцену «Котлована» герои — и неистовый «вывариватель в рассоле» Сафронов, и безногий анархист Жачев, и человек без соседей в новом мире инженер Прушевский — разыгрывают его радости и тревоги так страстно, умирают в своих «ролях» так безрассудно, что... Продолжая пастернаковскую строфу, можно сказать:

И тут кончается искусство
И начинается судьба.

...Судьба, это парадоксальное часто единство настоящего, данного, и неизвестного, небывшего, «проективного», того, что человеком заготавливается «впрок» («прок» более необходим, чем «ущерб»,— читаем мы в «Котловане»), начинается в повести с первой же страницы. И странное ощущение ее «неухода», присутствия не покинет читателя и в финале замечательной повести. Облик «Котлована» как социально-философской утопии, трагический зачастую финал многих фантастических исканий и действий, разыгранных его героями, весь необычайно конкретный, ощутимый, почти очерково-наглядный характер многих сцен повести определился очень многими обстоятельствами.

Почему Платонов был «не узнан» как философ-утопист, создатель новых легенд о «городе Солнца»?

Он сам многими сторонами помог этому неузнаванию. Так, весьма многими сторонами эта повесть-утопия связана с непосредственной работой Платонова-мелиоратора в 1923—1926 гг., с «нефантастикой» его реального быта в недрах русской, деревенской провинции тех лет. В. Б. Шкловский, воссоздавая в 1926 году образ действий Андрея Платонова-мелиоратора и особый, неубывающий натиск на собеседника его идей, писал в «Третьей фабрике»:

«Платонов прочищает реки. Товарищ Платонов ездит на мужественном корыте, называемом автомобиль. Степи широки. ⟨...⟩

Это еще не пустыня: тут нет верблюдов. Воды нет...

Если построить плотины **поперек оврагов,** то можно сохранить в них воду. Здесь в прошлые два года вырыли столько земли, что она равна 1/4 горы Арарат. Платонов — мелиоратор. Он рабочий лет двадцати шести. Белокур. ⟨...⟩ Товарищ Платонов очень занят. Пустыня наступает». (Третья фабрика. М., «Круг», 1926, с. 129)

В «Котловане» эта «четверть горы Арарат», вырытой реальными мелиораторами на реках Воронеж, Битюг, Хопер, Тихая Сосна, станет главным опорным моментом для передачи грандиозности «котлована» для будущего дома общепролетарского счастья. «Ты слыхал про араратскую гору — так я ее наверняка бы насыпал, если б клал землю своей лопатой в одно место»,— говорит один из энтузиастов строительства этого утопического дома Чиклин. Мелькнет в повести и упомянутый Шкловским овраг, «более чем **пополам** готовый котлован», посредством которого «можно оберечь слабых людей для будущего», будет упомянут и **XIV съезд ВКП(б)** (1928), вошедший в историю как съезд индустриализации. **Безымянный активист говорит в повести: «Иль вы так и будете стоять между капитализмом и коммунизмом: ведь уж пора тронуться — у нас в районе четырнадцатый пленум идет!»**

Очень близка повесть и к бедняцкой хронике «Впрок» (1931), посвященной коллективизации. Кстати говоря, именно в «Котловане» и разъясняется сложный смысл этого любимого платоновского слова «прок»... Заметим, что вообще необходим некий толковый словарик Платонова, чтобы понять совсем не житейский смысл его слов-понятий: «порожний» («где организация, там всегда думает не более одного человека, а остальные живут порожняком»), «нечаянно» («мы сами живем нечаянно»), «тоска» («тоска тщетности», «лунный свет тосковал в тишине»)... И наконец, «прок», «впрок». Весь смысл строительства дома общепролетарского счастья для героев «Котлована» — в преодолении собственного эгоизма, обольщений личной выгоды, в способности «строить любое здание в чужой прок». И как ни отвратителен в повести понукальщик и неутомимый «чистильщик» Пашкин, с нюхом на «неполноценность» почти всех, его упрек в замедленности темпа («Где ж стараетесь?! Одну кучу только выкопали») заставляет мастеровых Сафронова, Чиклина, кающихся интеллигентов Вощева и Петрушевского согласиться с ним ради этого же «впрок»: «...скорей надо рыть землю и ставить дом, а то умрешь и не поспеешь. Пусть сейчас жизнь уходит, как теченье дыханья, но зато посредством устройства дома ее можно организовать впрок — для будущего неподвижного счастья и для детства».

Однако самое конкретное в утопии «Котлована», часто передоверенное героям,— это неистовое романтическое горение самого писателя, запечатленное в его публицистике начала 20-х годов, его юношеская убежденность, что все великое возможно сделать уже сейчас, сразу же. Прежде чем бросить в «рассол мечты» своих героев, он десятки, сотни раз бросал в этот рассол себя — и в стихах 1919—1922 годов, и в публицистике воронежского периода. «Рассол», т. е. вера в скорейшее утверждение «золотого века», был крайне крепок в этих романтических видениях. Не он ли, Платонов, писал под впечатлением засухи в Поволжье в 1921 году о главной и вполне осуществимой сейчас нужде человечества: «...о смертельной нужде **спеться людям между собой** и подняться на природу, на бессмысленное устройство земли», о необходимости всем живым «массами отправиться по русской стране с проповедью нового евангелия — техники?» (выд. мной.— *В. Ч.*).

...Собственно эти «спешиеся люди», создавшие идеальное содружество, непрерывно улучшающие его, но уже и подпавшие под власть казенщины, бюрократической заорганизованности, власть чиновных «столбов на столбовой дороге»,— и предстали в «Котловане» перед духовным взором главного героя Вощева — безусловно, духовного собрата Фомы Пухова из «Сокровенного человека», тоже скитальца, погрустневшего балагура и ерника.

Как же непросты эти люди при демонстративной простоте, даже аскетизме запросов, одежд, всего быта!

Они не хотят уже жить, как тени, «благодаря одному рождению», жить, как однодневки, ни в чем себя навечно, «впрок» не запечатлевая, блуждая в тумане бессмыслицы... Вощев и сам задыхается среди бессмыслицы: «...устало длилось терпенье на свете, точно все живущее находилось где-то посредине времени и своего движения: начало его всеми забыто и конец неизвестен, осталось лишь направление».

Во тьме, когда «ночь покрыла весь деревенский масштаб», Вощев в отчаянии мечтает: «Лучше бы я комаром родился: у него судьба быстротечна». И надо сказать, что Платонов не скрывает печального обстоятельства: перемещение этого героя-скептика, искателя, скитальца за желанным планом общей жизни в «котлован» (в «котел», в некую «мирскую чашу», говоря языком Пришвина), в утопическое социальное пространство не несет ему моментального исцеления. В новых людях, встреченных им — Сафронове, Чиклине, размашистом анархисте Жачеве, по-махновски вольно реквизирующем льготные пайки у того же бюрократа Пашкина («любой кодекс для меня слаб!»),— Вощев угадывает множество скрытых, терзающих этих же героев тревог, мук, даже тоски. Им никто пути не осветил! «Все влечения и тоска встретились в рассудке»,— так на своем, нарочито рационализированном языке говорит Платонов о причудливом состоянии этих своеобразных аргонавтов. Они страстно хотят «строить здание в чужой прок», им «прок», т. е. запас будущего, неведомого, практически запас бессмертия, созидаемый, однако, из вещества существования настоящего, «более необходим, чем ущерб»... И тот же Жачев, безногий анархист, непрерывно атакует робкого Вощева и инженера Прушевского: «Живи храбрее — жми друг дружку, а деньги в кружку! Ты думаешь, это люди существуют? Ого! Это одна наружная кожа, до людей нам далеко идти, вот чего мне жалко!»

Читатель «Котлована», видимо, не раз будет потрясен страстностью мечты о новом человеке, о смысле жизни, о счастье детей, заботами этих людей с изможденными лицами о девочке Насте, «тоской» молотобойца-медведя... Едва умерла эта девочка, хрупкий носитель еще не пришедшего будущего, благая весть из него, вечный житель «дома счастья», Вощев, даже видя могучие колонны труда, содрогнулся: «...стоял в недоумении над этим утихшим ребенком,— он уже не знал, где же теперь будет коммунизм на свете, если его нет сначала в детском чувстве и в убежденном впечатлении? Зачем ему теперь нужен смысл жизни и истина всемирного происхождения, если нет маленького, верного человека, в котором истина стала бы радостью и движением?»

Счастье — не надличностная, планетарная, а потому анонимная сила, оно всегда избирательно, человечно, его нельзя вообще соорудить на «щепках». Совсем не безразличен для счастья и сам путь, который ведет к нему: может случиться, что во дворце счастья, если растерять на пути к нему душу, братство, некому будет жить!

Тревоги Платонова действительно мучительны. Он открыт для любых ударов, подозрений, даже «запретов». Сверхзрение — источник бед. Но можно ли молчать, если... Даже новый человек уже накладывает на себя парадные ограничения, попадает в недра механизма торможения, застоя, иллюзий движения! Новые люди и «спеваются» часто под сильным давлением догматических установок, собственных странных, почти суеверных представлений о равенстве и счастье, о семье и браке, о месте искусства и красоты. И сообщество, которое мыслится ими как «рай», как пункт разрешения и «погашения» многих острейших гуманистических тяжб с историей, с прошлым, вдруг становится точкой возникновения новых тревог, новых опасностей.

Дело даже не в том, что в избе-читальне молодые крестьянки вдруг кусками штукатурки выводят, ликвидируя свою безграмотность, среди слов на буквы «а» и «б» слова «аллилуйщик», «бюрократия», «бессменный председатель», «браво-браво-ленинцы»... И не в том, что Жачев не получает ответа на свой, навеянный, конечно, темой «Философии общего дела» Н. Ф. Федорова, вопрос: «Сумеют или нет успехи высшей науки воскресить назад сопревших людей?» И этот вопрос, и неутомимое собирание Вощевым ветхих вещей, и внезапная тоска девочки Насти, тяга к могиле умершей матери («Я опять к маме хочу!»), и сам плот с раскулаченными, уплывший в небытие, — все присутствует в социальном пространстве как неустраненные, лишь временно приглушенные, отодвинутые в стороны противоречия жизни. Платонов с трогательной иронией рисует неистовые заботы энтузиастов утопического «оазиса» об ограждении его от всего неполноценного, негодного. Устами младенца — той же Насти — он говорит об одном «ограждении», о сетке меридианов на карте:

«— Дядя, что это такое — загородки от буржуев?

— Загородки, дочка, чтоб они к нам не перелезли...»

Но в это новое царство уже влезли, уже взращены в нем же — наивностью, нетерпением, былыми рабскими привычками — и Пашкин, и безымянный активист, «по-медвежьи» жестоко и бесчувственно осуществивший мероприятие раскулачивания. Бюрократия засорила саму мысль и чувство искренних и чистых людей каким-то чудовищным потоком слов — из резолюций, приказов, «повесток дня». Платонов, как и М. Зощенко, искусно пародирует, изнемогая в тревоге, стиль мышления всей новой породы «крапивного племени» с их боязнью «перегибщины», «забеговшества», «переусердины» и всякого «сползания по правому и левому откосу с отточенной остроты четкой линии». Возможно, для многих слоев современной читательской массы все эти понятия «уклон», «сползание», как и «кулак», «подкулачник», «главная линия», «ослабел телом без идеологии», «костер классовой борьбы», «солнце новой жизни взошло, и свет режет ваши темные глаза», «жмущиеся к единоличию деревни», «лошадь взяли в организацию»,— все это загадочная знакомая система, нерасщепляемые словесные клише.

Платонов писал свою утопию «Котлован» в тот сложный исторический период, когда, как сказал С. П. Залыгин, «молодое советское государство распрощалось с нэпом», начало осуществлять грандиозные планы пересоздания страны. На своем, т. е. платоновском языке об этом говорится и в «Котловане»: «...и целевая установка партии — маленький человек, предназначенный состоять всемирным элементом! Ради того нам необходимо как можно внезапней закончить котлован». Но С. П. Залыгин отметил одну, едва ли встревожившую ранее многих утрату: «Распрощавшись с нэпом, мы заодно распрощались и с вариантным мышлением и целиком сосредоточились на главном и (единственном) направлении — на задаче индустриализации и коллективизации страны любой ценой». Для сложного этого периода — и Платонов, автор антифашистских произведений «Мусорный ветер» (1933) и «По небу полуночи» (1940), прекрасно понимал всю необходимость сосредоточения, концентрации воли на единственном варианте! — было тоже характерно одно, социальное и моральное обязательство, отмеченное С. П. Залыгиным: «Нам в то время не усложнение действительности нужно было, а ее упрощение, полная ее очевидность, полная безвариантность... любой уклон — это деяние антиобщественное, антигосударственное, антисоветское. Отсюда и «любая цена» во всем, и жертвенность, которую мы тогда проявили, и категоричность суждений» (С. П. Залыгин. Поворот.— «Новый мир», 1987, № 1, с. 7).

Платонову как утописту, научному фантасту было безразлично: нарушает ли он законы жанра, требующего для утопии некоего универсального пространства, или нет? Он жил целиком в своем времени, и в его утопиях встречные ветры несут ощутимый запах воронежского чернозема, а в людских говорах отчетливо слышны интонации людей, живших под Острогожском, Новохоперском или Тамбовом. Но даже в условиях «безвариантного мышления», даже сознательно принимая необходимость некоторого упрощения целей, неактуальность сопоставления множества вариантов развития (в условиях растущей угрозы войны), несвоевременность учета всяких мечтаний, распыляющих силы, а вообще-то естественных для нормально текущей жизни. Платонов сумел представить множество вариантов человеческих судеб, дерзких мечтаний. Он первым отметил, что «безвариантность», удобная во все времена одной бюрократии, несет с собой и безгласность, и фасадное единомыслие, и опасности оказенивания, формализации народной инициативы, бюрократического «благополучия», как замены, суррогата счастья. Отмененные, приглушенные «варианты» мечтаний об индивидуальном счастье буквально вырываются в «Котловане» наружу из-под крова единого, истово созидаемого, планетарного дома счастья.

В чем состоит «вариант» человеческого счастья, правоты истории для Жачева?

Этот многократно возникающий, как бы выпадающий из эпохи военного коммунизма инвалид на тележке то неистово изобличает всех, кто не умеет жить храбро, то плачет громадными слезами от жалости к буржуйской девочке Насте, в сущности неистово сражается со всеми, кто может «испортить нашу республику». «Где же ты, самая пущая стерва? Иди, дорогая, получить от увечного воина!» — восклицает он. «Я почему-то любую стерву с самого начала вижу!» — с мукой бессилия (многовато этих стерв!) говорит он. Жачев то и дело перманентно «раскулачивает», стрижет бюрократа Пашкина, унося из его дома то бутылки со сливками, то иные продукты. Он разоблачает как вид сложного «приспособленчества» даже случайное сочетание имени и отчества Пашкина («Почему и Лев и Ильич? — «Уж что-нибудь одно»). Все попытки Пашкина и его жены развратить Жачева («Знаешь что, Левочка?.. Ты бы организовал как-нибудь Жачева, а потом взял и продвинул его на должность — пусть бы хоть увечными он руководил! Ведь каждому человеку нужно хоть маленькое господствующее значение, тогда он спокоен и приличен...») наталкиваются на яростный протест... Но как иначе, более эффективно тратить свободу? Этого Жачев в сущности так и не знает. Его «рай» — это отчасти и тупик, упразднение истории как движения. Смерть Насти, оказавшейся, как и всякий человек, слишком хрупкой для превращения во всемирный элемент, поразила его, и он навсегда исчез из утопического оазиса.

Для Сафронова, жаждущего всех несознательных бросить в «рассол социализма», единственной энергией, обеспечивающей движение вперед, «крепость рассола», является непрерывное обострение борьбы, умножение схваток, драм очищения. Иначе, без обострения, все «ослабнут», как Козлов, лезущий в бюрократию. Жачеву нужен новый общепролетарский дом, чтобы скорее старый «город сжечь», а Сафронову он нужен как своеобразное преодоление одиночества, победа над скучным «неперестроенным» пространством. А потому — копать, копать, «добыть истину из земного праха»... Но и Сафронова посещает тревога. Не рискованное ли дело они затеяли? Не слишком ли далеко отплыл «корабль»? Сафронов спрашивает рабочего Чиклина: «А отчего, Никит, поле так скучно лежит? Неужели внутри всего света тоска, а только в нас одних пятилетний план?» Ответа он не получает, и его мысль возвращается к знакомому ему средству преодоления тоски, сомнений, тревог: «Мы уже не чувствуем жара от костра классовой борьбы, а огонь должен быть: где же тогда греться активному персоналу!»

Правда, и до него доходит наивная тревога девочки Насти (ее роль умиротворительницы крайностей, своего рода сердцевины жизни похожа на роль старушки Федератовны в «Ювенильном море») относительно итога всех «ликвидаций», выбраковываний незрелых людей:

«— А с кем останетесь?

— С задачами, с твердой линией дальнейших мероприятий — понимаешь что?»

Но ведь если останется один авангард, без пестрого окружения еще «неготовых», еще «сырых», наивных и даже враждебных людей, то возникнет необычный вид сиротства: «пролетариат и батрачье сословие осиротеют от врагов». «Хороших людей» вроде бы процентно прибавится в мире, замечает девочка Настя, но в итоге какой страшной операции: «Это значит: плохих людей всех убивать, а то хороших очень мало».

Еще сложнее и драматичнее нравственная ситуация, «варианты» надежд в двух различных, но внутренне взаимосвязанных персонажах «Котлована»: рабочем Чиклине и инженере Прушевском. Прошлое, догадывается Прушевский, как бы задумало и родило их «двоешками», оно вселило в них одинаковую, до поры скрытую «слабость»: неизбывную потребность в чуде женской красоты, в нежности и заботе, обращенной к детству («дети — это время, созревающее в свежем теле»). Прообраз всех настроений Чиклина и Прушевского, непривычно элегичных для марширующих рабочих и пионерских колонн, собранных в «Котловане»,— в давнем «кузнечном» стихотворении Андрея Платонова

«Толпы». Молодой поэт писал в начале 20-х годов в духе поэтов «Кузницы»:

> В душе моей движутся толпы...
> Их топот, их радостный топот
> Как камней сползающий грохот,
> Без меры, без края, без счета
> Строят неведомый город...
> Слава безумию, взрывам и топкам
> Грохоту, скрежету, топоту, топоту.
> Мысли и числам неисчислимым
> Цифрам сомкнувшимся, неизмеримым...

Кстати, и здесь уже есть «котлован» и неведомый город. Но юный бард нового, неведомого шествия вдруг заметил и в 1922 году, что толпы отбрасывают прочь, перешагивают через некий силуэт девушки, через образ беззащитной красоты, они заслоняют его рядами железных спин, сомкнутых чисел... Он дописывает свой ряд похвал колоннам, толпам, «достреливает» обойму, но какой-то еле ощутимый сбой произошел в нем самом:

> История больше не даст перебоя,
> В машине сгорает мир тайн и вещей.
>
> Любовь — это девушка, шепот,
> Но ночью там движется топот,
> Идут по душе моей толпы.

Грустноватая победоносность... Но этот женский силуэт не исчез. В душах Чиклина и Прушевского, разыскавших почти символическую девушку из их юности, подобравших ее ребенка Настю, ностальгия по «шепоту», красоте, ощущается как еще более сильный «перебой», диссонанс.

Но в этих-то «перебоях», «диссонансах», в скрытой двойственности любого тезиса, внутренней диалогичности любого монолога, «неразрешенности» всех решений и не окончательности любых вариантов — выражение исключительной внутренней свободы Платонова, свободы от всех «тупиков», куда порой заходят его герои. Он в каждом из героев, во всех «крайностях» их мечтаний и деяний, но он и вне их. Он как музыка, которая однажды «подошла к бараку» и убедила всех в своей безграничности, невключенности ни в какой ряд, неподвластности никакой узкой нормативности: «Тревожные звуки внезапной музыки давали чувство совести, они предлагали беречь время жизни, пройти даль надежды до конца и достигнуть ее, чтобы найти там источник этого волнующего пения и не заплакать перед смертью от тоски тщетности».

Все это заставляет отвести от Платонова как чуждую ему нормативность, как явные тенденциозные «приписки» к тексту платоновской утопии все насильственные отождествления «рамок утопии и строительства социализма в России» (свидетелем и летописцем которого он предстает в «Котловане»). Этого отождествления не было, и позиция Платонова вовсе не исчерпана теми или иными репликами героев. Наивны и все истолкования помыслов и действий самих героев, платоновских мечтателей как якобы прямое выражение философии абсурда («представители традиционно неодушевленной массы являются у Платонова выразителями философии абсурда,— писал И. Бродский,— благодаря чему философия эта становится куда более убедительной и совершенно нестерпимой по масштабу»).

Когда-то Осип Мандельштам сказал об удивительном взлете поэтического сознания от земли с тяжким грузом земных же впечатлений:

На страшной высоте земные сны горят,
Зеленая звезда мерцает...

«Земные сны» Андрея Платонова вознесены в «Котловане» на огромную вселенскую высоту гуманистических тревог, забот о человеке и человечестве. Его «зеленая звезда» предстала в этой утопии планетой, где смешаны в причудливых композициях и романтические порывы пересоздать, соперничая с богом, все бытие, и отчаяние от неудач, и мощь, и бессилие, и глубокие заблуждения, и истина. Земные сны о золотом веке, о будущем для людей сверкают каким-то тревожным огнем, предупреждая о необходимости при любой скорости выверять и направление пути, и средства достижения цели... Это безумно тяжело   людям — ведь они часто еще неизвестны сами себе! — но именно «люди, а не боги смотреть назначены вперед...».

«В п р о к» (б е д н я ц к а я х р о н и к а). Впервые журн. «Красная новь», 1931, № 9.

...Предыстория повести, созданной Платоновым в 1929—1931 гг., при кажущейся очевидности темы, типично платоновском построении сюжета — вновь «странствия», полукомические происшествия, гротескные ситуации в степных деревнях «в марте месяце 1930 года», вновь знакомый «душевный бедняк» в роли повествователя — достаточно сложна и не столь уж очевидна.

Прежде всего следует отметить, что летом 1928 года Платонов совместно с Бор. Пильняком по командировке «Нового мира» посещает Воронеж и создает очерки «Че-Че-О» (Областные организационно-философские очерки), появившиеся в «Новом мире» (1928, № 12). Место создания очерков, судя по подписи — «Ямское поле», где находилась дача Пильняка,— возможно, Платонов и жил некоторое время там же, работая не только над «Че-Че-О», но и над рассказами «Государственный житель», «Усомнившийся Макар», каким-то предварительным вариантом «Впрок». Положение с жильем у Платонова, судя по многим рассказам М. А. Платоновой, было чрезвычайно бедственным. Бор. Пильняк вообще крайне активно покровительствовал в это время не обеспеченному ничем новичку в столице Андрею Платонову. Судя по разрозненным скупым материалам, Бор. Пильняк и Андрей Платонов создают в соавторстве не только «Че-Че-О», но и пьесу «Дураки на периферии», а Бор. Пильняк весьма своеобразно аттестует, представляет в 1929 году Платонова литературной общественности: «Системы у нас в блестящем порядке уже лет пять — а писатели, пришедшие за последний год: Юр. Олеша, П. Павленко, Андрей Платонов, в системах не состояли. Даже Либединский и Фадеев, великие систематизаторы, и те возникли до систематизации. И Олеша, и Иванов, и Платонов — приняты потому, что они индивидуальны, сиречь систему нарушают» («Печать и революция», 1929, № 1).

У Пильняка Платонов научился искусству свободного монтажа кадров — плакат, письменный документ, автономная сценка или зарисовка «на полях», вне сюжета. Таков в хронике «Впрок», например, эпизод с Упоевым, который научил колхозников хорошо умываться: «вначале ему пришлось мыться на трибуне посреди деревни...» Или эпизод с налаживанием «аплодирующей машины», как части театрального реквизита.

Однако сближать, тем более отождествлять проблемы и характеры произведений Бор. Пильняка 1929—1930 гг. и платоновскую повесть «Впрок», безусловно, нельзя. Платонов по-своему нарушал нормативность мысли, «систематичность». И в отношениях с Бор. Пильняком он сохранил полнейшую независимость. Так, в пьесе «14 красных избушек» (1936) Платонов с иронией воссоздаст «прозаического великорусского писателя Петра Уборняка» (Пильняка), автора книг «Доходный год», «Бедное дерево», вложит в уста одной героини, экзальтированной секретарши реплику: «Господин Уборняк дал мне командировку во весь Советский Союз — искать древние страшные силы против революции, а сил нет, я устала, искала, не нашла».

В предыстории хроники, помимо поездки 1928 года,— и работа Платонова, губернского мелиоратора в Тамбове и Воронеже (до 1926 года): отсюда повышенное внимание к проблемам орошения, расселения людей в Центрально-Черноземной области («Че-Че-О»), культуре земледелия («основывать совхозные усадьбы прямо на водоразделах»). Весьма существенным был для Платонова при работе над хроникой и опыт создания романа-утопии «Чевенгур» (1929). Герои «Впрок» в сущности ниоткуда не приходят и никуда не уходят, они перемещаются, «кружатся» в особом, осмысленном пространстве, где все есть для нужд того или иного эксперимента, «художества» — и «зажимщики», и «перегибщики», и «отжимщики», и условные кулаки, и «подкулачники», и люди, томимые ностальгией по временам военного коммунизма (Упоев), и чудаки-изобретатели, и даже... бутафорский «бог», выпускающий чернохвостого голубя, означавшего духа святого... Платонов испытывает множество идей, «вечных» и сиюминутных, он сплетает весьма противоречивую, какую-то мозаичную нравственно-философскую систему (шефство — единственный вид безденежного товарообмена, руководители нигде не назначены, а... возникли, книг нет, но все... поэты, сочинители и т. п.). Скорее «надстроить» мир духовно, изгнать то мрачное видение остановившейся, оголенной действительности, неприкрытой после обветшания былых одежд ничем, которое однажды посетило Платонова: «В черноте и великой немости стоят звезды на небе, как большие неморгающие очи, плачут светом» («Родоначальники нации или беспокойные происшествия»).

Совсем не окончательные, часто с иронией поданные открытия, истины, которыми «надстраивала» свои микросообщества крестьянская масса, неискушенная, «сырая», были тенденциозно приняты за окончательную модель мироздания «по Платонову». Это вызвало поток неоправданных критических выпадов против автора «Впрок», осложнивших его судьбу и судьбу «Впрок».

«Ю в е н и л ь н о е   м о р е» (1934). Впервые опубликована в журн. «Знамя», 1986, № 6.

Повесть создавалась в атмосфере затянувшегося непризнания всех усилий Платонова «разъяснить» себя, свое место как активного участника в событиях первой пятилетки. Как известно, в архиве писателя неизвестными массовому читателю остались к этому времени и пьеса об индустриализации «Высокое напряжение» (1932), и антифашистский рассказ «Мусорный ветер» (1932), и библейская повесть «Джан», над которой он работал в конце 1933 года... Из многопланового романа «Чевенгур» увидела свет лишь первая часть — повесть «Происхождение мастера» (1929).

Эти обстоятельства резко обостряли те надежды, которые писатель возлагал на «Ювенильное море» (Море юности). Он явно «хотел быть понят родной страной» (В. Маяковский). Понят и как сатирик, исследователь особой бюрократической прослойки бумажных сусликов, новейшего «крапивного семени», и как романтик, страстно веривший в великие идеи Октября, и как своеобразнейший мастер научно-фантастической прозы, творец «Эфирного тракта» и «Лунной бомбы». Человеческая галерея повести — от бюрократа Умрищева с его лозунгом «не суйся!» и с опорой на неподвижную старину («Чем старина сама себя пережила: она не совалась!») до первооткрывателя «моря юности» инженера Николая Эдуардовича Вермо (намек сразу и на великого мечтателя из Калуги К. Э. Циолковского и на творца учения о сфере разума, «ноосферы» В. И. Вернадского) — необыкновенно богата и сложна. Небольшой степной мясосовхоз в «Родительских двориках» стал своего рода опытной, условной площадкой для многих дерзаний, экономических экспериментов и этических исканий Николая Вермо, молодой руководительницы Надежды Босталоевой, зоотехника Високовского. Будущее, которое они приближают своими делами, неистовым творчеством, не во всем подотчетно, подвластно им. Они первооткрыватели целого мира новых отношений, их мечты часто сделаны из причудливого материала прошлого и настоящего. С глубочайшей искренностью Платонов показывает известную неготовность многих из них даже к тому счастью, которое эти герои... сами же созидают. Так, Николай Вермо и Надежда Босталоева, способные открывать целые моря воды на дне пустынь, мечтать о коровах, способных давать реки молока, прожигать землю вольтовой дугой, не знают еще, как построить собственную семью, не впав в эгоизм личного счастья. Они не знают, как вписать в свой жизненный уклад такое чудо красоты, волнующее и их, как музыка. Из всех форм хозяйственной кооперации та же Босталоева знает только формы шефской помощи. Все решается сразу же, если удается «завести себе шефов, чтобы обратиться к сердцу рабочего класса и тронуть его». И условная старушка Федератовна, собирательный разум, сфера гуманизации и примирения всех крайностей в повести, критерий здравого смысла среди вдохновенных романтиков, рвущих в клочья любой покой, порой вынуждена давать резонный «окорот» работе безостановочного фанатичного ума, грезам наяву этих неистовых мечтателей. Она, например, напоминает Вермо, что, провожая любимую женщину, можно не задавлять в себе грусть:

«Да остановись ты думать хоть ради человека-то,— обиделась на Вермо Федератовна.— Человек уезжает, а он бормочет — голову ей забивает».

Как и утопический роман «Чевенгур» повесть заключает в себе в сжатом, свернутом, часто деформированном виде сложные гуманистические проблемы. И даже проблему сбережения жизни на земле. В ней писатель предстает в смене различнейших состояний — от состояния «восторжен до крика» до состояния «тревожен до боли». В странной «конфузной» форме повести — особенно удивителен самодельный, нарочито корявый язык ее — живет скрытое многоголосие, спрятанная диалогичность, стихия исповеди и сарказма.

«Г о с у д а р с т в е н н ы й   ж и т е л ь». Впервые в журн. «Октябрь», 1929, № 6. В связи с 80-летием со дня рождения А. П. Платонова перепечатан в юбилейном номере журнала «Подъем» (1979, № 4) с развернутым комментарием Л. Коробкова. Текст печатается по изд.: П л а т о н о в А. П. Повести. Рассказы. Из писем. Воронеж, 1982.

Рассказ занимает особое место в сатире А. П. Платонова прежде всего потому, что неожиданно, причудливо-парадоксально слились в нем, и прежде всего в главном герое Петре Евсеевиче Веретенникове, стихии лиризма и сарказма, задушевности и иронии. Для Л. Шубина, одного из талантливейших исследователей творчества А. П. Платонова, этот Веретенников своего рода человек в футляре, педант и формалист. Для Л. Коробкова он — чуть смешной, наивный в своем казенном добротолюбии, гуманист, поглощенный делами республики, «государства заботы».

«С е м е н» (Рассказ из старинного времени). Впервые — в журн. «Красная новь», 1936, № 11. Вместе с рассказом «Алтеркэ» образует дилогию трудного детства, полного невыносимого отчуждения, сиротства, в старинные, то есть предреволюционные, времена. П л а т о н о в А. Величие простых сердец. М., «Моск. рабочий», 1976.

«Н а з а р е т у м а н н о й ю н о с т и». Впервые под названием «Ольга» в «Новом мире», 1938, № 7

Судьба девочки-сироты, осознающей себя нужной другим людям, обретающей обостренное чувство родства с ними в момент самопожертвования, спасения эшелона с красноармейцами,— один из интереснейших вариантов «выхода в счастье», состоявшейся человеческой жизни.

«Л у г о в ы е м а с т е р а». Впервые — отдельное издание. М., ГИЗ, 1928 г.

«Р е к а П о т у д а н ь». Впервые в сб.: Река Потудань. М., «Советский писатель», 1937.

Проблематика этого рассказа может быть понята в свете платоновских высказываний о смысле любви, о соотношении «пола и сознания» (так называется доклад А. Платонова, прочитанный в 1920 г. в воронежском клубе журналистов), в контексте таких его произведений, как статья «Но одна душа у человека» («Воронежская коммуна», 1920, 17 июня), как рассказ «Антисексус» (1926) и др. В 20-е годы А. Платонов пропагандировал абстрактно-аскетические мотивы, характерные для литературы того времени. «Пол — душа буржуазии. Сознание — душа пролетариата... Пусть не женщина — пол со своей красотою, а мысль будет невестой человеку. Ее целомудрие не разрушит наша любовь»,— так писал он в рецензии на спектакль по роману Ф. М. Достоевского «Идиот» («Воронежская коммуна», 1920, 17 июня). Отголоски этого неприятия любви, как слабости, слышны и в «Джан», где юная героиня только улыбается Чагатаеву улыбкой маленькой женщины, которая «может любить только в душе, *но обниматься не хочет и боится поцелуев как увечья*». И в статье о творчестве Э. Хемингуэя, обращаясь к героям романа «Прощай, оружие!», Платонов будет развивать эти же мотивы.

Не случайно — словно отрицая любовь как роковое ослепление, любовь как «солнечный удар» (И. Бунин), любовь как поединок роковой — Платонов мог сказать о своем герое: «...он поселился в избе ее родителей, а потом *постепенно женился на ней*, приучив ее к себе до того, что она полюбила его» («Глиняный дом в уездном саду»). Только такое целомудрие любящего не наносит травмы, «увечья» любящей.

Рассказ «Река Потудань» отразил процесс сложной ломки этих, чересчур схематичных, представлений Платонова о поле и сознании. На поведение Никиты Фирсова, героя отчасти «вычисленного», рационально сконструированного, и здесь оказывает воздействие мысль автора о постыдности «наслаждения» в любви, о том, что «обладание» убивает «поклонение» женщине.

«Д ж а н». Впервые в отрывках в «Лит. газ.», 1938, № 43, 5 авг. («Возвращение на родину»), в журн. «Огонек», 1947, № 15 («Счастье вблизи человека»). Посмертно в сокращенном виде в журн. «Простор», 1964, № 9.

В архиве А. П. Платонова среди заметок и набросков хранится такая запись: «Важное. Утрата матери Чагатаевым — утрата души; и поиски души всю остальную жизнь» (ЦГАЛИ, арх. А. П. Платонова, ф. 2124, оп. 1, ед. хр. 99, л. 6). Впервые отыскавшая и опубликовавшая эту запись кандидат филологических наук Н. Г. Полтавцева (статья «Человек и природа. Философские повести «Женьшень» М. Пришвина и «Джан» А. Платонова») так определила смысл повести «Джан», ее основной мотив: «Как и Пришвин, Платонов понимает, что человек часть природы, но понимает по-иному. Пафос социальных преобразований побуждает Чагатаева поставить перед собой сложнейшую задачу: преодолеть отчуждение между людьми и миром, превратить их из природного вещества в людей общественных...» (Филологические этюды. Ростов, изд.-во Рост. ун-та, 1977, с. 27—28).

Критика уделила много внимания этой замечательной повести. В интересных работах Л. Аннинского пафос социальных преобразований 30-х годов, отмеченный Н. Г. Полтавцевой, конкретно-исторические истоки гуманистического подвига коммуниста Назара Чагатаева, главного героя повести, выводящего народ «джан» из мертвой впадины в пустыне, смещены, несколько произвольно, на второй план. Для Л. Аннинского главное в повести — попытка соединить европейский миф о Прометее с «азиатским мифом о народе, идущем через пустыню к земле обетованной» («Восток и Запад в творчестве Андрея Платонова».— «Простор», 1968, № 7, с. 94—95). Для критика В. Турбина «Джан» — почти легенда, прекрасная и полузабытая, где «есть пророк... есть народ, который он выводит из мрака» («Мистерия Андрея Платонова».— «Мол. гвардия», 1965, № 7, с. 302). Элементы «символической двуплановости», «реалистических мифов» наряду с утверждением гуманистической сущности социализма отметили в повести «Джан» Е. Ландау («Странный и обыкновенный человеческий взгляд».— «Новый мир», 1965, № 6), В. Дорофеев (в кн.: Платонов А. В прекрасном и яростном мире. М., «Моск. рабочий», 1965), В. Васильев (Андрей Платонов. М., «Современник», 1982, с. 147).

Письма А. П. Платонова к жене из Туркмении, где он побывал незадолго до I съезда писателей СССР с группой писателей (В. Луговским, Вс. Ивановым, Гр. Санниковым), очерк «Горячая Арктика», написанный в то же время, позволяют яснее увидеть жизненную программу героя повести как реального творца новой судьбы обездоленных и угнетенных, как «большевика пустыни и весны» (Луговской). «Эта программа,— как отметила критик П. А. Бороздина,— перекликается — безусловно, сложно, через «еле уловимые формы фольклорной темы» (Платонов) — с характерными для тех лет мотивами стихов, очерков, посвященных социалистическому строительству в Туркмении:

> Вздымались фабрики, заводы, школы,
> И женщины снимали паранджу,
> И в свежем поколенье комсомола
> Перерождалась Азия...»

(Б о р о з д и н а П. А. Повесть А. Платонова «Джан».— В сб. «Творчество
А. Платонова. Воронеж, изд-во Воронеж. ун-та, 1970, с. 97).

«П о н е б у п о л у н о ч и». Впервые в журн. «Индустрия социализма»,
1939, № 7. Отрывок под названием «Над Пиренеями» — в «Лит. газ.», 1939,
№ 31, 5 июня.

Антифашистский рассказ «По небу полуночи» — еще одна заочная «встреча»
Андрея Платонова с Э. Хемингуэем, с его героями, которые, подобно платонов-
скому Эриху Зуммеру, оказались в рядах защитников Испанской республики.
А. Платонов отлично знал о пребывании Э. Хемингуэя в Мадриде, на Арагонском
фронте и под Теруэлем. К 1939 г., когда писался платоновский рассказ, когда
созрело решение Эриха Зуммера перейти на сторону республиканцев, убить
истукана в фашистской форме Кенига,— республика переживала тяжелые дни.
Э. Хемингуэй написал — незадолго до падения Мадрида — скорбный и просвет-
ленный реквием «Американцам, павшим за Испанию»: «Нам не удалось победить,
и наши мертвые спят в земле Испании. Но жизнь свою они отдали не напрасно,
потому что ни один народ нельзя удержать в рабстве». (Цитируется по кн.:
К а ш к и н И. Эрнест Хемингуэй. М., 1966, с. 169—170).

«О д у х о т в о р е н н ы е л ю д и». Впервые под названием «Одушевленные
люди». Рассказ о небольшом сражении под Севастополем» в журн. «Знамя»,
1942, № 11.

Для Платонова — фронтового корреспондента — было характерно чрезвычайно «личное», повышенно-эмоциональное и глубоко ответственное отношение
к героям, событиям, о которых он писал. Он «впитывал» любое сообщение
с фронта зрением, слухом, всей своей сущностью. «Помнишь о тех, которые,
обвязав себя гранатами, бросились под танки врага? — писал Платонов жене
в 1942 г., напоминая о подвиге группы моряков, защитников Севастополя,
ценой своих жизней остановивших танковую атаку врага.— Это, по-моему,
самый великий эпизод войны, и мне поручено («Красной звезде») сделать из
него достойное памяти этих моряков произведение... Я пишу о них со всей
энергией духа, какая только есть во мне. У меня получается нечто вроде реквиема в прозе. И это произведение, если оно удастся мне, Мария, самого меня хоть
отдаленно приблизит к душам погибших героев... Мне кажется... что мне кое-
что удается, потому что мной руководит воодушевление их подвигом» («Живя
главной жизнью», А. Платонов в письмах к жене, документах и очерках.—
«Волга», 1975, № 9, с. 174).

О героическом подвиге морских пехотинцев В. Цибулько, И. Красносельского, Ю. Паршина, Д. Одинцова, Н. Фильченкова на подступах к Севастополю
летом 1942 г., бросившихся под немецкие танки с последними гранатами, писали
журналисты разных газет. Но платоновское потрясение души, его способность
щедро тратить в творчестве «вещество существования» отразились во всей
структуре рассказа и тем сообщили ему долговечность. На основе «Одухотворенных людей» была создана и поставлена в 1970 г. в Севастопольском театре
(режиссер Н. А. Александров) пьеса «Севастопольские моряки» и музыкальная
трагедия «Июльское воскресение» (в 1971 г.), либретто которой, помимо сюжетного мотива рассказа А. Платонова, вобрало в себя и подлинные письма и
документы погибших воинов.

«В о з в р а щ е н и е». Впервые под названием «Семья Иванова» в журн.
«Новый мир», 1946, № 10—11.

РАННИЕ СОЧИНЕНИЯ

«**Ленин**». Впервые в воронежской газ. «Красная деревня», 1920, 11 апреля, № 29.

«**Но одна душа у человека**». Впервые как рецензия — в газ. «Воронежская коммуна» (1920 г. 17 июля) на спектакль Воронежского театра губвоенкома по роману «Идиот» Ф. М. Достоевского. В 1981 г. статья вошла в публикацию Л. А. Шубина «Начало сознания» в журн. «Лит. обозрение» (1981, № 9). Печатается по этому изданию.

Рецензия на спектакль по роману Ф. М. Достоевского, как и многие другие статьи и корреспонденции А. Платонова начала 20-х годов, свидетельствует не только о свободной ориентации молодого писателя в «силовом поле» литературы и философии, но и о наличии у автора весьма самобытного взгляда на прошлое и будущее культуры.

«**Душа мира**». Впервые в воронежской газ. «Красная деревня», 1920, 18 июля, № 109.

«**Слышные шаги**» (Революция и математика). Впервые в газ. «Воронежская коммуна», 1921, 18 января, № 12.

«**Свет и социализм**». Из арх. А. П. Платонова. ЦГАЛИ, ф. 2124, оп. 1, ед. хр. 32.

«**О любви**». Из арх. А. П. Платонова. ЦГАЛИ, ф. 2124, оп. 1, ед. хр. 32.

«**Человек и пустыня**». Впервые в воронежской «Нашей газете», 1924, 13 авг.

ПИСЬМА

«**Живя главной жизнью**»... Известно, что письма интимно-личного характера «не терпят» посторонних взглядов, многое теряют от них: интонации фраз, скрытый смысл недоговоренностей — все в них внятно лишь одному, родственному сердцу. И человек большого душевного мужества и удивительной скромности, вдова А. П. Платонова Мария Александровна Платонова, делая очень многое для продвижения в печать неопубликованных рукописей писателя, для переиздания его книг, крайне сдержанно относилась ко всем просьбам обнародовать письма Платонова к ней. Только в 1975 году, четверть века после смерти писателя, она подготовила для журнала «Волга» № 9 подборку таких писем с названием «Письма о любви и горе».

Письма А. П. Платонова после этой публикации вошли в состав книги «А. П. Платонов. Повести. Рассказы. Из писем» (Воронеж, 1982). По тексту этого издания, также подготовленного М. А. Платоновой, письма писателя воспроизводятся и в настоящем томе. Тонкими штрихами они воссоздают эпизоды сложной, по-своему мятежной жизни писателя, натуру подлинно художественную, тратившую в творчестве все силы души и сердца. Читателю, безусловно, откроется и то, что на протяжении многих лет — и в 20-е годы, во время жизни в Тамбове, и в предвоенное десятилетие, и в дни войны — Платонова сопровождвождал, по выражению А. Грина, «незримый оркестр», развивая бесконечные вариации некоей основной мелодии, звуки которой, недоступные слуху физическому, оставляли впечатление совершеннейшей музыкальной прелести (А. Грин, рассказ «Сила непостижимого»).

В опубликованных фрагментах писем рождается образ женщины, которая охраняла его домашний очаг, была его опорой, его Музой.

> ...Слава
> Поэта дорога была ей, но
> Она ни разу рук не протянула,
> Чтоб взять себе хотя бы луч один.
>
> *Л. Украинка. «Забытая тень»*

«О д н а ж д ы л ю б и в ш и е». Отрывок из незавершенного романа. Впервые в «Литературной газете», 1983, 19 окт.

«Т р у д е с т ь с о в е с т ь». Из записных книжек разных лет. Печатается в сокращении по тексту публикаций в альманахе «Кубань», 1967, № 11, газ. «Лит. Россия», 1982, № 1, где они были подготовлены к печати М. А. Платоновой и журналистом Г. Н. Елиным.

СОДЕРЖАНИЕ

Составитель
Мария Андреевна Платонова

Андрей Платонович Платонов

ГОСУДАРСТВЕННЫЙ ЖИТЕЛЬ

Редактор *В. П. Стеценко*
Худож. редактор *Е. Ф. Капустин*
Техн. редакторы *Г. В. Климушкина* и *Ю. Н. Чистякова*
Корректор *Т. М. Павлюченко*

ИБ № 6097

Сдано в набор 24.06.87. Подписано к печати 29.01.88. А 05314. Формат 60×90¹/₁₆. Бумага офсетная № 1. Гарнитура «Таймс». Печать офсетная. Усл. печ. л. 38. Уч.-изд. л. 42,96. Тираж 200 000 экз. (1-й з-д 1—100 000 экз.) Заказ № 438. Цена 3 р. Ордена Дружбы народов издательство «Советский писатель», 121069, Москва, ул. Воровского, 11. Тульская типография Союзполиграфпрома при Государственном комитете СССР по делам издательств, полиграфии и книжной торговли, 300600, г. Тула, проспект Ленина, 109